Paris Pas Cher

2004

Anne et Alain Riou

Paris Pas Cher
2004

Éditions du Seuil

Pour joindre Paris Pas Cher

**Paris Pas Cher
19 av. Georges-Brassens
94550 Chevilly-Larue**

**Téléphone (répondeur) et fax :
01 41 73 74 92**

ISBN 2-02-060612-7

© ÉDITIONS DU SEUIL, septembre 2003

Sommaire

La mode, toutes voiles dehors 9

Le palmarès des lecteurs 10

Mode 13
- Beauté 29
- Bijoux, montres 46
- Chaussures 56
- Chaussures enfant 64
- Cuirs, peaux et fourrures 67
- Lingerie 71
- Sacs, bagages, chapeaux et accessoires 77
- Vêtements femme 83
- Vêtements femme et homme 103
- Vêtements homme 117
- Vêtements branché 125
- Vêtements jeune 129
- Vêtements enfant 133
- Vêtements retouches 138

Alimentation 139

Arts de la table 156

Auto, moto, vélo 164
- Auto 167
- Moto 171
- Vélo 176

Balades 179
- Dans Paris 181
- Hors Paris 184

Bars, boîtes 190

Bricolage, décoration, beaux-arts 204
- Cadres, tableaux et pinceaux 207
- Luminaires 211
- Objets décoratifs 212
- Outils et matériaux 214
- Revêtements sols et murs, tapis 220
- Stores et rideaux 226

Cadeaux 228

Cinéma 239

Cuisines, salles de bains, carrelages 244

Culture 250
- Artisanat de loisirs-créations 253
- Bibliothèques, médiathèques 254
- Centres culturels 256
- Cours divers 257

Électroménager 260

Enfants 268
- Bébé, puériculture, meubles 271
- Garde et aide aux devoirs 277
- Jouets et jeux 279
- Loisirs 284

Fêtes et mariages 291

Fleurs et jardins 301

GRATUIT 310
- Beauté 314
- Centres culturels 314
- Concerts 315
- Cours 318
- Divers 320
- Musées 323
- Renseignements, aide, conseils 325
- Santé 328
- Sports 330

Hi-fi, vidéo, photo, télévision 333

Hôtels, logement 342

Informatique, Internet, bureautique, téléphonie 365

Jeunes, étudiants 378

Linge de maison 389

Magasins d'usines 395

Meubles et brocante 401

Musique, livres 426

Optique, santé 436

Services 444
- A domicile 448
- Artisans, réparations 451
- Déménagement, débarras 457
- Location 461
- Divers 463

Sports : pratique, vêtements et matériel 467

Théâtre, danse 482

Tissus, mercerie 492

Voyages 501

Restaurants 507
- Restaurants à moins de 9 € 521
- Restaurants de 9 à 13 € 538
- Restaurants de 13 à 20 € 561
- Restaurants de 20 à 28 € 587
- Restaurants à plus de 28 € 599
- Restaurants de banlieue 601

Index des raisons sociales 607

Index « Que cherchez-vous ? » 627

Pour obtenir la carte Paris Pas Cher 2003 631

Pour obtenir la carte Paris Pas Cher 2004, reportez-vous à la fin de l'ouvrage, remplissez le questionnaire et renvoyez-le à l'adresse suivante :

**Paris Pas Cher
19 av. Georges-Brassens
94550 Chevilly-Larue**

COORDINATION GÉNÉRALE
Francis Schull

HARMONISATION ÉDITORIALE ET SUIVI DE FABRICATION
Dominique Beaux

ENQUÊTES

Mode :
- Beauté : **Anne Ankle**
- Bijoux, montres : **Thérèse Binchet**
- Chaussures : **Corinne Aymé**
- Cuirs, peaux et fourrures et retouches : **Annette Rapin**
- Lingerie : **Raphaelle Lempert**
- Sacs, bagages, chapeaux et accessoires : **Raphaelle Lempert**
- Vêtements femme et femme/homme : **Anne Riou**
- Vêtements jeune et branché : **Anne Riou**
- Vêtements homme : **Raymonde Lanne**
- Vêtements et chaussures enfant : **Céline Acharian**

Alimentation : **Jean-Luc Delblat**

Arts de la table : **Jean-Louis Darrieu**

Auto, moto, vélo : **Gérard Tison**

Balades : **Anne Penmorvan**

Bars, boîtes de nuit : **Nicolas Schull**

Bricolage, décoration : **Florence Riou**

Cadeaux : **Antonella Haffaf**

Cinéma : **Alain Riou**

Cuisines, salles de bains, carrelages : **Antonella Haffaf**

Culture : **Anne Paris**

Électroménager : **Julie Clavis**

Enfants : **Céline Acharian**

Fêtes et mariages : **Valérie Milan**

Fleurs et jardins : **Florette Kerguen**

Gratuit : **Linda Tornozelo**

Hi-fi, vidéo, photo, télévision : **Armelle Hauton**

Hôtels, logement : **Nicolas Marrache**

Informatique, Internet, bureautique : **Jean-Baptiste Evette**

Jeunes, étudiants : **Corinne Aymé**

Linge de maison : **Armelle Hauton**

Magasins d'usines : **Léa Schublux**

Meubles et brocante : **Thérèse Binchet**

Musique, livres : **Aglou**

Optique, santé : **Liza Bru**

Services : **Nicolas Marrache**

Sports : **Céline Acharian**

Théâtre, danse : **Jean-Luc Delblat**

Tissus, mercerie : **Antonella Haffaf**

Voyages : **Francis Schull**

Restaurants : **Francis Schull**

Composition, mise en pages, maquette :
I.G.S. - Charente Photogravure
(Sylvie Bodier, Séverin Coudreau, Jocelyne Douteau,
Fabrice Gélinaud, Bernard de Montazet,
Thierry Pascaud)

Révision : **Jean-Baptiste Evette**

NOUS REMERCIONS

Rémi Amar, Jacques Binsztok, Christophe Bocal,
Nathalie Cordier, Orélie Delaunay,
Florence Lécuyer, Sandra Lumbroso,
Pascal Mobihan, Nathalie Richard
et Alix Willaert
pour leur soutien et/ou leur collaboration,
Zorro et Carmen, pour leur silence,
les Georgeous Goldwin Girls, un peu séniles,
mais toujours sémillantes,
et tous les lecteurs qui nous ont écrit, téléphoné, faxé
pour nous communiquer leurs bonnes adresses… et leurs critiques.

Pour joindre Paris Pas Cher

Paris Pas Cher
19 av. Georges-Brassens
94550 Chevilly-Larue

Téléphone (répondeur) et fax :
01 41 73 74 92

La mode, toutes voiles dehors

700 adresses mode. 700 boutiques – dont bon nombre de nouvelles – où fureter pour trouver le petit top, l'ensemble, la paire de chaussures ou le coiffeur qui vont peut-être changer votre vie. 700 endroits que nos enquêteurs ont tous visités pour être certains qu'ils vous satisferont, que leur rapport qualité/prix ne vous décevra pas. 700 vraies bonnes adresses de mode. Voilà le cadeau de Paris Pas Cher cette année.

Et pour ne pas changer, nous avons procédé à une remise à jour générale et ajouté de nouvelles bonnes adresses dont, rappelons-le, certaines nous ont été directement suggérées par vous, lecteurs. Surtout, continuez à nous faire part de vos suggestions, de vos désirs, de vos découvertes. De vos déceptions aussi. Tout cela nous est très précieux pour améliorer, compléter, enrichir Paris Pas Cher. Préférez le courrier ou le fax : notre téléphone est parfois quelque peu encombré et nous sommes plus souvent sur le terrain pour dénicher l'adresse qui vous fera saliver que devant notre bureau à attendre les coups de fil ou déchiffrer les messages qui ont réussi à se frayer un chemin jusqu'à nous.

Sur ce, bonne lecture. Et bonnes emplettes.

L'équipe de Paris Pas Cher

Å **Adresse particulièrement recommandée**

♛ **Adresse haut de gamme : le luxe à prix abordable**

LE PALMARÈS DES LECTEURS

→ Les nouveaux promus

Voici les adresses qui, cette année, recueillent le plus de commentaires favorables de votre part, lecteurs (les lauréats des deux dernières années encore plébiscités cette année, n'ont pas été retenus. Vous trouverez leur liste en page de droite). La <u>tour Eiffel d'or</u> est attribuée aux adresses recueillant le plus de suffrages, suivie de la <u>tour Eiffel d'argent</u> et la <u>tour Eiffel de bronze</u>.

Tour Eiffel d'or : à visiter d'urgence

- Parapharmacie Fouhety (parapharmacie, p. 31)
- Dreyfus Déballage Saint-Pierre (tissus, p. 497)
- Chez Papa (restaurant, p. 549)
- Villa Tang (restaurant, p. 525)
- Épi Luminaires (luminaires, p. 211)
- Sympa (vêtements femme et homme, p. 111)

Tour Eiffel d'argent : des adresses d'exception

- Sauvel Natal (puériculture, p. 273)
- Parallèles (CD musique, p. 428)
- Stock Caroll (vêtements femme, p. 101)
- Lionel Nath (vêtements homme, p. 118)
- Tashi Delek (restaurant, p. 544)
- Fleurs d'Auteuil (fleurs, p. 305)

Tour Eiffel de bronze : très appréciées

- Salon de thé et restaurant de la Mosquée de Paris (restaurant, p. 590)
- Les Associés (restaurant, p. 605)
- Brico Monge (bricolage, p. 215)
- Ammoniaque (vêtements femme, p. 85)
- Le Dépôt-Vente de Paris (meubles, brocante, p. 417)
- Cacharel Stock (vêtements femme et homme, p. 107)

Les vieilles gloires

Vous les avez encore plébiscitées cette année : les adresses ci-dessous ont déjà connu vos faveurs les années précédentes. A ces deux titres, elles méritent vos applaudissements... et une nouvelle visite.

Tour Eiffel d'or : à revisiter d'urgence

- La Maroquinerie Parisienne (maroquinerie, p. 79)
- Kookaï le Stock (vêtements jeune, p. 130)
- Petit Bateau Stock (vêtements enfant, p. 136)
- Toto (tissus, linge de maison, p. 392, 498)
- Serap (électroménager, p. 262)
- La Crêperie des Canettes (restaurant, p. 525)

Tour Eiffel d'argent : toujours d'exception

- Tang Frères (alimentation, p. 146)
- Artirec (revêtements sols et murs, p. 222)
- Monceau Fleurs (fleurs, p. 302)
- Jussieu Musique (CD musique, p. 429, 430)
- Scalp (vêtements femme, p. 92)
- La Clé des Marques (vêtements femme et homme, p. 103)

Tour Eiffel de bronze : toujours très appréciées

- La Flèche d'Or (boîte de nuit, p. 201)
- Latina Café (boîte de nuit, p. 196)
- Chez Clément (restaurant, p. 565, 601)
- Surcouf (informatique, p. 367)
- H et M (vêtements femme et homme, p. 103)
- Magenta Chaussures (chaussures enfant, p. 64)

Pour joindre Paris Pas Cher

**Paris Pas Cher
19 av. Georges-Brassens
94550 Chevilly-Larue**

**Téléphone (répondeur) et fax :
01 41 73 74 92**

MODE : LES
700
VRAIES BONNES
ADRESSES

Que vous soyez « fashion victims », soucieux de votre élégance ou plus simplement près de vos sous quand il s'agit de prendre la grave décision de changer de chaussures, de robe ou de cravate, voici qui va particulièrement vous intéresser : plus de 700 adresses (soit une bonne centaine de plus que l'an dernier) consacrées à la mode. Un dossier que nous espérons complet et sur lequel, en tout cas, nous avons essayé de trouver les meilleures adresses de la capitale.

¿ QUE CHERCHEZ-VOUS ?

 BEAUTÉ

BRONZAGE
30 Point Soleil (1er, 4e, 5e, 6e, 7e, 8e, 9e, 10e, 11e, 12e, 13e, 15e, 16e, 17e, 18e, 20e)
30 Beauté'Épil (2e)
34 Sunlab (10e)
35 Charme d'Orient (12e, 16e)
35 Studio Croix Nivert (15e)

CENTRES DE PERFECTIONNEMENT DE COIFFEURS
43 Centre de formation Camille Albane (8e)
44 Centre de formation Jacques Dessange (8e)
44 Centre Technique Professionnel Revlon (8e)
44 Espace Eugène Perma (9e)
44 Mod's Hair (9e)

44 ABC École de Coiffure (10e)
44 Groupe Régis (10e)
44 Académie Rive Droite (11e)
44 Hair Club (11e)
45 Formation Ivan Beauchemin (14e)
45 Centre de Perfectionnement Franck Provost (17e)
45 L'Oréal (92)
45 Saint Karl - Groupe SKD (93)
45 Service Recherche et Développement Wella (93)

COIFFEURS
30 Institut Casanova (2e)
42 Claude Ferron (5e)
42 Tchip Coiffure (9e)
42 Afro-2000 (10e)

42 Richard Coiff'Hom (11e)
42 Fabio Salsa (12e)
42 Haute Coiffure Daumesnil (12e)
42 Création 25 A (15e)
43 Edgar Fab (17e)
43 Club Coiffure (18e)
43 Jacqueline (18e)
43 Coiffure Jacques Delawarde (78)
43 Atelier de coiffure Alain Pagès (92)
43 *Les centres de perfectionnement de coiffeurs*

COSMÉTIQUES AUX PLANTES
29 Yves Rocher
31 Parfumerie Fragonard (2e, 7e)
33 The Body Shop (4e, 6e, 9e, 11e, 13e, 15e, 16e)
31 Florame (6e)

¿ QUE CHERCHEZ-VOUS ?

32 Phu-Xuan (6ᵉ)
34 Safraoui (10ᵉ, 11ᵉ)
34 Velan (10ᵉ)

ÉPILATION
30 Beauté'Épil (2ᵉ)
30 École Privée Catherine Sertin (2ᵉ)
32 École Françoise Morice (8ᵉ)
32 École Internationale d'Esthétique Régine-Ferrère (8ᵉ)

HAMMAMS
31 Hammam de la Grande Mosquée de Paris (5ᵉ)
35 Charme d'Orient (12ᵉ, 16ᵉ)

MAQUILLAGE
34 Viseart (11ᵉ)

MASSAGES
30 Beauté'Épil (2ᵉ)

PARAPHARMACIES
31 Parapharmacie Fouhety (6ᵉ)
33 Mogador Santé (9ᵉ)

35 Conseil Santé Beauté (17ᵉ)

PARFUMERIES
29 Le Club des créateurs de beauté
29 Yves Rocher
29 Catherine (1ᵉʳ)
31 Parfumerie Fragonard (2ᵉ, 7ᵉ)
33 The Body Shop (4ᵉ, 6ᵉ, 9ᵉ, 11ᵉ, 13ᵉ, 15ᵉ, 16ᵉ)
32 Make Up For Ever (8ᵉ)
33 Maki (9ᵉ)
33 Delorme (10ᵉ)
35 Discount Beauté (13ᵉ)
36 *La Beauté circule en Caddie*

PÉDICURIE
31 École Française d'Orthopédie et de Masso-Kinésithérapie (5ᵉ)
42 Afro-2000 (10ᵉ)

SOINS DES MAINS
30 Institut Casanova (2ᵉ)

32 École Françoise Morice (8ᵉ)
32 École Internationale d'Esthétique Régine-Ferrère (8ᵉ)
42 Afro-2000 (10ᵉ)
36 Show-Room Peggy Sage (17ᵉ)
36 École de Formation Onglerie (92)

SOINS DU CORPS
30 École Privée Catherine Sertin (2ᵉ)
33 Mogador Santé (9ᵉ)
35 Charme d'Orient (12ᵉ, 16ᵉ)
36 École de Formation Onglerie (92)

SOINS DU VISAGE
30 École Privée Catherine Sertin (2ᵉ)
32 École Françoise Morice (8ᵉ)
32 École Internationale d'Esthétique Régine-Ferrère (8ᵉ)

VOIR AUSSI
314 « Gratuit - Beauté »

¿ QUE CHERCHEZ-VOUS ?

 ## BIJOUX, montres

ALLIANCES
54 La Maison de l'Alliance (8ᵉ)
54 Comptoir 62 La Fayette (9ᵉ)

BIJOUX ANCIENS
54 Osprey (2ᵉ)
47 Crédit Municipal de Paris (4ᵉ)
48 Au Fil des Perles (6ᵉ)
53 Antoine Camus (8ᵉ, 16ᵉ)
49 De Mayo (8ᵉ)
50 Ève Cazes (8ᵉ)
51 Madime (9ᵉ)
51 Perrono (9ᵉ)
51 Maeght-Perrono (16ᵉ)
53 Empire de la Passion (18ᵉ)
54 Montgolfière (18ᵉ)

BIJOUX EN ARGENT
54 Montgolfière (18ᵉ)

BIJOUX FANTAISIE
46 20 sur 20 (1ᵉʳ)
46 Cécile Jeanne (1ᵉʳ, 3ᵉ, 6ᵉ, 12ᵉ)
49 Gudule (1ᵉʳ, 6ᵉ, 11ᵉ, 18ᵉ)
48 Métal Pointu's (1ᵉʳ, 4ᵉ, 6ᵉ, 11ᵉ)
46 Éric et Lydie (2ᵉ)
47 Aratto (4ᵉ)
54 Claire's (4ᵉ)
48 Monic (4ᵉ, 6ᵉ)
48 Pierre Caron (4ᵉ)

86 Dépôt-Vente de Buci-Bourbon (6ᵉ)
49 Galerie Lorelei (7ᵉ)
54 La Cie Colons (9ᵉ)
55 L'Étoile de La Fayette (10ᵉ)
52 Tou-Main (10ᵉ)

DÉPÔTS-VENTES
48 Au Fil des Perles (6ᵉ)
53 Antoine Camus (8ᵉ)
49 De Mayo (8ᵉ)
50 Ève Cazes (8ᵉ)
52 Florent Joaillier (15ᵉ)

JOAILLIERS
54 Tati Or
47 Atelier Julien Créations (3ᵉ)
47 Sodexor (3ᵉ)
48 Au Fil des Perles (6ᵉ)
52 La Compagnie des Gemmes (7ᵉ, 15ᵉ, 78)
53 Antoine Camus (8ᵉ, 16ᵉ)
49 De Mayo (8ᵉ)
54 La Maison de l'Alliance (8ᵉ)
50 Marthan Lorand (8ᵉ)
50 Ateliers Tamalet (9ᵉ)
54 Comptoir 62 La Fayette (9ᵉ)
51 Madime (9ᵉ)
51 Perrono (9ᵉ)

51 Robert (9ᵉ, 92)
51 Scherlé (9ᵉ)
55 L'Étoile de La Fayette (10ᵉ)
54 Luma (11ᵉ)
52 Florent Joaillier (15ᵉ)
53 Créations Tesoro (16ᵉ)
51 Maeght-Perrono (16ᵉ)
54 Montgolfière (18ᵉ)

MONTRES
55 Louis Pion (2ᵉ)
55 Top Time (4ᵉ)
50 Ève Cazes (8ᵉ)
50 Marthan Lorand (8ᵉ)
55 Geoffroy (9ᵉ)
55 Scarlett (9ᵉ)
55 L'Étoile de La Fayette (10ᵉ)
54 Luma (11ᵉ)
55 L'Heure du Cadeau (95)
55 New Time (95)

PERÇAGE D'OREILLES
54 Claire's (4ᵉ)

PERLES
47 Atelier Julien Créations (3ᵉ)
48 Au Fil des Perles (6ᵉ)
52 La Compagnie des Gemmes (7ᵉ, 15ᵉ, 78)
50 Marthan Lorand (8ᵉ)
50 Ateliers Tamalet (9ᵉ)

51 Madime (9ᵉ)
52 Florent Joaillier (15ᵉ)

**RÉPARATIONS
DE MONTRES**
55 Louis Pion (2ᵉ)
55 Top Time (4ᵉ)
55 Geoffroy (9ᵉ)
55 L'Étoile de La Fayette (10ᵉ)
54 Luma (11ᵉ)
52 Florent Joaillier (15ᵉ)

**TRANSFORMATIONS,
RÉPARATIONS
DE BIJOUX**
49 Gudule (1ᵉʳ, 6ᵉ, 11ᵉ, 18ᵉ)
54 Osprey (2ᵉ)
48 Monic (4ᵉ, 6ᵉ)
48 Au Fil des Perles (6ᵉ)
53 Antoine Camus (8ᵉ, 16ᵉ)
49 De Mayo (8ᵉ)
50 Ève Cazes (8ᵉ)
51 Madime (9ᵉ)

51 Perrono (9ᵉ)
51 Robert (9ᵉ, 92)
51 Scherlé (9ᵉ)
55 L'Étoile de La Fayette (10ᵉ)
52 Florent Joaillier (15ᵉ)
53 Créations Tesoro (16ᵉ)
51 Maeght-Perrono (16ᵉ)

VOIR AUSSI
228 « Cadeaux »

L'index des raisons sociales et commerciales se trouve en page 607.

L'index des produits recensés dans Paris Pas Cher se trouve en page 627.

¿ QUE CHERCHEZ-VOUS ?

➔ CHAUSSURES

BRANCHÉ
56 Show sur Stock (1er, 9e)
56 Dina Brice (3e)
56 La Halle aux Chaussures (3e, 12e, 18e, 19e)
57 Lazio Chaussures (3e)
57 Melbury (3e)
63 Rudy's (6e)
61 Mi-Prix (15e)
61 Grolle (18e, 20e)

CHIC
56 Dina Brice (3e)
57 Lazio Chaussures (3e)
57 Melbury (3e)
57 Corine (6e)
63 Finsbury (6e)
58 Moda di Andrea (9e)
59 Sabotine (11e)
60 Lord's Field (15e)
62 Pallio Store (78)
62 Stéphane Kélian (Solderie) (91)
62 Manufacture W (93)
62 Lady Shoes (94)

CLASSIQUE
56 Dister (3e, 15e, 16e, 17e)
63 JNK (3e)
57 Kevin Dorfer (7e, 78)
58 Thierry 21 (7e, 8e, 15e, 16e, 17e, 92)

63 La Mode à Petit Prix (9e)
58 Emilio Balaton (10e)
59 Royal Shoes (10e)
59 Sabotine (11e)
61 Grolle (18e, 20e)
62 Regina (78, 93, 95)
62 Lady Shoes (94)

CORDONNERIE
59 À la Ville, À la Montagne (11e)
61 Norbert Bottier (15e)

DISCOUNT
65 Kata (4e, 18e)
58 Moda di Andrea (9e)
63 Chaussures « Direct » d'Usine (15e)
61 Grolle (18e, 20e)
62 Pallio Store (78)

ENFANTS
56 La Halle aux Chaussures (3e, 12e, 18e, 19e, 20e)
65 Kata (4e, 18e)
64 Petits Petons (4e, 6e, 8e, 11e, 14e, 17e, 92, 94)
58 Emilio Balaton (10e)
59 Prêt à Marcher 20 € (10e)
59 Royal Shoes (10e)

60 Stocks André (10e, 13e, 19e)
64 La Poudre d'Escampette (14e)
64 Mille Pattes (15e, 16e)
65 Il Court le Furet (17e)
135 LPB (17e)
65 Un Monde pour Eux (17e)
65 Comme Il Vous Plaira (18e)
61 Grolle (18e, 20e)
66 Kickers (91, 93)
136 Jacadi (95)

PIEDS SENSIBLES
56 La Halle aux Chaussures (3e, 12e, 18e, 19e)
59 Royal Shoes (10e)

QUOTIDIEN
56 La Halle aux Chaussures (3e, 12e, 18e, 19e, 20e)
59 Prêt à Marcher 20 € (10e)
59 Sagone Stock (10e)
60 Stocks André (10e, 13e, 19e)

SPORTSWEAR
57 Corine (6e)
60 Shoes It (11e)

STOCKS DE MARQUES
56 Dister (3e, 15e, 16e, 17e)

¿ QUE CHERCHEZ-VOUS ?

63 JNK (3ᵉ)
59 Royal Shoes (10ᵉ)
59 Sagone Stock
(10ᵉ)
60 Stocks André
(10ᵉ, 13ᵉ, 19ᵉ)
59 Sabotine (11ᵉ)
107 Jyve Stock (12ᵉ)
61 Mi-Prix (15ᵉ)

63 Griff Shoes
(18ᵉ)
62 Regina (78, 93,
95)
62 Stéphane Kélian
(Solderie) (91)
62 Manufacture W
(93)
62 Lady Shoes (94)

STYLE ANGLAIS
57 Bexley (4ᵉ, 7ᵉ,
17ᵉ)
60 British Shoes (8ᵉ,
10ᵉ, 12ᵉ)
60 Lord's Field (15ᵉ)
61 Norbert Bottier
(15ᵉ)
61 Stéphane (17ᵉ)

**Vous voulez recevoir gratuitement
le prochain Paris Pas Cher ? Signalez-nous,
par courrier, une bonne adresse qui n'y figure pas
ou une erreur qui se serait glissée dans le texte (si, si, ça arrive),
avant le 1ᵉʳ février 2004.**

**Si vous êtes le premier (ou la première) à nous l'avoir signalée,
et que nous la retenons,
vous recevrez un exemplaire du guide 2005,
à paraître en septembre 2004.**

**Paris Pas Cher
19 av. Georges-Brassens
94550 Chevilly-Larue**

¿ QUE CHERCHEZ-VOUS ?

➔ CUIRS, peaux et fourrures

CUIRS
- **67** Pacha Boutique (1er)
- **68** JCS (3e)
- **118** Johann (3e)
- **68** Peaux d'Ève (3e)
- **68** Vertiges (4e)
- **69** Adam's (9e)
- **69** Jekel Paris (10e)
- **127** Come On Eileen (11e)
- **108** Stock Chevignon (14e, 93)
- **121** Fabienne (16e)
- **94** Réciproque (16e)
- **69** Henceford (17e)
- **96** Coat Concept (77)

- **70** Maud Frizon Stock (77)

CUIRS : RÉPARATIONS
- **69** Adam's (9e)
- **69** Henceford (17e)

FAUSSES FOURRURES
- **67** Jean-Louis de Paris (2e)
- **68** Imex (3e)

FOURRURES
- **67** Roger Gerko (1er)
- **67** Henri Gruber (3e)
- **68** Vertiges (4e)
- **69** Les Deux Oursons (15e)

- **94** Les Caprices de Sophie (16e)
- **96** Coat Concept (77)

MESURE FEMME
- **68** JCS (3e)
- **68** Peaux d'Ève (3e)

MESURE HOMME
- **68** Peaux d'Ève (3e)

MOUTON RETOURNÉ
- **67** Pacha Boutique (1er)
- **67** Roger Gerko (1er)
- **68** JCS (3e)
- **68** Peaux d'Ève (3e)
- **69** Jekel Paris (10e)

A Adresse particulièrement recommandée

👑 Adresse haut de gamme : le luxe à prix abordable

¿ QUE CHERCHEZ-VOUS ?

 LINGERIE

**CHAUSSETTES
ET COLLANTS**
76 Dim (78, 93, 95)
75 Olympia (93, 95)
75 Well (95)

LINGERIE FEMME
103 H et M
73 Body One (1er,
8e, 12e, 14e, 92)
103 La Clef des
Marques (1er, 6e,
7e, 12e, 92, 94)
129 Jennifer (1er)
71 DS Lingerie (2e,
11e, 14e, 17e)
130 Le Stock (2e, 94)
75 Un Amour de
Lingerie (2e, 14e)
111 Tati (3e, 11e, 13e,
14e, 18e)
71 Princesse
Tam-Tam (4e)
75 Comme des
Femmes (6e)
71 Darjeeling (6e)
72 Orcanta Lingerie
(6e, 9e, 15e, 17e)
105 Griffes de Mode
(8e)
71 Valege (8e)
72 Eurodif Lingerie
(9e)
72 TAB Lingerie (9e,
20e)

74 Nina Lingerie
(10e)
73 Caprices (11e)
73 Comptoir de la
Lingerie (11e,
20e)
107 Jyve Stock (12e)
73 Les Dessous
d'Ève (15e)
73 Nikita (17e)
75 Samy Lingerie
(17e)
74 OH et BA (18e)
111 Sympa (18e, 19e,
77, 92, 94)
75 Beauvallet-
Naturana (77)
74 Chantelle stock
(77)
76 Dim (78, 93, 95)
74 Laurence
Tavernier (92)
114 Via Appia (92)
101 1-2-3 Stock (93,
95)
74 Victoria Lingerie
(93)
114 Dynamit' (94)
75 Well (95)

LINGERIE HOMME
105 Griffes de Mode
(8e)
72 Aux Garçons
Martyrs (9e)

73 Caprices (11e)
76 Dim (78, 93, 95)
74 Distribem (78,
93)
114 Dynamit' (94)

MAILLOTS DE BAIN
71 DS Lingerie (2e,
11e, 14e, 17e)
72 Orcanta Lingerie
(6e, 9e, 15e, 17e)
71 Valege (8e)
74 Nina Lingerie
(10e)
73 Comptoir de la
Lingerie (11e,
20e)
73 Les Dessous
d'Ève (15e)
73 Nikita (17e)
74 OH et BA (18e)
74 Victoria Lingerie
(93)

PYJAMAS
71 Darjeeling (6e)
74 Distribem (78,
93)
74 Laurence
Tavernier (92)
114 Via Appia (92)

XXL LINGERIE
73 Les Dessous
d'Ève (15e)

→ SACS, bagages, chapeaux et accessoires

BAGAGES
- **77** Balenzo (1er)
- **77** Malles Bertault (2e)
- **77** Lanssac Diffusion (4e)
- **78** Bali-Balo (6e)
- **82** Maroquinerie Vaugirard (6e)
- **82** Stock Sacs (7e)
- **79** La Maroquinerie Parisienne (9e)
- **79** Georges (11e)
- **80** Sidonis (18e)
- **81** Mandarina Duck Stock (77)
- **81** Samsonite (CNIE Store) (77)
- **82** Bag à Folie (78)
- **82** Peau d'Âne (92, 92)
- **81** Laurent (maroquinerie) (93)
- **81** La Maison du Cuir (93)
- **81** Pacific Cuir (95)

BRACELETS-MONTRES
- **80** Les Cuirs Delamare (17e)

CARRÉS DE SOIE, FOULARDS
- **77** Sélection Privée (1er, 15e, 16e)
- **78** Couleurs d'Ailleurs (3e, 6e)
- **80** Accessoires à soie (17e)

- **80** Sidonis (18e)

CEINTURES
- **78** Losco (4e, 6e)
- **80** SETA (20e)

CHAPEAUX
- **78** À la Recherche de Jane (6e)
- **82** Jenny Clenn (9e)

CRAVATES
- **80** Accessoires à soie (17e)

ÉTOLES ET CAPES
- **78** Couleurs d'Ailleurs (3e, 6e)

GANTS
- **78** À la Recherche de Jane (6e)
- **79** Albertson's (9e)
- **79** Georges (11e)
- **80** Sidonis (18e)

PETITE MAROQUINERIE
- **77** Balenzo (1er)
- **77** Lanssac Diffusion (4e)
- **78** Losco (4e, 6e)
- **79** Albertson's (9e)
- **79** Georges (11e)
- **79** Formes et Jeux - Jacques Gauthier (12e)
- **80** Sidonis (18e)
- **81** Samsonite (CNIE Store) (77)

RÉPARATIONS DE BAGAGES
- **77** Malles Bertault (2e)

SACS
- **77** Balenzo (1er)
- **77** Lanssac Diffusion (4e)
- **78** Bali-Balo (6e)
- **82** Maroquinerie Vaugirard (6e)
- **82** Stock Sacs (7e)
- **79** Albertson's (9e)
- **79** La Maroquinerie Parisienne (9e)
- **79** Georges (11e)
- **79** Formes et Jeux - Jacques Gauthier (12e)
- **80** Sidonis (18e)
- **80** Furla (stock) (77)
- **81** Lamarthe (Stock) (77)
- **81** Mandarina Duck Stock (77)
- **81** Samsonite (CNIE Store) (77)
- **82** Bag à Folie (78)
- **82** Peau d'Âne (92, 92)
- **81** Laurent (maroquinerie) (93)
- **81** La Maison du Cuir (93)
- **82** Myrvin (93)
- **81** Pacific Cuir (95)
- **82** Stock Sequoïa (95)

¿ QUE CHERCHEZ-VOUS ?

→ VÊTEMENTS

BRANCHÉ
129 Cop Copine (1er)
125 Énergie (1er)
129 La Friperie de Lulu R. (1er)
129 Jennyfer (1er)
125 Rag (1er, 4e)
129 Son et Image (1er)
125 Des Filles à la Vanille (2e, 4e)
130 Le Stock (2e, 94)
125 Troc Montorgueil (2e)
104 L'Habilleur (3e)
119 Boy'z Bazaar Stock (4e)
125 Zadig et Voltaire (4e)
126 Next Stop (6e)
120 SNAEJ (6e)
126 Côte à Côte (8e, 9e)
88 Mamie (9e)
126 Des Habits et Nous (10e)
127 Stocks et marques (10e)
89 Atelier 33 (11e)
127 Come On Eileen (11e)
127 Nota Bene (11e)
89 Plein Sud Stock (11e)
127 View and Fashion (11e)
91 Sud Express (stock) (14e, 78)
108 Ober Stock Jeans (15e)
127 Okada, Lauranti, Nuffer (18e)
128 Pierina Marinelli (18e)

128 Diesel (77)
96 Indies (stock) (77)
97 Modulo (78)
130 Lulu Castagnette (93)
131 All Spot (94)

CACHEMIRES
105 Scotland - House of cashmere (4e, 6e)

CHEMISES ET CHEMISIERS FEMME
93 Anne Fontaine (2e, 3e, 7e, 8e, 16e, 19e, 77)
104 2 A5 Club (3e)
91 Smart Stock (11e, 14e, 15e, 20e, 92)
92 Scalp (14e, 15e, 20e, 77, 78, 93, 95)
114 Via Appia (92)

CHEMISES HOMME
117 Les Ciseaux d'Argent (1er)
117 Laudi Cina (2e)
122 Mangas (2e, 8e, 16e)
104 2 A5 Club (3e)
118 Anatole (3e)
118 Johann (3e)
118 Lionel Nath (3e)
118 Lordissimo (3e)
119 Masculin Direct (4e, 92)
104 PWS (4e)
120 Hollington (6e)
120 SNAEJ (6e)

120 Atlantique Textiles (9e)
121 Club Charly's (9e)
121 Comptoir des Chemises et Accessoires (9e)
117 Home Stock (11e)
106 Stock 2 (11e)
121 Carven Stock (14e, 93, 95)
121 Duc de Kent (15e)
122 Fabio Lucci (19e)
123 Jerem (78, 93, 95)
122 Lexington (78)
122 Café Coton Stock (92, 93)
123 Charles Le Golf (93, 95)

DÉGRIFFÉS ENFANT
115 Espace Mode (12e)
111 Sympa (19e)

DÉGRIFFÉS FEMME
103 La Clef des Marques (1er, 6e, 7e, 12e, 92, 94)
85 Maille Street (2e)
130 Le Stock (2e, 94)
85 L'Une et l'Autre (2e)
104 L'Habilleur (3e)
85 Ammoniaque (4e)
104 PWS (4e)
126 Côte à Côte (8e, 9e)
87 Fabri and C° (8e)
105 Griffes de Mode (8e)
127 Stocks et marques (10e)

¿ QUE CHERCHEZ-VOUS ?

91 Smart Stock (11ᵉ, 14ᵉ, 15ᵉ, 20ᵉ, 92)
106 Stock 2 (11ᵉ)
127 View and Fashion (11ᵉ)
107 Dis Moi Tout (12ᵉ, 19ᵉ)
115 Espace Mode (12ᵉ)
107 Jyve Stock (12ᵉ)
108 Jean Devarenne (14ᵉ)
108 Jardin des Marques (15ᵉ)
92 Mick's (15ᵉ)
116 Mistigriff (15ᵉ)
94 Nip'Shop (16ᵉ)
110 Good Deal (17ᵉ)
95 Week-End Shop (17ᵉ)
95 Dialogue (18ᵉ)
111 Sympa (18ᵉ, 19ᵉ, 77, 92, 94)
116 Rodier (93)
114 Dynamit' (94)

DÉGRIFFÉS HOMME
117 Les Ciseaux d'Argent (1ᵉʳ)
103 La Clef des Marques (1ᵉʳ, 6ᵉ, 7ᵉ, 12ᵉ, 92, 94)
130 Le Stock (2ᵉ, 94)
104 L'Habilleur (3ᵉ)
119 Stock B (3ᵉ)
119 Masculin Direct (4ᵉ, 92)
105 Griffes de Mode (8ᵉ)
127 Stocks et marques (10ᵉ)
117 Home Stock (11ᵉ)
106 Stock 2 (11ᵉ)
107 Dis Moi Tout (12ᵉ, 19ᵉ)
115 Espace Mode (12ᵉ)
107 Jyve Stock (12ᵉ)

108 Jean Devarenne (14ᵉ)
108 Jardin des Marques (15ᵉ)
116 Mistigriff (15ᵉ)
110 Good Deal (17ᵉ)
111 Sympa (18ᵉ, 19ᵉ, 77, 92, 94)
123 Stanford (78, 91, 93, 95)
114 Dynamit' (94)

DÉPÔTS-VENTES ENFANT
85 La Marelle (2ᵉ)

DÉPÔTS-VENTES FEMME
83 J'y Troque (1ᵉʳ)
85 La Marelle (2ᵉ)
125 Troc Montorgueil (2ᵉ)
85 Autour d'Elles (4ᵉ)
86 Générique (5ᵉ)
86 Dépôt-Vente de Buci-Bourbon (6ᵉ)
86 Misentroc (6ᵉ)
92 Défilé de Marques (7ᵉ, 15ᵉ)
87 Griff-Troc (8ᵉ)
87 Look (9ᵉ)
90 Troc Chic et Chock (12ᵉ)
91 Troc Mod (14ᵉ)
69 Les Deux Oursons (15ᵉ)
94 Les Caprices de Sophie (16ᵉ)
94 Le Dépôt-vente de Passy (16ᵉ)
94 Nip'Shop (16ᵉ)
109 L'Occaserie 16ᵉ (16ᵉ)
94 Réciproque (16ᵉ)
95 L'Après-Midi (17ᵉ)
110 Dépôt-Vente du 17ᵉ (17ᵉ)

95 Dialogue (18ᵉ)
96 Passez Devant (18ᵉ)
98 Troc et Chic (92)
100 Aux Arcades du Lac (95)

DÉPÔTS-VENTES HOMME
121 Fabienne (16ᵉ)
109 L'Occaserie 16ᵉ (16ᵉ)
94 Réciproque (16ᵉ)
110 Dépôt-Vente du 17ᵉ (17ᵉ)
98 Troc et Chic (92)

FRIPES
129 La Friperie de Lulu R. (1ᵉʳ)
125 Rag (1ᵉʳ, 4ᵉ)
129 Son et Image (1ᵉʳ)
68 Vertiges (4ᵉ)
110 Guerrisol (9ᵉ, 17ᵉ, 18ᵉ)
88 Mamie (9ᵉ)
127 Come On Eileen (11ᵉ)
106 Emmaüs (11ᵉ, 94)
109 Fondation d'Auteuil (16ᵉ)
112 Ding Fring (20ᵉ, 78, 95)
112 Momo le Moins Cher (20ᵉ)

IMPERMÉABLES
68 Imex (4ᵉ)
105 Barbour (6ᵉ, 8ᵉ)
106 Mon Imper (9ᵉ, 17ᵉ)
121 Fabienne (16ᵉ)

JEANS
129 Com'8 (1ᵉʳ)
129 Cop Copine (1ᵉʳ)
129 Son et Image (1ᵉʳ)
125 Zadig et Voltaire (4ᵉ)

¿ QUE CHERCHEZ-VOUS ?

130 Surplus Yankee (5e)
126 Next Stop (6e)
120 SNAEJ (6e)
108 SR Store (14e)
108 Stock Chevignon (14e, 93)
108 Jardin des Marques (15e)
108 Ober Stock Jeans (15e)
95 Week-End Shop (17e)
122 Fabio Lucci (19e)
96 Louis Féraud (77)
113 Tommy Hilfiger (77)
114 Levi's (93)
131 All Spot (94)
131 One Spot (94)
131 Spotland (94)

JEUNE
103 H et M
129 Com'8 (1er)
129 Cop Copine (1er)
125 Énergie (1er)
129 La Friperie de Lulu R. (1er)
129 Jennyfer (1er)
125 Rag (1er, 4e)
84 Sinequanone (1er, 14e)
129 Son et Image (1er)
125 Des Filles à la Vanille (2e, 4e)
130 Kookaï Le Stock (2e)
130 Le Stock (2e, 94)
125 Troc Montorgueil (2e)
88 Sunshine (4e, 9e)
68 Vertiges (4e)
130 Surplus Yankee (5e)
130 Axara (6e)
126 Next Stop (6e)
126 Côte à Côte (8e, 9e)

126 Des Habits et Nous (10e)
127 Come On Eileen (11e)
127 Mim (14e)
91 Sud Express (stock) (14e, 78)
92 Écru Stock (15e)
108 Ober Stock Jeans (15e)
130 Antoine et Lili (16e)
128 Diesel (77)
97 Modulo (78)
114 Espace SJ (92)
114 Levi's (93)
130 Lulu Castagnette (93)
131 Morgan (93)
131 Naf Naf (93)
131 Oxbow (93)
99 Stock Tara Jarmon (93, 95)
131 All Spot (94)
131 One Spot (94)
131 Spotland (94)
131 An'ge (95)
132 Stock J (95)

LINGERIE FEMME
106 Griffes de Mode (8e)

LINGERIE HOMME
118 Lordissimo (3e)
119 Boy'z Bazaar Stock (4e)
106 Griffes de Mode (8e)
123 Éminence (93)

LUXE FEMME
84 Michel Klein (1er)
67 Roger Gerko (1er)
69 Jekel Paris (10e)
89 Plein Sud Stock (11e)
94 Les Caprices de Sophie (16e)

94 Le Dépôt-vente de Passy (16e)
109 L'Occaserie 16e (16e)
94 Réciproque (16e)
110 Dépôt-Vente du 17e (17e)
95 Dialogue (18e)
112 Gian Franco Ferré (77)
97 Nina Ricci (77)

LUXE HOMME
117 Jonas et Cie (2e)
117 Laudi Cina (2e)
119 Prestige Hommes (3e)
104 PWS (4e)
69 Jekel Paris (10e)
121 Fabienne (16e)
109 L'Occaserie 16e (16e)
110 Dépôt-Vente du 17e (17e)
112 Gian Franco Ferré (77)

MESURE FEMME
89 Atelier 33 (11e)
128 Pierina Marinelli (18e)

MESURE HOMME
117 Jonas et Cie (2e)
122 Mangas (2e, 8e, 16e)
118 Lordissimo (3e)
120 Atlantique Textiles (9e)

PLEIN AIR
103 La Clef des Marques (1er, 6e, 7e, 12e, 92, 94)
118 Outre-Mer (3e)
105 Barbour (6e, 8e)
120 Stanley Burtin (6e)
107 Dis Moi Tout (12e, 19e)

¿ QUE CHERCHEZ-VOUS ?

108 Stock Chevignon (14ᵉ, 93)
109 Surplus Doursoux (15ᵉ)
131 All Spot (94)
131 One Spot (94)
131 Spotland (94)
115 Aigle (95)
115 Armor Lux (95)
115 Tricomer (95)

PRÊT-À-PORTER ENFANT
136 Du Pareil au Même
137 Magazin Z
137 Tout Compte Fait
103 Chistera (1ᵉʳ)
133 Unishop (3ᵉ, 4ᵉ)
133 Comme Il Vous Plaira (5ᵉ, 9ᵉ, 18ᵉ)
133 Les Deux Tisserins (5ᵉ)
133 Rikiboum (5ᵉ, 17ᵉ, 78)
134 Tape à l'Œil (6ᵉ, 92)
106 Showroom SCD (8ᵉ)
134 Perrette (11ᵉ)
135 Sacripant (12ᵉ, 18ᵉ, 19ᵉ)
109 Espace NGR (16ᵉ)
110 Jabi (17ᵉ)
111 La Halle aux Vêtements (19ᵉ)
114 Espace SJ (92)
135 Petizenfants (92)
114 Bigal's (93)
131 One Spot (94)

PRÊT-À-PORTER FEMME
103 H et M
103 Chistera (1ᵉʳ)
83 Kranji (1ᵉʳ)
84 Claude Zana (2ᵉ)
104 2 A5 Club (3ᵉ)

111 Tati (3ᵉ, 11ᵉ, 13ᵉ, 14ᵉ, 18ᵉ)
86 Carole Lion (5ᵉ)
109 Somewhere (6ᵉ, 15ᵉ)
86 Co Max (7ᵉ)
86 Blanc Marine (8ᵉ)
126 Côte à Côte (8ᵉ, 9ᵉ)
106 Showroom SCD (8ᵉ)
87 Hortensia Louisor (9ᵉ)
88 Shangaï (9ᵉ)
88 Saree Palace (10ᵉ)
88 Angelys (11ᵉ)
89 Atelier 33 (11ᵉ)
90 Feelgood (14ᵉ)
109 Espace NGR (16ᵉ)
110 Jabi (17ᵉ)
95 Kiara (17ᵉ)
111 Odile Roger (17ᵉ)
111 La Halle aux Vêtements (19ᵉ)
96 Kenzo (77)
96 Louis Féraud (77)
98 Astrid Boutique (78)
97 Eiffel (78)
116 Galerie Saint-Pierre (78)
113 Leclerc Vêtements (78, 91, 92)
98 Sym (78)
114 Espace SJ (92)
114 Bigal's (93)
100 Promod (93)
99 Rodier (93)

PRÊT-À-PORTER HOMME
103 H et M
117 Jonas et Cie (2ᵉ)
117 Laudi Cina (2ᵉ)
104 2 A5 Club (3ᵉ)
118 Anatole (3ᵉ)
118 Johann (3ᵉ)
118 Lionel Nath (3ᵉ)

119 Prestige Hommes (3ᵉ)
111 Tati (3ᵉ, 11ᵉ, 13ᵉ, 14ᵉ, 18ᵉ)
119 Boy'z Bazaar Stock (4ᵉ)
120 Mirène (4ᵉ)
104 PWS (4ᵉ)
120 Hollington (6ᵉ)
120 SNAEJ (6ᵉ)
109 Somewhere (6ᵉ, 15ᵉ)
106 Showroom SCD (8ᵉ)
120 Atlantique Textiles (9ᵉ)
121 Carven Stock (14ᵉ, 93, 95)
109 Espace NGR (16ᵉ)
110 Jabi (17ᵉ)
111 La Halle aux Vêtements (19ᵉ)
96 Kenzo (77)
116 Galerie Saint-Pierre (78)
123 Jerem (78, 93, 95)
113 Leclerc Vêtements (78, 91, 92)
122 Lexington (78)
114 Espace SJ (92)
114 Bigal's (93)
123 Charles Le Golf (93, 95)

PULLS
84 Plück (1ᵉʳ)
115 Espace Cashmere (2ᵉ)
85 Maille Street (2ᵉ)
118 Outre-Mer (3ᵉ)
119 Masculin Direct (4ᵉ, 92)
105 Scotland - House of cashmere (4ᵉ, 6ᵉ)
105 Barbour (6ᵉ, 8ᵉ)
121 Big and Nice (12ᵉ, 14ᵉ)

¿ QUE CHERCHEZ-VOUS ?

107 Cacharel Stock
(14ᵉ)
90 Feelgood (14ᵉ)
108 Jardin des
Marques (15ᵉ)
92 Mick's (15ᵉ)
94 Réciproque (16ᵉ)
110 Jabi (17ᵉ)
113 La Poire en Deux
(77, 78, 92)
101 GR Stock -
Anonyme de...
(78, 95)
97 Route de la Soie
(78)
122 Café Coton Stock
(92, 93)
114 Via Appia (92)
115 Aigle (95)
115 Armor Lux (95)
115 Tricomer (95)

RETOUCHES
138 Monoprix
138 Legrand Tailleur
(2ᵉ)
138 Retoucherie
Michel Bali (2ᵉ)
138 La Retoucherie
(4ᵉ)
138 Aris Couture (9ᵉ)
138 Atila Cayir (9ᵉ)
138 La Retoucherie de
A à Z (9ᵉ)
138 Truffaut Retouche
(17ᵉ)
138 Retouche Rapide
29 (18ᵉ)
138 Retouche d'Avron
(20ᵉ)
138 Retouches
Pelleport (20ᵉ)
138 X Marchal
Retouches (20ᵉ)

**STOCKS DE
MARQUES ENFANT**
134 Bilatéral (13ᵉ,
17ᵉ)
135 LPB (17ᵉ)

113 La Poire en Deux
(77, 78, 92)
113 Riverwoods (77)
113 Tommy Hilfiger
(77)
135 Cyrillus Stock
(91, 93)
136 Clayeux Stock
(93, 95)
114 Cyrillus Stock
(94)
136 Jacadi (95)
136 Petit Bateau (95)

**STOCKS DE MARQUES
FEMME**
84 Plück (1ᵉʳ)
103 Et Vous Stock (2ᵉ)
84 GD Expansion
(2ᵉ)
130 Kookaï Le Stock
(2ᵉ)
101 Stock Caroll (6ᵉ,
93, 95)
105 Surplus APC (6ᵉ)
98 Gérard Pasquier
(9ᵉ, 93)
89 Plein Sud Stock
(11ᵉ)
89 Rondissimo
Parmentier (11ᵉ,
78)
91 Smart Stock (11ᵉ,
14ᵉ, 15ᵉ, 20ᵉ,
92)
107 Mondial Griffe
(12ᵉ)
90 Rama (12ᵉ)
90 Amazone le
Stock (14ᵉ)
107 Cacharel Stock
(14ᵉ)
90 Feelgood (14ᵉ)
91 GR Stock (14ᵉ)
92 Scalp (14ᵉ, 15ᵉ,
20ᵉ, 77, 78, 93,
95)
108 SR Store (14ᵉ)
108 Stock Chevignon
(14ᵉ, 93)

91 Sud Express
(stock) (14ᵉ, 78)
92 Écru Stock (15ᵉ)
130 Antoine et Lili
(16ᵉ)
96 Coat Concept
(77)
112 Gerry (77)
112 Gian Franco
Ferré (77)
96 Indies (stock)
(77)
96 Kenzo (77)
96 Louis Féraud
(77)
97 Nina Ricci (77)
113 La Poire en Deux
(77, 78, 92)
113 Riverwoods (77)
113 Tommy Hilfiger
(77)
100 Ventil Stock (77,
93, 95)
101 AG Bis (78, 95)
97 Eiffel (78)
101 GR Stock -
Anonyme de...
(78, 95)
97 Modulo (78)
97 Route de la Soie
(78)
99 Suite sans Fin
(78, 93, 95)
98 Sym (78)
101 1-2-3 Stock (93,
95)
98 Etam (93)
114 Levi's (93)
130 Lulu Castagnette
(93)
99 Mango Outlet
(93)
131 Morgan (93)
131 Naf Naf (93)
99 Rodier (93)
99 Stock Tara
Jarmon (93,
95)
114 Cyrillus Stock
(94)

¿ QUE CHERCHEZ-VOUS ?

100 Paule Vasseur
Stock (94)
131 An'ge (95)
132 Stock J (95)

**STOCKS DE
MARQUES HOMME**
103 Et Vous Stock
(2ᵉ)
84 GD Expansion
(2ᵉ)
123 Bruce Field (4ᵉ,
93)
105 Surplus APC (6ᵉ)
107 Mondial Griffe
(12ᵉ)
107 Cacharel Stock
(14ᵉ)
121 Carven Stock
(14ᵉ, 93, 95)
108 SR Store (14ᵉ)
108 Stock Chevignon
(14ᵉ, 93)
112 Gerry (77)
112 Gian Franco
Ferré (77)
96 Kenzo (77)
113 La Poire en Deux
(77, 78, 92)
113 Riverwoods
(77)
113 Tommy Hilfiger
(77)
123 Jerem (78, 93,
95)
123 Charles Le Golf
(93, 95)

114 Levi's (93)
114 Cyrillus Stock
(94)

VENTES PRIVÉES
83 Chamarré
86 Carole Lion (5ᵉ)
86 Co Max (7ᵉ)
94 Espace Catherine
Max (16ᵉ)
98 Astrid Boutique
(78)

**VÊTEMENTS
DE CÉRÉMONIE ET DE
FÊTE**
111 Tati (3ᵉ, 11ᵉ, 13ᵉ,
14ᵉ, 18ᵉ)
87 Fabri and Cᵒ (8ᵉ)
89 Atelier 33 (11ᵉ)
69 Les Deux Oursons
(15ᵉ)
94 Les Caprices de
Sophie (16ᵉ)
94 Le Dépôt-vente de
Passy (16ᵉ)
95 Dialogue (18ᵉ)
97 Nina Ricci (77)
100 Paule Vasseur
Stock (94)

**VÊTEMENTS
EXOTIQUES**
88 Shangaï (9ᵉ)
88 Saree Palace
(10ᵉ)

XXL FEMME
83 Chamarré
84 GD Expansion
(2ᵉ)
111 Tati (3ᵉ, 11ᵉ, 13ᵉ,
14ᵉ, 18ᵉ)
86 Co Max (7ᵉ)
86 Blanc Marine (8ᵉ)
88 Angelys (11ᵉ)
89 Nana Ronde
(11ᵉ)
89 Rondissimo
Parmentier (11ᵉ,
78)
108 Jean Devarenne
(14ᵉ)
92 Scalp (14ᵉ, 15ᵉ,
20ᵉ, 77, 78, 93,
95)
93 Trait d'Union
(15ᵉ)
97 Route de la Soie
(78)

XXL HOMME
117 Les Ciseaux
d'Argent (1ᵉʳ)
84 GD Expansion
(2ᵉ)
118 Anatole (3ᵉ)
119 Stock B (3ᵉ)
117 Home Stock (11ᵉ)
121 Big and Nice
(12ᵉ, 14ᵉ)
108 Jean Devarenne
(14ᵉ)

Å Adresse particulièrement recommandée

👑 Adresse haut de gamme : le luxe à prix abordable

BEAUTÉ

LE CLUB DES CRÉATEURS DE BEAUTÉ — *Beauté sur commande*

Tél. 08 92 70 17 10
Minitel : 3615 CREATO
www.ccb-paris.com

Pour les cheveux le shampoing énergisant et son soin « Spa Energy » de Jean-Marc Maniatis : 5,95 et 10,98 €. De chez Agnès B, « Color Clic », fards très colorés pour yeux, joues et lèvres (quatre rouges à lèvres, deux blushs, quatre ombres à paupières) dans des boîtiers plats et aimantés. Se vend à l'unité 7,50 €. « Gel cuticules » : 9 €. Également, l'« huile démaquillante » de Cosmence qui laisse la peau pure et souple (13 €) et le « Résultat Lift Rides » de Cosmence (en pot : 22 €).

MARIONNAUD — *Une chaîne enivrante*

Tél. 0 892 69 96 16
(0,34 €/mn)
Minitel : 3615
MARIONNAUD
www.marionnaud.com
Lundi : 14 h-19 h 30 ; mardi-samedi : 8 h-20 h

Marionnaud se répand à grande vitesse. Sa politique d'expansion y est pour beaucoup. Ses prix aussi : autant y aller voir. Un ensemble de 170 parfumeries à Paris et en Île-de-France. Une carte de fidélité donne droit à des réductions supplémentaires sous forme de chèques cadeaux même si l'on achète en ligne...

YVES ROCHER — *Produits de grande qualité à petit prix*

Tél. 0 820 851 851
Minitel : 3615
YVESROCHER, adresses, catalogue et commande
www.yves-rocher.fr pour la vente en ligne /
www.magasins.yves-rocher.fr pour les conseils de beauté
Lundi-samedi : 8 h 30-18 h 30 sauf jours fériés (horaires téléphoniques)

Innovations 2003 : une crème au prorétinol végétal, lisse la peau (à partir de 25 ans), « Minuit », mat et invisible la nuit : environ 16 €. Destiné à celles qui ont une peau mixte à grasse, un seul produit qui fait gommage et masque : « Bio Specific, Pâte Pureté Végétale » : 12 €. Pour absorber le sebum dans la journée, des buvards poudrés « Régulation Echec et Mat », 50 feuilles : 7 €. Pour assécher les petits boutons, le « Stop Correcteur Malin » : 6,50 €. En soin solaire, on retiendra le « Lifting Corps anti-âge » qui raffermit la peau en la protégeant, indice 20 : 13 €. Enfin, anticellulitique, le soin « Fess'Lift » promet un résultat en deux semaines : 18 €. Et pour rendre les cheveux brillants, une eau de coiffage (au citron) sans rinçage : 8 €.

1er ARRONDISSEMENT

CATHERINE — *Parfumerie discount*

7 rue de Castiglione (1er)
M° Concorde ou Tuileries
Tél. 01 42 61 02 89
Mardi-samedi : 9 h 30-19 h ; lundi : 11 h-19 h

On trouvera des coffrets de parfums de grandes marques et des coffrets de miniatures (ceux-là à partir de 19 €) parfaits pour faire un cadeau à un ami étranger. **Réductions de 15 à 25 % selon la marque sur parfumerie et cosmétiques, avec le guide ou la carte.**

POINT SOLEIL

45 rue Saint-Honoré (1er)
M° Châtelet
Tél. 01 42 21 40 31
*Lundi-samedi : 9 h-21 h ;
dimanche : 14 h-21 h*

Comme dans tous les autres Point Soleil, il faut compter 5 € pour 10 minutes d'exposition traditionnelle. Certains centres prodiguent des soins d'esthétique et d'amincissement.

AUTRES ADRESSES
- 15 rue du Temple, 4e • M° Hôtel-de-Ville • Tél. 01 48 87 81 13
- 32 rue Saint-Antoine, 4e • M° Bastille • Tél. 01 48 87 78 47
- 43 rue Monge, 5e • M° Cardinal-Lemoine • Tél. 01 43 26 50 70
- 29 rue Vavin, 6e • M° Notre-Dame-des-Champs ou Vavin • Tél. 01 55 42 01 31
- 169 rue Grenelle, 7e • M° École-Militaire • Tél. 01 53 59 95 18
- 62 rue de Ponthieu, 8e • M° Franklin-Roosevelt • Tél. 01 40 76 02 01
- 24 rue Joubert, 9e • M° Havre-Caumartin • Tél. 01 40 23 90 09
- 11 rue Faubourg-Poissonnière, 9e • M° Bonne-Nouvelle • Tél. 01 48 01 66 61
- 68 rue Faubourg-Montmartre, 9e • M° Notre-Dame-de-Lorette • Tél. 01 45 26 12 00
- 220 rue Faubourg-Saint-Martin, 10e • M° Louis-Blanc • Tél. 01 40 36 40 99
- 8 rue Beaurepaire, 10e • M° République • Tél. 01 42 01 60 88
- 67 av. de la République, 11e • M° Saint-Maur • Tél. 01 43 55 81 81
- 138 bd Voltaire, 11e • M° Voltaire • Tél. 01 40 09 97 20
- 28 rue Taine, 12e • M° Daumesnil • Tél. 01 43 44 94 94
- 54 av. d'Italie, 13e • M° Place-d'Italie ou Tolbiac • Tél. 01 45 88 90 90 • Happy hours jusqu'à 11 h 30 (24 mn d'UVA pour le prix de 20).
- 57 rue de la Convention, 15e • M° Convention • Tél. 01 45 75 25 55
- 91 rue Ranelagh, 16e • M° Ranelagh • Tél. 01 42 15 00 80
- 100 rue Chardon-Lagache, 16e • M° Porte-de-Saint-Cloud • Tél. 01 40 50 81 05
- 10 rue Marcel-Renault, 17e • M° Ternes • Tél. 01 40 68 92 29
- 91 rue Caulaincourt, 18e • M° Lamarck-Caulaincourt • Tél. 01 46 06 67 20
- 32 av. Gambetta, 20e • M° Gambetta • Tél. 01 40 33 10 10

2e ARRONDISSEMENT

BEAUTÉ'ÉPIL   *Des soins pros*

25 rue Louis-le-Grand (2e)
M° Opéra
Tél. 01 44 94 01 44
*Mardi-vendredi : 10 h-20 h ;
samedi : 10 h-19 h*

Contre une adhésion de 15 € et un abonnement de 13 € pour un mois, le prix des soins est divisé par deux. Exemples : massage d'une demi-heure à 22 € ; permanente de cils à 13 € ; soins jambes lourdes à 22 €. Les coquettes s'y retrouveront.

ÉCOLE PRIVÉE CATHERINE SERTIN   *Épilation, soin du visage, manucure*

9 rue Volney (2e)
M° Madeleine, Opéra
ou RER A, Auber
Tél. 01 42 61 01 25
www.catherine-sertin.com
Lundi-vendredi, sur rendez-vous téléphonique (période scolaire) : 9 h 30-12 h 30, 14 h-16 h 30

D'octobre à mai uniquement, au téléphone (le faire une semaine à l'avance au moins), dites que vous venez pour être « modèle ». Il vous en coûtera 14 € pour vous faire faire le soin dont vous avez envie : épilation des jambes ou du maillot, soins du visage, sous les doigts agiles de vigilantes élèves, elles-mêmes dirigées par des formateurs. Compter environ 1 h 30.

INSTITUT CASANOVA   *Coiffure et manucure*

15 rue Daunou (2e)
M° Opéra
Tél. 01 42 86 90 81
Lundi-vendredi : 9 h 30-18 h 30 ; samedi : 10 h-18 h

Pour les moins de 20 ans, shampooing-coupe-brushing : 34 €. Pour les plus âgées : 38 €. Pour ces messieurs : 25 €. Couleur : 32 €. Avec un abonnement brushing, le dixième est gratuit. Manucure simple : 19 €. French manucure : 22 €.

PARFUMERIE FRAGONARD

Bien nez

A 39 bd des Capucines
(fond de la cour) (2ᵉ)
Mº Opéra
Tél. 01 42 60 37 14
www.fragonard.com
Lundi-samedi : 9 h-17 h 50

Alambics, bassines, écorces, glandes de chevrotin, fleurs et flacons ouvragés retracent l'histoire de la parfumerie de l'Antiquité à nos jours grâce au parfumeur Fragonard. Dans une grande salle attenante au musée (visite gratuite), on choisira les nouveautés de l'année en aromathérapie ou encore les extraits de parfums (seize senteurs différentes) en petites bouteilles dorées de 15 ml : 21 €. Des eaux de toilette en vapo de 100 ml (21 €) ; des mini-savons en cœur (6 € les quatre) ; un bain moussant : « Bain de sommeil » 500 ml à 12 € ; une bougie parfumée : 19 €. **Remise de 10 % avec le guide ou la carte.**

AUTRES ADRESSES
■ 9 rue Scribe, 2ᵉ • Mº Opéra • Tél. 01 47 42 04 56
■ 196 bd Saint-Germain, 7ᵉ • Mº Rue-du-Bac • Tél. 01 42 84 12 12

5ᵉ ARRONDISSEMENT

ÉCOLE FRANÇAISE D'ORTHOPÉDIE ET DE MASSO-KINÉSITHÉRAPIE

Étudiants en pédicurie et podologie

15 rue Cujas (5ᵉ)
Mº Luxembourg
Tél. 01 43 29 95 27
Fax : 01 40 46 80 85
*lundi-jeudi : 9 h-12 h,
13 h 30-19 h 30 ; vendredi :
jusqu'à 16 h 30*

Hors vacances scolaires, les élèves de cette école sérieuse soignent et confectionnent d'excellentes semelles et des appareillages sur mesure (non remboursés par la Sécurité Sociale). Téléphoner pour prendre rendez-vous (15 jours à l'avance). Pédicure : 11 €. Semelles : de 22 à 40 €. Talonnettes : 12 €.

HAMMAM DE LA GRANDE MOSQUÉE DE PARIS

Hammam à la Delacroix

♛ 39 rue Geoffroy-Saint-Hilaire (5ᵉ)
Mº Censier-Daubenton
Tél. 01 43 31 18 14
*Femmes : samedi, lundi,
mercredi, jeudi (10 h-21 h)
et vendredi (14 h-21 h) ;
hommes (à partir de
16 ans) : mardi (14 h-21 h)
et dimanche (10 h-21 h)*

C'est dans une ambiance restituant les toiles de Delacroix (carrelages mauresques, délicates arcatures de bois peintes, fontaines) qu'on viendra transpirer dans les salles chauffées à blanc (de 30 à 80º). Prix d'entrée : 15 €. A quoi peuvent s'ajouter un massage (10 mn) + un gommage au savon noir + un thé : 38 €. Ce qui peut faire l'objet d'un cadeau à une amie. Épilation au miel : jambes : 25 € ; demi-jambes : 15 € ; maillot : 11 € ; bras : 15 €.

6ᵉ ARRONDISSEMENT

FLORAME

Saveurs bio et huiles essentielles

8 rue Dupuytren (6ᵉ)
Mº Odéon
Tél. 01 44 07 34 53
www.florame.com
*Mardi-samedi : 10 h-
12 h 30, 14 h-19 h*

Tout est bio ! Les tisanes (à partir de 2,10 €), les huiles essentielles (à partir de 4 €) que l'on peut composer soi-même, les paniers pleins de savons (à partir de 3 €), la gamme de produits de beauté… Et rien de tout cela n'a été testé sur des animaux.

PARAPHARMACIE FOUHETY

La moins chère

A 26 rue du Four (6ᵉ)
Mº Mabillon

A toute heure du jour – ou presque – la queue devant cette parapharmacie témoigne de l'intérêt que lui

Tél. 01 46 33 20 81
Lundi-vendredi : 8 h 30-
20 h ; samedi : 9 h-20 h

portent ses clients. Et pour cause : c'est la moins chère de Paris, garantie sur facture. Nouveauté : la parapharmacie a poussé ses murs pour accueillir davantage de produits.

PHU-XUAN
Santé-hygiène

8 rue Monsieur-le-Prince
(6ᵉ)
Mᵒ Odéon
Tél. 01 43 25 08 27
Lundi-samedi : 9 h-18 h 30

Très pittoresque : fraternisent sur les rayons une crème de beauté à base de poudre de Perle (à partir de 13 €), une grande variété d'encens (4 à 5 €), des rouleaux de massage pour le corps (30,40 €), assez efficace sur les zones cellulitiques. Le Ridoki, petit rouleau de massage (environ 16 €), atténue les rides. On pourra essayer les instruments de massage des zones réflexes des pieds et des mains (de 4,20 à 14,20 €) avec cartes de réflexothérapie (13,90 à 18,90 €). Ici aussi de nombreux livres sur les médecines de l'Asie, sur le Feng Shui.

8ᵉ ARRONDISSEMENT

ÉCOLE FRANÇOISE MORICE
Épilation : accrochez-vous !

27 rue Vernet (8ᵉ)
Mᵒ George-V
Tél. 01 56 62 26 26
Lundi-vendredi : 9 h-16 h

« Voici un centre de formation au métier d'esthéticienne où les élèves prodiguent des soins du visage et massages efficaces » nous signale une lectrice. Les prix sont raisonnables : 16 € le soin du visage, 18 € avec un maquillage. Épilation maillot ou aisselles : 7,50 € ; jambes entières + maillot : 14,50 €. Les tarifs sont encore plus modestes pour celles qui se sont abonnées. Les soins n'ont lieu évidemment qu'en période scolaire. Cependant, il n'y a guère qu'en juin et juillet qu'on a une chance de trouver une place.

ÉCOLE INTERNATIONALE D'ESTHÉTIQUE RÉGINE-FERRÈRE
Élèves et professeurs à votre service

14 rue du Faubourg-Saint-Honoré (8ᵉ)
Mᵒ Concorde
Tél. 01 42 65 99 77

Soins du visage, manucure ou épilation assurés par des élèves consciencieuses sous la direction de leurs professeurs. Compter 20 €. Pour l'épilation : 8 € pour maillot ou aisselles ; 20 € pour jambes entières + maillot + aisselles. Pendant l'année scolaire, seulement sur rendez-vous. Téléphoner le vendredi (8 h 30-17 h 30).

MAKE UP FOR EVER
Maquillage de professionnels et effets spéciaux

5 rue La Boétie (8ᵉ)
Mᵒ Saint-Augustin
Tél. 01 53 05 93 30
www.makeupforever.fr
Lundi-samedi : 10 h 30-19 h

La boutique-culte des maquilleurs, photographes et top-models depuis plus de 20 ans. Les 1 400 produits maison (dont 125 couleurs pour paupières et joues) sont d'une qualité professionnelle mondialement reconnue. On retiendra pour l'automne et l'hiver, fond de teint crème compact, à la fois recouvrant, léger et poudré ce qui permet de faire des retouches tout en gardant la lumière : huit teintes, en boîtier rechargeable avec glace et éponge, 29 €. Toujours apprécié : le crayon « soin à lèvres » légèrement camphré qui hydrate et retire les peaux mortes : 14,70 €. Ricil allongeant : 14,50 €. Et tous les maquillages effets spéciaux pour des soirées déguisées ou artistiques.

9ᵉ ARRONDISSEMENT

THE BODY SHOP
Équitable et naturel

Passage Provence Opéra
96/98 rue de Provence
(9ᵉ)
Mᵒ Havre-Caumartin
Tél. 01 44 53 94 63
www.thebodyshop.com
(en anglais)
*Lundi-samedi : 10 h 30-
19 h 30*

On en mangerait : beurres corporels à la myrtille, à la papaye (16,50 €), exfoliant à la mangue (16,50 €), beurre hydratant pour les lèvres à la noix de coco (7 €). Autre nouveauté 2003, des poudres ou gels à mettre sur la peau nue ou à ajouter sur son maquillage traditionnel pour le rendre moins terne, ce sont les Effets Magiques pour les lèvres, le teint, les yeux (de 10 à 18 €), qui permettent de créer ses propres couleurs. Enfin, et toujours, l'Exfoliant pour les lèvres et le parfum White Musk (12,50 € les 30 ml).

AUTRES ADRESSES
- Carrousel du Louvre, 99 rue de Rivoli, 4ᵉ • Mᵒ Palais-Royal • Tél. 01 42 60 56 08
- 68 rue de Rivoli, 4ᵉ • Mᵒ Louvre-Rivoli • Tél. 01 42 74 54 64
- 12 bd Saint-Michel, 6ᵉ • Mᵒ Saint-Michel • Tél. 01 46 34 55 90
- 2 place du 18-juin-1940, 6ᵉ • Mᵒ Montparnasse • Tél. 01 42 84 10 74
- 137 rue du Faubourg-Saint-Antoine, 11ᵉ • Mᵒ Bastille • Tél. 01 43 42 15 60
- Centre commercial, 30 av. d'Italie, 13ᵉ • Mᵒ Tolbiac • Tél. 01 45 81 31 30
- 77 rue du Commerce, 15ᵉ • Mᵒ Commerce • Tél. 01 55 76 61 30
- Galerie Passy-Plaza, 53 rue de Passy, 16ᵉ • Mᵒ Muette • Tél. 01 45 25 50 25

MAKI
Maquillages professionnels et effets spéciaux

9 rue Mansart (9ᵉ)
Mᵒ Blanche
Tél. 01 42 81 33 76
Lundi-vendredi : 11 h-18 h

Mannequins, chefs maquilleuses, actrices, acteurs viennent se fournir ici, Maki officiant dans le triangle d'or des théâtres. Les produits sont remarquables et pas chers et les conseils de pro appréciables. Nouveauté : des fards à l'eau (quarante couleurs) (15 ml : 6,50 €) ; quinze couleurs de paillettes (4 ml : 3,50 €). Fards à paupières : 8,50 €, rouge à lèvres : 9 € ; poudre libre : 8,50 €. **Remise de 20 % sur le tarif public avec le guide ou la carte.**

MOGADOR SANTÉ
Parapharmacie

31 rue de Mogador (9ᵉ)
Mᵒ Trinité ou Chaussée-d'Antin
Tél. 01 42 81 42 25
*Lundi-vendredi : 9 h 30-
19 h 30 ; samedi : 10 h 30-
19 h 30*

On surveillera les fréquentes promotions qui fleurissent dans ces 200 m² joliment agencés qui rassemblent un très grand choix de marques. Ictyane crème : environ 12 €. Shampooing Klorane (200 ml) : environ 6 €. Isthéval d'Avène, excellente crème au Rétinol : environ 16 €. Klorane, démaquillant pour les yeux aux bleut, grand flacon : environ 5 €. Mascara Respectissime intense Phas : environ 10,50 €. **Remise de 5 % avec le guide ou la carte.**

10ᵉ ARRONDISSEMENT

DELORME
*Produits et matériels de coiffure,
de manucure*

17-19 passage de l'Industrie (10ᵉ)
Mᵒ Château-d'Eau

Prix de gros pour les teintures, shampooings, laques, crèmes de soins… de chez L'Oréal ou d'autres marques. Fers à lisser en céramique (lissage plus facile

Tél. 01 44 83 65 00
www.delorme.fr
Lundi-vendredi : 8 h 30-
18 h 30 ; samedi : 9 h-13 h,
14 h-18 h

et plus rapide) : 139,93 €. Miroirs, sèche-cheveux (puissant, 1 800 W à 45 €), fers à friser. Manucure (60 modèles de limes, vernis à 3,55 €)... Crème colorante : à partir de 6,90 €. Shampooing miel et protéines : 8,44 €. Crayon de retouche pour les racines, Revlon (8 teintes disponibles) : 5,98 €. Gel laque en spray 250 ml : 5,45 €.

SUNLAB
Bronzée de partout

3 rue de Paradis (10ᵉ)
Mᵒ Gare-de-l'Est
Tél. 01 42 47 06 07
Lundi-vendredi : 10 h-19 h

Une douche à l'autobronzant, c'est une nouveauté sans risque pour la peau. Nue dans une cabine, cheveux protégés, on s'expose aux buses qui pulvérisent de l'autobronzant tandis qu'on lève bras et jambes pour recevoir la pluie universellement. Puis lavage des mains et dessous de pieds qui, eux, jamais ne dorent. Rhabillage (éviter vêtements blancs ou fragiles). Durée totale : 10 minutes. Acquis : hâle d'une semaine au soleil. On obtient la teinte du bronzage définitif au bout de 24 heures ; il tient sept jours. Un seul hic, le prix : 30 €.

VELAN
Cosmétiques indiens à base de plantes

83-87 passage Brady (10ᵉ)
Mᵒ Château-d'Eau
ou Strasbourg-Saint-Denis
Tél. 01 42 46 06 06
Lundi-samedi : 10 h-20 h 30

Cette épicerie ravitaille les Indiens de Paris en riz, curries, chutneys, tissus et bijoux. Au fond du magasin, on trouvera des masques capillaires et de visage à base de plantes ayurvédiques : au santal (anti-peau grasse), à la peau d'orange (2,50 €), savon noir (dont on se sert au hammam) 2,35 €, l'huile de coco qui fait les chevelures si soyeuses (1,60 € le flacon qui dure 5 mois), l'huile de jasmin (1,60 €). Des encens (0,30 à 5,34 € le paquet). **Un paquet d'encens est offert avec le guide ou la carte.**

11ᵉ ARRONDISSEMENT

SAFRAOUI
Hennés et rhassoul

43 bd de Belleville (11ᵉ)
Mᵒ Couronnes
Tél. 01 43 55 99 59
Mardi-dimanche : 9 h-19 h

Dans ces épiceries orientales figurent les produits capillaires – pas chers – de nos sœurs méditerranéennes : le rhassoul, terre argileuse qu'on dilue (environ 1,30 € la boîte pour 6 shampooings). Puis, toute la gamme des hennés (poudres de feuilles colorantes), du neutre qui soigne sans colorer (environ 1,80 € la boîte) aux acajou, rouge, ardent, clair : environ 0,86 € la boîte. Prix hors taxes.

AUTRES ADRESSES
- 60 rue Château-Landon, 10ᵉ • Mᵒ Château-Landon • Tél. 01 42 05 65 17 • Mardi-dimanche : 9 h-19 h
- 31-33 bd de la Villette, 10ᵉ • Mᵒ Stalingrad • Tél. 01 42 40 91 12

VISEART
Se maquiller trendy entre copines

72 bis rue Jean-Pierre-
Timbaud (11ᵉ)
Mᵒ Couronnes
Tél. 01 55 28 33 23
Vendredi : 19 h-21 h

Les vendredis soir, on passe se faire un maquillage éclair, subtil et léger qu'on applique aux doigts. Prière d'accepter les conseils, ils sont excellents. 13 € la séance.

12e ARRONDISSEMENT

CHARME D'ORIENT

A
86 bd de Reuilly (12e)
M° Bel-Air, Daumesnil
ou Michel-Bizot
Tél. 01 53 17 02 53
www.charmedorient.com
Mardi-samedi : 12 h-20 h

Épilation au miel, rituel Hammam

Accueil charmant, cabines impeccables. Épilation orientale au miel : 61 € pour jambes complètes, maillot, aisselles (jambes : 42 € ; maillot : 16 € ; aisselles : 14 € ; massage d'1 heure : 55 €). En cabine de douche, le « rituel Hammam » : hammam (un peu moins chaud + application de savon noir et rhassoul + massage de 30 minutes, le tout durant 1 heure : 55 €). Vente de cosmétiques orientaux sur place ou par correspondance (au 01 43 67 41 82) ou par Internet : huiles d'ambre, musc, santal, jasmin : 20,58 €. Tatouage au henné : à partir de 15,24 €. **Avec le guide ou la carte, est offert un tatouage au henné.**

AUTRE ADRESSE
■ 9 bis bd Murat, 16e • M° Porte-d'Auteuil • Tél. 01 46 51 32 60 • Mardi-samedi : 12 h-19 h • Hammam traditionnel.

13e ARRONDISSEMENT

DISCOUNT BEAUTÉ

110 av. d'Ivry (13e)
M° Tolbiac
Tél. 01 53 60 03 04
*Samedi : 11 h-19 h ;
dimanche : 13 h-19 h*

Parfums, cosmétiques

Toujours bondé. Impossible de donner exemples ou prix car les arrivages sont irréguliers et les prix oscillants. Bonne adresse, cependant.

15e ARRONDISSEMENT

STUDIO CROIX NIVERT

A
6 rue de la Croix-Nivert
(15e)
M° Cambronne
Tél. 01 45 67 80 44
www.vivrosoleil.com
*Lundi-dimanche : 8 h-20 h ;
en été : 8 h-21 h*

UVA, happy hours et amincissement

On se dorera 24 minutes pour le prix de 20. Cependant, c'est après examen de la peau et prescription qu'on ira se dévoiler sous les lampes à dorer (attention à ne pas abuser). Exposition traditionnelle ou faciale : 12 minutes, 6 € ; 20 minutes, 10 €. **Cadeau de 4 minutes d'UVA en plus avec le guide ou la carte.**

17e ARRONDISSEMENT

CONSEIL SANTÉ BEAUTÉ

A
3 rue de Tocqueville (17e)
M° Villiers
Tel. 01 47 63 40 02
*Lundi-vendredi : 10 h-19 h ;
samedi : 10 h-13 h*

Parapharmacie et produits de naturopathie en discount

10 ans de moins. Si cela vous intéresse, filez voir Mme Lê Thi To N'Guyen (pharmacienne, naturopathe, phytothérapeute) et sa fille Lucie. Sans compter leur temps, elles écoutent, conseillent, regonflent chaque client(e) au physique et au moral, comme si c'était un membre de la famille. Charme supplémentaire : on trouve chez elles les produits de laboratoires très sérieux à des prix broyés au mortier, Décléor (avec 10 % de réduction : le Complexe Poudre Éclaircissant qui diminue les taches de grossesse ou de vieillesse à 42,80 €), Pierre Augé, Phytosanaroma (huiles essentielles : le citron contre le mal des transports à 4,50 €, l'élichryse qui soigne mieux les contusions que l'arnica à 15 €), Fleurs de Bach (9,10 €). Elles donnent aussi d'excellents conseils pour mincir et apprendre à se réalimenter (avec le

Pianto au citron qui nettoie l'organisme, 54,40 €
pour 100 c. à café, et la levure Hava, 68 €). **Remise de 5 % sur le premier achat, avec le
guide ou la carte.**

SHOW-ROOM PEGGY SAGE

Centre de formation (faux ongles et maquillage)

8 rue de Brey (17ᵉ)
M° Ternes
Tél. 01 56 68 94 00
Lundi-vendredi : 10 h-18 h

En prenant rendez-vous une semaine et demie à
l'avance, vous pourrez vous faire poser des faux
ongles qui seront maquillés, le tout pour la très modique somme de 8 €.

---

92 HAUTS-DE-SEINE

ÉCOLE DE FORMATION ONGLERIE

Manucure

35 cours Michelet
92800 PUTEAUX
M° Esplanade-de-La-Défense
Tél. 01 47 73 90 07
*Lundi : 11 h-14 h, 15 h-
19 h ; mardi-vendredi : 10 h-
14 h, 15 h-19 h*

Assistées de leurs professeurs, de futures professionnelles mettent au point des ongles en résine,
modelés sur vos doigts et les adaptent. Très beaux
résultats (compter 4 heures pour une pose complète).
Par les élèves : pose d'ongles en résine + vernis :
15 € (pour french manucure : 18 €). Retouches :
10 € + 3 € pour french manucure. Lorsque les soins
sont exécutés par des manucures diplômées en
stage, ils coûtent 20 et 23 €.

La Beauté circule en Caddie

*Souvent primés par Soixante Millions de Consommateurs, après de nombreux
tests, ou par des jurys de spécialistes de la beauté (bancs d'essai à l'appui), les
produits que vous trouvez au fil des rayonnages des grands magasins, issus des
grands laboratoires de recherches en cosmétiques, sœurs d'éprouvettes des chics
marques que l'on trouve dans les parfumeries traditionnelles, n'ont rien à envier
à leurs aînées pailletées. Ne vous étonnez pas de voir la mention « environ »
précéder les quelques prix que nous indiquons. Ce sont les prix conseillés par les
grandes marques créatrices. Ensuite, chaque chaîne applique les tarifs qu'elle
veut sur les produits qu'elle a sélectionnés...*

SOINS DES CHEVEUX

Shampooings

• Pour blondes : « Duo Illuminateur de Reflets »,
Dessange. Pour éviter d'avoir une mine palotte,
gardez des sourcils blonds foncés.

• Anti-pellicules : « Shampooing Antipelliculaire », Dove. Riche en lait hydratant, il débar-
rasse vos épaules de l'inesthétique neige.

• Nourrit les cheveux longs : « Shampooing
Cheveux Secs, au lait », Dove.

• Fait briller : « Shampooing, masque et vinaigre de rinçage », Maniatis.

• Ultra-doux : « Shampooing au lait végétal »,
Garnier.

• Lavages fréquents : « Lait de shampooing for-
tifiant Vital Control », L'Oréal.

• Donne de l'épaisseur : « Shampooing Soin
Redensifieur », Elsève. Épaissit la chevelure. Environ 3,08 €.

• Anti-cheveux secs : « Shampooing Liss Intense », Elsève. Détend les cheveux. Environ
3,08 €.

• Donne de la vitalité aux cheveux : « Pantène
Pro-V. Shampooing hydratant ». Environ 3,20 €.

• Pour qu'ils regraissent moins vite : « Shampooing Citrus CR », L'Oréal. Destiné aux cheveux normaux qui ont tendance à regraisser. Environ 2,44 €.

Coloration à domicile

• Cheveux colorés pendant six à huit semaines :
« Country Colors Mèches Douceur », Schwarzkopf. Facile à appliquer. Ne contient pas d'ammoniaque.

- Prix d'Excellence de la Beauté 2002, Gel éclaircissant pour les blondes : « Sun Kiss », John Frieda. Peu dosé en eau oxygéné. Se pose au doigt sur les cheveux. Blondit au soleil ou au séchoir.

- Apporte un léger reflet, couvre les premiers cheveux blancs : « Movida », Garnier. Coloration ton sur ton sans ammoniaque, très douce.

- Couleurs intenses qui tiennent : « Lumia », Garnier. Dix-huit teintes. A ne pas appliquer sur cheveux blancs.

- Couvre les cheveux blancs : « Excellence Crème », L'Oréal. Nouveau : un sérum protège les cheveux avant la coloration, puis un soin après. Environ 10 €.

- On trouve un guide gratuit des colorations Garnier dans les points de vente.

Produits de « coiffage »

- Pour démêler les boucles : « Bain Elasto Curl », Kérastase.

- Donne du volume aux cheveux fins : « Mousse Volumactive », Kérastase.

- Donne nervosité et brillance : « Gel Funky Chunky », John Frieda.

- Défrisotte : « Agent Secret Frizz Ease », John Frieda. Répartir sur cheveux mouillés et laisser sécher naturellement pour obtenir des boucles souples.

- Permet de coiffer les cheveux mouillés : « Ocean Waves », John Frieda.

- Fixe les boucles : « Spray Boucl'Max Studio Line », L'Oréal. Pour créer des boucles : appliquer en petite quantité la mousse de la racine à la pointe puis enrouler chaque boucle autour de l'index. Une fois sèches, dégager les boucles et les détendre pour leur donner du ressort. Finir en vaporisant un peu de laque. Environ 6 €.

- Un classique ultra fixant : « Gel Fondant Ultra Fixant Studio Line FX », L'Oréal.

- Effet ébouriffé, sur tous cheveux : « Pschitt Gel Décoiffant, Fructis Style », Garnier. Fixation forte. Ne plaque pas, ne cartonne pas, ne colle pas. Sort en septembre 2003.

- Donne du volume aux cheveux fins : « Aqua Mousse Volume », Garnier-Innovation. Sort en septembre 2003.

- Une laque résistante à l'humidité : « Laque Expert Finish Studio Line », L'Oréal. Environ 5,75 €.

Soins

- Masque ultra-rapide : Maniatis. S'applique et se rince immédiatement. 11 €.

- Enlève les pellicules en gommant : « Masque Gommant Antipelliculaire », Keranove d'Eugène Perma. Il apaise les démangeaisons. Environ 5,95 €.

- Nourrit les cheveux bouclés : « Soin Hydra-Tonifiant Elasto-Curl », Kérastase, en crème pour boucles épaisses, en mousse pour cheveux de bébés.

- Masque pour cheveux secs : « Gliss », soin beauté minute, Schwarzkopf. Présenté sous forme de monodoses. S'utilise sous la douche. Riche en huile d'amandes. Environ 1,10 €.

- Traitement de fond : « Masque Pour Cheveux Très Secs », Iman. Donne de très bons résultats. A été conçu pour nourrir les cheveux africains, plus secs et plus fragiles que les cheveux européens. Se garde pendant 20 minutes. Environ 10,50 € le pot de 200 ml.

- Masque réparateur pour cheveux longs ou mi-longs : « Masque Réparateur Ultra Doux à la Vanille », Garnier. Environ 4,80 € le pot.

- Soin Sans Rinçage : « Garnier Fructis Force Anti Dessèchement ».

- Gaine et fixe les cheveux fins : « Aqua Mousse Volume », Garnier Grafic.

- Pour cheveux colorés, un masque nourrissant : « Masque Color Guard », Jean-Louis David. Referme les écailles des cheveux. Conserve leur couleur. Environ 5,17 €.

- Protège sous le soleil : « Aqua Soleil Protection », en spray, Kerastase.

- Après-shampooing nourrissant : « Petit Marseillais », après-shampooing au lait de céréale et au camélia. Environ 3,75 €.

- Pour cheveux épuisés, très cassants : « Elsève Anti-Casse ». Un sérum très concentré en céramide. En pulvérisation sur les cheveux lavés, essorés. Démêlez puis rincez. Environ 7,49 €.

- Soin anti-vieillissement : « Traitement Intensif Redensifieur au Regenium », Elsève. Très agissant. Environ 6,16 €.

SOINS DES MAINS ET DES ONGLES

- Dissolvant sans coton : on trempe juste ses doigts dans le pot et on rince, Arcancil. Environ 6,70 €.

- Vernis French Manucure : Revlon. Chic et classique. Se compose de trois flacons : l'un pour farder en blanc l'extrémité des ongles (bien essorer le pinceau avant de passer une couche de vernis), par-dessus une couche de rose transparent, le troisième vernis fixe l'ensemble. Environ 23 €.

- Waterproof, tient deux semaines sur les ongles des pieds : « Funky Feet ». Gemey-Maybelline. Dix teintes acidulées, classiques ou originales (un joli bleu) pour peaux claires ou foncées. Environ 5,40 €.

- Un vernis qui soigne en maquillant : « Color Protect », Revlon. Apporte calcium, fluor, vitamine A, E et protection UV. Huit teintes. Environ 9,90 €.

- Pour un soir Class : « Vernis Antichoc Or Ir-réel », Bourjois. Fin, léger et qui tient. Environ 6,51 €.

- Reflets métalliques pour une soirée folle : « Chrome Shine », L'Oréal. Contient de la poudre d'aluminium micronisé qui donne d'étonnants reflets de métal miroitant. Splendide teinte Cristal Cuivré. Environ 8,60 €.

- Soigne les ongles striés et tachés : « Lissant Blanchissant », Bourjois. Une base fluide, blanche et soignante à poser en deux couches sur l'ongle nu. Environ 6,70 €.

- Stoppe les fissures : « Express Manucure SOS Repair », Gemey-Maybelline. Posez une première couche parallèle à la fissure, puis une seconde perpendiculaire, puis votre vernis. Environ 5,34 €

- Sèche en une minute : « Express Finish, Séchage Express », Gemey-Maybelline.

- Effet miroir : « Water Shine », Gemey-Maybelline. Posé sur une base incolore, dure sept jours. Dix-huit teintes. Environ 5,14 €

- Ongles lisses et nacrés en une minute : « New Jet Set », L'Oréal. Une couche suffit, mais deux assurent longue tenue et reflets de coquillage. Quatorze teintes dont les beaux Orange givré et Neige scintillante. Environ 6,76 €.

- Crème de massage pour les ongles : « Express Massage », Gemey-Maybelline. Accélère la pousse des ongles et les hydrate. Se présente sous forme de petit flacon plastique qui prend peu de place dans le sac. Non grasse. S'applique à tout moment du jour. 8,50 €

SOINS DU VISAGE

Démaquillants

- Pour les peaux irritées : « Pain de Toilette », Dove. Recommandé par des dermatologues. Environ 2,69 €.

- Démaquillant pour peaux grasses : n'excite pas les glandes sébacées. Nivéa. Se rince à l'eau. Environ 4,25 €.

- Lingettes démaquillantes pour peaux sèches et sensibles (existe aussi pour peaux normales ou matures) : « Age Perfect », L'Oréal. Sans alcool. Contient de la vitamine E. Vingt-cinq lingettes, environ 4,19 €.

Tonique

- Pour peaux normales et mixtes : « Tonique Vivifiant Idéal-Balance », L'Oréal. 200 ml, environ 4,49 €.

Anticernes et soins des yeux

- Gel crème anticernes : « Hydrafresh Yeux », L'Oréal. Rafraîchit, décongestionne l'œil, estompe les cernes. Environ 6 €.

Pour les peaux jeunes

- Crème bonne mine : « Crème d'Énergie », Nivéa. Couleur abricot irisée. Ses pigments réflecteurs donnent bonne mine. Environ 8 €.

- Pour peaux jeunes : « Lotion Clarifiante Assainissante Pure Zone », L'Oréal. Environ 4,95 €.

- Pour peaux mixtes et grasses : « Soin Hydratant Antiregraissant Pure Zone », L'Oréal Dermo-Expertise. Environ 6,45 €.

30-45 ans

- Prix Marie-Claire des Meilleurs Produits de Beauté 2002, pour les trentenaires : « Visible Results Jour », L'Oréal. Lisse, affine, veloute la peau. Environ 12,95 €.

- Anti-âge primée également : « Synergie Stop » rétinol + vitamine C, Garnier. Cette base de maquillage resserre la peau. Légère, elle sent la mandarine. Épatante. Environ 7,61 €.

- Hydrate fortement. Prix d'Excellence : « Aqua-Force », Diadermine.

- Soin de jour en pot : « Synergie Stop Multi Actif Anti-Âge », Garnier. SPF 15. A + C + E (tomate, kiwi, agrumes) + anti-UV.

Peaux matures

- Antirides : « Plénitude Revitalift », L'Oréal. Arrivée en tête des crèmes testées par Soixante Millions de Consommateurs, en 2001. « Très bon pouvoir anti-rides et hydratant. Très bonne tolérance », notait ce journal. Soin de jour : environ 10,52 € ; nuit : 11,95 €.

- Lift + Hydratant : « Soin de Jour Lift + Hydratant », Diadermine. Contient des activateurs de collagène. Agréable d'emploi.

- Raffermit : « Soin Fermeté Visage et Cou », Barbara Gould. Peut s'utiliser sous la crème de jour.

- Éclaircit les taches : « Age Perfect », L'Oréal.

Masque

- Monodoses hydratantes : « Nivéa Visage ». C'est un masque au miel, facile d'emploi. Environ 1,25 €.

MAQUILLAGE

Lèvres

- Donne du volume, un côté pulpeux : « Effet 3 D », Bourjois. Très employé sur les plateaux de studio. Existe (entre autres) un « Rose Unic » qui va aux blondes comme aux brunes et une teinte transparente à mettre sur un autre rouge. Environ 8,88 €.

- Deux en un, rouge à lèvres et gloss. Tient 8 heures : « Lasting Rouge », Revlon. Dans un même flacon-stylo. On applique le rouge. On laisse sécher une minute puis on met le gloss. Ne laisse pas de trace sur le bord des verres. Résiste aux baisers les plus fous (assure la marque). Environ 13,50 €.

- Effet lèvres mouillées : « Rouge Water Shine Diamonds », Gemey-Maybelline. Pour une allure naturelle, l'appliquer au doigt par petits tapotements. Plus sophistiqué, l'appliquer au pinceau. Dix teintes. Environ 7,47 €.

- Un grand choix : « Yours ». Une belle gamme d'oranges, de bruns, et de roses. Environ 8,37 €.

- Un gloss transparent aux couleurs de fruits : « Glossy Roll On », Nivéa. Environ 7 €. Vernis à ongles assortis. Environ 6,80 €.

- Pour le soir : « Superlustrous Spectacular », Revlon. La teinte « Gilded Chrome » donne aux lèvres un ton or rosé ravissant. Va aux brunes comme aux blondes. Environ 9 €.

Yeux

- Teinture de cils : « Colorstay Overtime Lash Tint », Revlon. Idéal pour les très jeunes filles, les femmes qui n'aiment pas le mascara et les sportives. Dure trois jours. Pour enlever votre maquillage habituel et garder les cils colorés, utilisez un démaquillant non gras. Environ 11 €.

- Peigne et teint les sourcils : « Sourcils Précision », Bourjois.

- Du cil à cil : « Mille et Un Cils », Pur Mascara d'Arcancil. Environ 7,50 €.

- Ne paquette pas sur les cils : « Max Volume », de Nivéa. Muni d'une brosse généreuse qui sépare néanmoins les cils. 8,75 €.

- Épaissit les cils. Adapté aux porteuses de lentilles : « Colorstay Extra Thick Lashes », Revlon. Une seule application suffit. Et tient plusieurs jours ! Environ 10,55 €.

- Attrape les cils du coin interne de l'œil : « Ricils Discovery One by One », Gemey-Maybelline. Environ 8,69 €.

- Crayon et taille-crayon : « Fabuliner », Revlon. Aussi fin qu'un porte-mine. Contient un taille-crayon dans le capot. Cinq teintes dont un beau gris qui met en valeur les yeux bruns comme les yeux clairs. Environ 8 €. Existe aussi sur le même principe des crayons contour des lèvres.

- Ombres à paupières. Un grand classique qui ne démérite jamais : « Pastel Lumière », Bourjois. Parfait en rose. Cette teinte, appliquée en sous-couche, fait des yeux reposés. Environ 8,43 €.

- Aurores glacées sur les paupières : « Ombres glacées d'Arcancil », rose, pêche, vert pâle. Environ 8,45 €.

- Ombres sophistiquées : « Suivez mon regard », Bourjois. Des poudres irisées, très couture que l'on peut estomper à volonté (avec le pinceau incorporé) car elles sont très fines. Dix teintes dont un cuivré doux (« Regard Ambré »), et un argent pailleté transparent (« Illuminateur du regard ») parfait pour une soirée. Environ 10,50 €.

- Un grand choix de crayons, d'eyeliners, d'ombres : « Yours » de Yours. Make Up for Ever, une ligne de maquillage de professionnels de studio a lancé cette gamme qui comprend vingt-quatre différentes ombres, de multiples crayons et eye-liners. 5,66 à 8,83 €.

- Pour collégiennes et étudiantes, les ombres « Pure Color ». Gemey-Maybelline. Douze teintes. Un applicateur dans le socle du boîtier. Le gris mélangé aux pastels donne des reflets métalliques doux. Environ 6,29 €.

Blush

- En stick : « Blush Radiance Ensoleillé », Revlon. Une crème transparente dans les tons de caramel. 8,38 €.

- Blush liquide : « Cool Effect Blush », Gemey-Maybelline, à embout applicateur. Un blush frais et un peu nacré. Environ 6,60 €.

- Un grand classique en poudre : « Fards Pastels Joues », Bourjois. Les blushs dans leur petite boîte ronde sont les plus tenaces sur la peau, les plus économiques. Teintes privilégiées : pêche vitaminée et rose ambré. Environ 6,52 €.

Teint

- Correcteurs de teint : « Yours » de Yours, en propose trois qui corrigent les rougeurs, les pâleurs et les taches. Environ 7 €.

- Camoufle les imperfections : « Stick Correcteur Doux Traitant », Deborah. 7 €.

- Fond de teint liftant : « Deluxe Lifting Make-up », Revlon. Réduit les rides jusqu'à 30 % en deux semaines. Test clinique Revlon. Au soja, vitamine A, E, acacia, avocat et filtre UV. Environ 21 €.

- Apporte de la lumière : « Fond de Teint Everfresh », Gemey-Maybelline. 8,56 €.

- Matifie les peaux grasses : « ... et Mat ! », Bourjois. Ce stick à la texture transparente est efficace sur peau nue ou maquillée. Il absorbe l'excès de sebum du front, du nez et du menton sans dessécher. Environ 15,20 €.

- Fond de teint en capsules monodoses : « Bulles d'Éclat » (trente monodoses), Bourjois. Une par jour pour le visage et le cou. Très facile à appliquer, a une texture un peu poudrée qui matifie en donnant bonne mine. Épatant quand on doit aller en soirée sans pouvoir repasser chez soi. Parfait en week-end. Un packaging vraiment intelligent. Environ 17,90 €.

- Pour les jeunes femmes à la peau mixte : « Idéal Balance », L'Oréal. Matifie front, nez, menton, hydrate le reste du visage. Environ 12,06 €.

- Pour les plus de 30 ans : « Liss Results », Gemey-Maybelline. Lisse vraiment. Ne pas oublier d'en mettre sur la veine bleue au coin interne de l'œil.

• Le plus simple d'emploi : « En Toute Discrétion », Bourjois. En stick et en format de poche, permet les retouches au bureau. Apprécié des novices. Environ 15,23 €.

• Poudre compacte couture : « Teint d'Exception », Revlon. Très beau packaging rouge, avec glace incorporée. Transparente, elle illumine vraiment le teint grâce à des nacres douces qui reflètent la lumière et estompent les petits défauts. Une belle teinte porcelaine. 14,48 €.

• Une poudre dans un pinceau : « Libre Comme l'Air », Bourjois. Elle descend toute seule dans le pinceau, lequel rebouché ne salit pas le sac. Très pratique. De plus, elle est légère. Environ 14,91 €.

SOINS DU CORPS

Déodorants

• Très doux : Déodorant Dove Sensitive.

• Pour les retouches : un mini-vaporisateur à fourrer dans son sac : « Concentré de Déodorant, Fraîcheur Sèche Douceur du lin blanc », Obao. Longue durée. Environ 3,95 €.

Dépilatoires

• Sans brûlures : « Roll-On Aquasystem, Cire Orientale », Veet. On remplit son réservoir d'eau chaude du robinet. On applique la cire et on l'ôte à l'aide de bandes. Les éventuelles taches se retirent à l'eau. Environ 7,50 €.

• Une minute au micro-ondes : « Cire Divine », Nair. S'enlève sans bande de tissu. Environ 7,60 €.

Lait, crème, huile pour le corps

• Pour peaux très sèches : « Huile de Douche Ultra-Hydratante », de Nivéa. Environ 2,99 €.

• Raffermit en hydratant : « Lait Hydratant Raffermissant », Dove. Contient de la glycérine qui fait la peau toute douce.

• Prix d'Excellence de la beauté 2002, une crème anti-peaux sèches » : « Skin Naturals Body Cocoon », Garnier. Cette crème soulage les tiraillements. Pénètre tout de suite. Pas chère : 3,50 € le grand pot de 125 ml.

• Un lait anti-dessèchement qui a reçu le Prix d'Excellence de « Marie-Claire » : « Nutrilift », Plénitude de L'Oréal. Lisse et raffermit la peau. Sent bon (fleurs et bois). Environ 5,79 €.

• Amincissant : « Soin Contour Fermeté Q 10 », Nivéa. On masse la peau pour faire pénétrer le produit. 300 ml. Environ 9,90 €.

Exfoliant

• Exfolie sans assécher : « Exfoliant Body Expertise », L'Oréal. Environ 7,60 €.

Soins amincissants

• A reçu le prix d'Excellence « Marie-Claire » : « Perfect Slim. Minceur-fermeté », Plénitude de L'Oréal. Ce gel non gras contient du gingko et de la caféine. Active la micro-circulation et réduit la peau d'orange. Faire une cure d'un mois. Environ 11,90 €.

• Sérieux : « Soin Contour Fermeté Q 10 Plus », Nivéa. Environ 9,90 €.

Gels douche

• Mousse sous la douche : « Soin Douche Lait et Vitamines », Nivéa. Contient des protéines de lait qui nourrissent la peau. Environ 3,34 €.

• Assouplit la peau : « Crème Douche Douceur de Soie », Dove. 2,70 €.

• Contre les jambes lourdes : « Grains de Beauté, Gel de Douche Apesanteur », Bourjois. Massez chaque jambe un peu surélevée. Terminez par un jet d'eau fraîche. Faites-en autant avec les mains. 200 ml. Environ 2,94 €.

• Tonifiant : « Bien-Être. Douche Gel Éveil », Bourjois. A l'orange et pro-vitamine C. 250 ml. Défatigue vraiment et booste. Environ 2,49 €.

PARFUMS

• Pour femme, eau de parfum : « Caractère », Daniel Hechter. Contient cassis, lilas, lys d'eau, freesia, rose, jasmin, musc, benjoin, vanille. Environ 12,69 €.

• Pour jeunes femmes, eau de toilette : « Eau Jeune Essentiel ». Bergamote, baies roses, iris, pivoine, fleur d'héliotrope, ylang-ylang, rose, muscs poudrés, vanille, santal. En vaporisateur 75 ml. Environ 7,47 €.

PRODUITS SOLAIRES

Pour bronzer

• Autobronzant facile à appliquer : « No Trace Bronzeur Ambre Solaire », Garnier. Il possède une buse d'aspersion tournante qui permet d'envoyer des sprays tête en bas et d'atteindre l'entre-omoplates, d'où un bronzage uniforme. Odeur agréable et couleur de vrai bronzage.

• Protection intensive pour peaux claires : « Lait ou Spray Solar Expertise », L'Oréal. La crème indice 60 est conseillée aux peaux claires ou matures. En début d'exposition, on choisira un lait ou un spray indice 10 ou 20. 8,95 à 12,95 € (indice 60).

• Après-soleil anti-âge : « Solar Expertise » en lait, crème ou gel. Environ de 8,95 à 9,95 €.

• Autobronzant (un soin primé) : « Sublime Bronze », L'Oréal Plénitude. Lait autobronzant + effet lissant. Permet de s'habiller rapidement après l'avoir posé. Ne dessèche pas la peau. Environ 7,60 €.

- Pour les enfants : « Spray Color Enfants IP 30 », Nivéa Sun. Les transforme en Schtroumpfs bleus dès l'application, ce qui permet de localiser les endroits non protégés. La couleur s'en va au bout de quelques secondes. Environ 2,43 €.

- Lingettes : « Nivéa Sun Lingettes IP 8 ». Environ 6,70 €.

- Eau couleur soleil : « Sun Touch face and body », Nivéa. Se fond dans la peau. 9,84 €.

- Gel pailleté pour le corps : « Soleil Miss Helen ». Beau en toute saison. Environ 7,50 €.

POUR NOS HOMMES

Rasoir

- Rasoir trois en un : « Wilkinson Sword ». 1,50 €.

Mousses à raser

- Pour peaux sèches : « Mousse à Raser Peaux Sensibles », Wilkinson Sword. Au beurre de cacao et vitamine E. 200 ml. 2,35 €.

- Pour peaux sensibles : « Mousse à Raser », Nivéa. Environ 2,50 €.

- Pour barbe difficile : « Mousse à Raser », Williams. Environ 3,10 €.

Après-rasage

- « Masculin Extrême », Bourjois. Environ 4,90 €.

Gel à raser

- Pour peaux sensibles : « Gillette Shave Gel Concentrate ». Environ 3,70 €.

Pour cheveux

- Shampooing pour cheveux clairsemés : « Shampooing au Regenium XY », Elsève Homme. Environ 3,08 €.

- Pour les jeunes, une pâte coiffante modelante : « Remix », L'Oréal. Sur tous types de cheveux, pour les froisser, plaquer, entortiller, sculpter. Environ 5,18 €.

- Coloration à domicile, efface les premiers cheveux blancs : « Color Fitness », L'Oréal. Application express en dix minutes.

Soins

- Gel désincrustant : « Pureté du Visage », Nivéa for Men. Environ 4,76 €.

- Autobronzant : « Gel Sublime Bronze », L'Oréal Plénitude. Pour le visage et le corps. S'applique facilement et pénètre vite. Ne colle pas. Donne un résultat naturel sans traces orange. Environ 9,08 €.

- Anti-rides : « Crème Revitalisante Q 10 », Nivéa for Men. Environ 7,47 €.

- Après-rasage non collant : « Gel Hydratant Après-rasage », Mennen. Il apaise aussi. Environ 4,80 €.

SITES INTERNET

Quatre sites présentent les nouveautés de leur groupe :

- www.gemey-maybelline.com
- www.loreal.com
- www.nivea.com
- www.garnierbeautybar.com

**Vous voulez recevoir gratuitement
le prochain Paris Pas Cher ? Signalez-nous,
par courrier, une bonne adresse qui n'y figure pas
ou une erreur qui se serait glissée dans le texte (si, si, ça arrive),
avant le 1er février 2004.**

**Si vous êtes le premier (ou la première) à nous l'avoir signalée,
et que nous la retenons,
vous recevrez un exemplaire du guide 2005,
à paraître en septembre 2004.**

**Paris Pas Cher
19 av. Georges-Brassens
94550 Chevilly-Larue**

BEAUTÉ, coiffeurs

Les coiffeurs de quartier ne sont pas une denrée rare. Leurs tarifs sont à peu près équivalents, pour peu que l'on reste raisonnable et que l'on ne se précipite pas chez les grands noms à la mode – à moins de choisir les centres de perfectionnement (voir p. 43). Comment faire son choix ? Si le bouche à oreille ne vous apporte rien, adressez-vous à ceux qui suivent : ils ont été testés par nos enquêteurs qui y ont leurs habitudes.

5e ARRONDISSEMENT

CLAUDE FERRON
18 rue des Patriarches (5e) • Mo Censier-Daubenton • Tél. 01 43 31 15 53 • Mardi-samedi : 10 h-19 h ; jeudi (nocturne) : 11 h 30-20 h 30

Ancien professeur d'école de style, Claude Ferron donne du temps à ses ciseaux et des cadeaux à ses clients : tous les soins et produits coiffants sont offerts. Mèches et balayages, clip couleur (sur devis) : de 16 à 29 € et de 46 à 62 €. Shampooing-coupe-séchage masculin : 22 €. Féminin : 34 €. Enfant moins de 12 ans : 15 €. Étudiant moins de 20 ans : -20 % sur les forfaits. **Réduction de 10 % sur les forfaits à la première visite avec le guide ou la carte.**

9e ARRONDISSEMENT

TCHIP COIFFURE
1 rue de Maubeuge (9e) • Mo Notre-Dame-de-Lorette • Tél. 01 48 78 58 76 • Lundi-samedi : 10 h-20 h

On vient sans rendez-vous. Le travail effectué est tout à fait correct. Shampooing-coupe-brushing : 16 €, 26 € avec une couleur ; shampooing-coupe-brushing-permanente : 36 € ; shampooing-coupe-brushing-balayage : 46 €. Les salons Tchip n'utilisent que les produits L'Oréal. AUTRES ADRESSES. 26 rue Pépinière, 8e, Mo Saint-Augustin, Tél. 01 45 22 05 99. – 6 rue Rougemont, 9e, Mo Grands-Boulevards, Tél. 01 42 46 05 95. – 337 rue Lecourbe, 15e, Mo Lourmel, Tél. 01 44 26 47 11. – 113 rue de Courcelles, 17e, Mo Péreire, Tél. 01 47 63 81 14. – 1 rue de Crimée, 19e, Mo Place-des-Fêtes, Tél. 01 40 03 04 15. – 15 bd de Strasbourg, 94130 Nogent-sur-Marne, Tél. 01 48 73 26 03.

10e ARRONDISSEMENT

AFRO-2000
43 bd de Strasbourg (10e) • Mo Château-d'Eau • Tél. 01 47 70 11 46 • Lundi-samedi : 9 h-19 h

C'est un salon modeste à l'accueil chaleureux, au coup de ciseaux expert et rapide. Coupe-shampooing-brushing pour femme : à partir de 27,50 €. Défrisage simple à chaud : 38,11 €. Coupe homme : 14 €. Rasage : 5 €. Coupe

-12 ans : 10 €. Onglerie manucure à partir de 10 €. Pose de faux ongles à partir de 40 €. Pédicurie à partir de 20 €.

11e ARRONDISSEMENT

RICHARD COIFF'HOM
103 bd Voltaire (11e) • Mo Voltaire • Tél. 01 43 55 50 39 • Mardi-samedi : 8 h 30-19 h

Dans un aimable salon climatisé, hommes et juniors se feront raccourcir la chevelure pour une somme bien modeste. Coupe-shampooing-coiffure : 17 €.

12e ARRONDISSEMENT

FABIO SALSA
1 rue du Minervois (12e) • Mo Cour-Saint-Émilion • Tél. 01 43 40 41 42 • Lundi-vendredi : 9 h 30-19 h 30

Les lundi, mardi et mercredi, shampooings et brushings ne coûtent que 13 €. A cette mansuétude s'ajoute le fait que le salon se trouve à deux pas des cinémas et des boutiques si agréables de la cour de Bercy, ainsi que du parc du même nom, et qu'on peut venir se faire coiffer sans avoir pris rendez-vous. AUTRES ADRESSES. 6 rue de l'Ouest, 14e, Mo Gaîté, Tél. 01 43 20 56 52. Mardi et mercredi seulement. – 15 autres adresses en banlieue.

HAUTE COIFFURE DAUMESNIL
182 av. Daumesnil (12e) • Mo Daumesnil • Tél. 01 43 07 97 82 • Mardi-vendredi : 10 h-19 h ; samedi : 9 h-18 h 30

Nous décernons à Richard et à sa charmante épouse, Sophie, la coupe (de cheveux) 2004. Coupe-shampooing-coiffage : pour homme à partir de 21,50 €, pour femme de 33 à 48 €. Enfants -13 ans : de 14 à 23 €. Accueil charmant. **Remise de 10 % avec le guide ou la carte.**

15e ARRONDISSEMENT

CRÉATION 25 A
176 rue de la Convention (15e) • Mo Convention • Tél. 01 56 08 24 57 • Lundi-mardi, jeudi-samedi : 9 h-18 h

Formée chez Carita, cette jeune femme cumule les talents pour la coupe et le visagisme. Ses tarifs sont modestes compte tenu de la qualité des transformations qu'elle opère. Coupe : 29 €. Coupe et couleur : 55 €.

EDGAR FAB

73 rue Lemercier (17e) • M° Brochant ou La Fourche • Tél. 01 42 28 08 16 • Mardi-samedi : 9 h 30-19 h

Voici l'un des derniers vrais coiffeurs pour homme de Paris (dixit Edgar Fab lui-même). Messieurs les dégoûtés du salon de coiffure, cette adresse est pour vous ! Sans chichi, garanti 100 % non branché, un vrai professionnel dont vous apprécierez l'humour et la conversation (une fois n'est pas coutume !). Quant aux prix, difficile de faire moins cher, mais notre homme préfère que vous veniez les découvrir par vous-même.

18e ARRONDISSEMENT

CLUB COIFFURE

123 rue Ordener (18e) • M° Jules-Joffrin • Tél. 01 46 06 45 70 • Lundi-samedi : 8 h 30-19 h 30

Un grand sourire est toujours compris dans le forfait : shampooing-coupe pour homme : 13 € ; la barbe : 2 €. Pour dames : forfait coupe, shampooing, brushing, crème traitante à 23 € ; forfait shampooing, brushing, crème revitalisante : 14 €. On notera que les prix n'ont pas augmenté depuis trois ans.

JACQUELINE

121 rue de Clignancourt (18e) • M° Simplon • Tél. 01 42 54 03 77 • Mardi-samedi sur rendez-vous (9 h-12 h, 14 h-18 h 30)

Jacqueline (toujours de bonne humeur) exécute toutes les coiffures. Cependant, elle est la reine du chignon : 15,30 € (mise en plis, tout compris + 1,50 € avec épingles).

78 YVELINES

COIFFURE JACQUES DELAWARDE

7 rue Patenôtre • 78120 RAMBOUILLET • Tél. 01 30 41 89 19 • Lundi-vendredi : 9 h-19 h ; samedi : 8 h 30-18 h

Jacques Delawarde propose à ses clientes une teinture et un shampooing sans séchage. Coloration ton sur ton sans ammoniaque : 21 € ; coloration haute ténacité, sans séchage : 29 € ; avec séchage aux doigts : 39 €. Coloration ton sur ton, shampooing et séchage : 31 €. AUTRES ADRESSES. 6 place de l'Église, 78660 Ablis, Tél. 01 30 59 13 11, mardi-samedi : 9 h-19 h. Coupe homme : 18 €. Shampooing-coupe-brushing : 31,50 €. Enfant (jusqu'à 12 ans inclus) : 15 €. – Centre commercial Intermarché, Cressely, 78114 Magny-les-Hameaux, Tél. 01 30 52 06 09, mardi-vendredi : 9 h-19 h 30, samedi : 9 h-19 h. Shampooing-coloration ton sur ton : 21 € ; coloration haute ténacité, sans séchage : 29 € ; avec séchage aux doigts : 39 €. – 25 place Félix-Faure, 78120 Rambouillet, Tél. 01 34 83 21 91, mardi-vendredi : 9 h-19 h, samedi : 8 h 30-18 h. – 15 rue Charles-de-Gaulle, 78730 Saint-Arnoult-en-Yvelines, Tél. 01 30 41 21 54. – Centre commercial Intermarché, rue Raymond-Laubier, Sodiparc, 91410 Dourdan, Tél. 01 64 59 30 03. – 22 av. d'Arpajon, 91520 Égly, Tél. 01 64 90 98 65, lundi-vendredi : 9 h-19 h 30, samedi : 8 h 30-18 h.

92 HAUTS-DE-SEINE

ATELIER DE COIFFURE
ALAIN PAGÈS

45 rue Bezons • 92400 COURBEVOIE • 3 km de la Porte de Champerret • Tél. 01 47 89 22 28 • Mardi-vendredi : 10 h-19 h ; samedi : 9 h-18 h 30

Voici un coiffeur sympathique. Les prix pratiqués sont bas, le service soigné et rapide. Coupe-shampooing-séchage pour homme : 14 € ; pour femme : 21 €.

Les centres de perfectionnement de coiffeurs

Vos chères têtes et les nôtres en ont vu de toutes les couleurs. Voici le résultat de nos expériences conjuguées : des adresses a priori sûres. Cependant, les coiffeurs officiant dans ces centres s'entraînent à se mettre dans les doigts une coupe ou une technique. Les balbutiements précédant toujours l'acquisition d'une langue, nous ne pouvons vous mettre (et nous mettre) à l'abri d'un dérapage de ciseaux ou d'un dosage malhabile de teinture. N'hésitons pas pourtant à oser l'aventure : elle nous va si bien.

8e ARRONDISSEMENT

CENTRE DE FORMATION
CAMILLE ALBANE

114 rue de la Boétie, 8e • M° Franklin-D.-Roosevelt • Tél. 01 43 59 31 32 • Lundi-mardi-mercredi : horaires variables. Téléphoner pour prendre rendez-vous dès 9 h

Prévoir 3 heures. Si vous avez entre 16 et 45 ans, vous serez coiffée selon vos désirs, cependant vos cheveux seront raccourcis d'au moins 3 cm sur toute votre tête et les chevelures longues seront alignées à la hauteur de la poitrine. Coupe à 4 € pour les moins de 20 ans. Plus âgées : 8 €.

CENTRE DE FORMATION JACQUES DESSANGE

51 rue du Rocher, 8ᵉ • Mᵒ Saint-Lazare ou Villiers • Tél. 01 44 70 08 08 • www.jacques-dessange.com • Lundi-mercredi : 9 h 30-11 h, 13 h 30-15 h

École de perfectionnement réservée aux femmes de 16 à 45 ans. Rendez-vous obligatoire une semaine à l'avance. Participation : 4 €, pour les filles de 16-24 ans. Coupe : 8 €, de 25 à 45 ans. Couleur ou balayage sur sélection, uniquement après la coupe : 8 €.

CENTRE TECHNIQUE PROFESSIONNEL REVLON

29 rue du Colisée, 8ᵉ • Mᵒ Franklin-D.-Roosevelt • Tél. 01 56 43 41 25 (Service modèles) • Lundi-vendredi : 9 h-18 h

On ne peut venir ici sans prendre rendez-vous. L'aimable directrice de ce centre déterminera d'abord avec vous ce qui convient le mieux à votre chevelure. Soit soins, mèches, couleurs, etc., et vous donnera alors un rendez-vous. La prestation vous coûtera 11 €. Une fois par mois, coupe pour homme gratuite. Possibilité d'y acheter des produits professionnels, notamment des crèmes, lotions, sprays, gels et fixatifs de la marque « American Crew » fabriqués à base de produits naturels (environ 12 € les 100 ml de gels crème « Fiber »).

9ᵉ ARRONDISSEMENT

ESPACE EUGÈNE PERMA

6 rue d'Athènes, 9ᵉ • Mᵒ Lazare • Tél. 01 40 23 23 66 (service des modèles) • Lundi-jeudi : 9 h 30-11 h 30, 14 h 30-16 h 30

Le premier rendez-vous doit être pris sur place. Il faut être âgé d'au moins 18 ans pour offrir sa tête aux coupes, mèches, colorations, permanentes et service forme. Forfait tous services : 8 €.

MOD'S HAIR

46 rue d'Amsterdam, 9ᵉ • Mᵒ Liège • Tél. 01 45 26 53 00 • Lundi-vendredi : 10 h-16 h. Sur rendez-vous uniquement

On prend les modèles de tous âges... Un bon point. Si vous êtes disponible dans la journée, il est assez facile d'avoir un rendez-vous, nous assure une lectrice. Elle ajoute : « Les divers coiffeurs entre les mains desquels je suis passée ne m'ont jamais ratée, au contraire. Grâce à eux, j'ai trouvé la coupe qui me plaît et me va... Rare ! » Les coiffeurs vous proposent des modèles de coupe et vous choisissez avec eux ce qui vous convient. Compter 13 € pour une coupe. Offre de bienvenue : la première fois à 8 €. Davantage pour un soin technique.

10ᵉ ARRONDISSEMENT

ABC ÉCOLE DE COIFFURE

105 bd Magenta, 10ᵉ • Mᵒ Gare-du-Nord • Tél. 01 53 20 45 50 • Lundi-vendredi : soit à 9 h 30, soit à 13 h 30 sur rendez-vous

Réserver une semaine à l'avance. Sur cheveux courts, shampooing, coupe, brushing : 10 €. Toujours sur cheveux courts, couleur seule : 13 €. Hommes : coupe à 5 €. Apporter une serviette. Accueil aimable.

GROUPE RÉGIS

156 rue du Faubourg-Saint-Denis, 10ᵉ • Mᵒ Gare-du-Nord ou RER E, Magenta • Tél. 01 53 35 53 00 • Prise de rendez-vous, lundi-mercredi : 9 h-12 h 30, 14 h-17 h 30 ; jeudi : 9 h-17 h 30 ; vendredi : 9 h-15 h

Accueil très sympathique prodigué par des coiffeurs des chaînes Saint-Algue, Coiff'Eco, City Looks et Intermède qui viennent ici en stage. Les mardi et mercredi à 9 h ou 14 h. Shampooing + coupe + coiffure dame ou homme avec stagiaires : 5 €. Technique sans coupe : 25 €. Coupe + technique (sans permanente) : 30 €. Si vous souhaitez être coiffée par un formateur, prenez rendez-vous un jeudi ou un vendredi et payez un peu plus cher. Shampooing + coupe + coiffage dame : 24 € ; technique dame (sans permanente) : 45 € ; shampooing + coupe + coiffage homme : 15 €. Fermé la dernière semaine de décembre.

11ᵉ ARRONDISSEMENT

ACADÉMIE RIVE DROITE

14 av. de la République, 11ᵉ • Mᵒ Oberkampf • Tél. 01 47 00 73 73 • Lundi-vendredi (prise de rendez-vous) : 9 h 30-12 h 30, 13 h 30-16 h 30

Une lectrice nous écrit : « Les coupes sont effectuées par des coiffeurs japonais en stage à Paris pour découvrir les techniques françaises. Cela fait au moins dix ans que je viens ici, car je suis toujours satisfaite des résultats. J'ai une entière confiance dans les coiffeurs-formateurs qui ont un véritable talent et des compétences de visagiste. » Tarif : 7 € la coupe. On peut aussi se faire faire mèches ou teintures.

HAIR CLUB

35 rue Émile-Lepeu, Entrée 16 rue Carrière-Mainguet, 11ᵉ • Mᵒ Charonne • Tél. 01 53 27 36 23 • Lundi-mardi : 14 h ; mercredi : 9 h 30 ou 14 h (sur rendez-vous)

Un centre chaleureux. Sur rendez-vous. Prévoir 3 heures. Coiffure adaptée au visage et à la silhouette après étude morphopsychologique. Shampooing, coupe, séchage : 8 € (pour homme ou femme). Shampooing, coupe, coloration : 17 €. Shampoing + coloration + brushing (sans coupe) : 12 €. Accueil très aimable. **Sixième coupe gratuite avec le guide ou la carte.**

14e ARRONDISSEMENT

FORMATION IVAN BEAUCHEMIN
Hôtel Sofitel Paris - Forum Rive Gauche, 17 bd Saint-Jacques, 14e • M° Glacière • Tél. 01 45 81 22 47 • www.ivan-beauchemin • Lundi-vendredi : 9 h 30 et 11 h puis 14 h et 15 h 30. Fermé pendant la semaine du 15 août

Accueil toujours adorable et soins parfaits. Prendre rendez-vous quinze jours à l'avance pour permanentes, couleurs, etc. Les rendez-vous de 11 h et 15 h 30 sont réservés aux coupes-brushing. Coupe et coiffure : 10 € pour femme, 9 € pour ces messieurs. Permanente, couleur + coupe (obligatoire) : 25 €. Balayage, mèches + coupe obligatoire : 28 €. Tarif spécial pour les étudiants (sur présentation de la carte d'étudiant) sur tous les services. **Un soin L'Oréal est offert avec le guide ou la carte**.

17e ARRONDISSEMENT

CENTRE DE PERFECTIONNEMENT FRANCK PROVOST
36 rue Laugier, 17e • M° Péreire • Tél. 01 56 21 10 50 (de 9 h à 18 h) • Lundi-vendredi : 9 h 30 sur rendez-vous uniquement

Accueil aimable. Pas de limite d'âge imposée à qui veut se faire coiffer. Un seul bémol, on ne traite pas les cheveux frisés. Shampooing + coupe + brushing : 9 € pour les garçons, 14 € pour les filles. Shampooing + balayage sur cheveux naturels (ou couleur) + brushing : 17 €. Se réserver 3 heures pour être coiffée.

92 HAUTS-DE-SEINE

L'ORÉAL
66 rue Henri-Barbusse • 92110 CLICHY • M° Mairie-de-Clichy • Tél. 01 47 56 70 00 (demander la salle d'essai coiffage) • Lundi-mercredi (prise de rendez-vous) : 9 h-12 h, 14 h-16 h

Couleurs et autres produits à l'essai, sur rendez-vous uniquement. A partir de 18 ans (pièce d'identité exigée) et sans limite d'âge. Au cours du premier rendez-vous, on vous dira si vos cheveux conviennent, puis on vous fera une touche d'essai afin d'être sûr que vous n'êtes pas allergique au produit employé. Le lendemain, contrôle de la touche d'essai, puis on convient de ce que l'on fera : couleur, shampooing, application de produits de soins et de coiffage, coupe puis brushing. Le tout est gratuit. Une lectrice nous signale que si l'on effectue sur vous de longs soins, on vous dédommage en vous offrant un produit.

93 SEINE-SAINT-DENIS

SAINT KARL - GROUPE SKD
12-16 rue de Vincennes, Tour Orion • 93100 MONTREUIL • M° Croix-de-Chavaux • Tél. 01 48 58 11 77 • www.saint-karl-diffusion.com • Lundi, mardi et mercredi : 14 h ; jeudi-vendredi : 9 h 30 et 14 h

On accueille les personnes de tous sexes âgées de 18 ans et plus. Prendre rendez-vous un mois à l'avance car vous ne serez coiffé que par des professionnels doués d'un vrai sens artistique. C'est dire que l'endroit est couru. Si l'on vient avec une amie, cette cordiale maison offre 50 % de réduction à la première visite. Shampooing, coupe et brushing : 10 € pour homme ou femme. Couleur ou mèches ou balayage ou permanente : 10 €.

SERVICE RECHERCHE ET DÉVELOPPEMENT WELLA
1 bd du Rempart, Immeuble Porte de Paris - Hall B - 8e étage • 93160 NOISY-LE-GRAND • RER A, Noisy-le-Grand-Mont-d'Est • Tél. 01 55 85 07 90 • Lundi-jeudi : 8 h-16 h ; vendredi : 8 h-12 h

Une lectrice nous signale qu'il faut d'abord passer prendre rendez-vous pour se faire faire ou couleur ou permanente (et rien d'autre) dans ce centre. Bon accueil (sans attente) dans un grand espace soigné. Délivrance d'une carte de fidélité (un cadeau au bout de dix visites).

Pour obtenir la carte Paris Pas Cher 2004, reportez-vous à la fin de l'ouvrage, remplissez le questionnaire et renvoyez-le à l'adresse suivante :

**Paris Pas Cher
19 av. Georges-Brassens
94550 Chevilly-Larue**

BIJOUX, montres

20 SUR 20

3 rue des Lavandières-
Sainte-Opportune (1ᵉʳ)
Mᵒ Châtelet
Tél. 01 45 08 44 94
Lundi-samedi : 12 h-19 h

Bijoux des années 30, 40 et 50

De l'extérieur, la boutique attire par sa gaieté. Une profusion de bijoux très colorés en galalithe, rhodoïd, strass, à commencer par une rare sélection de bijoux fantaisie de très belle qualité, signée des plus grands noms des années 30, 40, 50, souvent originaires des États-Unis. Broches animaux, très stylisées, en bakélite : 50 €. Bracelets de stars en strass années 50 : à partir de 90 €. Pendants d'oreilles remontés à partir d'éléments anciens : 45 €. La propriétaire, charmante, connaît sa marchandise. **Remise de 10 % avec le guide ou la carte.**

CÉCILE JEANNE

215 rue Saint-Honoré (1ᵉʳ)
Mᵒ Tuileries
Tél. 01 42 61 68 68
www.cecilejeanne.com
Lundi-dimanche : 11 h-20 h

Toute une poésie

Jeanne c'est la créatrice. Ses collections se nomment « Nuage », « Cosmos », « Ciel », « Étoile ». C'est à elle que les boutiques des musées nationaux ont confié la création des bijoux Matisse. La fabrication à la main de chaque pièce en étain doré à l'or fin 24 carats ou en argent massif, en fait à chaque fois une pièce unique. Boucles d'oreilles : à partir de 30 €. Somptueux collier fleur : 150 €. Ses créations peuvent également se trouver au Printemps, aux Galeries Lafayette et au Bon Marché.

AUTRES ADRESSES
- Carrousel du Louvre, 1ᵉʳ • Mᵒ Palais-Royal-Musée-du-Louvre • Tél. 01 42 61 26 15
- 12 rue des Francs-Bourgeois, 3ᵉ • Mᵒ Saint-Paul ou Chemin-Vert • Tél. 01 44 61 00 99
- 4 rue de Sèvres, 6ᵉ • Mᵒ Sèvres-Babylone • Tél. 01 42 22 82 82
- 10 rue du Vieux-Colombier, 6ᵉ • Mᵒ Saint-Sulpice • Tél. 01 45 48 79 16
- 49 av. Daumesnil, 12ᵉ • Mᵒ Gare-de-Lyon • Tél. 01 43 41 24 24 • Fax : 01 43 41 60 60

ÉRIC ET LYDIE

7 passage du Grand-Cerf
(2ᵉ)
Mᵒ Étienne-Marcel
Tél. 01 40 26 52 59
Fax : 01 40 26 50 28
Mardi-samedi : 14 h-19 h

Grâce et légèreté

Perles d'eau douce, turquoises, quartz rose, améthystes servent à composer des bijoux d'une remarquable délicatesse le plus souvent d'inspiration florale. Chaque modèle est réalisable dans une dizaine de couleurs. Collier à partir de 35 €. Bague guirlande : 32 €. Ravissantes piques à chignon : 70 €. Pendants d'oreilles : 22 €. A assortir au gré de ses humeurs, un ingénieux set de quatre bagues aux couleurs et motifs différents : 32 €.

3e ARRONDISSEMENT

ATELIER JULIEN CRÉATIONS

40 rue de Réaumur (3e)
Mo Arts-et-Métiers
Tél. 01 42 77 33 60
Fax : 01 42 77 33 87
www.ajcreations.com
*Lundi-vendredi : 9 h-19 h ;
samedi : 10 h-19 h*

Ce joaillier est une perle...

Créateur, fabricant, cet artisan joaillier se présente comme offrant « la qualité au meilleur prix ». Parmi les nouveautés, nous avons remarqué la gamme « vis-à-vis » en or jaune ou gris et diamants. La bague, déclinée en différentes tailles, est assortie d'un ravissant bracelet jonc. Comptez 1 025 € pour une bague en or jaune 18 carats (5,80 g) avec deux diamants de 0,30 carat. A noter également un grand choix de perles de Tahiti, sur lesquelles Monsieur Julien est intarissable. **Remise de 15 % avec le guide ou la carte (sauf sur les chaînes en or).**

SODEXOR

119 rue du Temple (3e)
Mo Arts-et-Métiers
Tél. 01 48 04 87 87
Fax : 01 48 04 08 31
www.sodexor.com
*Lundi-vendredi : 9 h 45-
18 h 30 ; samedi : 10 h 30-
18 h*

Haut de gamme à prix fabricant

Diamantaire et négociant en pierres précieuses de père en fils, cet artisan joaillier propose, sans intermédiaire, les créations réalisées dans l'atelier de son élégante boutique. Un lieu idoine pour choisir une bague de fiançailles (solitaire 0,50 carat, monté sur or jaune 18 carats : 1 750 €), des alliances en diamants (à partir de 900 €) ou des puces d'oreilles d'une très belle eau (à partir de 760 €). **Remise de 10 % avec le guide ou la carte.**

4e ARRONDISSEMENT

ARATTO

26 rue de Rivoli (4e)
Mo Saint-Paul
Lundi-samedi : 10 h-19 h

Babioles irrésistibles

Un magasin de rêve pour satisfaire à petits prix des envies de princesse d'un soir ou faire des cadeaux aux copines ! Parures ultra-classiques (collier doré chaînons plats avec boucles d'oreilles assorties) : à partir de 9 €. Grosse chevalière en plastique de différentes couleurs, pavée de strass, « très style » : 1,22 €. Tours de cou en ruban de satin torsadé, ornés de grandes croix garnies de gros cabochons, furieusement « in » : à partir de 10 €. Avantage non négligeable : tous les bijoux sont garantis sans nickel. **Remise de 10 % avec le guide ou la carte.**

CRÉDIT MUNICIPAL DE PARIS

55 rue des Francs-
Bourgeois (4e)
Mo Hôtel-de-Ville
Tél. 01 44 61 65 00
Fax : 01 44 61 65 32
www.creditmunicipal.fr
*Lundi-vendredi : 8 h 30-
17 h ; samedi : 8 h 30-16 h*

Bijoux aux enchères

Une centaine de ventes par an organisées par les commissaires-priseurs appréciateurs près du Crédit Municipal de Paris. On peut y acquérir dans de très bonnes conditions bijoux (à partir de 30 €), montres (à partir de 100 €), bibelots, tableaux, objets d'art, meubles, etc. Un conseil avant de se lancer : visiter l'exposition qui précède la vente pour se faire une idée et ne pas perdre de vue qu'au prix adjugé, il convient d'ajouter au minimum 14,19 % en sus des enchères. En cas de nécessité, vous pouvez aussi vendre ici un objet de valeur ou obtenir un prêt sur gage pour passer un cap difficile.

MÉTAL POINTU'S
Pur et dur

A 19 rue des Francs-
Bourgeois (4ᵉ)
Mᵒ Saint-Paul ou Bastille
Tél. 01 40 29 44 34
*Lundi-dimanche : 10 h 30-
19 h*

L'inspiration ethnique demeure le fer de lance des
créateurs de ces boutiques qui réalisent, sur étain
argenté, bronze, cuir, des bijoux imposants grâce
à la pureté de leur ligne, souvent incrustés de cristal et de pâte de verre. Bague Renaissance : 54 €.
Splendide collier argenté sur étain avec large cou-
pelle en pendentif : 152 €. Grand choix de boucles
d'oreilles (à partir de 8 €) et de barrettes et piques
à chignon (à partir de 10 €). **Remise de 10 %
avec le guide ou la carte.**

AUTRES ADRESSES
- 13 rue du Jour, 1ᵉʳ • Mᵒ Châtelet-Les Halles • Tél. 01 42 33 51 52 • Lundi-samedi : 10 h 30-
  19 h 30
- 13 rue du Cherche-Midi, 6ᵉ • Mᵒ Sèvres-Babylone • Tél. 01 45 44 96 99 • Lundi-samedi :
  10 h 30-19 h
- 9 rue de Charonne, 11ᵉ • Mᵒ Bastille ou Charonne • Tél. 01 47 00 81 60 • Lundi-samedi :
  10 h 30-19 h

MONIC
Une mine de bijoux

A 5 rue des Francs-Bourgeois
(4ᵉ)
Mᵒ Saint-Paul
Tél. 01 42 72 39 15
Fax : 01 48 87 79 19
*Lundi-samedi : 10 h-19 h ;
dimanche : 14 h 30-19 h*

Depuis 1946, les bijoux en or, en argent ou fantaisie
de très belle qualité (Nina Ricci, Poggi) se serrent
dans ces vitrines. Les pierres précieuses scintillent et
les pierres gemmes (jade, grenats, améthystes, opa-
les...) font claquer leurs couleurs. Il y en a pour tous
les goûts et à tous les prix, de 1 € (la bague « comme
maman ») à 10 000 €. Accueillants, le petit-fils de
Monic et ses collaboratrices sont toujours prêts à
dispenser des conseils. Sur devis gratuit, service de
réparation même pour les bijoux fantaisie ! **Remise
de 10 % avec le guide ou la carte sur grenats et Moissanite.**

AUTRE ADRESSE
- 14 rue de l'Ancienne-Comédie, 6ᵉ • Mᵒ Odéon • Tél. 01 43 25 36 61 • Mêmes horaires, fermé
  le dimanche.

PIERRE CARON
Bijoux sobres et classiques

52 rue des Archives (4ᵉ)
Mᵒ Hôtel-de-Ville
Tél. 01 48 87 31 28
Fax : 01 48 87 48 09
Lundi-samedi : 11 h-19 h

Dans cette grande boutique, les vitrines de bijoux
en argent massif alternent avec celles de bijoux en
plaqué ou ou vermeil, créations de ce fabricant, auxquelles s'ajoutent quelques modèles de « Clio blue »
dont Pierre Caron apprécie l'esprit classique et délicat. Créoles charnières en argent : de 20 à 50 €
selon la taille. Petit collier vague : 35 €. Somptueuse
bague papillon, années 40, plaqué or : 58 €. Belle
collection de pierres dures montées sur plaqué ou ou
vermeil.

6ᵉ ARRONDISSEMENT

AU FIL DES PERLES
Perles de tous les horizons

A 5 rue de Tournon (6ᵉ)
Mᵒ Odéon
Tél. 01 56 24 35 36
Fax : 01 56 24 06 26
Mardi-samedi : 11 h-19 h

« En matière de perles, le pire côtoie le meilleur et
il faut savoir comparer ce qui est comparable. » Ici,
on vous explique tout, avec science et patience : les
perles de mers froides (Chine et Japon), les perles
d'eau douce (Chine et Japon), les perles d'eaux
chaudes (Tahiti, Australie, Philippines), en insistant

bien sur ce qui compte avant tout : la forme et l'orient (nom du reflet nacré des perles). Cette boutique se partage entre deux activités : les perles (plus de 2 000 colliers toutes origines, entre 80 et 8 000 €), et la joaillerie (bracelets, colliers, bagues avec pierres semi-précieuses, pierres fines, diamants). Bagues de jeune fille : de 300 à 1 500 €. Bague de fiançailles sur commande et sur mesure. Renfilage de collier : 40 € en moyenne. **Remise de 10 % avec le guide ou la carte.**

GUDULE   *Argent au poids*

72 rue Saint-André-des-Arts (6e)
M° Odéon
Tél. 01 44 07 05 04
Fax : 01 44 07 05 06
Tous les jours : 10 h-1 h du matin

En argent premier titre, agrémentés de pierres dures en cabochon ou taillées, ici tous les bijoux sont vendus au poids, excepté quelques somptueux bijoux touaregs anciens en provenance du Niger, qui eux sont vendus à la pièce. Argent : 1,50 € le gramme. Argent et pierre en cabochon : 2 € le gramme. Argent et pierre taillée : 3 € le gramme. Sur devis préalable, la maison effectue aussi des réparations. **En fonction de la quantité achetée, remise de 10 à 15 % avec le guide ou la carte.**

AUTRES ADRESSES
- 204 rue de Rivoli, 1er • M° Tuileries • Tél. 01 42 60 64 69
- 52 rue de Richelieu, 1er • M° Palais-Royal • Tél. 01 47 03 93 50
- 26 rue Saint-André-des-Arts, 6e • M° Odéon • Tél. 01 43 29 30 30 • Ouvert tous les jours.
- 3 rue de la Roquette, 11e • M° Bastille • Tél. 01 47 00 82 83 • Ouvert tous les jours.
- 41 rue des Abbesses, 18e • M° Abbesses • Tél. 01 42 23 05 09 • Ouvert tous les jours.

7e ARRONDISSEMENT

GALERIE LORELEI   *Pour se faire et faire des cadeaux*

21 rue de Bourgogne (7e)
M° Assemblée-Nationale
Tél. 01 45 55 05 79
Mardi-vendredi : 11 h-19 h ; samedi : 14 h-19 h

Cette boutique mérite bien son nom de galerie avec ses bijoux d'un goût exquis, souvent d'inspiration ethnique, qui changent en fonction des saisons, sans compter les écharpes de soie plissée, les étoles de laine, les sacs brodés, le tout à prix très doux ! Pour Noël, boucles d'oreilles, colliers en cristal de toutes les couleurs : à partir de 15 €. Pendentifs : à partir de 18 €. Petits sacs de fêtes brodés : à partir de 30 €. **Remise de 10 % avec le guide ou la carte.**

8e ARRONDISSEMENT

DE MAYO   *Bijoux anciens et d'occasion*

4 av. Franklin-Roosevelt (8e)
M° Franklin-Roosevelt
Tél. 01 45 62 14 14
www.demayobijoux.com
Lundi-vendredi : 11 h-18 h

Outre de ravissants bijoux anciens, on trouvera ici des bijoux griffés des plus grands noms à 30, 40, voire 50 % en dessous du prix « conseillé ». Il suffit de traverser l'avenue pour le vérifier ! Pendentif (modèle récent) signé Mauboussin, en or blanc, brillants, péridot : 2 200 € au lieu de 3 400 €. Une bonne adresse pour choisir une bague de fiançailles traditionnelle comme ce solitaire d'une eau exceptionnelle, de 0,50 carat, à la délicate monture ancienne deux ors, épaulée de petits diamants : 1 800 €. Sur devis (gratuit), la maison se charge également de la restauration de bijoux anciens et accueille, dans les meilleures conditions, le dépôt-vente. **Remise de 12 % avec le guide ou la carte.**

ÈVE CAZES
Tout en raffinement

20 rue de Miromesnil (8ᵉ)
Mᵒ Miromesnil
Tél. 01 42 65 95 44
Fax : 01 42 65 95 43
Lundi-samedi : 11 h-18 h 30

Depuis 20 ans, cette femme élégante au goût sûr propose des bijoux soigneusement sélectionnés. Très beaux bijoux anciens ou contemporains, signés des plus grands noms, à moitié prix par rapport au neuf. Montres, bagues de fiançailles, colliers, bracelets, il y en a pour toutes les générations et rien ne lui fait plus plaisir que lorsque les enfants de ses clients viennent lui demander conseil pour leurs premiers achats ou pour remonter un bijou un peu désuet ! Solitaire 0,50 carat : à partir de 1 500 €. Bracelet Cartier trois ors : 915 €. Expertise, dépôt-vente et réparations sur devis gratuit. **Remise de 12 % avec le guide ou la carte.**

MARTHAN LORAND
Joaillerie haut de gamme

8 place de la Madeleine
4ᵉ étage (8ᵉ)
Mᵒ Madeleine
Tél. 01 42 60 45 00
Fax : 01 40 15 92 45
www.marthan-lorand.com
Mardi-samedi : 10 h 30-18 h 30

Un agréable showroom où les vitrines alternent selon les genres (bagues, colliers, bracelets) et les couleurs (diamants, saphirs, émeraudes, rubis). Créations contemporaines et bijoux plus classiques s'y côtoient, ponctués de perles de culture (Japon, mers du Sud, Tahiti). Très tendance, la collection « Tutti Frutti » propose des pavages de pierres précieuses et diamants de couleur. Bague en résine cristal, pavage diamants 0,34 carat, serti or : 790 €. Bague or blanc (5 g), diamant (0,52 carat), demi serti clos, culasse apparente, très belle couleur : 3 928 €. Chaînes et médailles de baptême, nombreuses montres de marques en stock ou sur commande. A partir de 0,50 carat, les diamants sont vendus avec un certificat d'expertise de laboratoire. **Avec le guide ou la carte, remise de 30 % par rapport aux prix affichés sur la bijouterie-joaillerie, de 20 % sur l'horlogerie (sauf Baume et Mercier) et de 15 % sur l'orfèvrerie.**

9ᵉ ARRONDISSEMENT

ATELIERS TAMALET
Perles, pierres fines, pierres dures

79 rue du Faubourg-Poissonnière
3ᵉ étage (9ᵉ)
Mᵒ Poissonnière
Tél. 01 45 23 47 47
Fax : 01 45 23 47 48
Lundi-vendredi : 10 h-18 h ; samedi : 10 h 30-17 h 30

Perles d'eau douce en provenance de Chine, baroques ou d'un rond parfait, irisées, colorées dans tous les tons de beige, de rose, de violine, de vert. Perles de mer (de culture) venant du Japon ou de Tahiti, du plus bel orient aux gris les plus étonnants. Chez cet importateur, toutes les perles sont enfilées devant vous. On trouve aussi de jolies créations où se mêlent citrines, péridots, améthystes, grenats, turquoises. Il est rare de rencontrer accueil plus charmant et compétent. Rang de perles d'eau baroque (40 perles) : à partir de 20 €. Pour un beau collier classique (chocker), comptez un rang de perles 6 et demi : 393 € en perles d'eau, 730 € en perles du Japon. **Remise de 5 % avec le guide ou la carte.**

MADIME

73 rue La Fayette (9ᵉ)
Mᵒ Cadet
Tél. 01 53 20 02 01
ou 01 53 20 01 50
Fax : 01 53 20 02 59
www.madime.com
*Lundi : 13 h 30-18 h 30 ;
mardi-vendredi : 10 h-
18 h 30 ; samedi : 10 h-
18 h*

Un bijoutier passionné

Qu'il parle de pierres ou des bijoux qu'il fabrique dans son atelier, ce diamantaire-gemmologue est intarissable. Il créera, à partir de la pierre que vous aurez choisie, votre bague de fiançailles ! Saphir Ceylan 2,12 carats : 1 650 € plus la monture. Solitaire 0,50 carat, monté sur or blanc : 1 791 €. Large éventail de médailles de baptême (2,49 g : 94,50 €) et de chaînes en or, vendues au centimètre (17,99 € le gramme en simple et 25,90 € le gramme avec la plaque identité bébé). Réparations et transformations. **Remise de 3 % avec le guide ou la carte.**

PERRONO

4 rue de la Chaussée-d'Antin (9ᵉ)
Mᵒ Opéra
Tél. 01 47 70 83 61
Mardi-samedi : 10 h 30-18 h 30

Cascade de bijoux

Négociante en pierres précieuses, Mademoiselle Perrono offre à ses clients le choix d'une foultitude de bagues soigneusement rangées par couleurs, ornées de diamants, émeraudes, rubis, saphirs (roses, bleus, jaunes), à des prix très compétitifs. Elle propose également de jolis bijoux anciens ou d'occasion : collier agrémenté Charles X, or fin 18 carats : 450 €. Sautoir en perles du Japon : 800 €. De belles pièces d'argenterie comme ce légumier sur assiette, argent premier titre : 780 €. Réparation sur devis gratuit. **Remise de 10 % hors promotions avec le guide ou la carte.**

AUTRE ADRESSE
■ **Maeght-Perrono** • 37 av. Victor-Hugo, 16ᵉ • Mᵒ Charles-de-Gaulle-Étoile • Tél. 01 45 01 67 88 • Mardi-samedi : 10 h 30-18 h 30

ROBERT

8 rue Rochechouart, fond de cour (9ᵉ)
Mᵒ Cadet
Tél. 01 42 80 50 40
ou 01 42 80 53 90
Lundi-vendredi : 9 h 30-13 h, 14 h 30-18 h 45 ; samedi : 9 h 30-13 h, 14 h 30-17 h 30

L'artisan dans son jus

A Paris, cet artisan joaillier reçoit dans son atelier. Une occasion de découvrir les ravissants prototypes dont il est le créateur (plus de 2 000) ou d'y adapter une pierre choisie parmi celles qu'il propose : saphirs de Ceylan, émeraudes, rubis (pierres certifiées, entre 350 et 5 500 €). Ensemble, vous réaliserez la monture de votre bague et, en cas de doute, pourrez même bénéficier d'un essayage, avant que Monsieur Robert ne sertisse la pierre sous vos yeux. Élégante bague ruban, pavée de diamants (or, 10,80 g, pavage, 2 carats) : 2 900 €. **Remise de 10 % avec le guide ou la carte.**

AUTRE ADRESSE
■ Atelier-boutique, 74 rue Aristide-Briand • 92300 LEVALLOIS-PERRET • Mᵒ Anatole-France • Tél. 01 47 30 24 24 ou 01 47 30 28 26 • Mardi-samedi : 9 h 30-13 h, 14 h 30-18 h 45 et lundi sur rendez-vous

SCHERLÉ

20 bd Montmartre
4ᵉ étage (9ᵉ)
Mᵒ Richelieu-Drouot
Tél. 01 47 70 59 01
Fax : 01 42 46 08 92
www.scherle.fr

Très beaux bijoux à prix fabricant

Ce couple de fabricants joailliers (elle est gemmologue, il est diamantaire), installé dans un grand appartement bourgeois, va jusqu'au fin fond de l'Asie ou sur les grandes places européennes pour négocier les diamants, saphirs, rubis, émeraudes qui ornent ses bijoux. Pendentif monté sur câble or 18 ca-

Mardi-vendredi : 9 h 30-18 h 30 ; samedi : 10 h 30-17 h 30 ; lundi : sur rendez-vous. Ouvert en août (téléphoner pour les horaires)

rats, en forme de H, serti d'un diamant de très belle eau 0,20 carat : 830 €. Bague à effet de tresse, 16 diamants (1,13 carat) : 3 040 €. Bague montée sur or blanc, rubis 2,70 carats, pavage diamants 1 carat : 8 580 €. Ici, on se charge également de remonter vos pierres (comptez 460 € pour un solitaire six griffes). **Avec le guide ou la carte, un cadeau est offert lors du premier achat.**

10e ARRONDISSEMENT

TOU-MAIN *Des bijoux au charme d'antan*

56 rue de Lancry (10e)
M° Jacques-Bonsergent
Tél. 01 42 03 63 22
Mardi-vendredi : 10 h-18 h 30 ; samedi : 10 h-18 h

Ces artisans bijoutiers ont eu la bonne idée de réutiliser des matrices (estampes) anciennes (XIXe, début XXe, Art Nouveau...), pour fabriquer toute une série de ravissants bijoux en laiton doré ou argenté, garanti sans nickel, avec parfois des ajouts de pierres naturelles ou de cristal. Le résultat est étonnant, les prix aussi. Beaucoup de pièces en forme d'animaux, mais le chat a la part du lion. Broche papillon ou libellule : 9,29 €. Boucles d'oreilles chat : 14 €. Collier guirlande en feuilles de lierre dorées : 28 €. Collier année 1925, style égyptien : 30 €. **Remise de 10 % avec le guide ou la carte.**

15e ARRONDISSEMENT

LA COMPAGNIE DES GEMMES *Des créations épurées*

62 rue du Commerce (15e)
M° Commerce
Tél. 01 48 28 01 84
Fax : 01 48 28 21 83
Mardi-samedi : 10 h-19 h 30

Dans la confidentialité de leur petit salon du premier étage, ces deux gemmologues présentent « sur papier », à prix négociants, diamants, saphirs, rubis, émeraudes en provenance d'Extrême-Orient, d'Inde, d'Amérique du Sud et de Madagascar. Avec eux, vous choisirez la monture qui mettra le mieux en valeur la pierre, à moins que dès le premier regard, vous n'ayez eu le coup de foudre pour l'un des bijoux exposés dans les vitrines du rez-de-chaussée. Saphir, 2,70 carats, taille coussin : 2 400 € (compter environ 800 € en plus pour la monture). Ravissant pendentif orné d'une grosse perle en forme de poire, suspendue au centre d'un disque d'or : 320 €. Bracelet or, maille bambou : 295 €. **Joli cadeau avec le guide ou la carte, à partir de 457 € d'achat.**

AUTRES ADRESSES
■ 67 rue du Bac, 7e • M° Rue-du-Bac • Tél. 01 42 84 07 25
■ 26 rue de la Paroisse • 78000 VERSAILLES • Tél. 01 39 50 53 87 • Mardi-samedi : 10 h-19 h

FLORENT JOAILLIER *Bijouterie traditionnelle*

101 rue de la Convention (15e)
M° Boucicaut
Tél. 01 45 54 59 35
Fax : 01 45 54 94 10
Mardi-samedi : 10 h-19 h

Ce joaillier horloger propose un choix attrayant de bijoux classiques (bagues de fiançailles, colliers de perles, chaînes, médailles de baptême, colliers et bracelets en or), de belle fabrication française avec finition main. Chaîne en or 18 carats (mailles forçat, gourmette...), 15,09 € le gramme, collier perles du Japon : à partir de 342 €. Bague rubis 0,90 carat, entourage diamants, 0,54 carat : 1 062 €. Spécialité de chevalière héraldique (à partir de 650 €, gravure comprise). Montres de marque, dépôt-vente, occasions, réparations, transformations. **Remise de 20 % avec le guide ou la carte, chaînes, gourmettes en or exceptées.**

16ᵉ ARRONDISSEMENT

ANTOINE CAMUS

9 et 11 rue de la Tour (16ᵉ)
Mᵒ Passy
Tél. 01 45 20 00 87
Mardi-samedi : 12 h-19 h

Joaillier sur mesure

Antoine Camus et Dominique Bosch, sa collaboratrice de la rue de Ponthieu, sont gemmologues. Lui est créateur des ravissantes collections, toutes déclinables, réalisées à partir de pierres fournies par la maison ou les vôtres. Ici « on habille la pierre et l'on crée la bague en fonction de celle qui la porte ». Nombreux bijoux anciens ou d'occasion signés, et grand choix de médailles de baptême. Bague carrée en pierres fines naturelles multicolores, montée sur or : 390 €. Bague fleur en saphirs orange et roses : 1 550 €. Saphir jaune 5,63 carats, entourage saphirs roses 6,21 carats : 6 000 €. Montre d'occasion en platine (cadre noir) signée Chanel : 3 815 €. **Gravure offerte sur médailles de baptême et timbales, avec le guide ou la carte.**

AUTRE ADRESSE
■ 6 rue de Ponthieu, 8ᵉ • Mᵒ Franklin-Roosevelt • Tél. 01 45 63 18 18 • Lundi-vendredi : 11 h-19 h

CRÉATIONS TESORO

7 av. Victor-Hugo (16ᵉ)
Mᵒ Kléber
Tél. 01 45 00 72 55
Fax : 01 45 00 12 60
Mardi-vendredi : 10 h-13 h, 14 h-18 h 30 ; samedi : 10 h-13 h, 14 h-18 h

Rubis, saphirs, émeraudes garantis sans traitement

A l'extérieur, deux vitrines étroites permettent tout de suite d'apprécier « le savoir-faire » que propose Béatrice Maisonneuve, gemmologue passionnée. Les commandes, amoureusement réalisées en étroite collaboration avec ses clients, représentent 70 % de son activité. Pour ce faire, elle dispose d'un portefeuille de pierres soigneusement sélectionnées. Bagues trois diamants de teintes différentes (0,67, 0,18 ou 0,12 carat) serti marteau sur une belle monture contemporaine en or gris : 2 000 €. Magnifique collier réversible en or jaune pour le jour et or bicolore pour le soir (71,30 g) : 2 400 €. Réparation et entretien.

18ᵉ ARRONDISSEMENT

EMPIRE DE LA PASSION

11 rue Caulaincourt (18ᵉ)
Mᵒ Place-Clichy
ou Abbesses
Tél. 01 42 23 12 08
Mardi-samedi : 16 h 30-20 h

Une boutique qui porte bien son nom

Michel Degras a ouvert sa boutique pour mieux donner libre cours à sa passion. Bijoux romantiques ou somptueux bijoux « couture » des années 50 en passant par les bijoux de théâtre, les bijoux 1930 en bakélite ou en pâte de verre, ses achats sont toujours l'objet d'un coup de cœur. Le choix ne se limite pas aux très nombreuses pièces exposées, il a des trésors dans ses tiroirs et il propose même de partir en quête pour vous, si vous avez une demande précise ! Boucles d'oreilles années 50 en strass bleu et blanc : 38 €. Collier années folles en bakélite de tous les tons : 40 €. Magnifique collier (plusieurs rangs) en cristal et pâte de verre de couleur : 190 €.

MONTGOLFIÈRE

98 rue Ordener (18ᵉ)
Mᵒ Jules-Joffrin
Tél. 01 42 57 18 00
Fax : 01 69 40 57 72
*Mardi-samedi : 10 h 30-
13 h 30, 15 h-19 h 30*

Beaucoup, beaucoup d'argent

Une adresse pour les fans de bijoux en argent ! Quelles que soient vos préférences : bijoux ethniques sertis d'améthystes, de grenats, de topazes, d'ambre, de nacre, bijoux Arts-Déco, ou bijoux contemporains, il y en a pour tous les goûts. Bague marquise : 45 €. Boucles d'oreilles, année 1925, onyx, marcassite et cornaline : 50 à 60 €. Collier grenats, péridots, perles d'eau, hématites : 135 €. Pendentifs Croix du Niger : 52 €. Et un grand coup de chapeau à ces charmants bijoutiers qui pratiquent le commerce équitable. **Remise de 10 % avec le guide ou la carte.**

Quelques autres adresses

Trouvailles de dernière minute, bons plans susurrés par nos lecteurs ou découvertes qui ne nécessitent pas un long développement, voici encore, en vrac, quelques adresses de bon conseil.

TATI OR
Tél. 01 40 07 06 76 • www.tati.fr • Lundi-samedi : 10 h-19 h, en règle générale

17 boutiques à Paris et en région parisienne où trouver de l'or (presque) au prix du plaqué !

2ᵉ ARRONDISSEMENT

OSPREY
Le Louvre des Antiquaires, 2 place du Palais-Royal, 2ᵉ • Mᵒ Palais-Royal • Tél. 01 42 60 64 28 • www.osprey.fr • Mardi-samedi : 11 h-13 h, 14 h-19 h ; dimanche : 14 h-19 h

Bijoux anciens et bijoux d'occasion de 50 à 70 % moins cher que le prix neuf. Achat, dépôt-vente, expertises, transformations et réparations. AUTRE ADRESSE. 162 rue de la Convention, 15ᵉ, tél. 01 48 42 29 90, Mᵒ Convention. Mardi-samedi : 10 h-12 h 30, 13 h 30-18 h.

4ᵉ ARRONDISSEMENT

CLAIRE'S
1 rue du Renard, 4ᵉ • Mᵒ Hôtel-de-Ville • Tél. 01 40 29 96 73 • Lundi-samedi : 10 h-19 h 30

Une chaîne de boutiques débordantes de petits bijoux et accessoires pour cheveux à prix imbattables. Perles à cheveux pour mèches à l'africaine : 4,50 €. Carte de neuf paires de clous d'oreilles de tailles et couleurs différentes : 10 €. Carte de six petits pince-fleurs multicolores : 9 €. Choix énorme de créoles. Perçage d'oreilles. AUTRES ADRESSES. Porte Saint-Eustache, Forum des Halles, 1ᵉʳ. – 82 rue Beaubourg, 3ᵉ. – 1 bd Saint-Michel, 5ᵉ. – 109 rue Saint-Lazare, 9ᵉ.

8ᵉ ARRONDISSEMENT

LA MAISON DE L'ALLIANCE
21 rue de Rome, 8ᵉ • Mᵒ Saint-Lazare • Tél. 01

45 22 60 54 • Fax : 01 42 93 08 92 • www.maisondelalliance.com • Lundi-samedi : 10 h-19 h

Plus de 1 000 alliances. Spécialiste de l'alliance en platine à partir de 440 €. **Remise de 20 % avec le guide ou la carte**.

9ᵉ ARRONDISSEMENT

LA CIE COLONS
14 rue Clauzel, 9ᵉ • Mᵒ Notre-Dame-de-Lorette • Tél. 01 53 21 05 72 • Lundi-samedi : 10 h 30-19 h 30

Au milieu d'objets aux provenances lointaines, une jolie sélection de bijoux ethniques à prix doux. Bracelets togolais en paille de couleur, finement tressé : 2,80 €. Pendants d'oreilles en argent filigrane : 25 €. Collier : 29 €.

COMPTOIR 62 LA FAYETTE
62 rue La Fayette, 9ᵉ • Mᵒ Cadet • Tél. 01 42 46 26 42 • Fax : 01 40 22 9481 • www.c-laf.fr • Lundi-samedi : 10 h 30-19 h

L'embarras du choix pour acheter une alliance. Depuis le demi-jonc classique en or (80 €) jusqu'à l'alliance en diamants (à partir de 320 €) en passant par l'anneau en titane (145 €) ou en or et acier poli (200 €). Pour tout achat d'une bague de fiançailles, la vérification annuelle du sertissage est gratuite. **Remise de 5 % sur la bijouterie, 10 % sur les bagues de fiançailles et 20 % sur les alliances avec le guide**.

11ᵉ ARRONDISSEMENT

LUMA
119 bd Voltaire, 11ᵉ • Mᵒ Voltaire • Tél. 01 43 79 59 64 • Mardi-samedi : 10 h-19 h

Bijoux or fabrication française, joaillerie et montres Guess, Calypso, Yema, Clyda. Changement de piles toutes marques. Réparations. **Remise de 15 % avec le guide ou la carte sur l'or** **et les diamants à partir de 80 € et facilités de paiement en quatre fois sans frais**.

Des montres à tous les prix

Outre Marthan-Lorand (p. 50) et Ève Cazes (p. 50), on trouvera des montres de qualité à prix intéressants ainsi que des horlogers pouvant réparer vos montres et pendules dans les boutiques suivantes.

2e ARRONDISSEMENT

LOUIS PION
196 rue Montmartre, 2e • M° Richelieu-Drouot • Tél. 01 42 96 94 58 • Fax : 01 42 96 82 87 • Lundi-samedi : 9 h 30-19 h

Des marques prestigieuses (Festina, Timberland, Seïko, Omega, Gucci, Tagheuer) et des montres techniques, mais surtout les montres Louis Pion (de 15 à 500 €). Chaque changement de piles est accompagné d'un contrôle gratuit de l'étanchéité. AUTRES ADRESSES. 63 rue de Rivoli, 1er, M° Louvre, tél. 01 42 33 39 95, lundi-samedi : 9 h 30-19 h. – 52 av. des Champs-Élysées, 8e, M° Étoile, tél. 01 42 25 31 10, lundi-samedi : 10 h-19 h 30. – 9 rue Auber, 9e, M° Havre-Caumartin, tél. 01 42 65 40 33, lundi-samedi : 9 h 30-19 h.

4e ARRONDISSEMENT

TOP TIME
36 rue de Rivoli, 4e • M° Hôtel-de-Ville ou Saint-Paul • Tél. 01 42 72 50 00 • Lundi-samedi : 10 h-19 h 30

Une « montrerie » avec des réveils et des montres de grandes marques (Yema, Seïko, Festina, Casio) à prix très compétitifs. Baromètres électroniques « Grosse Technologie » : de 15 à 690 €. Grand choix de bracelets en cuir à partir de 10 €. Réparations de montres toutes marques sur devis gratuit. **Remise de 10 % avec le guide ou la carte à partir de 140 € d'achat.**

9e ARRONDISSEMENT

GEOFFROY
45 rue Rochechouart, 9e • M° Cadet • Tél. 01 48 78 79 62 • Mardi-samedi : 9 h-19 h 30

Un horloger, un vrai qui sait accueillir et conseiller sa clientèle. Réparations de montres toutes marques, réveils et pendules, à prix étudiés. Également vente de bijoux. **Remise de 5 % sur l'horlogerie et 10 % sur la bijouterie à partir de 76 € d'achat.**

SCARLETT
29 rue Godot-de-Mauroy, 9e • M° Havre-Caumartin • Tél. 01 42 66 53 43 • www.scarlett-paris.com • Lundi-vendredi : 10 h 30-18 h 30 ; samedi : 11 h-18 h

Spécialisée dans le bracelet-montre sur mesure, de la célèbre héroïne, Scarlett a le charme, l'esprit d'entreprise et la passion ! Créée il y a une dizaine d'années, lorsque la mode des « interchangeables » commence d'apparaître, la société propose aujourd'hui une gamme de 900 modèles et coloris de bracelets-montres, en lézard, croco, autruche, requin, cuir, mais aussi soie sauvage, ottoman, satin, moire, flanelle, jean, bayadère : dans tous les tons imaginables de camaïeux, réalisés artisanalement et sur mesure, à des prix plus que raisonnables. La fourchette : entre 36 € (premier prix) et 61 € (fabrication spéciale). Sur commande, possibilité par correspondance, délai de livraison trois semaines. Carte de fidélité.

10e ARRONDISSEMENT

L'ÉTOILE DE LA FAYETTE
97 rue La Fayette, 10e • M° Poissonnière • Tél. 01 48 78 88 70 • www.etoile.lafayette.free.fr • Lundi-vendredi : 8 h 30-19 h 15 ; samedi : 10 h-19 h 15

Ici, on travaille en famille et sur place. Réparation, transformation, fabrication et vente de bijoux (chaîne en or 18 carats : 27 €). Renfilage de collier (35 € pour 62 perles avec nœuds). Restauration de pendules et réparation de montres mécaniques et à quartz. Changement de piles toutes marques. Devis gratuit établi sur-le-champ, délais rapides. **Remise de 10 % avec le guide ou la carte.**

95 VAL-D'OISE

L'HEURE DU CADEAU
Galerie marchande Leclerc • 95570 MOISSELLES • 20 km de la Porte de la Chapelle • Tél. 01 39 91 12 64 • www.pierrebrochard.fr • Lundi-samedi : 10 h-20 h

Moyen et haut de gamme. Des marques prestigieuses. Également stylos, briquets et petite maroquinerie. **Remise de 20 % avec le guide ou la carte sur les montres en magasin.**

NEW TIME
Usines Center Paris-Nord II • 95902 ROISSY-CDG • Accès : voir p. 000 • Tél. 01 48 63 26 54 • Lundi-vendredi : 11 h-19 h ; samedi-dimanche : 10 h-20 h

5 000 montres de 15 à 2 300 €, vendues moins cher que les prix publics. **Remise entre 5 et 10 % avec le guide ou la carte selon la marque.**

➔ **CHAUSSURES**

SHOW SUR STOCK

Belles chaussures tendance

55 bd de Sébastopol (1er)
M° Étienne-Marcel
Tél. 01 42 21 12 79
www.showsurstock.com
Lundi-samedi : 10 h-19 h 30

Escarpins, mules ou bottes E. Stuart, mais aussi des modèles fabriqués exclusivement pour Show sur Stock en Italie. La mode est décidément au pointu et les prix s'échelonnent entre 50 et 85 €. Côté homme, de jolis modèles pour pieds fins et branchés à partir de 70 €. **Remise de 15 % avec le guide ou la carte.**

AUTRE ADRESSE
■ 13 rue du Faubourg-Montmartre, 9e • M° Grands-Boulevards • Tél. 01 42 46 13 08

DINA BRICE

Chaussures assorties aux sacs

13 rue Meslay (3e)
M° République
Tél. 01 48 87 58 78
Lundi-samedi : 9 h 30-19 h

Qu'on se le dise : la rue Meslay est LA rue des chaussures à bons prix. Au numéro 13, ce sont des Jourdan, Lagerfeld, Kélian, Clergerie, Séducta, etc. Que des grandes marques de la chaussure ou de la haute couture, avec souvent le sac assorti pour être tout à fait élégante. Les prix dégringolent jusqu'à 50 % en dessous des prix publics. Les hommes seront chaussés en Montana, JP Gaultier, Jourdan et Mezlan entre 120 et 150 €. **Remise de 5 % avec le guide ou la carte.**

DISTER

Stocks Dister

11 bd Saint-Martin (3e)
M° République
Tél. 01 42 72 68 96
Lundi-samedi : 12 h-19 h

Dister chausse tout de cuir femmes et hommes actifs à des prix raisonnables : à partir de 30 € pour les femmes et de 65 € pour les hommes (au rayon fins de séries). Les modèles de saison, assez féminins, affichent des prix entre 50 et 70 € pour Madame. Les hommes trouveront chaussures à leur pied, en classique ou en plus tendance mais cousues Goodyear ou Black, à partir de 115 €. **Remise de 5 % avec le guide ou la carte, hors promotions et soldes.**

AUTRES ADRESSES
■ 18 rue Meslay, 3e • M° République • Tél. 01 42 72 60 02
■ 94 rue Saint-Charles, 15e • M° Charles-Michel • Tél. 01 45 78 20 21
■ 5 rue Guichard, 16e • M° La Muette • Tél. 01 45 27 37 01
■ 67 rue de Lévis, 17e • M° Villiers • Tél. 01 46 22 24 63

LA HALLE AUX CHAUSSURES

Trotter chic à prix choc

12 rue Brantôme (3e)
M° Rambuteau
Tél. 01 42 74 35 32
Lundi-vendredi : 11 h-14 h, 15 h-19 h ; samedi : 11 h-19 h

Le magasin est en libre-service. Les arrivages se font deux fois par semaine. Un peu plus de modèles pour femmes que pour hommes à des prix si bas pour une qualité convenable qu'on est vite tenté d'emporter deux paires : escarpins, mocassins, mules et sandales de 15 à 38 €. Le rayon enfant est tout petit, mais pas le rayon pieds sensibles qui affiche un prix moyen de 25,90 €. Pour hommes, des modèles basiques entre 15 et 46 €. Le truc en plus : chaussettes, accessoires et matériel d'entretien à prix discount. **Remise de 10 % avec le guide ou la carte.**

AUTRES ADRESSES
- 76 rue du Faubourg-Saint-Antoine, 12ᵉ • Mᵒ Ledru-Rollin • Tél. 01 44 68 88 17
- 2 rue Custine, 18ᵉ • Mᵒ Château-Rouge • Tél. 01 44 92 34 54 • Lundi-samedi : 9 h-19 h 30
- 26 rue du Maroc, 19ᵉ • Mᵒ Stalingrad • Tél. 01 40 36 63 27 • Lundi-samedi : 10 h-19 h 30
- 33 av. Laumière, 19ᵉ • Mᵒ Laumière • Tél. 01 40 03 90 97
- 1 rue du Pré-Saint-Gervais, 19ᵉ • Mᵒ Place-des-Fêtes • Tél. 01 40 03 91 22
- 90 av. de Flandre, 19ᵉ • Mᵒ Crimée • Tél. 01 40 38 16 70
- 148 rue d'Avron, 20ᵉ • Mᵒ Avron • Tél. 01 40 09 63 61

LAZIO CHAUSSURES
Belles pompes italiennes

25 rue Meslay (3ᵉ)
Mᵒ République
Tél. 01 40 27 99 29
Lundi-samedi : 9 h 30-19 h

Beaucoup de modèles de fabrication italienne très féminins avec des escarpins, des petits mocassins ou des mules. Le tout assez recherché, plutôt habillé et 30 à 40 % sous les prix boutique. Pour les hommes, également très gâtés, des formes carrées ou allongées ou de très beaux modèles sportswear à environ 99 €. **Remise de 10 % avec le guide ou la carte.**

AUTRE ADRESSE
- **Melbury** • 53 rue Meslay, 3ᵉ • Mᵒ République • Tél. 01 42 74 16 14

6ᵉ ARRONDISSEMENT

CORINE
Pas tout à fait comme les autres

29 rue du Dragon (6ᵉ)
Mᵒ Sèvres-Babylone
Tél. 01 45 44 41 83
Lundi : 12 h 30-19 h ; mardi-samedi : 10 h 30-19 h 30

Boutique Corine conçoit et fabrique deux lignes de chaussures : Corine avec des modèles habillés et féminins ; Bleu C pour des chaussures plus sportswear. Les deux arborent un style pas tout à fait conventionnel et semblent privilégier le confort du pied. Les prix oscillent entre 96 et 120 €. En hiver, les bottes tout cuir s'affichent à 200 € alors que le modèle stretch est à 98 €. **Remise de 5 % avec le guide ou la carte, et carte de fidélité donnant une réduction de 10 % sur la 5ᵉ paire.**

7ᵉ ARRONDISSEMENT

BEXLEY
Classiques anglais pour hommes

39 bd Raspail (7ᵉ)
Mᵒ Sèvres-Babylone
Tél. 01 45 48 43 98
www.bexley.fr
Lundi-samedi : 10 h-19 h

Bexley séduira les hommes (une majorité) qui recherchent des chaussures confortables, élégantes et robustes. Pour l'originalité, il faudra aller voir ailleurs. Modèles cousus Goodyear : 115 € la paire, les deux pour 199 €. Pour le week-end et les vacances, les modèles loisirs sont à 75 € la paire (129 € les deux paires). On trouve aussi des boots à 99 €, et des chaussures bateau.

AUTRES ADRESSES
- 35 bd Henri-IV, 4ᵉ • Mᵒ Bastille • Tél. 01 48 87 70 45 • Lundi-samedi : 10 h-19 h
- Palais des Congrès, 2 place de la Porte-Maillot, 17ᵉ • Mᵒ Porte-Maillot • Tél. 01 40 68 10 28 • Lundi-dimanche : 10 h-20 h

KEVIN DORFER
Classiques et élégantes

80 rue du Bac (7ᵉ)
Mᵒ Bac
Tél. 01 42 22 71 00

Les chaussures Kevin Dorfer sont de facture sobre, élégante et de bonne qualité pour des prix tout à fait convenables : ils démarrent à 60 € pour des

Lundi : 12 h-19 h ; mardi-samedi : 10 h-19 h

escarpins et à 75 € pour des mocassins (beaucoup de modèles). **Remise de 5 % avec le guide ou la carte à partir de 152 € d'achat, hors soldes et promotions.**

AUTRE ADRESSE
- 59 rue de Pologne • 78100 SAINT-GERMAIN-EN-LAYE • RER A, Saint-Germain-en-Laye • Tél. 01 39 21 91 92

THIERRY 21   *Des formes et des couleurs*

▲ 97 rue du Bac (7ᵉ)
Mᵒ Sèvres-Babylone ou Bac
Tél. 01 45 44 76 39
Lundi-samedi : 10 h-19 h

Chez Thierry 21, la plupart des modèles sont de fabrication italienne. Bouts ronds, carrés, pointus, il y en a pour tous les goûts. Les collections sont réalisées dans de beaux cuirs avec des formes élégantes et actuelles. Les prix sont très raisonnables puisque vous emporterez des mules à partir de 30 €, des mocassins à partir de 46 € et des bottines à 68 €. Pour femme uniquement (sauf deux magasins). **Remise de 10 % avec le guide ou la carte, hors promotions et soldes.**

AUTRES ADRESSES
- 115 bd Haussmann, 8ᵉ • Mᵒ Saint-Augustin • Tél. 01 42 65 07 88
- 285 rue de Vaugirard, 15ᵉ • Mᵒ Vaugirard • Tél. 01 45 31 11 41
- 74 rue d'Auteuil, 16ᵉ • Mᵒ Michel-Ange-Auteuil • Tél. 01 46 51 27 57 • Chaussures pour homme également.
- 37 rue Saint-Didier, 16ᵉ • Mᵒ Victor-Hugo • Tél. 01 45 53 38 33
- 22 ter rue Legendre, 17ᵉ • Mᵒ Villiers • Tél. 01 42 27 43 80 • Chaussures pour homme également.
- 2 rue du Château • 92200 NEUILLY • Mᵒ Pont-de-Neuilly • Tél. 01 47 22 54 37
- 29 rue de Chartres • 92200 NEUILLY • Mᵒ Sablons • Tél. 01 47 22 11 94 ou 01 47 45 44 87
- 38 rue du Président-Wilson • 92300 LEVALLOIS • Mᵒ Louise-Michel • Tél. 01 47 31 40 72

9ᵉ ARRONDISSEMENT

MODA DI ANDREA   *Pieds de stars*

♕ 79 rue de la Victoire (9ᵉ)
Mᵒ Chaussée-d'Antin
Tél. 01 48 74 48 89
Mardi-samedi : 10 h 30-19 h

Les grandes marques du faubourg Saint-Honoré à prix réduits. Vous vous laisserez tenter par des mules et des escarpins à partir de 75 €. Les hommes se laisseront charmer par la ligne vénitienne qui s'enlève pour 140 €. Attention, le prix moyen d'une paire pour femme tourne autour de 120 à 160 € et pour homme de 130 à 180 € : à ce tarif, vous vous offrez de vrais petits bijoux conçus par les plus grands noms de la couture. Et vous pouvez toujours profiter des promotions exceptionnelles (du type deux paires pour 150 €).

10ᵉ ARRONDISSEMENT

EMILIO BALATON   *Fabrication maison*

▲ 20 rue Juliette-Dodu (10ᵉ)
Mᵒ Colonel-Fabien
Tél. 01 42 02 22 99
Lundi : 14 h-19 h ; mardi-samedi : 10 h 30-19 h

Emilio Balaton fabrique des lignes de chaussures pour toute la famille. Les modèles, modérément tendance, sont réalisés dans du chevreau avec doublure en peau. Les prix restent raisonnables. Chaussures hommes cousues Black ou Goodyear : 65 à 120 €. Modèle sport semelle gomme : 69 €. Les modèles femmes (beaucoup de trotteurs et de chaussures sport-détente) s'échelonnent entre 55 et 75 €, avec des bottes tout cuir à partir de 91 €. Les enfants sont chaussés à partir du 18 et jusqu'au 40 à des prix démarrant à 29 €. **Remise de 5 % avec le guide ou la carte.**

PRÊT À MARCHER 20 €

6 bd de Bonne-Nouvelle (10ᵉ)
Mᵒ Strasbourg-Saint-Denis
Lundi-samedi : 10 h 30-19 h 30

Prix unique

Fouillez, fouillez... Pas trop puisque les chaussures sont classées par taille mais pour un prix unique de 20 € ! Déstockage de magasins, de grossistes, échantillons d'usine... On trouve parfois des marques avec une solide réputation, notamment pour les enfants. Du modèle classique au plus excentrique, de l'escarpin à l'après-ski, on assure qu'on pourra vous les échanger si vous changez d'avis, à volonté et sans limite de temps. Et il y a le choix : plus de 7 000 paires en stock sur 50 m².

ROYAL SHOES

137 bd Magenta (10ᵉ)
Mᵒ Gare-du-Nord
Mardi-samedi : 10 h 30-19 h

Chaussures pour toute la famille

Toute la famille peut se chausser de neuf dans ce magasin. Ne vous laissez pas intimider par la multitude des modèles exposés. Allez directement à votre taille : du 34 au 42 pour les femmes, du 39 au 46 pour les hommes, du 17 au 40 pour les enfants. Ces derniers sont sans doute les plus gâtés avec les très grandes marques à partir de 12 €. Les chaussures femmes commencent à 15 € et les hommes peuvent emporter une paire cousue Goodyear à partir de 60 €. Les petons sensibles pourront être dorlotés à partir de 15 €.

SAGONE STOCK

63 bd Magenta (10ᵉ)
Mᵒ Gare-de-l'Est
Tél. 01 46 07 66 80
Lundi-samedi : 10 h-19 h

Fins de séries de grandes marques

Les fins de séries de chaussures estampillées Clarks, Rohde, Méphisto, Timberland, Caterpillar, Camper, Diesel, Merrel et Esprit vendues avec au moins 30 % d'économie. Arrivage hebdomadaire de 300 paires, présentées avec soin. Les prix s'échelonnent entre 53 et 110 € pour les hommes (pointures 39 à 48) et 38 et 80 € (hors bottes) pour les femmes (pointures 34 à 45). **Un cadeau offert avec le guide ou la carte.**

11ᵉ ARRONDISSEMENT

À LA VILLE, À LA MONTAGNE

3 bd Richard-Lenoir (11ᵉ)
Mᵒ Bastille
Tél. 01 43 57 20 89
www.cordonnerie-deuso.fr
Lundi : 14 h-19 h ; mardi-vendredi : 8 h-12 h 30, 14 h-19 h 30 ; mercredi : nocturne jusqu'à 21 h ; samedi : 8 h-12 h

Cordonnier de la montagne

Distingué par les Nefs d'Or 2000, monsieur Hôo est spécialisé dans la réparation de chaussures de montagne été-hiver (ski, randonnée, escalade...). Vous pouvez donc lui confier en toute sécurité la réparation de vos Salomon, Heschung, Hardridge, Trezeta, Méphisto ou le ressemelage de vos Paraboot (à partir de 65 €). Également vente de chaussures de montagne Trezeta, Galibier, Lowa, Crispi. **Remise de 10 % avec le guide ou la carte sur les réparations.**

SABOTINE

35 rue de la Roquette (11ᵉ)
Mᵒ Bastille

Stock Carel

Le magasin vend les stocks de la maison Carel. Les chaussures partent à moitié prix et vous pourrez cra-

Tél. 01 43 55 10 04
Mardi-samedi : 10 h-19 h

quer pour des ballerines de toutes formes et couleurs entre 45 et 68 €. Les escarpins meurent d'envie de se laisser essayer à partir de 60 €. Pour l'été, sandales et sabots à partir de 38 € pour garder les pieds au frais.

SHOES IT   *Chaussures sport et sportswear*

78 rue du Faubourg-
du-Temple (11e)
M° Belleville
Tél. 01 43 57 67 81
Lundi-samedi : 10 h-19 h 30

Nike, Fila, Reebok, Ellesse et toute la clique des chaussures de sport et de loisirs vendus 20 à 50 % plus bas qu'ailleurs. On ne trouve pas toujours sa taille mais les modèles sont si nombreux que l'on pourra certainement satisfaire les pieds les plus exigeants.

12e ARRONDISSEMENT

BRITISH SHOES   *So british !*

8 rue de Prague (12e)
M° Ledru-Rollin
Tél. 01 43 41 98 18
Fax : 01 42 46 62 25
www.british-shoes.com
*Mardi-vendredi : 12 h-19 h ;
samedi : 10 h-19 h*

Timberland, Camper, Doc Martens, Clarks, Paraboot, Church, mais aussi Rockport et Caterpillar : il y en a pour les classiques et pour les branchés. A la demande des clients, le magasin fait faux bond aux Anglo-Saxons pour se fournir chez Mephisto. Entre 89 et 350 € pour les chaussures hommes, entre 74 et 137 € pour les femmes. **Remise de 10 % avec le guide ou la carte (sauf sur points rouges et soldes).**

AUTRES ADRESSES
- 51 bd des Batignolles, 8e • M° Villiers • Tél. 01 42 93 29 60 • Sport et tendance.
- 53 bd des Batignolles, 8e • M° Villiers • Tél. 01 43 87 24 46 • Chic anglais classique.
- 58 rue du Faubourg-Poissonnière, 10e • M° Poissonnière • Tél. 01 48 24 10 22 • Chic anglais classique.

13e ARRONDISSEMENT

STOCKS ANDRÉ   *Encore moins cher...*

31 av. des Gobelins (13e)
M° Gobelins
Tél. 01 55 43 05 74
*Lundi : 14 h-19 h ; mardi-
samedi : 10 h-19 h*

Les collections des magasins André de l'année précédente vendues avec 30 % de réduction. Les prix atteignent ainsi des niveaux plancher. Pour femmes, des chaussures démarrant à 10 € jusqu'à 30 €, des bottes à 20 €. Pour hommes, chaussures de ville à partir de 25 €. Les enfants se chausseront à partir du 24 : Nike Air à 20 €. Réapprovisionnement constant.

AUTRES ADRESSES
- 24 bd Saint-Denis, 10e • M° Strasbourg-Saint-Denis • Tél. 01 53 34 19 66
- 66 av. de Flandre, 19e • M° Crimée • Tél. 01 40 38 69 72

15e ARRONDISSEMENT

LORD'S FIELD   *Chic anglais pour hommes*

276 rue de Vaugirard (15e)
M° Vaugirard
Tél. 01 45 32 45 44
*Mardi-samedi : 10 h 30-
19 h*

Lord's Field propose une gamme de classiques pour hommes, cousus Goodyear et comparables aux très grands. En prime, le patron se fera un plaisir de vous expliquer toutes les étapes de fabrication. Le mocassin traditionnel style anglais s'affiche à 150 €, alors que les modèles plus élaborés, comme boots et bottines, sont vendus 215 €. Des modèles plus mode, à partir de 130 €. Ce n'est pas donné mais elles sont faites pour durer. A vous de faire le calcul... **Remise de 10 % avec le guide ou la carte hors soldes et promotions.**

MI-PRIX

27 bd Victor (15e)
M° Porte-de-Versailles
Tél. 01 48 28 42 48
Lundi-samedi : 10 h-19 h 15

Griffes à prix tronçonnés

Véritable caverne d'Ali Baba, Mi-Prix rassemble fins de stocks et prototypes très couture. Uniquement des grandes marques : Manolo Blahnik, Dolce & Gabara, Michel Perry, Ch. Louboutin, Alexandra Neel, Marni, R. Ménudier... Des escarpins à partir de la pointure 32. Beaucoup de 37-38. On n'est pas arrêtés par les prix : entre 54 et 84 € pour les chaussures, jusqu'à 135 € seulement pour des bottes de créateurs (soit un quart de leur valeur initiale). Rayon moins riche pour les hommes. Pas de cartes bancaires.

NORBERT BOTTIER

164 av. de Suffren (15e)
M° Ségur
Tél. 01 43 06 02 95
*Mardi-samedi : 9 h-12 h 30,
14 h-19 h 30*

Chausseur sachant chausser

Belles chaussures classiques pour hommes exigeants. Les modèles style anglais ou mocassins s'affichent 145 € la paire, 265 € les deux paires et 335 € les trois paires. Derby, Richelieu, Loafer, boots, la majorité des modèles sont cousus Goodyear. L'été, une gamme de chaussures plus souples « sport-détente » à partir de 105 €. Avec, en prime, les conseils et les explications d'un vrai bottier. Travaux de cordonnerie. Chèques non acceptés.

17e ARRONDISSEMENT

STÉPHANE

67 place Dr-Félix-Lobligeois (17e)
M° Rome
Tél. 01 42 26 00 14
*Lundi-samedi : 10 h 30-13 h,
14 h-19 h ; fermé mercredi*

Haut de gamme anglais neuf et d'occasion

Avis aux amateurs d'imperméables Burberry's ou de chaussures Tricker's qui souhaitent se faire plaisir sans dévorer leurs économies : Monsieur Stéphane abrite dans sa petite boutique de la place du Docteur-Félix-Lobligeois toutes les très grandes marques de la chaussure et de l'habillement anglais neuf (fin de séries) ou d'occasion. Les prix (de 70 à 250 €) méritent également la balade tout en restant à la hauteur de la qualité proposée.

20e ARRONDISSEMENT

GROLLE

393 rue des Pyrénées (20e)
M° Pyrénées
Tél. 01 43 66 14 87
www.grolle.fr
*Mardi-vendredi : 10 h-13 h,
15 h 30-19 h 30 ; samedi :
10 h-19 h 30*

Direct d'usine...

... de France, d'Italie et d'ailleurs pour toute la famille. Ces dames tenteront un orteil dans un escarpin entre 29 et 76 €, ou encore une boot et une botte de 46 à 129 €. Leurs hommes essayeront les nouvelles collections Cats, Doc et Redskin entre 76 et 121 €, et ils mettront 106 € pour de véritables cousues Goodyear. Quant aux enfants, il y trouveront les baskets de leurs rêves : des Reebok de 36 à 56 €. **Remise de 5 % avec le guide ou la carte, hors soldes.**

AUTRE ADRESSE
■ 110 bis rue Ordener, 18e • M° Jules-Joffrin • Tél. 01 42 64 68 46

78 YVELINES

PALLIO STORE

Usines Center
Route André-Citroën
78140 VÉLIZY-
VILLACOUBLAY
Accès : voir p. 396
Tél. 01 39 46 13 74
*Mercredi-vendredi : 11 h-
20 h ; samedi-dimanche :
10 h-20 h*

Ted Lapidus, René Dhery et d'autres

Pour la femme, sandales René Dhery à 39,90 € ou escarpins et trotters Ted Lapidus à partir de 49 €. Également chaussures Casting, Loïs, Cimarron, Esprit, plus tendance. Chez l'homme, les mocassins tout cuir cousu Blake à 95,95 €. Les enfants trouveront chaussures à leurs pieds entre 25 et 35 €. Tous les modèles des collections des années précédentes sont vendus avec une démarque de 20 à 30 % en fonction du modèle.

91 ESSONNE

STÉPHANE KÉLIAN (SOLDERIE)

55 route de Corbeil
91700 SAINTE-
GENEVIÈVE-DES-BOIS
RER C, Sainte-Geneviève-
des-Bois + Bus 104
Tél. 01 60 15 94 72

Kélian et Mosquitos de l'année passée

Pour les fidèles des chaussures Kélian et Mosquitos, les modèles de l'année précédente sont soldés ici plus qu'à moitié prix (intéressant en tenant compte du prix de départ...). Pour femmes, entre 95 et 180 € les Kélian et de 55 à 75 € les Mosquitos. Pour hommes de 90 à 180 €. – Lundi : 14 h 30-18 h 45 ; mardi-vendredi : 9 h 30-13 h, 14 h 30-18 h 45 ; samedi : 9 h 30-18 h 45.

93 SEINE-SAINT-DENIS

MANUFACTURE W

Marques Avenue
8 et 9 quai Le Châtelier
93450 L'ÎLE-SAINT-DENIS
M° Mairie-de-Saint-Ouen
+ bus 137N, voir p. 397
Tél. 01 48 09 94 09
Fax : 01 48 20 00 05
*Lundi-vendredi : 11 h-20 h ;
samedi : 10 h-20 h*

W comme...

Gagné, c'est bien Weston qui vend ici ses célèbres chaussures avec 30 à 40 % de réduction. Si son mythique mocassin est introuvable, il vous restera environ 100 modèles masculins et 150 féminins à essayer. Pour homme, le modèle Dherby lacé semelle cuir à 263 € ou le mocassin semelle gomme à 232 €. Pour femme, le Dherby demi-chasse à 250 € ou la bottine classique à 302 €.

94 VAL-DE-MARNE

LADY SHOES

63 av. du Général-
de-Gaulle
94160 SAINT-MANDÉ
M° Saint-Mandé-Tourelle
+ bus 325 ou 86
Tél. 01 43 28 69 23
*Mardi-samedi : 9 h 30-12 h,
15 h-19 h*

Haut de gamme italien à petits prix

Beaucoup pour femmes, comme on pourrait le supposer, mais pas seulement. Dans tous les cas, des fins de séries récentes de chaussures haut de gamme italiennes, pour la plupart vendues au moins à moitié prix. Les escarpins sont affichés entre 45 et 85 €. Pour les hommes, il faut compter entre 90 et 150 € pour du très haut de gamme italien. **Remise de 10 % avec le guide ou la carte (chaussures femme uniquement et hors soldes).**

95 VAL-D'OISE

REGINA

Quai des Marques
395 av. du Général-Leclerc
95130 FRANCONVILLE

Fins de séries Timberland et Bally

Le magasin propose les fins de séries Timberland chaussures et vêtements. Le célèbre modèle bûcheron est vendu 90 € pour elle et 106,70 € pour lui.

Accès : voir p. 398
Tél. 01 34 13 04 21
Lundi-vendredi : 11 h-20 h ;
samedi : 10 h-20 h

Le modèle « 4×4 » descend à 90 €. Les tailles grimpent jusqu'à 49 pour l'homme. Également, fins de séries Bally et Clarks escomptées de 30 à 70 % : à ces prix, évidemment, il faut faire le tri.

AUTRES ADRESSES
- Usines Center, Z.A. Villacoublay • 78140 VÉLIZY-VILLACOUBLAY • 10 km de la Porte de Saint-Cloud, voir p. 396 • Tél. 01 34 65 97 76 • Lundi-vendredi : 11 h-20 h, samedi : 10 h-20 h
- Marques Avenue, 8 quai Le Châtelier • 93450 ÎLE-SAINT-DENIS • M° Mairie-de-Saint-Ouen + bus 137 N, voir p. 397 • Tél. 01 48 20 07 51

Quelques autres adresses

Trouvailles de dernière minute, bons plans susurrés par nos lecteurs, ou découvertes qui méritent qu'on s'y intéresse sans long développement, voici encore, en vrac, quelques adresses de bon conseil.

3e ARRONDISSEMENT

JNK
44 bd de Sébastopol, 3e • M° Etienne-Marcel • Tél. 01 40 27 07 09 • Lundi : 11 h 45-19 h 15 ; mardi-vendredi : 10 h 45-19 h 15 ; samedi : 10 h 45-19 h 30

Stock de Jonak. Au sous-sol, les restes des collections précédentes au prix unique de 23 €. Au rez-de-chaussée, davantage de tailles à des prix à partir de 31 €.

6e ARRONDISSEMENT

♔
FINSBURY
122 bis rue de Rennes, 6e • M° Rennes • Tél. 01 42 84 01 01 • www.finsbury-shoes.com • Lundi-samedi : 10 h-19 h

Chaussures de luxe à prix « accessibles ». AUTRES ADRESSES. 3 rue de Rivoli, 4e. Tél. 01 48 87 76 16. – 22 av. de l'Opéra, 1er. Tél. 01 47 03 00 10. – 17 rue des Petits-Champs, 1er. Tél. 01 40 15 92 99. – 14 rue Sèze, 9e. Tél. 01 44 56 06 26.

RUDY'S
13 et 52 rue Saint-Placide, 6e • M° Sèvres-Babylone • Tél. 01 42 22 76 79 • Lundi-samedi : 10 h-19 h 30

AUTRES ADRESSES. 91 et 116 rue La Boétie, 8e. Tél. 01 42 89 59 00. – 115 et 117 rue d'Alésia, 14e. Tél. 01 45 45 37 00. – 25 et 29 rue du Commerce, 15e. Tél. 01 45 75 30 91. Chaussures tendance actuelle alliant qualité et petits prix, pour elle et lui : escarpins à partir de 45 € ou chaussures hommes veau supérieur à 75 €. Accueil : tout ou rien selon les magasins.

9e ARRONDISSEMENT

LA MODE À PETIT PRIX
36-38 rue des Martyrs, 9e • M° Le Peletier ou Notre-Dame-de-Lorette

Dans cette petite boutique un peu cracra, l'accueil est sympathique et les prix ne dépassent pas 30 €, ce qui est peu pour des chaussures à la mode dessus cuir, doublé cuir.

15e ARRONDISSEMENT

CHAUSSURES « DIRECT » D'USINE
Gare Montparnasse, Niveau Métro, 15e • M° Montparnasse • Tél. 01 43 20 58 36

La politique est simple : prix unique 49,90 € (+ un rayon hors saison à 29,90 €). Résultat : de très bonnes et de moins bonnes affaires à faire parmi l'exposition pléthorique de modèles.

18e ARRONDISSEMENT

GRIFF SHOES
94 av. de Clichy, 18e • M° La Fourche • Tél. 01 42 28 60 73 • Lundi : 13 h-19 h ; mardi-samedi : 10 h-19 h 30

Fins de séries de grandes marques de 55 à 130 €. Uniquement pour les femmes. AUTRE ADRESSE. Griffstocks, 88 av. de Clichy, 17e. Tél. 01 42 26 11 24.

▲ **Adresse particulièrement recommandée**

♔ **Adresse haut de gamme : le luxe à prix abordable**

CHAUSSURES enfant

MAGENTA CHAUSSURES

🅰 158 bd Magenta (10ᵉ)
Mᵒ Barbès-Rochechouart
Tél. 01 42 85 32 27
Mardi-samedi : 10 h-19 h

Babybotte et pieds sensibles pour maman

Une abondance de modèles enfant (Babybotte, Start-Rite, Mod 8...) alignés par taille et vendus entre 15 et 45 €. C'est un self-service : fouillez également dans les bacs (fins de séries et échantillons de collections : de 12 à 15 €). Un rayon de chaussures pour les parents avec notamment une grande marque pour pieds sensibles (mules à partir de 15 €). Évitez le samedi pour vous épargner une crise de nerfs... **Parking (rue Ambroise-Paré) offert avec le guide ou la carte.**

PETITS PETONS

🅰 135 rue du Faubourg-
Saint-Antoine (11ᵉ)
Mᵒ Ledru-Rollin
Tél. 01 40 19 07 19
www.petitspetons.com
Lundi-samedi : 10 h-19 h

Prix adaptés à la taille des pieds

Petits mocassins fantaisie, sandalettes ou chaussures montantes avec tige et voûte plantaire. Ici, les prix ne varient pas en fonction des modèles, mais selon les pointures. Du 18 au 23 : 38 €. Du 24 au 33 : 43 €. Du 34 au 39 : 46 €. Les horaires d'ouverture sont partout les mêmes. Deux nouveaux magasins à Bercy 2 et Évry 2.

AUTRES ADRESSES
- 27 rue Saint-Antoine, 4ᵉ • Mᵒ Bastille • Tél. 01 42 77 74 26
- 20 rue Saint-Placide, 6ᵉ • Mᵒ Sèvres-Babylone • Tél. 01 42 84 00 05
- 23 rue Tronchet, 8ᵉ • Mᵒ Madeleine • Tél. 01 47 42 75 69
- 115 rue d'Alésia, 14ᵉ • Mᵒ Alésia • Tél. 01 45 42 80 52
- 17 rue Poncelet, 17ᵉ • Mᵒ Ternes • Tél. 01 47 64 30 33
- 81 bd Jean-Jaurès • 92100 BOULOGNE • Mᵒ Jean-Jaurès • Tél. 01 46 05 34 48
- 34 rue du Midi • 94300 VINCENNES • Mᵒ Château-de-Vincennes • Tél. 01 43 74 25 26

LA POUDRE D'ESCAMPETTE

33 rue de l'Ouest (14ᵉ)
Mᵒ Gaîté
Tél. 01 42 79 89 36
Lundi : 15 h-19 h ; mardi et vendredi : 10 h 15-14 h, 15 h-19 h ; mercredi et samedi : 10 h 15-19 h

Bon pied, bon œil

Ne prenez pas la poudre d'escampette en voyant les prix classiques des chaussures de marque présentes dans le magasin, mais ouvrez l'œil, car la collection maison offre un excellent rapport qualité-prix, surtout pour les petits. Modèles tout cuir, confortables et dans le vent. Du 18 au 27 : 35 et 38 €. Du 28 au 34 : 38 €. Du 35 au 41 : 45,60 €. **10 % de remise avec le guide ou la carte (hors soldes et autres promotions).**

MILLE PATTES

61 rue du Commerce (15ᵉ)
Mᵒ Commerce
Tél. 01 45 32 34 41
Lundi : 12 h-19 h 15 ; mardi-samedi : 10 h-19 h 15

Pour tous pieds

Toute une gamme de prix allant de la paire de tennis (à partir de 20 €) aux chaussures de marques plus prestigieuses et plus chères, comme Superga, Birckentstock, Geox, Kickers, Mode 8, Aster et Little Mary. Beaucoup de modèles très tendance pour chausser nos chers petits. Chaussures premiers pas à 35 € ou bottes pour marcheurs confirmés à partir de 41 €. **Remise de 5 % avec le guide ou la carte.**

AUTRE ADRESSE
■ 48 rue Vital, 16ᵉ • Mᵒ Muette • Tél. 01 45 24 36 30 • Lundi : 11 h-19 h ; mardi-samedi : 10 h 15-19 h

17ᵉ ARRONDISSEMENT

IL COURT LE FURET

6 bis rue Fourcroy (17ᵉ)
Mᵒ Ternes ou Pereire
Tél. 01 43 80 28 08
Lundi : 14 h-19 h ; mardi, jeudi, vendredi : 10 h-14 h, 15 h-19 h ; mercredi et samedi : 10 h-19 h

Marques de rêve, prix discountés

Un discounter de grandes marques (Bopy, GBB, Minibel, Loïs, Noël, Bellamy, Doc Martens, Elefanten...) qui chausse les enfants de ce quartier chic (du 16 au 41). Bottillons bébé tout cuir (du 18 au 25) de 35 à 49 €. Derby style « Bowling » : du 28 au 34, de 39 à 50 € ; du 35 au 41, de 43 à 55 €. Bottillons à scratch à partir de 39 € (24 au 27) et de 45 € (28 au 34). En saison, après-ski à partir de 22,80 €. **Remise de 5 % avec le guide ou la carte.**

UN MONDE POUR EUX

25 av. Niel (17ᵉ)
Mᵒ Péreire ou Ternes
Tél. 01 42 27 38 85
Fax : 01 47 66 34 11
Lundi : 13 h-19 h ; mardi-samedi : 10 h 30-14 h, 14 h 30-19 h

Modèles branchés à petits prix

Un Monde pour Eux propose des chaussures de qualité (du 18 au 40), copies de modèles branchés à des prix plus que modestes. Chaussure semelle picot : à partir de 44 €. Babies classiques sanglées, modèle anglais à 48 €. En permanence : des arrivages de fins de séries à 30 €. **Remise de 10 % avec le guide ou la carte.**

18ᵉ ARRONDISSEMENT

COMME IL VOUS PLAIRA

122 av. de Saint-Ouen (18ᵉ)
Mᵒ Guy-Môquet ou Porte-de-Saint-Ouen
Tél. 01 46 27 10 90
Mardi-vendredi : 10 h 30-14 h, 15 h-19 h ; samedi : 10 h 30-19 h 30

Chaussures de marque à prix discount

Des chaussures de ville et des tatanes de sport de marque pour gamins, de la naissance jusqu'au 42. Si vos monstres font des pieds et des mains pour avoir des baskets Polly Pocket ou des Doc Marten's, des Superga, des Clarks ou des Kipling, foncez-y. Qui sait, peut-être craqueront-ils en voyant les modèles italiens plus classiques ? Les chaussures bateau et les sandalettes sont à 30,34 € pour les petites pointures (jusqu'au 27), 33,39 € pour les plus grands pieds. En général, 30 à 40 % d'économie par rapport aux prix pratiqués en boutique.

KATA

34 bd Barbès (18ᵉ)
Mᵒ Château-Rouge ou Barbès-Rochechouart
lundi-samedi : 11 h-19 h

Fins de séries et second choix

Kata, ancien cinéma 1930 reconverti en magasin de chaussures (adulte et enfant), propose dans ses bacs des lots de fins de séries et de second choix vendus en l'état. Le lieu est devenu un peu lugubre mais il vaut le détour. Des chaussures enfants toujours entre 6 et 15 € (pour des grandes marques tout cuir), des baskets à 2 €, des chaussons à 2 € et des bottes de pluie à 2,30 €. Fouillez, fouillez... Le pire côtoie le meilleur.

AUTRES ADRESSES
■ 68 rue de Rivoli, 4ᵉ • Mᵒ Hôtel-de-Ville • Lundi-samedi : 11 h-19 h
■ 16, 18 bd Barbès, 18ᵉ • Mᵒ Barbès-Rochechouart • Lundi-samedi : 11 h-19 h
■ 46 bd Rochechouart, 18ᵉ • Mᵒ Barbès ou Anvers • Lundi-samedi : 11 h-19 h

91 ESSONNE

KICKERS

🔺 5-7 rue du Mail
91600 SAVIGNY-
SUR-ORGE
RER C, Gare-de-Savigny
Tél. 01 69 05 93 10
*Lundi : 14 h 30-19 h ; mardi-
vendredi : 9 h 30-12 h 30,
14 h 30-19 h ; samedi :
9 h 30-19 h*

AUTRE ADRESSE
  ■ 105 rue Jean-Jaurès • 93130 NOISY-LE-SEC • Mº Porte-des-Lilas + bus 105, arrêt Gare-de-Noisy-
  le-Sec • Tél. 01 48 45 17 33 • Mêmes horaires

Kickers et Chipie de l'année passée

Dans l'univers des chaussures stars la Kickers fait
figure de grande pointure. Elle est vendue ici à 30 %
du prix normal. Kickers classique Kick-Color : 45 €
le 35-41. Les Babies Scriptus (35-41) : 45 €. Pour
les tout petits pieds, les Bubzoom (19-21) : 42,53 €.
Également vêtements déstockés Chipie, Absorba,
Kid Cool et IKKS, toujours 30 % de moins que dans
les boutiques.

🔺 **Adresse particulièrement recommandée**

👑 **Adresse haut de gamme : le luxe à prix abordable**

⮕ **CUIRS, peaux et fourrures**

PACHA BOUTIQUE

14 rue des Halles (1er)
M° Châtelet
Tél. 01 40 41 93 32
*Lundi-samedi et certains
dimanches : 10 h-19 h 30*

Agneau et mouton retourné

Bon classique standard. Pour les deux sexes, trois-quarts en mouton retourné à partir de 760 €, manteaux en agneau plongé à partir de 760 €, pantalons à partir de 150 €. Sur place, on peut créer un modèle à partir de votre vêtement préféré. **Remise de 10 % avec le guide ou la carte.**

ROGER GERKO

5 rue Saint-Roch (1er)
M° Tuileries
Tél. 01 42 60 54 58
Lundi-samedi : 9 h-18 h 30

Luxe abordable et occasions

Retour du vison que la maison Gerko met en vedette dans sa teinte « lunareine » (c'est un vison sauvage plus coloré). Pour changer des classiques mouton retourné (que l'on trouve tout de même dans les rayons), voici des vestes et des trois-quarts en mouton avec les poils à l'extérieur, tendance berger urbain à la mode cet hiver. Retour aussi de l'astrakan (à boucles rondes ou plates), une fourrure sérieuse, solide et transformable (lorsque vous en avez assez de votre manteau, vous le faites couper en veste ou en paletot). La maison reprend toujours votre vieux manteau dont le prix sera déduit de votre achat. **20 % de remise (hors soldes et promotions) avec le guide ou la carte. Cadeau à tout visiteur.**

JEAN-LOUIS DE PARIS

9 rue d'Aboukir (2e)
M° Sentier
Tél. 01 40 28 12 30
Mardi-samedi : 12 h-19 h

Fausse fourrure

Dans la boutique cohabitent nouvelle et ancienne collection à -50 %. Manteaux : de 140 à 450 €. Vestes à environ 150 €. Plaid entre 380 et 550 €. Imperméables entre 120 et 210 €.

HENRI GRUBER

12 rue des Filles-du-Calvaire
(au fond de la cour,
à gauche) (3e)
M° Filles-du-Calvaire
Tél. 01 42 76 86 86
Mercredi-vendredi : 14 h-19 h (sur rendez-vous uniquement)

Accessoires et beaux visons

Vous rêvez d'un beau col en renard, à ajouter sur celui de votre manteau en laine. Vous en trouverez, à partir de 60 €, en gris argenté naturel ou bleu ciel ou rose pâle ou dans une centaine d'autres teintes chez Henri Gruber, dernier fourreur grossiste de Paris, expert auprès de la Cour d'appel de Paris. Votre col sera d'une bien meilleure qualité que ceux que vous trouvez sur les manteaux vendus par les grandes chaînes, qui proviennent de renards chinois ou soviétiques élevés aux hormones. Résultat : bêtes malades et poil faible. Pour celles qui aiment les beaux visons, la maison propose des manteaux d'1,80 m d'ampleur dans le bas, qui assurent fluidité à la marche et autorisent le port d'un tailleur en dessous tout en gardant une silhouette légère. Prix : 3 000 € (pas d'augmentation depuis 15 ans). Enfin, « trendy » : les vestes en marmotte sauvage.

IMEX

Fabricant de fausses fourrures et imperméables

8 rue des Francs-Bourgeois
(3e)
M° Saint-Paul
Tél. 01 48 87 14 76
*Mardi-samedi : 11 h-19 h ;
dimanche-lundi : 14 h 30-
19 h*

De plus en plus légères à porter, telles sont ces imitations de « peaux lainées » ou ces imitations de cuir extrêmement souples et très proches visuellement du modèle. On en fait des manteaux longs droits, des trois-quarts ou sept-huitièmes de forme trapèze ou des courtes vestes cintrées. On les double parfois de fausses fourrures évidemment, à poils longs (très tendance) ou en imitation panthère. Moins de manches raglan, plus de manches montées voire montées un peu haut, ce qui amincit le buste. Parmi les teintes proposées, le chocolat est plus lumineux qu'un marron, moins dur au visage. Côté impers, ils sont double face, dans des matériaux d'esprit caoutchouté, très souples. Une belle collection.

JCS

Beau et sérieux travail sur mesure

19 rue Commines (3e)
M° Filles-du-Calvaire
Tél. 01 42 77 68 69
*Lundi-samedi : 9 h-12 h,
14 h-18 h*

C'est la spécialité maison. Si vous le souhaitez, vous dessinerez avec le créateur le modèle dont vous avez envie, en bénéficiant de ses conseils ou en vous inspirant des modèles maison qui pendent aux cintres (et qui sont aussi à vendre), puis l'atelier l'exécutera. Ainsi peut-on se faire faire veste en cuir, en daim, en mouton retourné (en ville, il est plus sage de choisir une teinte foncée qui réduira la fréquence des nettoyages), un trois-quarts ou un manteau. Retouches et réparations. **5 % de remise avec le guide ou la carte.**

PEAUX D'ÈVE

*Cuirs haut de gamme, castorette
et mouton retourné*

133 rue Vieille-du-Temple
(3e)
M° Filles-du-Calvaire
Tél. 01 42 77 04 14
Lundi-samedi : 9 h-18 h 30

Depuis trente ans, ce fabricant propose une mode féminine, assez raffinée et de belle qualité (ses peaux d'agneau viennent de l'Aveyron). Hiver 2004 : Peaux d'Ève propose des vestes et manteaux légers en castorette (un lapin rasé, travaillé dans sa pigmentation et huilé, ce qui lui donne reflets et allure couture), fourrure très souple garnie parfois au col et poignets de renard. Des vêtements en agneau plongé (dans une gamme – en particulier – de caramel, gold clair, beige et marron), dont de jolies petites vestes courtes un peu cintrées et des pantalons. Enfin des peaux lainées espagnoles légères. L'atelier fait du sur-mesure, du 34 au 64 et plus, ainsi que toute réparation. **Prix de gros avec le guide ou la carte.**

4e ARRONDISSEMENT

VERTIGES

Fripes

85 rue Saint-Martin (4e)
M° Hôtel-de-Ville
Tél. 01 48 87 34 64
*Lundi-samedi : 10 h-20 h ;
dimanche : 12 h-20 h*

Retour à la nature grâce aux vestes et pantalons paysans en corduroy (gros velours côtelé) à 20 € pièce ; des vestes en cuir (un peu usées) à partir de 25 € ; des Burberry's (à partir de 80 €) à assortir à des casquettes anglaises en tweed à 12 €. Au bras, on suspendra des sacs ou des vintages de grands couturiers.

9e ARRONDISSEMENT

ADAM'S
Un habile fabricant

89 rue Rochechouart (9e)
M° Anvers
Tél. 01 42 85 16 17
*Lundi-samedi : 10 h 30-
19 h 30 ; fermé le lundi
en été*

L'atelier est derrière la boutique et c'est bien pratique pour voir décortiquer et refaire le vieux manteau dont vous ne voulez pas vous séparer car il vous va comme un gant mais dont le cuir expire de vieillesse. C'est avec monsieur Adam que vous choisirez la couleur du cuir à travailler et celle de la doublure (en 15 à 21 jours, le vêtement est prêt). Il possède cependant dans sa boutique des vêtements tout faits, telle cette ravissante jupe droite en cuir à 121,96 € et ce manteau court en mouton retourné à partir de 579 €. **10 % de réduction avec le guide ou la carte.**

10e ARRONDISSEMENT

JEKEL PARIS
Luxe et splendeurs

22 rue de Paradis (10e)
M° Gare-de-l'Est
Tél. 01 47 70 73 90
www.jekel.fr
*Lundi-jeudi : 9 h-12 h 30,
14 h-18 h ; vendredi : 9 h-
12 h 30, 14 h-17 h*

Chez Jekel, fournisseur des plus luxueux magasins new-yorkais, vous trouverez les dernières tendances en vogue chez les grands couturiers : légèreté des fourrures alliée à la fantaisie. Cette année, Jekel a mis au point une ligne de vêtements de grand luxe en lapin bordé de renard ou mélangé à de la maille. Côté cuir, on constate un retour des effets moirés et du traitement façon croco. Quant aux peaux lainées, on leur donne une allure d'astrakan ; ainsi travaillées, elles sont plus légères que le modèle.

15e ARRONDISSEMENT

LES DEUX OURSONS
Dépôt-vente de fourrure

106 bd de Grenelle (15e)
M° La Motte-Picquet-
Grenelle
Tél. 01 45 75 10 77
www.deux-oursons.com
Mardi-samedi : 10 h-19 h

Qui veut un vison à moitié prix ? Déjà porté, évidemment, mais en très bel état et de chez un bon fourreur. Veste en vison dark : 1 200 €. Manteau en vison pastel : 1 200 à 4 000 €. Veste en ocelot : 500 €. Manteau long chocolat en castorette (lapin rasé) : 750 €. Des vêtements neufs côtoient ces occasions : parka en tissu, col et doublure amovibles en castorette à environ 1 400 € ; blouson en jean col et doublure en marmotte à 800 € ; trois-quarts en peau lainée : de 1 050 à 3 000 € ; pelisse courte garnie de lapin : 695 €. L'été, au fond du magasin, location de vêtements de cérémonie pour homme (jaquettes, smockings, redingotes, costumes, habits) et pour femme (robes du soir, tailleurs habillés, chapeaux, fourrures). L'hiver, la location pour homme est au n° 95.

AUTRE ADRESSE
■ 95 bd de Grenelle, 15e • M° La Motte-Picquet-Grenelle • Tél. 01 45 75 10 77

17e ARRONDISSEMENT

HENCEFORD
Sérieux

205 bd Pereire (17e)
M° Porte-Maillot
Tél. 01 45 74 24 02

La maison est sérieuse. Ses cuirs sont de bonne qualité et elle pratique le sur-mesure. Si la teinte des vestes ou manteaux en magasin ne vous convient

*Lundi : 14 h 30-19 h 30 ;
mardi-vendredi : 10 h 30-
19 h 30 ; samedi : 10 h 30-
12 h 30, 14 h 30-19 h 30*

pas, on vous le fera exécuter dans une couleur choisie sur le nuancier (qui est important) et, lors de l'exécution, on ajustera sans rechigner le modèle à votre taille (si bien sûr les transformations ne sont pas trop importantes ; de toute façon, il est d'usage de demander un devis avant tous travaux). Également réparation et nettoyage de fourrures, canapés, sellerie.

77 SEINE-ET-MARNE

MAUD FRIZON STOCK

La Vallée Shopping Village
3 cours de la Garonne
77700 SERRIS
Accès : voir p. 395
Tél. 01 60 42 02 41
*Lundi-samedi : 10 h-20 h
(19 h en hiver) ; dimanche :
11 h-19 h*

Noir comme le cuir

Bien sûr, le magasin est riche de beaux sacs, de chaussures élégantes et délicates et d'un très beau prêt-à-porter. Mais par-dessus tout, les vêtements de cuir sont sublimes. Les chaussures sont au minimum vendues à moitié prix. Des variations sont de rigueur pour le reste, cependant nous avons vu une veste en cuir noir cintrée extrêmement souple à 575 € au lieu du double. **Réduction de 10 % supplémentaire avec le guide ou la carte.**

**L'index des raisons sociales et commerciales
se trouve en page 607.**

**L'index des produits recensés dans Paris Pas Cher
se trouve en page 627.**

LINGERIE

2ᵉ ARRONDISSEMENT

DS LINGERIE
Dessous douceur

158 rue Montmartre (2ᵉ)
Mᵒ Bourse
Tél. 01 42 33 61 65

De la lingerie moyen de gamme, plutôt bien finie. Ensembles à partir de 15 €. String : 5 €. Combinaison : 5 €. Ensembles très féminins avec des matières comme le tulle, la dentelle, la guipure. – Lundi-vendredi : 10 h 30-19 h 30 (10 h-19 h en hiver).

AUTRES ADRESSES
- 99 rue du Faubourg-du-Temple, 11ᵉ • Mᵒ Goncourt • Lundi-vendredi : 10 h 30-19 h 30 (10 h-19 h en hiver)
- 117 rue d'Alésia, 14ᵉ • Mᵒ Alésia • Tél. 01 45 40 59 89 • Lundi-samedi : 10 h 30-19 h 30 (10 h-19 h en hiver)
- 85 av. Clichy, 17ᵉ • Mᵒ La Fourche • Tél. 01 42 63 66 58 • Lundi-samedi : 10 h 30-19 h 30

4ᵉ ARRONDISSEMENT

PRINCESSE TAM-TAM
Très mode

20 rue Saint-Antoine (4ᵉ)
Mᵒ Saint-Paul
Tél. 01 42 77 32 27
www.princess-tamtam.com
Lundi : 13 h 30-19 h ; mardi-samedi : 10 h-19 h

La lingerie imprimée ou unie aux couleurs très mode (turquoise, orange, prune) est simple et de bon goût. Ensembles à partir de 70 €. Un point important : on peut échanger et cela, dans n'importe quelle boutique de la marque. Promotions classiques mais intéressantes. Système de carte de fidélité : dès le premier ensemble acheté, la cliente a droit à un cadeau. Nombreuses autres adresses sur le site Internet.

6ᵉ ARRONDISSEMENT

DARJEELING
Lingerie fine

10 bd Saint-Michel (6ᵉ)
Mᵒ Saint-Michel
Tél. 01 56 24 40 63
www.darjeeling.fr
Lundi-samedi : 10 h-19 h 30

Dans de vastes et claires cabines, vous pourrez essayer à loisir de jolis ensembles colorés à partir de 25 €. Mention spéciale pour les soutiens-gorge à bretelles amovibles à partir de 38 €. Pyjamas en soie chatoyante et chemises de nuit brodées 40 €. Accueil souriant dans toutes les boutiques de cette enseigne, filiale du groupe Chantelle. Neuf adresses à Paris : consulter le site Internet.

8ᵉ ARRONDISSEMENT

VALEGE
Très mode

4 rue de Tilsitt (8ᵉ)
Mᵒ Charles-de-Gaulle-Étoile
Tél. 01 56 88 06 26
www.valege.com
Lundi-samedi : 10 h 30-19 h 30 ; dimanche : 11 h-19 h 30

Marque Valege exclusivement. Difficile de résister à la tentation de remplir les tiroirs de sa commode devant tous ces ensembles (à partir de 20 €) unis, brodés, imprimés, à motifs léopard ou zébrés, du plus sage au plus suggestif. Maillots de bain à partir de 25 € uniquement l'été. Douze adresses à Paris : consulter le site Internet.

AUX GARÇONS MARTYRS

70 rue des Martyrs (9ᵉ)
Mᵒ Pigalle
Tél. 01 48 78 82 20
*Mardi-samedi : 10 h 30-
20 h*

Tant qu'il y aura des hommes

Michel Laurent a créé cette boutique de lingerie exclusivement masculine, il y a un an. Lingerie de qualité, très mode. Marques : O'Boy, Eros Veneziani, Punto Blanco, Bruno Banani, Hom. Slips et tee-shirts y sont présentés sur cintres, ce qui donne un côté original mais de bon ton (à ne pas confondre avec les sex-shops voisins). Tee-shirts de 35 à 75 €. Slips, boxers, shortys à partir de 12 €. **Remise de 10 % avec le guide ou la carte.**

EURODIF LINGERIE

58 rue de la Chaussée-
d'Antin (9ᵉ)
Mᵒ Chaussée-d'Antin
ou Trinité
Tél. 01 48 78 08 05
*Lundi-vendredi : 10 h 30-
19 h ; samedi : 10 h 30-
19 h 15*

Sage ou coquin

C'est vrai que l'ambiance est loin de celle, feutrée, de certaines boutiques de lingerie, mais le choix et les prix très bas méritent un détour pour les plus fauchées. String ou slip femme coton à 2,42 €, ensemble slip et soutien-gorge à 6,10 €, pyjama en coton à 7,10 €, slip lycra dentelle à 3,03 €, collants résille à 3,85 € ou collants lycra à 2 €.

ORCANTA LINGERIE

6 rue Halévy (9ᵉ)
Mᵒ Chaussée-d'Antin
Tél. 01 47 42 49 47
www.orcanta.fr
Tous les jours : 10 h-20 h

Le meilleur des marques

Telle est l'enseigne et le leitmotiv de cette chaîne de lingerie féminine. On trouvera donc ici les grandes marques de la lingerie classique ; Lejaby, Lise Charnel, Simone Perèle, Antinéa, Boléro... à des prix attractifs. Ensemble dès 30 €. Maillots de bain dès le mois de mars, à partir de 40 €. Le plus : les maillots de bain deux pièces peuvent être achetés en tailles différentes...

AUTRES ADRESSES
- 60 rue Saint-Placide, 6ᵉ • Mᵒ Saint-Placide • Tél. 01 45 44 94 44
- 152 rue de Rennes, 6ᵉ • Mᵒ Montparnasse-Bienvenüe • Tél. 01 44 39 00 02
- 15 rue du Commerce, 15ᵉ • Mᵒ La-Motte-Picquet-Grenelle • Tél. 01 45 75 22 23
- 48 av. Victor-Hugo, 17ᵉ • Mᵒ Victor-Hugo • Tél. 01 53 64 01 16

TAB LINGERIE

52 rue de la Chaussée-
d'Antin (9ᵉ)
Mᵒ Chaussée-d'Antin
Tél. 01 48 74 41 11
*Lundi-samedi : 10 h 30-
19 h 30*

Grandes marques à prix discount

Difficile de résister à de si jolis dessous surtout lorsqu'ils sont signés Lise Charmel, Simone Pérèle, Lejaby, Aubade et bien d'autres encore, toujours 20 ou 50 % moins chers qu'ailleurs. Plus irrésistibles encore, les promotions toute l'année : ensembles à partir de 15 €. Strings : 6 €. Boxer : 10 €. Spécialiste des grandes tailles et de grandes profondeurs pour les soutiens-gorge (jusqu'au 120, bonnet F). Bonne qualité d'accueil et de conseil. **Remise de 5 % avec le guide ou la carte (hors promotions).**

AUTRES ADRESSES
- **Jungle Body** • 77 rue Rambuteau, 1ᵉʳ • Mᵒ Rambuteau ou Châtelet-Les Halles • Tél. 01 40 26 06 81 • Lundi-samedi : 11 h 30-20 h
- 31 rue d'Avron, 20ᵉ • Mᵒ Avron • Tél. 01 43 73 93 63 • Mardi-samedi : 10 h 30-19 h 30

11e ARRONDISSEMENT

CAPRICES *Griffés ou dégriffés*

102 rue de Charonne (11e)
M° Charonne
Tél. 01 43 73 80 88
Lundi-samedi : 10 h 30-20 h

Caprices propose un joli choix de lingerie griffée ou dégriffée souvent en fins de séries. Ensembles de 10 à 150 €. Mais l'accent est également mis sur les collants très tendance de chez Chantal Thomass, Dolci Calzie, Aris ou Transparenze. Les hommes sont également à l'honneur avec des articles Dim, HOM, Calvin Klein, etc. De 5 à 59 €. **Remise de 10 % sur les articles hors soldes avec le guide ou la carte.**

COMPTOIR DE LA LINGERIE *Petits prix pour jolis dessous*

175 rue du Faubourg-
Saint-Antoine (11e)
M° Faidherbe-Chaligny
Tél. 01 43 07 32 63
*Mardi-samedi : 10 h 30-
19 h 30*

Des griffés (Lejaby, Pérèle, Empreinte, Ravage, Barbara et surtout Lise Charmel) de 20 à 30 % moins chers que dans les boutiques classiques. Nuisette Lise Charmel : 60 €. Ensemble Ravage : 76 €. Grand choix de maillots de bain Empreinte à partir de 30,49 €. Soutiens-gorge (A à G) du 80 au 125. **Remise de 5 % avec le guide ou la carte.**

AUTRE ADRESSE
■ 249 bis rue des Pyrénées, 20e • M° Gambetta • Tél. 01 47 97 47 25 • Mardi-samedi : 10 h 30-19 h 30

14e ARRONDISSEMENT

BODY ONE *Lingerie à bas prix*

105 rue d'Alésia (14e)
M° Alésia
Tél. 01 40 44 44 42
www.bodyone.fr

Des prix et des modèles qui méritent que l'on s'y attarde. Une lingerie sage, basique, mais colorée. On y trouve des ensembles entre 5 et 10 €. – Lundi-vendredi : 11 h-19 h ; samedi : 10 h 30-19 h.

AUTRES ADRESSES
■ 102 rue Rambuteau, 1er • M° Châtelet-Les Halles • Tél. 01 55 04 80 60
■ 83 rue de La Boétie, 8e • M° Saint-Philippe-du-Roule • Tél. 01 58 36 00 13
■ 183 rue du Faubourg-Saint-Antoine, 12e • M° Faidherbe-Chaligny • Tél. 01 44 87 09 08
■ 40-44 Grande-Rue • 92310 SÈVRES • M° Pont-de-Sèvres • Tél. 01 45 34 69 25

15e ARRONDISSEMENT

LES DESSOUS D'ÈVE *De si jolis dessous*

371 rue de Vaugirard (15e)
M° Convention
Tél. 01 45 32 93 66
Lundi-samedi : 10 h-19 h 30

Les dessous de l'année Lise Charmel, Lejaby, Aubade, Lou et Barbara sont vendus moins cher que dans les grands magasins alors que les modèles des années précédentes partent à moitié prix. Des grandes profondeurs en soutiens-gorge (120 G). Promotions toute l'année et un choix impressionnant. Ensembles à partir de 25 €. **Remise de 10 % avec le guide ou la carte sur les articles non soldés.**

17e ARRONDISSEMENT

NIKITA *Collections des années précédentes*

22 rue de Levis (17e)
M° Villiers

Le magasin est spacieux et permet une présentation des modèles sur mannequins des collections des an-

Tél. 01 42 12 01 30
*Lundi-samedi : 9 h 30-
19 h 30 ; dimanche :
9 h 30-13 h 30*

nées précédentes vendus à près de moitié prix. Vous
trouverez néanmoins des articles de l'année. Des
grandes marques (Lejaby, Simone Pérèle, Aubade,
Triumph, Sloggi, Ravage, Neyret...) et des ensembles à partir de 25 €. Promotions régulières dans le
magasin comme à l'extérieur. Lors de notre passage, nous avons trouvé dans de jolies corbeilles
des soutiens-gorge à 3,50 € et des slips à 1,50 €
seulement. **Remise de 5 % avec le guide ou la
carte.**

AUTRES ADRESSES
- **Nina Lingerie** • 85 rue du Faubourg-du-Temple, 10e • M° Goncourt • Tél. 01 42 08 41 46
- **OH et BA** • 58 rue Duhesme, 18e • M° Jules-Joffrin • Tél. 01 42 58 20 30 • Mardi-samedi :
  10 h-19 h 30 ; dimanche : 10 h-13 h 30 • Grandes tailles aussi.
- **Victoria Lingerie** • 75-77 rue de Paris • 93260 LES LILAS • M° Mairie-des-Lilas • Tél. 01 43
  63 46 08 • Mardi-vendredi : 10 h-13 h, 14 h-19 h 30 ; samedi : 10 h-19 h 30 ; dimanche :
  10 h-13 h • Spécialité grandes tailles.

77 SEINE-ET-MARNE

CHANTELLE STOCK

La Vallée Shopping Village
3 cours de la Garonne
77700 SERRIS
Accès : voir p. 395
Tél. 01 60 43 74 11
*Lundi-samedi : 10 h-20 h
(19 h en hiver) ; dimanche :
11 h-19 h*

Chantelle, Passionata, Darjeeling stocks

Cette même maison enfante des décolletés en
dentelles sophistiquées. Chez Darjeeling, deux
atouts : de profonds bonnets pour de petits torses –
on va jusqu'au E – et des chemises de nuit de grand
soir à petits prix. L'ensemble qui tire nos poitrines
vers le haut est vendu à bas prix (en moyenne
-35 %).

78 YVELINES

DISTRIBEM

Usines Center
Route André-Citroën
78140 VÉLIZY
Accès : voir p. 396
Tél. 01 39 46 41 07
*Mercredi-vendredi : 11 h-
20 h ; samedi-dimanche :
10 h-20 h*

Pour les hommes

Place est faite ici aux sous-vêtements homme accompagnés des tenues pour la nuit Éminence et Athéna
premier et second choix. Pyjama long Éminence premier choix 100 % coton à 30,34 € ou en version
courte à 28,20 €. Maillot de corps second choix à
3,35 €. Pour enfant, des pyjamas longs ou courts à
8,99 €, des caleçons à 3,81 €, des slips à 2,74 €
et des maillots de corps à 2,90 €.

AUTRE ADRESSE
- Marques Avenue, 9 quai Le Châtelier • 93450 L'ÎLE-SAINT-DENIS • M° Mairie-de-Saint-Ouen
  + bus 137 N, voir p. 397 • Tél. 01 48 09 91 63 • Lundi-vendredi : 11 h-20 h ; samedi :
  10 h-20 h

92 HAUTS-DE-SEINE

LAURENCE TAVERNIER

56 rue Aristide-Briand
92300 LEVALLOIS-PERRET
M° Anatole-France
Tél. 01 47 48 15 03
*Lundi : 14 h-19 h ; mardi-
vendredi : 12 h-19 h*

Pyjamas en stock

Une marque luxueuse. Ses fins de séries, retours de
magasins, surstocks se retrouvent dans cette toute
petite boutique. Les prix sont à l'échelle : 20 € pour
une chemise de nuit, le double pour une robe de
chambre.

OLYMPIA

Le royaume de la chaussette

Quai des Marques
395 av. du Général-Leclerc
95130 FRANCONVILLE
Accès, voir p. 398
Tél. 01 34 15 16 11
*Lundi-vendredi : 11 h 20 h ;
samedi : 10 h-20 h*

Olympia vous fait les pieds chauds comme des beignets sans vous déplumer. Pour homme, mi-chaussettes fil d'Écosse à 2,46 €, chaussettes tennis hommes à 1,62 €, ou chaussettes de ski à 5,46 €. Pour femme, socquettes unies ou collant en voile lycra à 1,91 €. Collants polyamide pour enfants, divers coloris, à 2,07 € ou chaussettes de ski à 5,56 €.

AUTRE ADRESSE

■ Quai des Marques, 9 quai du Châtelier • 93450 ÎLE-SAINT-DENIS • Accès : voir p. 397 • Tél. 01 48 20 05 37 • Lundi-vendredi : 11 h-20 h ; samedi : 10 h-20 h

WELL

Lingerie et collants

Quai des Marques
395 av. du Général-Leclerc
95130 FRANCONVILLE
Accès, voir p. 398
Tél. 01 34 15 23 25
*Lundi-vendredi : 11 h-20 h ;
samedi : 10 h-20 h*

Les collants et soutiens-gorge Well s'affichent 30 % moins chers qu'ailleurs. Pour le confort et la beauté des jambes, collant seconde peau à 2,74 €, collant Wellness amincissant vendu par boîte de 6 à 19,85 €, ou le classique collant opaque à partir de 5,03 €. Pour des jambes moins classiques, on trouvera ici des collants effet bronzant à 3,81 € et des collants pailletés à 3,74 €. Côté lingerie, tous les mois un ensemble soutien-gorge et slip à 15,24 €. Le string se porte à 7 €.

Quelques autres adresses

Trouvailles de dernière minute, bons plans susurrés par nos lecteurs, ou découvertes qui méritent une mention sans long développement, voici encore, en vrac, quelques adresses de bon conseil.

2e ARRONDISSEMENT

UN AMOUR DE LINGERIE
80 rue Montmartre, 2e • M° Sentier • Tél. 01 42 36 15 54 • Lundi-vendredi : 10 h-19 h ; samedi : 11 h-19 h

Remise de 5 % avec le guide ou la carte.

6e ARRONDISSEMENT

COMME DES FEMMES
31 rue Saint-Placide, 6e • M° Sèvres-Babylone • Tél. 01 45 48 97 33 • Lundi : 11 h-19 h ; mardi-samedi : 10 h-19 h

Petits prix pour du haut de gamme. Maillots de bain vendus dès janvier. **Remise de 5 % avec le guide ou la carte.**

14e ARRONDISSEMENT

UN AMOUR DE LINGERIE
109 rue d'Alésia, 14e • M° Alésia • 01 45 42 42 92 • Lundi : 11 h-19 h ; mardi-samedi : 10 h 30-19 h

Grandes tailles en soutiens-gorge (100 D) et culottes (XL). Promotions toute l'année. **Remise de 5 % avec le guide ou la carte**.

17e ARRONDISSEMENT

SAMY LINGERIE
55 rue Lévis, 17e • M° Villiers • Tél. 01 46 22 89 09 • www.samy-lingerie.com • Lundi : 11 h-19 h 30 ; mardi-samedi : 10 h-19 h 30 ; dimanche : 10 h 30-13 h 30

Carte de fidélité avec 5 % de remise sur le sixième achat. Douze autres adresses à Paris et en région parisienne (liste sur le site Internet ou au 01 44 53 90 42).

77 SEINE-ET-MARNE

BEAUVALLET-NATURANA
Rue Paul-Cézanne • 77000 LA ROCHETTE • 50 km de la Porte de Bercy (à côté de Melun) • Tél. 01 64 83 57 99 • Mardi-samedi : 11 h-18 h

Lingerie Naturana à prix d'usine.

78 YVELINES

DIM
Usine Center • 78140 VÉLIZY • Accès : voir p. 396 • Tél. 01 34 65 37 04 • Mercredi-vendredi : 11 h-20 h ; samedi-dimanche : 10 h-20 h

93 SEINE-SAINT-DENIS

DIM
Marques Avenue, 8-10 quai du Châtelier • 93450 L'ÎLE-SAINT-DENIS • M° Marie-de-Saint-Ouen + bus 137 N, voir aussi p. 397 • Tél. 01 48 09 03 24 • Lundi-vendredi : 11 h -20 h ; samedi : 10 h-20 h

95 VAL-D'OISE

DIM
Quai des Marques • 95130 FRANCON-VILLE • 15 km de la Porte de la Chapelle (A1 + A15), voir p. 398 • Tél. 01 34 15 06 09 • Lundi-vendredi : 11 h-20 h ; samedi : 10 h-20 h

DIM
Usine Center, Paris Nord II, boutique n° 17 • 95952 ROISSY-CDG • 14 km de la Porte de la Chapelle (A1), voir p. 399 • Tél. 01 49 89 00 89 • Tous les jours : 11 h-19 h

**Vous voulez recevoir gratuitement
le prochain Paris Pas Cher ? Signalez-nous,
par courrier, une bonne adresse qui n'y figure pas
ou une erreur qui se serait glissée dans le texte (si, si, ça arrive),
avant le 1er février 2004.**

**Si vous êtes le premier (ou la première) à nous l'avoir signalée,
et que nous la retenons,
vous recevrez un exemplaire du guide 2005,
à paraître en septembre 2004.**

**Paris Pas Cher
19 av. Georges-Brassens
94550 Chevilly-Larue**

SACS, bagages, chapeaux et accessoires

BALENZO
Bagages et sacs en tous genres

30 rue du Pont-Neuf (1er)
M° Châtelet
Tél. 01 40 28 98 58
Lundi-samedi : 10 h-20 h

Un peu à l'écart du Forum des Halles, Balenzo étale une grande partie de ses sacs à dos et valises pour toutes destinations. Sacs à dos Quicksilver à partir de 22,90 €. Eastpack ou Kippling à 30,50 €. Sacs de voyage à roulettes à 30,50 €. Sacs à main fantaisie à partir de 15 €. A l'intérieur, vaste choix dans les marques de maroquinerie classique, proposées, là encore, au plus juste prix. Mention spéciale pour les attachés-cases.

SÉLECTION PRIVÉE
Pashminas, foulards et cravates

234 rue de Rivoli (1er)
M° Tuileries
Tél. 01 47 03 07 03
*Lundi-vendredi : 10 h-19 h ,
samedi : 10 h-19 h*

Châles (45,50 €), pashminas (69 €), étoles brodées (49 €) de toutes les teintes de l'arc-en-ciel composent un ensemble chatoyant. Ensemble que viennent compléter petits sacs brodés (25 €), cravates (19,95 €) et parapluies (25 €) de grands couturiers. Une adresse sûre.

AUTRES ADRESSES
- 55 rue de la Convention, 15e • M° Boucicaut • Tél. 01 45 78 69 80
- 88 av. Mozart, 16e • M° Jasmin • Tél. 01 46 47 87 86

MALLES BERTAULT
Pour se faire la malle...

135 rue d'Aboukir
(1er étage) (2e)
M° Strasbourg-Saint-Denis
Tél. 01 42 33 03 80
Fax : 01 40 39 90 89
www.malles-bertault.fr
*Lundi-vendredi : 8 h-18 h ;
samedi : 9 h-17 h*

Les lieux agrandis et rénovés permettent désormais de proposer un large choix de bagages classiques vendus 15 % en dessous du prix habituellement pratiqué. Valise Delsey Seascape, avec plusieurs possibilités de roulage : 177 € la plus grande taille. Également Samsonite et les luxueuses valises américaines Halliburton. Valise rigide à quatre roulettes Air France : 106 €. Accueil chaleureux et vrais bons conseils. Propose aussi un service après-vente et les réparations sur tous bagages. **Remise de 10 % avec le guide ou la carte.**

LANSSAC DIFFUSION
L'ensemble de la maroquinerie

19 rue du Temple (4e)
M° Hôtel-de-Ville
Tél. 01 42 77 88 13
Fax : 01 42 72 93 70
Lundi-samedi : 10 h-19 h

On peut tout trouver chez Lanssac. Du sac à main classique en cuir (65 €) aux bagages pour routards (sacs trekking 100 €) ou VIP (modèles à fermoir style « Diligence » à 273 €), en passant par la petite maroquinerie, les accessoires et la parure de bureau. On trouve également un exceptionnel choix de sacoches hommes et femmes et de serviettes à partir de 66 €. Accueil enthousiaste. **Remise de 5 % avec le guide ou la carte (hors promotions).**

6e ARRONDISSEMENT

À LA RECHERCHE DE JANE

41 rue Dauphine (6e)
M° Saint-Michel ou Odéon
Tél. 01 43 25 26 46
*Jeudi-samedi : 11 h 30-
19 h 30 ; dimanche :
12 h 30-19 h*

Le plaisir retrouvé du chapeau

Toutes les occasions sont bonnes pour porter un chapeau et Jane ne vous dira pas le contraire. Elle vous propose toute une panoplie de couvre-chefs du plus sage au plus extravagant. Les prix ? En hiver, des bérets à partir de 30 € et pour les chapeaux, en été, compter entre 75 et 150 €. Mais ce que Jane préfère c'est les faire sur commande, c'est plus cher (à partir de 185 €) et il faudra patienter un mois mais vous ne serez pas déçues. Également collection d'étoles uniques à partir de 139 €. Cartons à chapeaux 39 et 49 €. **Remise de 5 % avec le guide ou la carte.**

BALI-BALO

12 rue Saint-Placide (6e)
M° Sèvres-Babylone
Tél. 01 45 48 49 07
www.bali-balo.fr
*Lundi : 12 h 30-19 h ; mardi-
samedi : 10 h-19 h*

Sacs pour batifoler

Bali-Balo est créateur et fabricant de sacs nylon avec poignées et attaches en cuir. De tailles et de formes différentes : sac à dos, gibecières, cabas, « petit seau », avec plein de poches, se déclinent dans des couleurs acidulées ou des motifs panthère. La collection (30 à 69 €) est réactualisée chaque saison. Accueil décontracté.

COULEURS D'AILLEURS

12 rue de l'Ancienne-
Comédie (6e)
M° Odéon
Tél. 01 43 26 49 04
*Lundi-dimanche : 11 h-
19 h 30*

La magie d'une étole

Les étoles sont joliment disposées suivant un nuancier de couleurs. Des gammes de bleus, de rouges, de verts... déclinées dans des motifs subtils travaillés dans la soie, le coton et aussi la viscose. C'est un régal pour l'œil, et on ressent immédiatement l'envie de s'en parer. Foulards à 18,50 €, écharpes à 49,50 €, grandes étoles en soie sauvage à partir de 41 €. **Remise de 10 % avec le guide ou la carte.**

AUTRES ADRESSES
- 8 rue des Francs-Bourgeois, 3e • M° Saint-Paul • Tél. 01 48 04 33 15 • Lundi : 11 h-19 h 30 ; mardi-dimanche : 10 h 30-19 h 30 ; hiver : fermeture à 19 h
- 16 rue Saint-Placide, 6e • M° Saint-Placide • Tél. 01 45 44 89 39 • Lundi-dimanche : 10 h 30-19 h

LOSCO

5 rue de Sèvres (6e)
M° Sèvres-Babylone
ou Saint-Sulpice
Tél. 01 42 22 77 47
*Lundi-mardi : 14 h-19 h ;
mercredi-vendredi : 11 h-
13 h, 14 h-19 h ; samedi :
11 h-19 h*

Ceintures personnalisées pour hommes et femmes

Comment avoir une ceinture personnalisée ? Chez Losco. Vous choisissez parmi une bonne cinquantaine de modèles de lanières exclusivement en cuir (vache, façon croco, lézard ou autruche) vendues entre 55 et 94 €, que vous associez à un nombre impressionnant de boucles à partir de 9 €. Ceintures pour hommes entre 60 et 72 €.

AUTRE ADRESSE
- 20 rue de Sévigné, 4e • M° Saint-Paul • Tél. 01 48 04 39 93 • Dimanche : 15 h-19 h ; mardi : 14 h-19 h ; mercredi-samedi : 11 h-19 h

ALBERTSON'S
Le luxe accessible

19 rue Bergère (9e)
M° Cadet ou Grands-
Boulevards
Tél. 01 48 24 32 16
Fax : 01 48 24 29 12
www.albertsons.fr
Lundi-vendredi : 9 h-18 h 30

Le concept de la boutique : le prix de gros accessible au grand public. Le magasin propose 200 modèles environ. Sacs à main (dont le sac style « Kelly ») à partir de 30 €, sacs et pochettes pour hommes à partir de 36 €, porte-documents à partir de 80 €, sacs de voyage (avec en particulier le fameux sac « 48 heures ») à partir de 258 €. Petite maroquinerie à partir de 10 €, parures de bureau à partir de 25 €. Enfin, on notera un très beau choix d'articles pour fumeurs : coffrets en cuir et bois de cèdre, caves et étuis à cigares de 37 à 230 €. **Remise de 5 % avec le guide ou la carte.**

LA MAROQUINERIE PARISIENNE
Le chouchou de nos lecteurs

30 rue Tronchet (9e)
M° Havre-Caumartin,
Madeleine ou Aubert
Tél. 01 47 42 83 40
Lundi : 13 h-19 h ; mardi-samedi : 10 h-19 h

Du portefeuille aux malles cabine, sur trois étages, figurent toutes les grandes marques de maroquinerie, vendues entre 10 et 20 % moins cher. Une des spécialités de la maison : des sacs pliants sur la base des origamis japonais (24 à 106 €). Au rayon bagages, une valise Samsonite 55 cm à 105,40 € ou une Delsey cabine à 93,50 €. Accueil charmant et bons conseils. Pas étonnant que vous (nos lecteurs) plébiscitiez cette adresse. Impossible de ne pas y trouver son bonheur.

GEORGES
La qualité avant tout

104 rue Saint-Maur (11e)
M° Parmentier
Tél. 01 43 57 21 59
Mardi-samedi : 10 h 30-19 h 30

Depuis 30 ans, Georges fabrique, à l'arrière de sa boutique, de beaux bagages en cuir pleine fleur à partir de 305 €. Il sélectionne également auprès de fabricants de nombreux articles de maroquinerie pour leur qualité de peausserie, de coupe et de finition. Sacs en cuir à partir de 45 €, serviettes, attachés-cases, cartables à partir de 100 €. Ganterie classique et sobre (à partir de 40 €) et petite maroquinerie variée et originale.

FORMES ET JEUX - JACQUES GAUTHIER
La passion du cuir

4 rue de Picpus (12e)
M° Nation
Tél. 01 40 01 05 80
Fax : 01 40 01 05 88
Mardi-samedi : 12 h-19 h

Formé chez Hermès, Jacques Gauthier se voit régulièrement confier la fabrication des prototypes de sacs de grandes marques. Il travaille également pour les musées et saura aussi bien restaurer les pièces des années 30 que réaliser le sac qui vous trotte dans la tête. Les sacs sélectionnés en magasin confectionnés en veau premier choix sont vendus à partir de 106 €. Fabrication de bijoux cuir et métal entre 18 et 230 €. Gants chevreau ou pécari entre 50 et 165 €. Petite maroquinerie de 15 à 80 €. **Carte de fidélité sans limite de temps (10 % de remise sur le total au 5e achat).**

ACCESSOIRES À SOIE

21 rue des Acacias (17e)
M° Argentine
Tél. 01 42 27 78 77
*Lundi-vendredi : 10 h 30-
14 h, 15 h-19 h 30 ;
samedi : 10 h 30-13 h,
14 h-19 h 30*

Irremplaçable soie

Délicate, douce, chaude et fraîche, c'est Madame
la soie. Elle s'épanouit ici sous forme de foulards ou
d'écharpes de grands couturiers (Ungaro, Ricci, Lacroix) entre 28 et 84 €. Jolies cravates aux motifs
sages ou bariolés à 28 €, sacs en soie 50 € et pulls
en soie ou en bourrette de soie, jusqu'à la taille 5,
à partir de 60 €. Grandes et belles étoles à partir
de 122 €. Grande qualité d'accueil et de conseil.

LES CUIRS DELAMARE

51 rue Bayen (17e)
M° Porte-Maillot
ou Porte-de-Champerret
Tél. 01 56 68 03 55
*Lundi-vendredi : 10 h 30-
18 h 30 ; samedi : 11 h-
18 h*

Bracelets pour montres sur mesure

Ici, on a le choix entre une centaine environ de
bracelets-montres : en cuir, en soie sauvage, en satin, en jean, en perle, en serpent, en croco, en lézard et la liste est encore longue. Les bracelets
s'adaptent à toutes les formes et toutes les marques
de montres. Comptez environ dix jours de délai et
entre 30 et 150 €.

SIDONIS

42 rue de Clignancourt
(18e)
M° Château-Rouge
ou Anvers
Tél. 01 42 57 77 38
*Lundi : 14 h-19 h ; mardi-
samedi : 10 h-19 h 15*

Grandes marques à prix réduits

Juste pour vous inciter à rentrer, un panneau indique
que c'est la boutique la plus laide de Paris ! 26 m^2 de
capharnaüm mais qui réserve à celui qui saura fouiller des articles de grandes marques à prix discount :
parapluies YSL pour hommes à 30,49 €, chapeaux
cérémonie à 35,06 €, ceintures hommes à partir de
29 €, gants en pécari premier choix à 105,19 €.
Écharpes cachemire à 55 €. Sacs en cuir vintage
1970 de 40 à 60 €. Sac reporter en cuir à 45 €.

SETA

107 rue de Ménilmontant
(20e)
M° Ménilmontant
ou Gambetta
Tél. 01 46 36 84 42
Fax : 01 43 49 57 77
*Lundi-vendredi : 9 h-
17 h 30 ; samedi : 11 h-
16 h*

Le royaume des ceintures

SETA vous laisse choisir votre lanière de ceinture
(entre 1 et 8 cm) pour l'associer à une boucle à votre
goût. En tout, près de 2 000 modèles disponibles
dans des cuirs de toutes les couleurs. Les prix démarrent à 15 €. La fabrication se fait devant vous
et illico. Accueil amical. **Remise de 5 % avec le
guide ou la carte.**

FURLA (STOCK)

Outlet Shopping Village
3 cours de la Garonne
77700 SERRIS
Accès : voir p. 395
Tél. 01 60 43 77 16
*Lundi-samedi : 10 h-20 h
(19 h en hiver) ; dimanche :
11 h-19 h*

Sacs et accessoires italiens

Pléthore de petits sacs mode, adorables, de couleurs
vives ou pastel, en agneau plongé, en soie ou coton
rebrodé de perles. Sacs entre 25 et 87 €. Bijoux fantaisie ou en argent à partir de 35 €. La boutique vend
à moins 33 % du prix habituel et propose en outre
des promotions régulières à moins 50 %. Sous les
comptoirs et dans des tiroirs, s'alignent de beaux bijoux fantaisie au design pur, pour la plupart de teinte
argent (lors de notre passage), à partir de 18 €.

LAMARTHE (STOCK)

Du solide

Outlet Shopping Village
3 cours de la Garonne
77700 SERRIS
Accès : voir p. 395
Tél. 01 60 42 32 06
www.lamarthe.fr
*Lundi-samedi : 10 h-20 h
(19 h en hiver) ; dimanche :
11 h-19 h*

Marque sérieuse qui privilégie une confection solide et un classicisme de bon aloi. Lors de notre passage, nous avons vu, entre autres, de bons sacs rectangulaires en cuir naturel, à bandoulière (84,19 € au lieu de 129,52) ; des sacs sport en toile imperméabilisée, confortable, qui se lave en machine, avec un petit parement de cuir qui leur donnait de l'élégance (66 € au lieu de 140). Et des petites pochettes en cuir doublé de toile, à porter même le soir. On trouve aussi des sacs façon velours, toile ou léopard à partir de 33 €.

MANDARINA DUCK STOCK

Pratique

Outlet Shopping Village
3 cours de la Garonne
77700 SERRIS
Accès : voir p. 395
Tél. 01 60 42 32 08 (fax)

Une gamme résolument moderne, pour tous les âges, qui privilégie la qualité mais aussi une certaine décontraction. Sacs de voyage cuir ou toile à partir de 40 €. Jolies bananes à 30 €. – Lundi-samedi : 10 h-20 h (19 h en hiver) ; dimanche : 11 h-19 h.

SAMSONITE (CNIE STORE)

Samsonite Stock

Outlet Shopping Village
3 cours de la Garonne
77700 SERRIS
Accès : voir p. 395
Tél. 01 64 63 24 70
www.samsonite.com
*Lundi-samedi : 10 h-20 h
(19 h en hiver) ; dimanche :
11 h-19 h*

Grand choix de bagages souples ou rigides de 50 à 300 €. Gamme de bagages pour enfants, petite maroquinerie, accessoires et ceintures. Le tout à -30 % par rapport aux prix habituels avec encore de nombreuses offres spéciales toute l'année. **Remise de 10 % avec le guide ou la carte.**

93 SEINE-SAINT-DENIS

LA MAISON DU CUIR

Socco, le Tanneur et les autres...

Marques Avenue
10 quai du Chatelier
93450 L'ILE-SAINT-DENIS
Accès : voir p. 397
Tél. 01 42 43 17 95
*Lundi-vendredi : 11 h-20 h ;
samedi : 10 h-20 h*

Le magasin réunit les fins de séries des marques Le Tanneur, Socco, Upla, Tann's qu'il vend 30 à 40 % du prix initial. Sac à main Socco : 75 €. Belle collection de sacs à partir de 38 €. Nouveaux modèles deux fois par an. **Remise de 10 % avec le guide ou la carte (hors soldes).**

AUTRE ADRESSE

■ **Pacific Cuir** • Magasin E40, Quai des Marques • 95130 FRANCONVILLE • Accès : voir p. 398 • Tél. 01 34 14 07 90

LAURENT (MAROQUINERIE)

Des prix très sages

79 rue de la République
93200 SAINT-DENIS
M° Saint-Denis-Basilique
Tél. 01 48 20 06 66
*Mardi-samedi : 9 h 30-
19 h ; dimanche : 9 h 30-
13 h*

Dans cette vaste maroquinerie située dans le quartier animé de Saint-Denis, on trouvera un grand choix de bagages et de sacs Lancel, Lamarthe, Lancaster, Longchamp, Lacoste à partir de 30 €. Ambiance chaleureuse.

STOCK SEQUOÏA

Quai des Marques
395 rue du Général-Leclerc
95130 FRANCONVILLE
Accès : voir p. 398
Tél. 01 34 44 00 87
Lundi-vendredi : 11 h-20 h ;
samedi : 10 h-20 h

Fins de séries pour femmes uniquement

Les fins de séries sont vendues ici avec 30 % de réduction par rapport aux modèles de l'année. Les inconditionnelles trouveront des sacs en toile enduite, en toile de nylon ou de microfibre à partir de 40 €. Le choix des modèles en cuir est tout aussi séduisant avec des prix à partir de 75 €. Sacs de voyage en toile à 75 €.

Quelques autres adresses

Trouvailles de dernière minute, bons plans susurrés par nos lecteurs, ou découvertes qui méritent une mention sans long développement, voici encore, en vrac, quelques adresses de bon conseil.

6e ARRONDISSEMENT

MAROQUINERIE VAUGIRARD

86 rue de Vaugirard, 6e • M° Saint-Placide • Tél. 01 40 49 08 80 • Lundi-samedi : 10 h 30-19 h

Bagages Samsonite, Le Tanneur, Delsey et Carré Royal à partir de 59 €. **20 % de remise (hors promotions) avec le guide ou la carte.**

7e ARRONDISSEMENT

STOCK SACS

86 rue de Sèvres, 7e • M° Duroc • Tél. 01 43 06 36 14 • Lundi-samedi : 9 h 30-19 h 15

Belle gamme de maroquinerie dans des marques connues avec des réductions allant jusqu'à 30 %. AUTRE ADRESSE. 109 bis rue Saint-Dominique, 7e, M° École-Militaire, Tél. 01 45 51 42 12, Lundi-samedi : 9 h 30-19 h 15.

9e ARRONDISSEMENT

JENNY CLENN

21 rue du Faubourg-Poissonnière, 9e • M° Bonne-Nouvelle • Tél. 01 48 24 85 35 • Lundi-samedi : 10 h-12 h, 14 h-16 h (de septembre à février)

Des chapeaux de fourrure haut de gamme à partir de 305 €. **Remise de 5 % avec le guide ou la carte.**

78 YVELINES

BAG À FOLIE

Usines Center, route André-Citroën • 78140 Ve-

lizy-Villacoublay • Accès : voir p. 396 • Tél. 01 30 70 85 66 • Fax : 01 39 48 61 50 • Mercredi-vendredi : 11 h-20 h ; samedi, dimanche : 10 h-20 h

Sac Eastpack à partir de 38 €. Valise-cabine de grandes marques à 75 €. Bagages entre -10 et -15 %. Sacs en cuir dès 40 €.

92 HAUTS-DE-SEINE

PEAU D'ÂNE

94 rue des Bourguignons • 92600 ASNIÈRES • SNCF, Gare de Bois-Colombes • Tél. 01 47 93 34 74 • Fax : 01 47 33 48 49 • Mardi-samedi : 10 h-13 h, 14 h 30-19 h

-30 % sur Pourchet. -30 à -40 % sur Sequoïa. Sac à dos Eastpack à 39,99 €. Gants chevreau doublés soie à 30 €. Sacs à main à partir de 29 €. Bagages Delsey, Samsonite, Kipling : -10 à -15 %.

PEAU D'ÂNE

24 rue Saint-Denis • 92700 COLOMBES • SNCF, Gare de Colombes • Tél. 01 47 84 12 16 • Mardi-samedi : 10 h-13 h, 14 h 30-19 h 30

93 SEINE-SAINT-DENIS

MYRVIN

28 av. du Général-de-Gaulle • 93170 BAGNOLET • M° Gallieni • Tél. 01 49 72 02 70 • Lundi-samedi : 9 h-20 h 30

Sacs à main à partir de 10 €. Marques : Sequoïa, Mandarina Duck, Quicksilver, Lancaster, Jean Sport. **Remise entre 10 et 20 % avec le guide ou la carte.**

Å **Adresse particulièrement recommandée**

♛ **Adresse haut de gamme : le luxe à prix abordable**

LES TENDANCES de l'hiver 2003-2004

Blousons, bombers, vestes, vestes trois-quarts et manteaux courts à la taille moins marquée, à la forme souvent carrément trapèze. Les emmanchures s'évasent sans être raglans. Et toujours des manteaux longs. En bas, des pantalons serrés, des caleçons, des pantalons lacés, des pantalons de cuir. Ou encore des jupettes portées sur des collants noirs. Le tailleur jupe est de retour. Les manteaux se portent souvent ceinturés. Et le trench revient.

Un blouson en cuir ou une petite veste constituent toujours un fond de garde-robe. En fourrure, dominent le lapin travaillé (rasé, teint, tricoté...), le renard et le vison. De la toile de jean toujours, en pantalon à taille haute ou basse, en combinaison, en jupe longue, en parka bordée de fourrure ou en robe.

Au rayon accessoires, des cols en fourrure ajoutés aux vestes et manteaux (on pourra s'offrir un col de renard naturel ou teint à 60 €), des ponchos, des petits gilets afghans (à trouver dans les friperies), de longues écharpes en laine, des bottes hautes et des cuissardes pour couvrir les jambes court vêtues. Pour s'amuser, on pourra coudre des rubans sur une veste, sur un pantalon, ou se faire une ceinture en grosse laine tressée car les liens sont à la mode.

Tissus : velours, grosses laines, imitation de cuir ou de daim. Le soir : des plissés et de la mousseline.

VÊTEMENTS femme

CHAMARRÉ   ***Ventes privées de prêt-à-porter féminin***

Tél. 06 75 19 11 51

On s'inscrit en téléphonant à ce numéro, puis on reçoit des cartons d'invitation à des ventes de grandes marques de vêtements qui se passent dans l'Oise ou à Paris. Anne-Christine habille aussi les belles pulpeuses jusqu'au 52 grâce en particulier aux ciseaux d'un créateur lyonnais inspiré. Compter environ de 54 à 92 € pour un pantalon. **10 % de remise sur le premier achat avec le guide ou la carte.**

1er ARRONDISSEMENT

J'Y TROQUE   ***Dépôt-vente : classique et seyant***

7 rue de Villedo (1er)
M° Palais-Royal
Tél. 01 42 86 00 26
*Lundi-vendredi : 11 h-19 h ;
samedi, téléphoner
et prendre RDV*

Des vêtements d'entrée de saison issus des ateliers de créateurs tels que Myake (pantalon Pleuts Pleuse : 58 €), Yamamoto, Prada (pantalon : 134 €), en très bon état, ils sont le reflet des choix des habitantes du quartier. S'y ajoutent des sacs de toutes marques (de 134 à 335 €). Pas toujours donné !

KRANJI   ***Luxe à mi-prix***

5 rue de Turbigo (1er)
M° Étienne-Marcel
Tél. 01 42 33 89 97
*Mardi-samedi : 11 h-
19 h 30*

Classés par couleurs, pendent sur les cintres des vêtements de chez Miu Miu et autres créateurs italiens. En accessoires, des sacs Furla et des chaussures Prada.

MICHEL KLEIN
La ligne bis d'un grand créateur

332 rue Saint-Honoré (1er)
M° Tuileries
Tél. 01 42 60 76 77
Lundi-samedi : 12 h-19 h

Michel Klein fut et reste un grand couturier. Il compose des vêtements aux coupes sans reproche. Ce coloriste-né a inventé une petite ligne : « MK » qui met au niveau des bourses les plus modestes des pièces ravissantes, jeunes et gaies, aux couleurs vigoureuses (pour la dernière collection d'été). Chemises et vestes à partir de 25 €. Pantalon à partir de 30 €. Sacs à partir de 35 €.

PLÜCK
Stock (pulls et prêt-à-porter soigné)

18 rue Pierre-Lescot (1er)
M° Étienne-Marcel
ou Les Halles
Tél. 01 45 08 10 40
Lundi : 14 h 30-19 h ; mardi-samedi : 11 h-14 h, 14 h 30-19 h

-30 à -50 % sur les jolies créations des saisons dernières, en laine l'hiver, coton et viscose l'été. De beaux pulls de 50 à 90 € environ, des jupes (pas mal de biais) autour de 30 €. Les prix varient beaucoup, il vaut mieux se déplacer pour avoir une idée des petits prix pratiqués dans ce magasin.

AUTRE ADRESSE
■ 50 rue des Lombards, 1er • M° Châtelet-Les Halles • Tél. 01 42 36 82 87 • Samedi : 11 h-19 h
• Ouvert seulement le samedi. Vraie braderie : -70 %.

SINEQUANONE
Jeune et féminin

Forum des Halles
1 rue Pierre-Lescot (1er)
M° Les Halles
Tél. 01 42 36 71 23
Lundi-samedi : 10 h-19 h 30

Sexy et cependant portable par les plus de 18 ans. Beaucoup de maille, rubans, décolletés, volants, voiles coquins et lignes fluides exploités sans que l'ensemble tombe dans la vulgarité. Compter environ 40 € pour un pantalon et 50 € pour une robe.

AUTRE ADRESSE
■ 113 rue d'Alésia, 14e • M° Alésia • Tél. 01 45 43 32 00

2e ARRONDISSEMENT

CLAUDE ZANA
Femmes de 30 ans

15 rue de Turbigo (2e)
M° Étienne-Marcel
Tél. 01 44 88 29 96
Lundi-samedi : 11 h-19 h

Une styliste venue du Nord agrémente ces vêtements classiques de lacets, rubans, revers, poches qui leur donnent une petite fantaisie et les font aimer des trentenaires qui travaillent. Manteau droit, long, ceinturé à chevrons marrons 70 % laine : 140 €. Tailleur jupe courte et droite en laine : 200 €. Pantalon fluide à revers : 85 €. Comme nous sommes à la maison mère, les prix sont un peu en dessous de ceux pratiqués en boutique.

GD EXPANSION
Stock de Gérard Darel : classique, alluré

19 rue du Sentier (2e)
M° Sentier
Tél. 01 42 33 38 39
Lundi-samedi : 10 h-19 h

(-20 à 25 %). Les collections récentes pour femmes de Gérard Darel, Pablo, Week-end, Max Mara, Marella en compagnie de modèles Zapa, Olivier Strelli. Manteau long en laine et cachemire : à partir de 250 € ; beau tailleur pantalon viscose, laine, acétate, mohair : 404 €. Veste en agneau plongé, GD : 237 €. Vient de s'ouvrir : un rayon XXL (jusqu'au 54) et petits prix. – HOMME. Des petits prix. Polo Bruce Field : 29 € ; chemise Lordissimo : 57 € ; costume en tissu Cerruti : 379,60 €. **3 % de réduction avec le guide ou la carte.**

MAILLE STREET

18 rue du Mail (2ᵉ)
Mᵒ Sentier
Tél. 01 42 36 99 70
Lundi-vendredi : 12 h-18 h

Maille à mi-prix

Ils sont vendus deux fois moins chers qu'ailleurs ces beaux pulls (fins de séries ou produits de collection). Autre particularité : leurs grandes gammes de couleurs (des roses, ciels poudrés, sable, écru, taupe et noir...), ainsi que des cachemires coupés dans un style sportswear. Sweat à capuche, gilets zippés : en tout vingt-cinq modèles dans toutes les gammes de cols (de 100 à 150 €). Gros pulls en maille irlandaise (80 % laine, 20 % acrylique) en neuf teintes : 45 €. Pull sans manches en coton en maille dentelle : 40 €. Féminin en diable !

LA MARELLE

21-25 Galerie Vivienne (2ᵉ)
Mᵒ Palais-Royal ou Bourse
Tél. 01 42 60 08 19
Lundi-vendredi : 10 h 30-18 h 30 ; samedi : 12 h 30-18 h 30

Dépôt-vente plébiscité par nos lecteurs

Ravitaillé en grande partie par ces dames de la Banque de France toute proche, ce dépôt-vente impeccable recèle de jolis vêtements (parfois de stylistes). Lors d'un de nos passages : des manteaux (90 % laine, 10 % cachemire) à partir de 94,50 €, des imperméables à partir de 70 € et des pantalons à partir de 36,60 €. En janvier, beaucoup de dépôts de sacs et de bijoux. Le rayon enfants est assez riche. **Remise de 5 % avec le guide ou la carte.**

L'UNE ET L'AUTRE

24 rue Feydeau
(1ᵉʳ étage) (2ᵉ)
Mᵒ Bourse
Tél. 01 44 76 03 03
Lundi-vendredi et premier samedi de chaque mois : 11 h-18 h et sur rendez-vous

Dégriffés de haut vol

C'est gardés précieusement dans un appartement que séjournent des vêtements de grand luxe aux griffes tenues secrètes, aux matières somptueuses : long manteau en cachemire à col et parements de vison (vendu aux alentours de 1 140 €). De nombreux tailleurs, aux couleurs de l'hiver (noir, prune, fauve...) en matières nobles démarrent à 230 €. C'est ici qu'on retrouvera la petite robe noire couture du soir, fluide ou droite et sa sœur en long. Nous vous laissons imaginer impers et parkas aussi beaux que le reste.

4ᵉ ARRONDISSEMENT

AMMONIAQUE

6 rue de Sévigné (4ᵉ)
Mᵒ Saint-Paul
Tél. 01 42 74 00 75
ou 01 42 78 44 50
Lundi : 14 h-19 h 30 ; mardi-samedi : 11 h-19 h 30

Des créations discountées

Vendus 40 % moins chers, il y a chez Ammoniaque une recherche de modèles originaux (italiens, norvégiens ou allemands) et pas mal de grandes tailles (36 au 48-50). On trouve : des manteaux en laine et cachemire à 255 € au lieu de 400 €, de belles gabardines de 60 à 190 €, des tailleurs-pantalons pure laine lavables aux finitions parfaites à 63 €, des cols roulés confortables à 60 €, et d'une jeune styliste des tee-shirts imprimés aux manches transparentes à 55 € au lieu de 130 €.

AUTOUR D'ELLES

20 rue des Tournelles (4ᵉ)
Mᵒ Bastille
Tél. 01 42 72 90 35

Un charmant dépôt-vente de quartier

Pas bégueule, sympathique, un peu débraillé, voici un endroit riche en vêtements portant signatures de stylistes trendy (Zana, Joseph, Barbara Bui, I Ma-

Mardi-samedi : 11 h-19 h ;
dimanche : 14 h-19 h

rant, Agnès B...), il est bon de venir souvent ici fouiller car ces petites fringues (tel ce tailleur-pantalon de Joseph : 95 €) disparaissent vite. Pantalons à partir de 10 €, pulls autour de 30 €, manteaux : environ 80 €. Vison à partir de 250 €.

5ᵉ ARRONDISSEMENT

CAROLE LION

7 rue du Pot-de-Fer (5ᵉ)
Mᵒ Place-Monge
Tél. 01 43 37 71 00
S'inscrire par téléphone

Ventes privées de prêt-à-porter

Les créateurs italiens sont à l'honneur chez Carole. En décembre, elle reçoit aussi des accessoires Abaco, ainsi que des vêtements de cuir. L'inscription est gratuite.

GÉNÉRIQUE

68 rue Cardinal-Lemoine
(5ᵉ)
Mᵒ Place-Monge
ou Cardinal-Lemoine
Tél. 01 46 34 04 23
Tous les jours : 11 h-19 h 30

Dépôt-vente de vêtements quotidiens

On retrouve sur les portants les bonnes petites marques des habitantes du quartier : Agnès B, Claudie Pierlot et quelques créateurs : Joseph, Isabelle Marant, Georges Rech. Pour un tailleur, compter de 46 à 122 €, un jean de 25 à 30 €, un manteau de 50 à 120 €.

6ᵉ ARRONDISSEMENT

DÉPÔT-VENTE DE BUCI-BOURBON

♛ 4 et 6 rue Bourbon-
le-Château (6ᵉ)
Mᵒ Mabillon
Tél. 01 46 34 45 05
*Mardi-samedi : 11 h-
19 h 30*

Alimenté par des mannequins

C'est dire que les tailles 36-38 s'alignent. C'est dire aussi que ce qu'on y trouve est toujours signé : Chanel, Lacroix, YSL, Gucci, Versace ou encore Antik Batik, Plein Sud, etc., et que ce n'est pas donné. Mais quartier oblige. On notera un important rayon de chaussures (Jourdan, Patrick Cox...), de jolis bijoux et des sacs griffés.

MISENTROC

63 rue Notre-Dame-
des-Champs (6ᵉ)
Mᵒ Vavin
Tél. 01 46 33 03 67
*Mardi-vendredi : 10 h 30-
19 h ; samedi : 10 h 30-
13 h, 14 h-19 h*

Mode

Les vêtements de créateurs sont les bienvenus (à condition qu'ils soient impeccables). Manteaux à partir de 76 €, veste à partir de 38 €, jupe et pantalon à partir de 38 €. Éviter les dépôts entre 13 h et 14 h.

7ᵉ ARRONDISSEMENT

CO MAX

1 rue Sédillot (7ᵉ)
Mᵒ Alma-Marceau
Tél. 01 53 59 13 00
S'inscrire par téléphone

Ventes privées de prêt-à-porter en grandes tailles

L'Italie domine par ses créateurs. Ce qui est intéressant chez Co Max, c'est qu'on y présente des modèles de belles marques spécialisées en grandes tailles comme Marina Rinaldi et Persona. Figure aussi au catalogue I Blues.

8ᵉ ARRONDISSEMENT

BLANC MARINE

47 av. de Friedland (8ᵉ)
Mᵒ Étoile
Tél. 01 43 59 16 98
*Lundi-vendredi : 8 h-19 h ;
samedi : 11 h-19 h*

De bons basiques

Fréquenté par des femmes de 30 à 60 ans qui travaillent dans les bureaux proches. Accueil amical, conseils avisés. La boutique est pleine comme un œuf d'habituées qui viennent compléter leur garde-robe : tailleur en laine mélangée ou deux pièces pantalon (du 38 au 48) à 115 €, pull en soie à 36,60 € ; manteau laine et cachemire à partir de 150 €. Pantalons à 37 €. **Remise de 10 % avec le guide ou la carte.**

FABRI AND Cᵒ

9 rue du Chevalier-de-Saint-Georges (au fond de la cour) (8ᵉ)
Mᵒ Concorde
Tél. 01 47 03 40 75
Lundi-samedi : 10 h-18 h 30

Haute couture vraiment pas chère

Dans une toute petite boutique-couloir, un jeune homme, qui connaît bien la mode et l'aime, vend de belles pièces toutes neuves et griffées, surplus de collections de couturiers (Galliano, Lacroix, Escada, Valentino...). L'endroit est surencombré mais vaut la peine d'être exploré. Lors de notre passage figuraient des manteaux couture en cachemire et soie ou laine et cachemire à 400 €. Des tailleurs Yves-Saint-Laurent ou Valentino (jupes ou pantalons) à 350 €, des vestes de 220 à 250 €. Pour les demi-saisons, les prix des tailleurs en coton descendent à 210 €.

GRIFF-TROC

17 bd de Courcelles (8ᵉ)
Mᵒ Villiers
Tél. 01 42 25 86 07
Lundi-samedi : 10 h 30-19 h

Le luxe sans les prix

Toujours beaucoup de choix, mais moins de modèles de couturiers. Tailles, le plus souvent, du 36 au 42. Robes autour de 122 €. Jupes : 61 €. Tailleurs de grandes marques : à partir de 200 €. Pantalons à partir de 40 €. Lors d'un de nos passages : manteau en vison : 762 € ; manteau long de Moschino, en laine et cachemire : 218 € ; tailleur-pantalon de Sport Max Mara : 75 €. Beaucoup de bijoux couture un peu chargés (compter en moyenne 53 €) et de sacs couture.

AUTRE ADRESSE
■ 119 bd Malesherbes, 8ᵉ • Mᵒ Villiers ou Monceau • Tél. 01 45 61 19 47 • Vêtements très habillés, en majorité.

9ᵉ ARRONDISSEMENT

HORTENSIA LOUISOR

14 rue Clauzel (9ᵉ)
Mᵒ Saint-Georges
Tél. 01 45 26 67 68
Lundi : 15 h-19 h 30 ; mardi-samedi : 11 h 30-19 h 30

Mode féminine et originale

Le seul défaut de cette jolie (et petite) boutique est de présenter un choix assez restreint. Cependant, les modèles aux couleurs recherchées sont réalisés dans des tissus joliment choisis et présentent des coupes impeccables, avec biais, découpes, plissés soigneux, appliques circulaires et finitions à l'avenant. De nouveaux modèles sont présentés toutes les trois semaines. Compter environ 67 € pour une jupe, 250 € pour une jolie redingote en jean à semis de taches de velours, 48 € pour un pull à manches aux teintes asymétriques.

LOOK

50 rue Condorcet (9ᵉ)
Mᵒ Anvers
Tél. 01 40 16 93 30
Lundi-samedi : 10 h 30-19 h

Dépôt-vente de quartier

Ce sont des habits de bons stylistes, en état parfait. Sur cintres, des vestes Kenzo, Agnès B, Rykiel, Pierlot (30 à 60 €), des pantalons sans marques ou siglés Max Mara, Kenzo (30 à 45 €), des pulls sans griffes (23 à 45 €), des manteaux Georges Rech, Apostrophe (45 à 150 €), des bijoux neufs à « trois francs six sous » complètent la garde-robe. **10 % de réduction avec le guide ou la carte.**

MAMIE

73 rue Rochechouart (9ᵉ)
Mᵒ Anvers
Tél. 01 42 82 09 98
*Mardi-vendredi : 11 h-
13 h 30, 15 h-20 h ; lundi
et samedi : 15 h-20 h*

Vêtements et accessoires 1900 à 1970

Brigitte, qui dirige la destinée de Mamie, connaît ses ressources par cœur, aussi n'hésitez pas à lui demander, par exemple, si par hasard elle ne posséderait pas un cache-oreilles daté années 50. Sans carbone 14, elle trouve directement cet objet parmi ses vastes tiroirs. L'emplette des trésors de la maison est un peu onéreuse, c'est vrai (pantalon années 30 : 80 € ; chaussures, grand choix au sous-sol : 80 € ; lunettes : 38 € ; boucles d'oreilles années 30 : 30 €), mais leur rareté et le poids de leur passé font leur prix. Également un rayon homme.

SHANGAÏ

70 rue de la Chaussée-
d'Antin (9ᵉ)
Mᵒ Chaussée-d'Antin
Tél. 01 42 80 28 88
*Lundi-samedi : 10 h 30-
19 h 30*

Robes et pyjamas en soie

Broderies de dragons crachant le feu, de jardins chinois peuplés de personnages à chapeaux pyramidaux, de fleurs de pommier, ceintures brodées et pyjamas à brandebourgs, toute la panoplie des confections chinoises figure dans cette amusante boutique, à des prix fort raisonnables.

SUNSHINE

70 rue La Fayette (9ᵉ)
Mᵒ Cadet
Tél. 01 47 70 29 41
Lundi-samedi : 9 h 30-19 h

Un style plutôt jeune

Le style est aussi aux factures réduites. Sutout au premier étage où sont exposés des vêtements bradés : pantalon à 4,50 €, robe à 6 € que l'on ne peut pas essayer. A l'étage, on trouve des hauts à 15 € et des pantalons à 23 €.

AUTRE ADRESSE
■ 48 bis rue de Rivoli, 4ᵉ • Mᵒ Hôtel-de-Ville • Tél. 01 42 72 02 60

10ᵉ ARRONDISSEMENT

SAREE PALACE

182 rue du Faubourg-
Saint-Denis (10ᵉ)
Mᵒ Gare-du-Nord
Tél. 01 46 07 57 61
Lundi-samedi : 9 h 30-20 h

Saree, écharpes et petits bijoux

Paris-Bombay : des centaines de saris, des plus modestes en coton à 17 € aux plus sophistiqués en soies rebrodées à 400 €, pendent dans cet exotique endroit (on vous y apprendra comment les draper), les jupons assortis (à 10 €) et les petits hauts-brassières en velours extensible ou en coton, eux aussi assortis. On peut aussi les détourner pour s'en faire au choix une écharpe, des rideaux, des nappes ravissantes ou encore acheter un authentique dessus-de-lit en coton (28,50 € pour un lit à deux). Vous trouverez également sur place des bracelets strassés à partir de 2,50 € pièce et, plus rare, la version mini pour petites filles.

11ᵉ ARRONDISSEMENT

ANGELYS

66 rue Saint-Sabin (11ᵉ)
Mᵒ Chemin-Vert
Tél. 01 43 38 48 47
www.angelys.fr
*Mardi-samedi : 10 h 30-
19 h*

Les grandes sur un piédestal

Mode féminine amincissante pour les grandes 25-50 ans qui travaillent. Recherche dans les coupes, tissus de bonne qualité. Des modèles basiques que l'on peut assortir d'une saison à l'autre. Long manteau cintré à capuche en velours lisse : 229 € en moyenne ; veste un peu cintrée en laine rouge : 69 € ; jupe asymétrique en patchwork de simili daim : 49 € ; robe habillée longue asymétrique avec un bandeau de dentelles appliquées : 84,55 €. **Téléphonez à Isabelle pour connaître le montant de la réduction qu'elle fera avec le guide ou la carte.**

ATELIER 33
Couture et sur-mesure au prix du prêt-à-porter

33 rue du Faubourg-Saint-Antoine (11e)
M° Bastille ou Ledru-Rollin
Tél. 01 43 40 61 63
Lundi-samedi : 10 h 30-19 h 30

Coupes irréprochables, belles matières (mêmes tissus que ceux employés par les maisons de haute couture), inspiration classique, Henri Leparque est virtuose dans tous les domaines. Manteau en laine et cachemire ou cachemire et angora à partir de 245 €. Manteau à capuche en mouton retourné : 1 790 €. Pantalon (qui gomme les hanches et tombe impeccablement) en imitation cuir : 80 €. Jean à 41 €. Jupes à 64 €, compter 20 % de plus pour le sur-mesure. Beaucoup de pulls sont coordonnés aux tailleurs. Un nouveau département : robes habillées ou du soir sur mesure (délais de trois à quatre semaines) à partir de 300 €.

NANA RONDE
Spécialité : les pantalons

51 av. de la République (11e)
M° Parmentier
Tél. 01 43 14 03 15
Lundi : 14 h-19 h ; mardi-samedi : 10 h 30-19 h

(On habille jusqu'à la taille 66). Bien sûr, tout type de vêtements figure dans les rayons mais la création de pantalons (le plus souvent à taille coulissée) fait la réputation de la maison. Ils existent dans une belle gamme de couleurs et leur prix démarre à 35 €. Ensembles de 50 à 120 €. Beaux manteaux en laine-cachemire aux alentours de 170 €.

PLEIN SUD STOCK
Pour les crevettes

51 rue Servan (11e)
M° Saint-Maur
Tél. 01 49 29 71 49
Lundi-samedi : 11 h-19 h

Réduction de 50 % sur les prix des vêtements vendus au stock de Plein Sud. Cependant, il faut être jeune, mince (surtout des hanches) et disposer de quelques moyens financiers pour venir s'habiller chez Plein Sud. Une fois ces éléments réunis, vous pourrez enfiler ces tenues ultra-féminines, taillées dans de belles matières. Vu lors d'un de nos passages : petite robe noire à emmanchure asymétrique en crêpe : 130 € ; jean serré aux chevilles : 60 €.

RONDISSIMO PARMENTIER
Stock

6 bis Cité d'Angoulême (au niveau du 68 rue J.-P.-Timbaud)
(Au 1er étage : sonner) (11e)
M° Parmentier
Tél. 01 43 38 24 37
Lundi-samedi : 10 h-19 h

On suit la mode de près (imprimés jungle ou calligraphie) et pour ce, on reste fluide, ce qui offre élégance et confort, jusqu'à la taille 60. Une partie du magasin est consacrée aux soldes (toute l'année). Jean autour de 59 €, pantalons, robes et chemises à 33 € (réduction d'environ 40 %).

AUTRE ADRESSE

■ Usine Center Vélizy-Villacoublay, rue André-Citroën • 78140 VÉLIZY-VILLACOUBLAY • Accès : voir p. 396 • Tél. 01 30 70 06 02 • Mercredi-vendredi : 11 h-20 h ; samedi-dimanche : 10 h-20 h • Du 46 au 58. Quelques occasions. **10 % de remise avec le guide ou la carte.**

12e ARRONDISSEMENT

RAMA

7 rue Biscornet
1er étage (12e)
M° Bastille
Tél. 01 43 07 37 66
Lundi-samedi : 10 h-19 h

Stock Max Mara

Vendues à moitié prix, voici les très élégantes lignes italiennes de Max Mara, Marella (sa petite sœur plus simple et moins chère), Dolce & Gabbana, Armani jeans et, pour les plus jeunes addicts, voire ados, Custo Barcelona. Ce sont les collections de l'année précédente. Mais comme le style maison a (en général) une année d'avance sur les concurrents… on s'approvisionnera sans hésiter en manteau laine et cachemire (288 €), en manteau de laine (197 €), en tailleur jupe (à partir de 190 €), en corsage sophistiqué (asymétrique au drapé plissé : 84 €), en pull col cheminée (84 €), en pantalon (85 €) ou en jean (59 €). Quelle élégance !

TROC CHIC ET CHOCK

3 rue du Docteur-Goujon
(12e)
M° Daumesnil
Tél. 01 43 42 43 04
Lundi : 14 h-19 h ; mardi-samedi : 11 h-14 h, 15 h-19 h

Dépôt-vente et vêtements neufs dégriffés

Excellent accueil et conseils donnés par une personne qui aime la mode et la connaît. Elle recueille les dépôts des gens gâtés de Saint-Mandé proche : toujours de jolies choses, classiques, bien coupées et faciles à porter. Tailleur pantalon en velours frappé Gian Franco Ferré : 98 €. Grand manteau camel classique en laine et cachemire de Max Mara : 120 €. Manteau court ample en fausse fourrure Jean-Louis : 77 €. Veste ceinturée grise Patrick Gérard : 66 €. Et tout un ensemble de jupes et pantalons pour le quotidien entre 30 et 50 €. **Remise de 10 % avec le guide ou la carte ou cadeau.**

14e ARRONDISSEMENT

AMAZONE LE STOCK

118 rue d'Alésia (14e)
M° Alésia
Tél. 01 45 43 74 74
Lundi : 14 h-19 h ; mardi-samedi : 10 h 30-19 h 30

Une mode féminine

De -20 à -60 %. Belle mode, devenue très classique. Des modèles qu'on peut assortir d'une année sur l'autre. Pour les 30 à 60 ans. Manteau en skaï : 159 €. Tailleur pantalon en pure laine : 330 €. Redingote longue, laine et cachemire (25 %) : 195 €. Pull à 50 €.

FEELGOOD

92 rue d'Alésia (14e)
M° Alésia
Tél. 01 45 40 09 00
Lundi-jeudi : 10 h 30-14 h, 15 h-19 h 30 ; vendredi-samedi : 10 h 30-19 h 30

Stock Feelgood : sexy et féminin

Réductions de 40 à 50 %. Des vêtements extrêmement féminins, sexy sans agressivité ni vulgarité, souvent taillés dans des matières extensibles à base de lycra. Grande abondance de choix dans ce joli stock et prix tout petits. Tops plissés, brodés : de 30 à 46 €. Bodys : autour de 100 €. Pantalons : 84 €. Pulls d'hiver : à partir de 58 €. Tee-shirts : à partir de 35 €. **Remise de 5 % avec le guide ou la carte.**

GR STOCK

Coupes parfaites, matières nobles

100 rue d'Alésia (14e)
M° Alésia
Tél. 01 45 40 87 73
Lundi : 13 h-19 h ; mardi-samedi : 10 h-19 h

Des prix diminués de plus de 50 % par rapport à ceux de la rue Saint-Honoré, pour des vêtements qui ont un an de bouteille. C'est ici qu'il faut venir acheter son fonds de garde-robe : lainages magnifiques, petits boutons couture et style indémodable. Manteaux courts : 120 €. Parka : 90 €. Robe longue : 100 €. Pantalon : 38 €. Pulls : à partir de 55 €.

SMART STOCK

Beaux basiques de chez Teenflo

94 av. du Général-Leclerc (14e)
M° Alésia
Tél. 01 45 39 60 90
Lundi-samedi : 10 h 30-19 h 30

Valant ici 40 % moins chers et parfaitement adaptés aux trentenaires cadres sup, voici des vêtements jeunes, classiques, soignés. Pour la rentrée, des tailleurs pantalons à 205 € au lieu de 485 €. Chemises à partir de 30 €, des pulls en mérinos à partir de 49 €, et laine et cachemire à partir de 70 €. Manteaux droits ou redingotes en laine et cachemire : environ 228 €. Les pantalons : de 45 à 99 €. (Tailles du 34 au 44.) On trouvera aussi des vêtements de fins de collection de grandes marques italiennes : Versace, Dolce & Gabanna, Cavalli, Roméo Gigli.

AUTRES ADRESSES
- 3 bd de Charonne, 11e • M° Nation • Tél. 01 43 72 01 67
- 22 rue de Lourmel, 15e • M° Dupleix • Tél. 01 45 79 40 51 • Lundi : 15 h-19 h 15 ; mardi-samedi : 10 h 30-19 h 30 (fermé en août)
- 11 bd Davout, 20e • M° Porte-de-Vincennes • Tél. 01 43 56 60 76 • Lundi : 15 h-19 h 15 ; mardi-samedi : 10 h 15-14 h, 15 h-19 h 15
- 255 bd Jean-Jaurès • 92100 BOULOGNE • M° Marcel-Sembat • Tél. 01 46 21 11 58

SUD EXPRESS (STOCK)

Vêtements fluides et sexy

111 bis rue d'Alésia (14e)
M° Alésia
Tél. 01 45 41 20 24
Lundi-samedi : 10 h-19 h

Pour jeunes femmes. Aux prix réduits de moitié, ils datent de l'année précédente. Et tant mieux, tant cette mode facile à porter est féminine et jolie (volants, fleurs, dentelles). Jolie petite veste cintrée à poches en biais : 59 €. Pantalon assorti tout droit et taille basse : 27 €. Jupes longues (d'été) : 30 €. Pantalons : de 25 à 30 €. Accueil adorable.

AUTRE ADRESSE
- Usines Center, Route André-Citroën • 78140 VÉLIZY-VILLACOUBLAY • Accès : voir p. 396 • Tél. 01 39 46 21 17 • Mercredi-vendredi : 11 h-20 h ; samedi-dimanche : 10 h-20 h

TROC MOD

Dépôt-vente : un quotidien soigné

230 av. du Maine (14e)
M° Alésia
Tél. 01 45 40 45 93
Mardi-vendredi : 12 h-19 h 30 ; samedi : 10 h 30-19 h 30

Vêtements de marques de prêt-à-porter classiques pour aller travailler : Rodier, Duvernois et quelques grandes marques : Escada, G. Rech, Zapa, etc. « Petites marques » (Etam, Promod...). Tailleurs : de 45 à 120 €. Manteaux : à partir de 45 €. Jupe, chemisier, pull : de 18 à 53 €. Pulls et cardigans vestes : de 33 à 50 €. En hiver, quelques manteaux de fourrure, vison et peau lainée. Pas mal de sacs en cuir (à partir de 15 €), chaussures et bijoux. Un endroit très fréquentable, refait à neuf et qui offre beaucoup de choix. **Remise de 5 % avec le guide ou la carte.**

DÉFILÉ DE MARQUES

Dépôt-vente de vêtements allurés

92 rue Cambronne (15ᵉ)
Mᵒ Vaugirard
Tél. 01 56 08 00 30
Mardi-samedi : 10 h-20 h

Aux cintres pendent les créations issues des ciseaux de Dries Van Notten, Irene Van Ribb, Agnès B, Kenzo : des tailleurs à 120 €, des vestes de Castelbajac à 180 €, accompagnés de bijoux et accessoires griffés. **10 % de remise (hors soldes) avec le guide ou la carte.**

AUTRE ADRESSE
■ 171 rue de Grenelle, 7ᵉ • Mᵒ Latour-Maubourg • Tél. 01 45 55 63 47 • Mardi-samedi : 10 h-14 h, 15 h-20 h • Yves Saint-Laurent, Prada.

ÉCRU STOCK

Collections de l'année précédente

99 rue Saint-Charles (15ᵉ)
Mᵒ Charles-Michels
Tél. 01 40 59 99 39
Mardi-samedi : 10 h 30-19 h

-50 % : les prix fondent. Les pulls sont travaillés avec des recherches de matières, de mailles, d'incrustations de formes géométriques. En coton, ils valaient, lors de notre passage, de 55 à 63 €. Il y avait aussi des pardessus en laine (noirs ou fauves) incluant 15 % de cachemire et autant de polyester à 163 €, de beaux pantalons en laine à 75 €, en toile à 58,50 €, et des tailleurs qui donnent une ligne de petite Parisienne élégante. **Remise de 5 % avec le guide ou la carte.**

MICK'S

Dégriffés classiques d'Apostrophe et de Georges Rech

114 rue Saint-Charles (15ᵉ)
Mᵒ Charles-Michels
Tél. 01 45 77 94 75
Lundi : 12 h-19 h ; mardi-samedi : 10 h-19 h 30

Une solide maison qui propose depuis 30 ans des vêtements de belle qualité et conseille ses clientes sans arrière-pensée mercantile. Lors de nos passages, nous avons vu des manteaux trois-quarts ceinturés de Georges Rech à 295 €, des duffle-coats gris tout doux en alpaga et cachemire (295 €), des tailleurs du soir en velours broché (155 €), de superbes pantalons en microfibres (de 55 à 75 €). Les prix des pulls en soie (dix coloris) s'échelonnent de 30 à 60 €. Des jupes pour un quotidien soigné valent 68 €. **10 % de réduction avec le guide ou la carte.**

SCALP

Stock Weill

102 rue Saint-Charles (15ᵉ)
Mᵒ Charles-Michels
Tél. 01 45 77 13 09
Lundi : 11 h-19 h ; mardi-samedi : 10 h-19 h

Tous les vêtements Weill sont fabriqués en France afin de préserver leur coupe irréprochable, une qualité devenue rare et des tissus de haute qualité. La spécificité de ce magasin de la rue Saint-Charles est qu'on y trouve une majorité de grandes tailles (jusqu'au 52) et un style classique pour de belles plantes matures, aux prix diminués de moitié. Elles trouveront ici des tailleurs soignés qui affinent la silhouette (160 €) et de beaux manteaux en laine et mohair (40 % et 30 %) à 219 €. Cet hiver, dans les rayons, des imperméables trois-quarts en microfibres à 100 €, des jupes à 55 €, des pantalons à 61 € et des robes noires habillées en crêpe à décolleté carré : 149 €.

AUTRES ADRESSES
- 188 av. du Maine, 14e • Mo Alésia • Tél. 01 45 40 44 93 • Lundi : 11 h-19 h ; mardi-samedi : 10 h-19 h
- 12 bd de Charonne, 20e • Mo Nation • Tél. 01 43 73 66 12 • Lundi : 11 h-19 h ; mardi-samedi : 10 h-19 h • Présence, dans ce magasin, de prototypes de collection (la plupart du temps en petites tailles).
- 7 av. de la Voulzie • 77160 PROVINS • Tél. 01 60 67 69 99
- Usines Center, Lot 142 • 78140 VÉLIZY-VILLACOUBLAY • 10 km de la Porte de Saint-Cloud (N118), voir p. 396 • Tél. 01 39 46 48 50 • Mercredi-vendredi : 11 h-20 h ; samedi-dimanche : 10 h-20 h
- Marques Avenue, 9 quai Le Châtelier • 93450 L'ÎLE-SAINT-DENIS • Accès : voir p. 397 • Tél. 01 42 43 43 21
- Quai des Marques, 395 av. du Général-Leclerc • 95130 FRANCONVILLE • 15 km de la Porte de la Chapelle (A1 + A15), voir p. 398 • Tél. 01 34 15 12 10 • Lundi-vendredi : 11 h-20 h ; samedi : 10 h-20 h
- Usines Center, Paris Nord II • 95951 ROISSY-CDG • 14 km de la Porte de la Chapelle (A1), voir p. 399 • Tél. 01 48 63 21 57 • Lundi-vendredi : 11 h-19 h ; samedi-dimanche : 10 h-20 h

---

TRAIT D'UNION

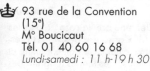 93 rue de la Convention (15e)
Mo Boucicaut
Tél. 01 40 60 16 68
Lundi-samedi : 11 h-19 h 30

Pour les rondes, du 44 au 60 et plus

Mesdames les pulpeuses, dans ces murs accueillants, vous trouverez en tailles XL, XXL et XXXL ces modèles qui vous tentent en taille 40. Vestes de 30 à 100 € ; jupes de 25 à 55 € ; robes en jean, si mode : de 40 à 68 €. Pour un pull, comptez de 40 à 85 € et, pour un manteau, de 80 à 120 €. Les conseils sont offerts et Julie sait mettre à l'aise les timides. **Réduction de 10 % sur présentation du guide ou de la carte.**

16e ARRONDISSEMENT

ANNE FONTAINE

22 rue de Passy (16e)
Mo Passy
Tél. 01 42 24 80 20
www.annefontaine.com
Lundi-samedi : 10 h 30-14 h, 14 h 30-19 h

Corsages sages

Cette jeune femme a conçu une ligne de corsages blancs ou noirs (de 85 à 215 €) de tous styles et formes de cols et de poignets, base d'une garde-robe classique ou sportswear. En organdi : 100 € ; à col et manchettes nervurés : 82 €. Très jolis tee-shirts manches longues nervurés à décolleté bateau infroissable : 72 €. Des robes noires et blanches longues : 205 € et des grandes tailles.

AUTRES ADRESSES
- 50 rue Étienne-Marcel, 2e • Mo Sentier • Tél. 01 40 41 08 32
- 12 rue des Francs-Bourgeois, 3e • Mo Saint-Paul • Tél. 01 44 59 81 59
- 68-70 rue des Saints-Pères, 7e • Mo Sèvres-Babylone • Tél. 01 45 48 89 10 • Lundi-samedi : 10 h-14 h, 14 h 30-19 h
- 24 rue Boissy-d'Anglas, 8e • Tél. 01 42 68 04 95
- Printemps - 2e étage, 171 bd MacDonald, 19e • Tél. 01 42 82 59 66
- 3 cours de la Garonne, Emplacement E21 • 77700 SERRIS (MARNE-LA-VALLÉE) • Accès : voir p. 395 • Tél. 01 60 42 05 43 • www.lavalleeoutletshoppingvillage.com • Lundi-samedi : 10 h-20 h ; dimanche : 11 h-20 h • Moitié prix. Énormément de choix dans les tee-shirts et chemises.

LES CAPRICES DE SOPHIE

Dépôt-vente de créateurs et grands couturiers

24 av. Mozart (16ᵉ)
Mᵒ La Muette
Tél. 01 45 25 63 02
Lundi : 14 h-18 h ; mardi-samedi : 10 h 30-18 h 30

Dans ce dépôt-vente de luxe (un des plus intéressants de la capitale), Chanel et Hermès tiennent le haut des cintres. Les suivent en moindre nombre : Versace, Lacroix, Gucci, Prada… Beaux impers Ramosport à partir de 100 €. Jupes classiques à partir de 30 €. Pantalons : à partir de 60 €. Tailleurs Prada, Gucci : 300 €. Une sélection de somptueux manteaux de vison à partir de 1 000 €. Beaucoup d'accessoires : bijoux à partir de 30 €. Grand choix de robes de soirées Dior, Chanel à partir de 150 €. **Remise de 10 % avec le guide ou la carte.**

LE DÉPÔT-VENTE DE PASSY

Dépôt-vente haute couture

14-16 rue de la Tour (16ᵉ)
Mᵒ Passy
Tél. 01 45 20 95 21
Lundi : 14 h-19 h ; mardi-samedi : 10 h-19 h

Impeccables, des pièces magnifiques portent les grands noms de la couture, Chanel, Dior, Versace, Mugler, Hermès, Lacroix. Tailleurs Chanel : 534 €. Veste Bazaar Lacroix en soie : 154 €. Parka Burberry's : 368 €. Veste Dior : 274 €. Accessoires superbes à partir de 60 €. Peuvent faire l'objet d'un cadeau. **Réduction de 10 % avec le guide ou la carte.**

ESPACE CATHERINE MAX

Réseaux

17 av. Raymond-Poincaré (16ᵉ)
Mᵒ Trocadéro
Tél. 01 53 70 67 47
Mercredi-samedi : 11 h-19 h (mais il vaut mieux téléphoner avant de se déplacer)

Chères lectrices, tendez une oreille rose : toutes les semaines, Catherine Max organise des ventes prestigieuses, mélangeant vêtements de haute couture et de grands jeunes créateurs. Ces tenues magnifiques sont vendues de 30 à 50 % moins chères. Pour faire partie de réseau, il suffit d'envoyer à la charmante Catherine 16 €. Vous recevrez par retour du courrier les dates des ventes du mois à venir.

NIP'SHOP

Le quotidien des quartiers chics

6 rue Edmond-About (16ᵉ)
Mᵒ Rue-de-la-Pompe
Tél. 01 45 04 66 19
Mardi-vendredi : 10 h 30-13 h, 14 h 30-19 h ; samedi : 10 h 30-13 h, 15 h-19 h

Très bien et fréquemment ravitaillée, Nip'Shop pratique des prix doux. Qu'on en juge. Lors de notre passage, veste Chacok, Kenzo et Burberry aux alentours de 91 €. Tailleur Apostrophe : 172 €. Pantalon G.R., Inès de la Fressange : de 38 à 53 €. Jupes moins titrées à partir de 22 €. Manteaux : de 84 à 172 €. De nombreux sacs (Escada, Ferré…). Accueil aimable. Bons conseils. **Remise de 10 % à partir de 250 € d'achat avec le guide ou la carte.**

RÉCIPROQUE

Le plus grand dépôt-vente de la capitale

95 rue de la Pompe (16ᵉ)
Mᵒ Pompe
Tél. 01 47 04 30 28
Mardi-vendredi : 11 h-19 h ; samedi : 10 h 30-19 h

Tous les grands noms de la couture, de la création et du prêt-à-porter de luxe français et étrangers. De très belles pièces griffées au rez-de-chaussée du 95 (Chanel, Lacroix, Gucci, Saint-Laurent, Versace, Prada, Armani, Cerruti…) pour après-midi chic, cocktails et soirées en robes longues. Tailleur Chanel : à partir de 487 €. Robe longue du soir Lacroix : 325 €. Le quotidien du luxe est hébergé au sous-sol (Dolce et Gabanna, Ralph Lannon, Donna Karan,

C. Klein). Tailleur Max Mara : 220 €. Beaucoup de fourrures l'hiver. Lors d'un de nos passages, veste en vison dark : 1 250 €.

AUTRES ADRESSES
- 88 rue de la Pompe, 16ᵉ • Mᵒ Pompe • Tél. 01 47 27 93 52 • **Brocante** d'objets anciens et modernes, bijoux, curiosités, petits meubles.
- 89 rue de la Pompe, 16ᵉ • Mᵒ Pompe • Tél. 01 47 04 30 28 • **Boutique sacs**, petite maroquinerie, bijoux fantaisie et bagages.
- 92 rue de la Pompe, 16ᵉ • Mᵒ Pompe • Tél. 01 47 04 30 28 • **Boutique de robes**, lingerie, foulards, maillots de bain, lunettes.
- 93 rue de la Pompe, 16ᵉ • Mᵒ Pompe • Tél. 01 47 04 30 28 • **Boutique soir**.
- 97 rue de la Pompe, 16ᵉ • Mᵒ Pompe • Tél. 01 47 04 82 24 • **Réception des dépôts** (sur rendez-vous).
- 101 rue de la Pompe, 16ᵉ • Mᵒ Pompe • Tél. 01 47 04 30 28 • **Boutique Homme** (vêtements, accessoires, chaussures) : Paul Smith, John Richmond, Ralph Lauren…
- 123 rue de la Pompe, 16ᵉ • Mᵒ Pompe • Tél. 01 47 27 30 28 • **Boutique Femme** (manteaux, impers, parapluies, chapeaux).

17ᵉ ARRONDISSEMENT

L'APRÈS-MIDI
Dépôt-vente de vêtements et d'accessoires de luxe

23 rue Brunel (17ᵉ)
Mᵒ Porte-Maillot
Tél. 01 45 74 00 25
Lundi-vendredi : 13 h 30-19 h

Refait dans un style salon chic (quelques petits meubles – à vendre – habillent la boutique, et les accessoires : bijoux, chaussures, sacs sont mis en valeur sur des étagères). Les erreurs d'achat des femmes gâtées du quartier se retrouvent ici. Ainsi peut-on s'offrir – pratiquement neufs – un manteau de chez Leonard, de style chinois en soie naturelle rebrodée à 260 €, des jupes Victoire en soie à 68 €, une veste de cuir cintrée noire de chez Joseph à 150 € ou encore un ensemble Lagerfeld formé d'une jupe à pont plissée à 50 € et d'un blouson rayé noir et blanc à 130 €. Accueil adorable et conseils sérieux.

KIARA
Avoir trente ans

56 av. des Ternes (17ᵉ)
Mᵒ Ternes
Tél. 01 45 72 53 72
Lundi-samedi : 10 h-19 h 30

Mode jeune, quotidienne et soignée. Pour les trentenaires féminines et qui bossent. Des petits hauts à partir de 25 € (et beaucoup moins en période de soldes).

WEEK-END SHOP
Sportswear bradé

13 rue des Acacias (17ᵉ)
Mᵒ Argentine
Tél. 01 44 09 05 93
Lundi-samedi : 10 h 30-14 h, 15 h-19 h 30

Une boutique aérée. Dedans, des vêtements décontractés aux prix allégés (-30 à -40 %), des marques Calvin Klein, Cross Creek, DKNY, Dolce et Gabbana, Fila. Les modèles sont axés sur le sport en famille, en week-end, c'est-à-dire jeans, sweat, etc. Plus de vêtements pour hommes.

18ᵉ ARRONDISSEMENT

DIALOGUE
Dépôt-vente et braderie de luxe

117 rue Caulaincourt (18ᵉ)
Mᵒ Lamarck-Caulaincourt
Tél. 01 42 55 11 71
Mardi-samedi : 10 h 30-19 h 30

Grandes griffes, beaux tissus, coupes parfaites. Les cintres sont ravitaillés en vêtements Cerruti, Moschino, Nina Ricci, Chanel, Dior et leurs frères (au tiers, parfois au quart de leur valeur). 60 à 70 % de vêtements neufs à prix dégriffés. Tous les Italiens sont présents. Nombreux bijoux et sacs assortis à ces belles tenues. **Remise de 5 % avec le guide ou la carte.**

PASSEZ DEVANT
Dépôt-vente chics-hype

62 rue d'Orsel (18°)
M° Abbesses
Tél. 01 42 54 75 15
Dimanche : 14 h 30-19 h ;
mardi-samedi : 10 h 30-
13 h ; 14 h-19 h

Le quartier, branché, incite aux découvertes vesti-
mentaires. Pendus aux cintres de Passez Devant,
voici des tenues signées Isabel Marant, Vanessa
Bruno, Yamamoto, Dries Van Noten. Comptez dépenser pour l'achat d'un tailleur d'hiver à partir de
140 €, pour un manteau de 77 à 336 € (en laine
et cachemire), pour un pantalon à partir de 45 €.
Petites jupes à partir de 53 €. Chaussures neuves.
De quoi se refaire une garde-robe trendy digne d'un
défilé sur Paris-Première.

77 SEINE-ET-MARNE

COAT CONCEPT
A visiter d'urgence

La Vallée Outlet Shopping
Village
3 cours de la Garonne
77700 SERRIS
Accès : voir p. 395
Tél. 01 60 42 68 33
www.lavalleevillage.com
Lundi-samedi : 10 h-20 h
(19 h en hiver) ; dimanche :
11 h-19 h

A notre avis, la boutique la plus intéressante du Val
d'Europe. On y trouve des vêtements originaux, d'allure jeune, coupés dans des matières innovantes.
Lors de notre passage, il y avait pléthore de très
beaux imperméables (80 € au lieu de 270 €) dans
des couleurs vives, avec découpes, zips, boutonnage asymétrique, des manteaux légers et peaux
lainées (170 € au lieu de 370 €), le tout très haute
couture (Castelbajac, Balmain, Scherrer et Cnous,
la marque maison).

INDIES (STOCK)
Stock pour jeunes femmes

La Vallée Outlet Shopping
Village
3 cours de la Garonne
77700 SERRIS
Accès : voir p. 395
Tél. 01 60 42 32 03
www.lavalleeoutletshop
pingvillage.com

Matières originale, coupes amusantes et recherchées qui servent des tenues de soirée, ou de mariage. Robe longue écrue avec plissés et queue de
sirène : 161 €. Pantalon chic en soie : 123 €. –
Lundi-samedi : 10 h-20 h (19 h en hiver) ; dimanche : 11 h-19 h.

KENZO (STOCK)
Un japonisme très européanisé

La Vallée Outlet Shopping
Village
3 cours de la Garonne
77700 SERRIS
Accès : voir p. 395
Tél. 01 60 42 68 33
www.lavalleevillage.com
Lundi-samedi : 10 h-20 h
(19 h en hiver) ; dimanche :
11 h-19 h

Des lignes originales incluant découpes, rayures et
dentelles. Pantalon habillé à rayures (122 €) et chemise assortie à rayures dorées (99 €) à porter au
bureau puis en soirée. Tailleur-pantalon en laine nattée marron et beige : 152 €. Cache-cœur en jersey
imprimé à fleurs : 75 €. Pantalon en coton mercerisé : 91 €. Blouson en jean : 122 €.

LOUIS FÉRAUD (STOCK)
Luxueux prêt-à-porter

La Vallée Outlet Shopping
Village
3 cours de la Garonne
77700 SERRIS
Accès : voir p. 395
Tél. 01 64 63 22 01

Louis Féraud aime les femmes en couleurs gaies et
vêtements faciles à porter taillés dans de beaux tissus. En témoignent ces jeans stretch (huit couleurs)
qui donnent de la place aux hanches (98 € au lieu
de 179 €), ces chics jupes courtes en jean gris sur-
piqué de blanc (133 € au lieu de 241 €) avec blou-

www.lavalleevillage.com
*Lundi-samedi : 10 h-20 h
(19 h en hiver) ; dimanche :
11 h-19 h*

son assorti (260 € au lieu de 433 €), ou encore ces tailleurs pantalons impeccables en laine et soie (400 € au lieu de 666 €).

NINA RICCI (STOCK)

La Vallée Outlet Shopping Village
3 cours de la Garonne
77700 SERRIS
Accès : voir p. 395
Tél. 01 60 42 44 60
www.lavalleevillage.com
*Lundi-samedi : 10 h-20 h
(19 h en hiver) ; dimanche :
11 h-19 h*

Très beaux vêtements du soir

Très beaux et très chers, quoique d'un prix diminué de 60 % en moyenne. Très beau fourreau en crêpe rose poudre à 493 €. De style trench, un manteau en laine nattée fauve avec une petite ceinture en cuir et le dessous du col en peau : 767 €. Jupes et pantalons à l'avenant. Il y a là tout le savoir-faire et la perfection des maison de haute couture.

78 YVELINES

EIFFEL

Usines Center
Route André-Citroën
78140 VÉLIZY-
VILLACOUBLAY
Accès : voir p. 396
Tél. 01 39 46 58 57
*Mercredi-vendredi : 11 h-
20 h ; samedi-dimanche :
10 h-20 h*

Stock Chacok

Chacok est une maison familiale niçoise fortement marquée par l'Italie. D'où la gaieté des coloris de ses vêtements et le côté parfois baroque des thèmes picturaux. Ici arrivent les fins de séries et retours des collections avec deux ans de décalage et des prix parfois ramenés au tiers de la valeur du vêtement. Lesquels durent des années. Aussi un petit investissement est-il parfois de la bonne économie. Robe longue droite toute simple en maille, ouverte sur le côté : 103 € Veste imprimée de fleurs : 241 € ; pantalon assorti : 86 €. Pull : 106 €.

MODULO

Usines Center
Route André-Citroën
78140 VÉLIZY-
VILLACOUBLAY
Accès : voir p. 396
Tél. 01 30 70 63 72
*Mercredi-vendredi : 11 h-
20 h ; samedi-dimanche :
10 h-20 h*

Stock Kenzo, Christian Lacroix, Céline

L'inspiration est restée très proche de ce qu'elle fut du temps du créateur. Manteau d'été : 260 €. Jean coloré : 54 €. Joli cardigan rebrodé de perles façon broche : 74 €. Les vêtements Lacroix nous ont semblé plus limités en choix que ceux vus au stock de Serris. Cependant, ici figuraient des jupes en jean à 100 €, des jeans imprimés à 95 €, de beaux « Marcel » imprimés à 25 € et des blousons à basques à 160 €. Les vêtements Céline sont on ne peut plus classiques. Compter pour un tailleur environ 310 €.

ROUTE DE LA SOIE

Usines Center
Route André-Citroën
78140 VÉLIZY-
VILLACOUBLAY
Accès : voir p. 396
Tél. 01 34 65 17 47
*Mercredi-vendredi : 11 h-
20 h ; samedi-dimanche :
10 h-20 h*

Stock Tera Bora, Christian Liu, Soie pour Soi

Petites tailles (34-36) parmi les belles robes chinoises de Christian Liu, en soie aux cols brodés (59 €) et veste à brandebourgs (25 €). Grandes tailles (jusqu'au 50) dans les vêtements Tera Bora (surchemise en voile de polyester à imprimé indien : 15 € ; pantalon bleu marine en 48 : 50 €). Pour toutes les tailles demeure la spécialité de la maison, les pulls en soie (100 %), à manches courtes (39,50 €) et manches longues (45 € environ). En hiver, pour un manteau en laine et polyamide, compter 100 €.

SYM

Stock seniors

Usines Center
Route André-Citroën
78140 VÉLIZY-
VILLACOUBLAY
Accès : voir p. 396
Tél. 01 34 65 10 30
*Mercredi-vendredi : 11 h-
20 h ; samedi-dimanche :
10 h-20 h*

Vêtements élégants, de très bonne qualité, qui durent et durent... Vestes et surchemises camouflent les hanches. Les pantalons (en microfibres) ont souvent une ceinture relayée sur les deux côtés par un élastique qui autorise un petit gain de poids dans la journée (55 €). Veste assortie à partir de 65 €. Assez grand choix. Les modèles sont déclinés en bleu, bleu marine, marron, noir, crème. Avons vu, pour l'été, des tailleurs jupe ou pantalon en imitation alcantara (daim) dans de très jolis bleu ciel et rose poudré (environ 103 €).

ASTRID BOUTIQUE

Ventes privées de prêt-à-porter

1 rue Maurice-Dreux
78670 VILLENNES-
SUR-SEINE
25 km de la Porte Maillot
(A14)
Tél. 01 39 75 94 80
S'inscrire par téléphone

Plusieurs fois par an, Astrid organise des ventes privées tournant autour de modèles italiens et français tels Joseph ou Irène Van Ryb. L'inscription sur le fichier est gratuite. On peut aussi essayer le magasin à la même adresse.

92	HAUTS-DE-SEINE

TROC ET CHIC

Dépôt-vente de vêtements quotidiens

60 av. Victor-Cresson
92130 ISSY-
LES-MOULINEAUX
RER C, Issy
Tél. 01 46 38 99 41
*Mardi-vendredi : 11 h 30-
19 h 30 ; samedi : 15 h-
19 h ; dépôts sur rendez-
vous*

Accueil sympathique. Peu de grandes marques squattent les cintres, mais on trouvera ici des vêtements de rechange à petits prix : tailleur Caroll à 50 €, ou Naf Naf à 37,50 €, jupe de 10 à 15 €, jean 501 à 25 € et veste de 27,50 à 40 €. Des ateliers de relooking et maquillage sont proposés à celles et ceux qui souhaitent changer de peau (cinq personnes par atelier, 40 € par personne et pour 2 heures). Ils ont lieu le samedi de 11 h 30 à 14 h 30.

93	SEINE-SAINT-DENIS

ETAM

Stock d'Etam

Marques Avenue
8 quai Le Châtelier
93450 L'ÎLE-SAINT-DENIS
Accès : voir p. 397
Tél. 01 42 43 43 68
*Lundi-vendredi : 11 h-20 h ;
samedi : 10 h-20 h*

Les rayons de surstocks, invendus, fins de séries... des vêtements d'Etam s'étoffent. On trouvera la lingerie à Franconville. Ici figurent des tee-shirts (9 €), chemisiers (10 à 15 €), des impers, parkas, blousons (25 €), des manteaux (à partir de 25 €), et des tailleurs jupes ou pantalons à partir de 40 €.

GÉRARD PASQUIER

Stock Pasquier : chic et classique

Marques Avenue
6-8 quai Le Châtelier
93450 L'ÎLE-SAINT-DENIS
M° Mairie-de-Saint-Ouen
+ bus 137 N, voir p. 397
Tél. 01 42 43 10 64
*Lundi-vendredi : 11 h-20 h ;
samedi : 10 h-20 h*

Un an à peine ces jolies vêtures et cependant démarquées (-40 %). Les teintes restent classiques : blanc-noir et couleurs de terre. En prime, l'accueil est charmant et les conseils avisés. Chemisiers (30 à 50 €), les tailleurs en laine et polyester (160 à 190 €), les pantalons « ventre plat » ou à pinces (47 à 62 €) et les jupes (45 à 60 €). Un classicisme sans lézarde.

AUTRE ADRESSE

■ 22 bd Poissonnière, 9e • M° Grands-Boulevards • Tél. 01 48 00 06 86 • Lundi : 14 h-19 h, mardi-vendredi : 11 h 30-19 h • Stock Gérard Pasquier.

MANGO OUTLET

Stock Mango

Marques Avenue
8 quai Le Châtelier
93450 L'ÎLE-SAINT-DENIS
Accès : voir p. 397
Tél. 01 42 43 40 40
www.mango.es
*Lundi-vendredi : 11 h-20 h ;
samedi : 10 h-20 h*

Chaîne espagnole qui produit des vêtements originaux. Coupes chic, détails soignés, inventifs. Malheureusement, assez souvent les matières employées sont imparfaites. Le stock abonde en petites tailles : des 34-36-38 qui le sont vraiment. Veste cintrée en jean à coutures allongeantes : 29 €. Pantalon assorti : 21,50 €. Jupe assortie : 18 €. Long rayon de pantalons de 6 à 8,50 €. Sweat en faux crêpe : 6 €. Petit fourreau noir du soir à corset intégré : 24 €. Imper trapèze : 50 €. Jupe en polyester : 19 €.

RODIER

Stock

Marques Avenue
9 quai Le Châtelier
93450 L'ÎLE-SAINT-DENIS
Accès : voir p. 397
Tél. 01 48 13 33 64

Tailles jusqu'au 48. Tailleur jupe en supercent : 165 €. Jean en coton blanc à surpiqûres : 59 €. Manteau : environ 170 €. Cardigan léger : 39 €. – Lundi-vendredi : 11 h-20 h ; samedi : 10 h-20 h.

STOCK TARA JARMON

Élégance et légèreté

Marques Avenue
8 quai Le Châtelier
93450 L'ÎLE-SAINT-DENIS
Accès : voir p. 397
Tél. 01 42 43 84 06

Toujours des recherches de matières et de coupes : jupe noire asymétrique à volants, à effet allongeant : 41 €. Sac du soir recouvert de plumes de coq : 27 €. Blouson : 55 €. Une majorité de petites tailles. – Lundi-vendredi : 11 h-20 h ; samedi : 10 h-20 h.

AUTRE ADRESSE
- Quai des Marques, 395 rue du Général-Leclerc • 95138 FRANCONVILLE • Accès : voir p. 398 • Tél. 01 34 13 91 64

SUITE SANS FIN

Stock Gérard Darel

Marques Avenue
8 quai Le Châtelier
93450 L'ÎLE-SAINT-DENIS
M° Mairie-de-Saint-Ouen
+ bus 137 N, voir p. 397
Tél. 01 49 22 09 50
*Lundi-vendredi : 11 h-20 h ;
samedi : 10 h-20 h*

Connu désormais pour avoir racheté le questionnaire de Proust (votre argent n'est pas perdu, mesdames !), Gérard Darel œuvre pour les jeunes femmes actives, BCBG sans snobisme. Voici des tailleurs-jupes-robes ou tailleurs-pantalons aux coupes parfaites, aux prix tailladés de 40 %. Ainsi valent-ils de 151 à 230 €. Manteaux en alpaga ou laine et cachemire : a partir de 275 €, plus simple : de 117 à 230 €. Enfin pour les frileuses et les sportives, de 55 à 80 €, les pantalons en lainage, laine élasthane et polyester. Bottes en cuir de 80 à 120 €. Coloris classiques. Alimenté deux fois par semaine, le magasin vit. Charmant accueil.

AUTRES ADRESSES
- Usines Center • 78140 VÉLIZY-VILLACOUBLAY • 10 km de la Porte de Saint-Cloud, voir p. 396 • Tél. 01 30 70 64 74 • Mercredi-vendredi : 11 h-20 h ; samedi-dimanche : 10 h-20 h.
- Quai des Marques, 395 av. du Général-Leclerc • 95130 FRANCONVILLE • 15 km de la Porte de la Chapelle (A1 + A15), voir p. 398 • Tél. 01 34 15 51 18 • Lundi-vendredi : 11 h-20 h ; samedi : 10 h-20 h.

VENTIL STOCK

 Marques Avenue
8 quai Le Châtelier
93450 L'ÎLE-SAINT-DENIS
Accès : voir p. 397
Tél. 01 48 20 72 38
Lundi-vendredi : 11 h-20 h ;
samedi : 10 h-20 h

AUTRES ADRESSES

- La Vallée Outlet Shopping Village, 3 cours de la Garonne • 77700 SERRIS • Accès : voir p. 395 • Tél. 01 64 63 48 60 • Lundi-samedi : 10 h-20 h (19 h en hiver) ; dimanche : 11 h-19 h
- Quai des Marques, 395 av. du Général-Leclerc • 95130 FRANCONVILLE • Accès : voir p. 398 • Tél. 01 34 15 19 22

Stock Ventilo : BCBG jeune à l'italienne

Écrin chaleureux pour les superbes fins de séries Ventilo (du 36 au 46) et toutes déclinaisons (Armand Ventilo, Ventilo Blue Jean, La Colline, Chemise Blanche) bradées à moitié prix et même davantage. Vus lors de notre passage, des jupes longues en biais de 76 à 121 €, des vestes de 137 à 228 €, des pulls à 71 € et des manteaux en drap de laine de 152 à 304 €. Accueil très aimable. Tout le charme italien.

PROMOD

Centre Commercial
Basilique
1 passage Saulger
93200 SAINT-DENIS
M° Saint-Denis-Basilique
Tél. 01 48 09 27 63
Lundi-samedi : 10 h-19 h

Stock

Les nombreux vêtements présentés sont des retours de magasins de l'année ou souffrent d'un petit défaut de fabrication ou d'un accroc au cours d'un transport. Rien de grave. Ils sont soldés 30 %. Le style Promod ? Sérieux quoique n'excluant pas une certaine féminité. Lors de notre passage, avons vu des jeans taille basse délavés (29,90 €), des pantalons en soie brochée chatoyante (24,90 €), des tricots à manches longues (19,90 €), de jolies vestes en polyester imitant le crêpe (54,90 €). Pas mal de petites tailles.

94 VAL-DE-MARNE

PAULE VASSEUR STOCK

 1 rue de l'Amiral-Courbet
94130 SAINT-MANDÉ
M° Saint-Mandé-Tourelles
Tél. 01 43 65 13 21
www.paule-vasseur.com
Mardi : 14 h 30-19 h ;
mercredi-samedi : 10 h 30-
19 h

Vêtements et tissus de cérémonies

Toute la soie (à l'exclusion des robes de mariée, absentes de cette jolie boutique). Ici, débauche à moindre prix de pantalons, tailleurs, jupes en soie grège, en brochés, lamés, damassés et brocarts, en taffetas, en failles, dans des coupes qui rappellent les tuniques orientales assorties de leurs petits pantalons étroits ou droits. Hauts en dentelle et tweed façon couture pour l'hiver. Jupe courte : 45 €. Pantalon : 83 €. Veste : 170 €. Robe : 80 €. Sur un mur, des rouleaux de tissus soldés des collections passées, de 5 à 30 € le mètre.

95 VAL-D'OISE

AUX ARCADES DU LAC

12 Résidence du Lac
95880 ENGHIEN-
LES-BAINS
15 km de la Porte
de la Chapelle
(A1 + A86 + A15)
Tél. 01 34 12 29 83
Mardi-samedi : 14 h-19 h

Dépôt-vente avec vue

Entre deux tours de planche à voile sur le lac, on viendra explorer les rayons de ce dépôt-vente aux vêtements impeccables. Robe Louis Féraud avec surchemise : 90 €. Pantalon en cuir Redskin : 50 €. Tailleur Armani neuf : 140 €. Manteau Zara (de l'année) : 50 €. Il faut passer souvent, ce qui n'est pas désagréable, l'accueil étant charmant.

1-2-3 STOCK
Une mode sage à prix sensés

Quai des Marques
395 av. du Général-Leclerc
95130 FRANCONVILLE
Accès : voir p. 398
Tél. 01 34 15 41 47
*Lundi-vendredi : 11 h-20 h ;
samedi : 10 h-20 h*

30 % de rabais sur les fins de séries à la qualité sévèrement contrôlée. Les vestes (taille 36 au 46) valent désormais de 85 à 110 €. Pulls chauds en laine et acrylique à partir de 39 €. Les parkas en microfibres atteignent 98 et 130 € (en fin de soldes, elles valent 45 €). En microfibres aussi, les manteaux coûtent 165 €. Nous vous signalons aussi de confortables manteaux en laine et angora ou laine et cachemire crème, taupe, bronze ou en noir, indéracinable noir... l'élégance !

AUTRE ADRESSE
■ Marques Avenue, 8 quai Le Châtelier • 93450 L'ÎLE-SAINT-DENIS • Accès : voir p. 397 • Tél. 01 55 87 01 82

AG BIS
Stock Agatha

Quai des Marques
395 av. du Général-Leclerc
95130 FRANCONVILLE
Accès : voir p. 398
Tél. 01 34 15 55 60
*Lundi-vendredi : 11 h-20 h ;
samedi : 10 h-20 h*

40 % de réduction. Agatha a un atout : celui de conserver style et modèles de base qui permettent à ses clientes (30-40 ans, classiques) de compléter leur garde-robe. En hiver, elles trouveront de jolis manteaux de laine (152,45 €), laine-cachemire (288 €), et des sept-huitièmes. Des pulls laine-cachemire assortis aux tailleurs : 74 € en toutes formes de cols. Lavables en machine, sans repassage, des pantalons basiques droits : 99 € (du 34 au 46). **Pour chaque achat, avec le guide ou la carte, une pochette de voyage ou un grand sac Agatha est offert.**

AUTRE ADRESSE
■ Usines Center, Route André-Citroën • 78140 VÉLIZY-VILLACOUBLAY • Accès : voir p. 396 • Tél. 01 39 46 37 34 • Mercredi-vendredi : 11 h-20 h : samedi-dimanche : 10 h-20 h

GR STOCK - ANONYME DE...
Pour VIP et cadre sup

Quai des Marques
95130 FRANCONVILLE
Accès : voir p. 398
Tél. 01 30 72 20 30
*Lundi-vendredi : 11 h-20 h ;
samedi : 10 h-20 h*

Stock Georges Rech. Des vêtements souples, ondoyants, superbes. En direct de la rue Saint-Honoré, des vestes à partir de 122 €, des robes aux alentours de 120 €, de très beaux manteaux en laine cachemire autour de 345 €. Moins chers, taillés pour les magasins d'usine dans les tissus de l'année précédente, les modèles signés « Nyme » ou « Collection 4 » bénéficient cependant du savoir-faire maison et de prix plus bas : jupe à 46 €, pantalon à 61 €.

AUTRES ADRESSES
■ Usines Center, Z.A. - Lot 150 • 78140 VÉLIZY-VILLACOUBLAY • Accès : voir p. 396 • Tél. 01 34 65 31 51
■ Usines Center, ZI Paris-Nord II • 95700 ROISSY-CDG • 14 km de la Porte de la Chapelle (A1), voir aussi p. 399 • Tél. 01 48 63 78 31

STOCK CAROLL
Pour jeunes femmes actives et féminines

Quai des Marques
95130 FRANCONVILLE
Accès : voir p. 398
Tél. 01 34 15 43 44

Réductions : 30 à 40 %. Un magasin soigné où l'accueil est sympathique. Des jupes à impression « vagues » : 36 €. Des pantalons droits en coton blanc : 30 €. Des vestes à partir de 35 €. Robe droite sans

Lundi-vendredi : 11 h-20 h ;
samedi : 10 h-20 h

manches à partir de 50 €. Des fourreaux de céré-monie en dentelles sur fond de robe : 50 €. Des chemisiers classiques à 25 € et des ceintures corse-let à 20 €.

AUTRES ADRESSES
- 30 et 51 rue Saint-Placide, 6ᵉ • Mᵒ Saint-Placide • Tél. 01 45 48 83 66 (30 rue Placide) ou 01 42 22 79 39 (51 rue Saint-Placide) • Lundi-samedi : 10 h-19 h • Mêmes articles dans ces deux boutiques et mêmes prix...
- Marques Avenue, 8 quai du Châtelier • 93450 L'ÎLE-SAINT-DENIS • Accès : voir p. 397 • Tél. 01 42 43 07 42 • Lundi-vendredi : 11 h-20 h ; samedi : 10 h-20 h

A Adresse particulièrement recommandée

♛ Adresse haut de gamme : le luxe à prix abordable

**Vous voulez recevoir gratuitement
le prochain Paris Pas Cher ? Signalez-nous,
par courrier, une bonne adresse qui n'y figure pas
ou une erreur qui se serait glissée dans le texte (si, si, ça arrive),
avant le 1ᵉʳ février 2004.**

**Si vous êtes le premier (ou la première) à nous l'avoir signalée,
et que nous la retenons,
vous recevrez un exemplaire du guide 2005,
à paraître en septembre 2004.**

**Paris Pas Cher
19 av. Georges-Brassens
94550 Chevilly-Larue**

➔ VÊTEMENTS femme et homme

H ET M

www.hm.com
Vingt-cinq magasins à Paris
et dans la région
parisienne. Adresses
disponibles sur le site
Internet

Mode éphémère, chic et pas cher

Arrivages quotidiens de modèles chez H et M qui suit de près les tendances stylistiques du moment. C'est à notre avis la moins chère des chaînes étrangères de prêt-à-porter. Si quelque chose vous va, prenez-le, vous ne le retrouverez plus la semaine suivante. Les prix restent tout petits (manteau à partir de 50 €, jupe à partir de 8,50 €, pantalon à partir de 13 €). Et surtout, il y a deux lignes pour les tailles extrêmes : les élégantes crevettes qui taillent 34 et les pulpeuses rondes jusqu'au 58.

1er ARRONDISSEMENT

CHISTERA

17-19 bd de Sébastopol
(1er)
M° Châtelet
Tél. 01 42 21 18 62
Lundi-samedi : 11 h-19 h

Classique, si classique

C'est la marque Bruce Field au féminin junior. Manteau noir court à double boutonnage (80 % laine, 20 % polyamide) : 100 €. Pull simple à côtes : 50 €. Pantalon en laine et polyamide : 42 €. Doudoune avec capuche : 60 €.

LA CLEF DES MARQUES

20 place du Marché-
Saint-Honoré (1er)
M° Pyramides ou Tuileries
Tél. 01 47 03 90 40
*Lundi : 12 h 30-19 h ; mardi-
vendredi : 10 h 30-14 h 30,
15 h 30-19 h ; samedi :
10 h 30-13 h, 14 h-19 h*

Dégriffés de vêtements, lingerie, tenues de sport

Vêtements de tous styles, vendus de 30 à 70 % moins chers. Toujours fouillis, toujours plein comme un œuf, un magasin couloir où faire des affaires quotidiennes. FEMME. Veste en cuir épais pour faire de la moto : 59 €. Manteau long en fausse peau lainée : 59 €. Tailleur de grands noms du prêt-à-porter italien : 99 €. Jean de 26 à 30 €. – HOMME. Parka doublée en laine polaire : 75 €.En bas, un très grand rayon de vêtements de sport vient d'ouvrir. Jogging haut ou bas : 7,50 € voisinent avec des maillots de bain de sport à 10,50 €. Et des amoncellements de baskets mode et soldées. A vos marques, prêt...

AUTRES ADRESSES

- 122, 124 et 126 bd Raspail, 6e • M° Vavin • Tél. 01 45 49 31 00
- 99 rue Saint-Dominique, 7e • M° La Tour-Maubourg • Tél. 01 47 05 04 55
- 86 rue du Faubourg Saint Antoine, 12e • M° Ledru-Rollin ou Bastille • Tél. 01 40 01 95 15
- 2 rue de la République • 92130 ISSY-LES-MOULINEAUX • M° Mairie-d'Issy • Tél. 01 46 42 57 00
- 69 av. Pierre-Larousse • 92240 MALAKOFF • M° Malakoff-Plateau de Vanves • Tél. 01 46 55 04 07
- 222 rue du Maréchal-Leclerc • 94410 SAINT-MAURICE • Tél. 01 48 86 66 61
- Près de Champlain • 94430 CHENNEVIÈRES-SUR-MARNE • Tél. 01 45 94 62 33

2e ARRONDISSEMENT

ET VOUS STOCK

15-17 rue de Turbigo (2e)
M° Étienne-Marcel
Tél. 01 40 13 04 12
Lundi-samedi : 12 h-19 h

Un classicisme de bon ton

Classique, solide. Fait pour aller travailler. Des tenues qui s'agrémentent le soir d'une belle chemise blanche ou d'un collier habillé porté à même la peau. FEMME. Manteau (laine 90 %, cachemire

10 %) : 300 €. Pantalon avec poches sur les jambes : 68 €. Blouson à col de fourrure : 120 €. Pull : 50 €. Besace : 100 €. – HOMME. Costume rayé en laine 100 % : 300 € ; en laine et synthétique : 144 €. Chemise noire : 60 €. Pantalon : 75 €. Pull en maille : 75 €.

3ᵉ ARRONDISSEMENT

2 A5 CLUB
Prêt-à-porter de style classique

13-15 rue du Pont-
aux-Choux (fond de cour)
(3ᵉ)
Mᵒ Saint-Sébastien-Froissart
Tél. 01 42 77 26 20
Fax : 01 48 87 64 29
*Dimanche-jeudi : 10 h 30-
19 h*

AUTRE ADRESSE
■ **Entrepôt Luxe Direct** • 344 route de l'Empereur • 92500 RUEIL-MALMAISON • 5 km de la Porte Maillot • Tél. 01 47 49 19 18

2 A5 accueille de belles marques de prêt-à-porter et les propose 30 à 40 % moins cher à la convoitise de ses clients contre l'achat d'une carte d'adhérent (40 € pour l'année et toute la famille). Le rayon homme a été fort augmenté. Les costumes y coûtent 213 € pour les adhérents. Chemises portant étiquettes de couturiers : 32 €. Cravates griffées : 26 €. Trente marques environ.

L'HABILLEUR
Fins de séries très belles et « trendy »

♛ 44 rue de Poitou (3ᵉ)
Mᵒ Saint-Sébastien-Froissart
Tél. 01 48 87 77 12
Lundi-samedi : 12 h-20 h

Vendus au tiers de leur prix (jusqu'à -70 % au moment des soldes), des vêtements très beaux et absolument « trendy », du gratin des créateurs. FEMME. On s'offre soit un vêtement de fond très chic comme un manteau en cuir Plein Sud à 570 € ou une veste cintrée à 295 €. Soit un magnifique modèle sportswear de Plein Sud comme ce blouson en cuir à 290 €. Ou un pantalon en faux daim à 90 €. Teeshirt Paul et Joe : 30 €. Cardigan blanc en coton : 40 €. – HOMME. Jean : 95 €. Blouson Paul et Joe : 90 €. Tee-shirt : 36 €. Pantalon de coton : 75 €. On note un petit rayon chaussures.

4ᵉ ARRONDISSEMENT

COMPTOIR DU MARAIS
Mode chic et modique

Ⱥ 8 rue de Moussy (4ᵉ)
Mᵒ Hôtel-de-Ville
Tél. 01 42 74 06 06
www.lecomptoirdumarais.
com
*Lundi-samedi : 11 h-
19 h 30 ; dimanche : 14 h-
19 h 30*

Des habits jeunes avec une certaine recherche dans l'allure, aux tissus classiques. FEMME. Manteau en faux mouton retourné : 79,90 €. Veste blanche à soubretache : 89,90 €. – HOMME. Ils sont mieux conseillés et trouveront plus de modèles. Caban à capuche en maille acrylique : 69,90 €. Pantalon en laine : 79 €. Tee-shirt amincissant : 19,90 €.

PWS
Des griffes au fond de la cour

Ⱥ 13 rue de Sévigné (4ᵉ)
Mᵒ Saint-Paul
♛ Tél. 01 44 54 09 09
www.parispws.com
*Lundi : 14 h-19 h ; mardi-
vendredi : 10 h-13 h, 14 h-
19 h ; samedi : 10 h-19 h*

A prix essorés, des costumes Cardin, Féraud, Nino Ferletti et costumes en tissus Cerruti. Ex : costume en tissu Cerruti Superissima 120 : 400 € ; signé Louis Féraud : 450 €. Chemise Féraud : 65 €. Blazer en tissu Cerruti : 275 €. Et le fameux pantalon autolavable anti-tâche à 110,53 € de Bruno Saint-Hilaire. Le rayon féminin – moins riche – accueille les marques Infinitif, Brighton, Antonelli, Bruno Saint-

Hilaire et Blanc Nature. **Carte d'adhésion (18,29 €) à 3 € avec le guide ou la carte PPC, puis 20 % de remise.**

6ᵉ ARRONDISSEMENT

SCOTLAND - HOUSE OF CASHMERE

3 rue de Tournon (6ᵉ)
Mº Odéon
Tél. 01 56 24 86 83
*Mardi-samedi : 10 h 30-
19 h 30*

Superbes cachemires vendus à moitié prix

Du dos des chèvres himalayennes sur celui des amateurs de cachemires authentiques en passant par les usines d'Écosse, voici des pulls, du simple fil au quatre fils en une bonne dizaine de coloris pour chaque modèle de cols qui ne se déforment pas. Les simples fils valent 152 € (en promotion), les cardigans deux poches, deux fils valent 283 €. Plus accessibles, de jolis pulls irlandais à partir de 92 €. Promotions très fréquentes. **Remise de 5 % sur présentation du guide ou de la carte à partir de 152 € d'achat.**

AUTRE ADRESSE
■ 24 rue du Roi-de-Sicile, 4ᵉ • Mº Saint-Paul • Tél. 01 42 78 94 78

SURPLUS APC

45 rue Madame (6ᵉ)
Mº Saint-Sulpice
Tél. 01 45 48 43 71
Lundi-samedi : 13 h-19 h

Très classique stock

Jusqu'à 70 % moins cher. Blouson en cuir à partir de 250 €. Manteau en cuir mi-long : 400 €. Manteau laine basique coupe droite : 180 €. Pull : à partir de 35 €. Pantalon droit : 35 € ; veste assortie : 73 € ; d'où tailleur à 108 €. Petite robe habillée : 91 €. Minijupes (velours ou jean) : à partir de 30 €. Sacs de week-end en lin zippé : 30 €. Sacs de ville à partir de 45 €.

8ᵉ ARRONDISSEMENT

BARBOUR

25 rue Royale (8ᵉ)
Mº Madeleine
Tél. 01 44 71 08 89
Lundi-samedi : 10 h 30-19 h

Retour au style chasseur-pêcheur

Parmi les vêtements de week-end vendus par cette maison plus que centenaire, voici des vestes rustiques qui durent toute une vie (d'autant que la maison les répare). En coton huilé, elles possèdent une capuche qu'on peut serrer, des épaules doublées, un cordon de serrage à la taille, deux grandes poches à soufflets et rabats, une doublure pur coton en tartan. Et valent 285 €. Inventées par John Barbour, un berger écossais, en 1849, afin de se protéger contre pluies et vents, elles sont toujours très utilisées par les chasseurs. Un investissement utile. La maison vend aussi pulls en laine polaire, chemises, pantalons et, cette année, duffle-coats.

AUTRE ADRESSE
■ 90 bd Raspail, 6ᵉ • Mº Saint-Placide • Tél. 01 45 48 43 05

GRIFFES DE MODE

17 rue La Boétie (8ᵉ)
Mº Miromesnil
Tél. 01 49 24 08 81

Dégriffés de bons faiseurs et couturiers pour les deux sexes

L'endroit est modeste, mais riche de vêtements de bons faiseurs, qui arrivent par lots non suivis. Lors de notre visite, il y avait beaucoup de lingerie :

Lundi-vendredi : 10 h 30-19 h 30 ; samedi : 11 h 30-18 h

soutien-gorge à partir de 13 € environ, slip assorti autour de 8 €. Vestes de cuir façon blouson de motard, manteaux en laine et cachemire de bonnes marques de prêt-à-porter. Les vêtements pour homme – au 23 rue La Boétie – sont plus « sport ».

AUTRE ADRESSE
■ 23 rue La Boétie, 8ᵉ • Mᵒ Miromesnil

SHOWROOM SCD   *Ventes privées*

30 rue de Lisbonne (8ᵉ)
Mᵒ Miromesnil
Tél. 01 42 89 90 05
Mercredi-dimanche : 11 h-19 h ; nocturne jeudi jusqu'à 21 h

Il faut passer voir le showroom situé dans cet hôtel particulier pour apprécier la bonne qualité du prêt-à-porter mis en vente ici. Parfois ventes de chaussures de sport, parfois vêtements de créateurs italiens...

9ᵉ ARRONDISSEMENT

MON IMPER   *Parlez-moi de la pluie...*

♔ 63 rue du Faubourg-Poissonnière (9ᵉ)
Mᵒ Poissonnière
Tél. 01 48 24 46 98
www.mon-imper.com
Mardi-samedi : 10 h 30-19 h

Jusqu'à 20 % sur les plus beaux impers, parkas et trois-quarts de la planète : Burberry, Aquascutum, Claude Havrey, Gore-Tex, Barbour, Bruno Saint-Hilaire... et d'autres protège-pluie de moindre poids. Tous les matériaux possibles sont représentés : Goretex, microfibres, toiles enduites, taffetas imperméable, etc. Toutes les longueurs, beaucoup de coloris superbes et toutes les tailles (femme : 34-54 ; homme : 46-64). Les prix : de 150 à 800 €. Accueil charmant. **Remise de 10 % avec le guide ou la carte.**

AUTRE ADRESSE
■ 70 av. des Ternes, 17ᵉ • Mᵒ Ternes • Tél. 01 45 72 18 64

11ᵉ ARRONDISSEMENT

EMMAÜS   *Pour se donner une allure vintage*

54 rue de Charonne (11ᵉ)
Mᵒ Ledru-Rollin
ou Charonne
Tél. 01 48 07 02 28
Lundi : 14 h 30-19 h ; mardi-samedi : 11 h-13 h, 14 h 30-19 h

« Vintage » = faire du neuf avec du vieux. Et comment ? En achetant, découpant et cousant astucieusement ou même en les adoptant telles quelles les fringues chicos qu'ont déposées ici les habitants de ce quartier de jeunes bobos. Manteau aux alentours de 20 €. Jupe ou pantalon à partir de 10,50 €. Ce que vous laissez à la caisse subventionne en partie la communauté Emmaüs. Aussi venez souvent et bonne chasse !

AUTRE ADRESSE
■ 11 av. Joffre • 94160 SAINT-MANDÉ • Mᵒ Saint-Mandé-Tourelles • Tél. 01 43 65 26 69

STOCK 2   *Griffés ou dégriffés, style quotidien-campagne*

⚓ 213 rue du Faubourg-Saint-Antoine (11ᵉ)
Mᵒ Faidherbe-Chaligny
Tél. 01 43 71 63 98
Mardi-samedi : 10 h-13 h 45 ; 15 h-19 h

Voici des vêtements pas chers pour toute la famille, au choix renouvelés souvent. FEMME. Tailleur-pantalon 65,83 €. Tailleur jupe façon tweed : 45 €. Doudoune longue : 45 €. Manteau long d'une bonne marque de prêt-à-porter : 60 €. Parfois surprise telle cette jupe d'un grand styliste du Sentier vendue 9 €. Lingerie : 10,67 € l'ensemble. – HOMME. Parka : 37,96 €. Costume : 68,45 €. Chemise en pur coton : 10,67 €.

DIS MOI TOUT

98 et 98 bis cours
de Vincennes (12ᵉ)
Mº Porte de Vincennes
Tél. 01 43 45 06 52
*Dimanche-vendredi : 10 h-
18 h 30*

AUTRE ADRESSE

■ 135 av. Jean-Jaurès, 19ᵉ • Mº Laumière • Tél. 01 42 00 61 99 • Vêtements exclusivement pour enfants.

Soldes sans tralalas

Dégriffés de stylistes français, espagnols ou américains. FEMME. Long manteau d'hiver : 80 € ; jean classique : 13,57 €. Tennis à 30,34 €. Un coin des affaires. – HOMME. Costume à partir de 80 € ; parka et blouson : 48 €. Quelques vêtements de sport vendus au même prix que dans les usines centers.

JYVE STOCK

12 et 13 bd de Reuilly
(12ᵉ)
Mº Dugommier
Tél. 01 43 40 08 07
Mardi-samedi : 11 h-19 h

Dégriffés de couture à prix bas

Surstocks, fins de séries et accessoires de grands couturiers fraternisent sur les cintres. Pour femme (du 34 au 56) : tailleur d'hiver ou manteau en laine, griffés : de 80 à 150 €. Pour homme (du 46 au 64) : costume en supercent provenant d'un fournisseur de grands couturiers : à partir de 140 € ; ceintures de grands couturiers, doublées, réversibles et réglables, vendues avec leur boîte griffée : 20 €. Cravates tissées, brodées de grandes marques : 20 €. Chemises en pur coton, griffées : 38 €. Lingerie griffée, froufroutante, et sexy : la parure coûte de 23 à 40 €. Sacs couture (40 à 70 €), bottes et chaussures. Habits de grandes marques pour enfants, à prix de prolétaires. **Réduction de 5 % sur présentation du guide ou de la carte.**

MONDIAL GRIFFE

172 av. Daumesnil (12ᵉ)
Mº Daumesnil
Tél. 01 43 42 31 17
Mardi-samedi : 10 h-19 h

Mode bradée

Les collections passées de marques de vêtements comme Timberland, Balenciaga, etc. sont bradées. Petits pulls chaussettes : 7,50 €. Jean de bonne marque : 12 €. Pantalon : 10 €. Veste assortie : 30 €. Chemises en provenance d'une maison de vente par correspondance : 10 €. Peu de vêtements pour enfants.

CACHAREL STOCK

114 rue d'Alésia (14ᵉ)
Mº Alésia
Tél. 01 45 42 53 04
Lundi-samedi : 10 h-19 h

Fins de séries d'une jolie mode

Rajeunies, démarquées de 40 à 50 % (prototypes de collection à moitié prix), voici des fins de séries classiques et bien coupées : une majorité de vêtements pour femmes et enfants. Cet hiver, vous trouverez les vêtements de l'an passé. FEMME. Spencer deux boutons, col cranté, rayures tennis : 168 €. Jupe coordonnée sous les genoux : 71 €. Pantalon coordonné : 96 €. Robe sans manches en serge de laine mélangée stretch : 99 €. – HOMME. Costume fines rayures, pure laine, doubles poches, gris, marine ou noir : de 255 à 288 €. Chemises à col italien aux pointes boutonnées en popeline de coton : 39 €. – ENFANT. Veste de baptême en flanelle coupée bord franc : 54 €.

JEAN DEVARENNE

Griffes BCBG en discount

29 rue Delambre (14ᵉ)
Mᵒ Vavin ou Edgar-Quinet,
parking gratuit
dans l'immeuble
Tél. 01 43 22 22 48
*Lundi : 13 h-19 h ; mardi-
vendredi : 10 h 30-19 h 30 ;
samedi : 10 h-19 h 30*

Au prix émoussé de 25 à 30 %, un grand choix de vêtements griffés pour plantes matures. Accueil charmant des vendeurs. FEMME. Du 38 au 52. Belles vestes en microfibres, manteaux, ensembles. – HOMME. Du 46 au 70. En pure laine supercent, de beaux blazers et costumes. Si vous trouvez moins cher ailleurs, la maison vous rembourse deux fois la différence. **Prix du guide remboursé, avec le guide ou la carte, pour tout achat supérieur à 259 €. Ourlets des bas de pantalon offerts avec le guide ou la carte.**

SR STORE

Stock Rykiel pour les branchés

110-112 rue d'Alésia (14ᵉ)
Mᵒ Alésia
Tél. 01 45 43 80 86
www.soniarykiel.com
*Mardi : 11 h-19 h ;
mercredi-samedi : 10 h-19 h*

Pas donné, mais amusant et reprenant le style de Maman il y a 30 ans. FEMME. Pull à manches longues rayé : 130 €. Jupe plissée : 113 €. – HOMME. Costume à partir de 425 €. Chemise : environ 50 €. Les vêtements pour enfants, qui sont des réductions de ceux des adultes, sont à notre avis très chers.

AUTRE ADRESSE
■ 64 rue d'Alésia, 14ᵉ • Mᵒ Alésia • Tél. 01 43 95 06 13 • Mardi : 11 h-19 h ; mercredi-samedi : 10 h-19 h • Ce magasin abrite le stock Sonia (jeans, sportswear).

STOCK CHEVIGNON

Fins de séries Chevignon

122 rue d'Alésia (14ᵉ)
Mᵒ Alésia
Tél. 01 45 43 40 25
Lundi-samedi : 10 h-19 h

Côté vêtements, c'est toujours l'allure campagne-sport à la ville qui prévaut. Veste ou pantalon en cuir : 180 €. Blouson ou parka : 85 €. Chemise (une : 25 € ; deux : 48 €). Pantalon : 32 €. Pull : 32 €. Jean : 52 €.

AUTRE ADRESSE
■ 69 rue de la République • 93800 SAINT-DENIS • Mᵒ Saint-Denis-Basilique • Tél. 01 42 43 69 00

15ᵉ ARRONDISSEMENT

JARDIN DES MARQUES

Dégriffés de grandes marques italiennes

17 bis bd Victor (15ᵉ)
Mᵒ Porte-de-Versailles
Tél. 01 45 33 62 02
*Lundi : 12 h-19 h ; mardi-
samedi : 10 h-19 h*

Ils sont pour la plupart de couleurs gaies, parfois violentes avec un esprit un peu provocateur. Plus de choix du côté homme, des vêtements aussi plus classiques. FEMME. Jean : 50 €. Blouson en jean : de 75 à 150 €. Top ou chemise : 50 €. – HOMME. Jean : 60 €. Pantalon : 65 €. Parka : 185 €.

OBER STOCK JEANS

Des jeans qui gomment les hanches

197 rue de la Convention (15ᵉ)
Mᵒ Convention
Tél. 01 42 50 01 09
*Lundi-samedi : 10 h-
19 h 30 ; dimanche :
9 h 30-13 h 30*

Ils font les jambes longues, la hanche menue et sont soldés ici toute l'année au titre de leur toute relative ancienneté (de 6 mois à 1 an). La boutique est toute petite (seul point noir, la cabine d'essayage l'est aussi) mais le choix des coloris et des tailles de jeans est vaste. Leur coût démarre à 30 €. Veste à 55 €, blouson à 55 € et tee-shirt à partir de 24 €.

SOMEWHERE

Sympathique prêt-à-porter

93 rue du Commerce (15ᵉ)
Mᵒ Commerce
Tél. 01 48 56 17 78
www.somewhere.com
Lundi-samedi : 10 h-19 h 30

Un beau magasin, vaste, aéré. Au premier étage, de belles cabines d'essayage et dans ces lieux des vêtements bien coupés à prix très raisonnables. FEMME. Pantalon : 39 €. Cardigan laine-polyamide : 45 €. – HOMME. Veste en jean : 43 €. Imper : 70 €. Polo : 25 €.

AUTRE ADRESSE
■ Marché Saint-Germain, Rue Clément, 6ᵉ • Mᵒ Mabillon • Tél. 01 43 26 82 12 • Lundi-samedi : 10 h-20 h

SURPLUS DOURSOUX

V'là l'adjudant qui rentre au quartier !

3 passage Alexandre (15ᵉ)
Mᵒ Pasteur
Tél. 01 43 27 00 97
Mardi-samedi : 10 h-19 h 30

En treillis (de 25 à 44 €), ceinturon et musette à l'appui, vous séduirez tout un régiment. A rechercher pour cet hiver : blousons d'aviateur et blousons en laine bouillie kaki (selon état : à partir de 54 €).

16ᵉ ARRONDISSEMENT

ESPACE NGR

Ventes privées

40 bis rue de Boulainvilliers (16ᵉ)
Mᵒ Boulainvilliers
Tél. 01 45 27 32 42
En général : mercredi-samedi : 11 h-19 h (inscription)

Il faut passer à l'adresse ci-dessus pour prendre un carton, le remplir, verser 10 € de cotisation annuelle afin de recevoir des invitations pour les ventes qui ont lieu toutes les semaines. Il s'agit d'un prêt-à-porter de bonne qualité à l'usage des familles.

FONDATION D'AUTEUIL

Fripes

40 rue La Fontaine (16ᵉ)
Mᵒ Église-d'Auteuil
ou Ranelagh ou Jasmin
Tél. 01 44 14 76 79
Lundi-vendredi : 14 h 30-18 h ; premier samedi du mois : 14 h 30-18 h

On aura intérêt à venir fureter fréquemment, les dons approvisionnant ce sympathique endroit étant de qualité irrégulière. Manteaux et robes habillées : 24 € ; robe : 17,25 € ; imper (Burberry's) : 40,10 €. – ENFANTS. Anoraks : 6,55 € ; jupes et pantalons : 5,80 € ; robes : 7,10 €.

L'OCCASERIE 16ᵉ

Dépôts-ventes de luxe

16 et 21 rue de l'Annonciation (16ᵉ)
Mᵒ La Muette ou Passy
Tél. 01 45 25 11 38
www.occaserie.com
Mardi-samedi : 11 h-19 h

Approvisionnée par les fonds de placards des élégantes du quartier, l'Occaserie offre vêtements de très grand luxe et petites griffes plus abordables FEMME. Pour elles, beaucoup de Chanel (tailleurs de 200 à 600 €) et d'Hermès, Chanel, Vuitton, Dior, Prada, etc. Veste de la collection 2000 : 600 €. Manteau de vison à 2 000 €. Beaucoup d'accessoires. Des montres Cartier, Rolex, Jaeger, Lecoultre, Mauboussin. – HOMME. Magasin au 19 rue de la Pompe : costumes Paul Smith à partir de 140 € et d'autres moins bien griffés à partir de 120 €. Chemises Lordissimo surpiquées à partir de 45 €. Des chemises impeccables à partir de 16 €. Chaussures Weston : 115 €. Assez peu de choix. **Réduction de 50 % au moment des soldes avec le guide ou la carte.**

AUTRES ADRESSES
- 19 rue de la Pompe, 16ᵉ • Mᵒ La Muette • Tél. 01 45 03 17 99 • Homme. Voir plus haut.
- 30 rue de la Pompe, 16ᵉ • Mᵒ La Muette • Tél. 01 45 03 16 56
- 14 rue Jean-Bologne, 16ᵉ • Mᵒ Passy • Tél. 01 45 27 32 40

17ᵉ ARRONDISSEMENT

DÉPÔT-VENTE DU 17ᵉ

Vêtements et cadeaux princiers

109 rue de Courcelles (17ᵉ)
Mᵒ Pereire
Tél. 01 40 53 80 82
Lundi : 14 h-19 h ; mardi-samedi : 10 h 30-19 h 30

Vu lors de notre passage, parmi d'autres sublimes tenues, pour femme : un ensemble Dior en jean stretch et zips (400 € au lieu de 1 000 €) ; une veste Hermès cavalière en whipcord (500 €) ; et un bon rayon habillé (robes à partir de 243,92 €). Pas mal d'accessoires, dont un sac Noé Vuitton monogramme (225 €) et une ceinture Hermès modèle H (150 €). Au sous-sol, les hommes s'habillent en costumes Hermès, Boss, Cerruti, Armani (autour de 220 €). Aux pieds, à enfiler des mocassins neufs de Lobb (270 €).

AUTRE ADRESSE
- 107 rue de Courcelles, 17ᵉ • Boutique de cadeaux en dépôt-vente. Vu des montres G de Gucci dans son écrin (600 € au lieu de 1 150 €), une montre Hermès neuve en or massif, dans son écrin (1 800 € au lieu de 3 700 €), un cendrier Hermès dans sa boîte d'origine (150 €), un service à thé et café en argent (400 €).

GOOD DEAL

Dégriffés « Victoire »

6 rue des Colonels-Renard (17ᵉ)
Mᵒ Charles-de-Gaulle-Étoile
Tél. 01 45 74 30 24
Mardi-samedi : 11 h-14 h, 15 h-19 h

A chaque saison et pour chaque sexe ses découvertes. Toutes les collections de l'année précédente au tiers des prix boutiques (minimum), homme et femme.

GUERRISOL

Fripes

19, 33, 48 av. de Clichy (17ᵉ)
Mᵒ Place-de-Clichy
Lundi-samedi : 10 h-19 h

Vêtements des années 60 à nos jours, mieux triés au numéro 33. Chemisiers à partir de 3 €. Robes, pantalons à partir de 3 €, manteaux et impers à partir de 5 €. Pour qui est un peu couturière, voilà matière à se faire une garde-robe mi-vintage (avons vu de jolies vestes et robes fleuries des années 47) mi-New Look. Promotions deux fois par semaine. Tous les magasins ont les mêmes horaires.

AUTRES ADRESSES
- 17 bis bd Rochechouart, 9ᵉ • Mᵒ Barbès-Rochechouart
- 9, 21 et 65 bd Barbès, 18ᵉ • Mᵒ Barbès-Rochechouart

JABI

Prix au ras des paquerettes

15 av. de Clichy (17ᵉ)
Mᵒ Place-de-Clichy
Tél. 01 42 93 67 45
Lundi-samedi : 9 h-19 h 30

Surtout ne pas tenir compte de l'aspect du magasin : on dirait de la fripe, mais c'est du neuf souvent d'excellente qualité. Vendeurs charmants. Possibilité d'échange sans limite. La famille trouvera de quoi endosser un prêt-à-porter de bonne qualité dans un style sportswear. Selon arrivages. HOMME. Pantalons en toile : 5 €. Polo ou bermuda de belle qualité : 20 €. Costume : environ 70 €. Jeans pour adultes des deux sexes : de 15 à 27 €. Pour les marques préférées des ados : 30 €. – FEMME. Parka : 50 €. Tee-shirt : à partir de 5 €. Beaucoup de lingerie ;

soutien-gorge ou slip : 5 €. L'hiver, des beaux pulls de fabrication anglaise, aux alentours de 30 €. – ENFANT. Imbattable pour les prix et la qualité des vêtements.

ODILE ROGER
Ventes de prêt-à-porter

7 rue Bridaine (17ᵉ)
Mᵒ Rome
Tél. 01 44 70 95 94
odile.roger@club-internet.fr

Écrire ou envoyer un e-mail pour s'inscrire afin de recevoir des invitations pour des ventes de prêt-à-porter, accessoires et parfois lingerie de marques de qualité.

18ᵉ ARRONDISSEMENT

TATI
Toujours le moins cher

4 bd Rochechouart (18ᵉ)
Mᵒ Barbès-Rochechouart
Tél. 01 55 29 50 00
www.tati.fr
*Lundi-vendredi : 10 h-19 h ;
samedi : 9 h 15-19 h*

Depuis cinquante ans c'est toujours au corps à corps qu'on arrache des bacs les collants (0,76 € la paire), tee-shirts blancs (3,20 €), les grenouillères (5,56 €)... Premier étage : une jolie ligne consacrée aux jeunes filles. Pull polaire à 8,99 €, jean à 5,99 €, soutien-gorge à 6 €, pantalon à 15,09 €. Deuxième étage : des vêtures pour les trentenaires et un ample rayon de vêtements X et XXL. A l'automne s'y trouvent des tailleurs à 45 €. Dans les magasins voisins : robe de mariée de 70 à 305 € (en soie sauvage).

AUTRES ADRESSES
- 172 rue du Temple, 3ᵉ • Mᵒ République • Tél. 01 42 71 41 77 • Lundi-samedi : 9 h 30-19 h 15
- 106 rue du Faubourg-du-Temple, 11ᵉ • Mᵒ Belleville • Tél. 01 43 57 92 80
- Centre Commercial Italie 2, 30 av. d'Italie, 13ᵉ • Mᵒ Place-d'Italie • Tél. 01 53 80 97 70
- Galerie Gaîté-Montparnasse, 68 av. du Maine, 14ᵉ • Mᵒ Gaîté • Tél. 01 56 80 06 80 • Lundi-samedi : 10 h-19 h 30 • Robes de mariée et lingerie.
- 5 rue Belhomme, 18ᵉ • Mᵒ Barbès-Rochechouart • Tél. 01 55 29 52 50 • Vive la mariée !
- Neuf adresses en banlieue : consultez le site Internet.

19ᵉ ARRONDISSEMENT

LA HALLE AUX VÊTEMENTS
Famille, je vous aime !

26 av. de Flandre (19ᵉ)
Mᵒ Stalingrad
Tél. 01 53 35 04 25
ou 0 800 10 23 20
(service clientèle)
Lundi-samedi : 10 h-19 h

La Halle habille la famille tout en suivant la mode, une mode sport-ville avec un petit faible pour la jeune classe, voire très jeune (1 an). ENFANTS. Jean travaillé : 25,91 €. Petit pull 8 ans : 22,85 €. Grenouillère 1 an : 13,71 €. – HOMME. Chemise : 12,19 €. – FEMME. Jean ou pantalon : 27,44 €. Pull acrylique laine : 26,66 €. Un rayon de vêtements de sport. Autres adresses (une trentaine en banlieue) au téléphone du service clientèle ci-contre. Tout à côté : la Halle aux chaussures où on ira compléter sa garde-robe.

SYMPA
Dégriffés plutôt jeunes

202 av. Jean-Jaurès (19ᵉ)
Mᵒ Porte-de-Pantin
Tél. 01 42 00 67 16
Tous les jours : 10 h-19 h 30 ; samedi : 10 h-19 h

Un très grand choix de vêtements dégriffés des saisons précédentes (Naf Naf, Vertigo, Infinitif, Sinéquanone...) pas chers, alors qu'importe le flacon, débordent des casiers. On joue des coudes. A l'entrée du magasin, des étagères pleines de petits pots de crèmes, de shampooings et autres produits d'hygiène. Un bon rayon lingerie avec de très grandes tailles, un vaste rayon enfant. Des stocks qui changent très vite à des prix très mobiles.

AUTRES ADRESSES

- 18 rue d'Orsel, 18e • M° Anvers ou Barbès • Tél. 01 42 62 22 73
- Rue de Montauban, Lot de la Hayette • 77100 MAREUIL-LES-MEAUX • Tél. 01 60 41 07 25
  • Mardi-dimanche : 10 h-13 h, 14 h-19 h
- 23 rue Jean-Jaurès • 77130 MONTEREAU • Tél. 01 60 96 11 85 ou 01 64 70 25 54
- 25 ter rue Saint-Denis • 92700 COLOMBES • Tél. 01 46 49 39 35 • Mardi-samedi : 10 h-19 h
- 60 bis bd Richard-Wallace • 92800 PUTEAUX • Tél. 01 42 04 69 20 • Mardi-samedi : 10 h 15-19 h • Pas de rayon homme.
- 27 av. de Paris • 94300 VINCENNES • M° Henri-Bérault • Tél. 01 48 08 43 66

20e ARRONDISSEMENT

DING FRING
S'habiller à moins de 15 €

340 rue des Pyrénées (20e)
M° Jourdain
Tél. 01 40 33 69 07
Lundi : 15 h-19 h ; mardi-vendredi : 10 h-13 h, 15 h-19 h ; samedi : 10 h-19 h

Quand les nuages noirs s'abattent, il est bon de venir ici refaire la garde-robe de toute la famille : pantalons, jupes, pulls, hauts et bas de joggings pour hommes et femmes coûtent de 6,50 € à 16 € les trois pièces. Les manteaux et vestes pour enfants de 6,50 € à 9,15 €. Pour les enfants, système de lot selon les tranches d'âge (trois achetés, un offert).

AUTRES ADRESSES

- 5 rue aux Moutons, Place de la Mairie • 78300 POISSY • Tél. 01 39 65 35 83 • Lundi : 14 h 30-18 h 30 ; mardi-vendredi : 9 h 30-12 h 30, 14 h 30-18 h 30 ; dimanche : 9 h 30-12 h 30
- 9 rue d'Andrésy • 78570 CHANTELOUP-LES-VIGNES • Tél. 01 39 27 01 92 • Lundi-samedi : 9 h 30-12 h 30, 14 h 30-18 h 30
- 1 rue de la Bretonnerie • 95300 PONTOISE • Tél. 01 30 38 08 80 • Lundi-samedi : 9 h 30-13 h, 15 h-18 h 30

MOMO LE MOINS CHER
Abondance de fripes

31 rue de Ménilmontant
(20e)
M° Ménilmontant
Tél. 01 43 49 28 16

Chemises hawaïennes à partir de 3 €, vestes en cuir à 35,99 €, en daim à 29,90 € et robe années 60-70 à 10 €. – Lundi-samedi : 10 h-19 h.

77 SEINE-ET-MARNE

GERRY
Lignes classiques espagnoles

La Valllée Shopping Village
3 cours de la Garonne
77700 SERRIS
Accès : voir p. 395
Tél. 01 60 43 41 69
www.lavalleevillage.com

Un ordinaire soigné pour aller travailler. Jean : 48 € au lieu de 74 €. Doudoune : 94 € au lieu de 140 €. Tee-shirt : 24 € au lieu de 37 €. Veste en cuir courte : 195 € au lieu de 312 €. Veste en jean : 72 € au lieu de 125 €. – Lundi-samedi : 10 h-20 h (19 h en hiver) ; dimanche : 11 h-19 h.

GIAN FRANCO FERRÉ
Accessoires et prêt-à-porter du grand Ferré

La Vallée Shopping Village
3 cours de la Garonne
77700 SERRIS
Accès : voir p. 395
Tél. 01 60 42 02 91
www.lavalleevillage.com
Lundi-samedi : 10 h-20 h
(19 h en hiver) ; dimanche : 11 h-19 h

Luxe absolu… et abordable. Qui n'a rêvé de s'offrir un jour des modèles de ce génie de la coupe, dont l'œil assemble aussi les couleurs avec une sûreté incomparable. Dotez votre homme d'une chemise (entre 45 et 60 €), d'un blouson (150 €), d'un pantalon à pinces (79 € au lieu de 100 €), et d'un costume à partir de 380 €. Attribuez-vous un beau tailleur en laine (380 €), un manteau (à garder des années tant il est beau : 100 €) et un sac simple mais classieux (170 € au lieu de 237 €). Accueil charmant.

RIVERWOODS

La Vallée Shopping Village
77700 SERRIS
Accès : voir p. 395
Tél. 01 60 43 30 48
*Lundi-samedi : 10 h-20 h
(19 h en hiver) ; dimanche :
11 h-19 h*

C'est dans ces murs que la famille entière s'approvisionnera en chemises à carreaux. Une très grande gamme d'écossais pastel ou plus forts en ton s'offre au regard (55 € au lieu de 83 €), complétée par des chambray (cotons épais, souvent travaillés en chevrons).

TOMMY HILFIGER

La Vallée Shopping Village
3 cours de la Garonne
77700 SERRIS
Accès : voir p. 395
Tél. 01 60 42 05 27
www.lavalleevillage.com
*Lundi-samedi : 10 h-20 h
(19 h en hiver) ; dimanche :
11 h-19 h*

Vêtements pour travailler en décontracté et trottiner dans les forêts. FEMME. Jean à 49 € au lieu de 75 €. Tee-shirt à 20 € au lieu de 36 €. Blouson d'été à 57 € avec petite poche à fermeture Éclair sur la manche. – HOMME. Jean au même prix. Tee-shirt : 20 à 25 €. Blouson : 75 €. Aussi un rayon enfant.

92 HAUTS-DE-SEINE

LECLERC VÊTEMENTS

117 av. du Général-Leclerc
92340 BOURG-LA-REINE
RER B, Bourg-la-Reine
Tél. 01 43 50 06 96
*Mardi-samedi : 10 h-
12 h 30, 14 h 30-19 h*

On s'applique à suivre au plus près les dernières tendances de la mode, plus particulièrement en jeans et streetwear. Des marques comme s'il en pleuvait : Levi's, Burlington, Lee, DDP, Schott, Reebok, Arrow, Rip-Curl, Ellesse, Pierre Cardin, Wrangler, Sergio Tacchini, Ted Lapidus, Balmain, Docker's, etc. Pas d'exemples de prix, mais une promesse : à moins de promotion exceptionnelle, on ne trouvera pas moins cher ailleurs. Linge de maison et literie de 30 à 35 % moins chers que dans les grands magasins.

AUTRES ADRESSES
- 16 av. Cep • 78300 POISSY • Tél. 01 30 74 51 22
- 17 rue Blazy • 91260 JUVISY-SUR-ORGE • Tél. 01 69 21 56 39
- 2 bis place du Maréchal-Foch • 92000 NANTERRE • RER A, Nanterre-Ville • Tél. 01 47 21 86 36 • Mardi-samedi : 10 h-12 h 30, 14 h 30-19 h ; dimanche : 10 h-12 h 30 • Pas de literie et de linge de maison.

LA POIRE EN DEUX

42 rue Carnot
92300 LEVALLOIS-PERRET
M° Anatole-France
Tél. 01 47 57 25 00
*Mardi-samedi : 10 h-19 h ;
dimanche : 10 h-13 h*

50 % de réduction sur des fins de séries et retours de magasins de grandes marques de vêtements pour toute la famille, chaussures, sacs, produits de beauté, jeux pour enfants... dont il faut taire les noms. Un beau rayon pour les enfants et d'intéressants vêtements de ski l'hiver. FEMME. Pulls à 46 €, manteau laine et cachemire à partir de 151 €, escarpins de grand couturier : 35 €. Bottes : 80 €. – HOMME. Costumes en supercent à partir de 227 €, jeans : 30 €. – ENFANT. Débardeurs : 4,50 €.

AUTRES ADRESSES
- 9 av. du Général-Patton • 77000 MELUN • Tél. 01 60 68 41 97
- 24-28 bd de la République • 78400 CHATOU • Tél. 01 39 52 01 13
- 1356 av. Roger-Salengro • 92370 CHAVILLE • Tél. 01 47 50 04 51

ESPACE SJ

32 rue des Poissonniers
92200 NEUILLY
M° Pont-de-Neuilly
Tél. 01 47 45 88 00
Mardi-vendredi : 11 h-19 h
(inscriptions)

Ventes privées de prêt-à-porter

Ventes chaque semaine de vêtements de grandes et moyennes marques de prêt-à-porter auxquels s'ajoutent des accessoires. Beaucoup de choses pour les enfants. L'inscription est gratuite.

VIA APPIA

3 rue de l'Église
92200 NEUILLY
M° Pont-de-Neuilly
Tél. 01 40 88 09 69
Lundi : 14 h 30-19 h ;
mardi-samedi : 10 h-14 h,
15 h-19 h

Chemises, pulls, foulards et ceintures italiens

Écossais, blancs ou pastel, chemises, lingerie féminine et accessoires pour les deux sexes, d'un classicisme absolu. Chemises à partir de 40 €. Pull en soie cachemire à partir de 80 €. Twin-set en soie cachemire à partir de 183 €. Ceinture : à partir de 15 €. Pyjama (pantalons longs) en coton à rayures et écossais, tels ceux que portait John Knox : 45 €.

93 SEINE-SAINT-DENIS

LEVI'S

Marques Avenue
9 quai Le Châtelier
93450 L'ÎLE-SAINT-DENIS
Accès : voir p. 397
Tél. 01 42 43 93 97
Lundi-vendredi : 11 h-20 h ;
samedi : 10 h-20 h

Stock

Entre 30 et 60 % de réduction sur tous les modèles, qui valent ici environ de 41 à 55 €. Cette année on portera un « boutcut », traduisez : un Levi's (n° 507) évasé du bas sans être patt' d'eph. Le baggy (n° 0002), à coutures tournantes, se porte toujours. Le classique 542 aussi. Les ados préfèrent les tailles basses (n° 525, 544, 565, 595) et les porteront délavés avec une nuance de vert. Quant aux dames dont les hanches s'arrondissent, elles se dirigeront vers les n° 535 et 583 qui les envelopperont élégamment.

BIGAL'S

9 place Jean-Jaurès
93200 SAINT-DENIS
M° Saint-Denis-Basilique
Tél. 01 42 43 54 60
Mardi-samedi : 9 h-19 h ;
dimanche : 8 h-15 h

Fabricant de tee-shirts

Il en produit des milliers pour une grande chaîne qui les exige bien coupés, dans un beau coton. Ici, ils sont vendus 35 % moins chers et s'écoulent en flots au rythme de grandes marées, au prix de 6 € (16 € les trois). Pantalons de jogging : 8 € (15 € les deux). A côté, un vaste magasin de vêtements d'enfants tout aussi intéressant. Accueil partout très souriant.

94 VAL-DE-MARNE

CYRILLUS STOCK

64 rue Defrance
94300 VINCENNES
M° Château-de-Vincennes
Tél. 01 41 74 65 00
Lundi : 14 h-19 h ; mardi-
samedi : 10 h-19 h

Coupes précises et classiques

On achètera en priorité les vêtements portant sur l'étiquette (-20 % ou fins de collection). HOMME. Duffle-coat camel : 209,86 €. Pull en V en lambswool : 39,45 €. Pantalon droit : à partir de 75,46 €. – FEMME. Veste cintrée en velours bronze : 106 €. Pantalon assorti : 54 €. Manteau en chevrons marron : 167,79 €. Pull torsadé : 62,59 €. – ENFANT. Jean 5 poches du 4 au 16 ans : 22,87 €. Pull 6 ans : 29,73 €.

DYNAMIT'

27 av. du Château
94130 VINCENNES

Mode quotidienne pour des sommes dérisoires

Toute la famille s'y habille de lots de griffés et dégriffés de marques de prêt-à-porter honorables. Des

Mᵒ Château-de-Vincennes
Tél. 01 43 65 06 05
Mardi-samedi : 10 h-19 h

chemises pour papa de 10 à 20 € ; pour maman, une veste en cuir à 60 €, un pantalon à 11 €, des soutiens-gorge de 5 à 12 €, et pour le petit dernier, un bas de jogging à 4 €. Chaussures, sacs de belles griffes selon les arrivages. Venir souvent, le stock se renouvelle très vite.

95 VAL-D'OISE

ARMOR LUX
Loups de mer

Quai des Marques
95130 FRANCONVILLE
Accès : voir p. 398
Tél. 01 34 15 34 73
Lundi-vendredi : 11 h-20 h ;
samedi : 10 h-20 h

-30 à 40 %. Moins de choix qu'à Quimper qui est hélas un peu loin. Débardeur rayé, à col rond : à partir de 20 €. Vareuse en coton orangé comme certaines voiles de bateau dans le port de Loctudy : 41 €. Casquette : 8 €. Tee-shirt en douze couleurs (qui ne bougent pas au lavage) : 15 €. Pull en laine : à partir de 36 €.

TRICOMER
Stock de pulls

Quai des Marques
395 av. du Général-Leclerc
95130 FRANCONVILLE
Accès : voir p. 398
Tél. 01 34 15 55 72
Lundi-vendredi : 11 h-20 h ;
samedi : 10 h-20 h

Classique, classique. Des gros pulls marins 100 % laine boutonnés sur l'épaule, bleu marine et à rayures (50 €). Nouveau, en coton, des teintes plus jeunes, plus surprenantes (tels ce fuchsia ou ce rouille), très belles sur homme et femme (pulls aux environs de 35 €). Pour femme, de jolies robes cintrées à 45 € et des jupes en jean bien coupées à 29 €. On offrira aux moussaillons, de 2 à 16 ans, des bonnets en laine à 8 €.

AIGLE
Stock Aigle et laines polaires

Usines Center
ZI Paris-Nord II
95952 ROISSY-CDG
Accès : voir p. 399
Tél. 01 48 63 76 13
Lundi-vendredi : 11 h-19 h ;
samedi-dimanche : 10 h-20 h

A retenir pour ses bonnes chaussures de rando (Goretex et semelles solides) qui tiennent bien les chevilles (61,74 €) et les équipements d'équitation. Bottes en caoutchouc doublées cuir : 87,50 € au lieu de 100 €. Boots : 40 €. Pantalon à moitié prix : 40 €. Imper de type australien à enduction microporeuse (ce qui signifie que la doublure rend les mêmes services que le Goretex) : 85 € au lieu de 135 €. Des chemises en laine polaire à partir de 50 €.

Quelques autres adresses

Trouvailles de dernière minute, bons plans susurrés par nos lecteurs ou découvertes ne méritant pas de longs développements, voici encore, en vrac, quelques autres adresses de bon conseil.

2ᵉ ARRONDISSEMENT

ESPACE CASHMERE
101 et 103 rue de Réaumur, 2ᵉ • Mᵒ Sentier • Tél. 01 42 36 68 53 • www.cachemire.com • Lundi-samedi : 10 h-18 h 30

Pull en cachemire et soie (de 75 à 151 €) à glisser sous un blouson de cuir ; gros pull tricoté six fils pour les RTT prolongés... On les découvre au long des vastes rayons de cette belle boutique. Cachemires écossais sans aucune couture (227 €), des twin-sets 100 % cachemire dans des teintes pastel ou acidulées (273 €). AUTRES ADRESSES. 10 av. de Longueil, 78600 MAISONS-LAFFITTE, Tél. 01 34 93 92 93. – 37 rue de Pologne, 78100 SAINT-GERMAIN-EN-LAYE, Tél. 01 39 10 07 40. – 144 av. Charles-de-Gaulle, 92200 NEUILLY-SUR-SEINE, Tél. 01 47 45 30 50.

12ᵉ ARRONDISSEMENT

ESPACE MODE
156 rue du Faubourg-Saint-Antoine, 12ᵉ

• Mᵒ Faidherbe-Chaligny • Tél. 01 44 73 94 15
• Mardi-samedi : 10 h-19 h

L'endroit ne paie pas de mine mais on y vient pour fouiller dans ce qui est une mine de vêtements quotidiens sans chichis. FEMME. Manteau long noir (70 % laine) : 70 €. Manteau en faux mouton retourné : 60 €. Jean à 20 € ; veste longue ceinturée en acrylique : 15 €. – HOMME. Pantalons et pulls de grandes marques : 30 €. Pantalons et pulls pour tous les jours : 10 à 15 €. Belles chaussettes et slips à 4,50 €. – ENFANT. Pyjama en velours (jusqu'au 14 ans) : 9 €. Pantalon : 6 €. Jogging : 8 €.

15ᵉ ARRONDISSEMENT

MISTIGRIFF
83-85 rue Saint-Charles, 15ᵉ • Mᵒ Charles-Michels • Tél. 01 53 95 32 40 • Lundi-samedi : 10 h-19 h 30

Beaucoup de lingerie avec des soutiens-gorge de marques à partir de 4,40 et 5,90 €. • AUTRES ADRESSES. 18 rue de la Varenne, 94100 SAINT-MAUR-DES-FOSSÉS, Tél. 01 48 89 48 00. – 83-85 av. Georges-Clemenceau, 92000 NANTERRE, Tél. 01 47 24 33 56. – 29-31 rue d'Alsace, 92300 LEVALLOIS-PERRET, Tél. 01 42 70 56 00. – 113 av. d'Argenteuil, 92600 ASNIÈRES, Tél. 01 47 33 00 04. – 6-8 av. de Paris, 94800 VILLEJUIF, Tél. 01 34 38 28 48 ; lundi-

samedi : 10 h-19 h 30. – 46-48 av. du Général-Leclerc, 92100 BOULOGNE, Tél. 01 47 12 90 64. – 6 rue du Général-Leclerc, 78360 MONTESSON, Tél. 01 34 80 60 60. – 9 av. Aristide-Briand, 92160 ANTONY, Tél. 01 46 66 40 10. – 94 av. Aristide-Briand, 92120 MONTROUGE, Tél. 01 47 46 12 72 ; lundi-samedi : 10 h-19 h 30.

78 YVELINES

GALERIE SAINT-PIERRE
1 ter passage Saint-Pierre • 78000 VERSAILLES • RER C, Versailles-Rive-Droite • Tél. 01 30 21 15 30 • Lundi : 10 h 30-19 h ; mardi-vendredi : 9 h 30-19 h ; dimanche : 10 h 30-13 h

Vêtements discount BCBG.

93 SEINE-SAINT-DENIS

RODIER
Marques Avenue • 93450 L'ÎLE-SAINT-DENIS • Accès : voir p. 397 • Tél. 01 48 13 33 64 • Lundi-vendredi : 11 h-20 h ; samedi : 10 h-20 h

Dégriffés Rodier. Plus de 40 % de réduction hors soldes. Jupes : 57 €. Veste : 135 €. Pull : 45 €. Cardigans : 48 €. AUTRE ADRESSE. Espace Belgrand, 13 av. Victor-Hugo, 93320 PAVILLONS-SOUS-BOIS, Mᵒ Bobigny + bus 347, Tél. 01 48 48 56 66.

Pour obtenir la carte Paris Pas Cher 2004, reportez-vous à la fin de l'ouvrage, remplissez le questionnaire et renvoyez-le à l'adresse suivante :

**Paris Pas Cher
19 av. Georges-Brassens
94550 Chevilly-Larue**

VÊTEMENTS homme

1er ARRONDISSEMENT

LES CISEAUX D'ARGENT
Dégriffés de marques prestigieuses

156 rue de Rivoli (1er)
M° Louvre
Tél. 01 42 61 09 44
Lundi : 14 h 30-19 h ;
mardi-samedi : 10 h-19 h

De beaux costumes aux prix révisés à la baisse, à partir de 199 €. Chemises de grands couturiers : 36,39 €. Pantalons : 46 €. Vestes ou blazers à partir de 137 €. Vous ne repartirez pas pieds nus : il y a même un rayon de chaussures. Grand choix de smokings. Accueil souriant.

AUTRE ADRESSE
■ **Home Stock** • 102 bd Voltaire, 11e • M° Saint-Ambroise ou Voltaire • Tél. 01 47 00 53 54 • Ici aussi, costumes dégriffés de grands couturiers italiens à partir de 199 €.

YVES DORCEY
Du sûr !

53 rue de Rivoli (1er)
M° Châtelet
Tél. 01 42 33 74 80
Lundi-samedi : 9 h 30-
19 h 30

L'homme moderne et classique pourra s'habiller de costumes pure laine, super cent et super cent vingt entre 150 et 300 €. Pantalons sobres dès 20 €, chemises unies ou fantaisie dès 10 €, polos 100 % coton 10 €, tee-shirts 15 €. Accueil souriant.

AUTRE ADRESSE
■ 44 bd Rochechouart, 18e • M° Anvers • Tél. 01 42 51 20 05

2e ARRONDISSEMENT

JONAS ET CIE
Look chic et Cie

♨ 19 rue d'Aboukir
(en étage) (2e)
M° Sentier
Tél. 01 42 33 30 32
Lundi-samedi : 9 h 30-19 h

Belles matières made in Italy pour des costumes en super cent vingt à partir de 305 €. Vestes laine et cachemire : 198 €. Pantalon en super cent vingt de 75 à 99 €. Belles chemises 100 % coton à partir de 45 € (80 € les deux). Prêt-à-porter et sur mesure. Spécialiste du costume de mariage. Rayon chaussures made in Italy : 250 €. **Retouches offertes avec le guide ou la carte.**

LAUDI CINA
Prezzo ridotto

Ⓐ 57 rue de Richelieu (2e)
M° Bourse
♨ Tél. 01 42 97 43 62
Fax : 01 42 97 46 81
Lundi-samedi : 10 h 30-19 h

Pour les amateurs de coupes italiennes c'est le « paradiso ». Costumes en laine Cerruti à partir de 290 €. Vestes : 160 €. Chemises : 46 €. Pantalons fabrication maison : 64 €. Les cravates valent le détour ; c'est du fait main made in Francia à partir de 38 €. Service retouche. **Remise de 5 % avec le guide ou la carte (pour un achat de 152 €). Petites retouches offertes.**

Ⓐ **Adresse particulièrement recommandée**

♔ **Adresse haut de gamme : le luxe à prix abordable**

ANATOLE
Sacré Anatole

8 rue Béranger (3e)
M° République
Tél. 01 44 78 03 55
Lundi-samedi : 9 h-18 h 30

En direct d'usine de beaux costumes siglés Cerruti, Reda, Barberis, Marzotto, Fintes (à partir de 205,81 €). Costume en super cent quarante : 213,43 €. Bon choix de chemises (ville et fantaisie) à partir de 15,24 €. Vestes : 99 €. Impers trois-quarts ou longs : 137,20 €. Anatole habille aussi les « hommes forts » jusqu'à la taille 80 et les très grands (jusqu'à 2,10 m). **Remise de 10 % (déjà incluse dans les prix donnés ci-dessus) avec le guide ou la carte.**

AUTRES ADRESSES
- 11 rue Dupuis, 3e • M° République • Tél. 01 40 27 06 73 • Lundi-samedi : 9 h-18 h
- 5 bis rue Béranger, 3e • M° République • Tél. 01 40 27 85 35

JOHANN
En direct de Johann

104 rue de Turenne (3e)
M° Filles-du-Calvaire ou
Saint-Sébastien-Froissart
Tél. 01 40 27 03 06
www.johann.fr
*Lundi-vendredi : 10 h-13 h,
14 h 30-18 h 30 ; samedi :
10 h-19 h*

Ce fabricant taille les costumes dans les tissus italiens Cerruti et Ermenegildo Zegna (304 €) ou plus classique dans les draperies Dormeuil (227 €) ou plus tendance dans du Vitale Barberis (à partir de 243 €). Chemises 100 % coton : 38 € l'une ou 91 € les trois. Costumes habillés, smoking… à prix intéressant. **Un cadeau offert avec le guide ou la carte.**

AUTRE ADRESSE
- 12 rue Saint-Claude, 3e • M° Filles-du-Calvaire ou Saint-Sébastien-Froissart • Tél. 01 40 27 08 20 • Lundi-vendredi : 10 h-13 h, 14 h 30-18 h 30 ; samedi : 10 h-19 h • Costumes sur mesure à partir de 500 €. Chemises sur mesure à partir de 70 €. Tissu, métrage et coupe sont choisis par le client. Délais rapides et bon accueil.

LIONEL NATH
Fabricant à prix détaillant

7 rue Béranger (3e)
M° République
Tél. 01 48 87 81 30
Fax : 01 48 87 95 41
*Lundi : 9 h 30-18 h 30 ;
mardi-samedi : 9 h-18 h 30*

Ce fabricant grossiste détaille aussi à prix rétrécis. Costumes en laine Lanificio de Cerruti : 274 €. Costume en draperie Dormeuil : 380 €. Chemises : 38 €. Pantalons : 46 €. Vestes à partir de 106 €. Accueil chaleureux et compétent. Les prix n'ont pas changé depuis deux ans. Chic et classique.

LORDISSIMO
Razzia sur les chemises

64 rue de Turenne (3e)
M° St-Sébastien-Froissart
Tél. 01 42 71 06 95
*Lundi-vendredi : 9 h-13 h,
14 h-18 h ; samedi : 10 h-
18 h 30*

Faites votre choix, messieurs, ici des chemises pour tous les goûts et tous les styles. Très grand choix de tissus, de formes et de couleurs, de l'uni à l'imprimé. Prix maintenus toute l'année. Caleçons : 9 €. Cravates en soie tissées ou imprimées : 15 €. Chemises : à partir de 22,50 €. Accueil courtois.

OUTRE-MER
Pour varappeurs, loups de mer et motards

48 bd du Temple (3e)
M° République
Tél. 01 43 38 08 18
www.dual.net/outre-mer
*Mardi-samedi : 10 h-
12 h 30, 14 h-18 h 30*

Pour affronter les vents du Nord, cagoules grands froids : 22,50 €. Pour battre les sentiers, rangers « pompier » à zip : 109 €. Pour essuyer les embruns, bonnets de quart Saint-James : 12 €. Maillots rayés de la Marine nationale 100 % coton : 37,50 €. Pour les nostalgiques de Rambo, shorts camouflage : 23 €. Combinaison parachutiste : 75,50 €. Gros blousons en laine polaire : 85 €.

Gants cuir : 22,50 €. Chemises polaires : 30 €. Accueil sympathique. Un rayon d'occasions. **Remise de 8 % (sauf le Goretex à -5 %) avec le guide ou la carte.**

PRESTIGE HOMMES

79 rue de Turbigo (3ᵉ)
M° Temple ou République
Tél. 01 48 87 44 88
Fax : 01 48 87 85 53
Lundi : 14 h-19 h ; mardi-samedi : 10 h-19 h

Du prestigieux au meilleur prix

Ici, on privilégie les grandes marques, chics et sans mauvaises surprises. Costumes Givenchy : 487 €. Vestes Ted Lapidus : à partir de 250 €. Bon rayon sportswear. Chemises Arrow : 65 €. Chaussures Church et Paraboot, vendues 10 % moins cher qu'ailleurs. Atelier de retouches sur place. Accueil très attentionné. **Remise de 5 % pour l'achat d'un costume ou d'une veste + une housse de voyage, avec le guide ou la carte. Retouches offertes.**

STOCK B

114 rue de Turenne
Magasin au fond
de la cour (3ᵉ)
M° République
Tél. 01 53 01 56 35
Lundi-samedi : 9 h-18 h 30

L'entrepôt des griffes au masculin

Saint-Laurent jusqu'en décembre, Kenzo, Givenchy, Scherrer... des griffes prestigieuses se bousculent dans ce stock. Costumes à partir de 300 € pour les grandes marques et de 200 € pour le prêt-à-porter. Belles chemises Saint-Laurent : 45 €. Saharienne : 75 €. Les costumes se graduent jusqu'à la taille 64, les pantalons jusqu'à la taille 56. Rayon chaussures Kenzo et Gant. Arrivages réguliers, promotions nombreuses, carte de fidélité. Un rayon deuxième choix avec des réductions importantes. Service retouches à petits prix. **Remise de 10 % avec le guide ou la carte, hors soldes.**

4ᵉ ARRONDISSEMENT

BOY'Z BAZAAR STOCK

8 square Sainte-Croix-de-la-Bretonnerie (4ᵉ)
M° Hôtel-de-Ville
Tél. 01 48 87 31 57
Vendredi-lundi : 13 h-21 h

Cool et branché

Accueil décontracté dans ce nouveau magasin pour les garçons où l'on peut essayer sans complexe des tee-shirts et des pulls moulants ou plus amples à partir de 20 €. Des pantalons et des chemises tendance à partir de 15 €, des blousons en velours à 40 € et même des chaussures de 50 à 75 €. Le style ? Streetwear. Les marques : Bantou, Diesel, Replay, Quick, Adidas. Attention : pas de grandes tailles.

MASCULIN DIRECT

18 rue des Archives (4ᵉ)
M° Hôtel-de-Ville
Tél. 01 42 77 16 56
Fax : 01 42 77 00 34
Lundi : 14 h-19 h ; mardi-samedi : 10 h-19 h

Grandes griffes en direct

Ce fabricant nous vend de grandes marques françaises (Bayard, Georges Rech, Pierre Cardin, Ted Lapidus). Les costumes oscillent de 199 à 319 €. Vestes ou blazers de 119 à 199 €. Pantalons à partir de 45 €. Beaux pulls en coton, en lin ou en pure laine. Rayon sur mesure. Carte privilège de fidélité.

AUTRE ADRESSE

■ 38/48 rue Victor-Hugo • 92532 LEVALLOIS • Tél. 01 47 30 87 34 • Lundi-samedi : 10 h 30-19 h 30

MIRÈNE

76 rue de Rivoli (4ᵉ)
Mᵒ Hôtel-de-Ville
Tél. 01 48 87 75 15
Fax : 01 48 04 71 73
Lundi : 13 h 30-19 h ;
mardi-samedi : 10 h-19 h

Belles matières, façon pas chère

Costumes Dormeuil ou Marzotto à partir de 145 €. Costumes Cerruti à partir de 259 €. Costumes en lin à partir de 89 €. Vestes à partir de 58 €. Chemises Emmanuelle Khan à 31 € et tee-shirts divers dès 8 €. Rayon cuir uniquement en hiver. Accueil sympathique et vrais conseils. **Retouches gratuites avec le guide ou la carte.**

6ᵉ ARRONDISSEMENT

HOLLINGTON

9 rue Racine (6ᵉ)
Mᵒ Odéon ou Cluny
Tél. 01 43 25 54 79
Fax : 01 40 46 95 19
Lundi-samedi : 10 h-19 h

Pour post-soixante-huitards

Depuis 35 ans, Patrick Hollington propose sa mode et sa conception de l'homme moderne. Tout est fabriqué en matières naturelles : coton, lin, laine… et tout peut s'acheter séparément. Autre particularité : les coupes déstructurées. Enfin, vestes et chemises sans col ainsi qu'autres gilets multipoches (jusqu'à 20 !) font la joie des habitués (beaucoup d'artistes et professions libérales). Pantalons à partir de 100 €, vestes à partir de 120 €.

SNAEJ

47 rue Saint-André-des-Arts (6ᵉ)
Mᵒ Odéon
Tél. 01 43 25 47 17
Lundi-samedi : 10 h-
19 h 30 ; dimanche : 14 h-
19 h 30

Chic, hype, classe

Les marques hype tiennent le haut des cintres : BLK, Free, IKO, Be Up, etc. Petit blouson en imitation cuir : 72 €. Pull zippé stretch chaussette délavé : 55 €. Toute une gamme de chemises en fausse peau froissée : à partir de 43 €. Jeans Free : 79 €. Parka style italien chic : 99 €. Chaussures Be Up style italien : 106 à 150 €.

STANLEY BURTIN

22 place Saint-André-des-Arts (6ᵉ)
Mᵒ Saint-Michel
Tél. 01 43 26 22 26
Lundi : 14 h-19 h ; mardi-
vendredi : 10 h-13 h, 14 h-
19 h ; samedi : 10 h-
19 h 30

Du style

Une élégante boutique, repaire d'habitués, qui se cache à l'ombre de la place Saint-Michel. Résolument tournée vers le sportswear chic, la maison propose aussi vêtements et chaussures (Timberland) pour le nautisme. Beaucoup de promotions à -20 et -30 %. Bon accueil et conseils compétents.

9ᵉ ARRONDISSEMENT

ATLANTIQUE TEXTILES

35 rue du Faubourg-Poissonnière (9ᵉ)
Mᵒ Poissonnière
ou Bonne-Nouvelle
Tél. 01 45 23 36 55
Lundi-jeudi : 10 h-13 h,
14 h-18 h ; vendredi : 10 h-
13 h, 14 h-16 h 30

Côté Atlantique

Ami lecteur, attention ! A l'heure où nous écrivons ces lignes, Atlantique Textiles ne sait encore s'il va – ou non – fermer ses portes. S'il est encore ouvert (vérifier par téléphone) c'est une bonne adresse de fabricant qui détaille ses modèles aux particuliers : costumes 100 % laine à partir de 150 €, pantalons à partir de 60 €. Et, pour seulement deux semaines d'attente, un costume sur mesure… le tout dans une ambiance très famille. **Une cravate offerte avec le guide ou la carte pour l'achat d'un costume.**

COMPTOIR DES CHEMISES ET ACCESSOIRES

Une certaine idée du luxe

10 rue de Sèze (9ᵉ)
Mᵒ Madeleine
Tél. 01 47 42 99 73
Fax : 01 47 42 99 73
Lundi-samedi : 10 h 30-19 h

Dans ce très beau lieu feutré et de bon goût, on s'empressera d'acheter des chemises en lin entre 31 et 55 €, des chemises en double-fil retors entre 45 et 68 €, des pulls moelleux à 75 €, des pantalons classiques à 45 €. Enfin, cravates en soie à 39 €, chaussettes en fil d'Écosse à 29 € les trois paires ou pyjamas à 85 € compléteront la garde-robe de l'élégant économe. Possibilité de manches extra-longues.

14ᵉ ARRONDISSEMENT

BIG AND NICE

Pour les grands, les larges et les fins...

12 rue Sarrette (14ᵉ)
Mᵒ Alésia
Tél. 01 43 22 86 48
www.big-and-nice.fr
Mardi-samedi : 10 h-12 h 30, 13 h 30-19 h

Ici on trouve tout, pour toutes les tailles et toutes les morphologies. Accueil jovial et conseils avisés. Rayon sportswear (polos rugby : 50 €, costumes à partir de 275 €). Rayon sous-vêtements et accessoires. **Remise de 10 % avec le guide ou la carte.**

AUTRE ADRESSE
■ 12 cours de Vincennes, 12ᵉ • Mᵒ Nation • Tél. 01 40 01 05 46

CARVEN STOCK

Du chic en stock

107 rue d'Alésia (14ᵉ)
Mᵒ Alésia
Tél. 01 45 43 47 00
Lundi : 14 h-19 h ; mardi-samedi : 10 h 30-19 h

Élégants costumes, blousons et vestes. En été, un rayon spécial lin. Costumes en laine en super cent à partir de 250 €. Vestes à partir de 152 €. Chemise entre 43 et 53 €. Accueil excellent.

AUTRES ADRESSES
■ Marques Avenue, 9 quai Le Châtelier • 93450 L'ÎLE-SAINT-DENIS • Accès : voir p. 397 • Tél. 01 55 87 61 61 • Lundi-vendredi : 11 h-20 h ; samedi : 10 h-20 h
■ Quai des Marques • 95130 FRANCONVILLE • Accès : voir p. 398 • Tél. 01 34 15 42 25 • Lundi-vendredi : 11 h-20 h ; samedi : 10 h-20 h • Collection de l'année dernière mais aussi de l'année. Sportswear, jeans, costumes, chemises, chaussures.

15ᵉ ARRONDISSEMENT

DUC DE KENT

Les habits pour Monsieur le Duc

161 rue Saint-Charles (15ᵉ)
Mᵒ Lourmel
Tél. 01 45 58 58 90
Mardi-samedi : 10 h-19 h

Des centaines de chemises (36-52) bien siglées (Dior, Dormeuil, Ted Lapidus, Cardin, Clarence), de beaux cotons et de grandes longueurs de manches. Grand choix de robes de chambre, pyjamas et accessoires. Possibilité de faire broder son initiale. Service retouches. **Remise de 10 % avec le guide ou la carte.**

AUTRE ADRESSE
■ **Club Charly's** • 78 rue La Fayette, 9ᵉ • Mᵒ Cadet • Tél. 01 42 46 61 33 • Lundi-samedi : 9 h 30-19 h • Plus de 10 000 chemises (Cardin, Clarence...) en stock à petits prix.

16ᵉ ARRONDISSEMENT

FABIENNE

Dépôt-vente sélect

77 bis rue Boileau (16ᵉ)
Mᵒ Exelmans
Tél. 01 45 25 64 26

Fabienne sélectionne de beaux costumes d'occasion (à partir de 100 €), des imperméables, des chaussures... Burberrys à partir de 100 €. Vestes à 55 €,

Mardi-samedi : 10 h-13 h 30, 14 h 30-19 h (pas de dépôt de vêtements le samedi)

parkas, blousons de cuir à partir de 150 €. Chaussures Loeb, Church ou Weston : 100 €. Également, cravates en soie et petite maroquinerie. Le tout en très bon état. Ici, on peut tout essayer et on est accueilli en ami.

MANGAS
Fabrication espagnole

33 rue de Longchamp (16ᵉ)
Mᵒ Trocadéro
Tél. 01 47 27 48 72
www.mangasclub.com

Ce fabricant espagnol propose du sur-mesure au prix du prêt-à-porter. 150 tissus pour les costumes à partir de 329 €. Vestes : 249 €. 300 tissus pour les chemises à partir de 59 €. Et pour compléter votre look, cravates 100 % soie à partir de 39 €. – Mardi-vendredi : 10 h 30-14 h, 15 h-19 h ; samedi : 10 h 30-14 h, 15 h-18 h 30.

AUTRES ADRESSES
- 43 rue Vivienne, 2ᵉ • Mᵒ Bourse ou Richelieu-Drouot • Tél. 01 42 36 51 21 • Fax : 01 45 08 43 74 • Lundi-vendredi : 10 h 30-14 h, 15 h-19 h
- 41 bd Malesherbes, 8ᵉ • Mᵒ Saint-Augustin • Tél. 01 40 07 12 13 • Fax : 01 40 07 13 14 • Lundi-vendredi : 10 h 30-14 h, 15 h-19 h ; samedi : 10 h 30-14 h, 15 h-18 h 30

19ᵉ ARRONDISSEMENT

FABIO LUCCI
Farfouille sans interruption

204 av. Jean-Jaurès (19ᵉ)
Mᵒ Porte-de-Pantin
Tél. 01 53 38 61 73
Tous les jours : 10 h-19 h

Ici on se débrouille pour choper l'occase. On y trouve tout ou presque tout… Costumes, jeans, polos, parkas, chaussures… Cela dépend des jours. Faites le détour !

78 YVELINES

LEXINGTON
C'est ma chemise

Usines Center
Route André-Citroën
78140 VÉLIZY-VILLACOUBLAY
Accès : voir p. 396
Tél. 01 39 46 86 20
Mercredi-vendredi : 11 h-20 h ; samedi-dimanche : 10 h-20 h

Ce fabricant spécialiste de la chemise propose des articles entre 20 à 40 % moins chers qu'ailleurs. Vous trouverez ici des chemises de toutes formes, toutes tailles, tous coloris et, fait rare, tous genres de cols. A signaler aux lecteurs pressés : la fameuse chemise sans repassage entre 38 et 44 €. **Remise de 10 % sur le troisième article – le moins cher – avec le guide ou la carte.**

92 HAUTS-DE-SEINE

CAFÉ COTON STOCK
Doux comme du coton

79 rue de Paris
92100 BOULOGNE
Mᵒ Boulogne-Jean-Jaurès
Tél. 01 48 25 68 08
www.cafecoton.com
Lundi-vendredi : 10 h-14 h 15, 15 h-19 h 30 ; samedi : 10 h-19 h

Des chemises en pur coton, Oxford, popeline, fil à fil ou coton gratté (un tiers moins cher). Vous avez le choix entre trois types de cols : les pointes boutonnées, le col italien et le col français. Chemises à poignets simples ou mousquetaires : de 35 à 95 €. Également des caleçons : 10 €. **Remise de 10 % avec le guide ou la carte.**

AUTRE ADRESSE
- Marques Avenue, 9 quai Le Châtelier • 93450 L'ÎLE-SAINT-DENIS • Accès : voir p. 397 • Tél. 01 42 43 71 71 • Lundi-vendredi : 11 h-20 h ; samedi : 10 h-20 h ; fermé dimanche

BRUCE FIELD
Stocks, surplus, fins de séries

Marques Avenue
93450 L'ÎLE-SAINT-DENIS
Accès : voir p. 397
Tél. 01 42 43 16 93
Fax : 01 42 43 16 93
Lundi-vendredi : 11 h-20 h ;
samedi : 10 h-20 h

Décor de bois sombre très cosy et des affaires en or puisque vous pouvez profiter des surplus de ce fabricant avec des prix chutant de 20 à 30 % sur les collections en cours. Manteau en 65 % laine, 35 % cachemire à 200 €. Costumes 100 % laine : 110 €. Blazer Cerruti : 185 €. Chemises coton de 15 à 50 €. Confortables chaussettes en fil d'Écosse : 6 €.

AUTRE ADRESSE
■ 67 rue Rambuteau, 4ᵉ • Mᵒ Les Halles • Tél. 01 48 04 79 09

CHARLES LE GOLF
Quel swing !

Marques Avenue
93450 L'ÎLE-SAINT-DENIS
Accès : voir p. 397
Tél. 01 48 13 00 33
www.charleslegolf.fr
Lundi-vendredi : 11 h-20 h ;
samedi : 10 h-20 h

Des stocks de grande qualité qui valent ici 30 à 40 % de moins qu'en boutique et un décor très english. Les chemises en coton égyptien double retors valent 35 € (chemises en lin : 42 €). Les pantalons en velours sont à 47 €, en gros coton entre 38 et 60 €. La collection est régulièrement actualisée.

AUTRE ADRESSE
■ Quai des Marques, 395 rue du Général-Leclerc • 95130 FRANCONVILLE • 15 km de la Porte de la Chapelle (A1 + A15), voir p. 398 • Tél. 01 34 15 40 14 • Lundi-vendredi : 11 h-20 h ; samedi : 10 h-20 h

ÉMINENCE
L'affaire des dessous

Marques Avenue
93450 L'ÎLE-SAINT-DENIS
Accès : voir p. 397
Tél. 01 48 09 91 63
Lundi-vendredi : 11 h-20 h ;
samedi : 10 h-20 h

Le slip dans tous ses états mais une seule marque, mon cardinal ! A poche kangourou il vaut 5,18 € en premier choix et 3,05 € en second choix. Boxer à 9,91 €. Et pour « Marcel » le débardeur est à 12,04 €. Deuxième marque présente, Athena, moins chère.

JEREM
Stock couture

Marques Avenue
93450 L'ÎLE-SAINT-DENIS
Accès : voir p. 397
Tél. 01 48 20 00 01
www.jerem.com
Lundi-vendredi : 11 h-20 h ;
samedi : 10 h-20 h

Un bel espace pour un grand choix de chemises et de costumes (Cardin, la collection Jerem et surtout Torrente Homme). Costumes griffés à partir de 199 €. Pantalons à partir de 60 €. Il y a aussi des parkas, des survestes en cuir, des polos, des jeans, des chaussettes et des ceintures.

AUTRES ADRESSES
■ Route André Citroën, Usines Center • 78140 VÉLIZY-VILLACOUBLAY • Accès : voir p. 396 • Tél. 01 39 46 04 33 • Mercredi-vendredi : 11 h-20 h ; samedi-dimanche : 10 h-20 h
■ Quai des Marques • 95130 FRANCONVILLE • Accès : voir p. 398 • Tél. 01 34 15 56 50 • Lundi-vendredi : 11 h-20 h ; samedi : 10 h-20 h

STANFORD
La qualité à bas prix

Marques Avenue
9 quai Le Châtelier
93450 L'ÎLE-SAINT-DENIS
Accès : voir p. 397
Tél. 01 48 20 32 62

Des costumes à tous les prix (mais évidemment moins chers qu'en boutique). Costumes et chemises Azzaro et Ted Lapidus, collection Calvin Klein. Bon choix de jeans siglés (Levis, Liberto ou Calvin Klein). – Lundi-vendredi : 11 h-20 h ; samedi : 10 h-20 h.

AUTRES ADRESSES
- Usines Center, Route André-Citroën • 78140 VÉLIZY-VILLACOUBLAY • Accès : voir p. 396 • Tél. 01 34 65 30 60 • Mercredi-vendredi : 11 h-20 h ; samedi-dimanche : 10 h-20 h
- Centre Commercial • 91300 MASSY • RER B, Massy-Palaiseau + bus 399 • Tél. 01 64 47 10 95 • Tous les jours : 10 h 30-20 h • Jeannerie et vêtements homme et femme.
- Quai des Marques - Lot E 25, 395 av. du Général-Leclerc • 95130 FRANCONVILLE • Accès : voir p. 398 • Tél. 01 34 15 21 33 • Lundi-vendredi : 11 h-20 h ; samedi : 10 h-20 h • Pas de jeans. Sportswear ou costume. Très bon accueil.

A Adresse particulièrement recommandée

♔ Adresse haut de gamme : le luxe à prix abordable

VÊTEMENTS branché

ÉNERGIE

Italien et « trendy »

49 rue Étienne-Marcel (1er)
M° Étienne-Marcel
Tél. 01 45 08 85 99
Lundi-samedi : 11 h-19 h 30

Trois étages de vêtements branchés dont la marque « Miss Sixty » réservée aux trentenaires actives. Au sous-sol, les vêtements pour jeunes. Les collections, dynamiques, restent relativement chères. Cependant, allez y jeter un coup d'œil pour voir à quoi ressemble le branché de la Botte.

RAG

Vintage

81 rue Saint-Honoré (1er)
M° Louvre-Rivoli
Tél. 01 40 28 48 44
*Lundi-samedi : 10 h 30-
19 h 30*

Années de naissance des tenues pendant aux cintres : 1920 à 1980. Créateurs : Hermès, Dior, Céline (il faut cependant fouiller pour les trouver) auxquels s'ajoutèrent de talentueux anonymes qui brodèrent les belles chemises ici présentes, ou coupèrent les robes habillées. On trouve aussi de beaux kimonos à partir de 30 €.

AUTRE ADRESSE

- 83-85 rue Saint-Martin, 4e • M° Rambuteau • Tél. 01 48 87 34 64 • Lundi-samedi : 10 h-20 h ; dimanche : 12 h-20 h • Authentique friperie qui déborde de vestes en velours à 45 €, de manteaux à 50 €, de beaux Burberrys (80 à 230 €), de chemises années 70 à 7 € et de survêts à 15 €.

TROC MONTORGUEIL

Dépôt-vente de vêtements branchés et pas chers pour femmes

34 rue Saint-Sauveur (2e)
M° Sentier
Tél. 01 40 13 08 48
*Mardi-samedi : 11 h 30-
19 h 30*

Jeunes filles et jeunes femmes étudient et achètent ici les vêtements de créateurs qui enjolivent le quotidien, tels Erotokritos, Isabel Marant, Dries Van Notten, Prada, Agnès B, Kenzo, Christian Lacroix… **Accueil délicieux et réduction de 10 % avec le guide ou la carte.**

DES FILLES À LA VANILLE

Jeune et féminin

56 rue Saint-Antoine (4e)
M° Saint-Paul
Tél. 01 48 87 90 02
Tous les jours : 10 h-20 h

Voire très féminin : tailles serrées, laçage du buste laissant entrevoir la poitrine, décolletés profonds devant et dans le dos, ouverture de jupes longues sur le côté pour faciliter le coup d'œil sur la jambe, les stylistes connaissent à fond l'art de séduire et le mettent au service de leur jeune clientèle, laquelle se montre très fidèle. Au moment de Noël, de jolies robes longues au coût modeste mais à l'effet garanti : 70 €. Jupe longue à partir de 48 €.

AUTRES ADRESSES

- 54 rue Tiquetonne, 2e • M° Étienne-Marcel • Tél. 01 42 36 47 15 • Tous les jours : 10 h-20 h
- 45 rue Montorgueil, 2e • M° Sentier ou Étienne-Marcel • Tél. 01 42 36 69 29

ZADIG ET VOLTAIRE

Stock Zadig et Voltaire

22 rue du Bourg-Tibourg
(4e)
M° Hôtel-de-Ville
Tél. 01 44 59 39 62

Fins de stocks et retours de magasins vendus à moitié prix. Ces vêtements aux teintes subtiles, découpes asymétriques, aux matières recherchées sont emmenés vers les cabines d'essayage par une clientèle

*Mardi-vendredi : 13 h-
19 h 30 ; samedi : 12 h-
19 h 30 ; dimanche : 14 h-
19 h 30*

de jeunes gens secondés par des vendeuses aussi compétentes qu'aimables (le fait est rare dans ce style de boutique). Jean : 30 à 80 €. Caban en whipcord : 100 €. Jupe asymétrique en satinette : 70 €. Parka kaki à manches en skaï : 45 €. Manteau : 105 € Beaucoup de petits sacs chics à partir de 20 €.

6e ARRONDISSEMENT

NEXT STOP
Jeans et sportswear

47 et 58 rue Saint-André-des-Arts (6e)
Mº Odéon
Tél. 01 53 10 14 50
*Lundi-samedi : 10 h-
19 h 30 ; dimanche : 14 h-
19 h 30*

15 à 20 % moins cher qu'ailleurs sur les marques Diesel, Replay, Freeman, Levis, Kiliwatch, Converse... FEMME. Jean Diesel, bleu classique, pat d'eph et taille basse : 83 €. Jean Freeman unisexe très tendance : 80 €. Jolie veste en jean droite Freeman : 69 €. Jupe en jean à partir de 48 € et pull Kiliwatch à 45 €. Manteau doudoune : 83 €. Manteau court rouge à fourrure orange, très jeune : autour de 80 €. Au rayon chaussures, on notera des Converse à partir de 50 € et les Diesel à 108 €. – HOMME. Parka Diesel : 150 €. Petit blouson en laine et peau (Iko) : 108 €. Jean Diesel : à partir de 76 € ; Freeman : 60 €. Pantalon de glisse : 80 €. Chaussures Quick : à partir de 87 € ; Diesel : 100 €.

8e ARRONDISSEMENT

CÔTE À CÔTE
Promotions discrètes

1 rue de Berri (8e)
Mº George-V
Tél. 01 43 59 55 75
Lundi-samedi : 10 h-20 h

Fins de séries de Georges Rech au premier étage, de Sinequanone, Renato Bene, On Line au rez-de-chaussée, vendues avec des réductions de 30 à 50 %. En haut, les formes précises, les beaux tissus et les tenues de luxe. En bas, les coupes à surprises, tel ce pull à découper à l'emplacement d'un fil de bâti rouge pour obtenir un tee-shirt (31 €), les matières originales (et plus rapidement périssables), comme ce tailleur pantalon dans un tissu qui ressemble au papier (92 €) et les recherches de style, comme cette belle robe longue unibretelle et sérigraphiée à la Andy Warhol (20 €).

AUTRE ADRESSE
■ 48 rue de la Chaussée-d'Antin, 9e • Mº Chaussée-d'Antin • Tél. 01 42 82 13 21

10e ARRONDISSEMENT

DES HABITS ET NOUS
Couture équitable

22 rue Jean-Moinon (10e)
Mº Belleville ou Colonel-Fabien
Tél. 01 42 02 53 44
Lundi-samedi : 10 h-17 h

Voici les Hervé Léger (Leroux) du pauvre : les deux créateurs réalisent des vêtements à partir de tissus récupérés dans les poubelles du Sentier et, les réunissant en bandes, fabriquent avec beaucoup de goût jupes, tee-shirts, bobs, écharpes et manteaux en jouant sur matières et coloris. C'est souvent magnifique. Les bénéfices serviront à installer un panneau solaire au Mali.

STOCKS ET MARQUES

Fins de séries

65 rue de Lancry (10ᵉ)
Mᵒ Jacques-Bonsergent
Tél. 01 42 00 00 46
*Dimanche : 14 h-20 h ;
lundi-jeudi : 11 h-19 h 30 ;
vendredi : 11 h-16 h 30*

De bonnes marques de prêt-à-porter (vêtements et accessoires) sont absolument bradées dans ce stock proche du Canal Saint-Martin. Pantalons (aux alentours de 25 €), blousons (à partir de 45 €), chaussures... A fréquenter régulièrement, arrivages hebdomadaires.

11ᵉ ARRONDISSEMENT

COME ON EILEEN

Fripes et marques

16 rue des Taillandiers
(11ᵉ)
Mᵒ Bastille
Tél. 01 43 38 12 11
*Lundi-jeudi : 11 h 30-
20 h 30 ; vendredi :
11 h 30-19 h 30 ;
dimanche : 16 h-20 h*

Vous n'en reviendrez pas... En entrant dans cette petite boutique, on ne réalise pas qu'elle s'étend sur trois étages. Vous y trouverez des fripes modernes ou rétro, des jeans de toutes marques, de 15 à 38,11 €, des chemises de marques Kenzo, Lanvin, Yves Saint-Laurent à 20 €, des chaussures de marques (Prada, Gucci, Chanel) entre 20 et 100 €. Les vestes en cuir de toutes les époques sont réunies dans ce magasin. Arrivage de marchandises deux fois par semaine. Équipe très sympathique, accueil irréprochable.

NOTA BENE

Recherches d'originalité

40 rue de la Roquette (11ᵉ)
Mᵒ Bastille
Tél. 01 43 55 83 04
Lundi-samedi : 11 h-19 h 30

On note l'emploi de jolies matières (lourds cotons, velours) et de coupes un peu recherchées. Pantalon large resserré aux chevilles : 57 €. Cache-cœur drapé en satinette tilleul : 39 €. Jupe cloche en lin vieux rose, parfaite pour aller travailler : 33,54 €. Sur-robe en plissé définitif comme les Pleats Please de Myaké, suivant les lignes du corps : 85 €.

VIEW AND FASHION

A la découverte de créateurs féminins

27 rue des Taillandiers
(11ᵉ)
Mᵒ Bastille
Tél. 01 43 55 22 89
Lundi-samedi : 12 h-19 h 30

Magasin idéal pour dénicher des pièces uniques créées par des stylistes de talent (Julie Pautrat, Livie Belaz) ou par des marques plus connues (New York Industry). Peu d'articles à moins de 100 €, quelques hauts à 15 €. Chemises entre 25 et 60 €. A noter : la braderie du sous-sol n'existe plus, hélas, depuis bien longtemps !

14ᵉ ARRONDISSEMENT

MIM

Pour étudiantes

112 av. du Général-Leclerc
(14ᵉ)
Mᵒ Alésia
Tél. 01 45 39 22 53
*Lundi : 12 h-19 h 30 ;
mardi-samedi : 10 h-19 h 30*

Un style jeune, fantaisiste, hype mais pas trop, c'est-à-dire portable, avec des petits sursauts d'originalité comme ces étoles au moment de Noël. Cependant les prix restent tout petits (pulls à 10 €) et les promotions fréquentes.

18ᵉ ARRONDISSEMENT

OKADA, LAURANTI, NUFFER

Trois créateurs branchés

6 bis rue des Gardes (18ᵉ)
Mᵒ Barbès-Rochechouart

Ken Okada fabrique des silhouettes épurées très contemporaines, habillées de matières raffinées,

Tél. 01 42 55 71 05
(Katia Lauranti) ;
01 42 55 11 86
(Sylviane Nuffer) ;
01 42 55 18 81
(Ken Okada)
Lundi-samedi : 11 h-19 h

très couture. Katia Lauranti est plus classique. Sylviane Nuffer, une ex de chez Sherrer, fabrique corsets (259 €) et serre-taille baleinés (120 €) et très habillés en soies, velours, etc., qui habillent et remontent ce qui doit l'être et refont une taille de guêpe à qui ne l'a plus.

PIERINA MARINELLI

Prêt-à-porter sur mesure

2 rue des Gardes (18e)
M° Barbès-Rochechouart
Tél. 01 42 54 00 16
ou 01 48 68 73 51
ou 06 16 39 09 33
Lundi-samedi : 11 h-19 h

Un style très italien : matières douces, couleurs chaudes et des inventions graphiques plaquées sur les vêtements aux lignes épurées, par exemple : sur une robe fourreau d'été un quadrillage de bandes de rubans de couleurs entourant la poitrine (100 €). Manteau : 400 €. Robe longue du soir en biais en satin crêpé : 182 €. La spécialité de Pierina reste le sur-mesure. On choisit forme et tissu, puis on revient essayer une fois avant la livraison. Un travail soigné et attentif.

77 SEINE-ET-MARNE

DIESEL

Les ados adorent

La Vallée Shopping Village
3 cours de la Garonne
77700 SERRIS
Accès : voir p. 395
Tél. 01 64 63 28 90
www.lavalleeshopping.com
*Lundi-samedi : 10 h-20 h
(19 h en hiver) ; dimanche :
11 h-19 h*

Les stylistes de Diesel ont dessiné cette année une mode beaucoup plus portable aux coupes plus travaillées. Jean : 65 €. Jean délavé : 50 €. Robe boutonnée tout du long : 100 €. Petits pulls fantaisie à grosses côtes et cols roulés (en acrylique) : 85 €. Jupe courte en skaï avec incrustation d'une bande en stretch sur le côté : 55 €. Joli pantalon en gros coton mercerisé kaki et ceinture à petite boucle : 60 €. Sweat cintré zippé à bordure en grosses côtes et col cheminée : 50 €.

**L'index des raisons sociales et commerciales
se trouve en page 607.**

**L'index des produits recensés dans Paris Pas Cher
se trouve en page 627.**

➔ VÊTEMENTS jeune

1er ARRONDISSEMENT

COM'8 *Hip hop*

17 rue du Cygne (1er)
M° Les Halles
Tél. 01 45 08 56 05
Lundi : 13 h-20 h ; mardi-samedi : 11 h-20 h

Un grand magasin design en fer et verre où s'exposent les vêtements hip hop aux couleurs vives, aux coupes et dessins nets et graphiques, destinés aux filles comme aux garçons. Jean : 15 €. Pull en coton légèrement cintré à côtes rouge pétant : 55 €. Jupe courte noire en nylon glacé : 40 €. Gilet en skaï noir : 50 €. Gros pull masculin bleu en laine et polyester : 70 €.

COP COPINE *Des coupes très mode*

80 rue Rambuteau (1er)
M° Châtelet-Les Halles
Tél. 01 40 28 03 72
Lundi-samedi : 10 h 30-19 h 30 (sauf mardi : 13 h-19 h)

La maison continue sa percée méritée grâce au talent de ses stylistes. Ceux-ci, pour cet hiver, ont travaillé leurs toiles de jean pour en faire des vestes longues cintrées, nervurées, des parkas, des pantalons à rentrer dans des bottes ou serrés sous les genoux. A visiter compte tenu des prix modestes. Jupe longue : environ 70 €. Pantalon : 80 €.

LA FRIPERIE DE LULU R. *Mine de fripes*

20 rue Montorgueil (1er)
M° Les Halles
Tél. 01 45 08 52 97
Lundi : 12 h 30-19 h 30 ; mardi-samedi : 11 h 30-19 h 30

Jeunes filles, si le style berger urbain en vogue cet hiver vous tente, vous trouverez chez Lulu des vestes en velours côtelé (environ 35 €). Vous pourrez leur ajouter des ponchos mexicains (35 € également) pour parachever l'allure et vous remettre à fumer la pipe.

JENNYFER *Prix minuscules, vaste choix*

Forum des Halles
1 rue Pierre-Lescot (1er)
M° Les Halles
Tél. 01 40 26 01 23
Lundi-samedi : 10 h-19 h 30

Avec 95 €, on s'offrira en fouillant ces rayons une garde-robe complète pour l'hiver, les prix démarrant à 3 € (accessoires). Blouson bomber à col court : 29,90 €. Manteau noir en peau : 69,90 €. Jean fantaisie : 26,90 €. String : 4,90 €. Soutien-gorge : 9,90 €. Pull : 13,90 €. Sac fantaisie : 34,90 €. Si la qualité des tissus n'est pas celle qui prévaut avenue Montaigne, sachez que les lycéennes et étudiantes s'y précipitent, s'y bousculent en toute connaissance de cause. Pour qui cherche moins cher, Usines Center de Paris Nord II, magasin Stock J.

SON ET IMAGE *Fripes des seventies*

85-87 rue Saint-Denis (1er)
M° Les Halles
Tél. 01 40 41 90 61
Lundi-samedi : 11 h-19 h 30

Les nostalgiques des années 70 qui recherchent des vêtements à moindre prix ou des modèles uniques griffés vont se précipiter à cette adresse : chaussures Adidas à 30 € et Converse de 20 à 30 €. Le patron vous propose une grande diversité de jeans de 30 à 76,22 € (pour les collectors et pièces uniques). Vous trouverez aussi de nombreux blousons (Levi's, Lee, Wrangler à partir de 15 €) et des blousons de motard en collector, en cuir à partir de 100 €.

KOOKAÏ LE STOCK

82 rue Réaumur (2ᵉ)
Mᵒ Réaumur-Sébastopol
ouStrasbourg-Saint-Denis
Tél. 01 45 08 93 69

Vêtements plus que bradés

Présentées ensemble, les collections de l'an passé et de la saison en cours. Côté passé, les prix dégringolent de 30 à 70 %. – Lundi : 11 h 30-19 h 30 ; mardi-samedi : 10 h 30-19 h 30.

LE STOCK

7-9 passage Choiseul (2ᵉ)
Mᵒ Quatre-Septembre
Tél. 01 49 26 94 10
*Lundi-vendredi : 10 h 30-
19 h ; samedi : 11 h-19 h*

Pour aller à la fac

Vêtements sans chichis pour travailler. Des marques aimées des ados. Des prix honnêtes. Manteau ou robe longue : 40 €. Pantalons, vestes ou blousons : 35 €. Un peu de lingerie vue lors de nos passages : soutiens-gorge de grandes marques à 23 €, slips assortis à 20 €.

AUTRE ADRESSE
■ 24 rue Marc-Sangnier • 94000 CACHAN • Tél. 01 46 65 09 13

SURPLUS YANKEE

41 rue Jussieu (5ᵉ)
Mᵒ Jussieu
Tél. 01 43 26 07 00
*Lundi : 11 h-13 h, 14 h-
19 h ; mercredi : 10 h-13 h,
14 h-19 h : mardi, jeudi,
vendredi et samedi : 10 h-
19 h*

Jeanerie et fripes

Les « Dockers » et surplus militaires sont achetés en majorité par les étudiants de Jussieu. Ils complètent leurs tenues avec des Doc Martens, des Paraboot ou des Clark's. Tuyau : le blouson des facs américaines à bordures tricotées et rayures de couleurs revient à la mode. A rechercher.

AXARA

151 rue de Rennes (6ᵉ)
Mᵒ Saint-Placide
ou Montparnasse
Tél. 01 42 22 30 01
*Lundi-samedi : 10 h 30-
19 h 30*

Petits vêtements

On y découvrira les tendances jean (à partir de 40 € pièce), gothiques (avec les manteaux noirs – à partir de 103 € – et jupes noires longues à 45 €), coquines (avec des laçages ajoutés) et chics. A retenir pour quelques chemises sympa aux alentours de 15 € et pour les pantalons aux environs de 35 €.

ANTOINE ET LILI

7 rue de l'Alboni (16ᵉ)
Mᵒ Passy
Tél. 01 45 27 95 00
www.antoineetlili.com
*Lundi-samedi : 10 h 30-
19 h 30*

Stock Antoine et Lili

Fins de séries, prototypes, retours de presse de ces vêtements aimés de nos ados, vendus au premier étage à moitié prix. Leurs teintes chaudes, leur inspiration ethnique, leur fantaisie un peu enfantine est un plaisir de l'œil. Pantalon : 30 €. Chemise : 50 €. Manteau : 95,28 €. Robe : 40 €.

LULU CASTAGNETTE

Marques Avenue
8 quai Le Châtelier
93450 L'ÎLE-SAINT-DENIS
Accès : voir p. 397
Tél. 01 42 43 39 99
www.lulucastagnette.com

Stock Lulu Castagnette

Réservé aux ados filles (lesquelles, faut-il le rappeler, n'ont pas toujours une taille très marquée et possèdent des hanches fines), ce stock leur offre des modèles de l'année précédente, tous plus jolis (coupe et finition) les uns que les autres, aux prix réduits de 30 %. Tee-shirts à 15 €, blousons à 30 €, robe à

Lundi-vendredi : 11 h-20 h ;
samedi : 10 h-20 h

20 €, pantalons de 27 à 54 €. Jupe en jean à poche frangée : 30 €. Robe de tennis ou beau jean aux coutures amusantes ou long pull en coton ou chemise de nuit + slip assorti + sac pour le ranger : 30 €.

MORGAN
Stock Morgan

Marques Avenue
8 quai Le Châtelier
93450 L'ÎLE-SAINT-DENIS
Accès : voir p. 397
Tél. 01 48 20 32 33
Lundi-vendredi : 11 h-20 h ;
samedi : 10 h-20 h

Une collection inspirée des tissus africains où vibrent les couleurs chaudes. Les jolies gazelles des villes aimeront ces jupes longues coupées en biais aux zébrures malicieuses. Les tailleurs s'ornent de variations légères sur le jean (pantalon Denim délavé rebrodé d'une étoile en dentelle : 25 € ; veste à la couleur travaillée : 30 €). Les vendeuses sont aux petits soins. Dommage qu'il faille sortir des cabines pour se regarder dans le miroir.

NAF NAF
Stock Naf Naf

Marques Avenue
9 quai Le Châtelier
93450 L'ÎLE-SAINT-DENIS
Accès : voir p. 397
Tél. 01 42 43 23 13
Lundi-vendredi : 11 h-20 h ;
samedi : 10 h-20 h

Les stylistes maison font de louables efforts. Jolies combinaisons pantalon décolletées dans le dos avec fermeture autour du cou qui dégage bien les épaules : 52,90 €. Pour l'été, des bermudas avec des broderies de fleurs rehaussées de paillettes : 25,90 €. Des battle-dress en soie kaki ou noir : 42,90 €. Des jeans avec bande jogging : 39,90 €.

OXBOW
Stock

Marques Avenue
9 quai Le Châtelier
93450 L'ÎLE-SAINT-DENIS
Accès : voir p. 397
Tél. 01 48 20 44 18
Lundi-vendredi : 11 h-20 h ;
samedi : 10 h-20 h

N'offre pas la technicité des magasins de sport. On fréquentera l'endroit pour son prêt-à-porter (qui n'est pas donné mais sans doute les fous des marques s'en soucient-ils peu). Short hawaïen avec patte pour retenir le peigne de la planche : 39 €. Long pull en coton : 46,90 €. Pantalon : entre 30 et 45 €.

94 VAL-DE-MARNE

ALL SPOT
Spécial ados

64 rue Raymond-du-Temple
94300 VINCENNES
RER A, Vincennes
Tél. 01 43 98 22 77
Mardi-samedi : 10 h 30-
19 h 30

Ados hype et le sachant y trouvent les vêtements de glisse adaptés à leur passion. Oxbow, Vans, Timberland, Gant USA, Quick Silver, Energie, etc. Ils ne négligent pas les parkas, les chaussures Paraboot et les sacs Eastpack. Grandes marques à prix réduits : Diesel, Redskins... **Remise de 10 % avec le guide ou la carte (hors promotions).**

AUTRES ADRESSES

■ **One Spot** • 10 rue Lejemptel • 94300 VINCENNES • RER A, Vincennes • Tél. 01 43 98 10 70 • Lundi : 14 h 30-19 h 30 ; mardi-samedi : 10 h 30-13 h 30, 14 h 30-19 h 30 • Pour petiots, de 0 à 16 ans. Vêtements Timberland, DKNY, Ralph Lauren, Kenzo, Burberry, Diesel.
■ **Spotland** • 1 bis rue du Midi • 94300 VINCENNES • RER A, Vincennes • Tél. 01 43 98 33 31 • Décontracté chic homme et femme. Vêtements Marlboro Classics, Arrow, Dockers...

95 VAL-D'OISE

AN'GE
Stock An'ge

Usines Center
95952 ROISSY CDG

An'ge s'est pratiquement spécialisé dans la création de vêtements très féminins, souvent habillés, tou-

Accès : voir p. 399
Tél. 01 48 63 22 54
Lundi-vendredi : 11 h-19 h ;
samedi et dimanche : 10 h-
20 h

jours mode. Robes longues en maille : à partir de
53,75 €. Petits pulls bordés de dentelles : 34,95 €.
Petits tops : à partir de 3 €.

STOCK J

Stock d'une mode jeune

Usines Center
ZI Paris Nord II
95952 ROISSY CDG
Accès : voir p. 399
Tél. 01 48 63 26 64
Lundi-vendredi : 11 h-19 h ;
samedi-dimanche : 10 h-
20 h

Lectrices de « Jeune et Jolie » ou de « 20 ans », voici
le stock Jennyfer. Mignonnes tenues (à -50 %), providence des ados et jeunes filles désargentées. Débardeur : de 2,90 à 6,90 € ; chemisier : 8,90 € ;
jeans : 18,90 € ; pantacourt : 11,90 € ; blouson :
16,90 € ; sac : 14,90 €.

▲ Adresse particulièrement recommandée

♛ Adresse haut de gamme : le luxe à prix abordable

➔ VÊTEMENTS enfant

UNISHOP

 42 rue de Rivoli (4ᵉ)
Mᵒ Hôtel-de-Ville
Tél. 01 42 72 62 84
unishop@ifrance.com
Lundi : 12 h-19 h ; mardi-samedi : 10 h 30-19 h

Des marques pour frimer

Les principales marques qui font frémir les ados et leurs cadets à des prix qui feront craquer leurs parents puisqu'il s'agit de fins de séries ou de dégriffés (vendus au moins 30 % moins cher que dans le circuit classique). Layette signée des grands couturiers, ou sweaterie pour les ados, il y en a pour tous les styles. Pull coton Best Mountain : 21,95 €. Sweat Compagnie de Californie (12 ans) : 38 €. Gilet DDP (6 mois) : 21,95 €. Jean Cottonade (6 ans) : 41 €.

AUTRE ADRESSE
■ 4 rue Rambuteau, 3ᵉ • Mᵒ Hôtel-de-Ville ou Rambuteau • Tél. 01 42 78 07 81 • Braderie Unishop (nouvelle collection + soldes et sur-soldes). Spécialité : vendre deux articles à des prix minuscules.

COMME IL VOUS PLAIRA

 119 rue Monge (5ᵉ)
Mᵒ Censier-Daubenton
Tél. 01 47 07 30 11
Lundi samedi : 10 h 30-19 h

Lots de dégriffés et marque maison

Paracas et Trax sont les marques maison (sweaterie 2-16 ans). Dans les petites tailles, on trouve des pantalons à 13,60 €, des sweats à 12 €, des coupe-vent à 24 €. Pour les plus grands (8-16 ans), les prix sont aussi serrés : ensembles jogging à 20 €, bermudas à 12 € et tee-shirts à 7,50 €. Au rayon layette, des dégriffés de la marque Coudé-Mail (Lapin Bleu) : robes, ensembles naissance et petits gilets à partir de 9 €. Sans oublier les sous-vêtements toutes tailles.

AUTRES ADRESSES
■ 74 rue de Provence, 9ᵉ • Mᵒ Chaussée-d'Antin • Tél. 01 42 80 22 10 • Lundi-samedi : 10 h-19 h
■ 98 av. de Saint-Ouen, 18ᵉ • Mᵒ Guy-Môquet • Tél. 01 42 29 15 08 • Mardi-samedi : 10 h-19 h 30 ; dimanche : 10 h-13 h

LES DEUX TISSERINS

 36 rue des Bernardins (5ᵉ)
Mᵒ Maubert-Mutualité
Tél. 01 46 33 88 68
Fax : 01 46 33 81 22
Mardi-vendredi : 10 h 30-19 h ; samedi : 11 h-13 h, 15 h-19 h ; en décembre, du lundi au samedi : 10 h-19 h

Laine polaire

Spécialisé dans la maille polaire, la microfibre et le pilou de première qualité, ce magasin crée sur place tous les vêtements vendus sous sa marque. Couleurs vives et galons brodés déclinés à chaque collection. Pour l'été, de jolies cotonnades. 90 % des vêtements d'hiver valent moins de 40 €, et ceux d'été moins de 25 €. Pull polaire : 38 € (du 2 au 8 ans). Personnalisation de vêtements par impression de prénoms et motifs : 14 (tee-shirt) à 35 € (3 mois à 8 ans). Vous trouverez aussi des jouets de tradition, en bois et en tissu.

RIKIBOUM

5 av. des Gobelins (5ᵉ)
Mᵒ Les Gobelins
Tél. 01 47 07 51 80
Lundi-samedi : 10 h-19 h

Vêtements et accessoires coordonnés

Une gamme de vêtements confortables (100 % coton) pour les 0-8 ans, taillés dans des tissus champêtres (vichy, fleuris...) coordonnés aux accessoires (chapeaux, foulards, etc.). Des formes et des couleurs qui ont la pêche, des superpositions rigolotes. Sweats à partir de 13,90 €, robes et sur-robes à

partir de 18,90 €, chapeaux à 8,90 € et chaussettes à 4,90 € assortis. Vestes et grosses pièces à
partir de 30,90 €.

AUTRES ADRESSES
- 5 place de Lévis, 17e • M° Malesherbes • Tél. 01 42 12 82 40 • Lundi-samedi : 10 h-19 h
- 19 rue de la Salle • 78100 SAINT-GERMAIN-EN-LAYE • RER A, Saint-Germain-en-Laye • Tél. 01
30 87 09 85 • Lundi-samedi : 10 h-19 h ; dimanche : 10 h-13 h

6e ARRONDISSEMENT

TAPE À L'ŒIL   *... et pour pas un rond*

37 rue Saint-Placide (6e)
M° Saint-Placide
Tél. 01 45 49 31 43
Lundi-samedi : 10 h-19 h

Des basiques pour les enfants de 0 à 12 ans mais
également des articles plus fantaisie et qui sont
renouvelés chaque semaine suivant un thème. Les
prix sont très raisonnables. Babygros : à partir
de 12,99 €. Veste 6 mois : 19,99 €. Pantalon (2-
12 ans) : à partir de 14,99 €. Pyjama : 10,99 €. Et
les filles ? Pantalons colorés : 14,99 € ; vestes assorties : 24,99 €. Sans oublier les accessoires. La qualité n'est pas en reste.

AUTRE ADRESSE
- 31 rue du Président-Wilson • 92300 LEVALLOIS-PERRET • Tél. 01 47 30 33 33 • Mardi-samedi :
10 h-19 h ; lundi : 12 h-19 h ; dimanche : 10 h-13 h

11e ARRONDISSEMENT

PERRETTE   *Tout fait main*

27-29 rue du Faubourg-
Saint-Antoine (11e)
M° Bastille
Tél. 01 53 17 13 56
Fax : 01 43 47 47 61
*Mardi-vendredi : 10 h 30-
18 h 30 ; samedi : 11 h-
17 h 30*

Layette, vêtements enfants (0-8 ans) et jouets en
tissu : tout est réalisé dans un CAT (Centre d'Aide
par le Travail) pour handicapés. Ouvrage soigné et
étoffes sélectionnées, telle est la recette de Perrette.
Rapport qualité-prix attrayant : jugez plutôt. Robe à
smocks (brodés main), 6 mois-2 ans à 46 €, salopette velours (3 mois à 2 ans) à 26 €, gilets tricotés
main à 30 €, imper ciré (2 à 8 ans) doublé chaud
à 60 €, duffle-coats et manteaux en laine à 60 €,
tour de lit à 32 €. A noter : retouches et travaux sur
commande.

13e ARRONDISSEMENT

BILATÉRAL   *Fins de séries*

116 av. d'Italie (13e)
M° Maison-Blanche
ou Tolbiac
Tél. 01 53 62 01 57
Mardi-samedi : 10 h-19 h

Deux fois par semaine, arrivages de fins de séries
de bonnes marques pour enfants de 0 à 16 ans
(Absorba, Jeudi Après-Midi, Petit Bateau, Confetti,
Catimini...). N'hésitez pas à fouiller et à passer régulièrement. Coupe-vent Confetti : 22,71 €. Ensemble fillette Catimini : 30,34 €. Pantalon garçon Absorba (4 ans) : 11,19 €. Robe Jeudi Après-Midi
(8 ans) : 30,90 €. Hors marques, des premiers prix
défiant toute concurrence. Et des sous-vêtements autant qu'on en souhaite (chaussettes : 2,30 €). **Remise de 10 % avec le guide ou la carte.**

AUTRE ADRESSE
- 46 rue des Moines, 17e • M° Brochant • Tél. 01 42 28 79 66 • Mardi-samedi : 10 h-19 h

LPB

Fins de séries et dégriffés

47 et 48 rue Guy-Môquet (17e)
M° Guy-Môquet
Tél. 01 46 27 84 83
Lundi-samedi : 8 h 30-19 h 30

Au 47 on rhabille les marmots, au 48 on les chausse et on les équipe. Toutes les gammes de prix et de qualité dans le vêtement, selon les arrivages : deux jeans Chipie pour 6 € ou la panoplie complète de cérémonie en organza dégriffée. Au hasard des lots, la petite veste autrichienne Giesswein peut tomber à 31 € et le manteau en laine classique à 20 €. Dépositaire de la marque Osh Kosh, le magasin ne manque jamais de salopettes (environ 46 €). En face, la puériculture premier choix est 15 % moins chère qu'en boutique et les poussettes fins de séries peuvent être embarquées à 50 € ! Sans parler des chaussures très « 16e », dans toutes les pointures, vendues à prix écrasé...

SACRIPANT

Mode sport et colorée

89 rue Ordener (18e)
M° Jules-Joffrin
ou Marcadet-Poissonniers
Tél. 01 42 62 48 79
Lundi-vendredi : 10 h-19 h

Sacripant distribue des vêtements pour les 0-16 ans colorés et dynamiques des marques Camp's, Jeudi Après-Midi, American City, Mini-Tribu. Des petits ensembles (deux-trois pièces) à croquer : à partir de 15 €. Ensemble jogging : 15 €. Sweat : 12 €. Tee-shirt : 5 €. Doudoune Camp's : à partir de 39 €.

AUTRES ADRESSES
- 83 rue Crozatier, 12e • M° Ledru-Rollin • Tél. 01 43 43 91 36
- 4 rue Matisse, 19e • M° Crimée • Tél. 01 40 36 03 71

CYRILLUS STOCK

Vêtements BCBG dégriffés

83 bis Grande-Rue
91360 ÉPINAY-SUR-ORGE
17 km de la Porte
d'Orléans (A6)
Tél. 01 64 48 72 83
Fax : 01 64 48 77 20
Lundi : 14 h-19 h ; mardi-samedi : 10 h-19 h

Chacun connaît le style Cyrillus : classique, sobre, efficace, mais pas ringard pour autant, surtout depuis les nouvelles collections. Ici, le porte-monnaie ne souffre pas trop : les prix sont à moins 30 % (voire moins 50 %) de leur valeur initiale (collections des saisons antérieures). Pour mémoire : la salopette rayée en 5 ans coûte 18,50 € et la robe jersey rose 16,50 €. Chez les tout petits : robe à partir de 25 €. Quant aux pyjamas, ils s'enlèvent autour de 25 €.

AUTRES ADRESSES
- 64 rue Defrance • 93200 VINCENNES • M° Château-de-Vincennes • Tél. 01 41 74 65 00
- Marques Avenue, boutique n° 14, 8-10 quai du Chatelier • 93450 L'ÎLE-SAINT-DENIS • Accès : voir p. 397 • Tél. 01 42 43 29 00 • Fax : 01 42 43 19 22 • Lundi-vendredi : 11 h-20 h ; samedi : 10 h-20 h

PETIZENFANTS

Petits prix pour grandes marques

2 bd Bineau
92300 LEVALLOIS-PERRET
M° Porte-de-Champerret
ou Louise-Michel
Tél. 01 47 57 44 14

Les grandes marques de vêtements pour enfants sont vendues dans cette adorable boutique à des prix raisonnables : Lili Gaufrette, Ralph Lauren, Marcel et Léon, et nouvellement Diesel, Tony et Replay. Le pantalon Chevignon : 34 €. La robe Burburry à den-

Fax : 01 47 58 08 83
Lundi : 10 h-12 h 30,
13 h 30-19 h ; mardi-
samedi : 10 h-19 h

telle : 64 €. La robe chasuble Lili Gaufrette : 44 €.
La grenouillère Tétine : 37 €. **Remise de 5 %**
avec le guide ou la carte.

| 95 | VAL-D'OISE |

CLAYEUX STOCK   *Vêtements 0-12 ans*

Usines Center
ZI Paris-Nord II
95952 ROISSY-CDG
Accès, voir p. 399
Tél. 01 48 63 72 29
Lundi-vendredi : 11 h-19 h ;
samedi-dimanche : 10 h-
20 h

Vous trouverez dans cette boutique les traditionnels
imprimés Walt Disney pour bébés et enfants chics
et classiques de la collection précédente à moins
30 ou 40 % pour des vêtements de qualité. Tee-shirt
(0-2 ans) : 14,90 €. Pantalon maternelle : 14,90 €.
Chaussettes : 4,50 €.

AUTRE ADRESSE
■ Marques Avenue, 8 quai du Chatelier • 93450 L'ÎLE-SAINT-DENIS • Mᵒ Mairie-de-Saint-Ouen
+ bus 137 N, voir p. 397 • Tél. 01 48 13 00 26

JACADI   *Classique et indémodable*

Usines Center
ZI Paris-Nord II
95952 ROISSY-CDG
Accès : voir p. 399
Tél. 01 48 63 21 18
Lundi-vendredi : 11 h-19 h ;
samedi : 10 h-20 h ;
dimanche : 10 h-20 h

Jacques a dit : « Ouvrez l'œil ». Des rabais mais
aussi des offres exceptionnelles pratiqués sur les
collections de l'année précédente. Salopette coton jaune à 27,65 € le 4 ans. Pantalons : 18,69 €
le 2 ans, 22,96 € le 12 ans. Chemisier : 19,11 €
le 2 ans. Combinaison pilote à partir de 38 €
et salopette velours à partir de 20 €. Et les chaussures ? Pré-marche (pointure 17-21) à partir de
36 €.

PETIT BATEAU   *Prix à marée basse*

Usines Center
ZI Paris-Nord II
95952 ROISSY-CDG
Accès : voir p. 399
Tél. 01 48 63 27 40
Lundi-vendredi : 11 h-19 h ;
samedi-dimanche : 10 h-
20 h

Au stock « Petit Bateau » échouent les fins de séries
de l'année passée, aux prix érodés. Mais qu'importe la mode aux enfançons. Body : 36 mois,
4,30 € ; 3 mois, 4,40 €. Tee-shirt manches courtes
(18 ans) : 7 €. Chemises à bretelles (8 ans) : 4,70 €.
Et pour la nuit : « Dors-bien » de 8 à 20 € et pyjama
(2-8 ans) de 11 à 17,50 €. **Remise de 10 % avec**
le guide ou la carte.

Les chaînes de vêtements

Les petits branchés et les mini fashion-victimes trouvent depuis plusieurs années
leur bonheur dans les grandes chaînes pour enfants qui renouvellent régulièrement
leurs collections. La qualité est souvent au rendez-vous mais, avant de vous lancer,
sachez que ces chaînes adaptent leurs stocks aux quartiers où elles s'implantent.
En gros, le choix et la qualité seront supérieurs dans les arrondissements chics
(16ᵉ et centre de Paris)... Les prix sont toujours attractifs, les tee-shirts ou les
pyjamas à moins de 15 €, les robes et les pantalons entre 12 et 22 €.

DU PAREIL AU MÊME
Tél. 01 69 81 46 46 (siège) • www.dupareilau
meme.fr

Difficile d'y échapper ! Le numéro un du vêtement enfant (0 à 14 ans) est depuis longtemps

l'adresse favorite des mamans : couleurs vitami-
nées et imprimés rigolos. Innombrables adresses
à Paris, 14 en banlieue. Depuis 2000, DPAM a
ouvert 8 boutiques chaussures pour les pieds du
16 au 36 et de nombreuses boutiques bébé (0 à

2 ans). Liste des points de vente sur le site Internet.

MAGAZIN Z

www.z-enfant.com

Un peu plus bas de gamme jusque-là, avec un choix moins abondant et des prix ras des pâquerettes, il semblerait que les Magasins Z changent de politique marketing et se lancent dans un sérieux dépoussiérage de leur collection : à surveiller donc. 6 boutiques à Paris, 15 en banlieue. Liste des adresses sur le site web.

TOUT COMPTE FAIT

Le principal concurrent de Du Pareil au Même mérite quelques détours, sans l'égaler dans la créativité. 18 boutiques à Paris, 7 en banlieue.

**Vous voulez recevoir gratuitement
le prochain Paris Pas Cher ? Signalez-nous,
par courrier, une bonne adresse qui n'y figure pas
ou une erreur qui se serait glissée dans le texte (si, si, ça arrive),
avant le 1er février 2004.**

**Si vous êtes le premier (ou la première) à nous l'avoir signalée,
et que nous la retenons,
vous recevrez un exemplaire du guide 2005,
à paraître en septembre 2004.**

**Paris Pas Cher
19 av. Georges-Brassens
94550 Chevilly-Larue**

VÊTEMENTS retouches

MONOPRIX
www.monoprix.fr

Signalons que certains Monoprix et Inno (Monoprix rue du Commerce, Paris 15e et Inno Montparnasse, Paris 14e, par exemple) proposent à prix très convenables un service couture : pose zip pour pantalon/jupe : 10 €. Ourlet pantalon : 10 à 12 €. Ourlet jupe droite : 9 €. Renseignez-vous ; les adresses des magasins figurent sur le site.

2e ARRONDISSEMENT

LEGRAND TAILLEUR
27 rue du Quatre-Septembre (2e) • M° Quatre-Septembre ou Opéra (RER A, Auber) • Tél. 01 47 42 70 61 • Fax : 01 47 42 68 27 • Lundi-jeudi : 10 h-18 h ; vendredi : 10 h-15 h

Legrand Tailleur est pratiquement une institution à Paris car la boutique existe depuis 1894. Daniel Legrand, maître tailleur, propose aussi des costumes et chemises sur mesure avec un choix permanent de 3 000 tissus à tous les prix. Vingt jours de délai pour un costume (à partir de 1 653 €).

RETOUCHERIE MICHEL BALI
67 rue Greneta (2e) • M° Sentier • Tél. 01 42 33 92 25 • Mardi-vendredi : 8 h-13 h, 14 h-19 h ; samedi : 8 h-13 h, 14 h-18 h

Ourlet jean : 10 €. Changement de doublure d'une veste : 53,50 € ; d'un manteau : 61 €. Ourlet manche : 12 à 16 €. Forfait pour remise aux mesures d'une jupe (ourlet, taille, côtés) : entre 10 et 16 €.

4e ARRONDISSEMENT

LA RETOUCHERIE
19 rue des Écouffes (4e) • M° Saint-Paul • Tél. 01 42 78 81 46 • Dimanche-vendredi : 9 h-19 h ; fermé le samedi

Fernand Atlan réalise tout ce que l'on souhaite. Prix assez élevés mais délais rapides (quatre jours) et surtout un travail extrêmement soigné, façon couture. Pour des vêtements anciens, fragiles et chics auxquels on tient.

9e ARRONDISSEMENT

ARIS COUTURE
21 rue Caumartin (9e) • M° Havre-Caumartin, RER A, Auber • Tél. 01 47 42 74 33 • Lundi-samedi : 10 h-18 h

ATILA CAYIR
3 rue Papillon (9e) • M° Cadet • Tél. 01 42 46 40 45 • Lundi-vendredi : 9 h-19 h ; samedi : 10 h 30-17 h

Ourlet-pantalon : 8 €. Ourlet jupe : 10 €. Déchi-rure : 3,05 €. Doublure veste, poches et manches : 60,98 €.

LA RETOUCHERIE DE A À Z
19 rue du Faubourg-Poissonnière (9e) • M° Bonne-Nouvelle • Tél. 01 42 46 74 54 ou 06 15 95 61 24 • www.parisresto-parisboutique.com • Lundi-vendredi : 9 h-19 h ; samedi : 10 h-17 h

Ourlet fente et revers de pantalon, homme, femme et enfant : 8 €. Ourlet jupe doublée : 10 €. Reprise taille : 10 €. Bas de manches : 12 €. **Prix réservés à nos lecteurs, avec le guide ou la carte.**

17e ARRONDISSEMENT

TRUFFAUT RETOUCHE
9 rue Brochant (17e) • M° Brochant • Tél. 01 46 27 50 71 • Mardi-samedi : 8 h-12 h, 15 h 30-19 h 30

Fermeture jupe/pantalon : 11 €. Ourlet jean : 8 € ; jupe : 7,62 € (machine) ; 9,15 € (invisible).

18e ARRONDISSEMENT

RETOUCHE RAPIDE 29
29 rue Custine (18e) • M° Château-Rouge • Tél. 01 42 62 63 57 • Lundi-samedi : 10 h-12 h 30, 14 h 30-19 h 30

Un accueil d'une rare gentillesse, des prix plus que raisonnables ; ourlets à 6 ou 7 €, fermeture Éclair à 10 €. Travail très soigné. Et si ourlet ou bouton vous ont lâché juste avant un rendez-vous important, on vous les recoud immédiatement.

20e ARRONDISSEMENT

RETOUCHE D'AVRON
33 rue d'Avron (20e) • M° Buzenval • Tél. 06 67 52 21 10 • Lundi-samedi : 9 h-21 h

Ourlet pantalon : 7 € ; avec revers : 8 € ; jupe : 8 €. Service rapide. Fermeture Éclair : 8 €. Changement de doublure : 30 €. Accueil chaleureux. **Remise de 2 % avec le guide ou la carte.**

RETOUCHES PELLEPORT
41 rue de Pelleport (20e) • M° Porte-de-Bagnolet • Tél. 01 40 30 36 07 • Mardi-samedi : 9 h-13 h, 14 h 30-19 h 30

Ourlet de 8 à 12,50 €. Raccourcissement des manches : 15 €.

X MARCHAL RETOUCHES
112 rue de Ménilmontant (20e) • M° Gambetta • Tél. 01 43 66 44 24 • Lundi-samedi : 8 h 30-12 h 30, 15 h-19 h

Ourlet pantalon simple : 7,50 € ; avec revers : 7,62 €. Travail du cuir : manche de veste à 19,82 €, largeur vêtement à 30,49 €.

ALIMENTATION

Voici un chapitre où l'on s'émoustille les papilles sans pour autant écorner ses économies. Bien manger et bien boire à peu de frais ? Un défi que Paris Pas Cher a relevé. Sans pour autant tomber dans le misérabilisme. Tant il est vrai que dans ce domaine la qualité se paie toujours...

¿ QUE CHERCHEZ-VOUS ?

BOUCHERIES
141 Boucheries Roger (6ᵉ, 7ᵉ, 16ᵉ, 17ᵉ, 18ᵉ)

BOULANGERIES-PÂTISSERIES
142 Au Levain du Marais (3ᵉ, 11ᵉ)
144 Le Pétrin Médiéval (9ᵉ)
149 L'Autre Boulange (11ᵉ)
147 Mister Ice (17ᵉ)
150 Au Pain d'Antan (18ᵉ)
148 Pâtisserie de l'Église (20ᵉ)
150 Petit Père (93)
149 Le Gourmet Parisien (95)

CAFÉS, THÉS
141 Cafés et Thés Verlet (1ᵉʳ)
149 Brûlerie San José (2ᵉ)
149 Lapeyronie (3ᵉ)
142 Le Palais des Thés (3ᵉ, 6ᵉ, 14ᵉ, 16ᵉ)
143 Brûlerie Maubert « SNT » (5ᵉ)
144 Cafés Estrella (6ᵉ)
144 Boutique Twinings (8ᵉ)
146 Chocolatier de Paris (13ᵉ)

149 L'Empire des thés (13ᵉ)

CAVIAR
148 Atelier de Fumaison SAFA (93)

CHAMPIGNONS
141 Foie Gras Luxe (1ᵉʳ)

CHARCUTERIES
141 Boucheries Roger (6ᵉ, 7ᵉ, 16ᵉ, 17ᵉ, 18ᵉ)
147 Divay (17ᵉ)
148 Traiteur Michaux (94)

CHOCOLATS, CONFISERIES
142 Chocolats Mussy (4ᵉ)
142 Girard (4ᵉ)
149 La Mère de Famille (9ᵉ)
146 Chocolatier de Paris (13ᵉ)
147 Dupleix (15ᵉ)

CONFITURES
146 Chocolatier de Paris (13ᵉ)

ÉPICERIE FINE
149 A la Ville de Rodez (4ᵉ)

143 Brûlerie Maubert « SNT » (5ᵉ)
144 Une Bonne Pâte (9ᵉ)

FOIE GRAS
141 Foie Gras Luxe (1ᵉʳ)
142 Pietrement Lambret (1ᵉʳ)
141 Boucheries Roger (6ᵉ, 7ᵉ, 16ᵉ, 17ᵉ, 18ᵉ)
146 Chocolatier de Paris (13ᵉ)
147 Dupleix (15ᵉ)
147 Divay (17ᵉ)
148 Atelier de Fumaison SAFA (93)

FROMAGES
147 La Ferme du Hameau (15ᵉ)
147 Fromagerie des Moines (17ᵉ)
150 Fromagerie Lepic (18ᵉ)
150 La Cave à Fromages (20ᵉ)

FRUITS ET LÉGUMES
151 Les cueillettes : fruits, légumes et fleurs de saison
153 Les marchés de Paris

¿ QUE CHERCHEZ-VOUS ?

GIBIERS
142 Pietrement
Lambret (1er)
150 Maison Monnier
(20e)

GLACES
143 Gelati d'Alberto
(5e)
146 Luigi Calabrese
(14e)
147 Mister Ice (17e)

HYPERMARCHÉS
152 Les hypers aux
portes de Paris

LIVRES
159 Librairie
Gourmande (5e)

MARCHÉS
153 Les marchés de
Paris

MIELS
145 Les Abeilles (13e)
146 Chocolatier de
Paris (13e)

PÂTES
144 Une Bonne Pâte
(9e)

**POISSONS,
CRUSTACÉS**
141 L'Océanic (1er)
149 Sogerisa (2e)
150 Daguerre Marée
(17e)

**PRODUITS
BIOLOGIQUES**
150 Les marchés

151 Canal Bio (12e)
151 Canal Bio La
Boucherie (19e)
151 Les Producteurs
Bio-Bourgogne
(89)
151 Les Nouveaux
Robinson (93)

**PRODUITS ÉTRANGERS
ET EXOTIQUES**
143 Izraël (4e)
145 Cooperativa Latte
Cisternino (5e, 9e,
10e, 11e)
143 Mavrommatis (5e,
9e, 17e, 92)
144 Saveurs d'Irlande
et d'Écosse (10e)
145 Il Pastaio (11e,
15e)
146 Nouveau YV
NGHY (13e)
146 Tang Frères (13e,
77, 94)
146 Les Délices
d'Orient (15e)
150 Ital Délices (15e)
148 Asie Exo (18e)
145 The Gourmet
Shoppe (18e)
148 Spécialités
Antillaises (20e)

SAUMON
141 Foie Gras Luxe
(1er)
141 L'Océanic (1er)
149 Comptoir du
Saumon (4e)
144 Saveurs d'Irlande
et d'Écosse (10e)

145 The Gourmet
Shoppe (18e)
148 Atelier de
Fumaison SAFA
(93)

TRAITEURS
145 Il Pastaio (11e,
15e)
148 Traiteur Michaux
(94)

VINS
154 Legrand (2e)
154 La Belle Hortense
(3e)
154 Caves du Marais
(4e)
154 Les Domaines
Qui Montent (6e)
154 Caves Taillevent
(8e)
155 Lafayette
Gourmet (9e)
155 Les Grandes
Caves de Clichy
(92)
155 Saveurs et
Millésimes (92)

VOLAILLES
142 Pietrement
Lambret (1er)
141 Boucheries Roger
(6e, 7e, 16e, 17e,
18e)
150 Maison Monnier
(20e)

VOIR AUSSI
291 « Fêtes et
mariages -
Traiteurs »
370 « Internet »

BOUCHERIES ROGER

Viandes et charcuteries

Lundi-samedi : 8 h 30-19 h

Des promotions chaque semaine sur la viande et les charcuteries vendues à des prix sages selon les points de vente (rumsteck aux environs de 15 € le kg, entrecôte aux environs de 15 € le kg). Races bouchères à la traçabilité solidement établie. Et aussi volailles, triperies, foie gras et rayon rôtisserie rue Poncelet et rue de l'Annonciation.

AUTRES ADRESSES
- 127 rue de Rennes, 6e • M° Saint-Placide • Tél. 01 45 48 83 33
- 52 rue Clerc, 7e • M° École-Militaire • Tél. 01 45 51 34 06
- 43 rue de l'Annonciation, 16e • M° Passy ou La Muette • Tél. 01 42 88 30 91
- 3 rue Poncelet, 17e • M° Ternes • Tél. 01 43 80 28 38 • Mardi-samedi : 8 h 30-19 h ; dimanche : 8 h 30-13 h
- 83 av. de Saint-Ouen, 17e • M° La Fourche • Tél. 01 46 27 63 77
- 32 rue Lepic, 18e • M° Blanche • Tél. 01 46 06 19 05

1er ARRONDISSEMENT

CAFÉS ET THÉS VERLET

Pour apprécier le thé ou le café

256 rue Saint-Honoré (1er)
M° Palais-Royal-Musée-du-Louvre
Tél. 01 42 60 67 39
Fax : 01 42 60 05 55
www.verlet.com
Du 1er octobre au 1er juin, lundi-samedi : 9 h 30-19 h ; du 1er juin au 1er septembre, lundi-vendredi : 9 h 30-19 h

L'expresso (vingt-trois proposés) ou le thé tout aussi délicieux se dégustent dans un décor de bois qui semble ne pas avoir bougé depuis la fondation (1880 !). Parmi les cafés les plus demandés : moka d'Éthiopie (ancêtre de tous les cafés) à 5 € les 250 g, le Colombie à 4,50 € ou le mélange maison Grand Pavois à 4 €. Une cinquantaine de thés (hormis les parfumés) dont une grande variété de grands crus de Chine. Fruits confits et fruits secs pour accompagner la dégustation (seulement d'octobre à mars).

FOIE GRAS LUXE

Foie gras et autres délices

26 rue Montmartre (1er)
M° Châtelet-Les Halles, Sentier ou Louvre
Tél. 01 42 36 14 73
Fax : 01 40 25 45 50
Lundi : 8 h-12 h, 14 h 30-17 h 30 ; mardi-vendredi : 6 h-12 h 15, 14 h 30-17 h 30 (en décembre, ouvert le samedi)

C'est le royaume du foie gras, et il vous faudra goûter par exemple celui de canard entier confit à 107 € le kilo mais vous pourrez aussi acheter, si votre portefeuille le permet, la caille farcie au foie gras à 8,50 € les 200 g, du caviar d'Iran (à 1 530 € le kilo). Plus simplement du saumon fumé norvégien tranché main à 31 € ou du jambon de Parme à 17 € ou plus parfumé encore du San Daniele pour 19 € (prix au kilo). Sans oublier les morilles séchées et la truffe en conserve. **Remise de 10 % avec le guide ou la carte (sauf caviar, alcool, saumon et promotions).**

L'OCÉANIC

Gros poissons, petits prix

39 rue Étienne-Marcel (1er)
M° Étienne-Marcel
Tél. 01 42 36 22 37
Fax : 01 45 08 49 83
www.loceanic.com
Mardi-samedi : 5 h-12 h ; ouvert aux particuliers le samedi uniquement de 7 h 30 à 12 h

Non, madame, ici on ne détaille pas : c'est de la pêche au demi-gros qui vient en direct, le matin même, de Rungis. Le particulier trouvera ici, de préférence le samedi, du bar portion à 9,15 €, de la sole à 19 €, du filet de saumon supérieur à 9 € (prix au kilo), du filet de cabillaud ou des grosses crevettes roses. Enlevez, c'est tout frais.

PIETREMENT LAMBRET

Volailles et gibiers

58 rue Jean-Jacques-
Rousseau (1er)
M° Châtelet-Les Halles
Tél. 01 42 33 30 50
Fax : 01 40 28 15 11
www.pietrement-lambret.
com
Lundi-vendredi : 6 h-19 h ;
samedi : 6 h-12 h

Le poulet jaune vient des Landes, le pigeon du Centre et le canard de Vendée. Pour le gibier, attendez la saison pour vous régaler d'un faisan (10 € la pièce), d'un canard sauvage ou d'un cuissot de chevreuil (29 €). Pour terminer de vous réveiller complètement les papilles, laissez-vous tenter par un foie gras entier mi-cuit de canard à 103 € le kilo.

3e ARRONDISSEMENT

AU LEVAIN DU MARAIS

L'as des croûtes

32 rue de Turenne (3e)
M° Saint-Paul
Tél. 01 42 78 07 31
Mardi-samedi : 7 h-20 h

Une adresse qui vieillit bien, ce qui est rare : baguettes à 0,70 €, pains de campagne à 1,70 €, macarons à 2 €, millefeuilles aux poires ou aux fraises à 2,50 €.

AUTRES ADRESSES
- 28 rue Beaumarchais, 11e • Tél. 01 48 05 17 14 • Lundi, jeudi, vendredi, samedi : 7 h-20 h ; dimanche : 8 h-20 h
- 142 av. Parmentier, 11e • Tél. 01 43 57 36 91 • Mardi-samedi : 7 h-20 h

LE PALAIS DES THÉS

Tous thés

64 rue Vieille-du-Temple
(3e)
M° Saint-Paul
Tél. 01 48 87 80 60
www.palaisdesthes.com

Pour « théophiles »® (la marque est déposée !) ou ceux qui cherchent à le devenir. Tous les thés du monde et ce qui gravite autour (théières, accessoires, livres, tasses...) et thés en dégustation gratuite. Grand Yunan impérial à 6 € les 100 g, mélange maison « Thé des Moines » à 7,80 € les 100 g. – Mardi-samedi : 10 h 30-19 h 30 ; dimanche : 14 h-19 h.

AUTRES ADRESSES
- 61 rue du Cherche-Midi, 6e • M° Sèvres-Babylone
- 25 rue Raymond-Losserand, 14e • M° Pernety
- 21 rue de l'Annonciation, 16e • M° La Muette ou Passy

4e ARRONDISSEMENT

CHOCOLATS MUSSY

Le plaisir du chocolat

8 rue du Bourg-Tibourg (4e)
M° Hôtel-de-Ville ou Saint-
Paul
Tél. 01 42 77 08 97
Fax : 01 42 77 08 97
Tous les jours : 12 h-19 h 30

Sylvain Mussy est artisan-chocolatier à Chaumont et sa petite boutique, où vous accueille avec bonne humeur Esther, est remplie de ses douceurs fabriquées avec les meilleurs cacaos. Certains rentrent pour s'acheter un ballotin de chocolats (19,97 € les 250 g), d'autres pour choisir parmi soixante-dix variétés de chocolats, pâtes de fruits et caramels (6,10 € les 100 g). Sylvain Mussy fabrique aussi des confitures : pêche de vigne, melon, mangue vanillée, gelée de pommes-caramel, figues...

GIRARD

Confiseries

4 rue des Archives (4e)
M° Hôtel-de-Ville
Tél. 01 42 72 39 62
Fax : 01 42 77 88 21

Chez Girard, on fabrique la dragée de Verdun (la meilleure) avec en haut du palmarès l'Avolina à 24 € le kilo environ et la Princeline d'Avola à 32 € le kilo environ. Les chocolats (70 % de cacao mini-

Mardi-samedi : 10 h-19 h

mum) partagent la vedette avec le kilo entre 34 et 45 €. Des visites du laboratoire où se confectionnent toutes ces douceurs sont organisées pour 4 €. Accueil chaleureux. **Une bouchée au chocolat en cadeau avec le guide ou la carte.**

IZRAËL
Le tour du monde des saveurs

30 rue François-Miron (4ᵉ)
Mᵒ Saint-Paul ou Hôtel-de-Ville
Tél. 01 42 72 66 23
*Mardi-vendredi : 9 h 30-13 h, 14 h 30-19 h ;
samedi : 9 h-19 h*

C'est d'abord par le nez qu'on apprécie Izraël. C'est ensuite par les yeux : toutes les couleurs de toutes les épices connues sont là. Et aussi le riz sauvage, les olives (à partir de 8,84 € le kilo), le guarana brésilien, le yerba maté, les haricots noirs du Brésil, les rhums du monde entier (rhum « paille » de Cuba à 19 € la bouteille)... L'introuvable, c'est ici qu'on le trouvera.

5ᵉ ARRONDISSEMENT

BRÛLERIE MAUBERT « SNT »
Café ou thé ?

3 rue Monge (5ᵉ)
Mᵒ Maubert-Mutualité
Tél. 01 46 33 38 77
Fax : 01 43 25 60 97
Mardi-samedi : 9 h-13 h, 15 h-19 h ; dimanche : 10 h-12 h

Le café est torréfié tous les jours à la brûlerie Maubert. Le jamaïcain Blue Mountain réputé pour être le meilleur du monde est vendu 7,50 € les 100 g. Mais d'autres cafés presque aussi aromatisés raviront tout autant votre palais comme le Moka Sidamo (3,60 € les 250 g) et les cafés du Brésil ou de Cuba (3,40 € les 250 g). Près de soixante-dix qualités de thé sont proposées, parmi lesquels le fameux thé vert japonais (3,50 € les 100 g) ou chinois (3 €) ou encore le Grand Oolong de Formose (4,60 €). Outre les thés, on peut déguster sur place plus de vingt-cinq qualités de café (1,30 à 1,95 € la tasse).

GELATI D'ALBERTO
A la bonne glace

45 rue Mouffetard (5ᵉ)
Mᵒ Monge
Tél. 01 43 37 88 07
Tous les jours : 13 h-minuit

D'excellentes glaces (vingt-quatre parfums) servies avec le sourire. Deux parfums à 3 €, trois parfums à 4 €, quatre parfums à 5 €. **Un café offert avec le guide ou la carte.**

MAVROMMATIS
Les délices d'Aphrodite

47-49 rue Censier (5ᵉ)
Mᵒ Censier-Daubenton
Tél. 01 45 35 96 50
Fax : 01 43 36 13 08
www.mavrommatis.fr
Tous les jours : 9 h-22 h

Pour s'émoustiller les papilles avant de s'envoler pour les îles grecques, rien de tel qu'une traditionnelle moussaka (20,80 € le kilo), des calamars farcis (28,85 € le kilo), du tzatziki (21,20 € le kilo), un morceau de féta (la vraie, pas la française... 20 € le kilo) et quelques pâtisseries (de 0,80 € le kourabieres à 1,20 € le baklava). C'est plus cher que là-bas mais c'est frais et si bon... et c'est à Paris.

AUTRES ADRESSES

■ Stand Mavrommatis, Galeries Lafayette Gourmet - 48-52 bd Haussmann, 9ᵉ • Mᵒ Chaussée-d'Antin • Tél. 01 42 80 42 42 • Lundi-samedi : 9 h-20 h, nocturne le jeudi jusqu'à 21 h
■ Stand Mavrommatis, L'Atrium du Palais des Congrès, 17ᵉ • Mᵒ Porte-Maillot • Tél. 01 56 68 85 50 • Lundi-dimanche : 9 h-21 h
■ Inno Les Passages, 5 rue Tony-Garnier • 92100 BOULOGNE-BILLANCOURT • Mᵒ Marcel-Sembat • Tél. 01 46 04 69 54 • Lundi-samedi : 9 h 30-22 h

CAFÉS ESTRELLA

Odeurs de café...

34 rue Saint-Sulpice (6ᵉ)
Mᵒ Odéon ou Saint-Sulpice
Tél. 01 46 33 16 37
Mardi-samedi : 10 h-
13 h 30, 14 h 30-19 h

La délicieuse odeur de torréfaction vous attire de la rue. Chez Estrella, les prix ne bougent pas. Les cafés démarrent à 2,90 € les 250 g. Bien sûr, il faudra compter plus pour un moka Harrar Petit Cheval d'Éthiopie (4,80 € les 250 g), le Kallai, café des îles Hawaii ou un rare Blue Mountain jamaïcain. Une centaine de variétés de thés est proposée avec par exemple, pour le petit déjeuner, un Inde Assam Supérieur à 4 € les 100 g ou un Darjeeling à 4,90 €.

BOUTIQUE TWININGS

Soixante variétés de thés

76 bd Haussmann (8ᵉ)
Mᵒ Havre-Caumartin
ou Saint-Lazare
Tél. 01 43 87 39 84
Fax : 01 43 87 88 09
Mardi-samedi : 10 h 30-
19 h

Pas de doute, chacun trouvera une qualité de thé à son goût. Une bonne soixantaine est proposée venant de Chine, d'Inde ou de Ceylan à 3,20 € les 100 g en moyenne pour les thés ou les eaux de fruits (entendez infusions). Essayez donc le fumé Lapsang Soushong à 3,05 € la boîte de vingt-cinq sachets ou le Formosa Oolong Finest (6,86 € les 100 g). Et pour accompagner l'heure du thé, un joli choix de livres sur le sujet. **Échantillon de thé offert avec le guide ou la carte (ou 10 % de remise).**

LE PÉTRIN MÉDIÉVAL

Le bon pain quotidien

31 rue Henry-Monnier (9ᵉ)
Mᵒ Saint-Georges
ou Pigalle
Tél. 01 44 53 05 02
Lundi-samedi : 7 h 30-20 h

Les pains, cuits dans un four de pierre chauffé au bois, sont croustillants et dodus et se vendent à partir de 5,50 € le kilo mais peuvent se conserver quelques jours. La flûte à l'ancienne se paie 0,95 et 1,05 € si vous la choisissez recouverte de graines de pavot ou sésame. Également toutes sortes de viennoiseries savoureuses comme des brioches vanille-citron ou des brioches alsaciennes.

UNE BONNE PÂTE

E viva la pasta !

13 rue Cadet (9ᵉ)
Mᵒ Cadet
Tél. 01 48 24 96 54
Mardi-samedi : 9 h 30-14 h,
16 h-20 h

Madame Philippe est si gentille et ses pâtes si bonnes... Pour les tagliatelles, fusillis, rigatonis, spaghettis, coquillettes, il vous en coûtera 6,71 € le kilo alors que les raviolis fourrés de différentes sortes de bonnes choses affichent 13,20 € pour le même poids. Laissez-vous tenter également par les alléchantes charcuteries et les savoureux fromages transalpins bien que vendus à des prix peut-être moins sages (mozzarella de bufflonne à 3,60 € les 200 g, parmesan entier à 25,95 € le kilo...).

SAVEURS D'IRLANDE ET D'ÉCOSSE

Scottish et irish

5 cité du Wauxhall (10ᵉ)
Mᵒ République
Tél. 01 42 00 36 20
Fax : 01 42 00 33 12

Sans doute le seul endroit à Paris pour apprécier le haggis écossais Macsween (panse de brebis farcie) : il vous en coûtera 7,50 € la livre. Cette épicerie fine sélectionne tous les meilleurs produits d'Ir-

Mardi-vendredi : 10 h-14 h, 15 h-19 h ; samedi : 11 h-14 h 30, 15 h 30-19 h

lande et d'Écosse. Parmi eux : le saumon fumé d'élevage Kenmare à 44,20 € le kilo pré-tranché, les whiskies irlandais (à partir de 16 €) ou écossais (à partir de 17,50 €), les bières ou l'Irn-Bru l'autre boisson nationale écossaise (1,50 € la canette) mais aussi les fromages fermiers irlandais (à partir de 13,70 € le kilo) accompagnés d'un brown soda bread, pain irlandais fait maison (3,85 € les 750 g). Les six saucisses (4,85 € les 360 g) et le boudin à 3 € pièce.

AUTRE ADRESSE
- **The Gourmet Shoppe** • 139 rue Ordener, 18e • M° Jules-Joffrin • Tél. 01 42 55 10 31 • Mardi-samedi : 10 h 30-13 h 30, 16 h 30-19 h 30 (fermé le mercredi matin)

11e ARRONDISSEMENT

COOPERATIVA LATTE CISTERNINO   *Tutto ma non troppo*

108 rue Saint-Maur (11e)
M° Saint-Maur
Tél. 01 43 38 54 54
Lundi-samedi : 10 h-13 h 30, 16 h-20 h

Une adresse très fréquentée et pour cause : les pâtes fraîches sont à 4,60 € le kilo, les pâtes farcies à 6,20 € le kilo, les fromages entre 17 et 20 € le kilo. Arrivage deux fois par semaine de la maison mère transalpine qui a 40 ans… Mêmes horaires et même téléphone pour les trois autres adresses ci-dessous.

AUTRES ADRESSES
- 17 rue Geoffroy-Saint-Hilaire, 5e • M° Censier-Daubenton
- 37 rue Godot-de-Mauroy, 9e • M° Madeleine
- 46 rue du Faubourg-Poissonnière, 10e • M° Poissonnière

IL PASTAIO   *Gastronomie italienne*

176 rue de la Roquette (11e)
M° Voltaire
Tél. 01 44 64 71 30
Fax : 01 44 64 71 30
Lundi-vendredi : 10 h 30-15 h, 16 h 30-20 h 30 ; samedi : 10 h 30-20 h 30

On a envie de tout goûter à commencer par les antipasti fraîchement préparés par le patron (à partir de 25,15 € le kilo). Les pâtes attendent avec impatience d'être jetées dans l'eau bouillante : au saumon ou aux épinards-fromage-basilic (18,50 € le kilo) ou tout aussi délicieux les « gnocchi di patate » (14 € le kilo). Les charcuteries (25 € le kilo en moyenne) sont irrésistibles, parfumées et coupées finement pour se déguster autour de grissinis. C'est pas donné comme la plupart des traiteurs italiens mais c'est si bon au palais… Quelques tables sur place où l'on peut grignoter. Cave à vins avec dégustation. **Café offert avec le guide ou la carte (si l'on mange).**

AUTRE ADRESSE
- 38 rue de l'Eglise, 15e • M° Félix-Faure • Tél. 01 45 54 57 70

13e ARRONDISSEMENT

LES ABEILLES   *Tout miel*

21 rue de la Butte-aux-Cailles (13e)
M° Place-d'Italie
Tél. 01 45 81 43 48
Fax : 01 45 80 75 58
Mardi au samedi : 11 h-19 h

Les apiculteurs connaissent bien l'adresse puisqu'ils viennent s'équiper ici en matériel. Vous aurez le choix entre une cinquantaine de miels : mimosa, tamaris, rhododendron, sapin (de 4 à 5,60 € le pot de 250 g, de 7,20 à 9,60 € pour les 500 g). Pour les gros consommateurs, on peut venir avec son récipient pour prendre le miel à la tireuse (8 € le kilo). **Remise de 5 % avec le guide ou la carte.**

CHOCOLATIER DE PARIS

Chocolat à prix cassés

19 rue Campo-Formio (13e)
M° Campo-Formio
ou Nationale
Tél. 01 44 24 04 04
Fax : 01 44 24 85 43
*Lundi-vendredi : 10 h-19 h ;
samedi : 10 h-18 h 30*

Jugez un peu : grand choix de chocolats à partir de 19,60 € le kilo, pâtes de fruits à 3,75 € les 225 g, marrons glacés à 15 € les 225 g, foie gras de canard entier à 21 €, thé à partir de 3,80 € les 200 g. Grand choix de confitures : baies d'églantier, banane, patates douces, tomates vertes (2,95 à 7,75 € les 445 g). **Pas de minimum d'achat exigé pour les lecteurs de Paris Pas Cher.**

NOUVEAU YV NGHY

Chinois sucré

67 av. d'Ivry (13e)
M° Porte-d'Ivry
Tél. 01 45 86 93 36
Tous les jours : 8 h-20 h

Non, les pâtisseries chinoises ne se réduisent pas aux pauvres choses qui nous sont servies dans la plupart des restaurants chinois. Ici, elles sont fraîchement confectionnées et emballées dans l'arrière-boutique (de 0,80 à 1 € pièce).

TANG FRÈRES

Supermarché asiatique

48 av. d'Ivry (13e)
M° Porte-d'Ivry
Tél. 01 45 70 80 00
Fax : 01 45 85 35 55
www.tang-freres.com
*Mardi-dimanche : 9 h-
19 h 30*

Voyage en supermarché asiatique avec dépaysement garanti. Au rayon des légumes et fruits frais : cœur de kailan, choysam, papaye verte, poires chinoises, fruits dragons et toutes sortes d'herbes aromatiques pour ne citer qu'eux. Les sacs de riz par 5 kg côtoient les pots de sauces épicées et les soupes instantanées. Pâtés impériaux 2,90 € les dix, raviolis aux crevettes 2,15 € les dix, gingembre à 2,50 € le kilo. Et aussi, baguettes, paniers à dim-sum et rice-cooker.

AUTRES ADRESSES
- 168 av. de Choisy, 13e • M° Place-d'Italie • Tél. 01 44 24 06 72
- 44 av. d'Ivry, 13e • M° Porte-d'Ivry • 01 45 85 19 85
- 2 rue du Suffrage-Universel • 77185 LOGNES • 20 km de la Porte de Bercy (A4) • Tél. 01 64 62 98 88
- Centre Commercial Résidence du Parc, Allée des Rois • 77186 NOISIEL • 21 km de la Porte de Bercy (A4, A199) • Tél. 01 60 05 03 35
- 163 bd Stalingrad • 94400 VITRY-SUR-SEINE • M° Porte-de-Choisy + bus 185 • Tél. 01 49 60 56 78

14e ARRONDISSEMENT

LUIGI CALABRESE

Glaces à gogo

15 rue d'Odessa (14e)
M° Edgar-Quinet
ou Montparnasse
Tél. 01 43 20 31 63
*Tous les jours de 10 h à
23 h 30 (fermé en août)*

Pour ceux qui ne sauraient se contenter d'une béotienne vanille-fraise, Luigi garde en mémoire quatre-vingt-dix parfums différents dont quatorze sont proposés chaque jour, parmi lesquels l'insolite fenouil, l'étonnant kaki, l'italianissime tiramisu et la curieuse fleur d'oranger. De la boule à 1,10 € au 1/2 litre (6,70 €) et au 3/4 litre (10 €) en passant par l'esquimau (3 €), toutes les combinaisons sont possibles. Merci Luigi.

15e ARRONDISSEMENT

LES DÉLICES D'ORIENT

Gastronomie libanaise

52 av. Émile-Zola (15e)
M° Charles-Michels
Tél. 01 45 79 10 00

Des mets cuisinés aux fromages, en passant par les alcools, les fruits confits ou les loukoums, rien de ce qui est libanais n'échappe à monsieur El Hawlly.

*Mardi-dimanche : 8 h 30-
21 h*

La pâtisserie est de fabrication maison et vous vous
laisserez tenter par un baklava (20 € le kilo), une
boîte de nid d'oiseau (5,90 €) ou de délicieux maa-
mouls (1,10 € pièce) tout en vous entretenant des
splendeurs du Liban.

AUTRE ADRESSE
■ 14-16 rue des Quatre-Frères-Peignot, 15ᵉ • Mᵒ Charles-Michels

DUPLEIX
Carambar, dragées et foie gras

72 bd de Grenelle (15ᵉ)
Mᵒ Dupleix
Tél. 01 45 79 79 42
Fax : 01 45 77 81 98
*Lundi : 14 h-19 h ; mardi-
samedi : 9 h-19 h*

Prix de gros, et volumes itou. Les oursons choco se
vendent par 160 et coûtent 14,50 €, les Carambars
par 200 (14,70 €), les Haribo à partir de 9,70 €
les 2 kg et les 250 Chupa à 30,51 €. Curieusement,
le foie gras de canard, lui, se trouve en boîte de
180 g et ne coûte que 12,90 €. Et aussi quinze
sortes de dragées de 7,90 à 25,40 € le kilo. En
somme, le bonheur des dentistes...

LA FERME DU HAMEAU
Le vrai crottin

223 rue de la Croix-Nivert
(15ᵉ)
Mᵒ Porte-de-Versailles
Tél. 01 45 32 88 70
*Mardi-samedi : 8 h 30-13 h,
15 h 30-20 h (fermé
en juillet)*

Les crottins de Chavignol et du Sancerrois, les vrais,
secs, durs et puissants en goût c'est chez Jean Bout-
tier qu'on les trouve (compter environ 2,02 € la
pièce). Et pour se mettre en bouche, on pourra également faire son choix parmi les nombreux fromages
de brebis, chèvre et vache tous affinés avec amour.

17ᵉ ARRONDISSEMENT

DIVAY
Tout le porc

4 rue Bayen (17ᵉ)
Mᵒ Ternes ou Charles-
de-Gaulle-Étoile
Tél. 01 43 80 16 97
Fax : 01 43 80 34 60
www.foiegras-divay.com
*Mardi-vendredi : 8 h-
13 h 30, 15 h-19 h ;
samedi : 8 h-19 h ;
dimanche : 8 h-13 h*

Cet excellent artisan décline avec bonheur toutes les
productions porcines. Sa choucroute garnie est un
régal. Et son foie gras un vrai bonheur : d'oie, frais
entier, au naturel, il vaut 100 € le kilo. En terrine,
on le trouvera à 43 € les 250 g, 76 € les 500 g et
122 € le kilo. Également du saumon fumé norvégien
à 50 € le kg et du jambon au torchon à 15 € le kilo.
Remise de 5 % avec le guide ou la carte.

FROMAGERIE DES MOINES
L'un des meilleurs fromagers de Paris

47 rue des Moines (17ᵉ)
Mᵒ Brochant
Tél. 01 46 27 69 24
*Mardi-samedi : 8 h 30-13 h,
16 h-19 h 30 ; dimanche :
9 h-12 h 30*

Écouter Jacques Gicquel parler des fromages qu'il
a sélectionnés parmi les meilleurs producteurs suffit
à vous échauffer les glandes gustatives. Ensuite,
vous goûterez le Brie de Mme Dongé (14,50 € le
kilo), le Chèvre Pussigny de chez Guillet (6 € la
pièce), le Roquefort de chez Carles (22 € le kilo),
le Camembert de Gillot au lait cru moulé à la louche
en direct de Normandie (3,50 €), le vieux Gouda
de 18 mois (15 € le kilo). Et à votre prochaine visite,
M. Gicquel vous en fera goûter d'autres.

MISTER ICE
Glaces et sorbets

6 rue Descombes (17ᵉ)
Mᵒ Porte-de-Champerret
Tél. 01 42 67 76 24

Vingt-cinq variétés de glaces et encore plus de sorbets. Quelques bonnes raisons de vous faire hésiter.
Parmi les nouveautés, on vous conseille de goûter à

Fax : 01 42 67 69 17
Mardi-vendredi : 14 h-19 h ;
samedi : 14 h-19 h 30

la glace chocolat mendiant ou au sorbet letchi-pétales de rose. Les profiteroles restent néanmoins une valeur sûre (3,70 € la part). Le demi-litre de glace coûte 6,60 €.

18e ARRONDISSEMENT

ASIE EXO   *Voyage en Chine*

2 rue des Roses (18e)
M° Marx-Dormoy
Tél. 01 46 07 33 50
ou 01 42 09 76 01
Fax : 01 46 07 09 66
Mardi-dimanche : 9 h-19 h

La vaisselle chinoise et tout ce qui va dedans. Mais ne comptez pas sur le personnel pour vous expliquer comment se mangent ces étranges choses brunâtres, rosâtres ou verdâtres. Il faudra tester... Des pâtes de riz aux pâtés impériaux (2,90 €) en passant par les gâteaux de riz ou les raviolis vapeur aux crevettes (4,27 € le sioumaï au poulet), la Chine dans tous ses états.

20e ARRONDISSEMENT

PÂTISSERIE DE L'ÉGLISE   *Miam*

10 rue du Jourdain (20e)
M° Jourdain
Tél. 01 46 36 66 08
www.caradou.com
Lundi-samedi : 9 h-19 h 45 ;
dimanche : 9 h-18 h 30

Sans doute l'une des meilleures pâtisseries de Paris, et certainement pas la plus chère. Quelques incontournables locaux, le Saint-James, le Caradou, le Maïdo ou encore le Saverne. Compter de 35 à 40 € pour un gâteau de huit personnes. A consommer sans modération.

SPÉCIALITÉS ANTILLAISES   *Antilles-faim*

16 bd de Belleville (20e)
M° Ménilmontant
Tél. 01 43 58 31 30

Traiteur, cocktail, boudin (7,60 € le kg), acras, pâtisseries, fruits exotiques, rhum... Bon accueil. – Mardi-jeudi : 10 h-19 h ; vendredi-samedi : 9 h-19 h ; dimanche : 9 h-12 h. **10 % de remise sur présentation du guide ou de la carte.**

93 SEINE-SAINT-DENIS

ATELIER DE FUMAISON SAFA   *Pour redécouvrir le saumon*

130 rue de Rosny
93100 MONTREUIL
M° Mairie-de-Montreuil
Tél. 01 42 87 20 20
Fax : 01 49 88 16 62
Lundi-vendredi : 8 h-18 h ;
samedi : 9 h-12 h

Cette maison vous réconciliera avec le saumon fumé qu'elle fume elle-même au bois de hêtre ou de chêne. Vous sentirez la différence. Le saumon blanc sauvage de la Baltique est vendu 45,84 € le kilo prétranché. Si vous le préférez ferme, choisissez l'irlandais bio (52,28 € le kilo) ou alors l'écossais (43,43 € le kilo) pour un goût fumé bien prononcé. Également filets de flétan fumé (30,56 € le kilo), truite fumée, tarama brut (40 % d'œufs de cabillaud) et tarama au corail d'oursin... pour finir de vous faire saliver.

94 VAL-DE-MARNE

TRAITEUR MICHAUX   *Le plaisir de la cochonnaille*

3 av. de la République
94400 VITRY
RER C, Vitry
Tél. 01 43 91 37 20
Fax : 01 43 91 37 21

Michaux est réputé pour son boudin aux pommes ou à l'oignon (9,95 € le kilo) avec lequel il a même eu son heure de gloire en réalisant le record de longueur... 1 485 mètres ! La spécialité de la maison est aussi de fabriquer toutes sortes de charcuteries

*Mardi-samedi : 9 h-12 h 45,
16 h 15-19 h 30 ;
dimanche : 9 h-12 h 30*

du terroir comme les terrines de campagne (13,50 €
le kilo) et pâtés, mais aussi saucissons, andouillettes,
saucisses... à déguster en petit comité ou à beaucoup plus (buffet dégustation de 10 à 20 €). **Remise de 5 % avec le guide ou la carte.**

95 VAL-D'OISE

LE GOURMET PARISIEN

12 rue Gustave-Eiffel
95190 GOUSSAINVILLE
RER D, Goussainville ou A1
sortie Goussainville
Tél. 01 30 18 17 17
Fax : 01 30 18 17 18
www.gourmetparisien.com
Lundi-vendredi : 9 h 30-17 h

Gâteaux à gogo

Les pâtisseries sont élaborées, confectionnées et sur-
gelées sur place pour satisfaire des palais tout à fait
exigeants. Il faut se laisser tenter par la tarte aux
pommes-pain d'épice (9 €), le sablé aux figues rôties (18 € la boîte de douze), sans oublier les classiques : capuccino, cœur framboise et ivoire avec
ses macarons, praliné crémeux et pistache (15 €
pour dix à douze personnes)... Les prix sont inchangés depuis 14 ans. **Onzième gâteau offert
avec le guide ou la carte.**

Quelques autres adresses

*Trouvailles de dernière minute, bons plans susurrés par nos lecteurs, ou décou-
vertes qui méritent qu'on s'y intéresse sans long développement, voici encore, en
vrac, quelques adresses de bon conseil.*

2ᵉ ARRONDISSEMENT

BRÛLERIE SAN JOSÉ
30 rue des Petits-Champs, 2ᵉ • Mᵒ Pyramides ou
Quatre-Septembre • Tél. 01 42 96 69 09
• www.cafes.canni.com • Lundi-vendredi : 7 h-
19 h ; samedi : 9 h 30-18 h
Excellents cafés (Costa Rica, Mexique, îles Ga-
lapagos et, plus étonnant, de Chine ou d'Inde)
en grains... ou en tasse (0,90 € avec un chocolat
et petit capuccino à 1,20 €). Une adresse à retenir. **Remise de 10 % sur le café et le thé
avec le guide ou la carte**.

SOGERISA
72 rue Montorgueil, 2ᵉ • Mᵒ Sentier • Tél. 01 42
33 05 16 • Lundi-samedi : 8 h-20 h ; dimanche :
8 h-14 h
Une adresse plaisante, dans une rue plaisante.

3ᵉ ARRONDISSEMENT

LAPEYRONIE
3 rue Brantôme, 3ᵉ • Mᵒ Rambuteau • Tél. 01 40
27 97 57 • Lundi-samedi : 10 h 30-19 h 30
Bel assortiment de thés des cinq continents.

4ᵉ ARRONDISSEMENT

A LA VILLE DE RODEZ
22 rue Vieille-du-Temple, 4ᵉ • Mᵒ Hôtel-de-Ville
• Tél. 01 48 87 79 36 • Mardi-samedi : 8 h-13 h,
15 h-20 h

Une épicerie d'antan et des produits d'aujourd'hui.

COMPTOIR DU SAUMON
60 rue François-Miron, 4ᵉ • Mᵒ Saint-Paul • Tél.
01 42 77 23 08 • Mardi-dimanche : 10 h-22 h
D'élevage ou sauvage, le saumon dans tous ses
états, et à tous les prix.

9ᵉ ARRONDISSEMENT

LA MÈRE DE FAMILLE
35 rue du Faubourg-Montmartre, 9ᵉ
• Mᵒ Grands-Boulevards • Tél. 01 47 70 83 69
• Lundi et samedi : 10 h-19 h ; mardi-vendredi :
9 h-19 h
Chocolats et confiseries à foison.

11ᵉ ARRONDISSEMENT

L'AUTRE BOULANGE
43 rue de Montreuil, 11ᵉ • Mᵒ Faidherbe-Chaligny • Tél. 01 43 72 86 04 • Lundi-vendredi :
7 h 30-13 h 30, 16 h-19 h 30 ; samedi : 7 h 30-
12 h
Pain artisanal et pâtisserie de qualité.

13ᵉ ARRONDISSEMENT

L'EMPIRE DES THÉS
101 av. d'Ivry, 13ᵉ • Mᵒ Tolbiac • Tél. 01 45 85
66 33 • Mardi-dimanche : 11 h-20 h
Tout ce qui se boit chaud (sauf la soupe...).

ITAL DÉLICES
221 rue de la Convention, 15ᵉ • Mᵒ Convention • Tél. 01 48 28 32 09 • Mardi-mercredi : 11 h-14 h, 16 h 30-19 h 45 ; jeudi-vendredi-samedi : 11 h-14 h, 16 h 30-20 h

Spécialités transalpines, avec notamment un bel assortiment de pâtes.

DAGUERRE MARÉE
4 rue Bayen, 17ᵉ • Mᵒ Ternes • Tél. 01 43 80 16 29 • Lundi-samedi : 8 h-20 h ; dimanche : 8 h-14 h

Il est beau, il est frais, mon poisson ! Et pas très cher, en plus...

AU PAIN D'ANTAN
2 rue Eugène-Sue, 18ᵉ • Mᵒ Jules-Joffrin • Tél. 01 42 64 71 78 • Lundi-samedi : 8 h-13 h, 15 h 30-20 h

Comme son nom l'indique.

FROMAGERIE LEPIC
20 rue Lepic, 18ᵉ • Mᵒ Blanche • Tél. 01 46 06 90 97 • Mardi-samedi : 8 h-13 h, 15 h 30-20 h ; dimanche : 8 h-13 h

Affinés et raffinés, cuits ou crus, voici un bel étalage de fromages en majesté.

LA CAVE À FROMAGES
1 rue du Retrait, 20ᵉ • Mᵒ Gambetta • Tél. 01 43 66 64 60 • Mardi-samedi : 8 h-13 h, 15 h-20 h ; dimanche : 8 h-13 h

De quoi satisfaire bien des faims entre plat de résistance et dessert. Et à des prix tout à fait intéressants.

MAISON MONNIER
76 bd Davout, 20ᵉ • Mᵒ Porte-de-Montreuil • Tél. 01 43 71 56 74 • Tous les jours sauf lundi : 7 h-13 h, 15 h-20 h

A fréquenter en saison : chevreuil, sanglier, lièvre...

PETIT PÈRE
27 rue de Stalingrad • 93310 LE PRÉ-SAINT-GERVAIS • bus PC3 (arrêt Marseillaise-Cheminets) • Tél. 01 48 45 40 25 • Mardi-samedi : 7 h-20 h

Du bon pain en banlieue.

Bio : les bonnes adresses

Longtemps plébiscitée par les seuls babas cool, la nourriture bio a largement débordé sur d'autres catégories de consommateurs, aidée, il faut le dire, par les problèmes, scandales et autres inquiétudes apparus ces dernières années : maladie de la « vache folle », arrivée des produits transgéniques, nitrate dans l'eau, dioxine, jambon aux polyphosphates ou poulet aux antibiotiques. Bref, le marché du « bio », considéré comme une nourriture « vraie » et « saine », a explosé. Malgré deux handicaps de taille : « bio » ne signifie pas forcément bon, mais presque toujours cher. Alors, si l'on veut manger bio, bon et pas trop cher, mieux vaut fréquenter un marché (liste ci-dessous ; on évitera celui du boulevard Raspail, décidément trop onéreux) ou l'une des bonnes adresses ci-après.

LES MARCHÉS

Boulevard Richard-Lenoir, 11ᵉ, partiellement bio, le dimanche matin • Cours de Vincennes, 12ᵉ, partiellement bio, le samedi • Mairie du Quatorzième, 14ᵉ, mardi et vendredi matin • Rue Saint-Charles, 15ᵉ, le vendredi matin • Boulevard des Batignolles, 17ᵉ, le samedi matin • Place de la Réunion, 20ᵉ, partiellement bio le dimanche matin • Église de Pontault-Combault, 77, le vendredi après-midi • Place de la Gare, Athis-Mons, 91, le samedi matin • Place de l'Hôtel-de-Ville, Orsay, 91, le dimanche matin • Route de la Reine, Boulogne-Billancourt, 92, le 1ᵉʳ et le 3ᵉ samedi du mois • Place de l'Hôtel-de-Ville, Issy-les-Moulineaux, 92, le mercredi et le vendredi après-midi • Place Jean-Jaurès, Rueil-Malmaison, 92, le dimanche matin • Marché de Montretout, Saint-Cloud, 92, 2ᵉ et 4ᵉ samedis du mois • Place Mozart, Joinville-le-Pont, 94, les 2ᵉ, 4ᵉ et 5ᵉ samedis du mois • Place du Marché, L'Isle-Adam, 95, le samedi matin • Avenue Jules-Guesde, Sceaux, 92, dimanche matin (espace bio au sein du marché classique) • Marché de Soisy-sous-Montmorency, RN 328, 95, le samedi matin • Marché central, Le Perreux, 94, les premier et deuxième vendredis matin du mois.

12e ARRONDISSEMENT

CANAL BIO
300 rue de Charenton, 12e • M° Porte-de-Charenton, Dugommier, Daumesnil • Tél. 01 44 73 81 50 • Fax : 01 45 36 02 89 • www.biocoop.fr • Mardi-vendredi : 10 h-14 h, 15 h 30-20 h ; samedi : 10 h-20 h

Un supermarché alimenté par plusieurs coopératives biologiques : 8 000 références. **5 % de remise sur présentation du guide ou de la carte (valable une fois).** AUTRES ADRESSES. Biocoop Grenelle, 44 bd de Grenelle, 15e, Tél. 01 45 77 70 14. – Biocoop Paris 17e, 153 rue Legendre, 17e, Tél. 01 42 26 10 30. – Canal Bio, 46 bis quai de la Loire, 19e, Tél. 01 42 06 44 44. – Biocoop Paris Glacière, 55 rue de la Glacière, 13e, Tél. 01 45 35 24 36.

19e ARRONDISSEMENT

CANAL BIO LA BOUCHERIE
17 rue de la Moselle, 19e • M° Jaurès • Tél. 01 42 49 03 33

Viandes bio à la coupe.

93 SEINE-SAINT-DENIS

LES NOUVEAUX ROBINSON
49 rue Raspail • 93100 MONTREUIL • M° Robespierre • Tél. 01 49 88 25 10 • www.nouveauxrobinson.com • Lundi-samedi : 10 h-20 h

7 000 références bio, produits frais, boulangerie, boucherie, vins, céréales en vrac... A côté, au 47, une boutique d'éco-produits (droguerie, décoration, jardinage, vêtements, jouets, cosmétiques, santé, literie en matières 100 % naturelles). AUTRES ADRESSES. 127 av. Jean-Baptiste-Clément, 92100 BOULOGNE-BILLANCOURT, M° Boulogne-Pont-de-Saint-Cloud, Tél. 01 41 72 71 73, lundi-samedi : 10 h-20 h. – 16 rue des Graviers, 92200 NEUILLY-SUR-SEINE, M° Pont-de-Neuilly, Tél. 01 47 47 92 80.

89 YONNE

LES PRODUCTEURS BIO-BOURGOGNE
rue Derrière-les-Prés, ZI du Bois Saint-Ladre • 89200 AVALLON • Tél. 03 86 31 94 60

Livraison sur Paris de viande, vin, fruits, cidre. Intéressant si l'on commande en grosses quantités (franco de port à partir d'une certaine quantité d'achats).

Les cueillettes : fruits, légumes et fleurs de saison

Voici quelques adresses des cueillettes pour aller cueillir soi-même ses petits pois, ses fraises, ses pommes ou ses fleurs. Cela exige quelques efforts mais ça revient nettement moins cher. Afin de ne pas s'embarquer au hasard, on se renseignera au 01 34 32 19 99 pour savoir où et quand cueillir quoi, ou encore : www.chapeaudepaille.fr. Les adresses non suivies de la mention « Chapeau de Paille » n'appartiennent pas au même regroupement. Les appeler directement.

77 SEINE-ET-MARNE

LES JARDINS DE RUTEL
Ferme de Rutel • 77124 VILLENOY • 30 km de la Porte de Pantin (N3). A l'entrée de Meaux • Tél. 01 64 33 44 09 - Répondeur : 01 64 33 00 79 • Fax : 01 64 34 73 67 • www.chapeaudepaille.fr • Tous les jours sauf lundi matin : 10 h-12 h, 14 h-18 h ; juin à septembre : 9 h-12 h, 14 h-19 h

« Chapeau de Paille ». Fraises, pommes, framboises, tomates, lys, glaïeuls... Prix dégressifs par quantités. Infos mises à jour sur les produits et tarifs sur le répondeur.

CUEILLETTE DE SERVIGNY
Ferme de Servigny • 77127 LIEUSAINT • 30 km de la Porte Dorée (N6 + N104 et A5 sortie n° 10) • Répondeur : 01 64 41 81 09 • Fax : 01 60 63 85 57 • www.chapeaudepaille.fr • En avril et mai, tous les jours : 10 h-12 h, 15 h-19 h. De juin à octobre, tous les jours : 9 h-12 h 30, 14 h-20 h

« Chapeau de Paille ». Quarante produits dont fraises, framboises, pommes, haricots, etc. **Un cadeau de saison offert avec le guide ou la carte (dix tulipes ou 500 g de fraises).**

CUEILLETTE DE LA GRANGE
D 419, Allée des Tilleuls • 77170 COUBERT • 30 km de la Porte de Bercy (N19) • Tél. 01 64 06 60 99 - Répondeur : 01 64 06 71 14 • Fax : 01 64 06 64 53 • www.chapeaudepaille.fr • Lundi : 10 h-12 h 30, 14 h-19 h ; mardi-vendredi : 9 h-12 h 30, 14 h-19 h ; dimanche : 9 h-19 h 30

« Chapeau de Paille ». Fruits et légumes de 10 à 20 % moins chers que sur les marchés de la ville.

CUEILLETTE DE COMPANS
23 rue de l'Église • 77290 COMPANS • 25 km de la Porte de la Chapelle (A1 + N2 + D212) • Tél. 01 60 26 16 94 - Répondeur : 01 60 26 88 39 • Fax : 01 60 26 16 81 • www.chapeau

depaille.fr • Lundi : 14 h-18 h ; mardi-dimanche : 9 h-12 h, 14 h-18 h

« Chapeau de Paille ». **Une bouteille de jus de pommes du verger offerte avec le guide ou la carte** (première visite).

CUEILLETTE DU PLESSIS DE NESLES
77540 LUMIGNY • Près de Rozay-en-Brie. 50 km de la Porte de Bercy (N4) • Tél. 01 64 25 63 42 - Répondeur : 01 64 07 71 41 • Fax : 01 64 25 72 27 • www.chapeaudepaille.fr • Tous les jours : 9 h-12 h, 14 h-19 h ; magasin : 9 h-12 h 30, 14 h 30-19 h 30

« Chapeau de Paille ». Fruits, légumes, fleurs de saison et volailles. Un produit en promotion chaque semaine.

CUEILLETTE DE CHANTELOUP EN BRIE
Route de Lagny • 77600 CHANTELOUP-EN-BRIE • 30 km de la Porte de Bercy - D231 • 01 64 30 26 37 • www.chapeaudepaille.fr • Mardi-samedi : 9 h-12 h 30, 14 h-19 h ; le week-end, journée continue

« Chapeau de Paille ». Légumes, fruits, fleurs de saison et volailles.

78 YVELINES

POTAGER DU ROI
10 rue du Maréchal-Joffre • 78000 VERSAILLES • RER C, Rive-Gauche • Tél. 01 39 24 62 62 • www.potager-du-roi.fr • Boutique ouverte tous les jours de 10 h à 18 h, produits frais mardi, jeudi, samedi d'avril à fin octobre

Le Potager du Roi n'est pas un jardin cueillette mais un jardin de production (visites payantes guidées les week-ends et jours fériés) qui abrite une boutique où sont vendus fruits, légumes, confitures, etc. Pommes : moins de 2 € le kilo. Poires : moins de 2 € le kilo.

CUEILLETTE DE VILTAIN
78350 JOUY-EN-JOSAS • 15 km de la Porte de Saint-Cloud (N118 + D117) • Tél. 01 39 56 38 14 - Répondeur : 01 69 41 22 23 • 9 h-19 h tous les jours d'avril à novembre

« Chapeau de Paille ». Pommes (de 1 à 1,37 € le kilo), framboises (4,2 € le kilo), haricots verts

(1,6 € le kilo), tomates, salades, fleurs... On peut assister à la traite des vaches tous les jours de 15 h 30 à 17 h 30.

CUEILLETTE DE GALLY - FERME DE VAULUCEAU
Route de Bailly à Saint-Cyr • 78870 BAILLY • 12 km de la Porte d'Auteuil (A13, sortie n° 6) • Tél. 01 39 63 20 20 - Répondeur : 01 39 63 30 90 • Fax : 01 39 63 48 48 • www.gally.com • Lundi-dimanche : 9 h-19 h (d'avril à octobre)

« Chapeau de Paille ». Fruits et légumes de saison, fleurs. **10 % de réduction avec le guide ou la carte**.

91 ESSONNE

CUEILLETTE DE TORFOU
43 Grand-Rue • 91730 TORFOU • N20, sortie Torfou • Répondeur : 01 60 82 91 11 • Fax : 01 69 27 11 69

« Chapeau de Paille » **Une bouteille de jus de pomme offerte avec le guide ou la carte**.

95 VAL-D'OISE

CUEILLETTE DE LA CROIX-VERTE
17, rue de l'Orme • 95570 ATTAINVILLE • 20 km de la Porte de la Chapelle (A1 + N1) • Tél. 01 39 91 38 17 - Répondeur : 01 39 91 05 31 • Fax : 01 39 35 09 06 • Lundi : 14 h-19 h 30 ; mardi-dimanche : 9 h-19 h 30 (début cueillette : mi-mai)

Fruits, légumes, fleurs. Pommes : de 0,64 à 1,36 € le kilo. Framboises : 4,59 € le kilo. **10 % de réduction avec le guide ou la carte, sur la cueillette**.

CUEILLETTE DE CERGY
Chemin de Courcelles • 95650 PUISEUX-PONTOISE • 30 km de la Porte de la Chapelle (A1 + A15) • Tél. 01 34 46 11 21 - Répondeur : 01 34 46 10 52 • Fax : 01 34 46 05 25 • www.chapeaudepaille.com • Mercredi, vendredi, samedi et dimanche : 10 h-19 h jusqu'au 1er juin ; puis tous les jours : 9 h-20 h

« Chapeau de Paille ». Légumes, fruits et fleurs de saison.

Les hypers aux portes de Paris

Les hypermarchés, comme chacun sait, n'ont pas droit de cité dans la capitale. Mais douze d'entre eux – ceux que nous citons – sont quasiment à ses portes. Malgré toutes les réserves que l'on peut formuler à leur égard, ils font partie de nos économies. Difficile de les ignorer.

16ᵉ ARRONDISSEMENT

CARREFOUR
1 av. du Général-Sarrail, 16ᵉ • Mᵒ Porte-d'Auteuil • Tél. 01 40 71 33 00

92 HAUTS-DE-SEINE

CENTRE LECLERC
Espace Clichy, 165 bd Victor-Hugo • 92110 CLICHY • A côté de la Porte de Clichy • Tél. 01 41 40 20 00

INTERMARCHÉ
183 av. Pierre-Brossolette • 92120 MONT-ROUGE • A côté de la Porte de Châtillon • Tél. 01 46 57 24 29

AUCHAN
1 av. Aristide-Briand • 92130 ISSY-LES-MOULINEAUX • A côté du quai d'Issy • Tél. 01 46 29 49 00

INTERMARCHÉ
4 rue des Peupliers • 92130 ISSY-LES-MOULINEAUX • A côté de la Porte de Sèvres • Tél. 01 46 44 69 32

INTERMARCHÉ
2 rue Ernest-Laval • 92170 VANVES • A côté de la Porte de Brancion

CENTRE LECLERC
55 rue de Guingand • 92300 LEVALLOIS-PERRET

• A côté de la Porte d'Asnières • Tél. 01 41 27 91 60

93 SEINE-SAINT-DENIS

AUCHAN
26 av. du Général-de-Gaulle • 93170 BAGNOLET • A côté de la Porte de Bagnolet • Tél. 01 49 72 62 00 - Tél. 01 43 60 93 76 (livraison à domicile)

CENTRE LECLERC
19 rue du Pré-Saint-Gervais • 93500 PANTIN • A côté de la Porte de Pantin • Tél. 01 48 10 54 54 + nᵒ tél. accueil gratuit : 0 800 847 587

94 VAL-DE-MARNE

CARREFOUR
Centre commercial Bord-de-Seine, 10 rue Westermeyer • 94200 IVRY-SUR-SEINE • A côté de la Porte et du quai d'Ivry • Tél. 01 45 15 46 46

CARREFOUR
Centre commercial Bercy 2, 1 place de l'Europe • 94220 CHARENTON-LE-PONT • A côté de la Porte de Bercy • Tél. 01 43 53 86 00

INTERMARCHÉ
113 av. Raspail • 94250 GENTILLY • A côté de la Porte de Gentilly • Tél. 01 45 47 73 73

CENTRE LECLERC
106 av. de Fontainebleau • 94270 LE KREMLIN-BICÊTRE • A côté de la Porte d'Italie • Tél. 01 45 21 41 00

Les marchés de Paris

Moins chers que les hypers, et autrement plus chaleureux, ce sont les derniers lieux où l'on peut se faire appeler « Ma petite chérie » ou « Mon petit lapin » : sur les marchés de Paris, l'achat reste encore un plaisir. Et quand ce plaisir se double d'une bonne affaire (surtout lorsque les commerçants commencent à remballer), il n'y a pas à hésiter. Sélection des plus pittoresques et des moins chers.

5ᵉ ARRONDISSEMENT

MARCHÉ MONGE
5ᵉ • Mᵒ Monge • Les mercredi, vendredi : 7 h-14 h 30 ; dimanche : 7 h-15 h
Prix raisonnables et fraîcheur des légumes garantie.

11ᵉ ARRONDISSEMENT

MARCHÉ BELLEVILLE
11ᵉ • Mᵒ Couronnes ou Belleville • Les mardi et vendredi : 7 h-14 h 30
Sans doute le moins cher de tous et l'un des plus animés. Tout n'y est pas de la meilleure

qualité, mais avec un peu d'attention, et en sachant marchander, on peut y faire des affaires en or. Chaussures et poissons à prix imbattables.

12ᵉ ARRONDISSEMENT

MARCHÉ D'ALIGRE
Place d'Aligre, 12ᵉ • Mᵒ Ledru-Rollin • Mardi-dimanche : 7 h 30-12 h 30
Il dispute au marché Belleville la palme du marché le moins cher de Paris. Vêtements, bazar, viandes, mais surtout fruits et légumes et produits exotiques à des prix incroyablement bas.

15e ARRONDISSEMENT

MARCHÉ SAINT-CHARLES

Entre rue de Javel et rond-point Saint-Charles, 15e • M° Boucicaut, Charles-Michels ou Javel • Les mardi et vendredi : 7 h-14 h 30

Marché propret à prix corrects dans une atmosphère sympathique.

17e ARRONDISSEMENT

MARCHÉ DES TERNES

8 bis rue Lebon, 17e • Lundi-samedi : 8 h 30-13 h, 16 h-19 h 30 ; dimanche : 8 h-13 h

Bon rapport qualité/prix dans le quartier.

18e ARRONDISSEMENT

MARCHÉ BARBÈS

Boulevard de la Chapelle, Face à l'hôpital Lariboisière, 18e • M° Barbès-Rochechouart • Mercredi : 7 h-14 h 30 ; samedi : 7 h-15 h

Sous le métro aérien, toutes les nationalités sont représentées. On marchande ferme. Dépaysement garanti.

Les vins aussi

Il est des gens qui sélectionnent leur alimentation avec soin (nous en sommes, vous aussi) et qui négligent les boissons qui l'accompagnent (nous n'en sommes pas, vous non plus). Voici, à l'attention des bons buveurs sachant consommer avec modération, quelques adresses de bon conseil.

2e ARRONDISSEMENT

LEGRAND

1 rue de la Banque, 2e • M° Bourse, Pyramides • Tél. 01 42 60 07 12 • Fax : 01 42 61 25 51 • www.caves-legrand.com • Lundi : 11 h-19 h ; mardi-samedi : 10 h-19 h 30

AUTRE ADRESSE. 119 rue du Dessous-des-Berges, 13e, M° Bibliothèque-F.-Mitterrand. Tél. 01 45 83 58 88. Parking. – Grands classiques et petits vins de propriétaires. Côtes-de-Blaye 2000 Legrand : 4,90 €. Moulin-à-Vent 2001, domaine de Vissouse : 10,50 €. Coteaux-du-Languedoc, grande cuvée de l'Hortus 2000 : 12,50 €. Espace dégustation (assiettes gourmandes et vin au verre). Cours de dégustation et initiation à l'œnologie.

3e ARRONDISSEMENT

LA BELLE HORTENSE

31 rue Vieille-du-Temple, 3e • M° Hôtel-de-Ville • Tél. 01 48 04 71 60 • www.cafeine.com • Sept jours sur sept : 17 h-2 h

Bar-cave-librairie **(-5 % sur présentation du guide ou de la carte, uniquement sur la librairie)**. Dégustation et prix d'ami dans les bouteilles à emporter : Côtes-du-Rhône E. Guigal (7 €), Côte Rôtie Guigal (35 €), champagne Moët et Chandon brut Royal (25 €).

4e ARRONDISSEMENT

CAVES DU MARAIS

62-64 rue François-Miron, 4e • M° Saint-Paul • Tél. 01 42 78 54 64 • Fax : 01 64 04 64 73 • Mardi-samedi : 10 h 30-13 h, 16 h-20 h (fermé en août)

Quelques excellentes bouteilles à petits prix. Rapatel VDP 2001 rouge : 4,50 €. La Croix Belle Muscat sec 2001-2002 : 6,50 €. Champagne Agrapart premier cru : 19 €.

6e ARRONDISSEMENT

LES DOMAINES QUI MONTENT

22 rue de l'Abbé-Grégoire, 6e • M° Saint-Placide ou Rennes • Tél. 01 45 48 73 40 • Mardi-samedi : 10 h-13 h, 15 h-20 h ; lundi : 16-20 h

AUTRES ADRESSES. 136 bd Voltaire, 11e, M° Voltaire et Charonne, Tél. et fax 01 43 56 89 15, tables d'hôtes le midi, horaires : lundi-samedi : 10 h-20 h. – 22 rue Cardinet, 17e, M° Courcelles et Wagram, Tél. 01 42 27 63 96, horaires : lundi-vendredi : 10 h-14 h, 15 h-20 h ; samedi : 10 h-13 h, 16 h-20 h. – Vins de producteurs au même prix qu'à la propriété. Champagne Carte Noire, domaine Barnier : 15 €. Pavillon du Château-Plantat (Graves) : 6,50 €. Château Moujan (Coteaux du Languedoc) : 4,50 €. 200 vins, champagnes et alcools de producteurs à partir de 3 €. **5 % de réduction sur tout le magasin à partir de 30 € d'achat avec le guide ou la carte.**

8e ARRONDISSEMENT

CAVES TAILLEVENT

199 rue du Faubourg-Saint-Honoré, 8e • M° Ternes ou Charles-de-Gaulle-Étoile • Tél. 01 45 61 14 09 • Fax : 01 45 61 19 68 • Lundi : 14 h-19 h 30 ; mardi-samedi : 9 h-19 h 30

1 000 références dont toutes ne sont pas hors de prix. Bordeaux Château Les Romains à 5 €. Vin de pays des Côtes de Gascogne, domaine Les Rieux : 5 €. Champagne Germain : 18 €. **Remise de 10 % avec le guide ou la carte, hors offres spéciales.**

9e ARRONDISSEMENT

LAFAYETTE GOURMET
48 bd Haussmann, 9e • Mo Chaussée-d'Antin • Tél. 01 42 82 34 56 • www.lafayettegourmet. com • Lundi-samedi : 9 h 30-20 h 30 ; nocturne le jeudi jusqu'à 21 h

Promotions toute l'année, dégustation au bar. Fronsac 2001 Aux Caudelayres (de Barre) : 8,10 € prix cave. Livraison Paris : 9,15 €.

92 HAUTS-DE-SEINE

LES GRANDES CAVES DE CLICHY
76 bd Jean-Jaurès • 92110 CLICHY • Mo Mairie-de-Clichy • Tél. 01 47 37 87 13 • Mardi-samedi : 10 h-13 h, 16 h-20 h ; dimanche : 10 h-13 h

AUTRES ADRESSES. 70 rue Saint-Dominique, 7e, Mo Invalides, Tél. 01 47 05 69 28. – 9 rue Poncelet, 17e, Mo Ternes, Tél. 01 43 80 40 37.

– 63 rue Damrémont, 18e, Mo Lamarck-Caulaincourt, Tél. 01 53 41 06 77. – Vins de propriétaires. Cuvée 100 % Merlot non filtré : 4 €. Cairanne Domaine Rocher : 10 €. Côtes-du-Rhône Domaine Coulanges : 6 €. **Une bouteille offerte avec le guide ou la carte à partir de 30,50 € d'achat.**

SAVEURS ET MILLÉSIMES
94 rue Henri-Ginoux • 92120 MONTROUGE • Mo Porte-d'Orléans + Bus no 128 • Tél. 01 46 73 97 97 • Fax : 01 46 73 97 98 • Mardi-samedi : 9 h 30-12 h 30, 14 h 30-19 h 30 ; dimanche : 9 h 30-13 h

Beaucoup de vieux millésimes Bordeaux mais aussi Bourgogne à des prix très serrés. Large gamme de fontaines à vin (Gamay, Merlot, Chardonnay). Cubitainer Bordeaux AOC 4,35 € le litre. Cahors à 5,50 €, Madiran à 5,90 €. Domaine Saint-Roch (Touraine) : 4,90 €. Carte de fidélité.

Vous voulez recevoir gratuitement le prochain Paris Pas Cher ? Signalez-nous, par courrier, une bonne adresse qui n'y figure pas ou une erreur qui se serait glissée dans le texte (si, si, ça arrive), avant le 1er février 2004.

Si vous êtes le premier (ou la première) à nous l'avoir signalée, et que nous la retenons, vous recevrez un exemplaire du guide 2005, à paraître en septembre 2004.

**Paris Pas Cher
19 av. Georges-Brassens
94550 Chevilly-Larue**

ARTS DE LA TABLE

De la belle vaisselle, de la délicate porcelaine, des assiettes fantaisie jusqu'aux ustensiles de cuisine, voici toutes les bonnes adresses à connaître pour que, sur votre table, le contenant soit à la hauteur du contenu.

¿ QUE CHERCHEZ-VOUS ?

ARGENTERIE MASSIVE
158 Argenterie de Turenne (4e)
161 Brochard Orfèvre (15e, 92, 95)

CRISTAL ET VERRERIE
159 La Porcelaine Blanche (5e)
159 Cambray Frères (8e)
161 Brochard Orfèvre (15e, 92, 95)
161 Arc International (16e)
163 La Table de la Reine (95)
163 Villeroy et Boch (95)

DESIGN
162 Bodum (stock) (77)

FAÏENCE
159 Cambray Frères (8e)
160 Le Fiacre (11e)
161 British Shop (16e)

GÉNÉRALISTES
157 Dehillerin (1er)

157 Potiron (1er, 9e)
158 La Vaissellerie (1er, 4e, 6e, 8e, 9e, 94)
158 Verrerie des Halles (1er)
158 A. Simon (2e)
158 Antheor (4e)
160 Le Comptoir de Famille (9e)
160 Maison de la Porcelaine (10e)
161 Brochard Orfèvre (15e, 92, 95)
161 Arc International (16e)
161 De l'Office à la Table (17e)
162 La Table Royale (18e)
162 Bodum (stock) (77)

LIBRAIRIE
159 La Librairie Gourmande (5e)

MÉTAL ARGENTÉ
158 Argenterie de Turenne (4e)
161 Brochard Orfèvre (15e, 92, 95)

162 Orbrille (78, 95)

OCCASION
158 Argenterie de Turenne (4e)

PORCELAINE
158 La Vaissellerie (1er, 4e, 6e, 8e, 9e, 94)
159 La Porcelaine Blanche (5e)
159 Cambray Frères (8e)
160 Maison de la Porcelaine (10e)
161 Brochard Orfèvre (15e, 92, 95)
162 Guy Degrenne Factory (78)
163 La Table de la Reine (95)
163 Villeroy et Boch (95)

VAISSELLE EXOTIQUE
160 Amphora (9e)
160 Eurotra (11e)
160 Euro-Center (13e)

VOIR AUSSI
228 Cadeaux

Coup de cœur pour Aubry-Cadoret

Aubry-Cadoret, depuis 1890, fait partie de ces artisans qui ont le goût de « la belle ouvrage », exécutée sur place dans l'atelier, avec le souci constant de la qualité. La maison fabrique des modèles originaux inspirés de pièces anciennes. Fournisseur de ministères et ambassades, Aubry-Cadoret ouvre sa boutique aux particuliers (prix réduits de 30 à 50 %) au cœur du quartier historique des orfèvres de Paris. Dans une petite boutique pleine de charme, le couvert est mis sur de petites tables. Argenterie et cristaux renvoient la lumière. On déambule au milieu de ces belles choses. Élise, 36 ans de maison, offre du café, guide les indécis : voici les plats à soufflé, en métal argenté qui passent au four (diam. 18 cm : 177 €). Côté couverts, parmi trente-six modèles, deux classiques, « Vieux Paris » ou « Filets anciens », sont proposés en métal argenté à 25 € la cuillère ou la fourchette (avec une argenture supérieure à la norme : 120 g au lieu de 83 g) et en argent massif, à 82 € au lieu de 165 € pour les autres modèles (argent français, 925‰, 170 g). Un peu plus loin, on trouve un très beau plateau « bâté » à anses pour 636 € (diam. 45 cm, tous décors classiques) sur lequel est posée une belle cafetière (huit tasses, fond plat, à godrons, en métal argenté, anse en ébène) et qui vaut 442 €. Voici encore des cadeaux de naissance, bijoux et timbales (modèle « filet gorge » en métal argenté : 39 €, que l'on peut faire graver à la main (32 €). Il existe sur place un service liste de mariage qui offre une réduction d'environ 10 % par rapport aux prix publics. La maison pratique également la réargenture et la remise en état des pièces d'orfèvrerie (débosselage, soudure, réparation de couteaux).

ADRESSE
- **Aubry-Cadoret** • 20 passage Saint-Sébastien, 11ᵉ • Mᵒ Saint-Sébastien-Froissard • Tél. 01 47 00 17 22 • www.aubrycadoret.free.fr • Lundi-vendredi : 9 h-18 h ; samedi : 9 h-16 h

1ᵉʳ ARRONDISSEMENT

DEHILLERIN · Batteries à petits prix

18-20 rue Coquillère (1ᵉʳ)
Mᵒ Châtelet-Les Halles
Tél. 01 42 36 53 13
Fax : 01 42 36 54 80
www.e-dehillerin.fr
Lundi : 9 h-12 h 30, 14 h-18 h ; mardi-samedi : 9 h-18 h

Le royaume des casseroles, poêles et autres ustensiles en cuivre, acier, fonte, Teflon, etc. Planches à découper en bois à 15,15 €. Poivriers Peugeot à partir de 10,45 €. Poêlon en fonte à 31,34 € (18 cm de diamètre). Accueil chaleureux comme les boiseries qui datent de 1820 !

POTIRON · Plaisir d'une jolie déco

57 rue des Petits-Champs (1ᵉʳ)
Mᵒ Pyramides
Tél. 01 40 15 00 38
Fax : 01 40 15 94 72
Lundi-samedi : 10 h-19 h 30

Les couleurs et les formes sont résolument tendance : prune ou parme, carrées ou rectangulaires. 4 tailles de vaisselle carrée avec un plat 30 × 30 cm à 12 €, des verres à partir de 4,50 €. Couverts à salade en corne à 17,50 €. En organdi, des sets de table à 10,50 €, assortis aux rideaux à partir de 59 € le rideau.

AUTRE ADRESSE
- 49 rue des Mathurins, 9ᵉ • Mᵒ Havre-Caumartin • Tél. 01 44 94 95 64 • Lundi-samedi : 10 h 30-19 h

VERRERIE DES HALLES   *Plats spéciaux*

🅰 15 rue du Louvre
(dans la cour) (1ᵉʳ)
Mº Louvre-Rivoli
Tél. 01 42 36 86 02
Fax : 01 42 36 14 78
www.verrerriedeshalles.
com
*Lundi : 14 h-18 h ; mardi-
vendredi : 8 h 30-12 h 30,
14 h-18 h ; samedi : 8 h 30-
12 h. Fermé du 1ᵉʳ au
20 août*

A gauche dans la cour, le magasin a le charme des commerces d'autrefois. On y trouve des articles qui se font rares comme le moule alsacien à bäkeofe (contenance de 5 kg pour les repas familiaux, modèle uni à 32,74 €), les terrines à bec (11,46 €), les moules à crème catalane (3,22 €) ou le moule à kouglof. Sans oublier les terrines, les assiettes à sushi et plein de bocaux Le Parfait. **Remise de 10 % avec le guide ou la carte, hors promotions.**

2ᵉ ARRONDISSEMENT

A. SIMON   *Pour faire comme les pros*

48-52 rue Montmartre (2ᵉ)
Mº Les Halles
Tél. 01 42 33 71 65
www.simon-a.com
*Lundi : 13 h 30-18 h 30 ;
mardi-samedi : 9 h-18 h 30*

A l'instar de ses (nombreux) concurrents du quartier, A. Simon n'est pas si bon marché. Néanmoins, le magasin propose une gamme complète d'articles de restaurateurs à ceux qui veulent jouer au petit chef : des sauteuses gigantesques, des plaques à madeleines (5,23 € en fer-blanc), des moules à tartes (6,51 € diamètre 29 cm), des casseroles en cuivre, des moulins à poivre Peugeot à 10,42 €, etc. **Remise de 5 % avec le guide ou la carte à partir de 53 €.**

4ᵉ ARRONDISSEMENT

ANTHEOR   *... ou le plaisir des jolies tables*

🅰 11 rue Sévigné (4ᵉ)
Mº Saint-Paul
Tél. 01 40 27 91 25
Fax : 01 40 27 91 26
www.antheor.com
*Lundi-samedi : 11 h-19 h ;
dimanche : 14 h-19 h*

Antheor est un réel souffle d'air frais dans l'univers de la vaisselle. Les lignes sont généreuses dans leurs découpes et leurs formes, gourmandes dans leurs couleurs pour attirer des mets épicés, parfumés ou frais. Plat à gratin Provence (34 €), assiette Beauregard (17 €), tasse à café Cardinal (17 €) et son sucrier (23 €), assiette Carcassonne (17 €), verres à absinthe gravés à la main (16,50 €) ou le baroque Danieli (13 €). Également joli choix de nappes. **Remise de 5 % avec le guide ou la carte.**

ARGENTERIE DE TURENNE   *Ancienne, rétro ou d'occasion*

🅰 19 rue de Turenne (4ᵉ)
Mº Saint-Paul
👑 Tél. 01 42 72 04 00
Fax : 01 42 72 08 24
*Mardi-samedi : 10 h 30-
19 h*

Ici l'argenterie est parfois légèrement rayée, usée ou même cabossée. C'est ce qui fait son charme. Certains couverts se vendent au kilo (60 €, soit environ 4 € la pièce) si vous les aimez dépareillés. Belle argenterie d'hôtel avec la théière à 53 € ou le petit plat ovale à 42 €. A remarquer aussi de ravissantes pièces en argent massif. Grands orfèvres (Christofle, Ercuis, Boulanger, etc.) à 50 % du prix neuf. **Remise de 10 % avec le guide ou la carte.**

LA VAISSELLERIE   *Du blanc mais pas seulement*

🅰 92 rue Saint-Antoine (4ᵉ)
Mº Saint-Paul

Mode oblige, les assiettes carrées blanches ont la cote (2,50 à 3,50 €) comme les assiettes Ver-

Tél. 01 42 72 76 66
Fax : 01 42 72 76 86
www.lavaissellerie.fr
Lundi-samedi : 9 h 30-19 h

sailles en verre ciselé (2,50 €). L'assiette blanche de Limoges à 3,50 € est toujours là, le bol à côtes à 1,50 € également et tous les classiques du lieu. Mais la boutique se diversifie, tendance oblige, et Aurélien, tout souriant, vous aidera à choisir parmi des couverts en métal argenté, ou des théières japonaises en fonte (80 €) et autres accessoires de table colorés, comme des bols couleurs à facettes (2,50 €). **Remise de 10 % avec le guide ou la carte (non cumulable avec la carte de fidélité).**

AUTRES ADRESSES
- 332 rue Saint-Honoré, 1er • M° Palais-Royal ou Tuileries • Tél. 01 42 60 64 50 • Lundi-samedi : 9 h 30-19 h
- 85 rue de Rennes, 6e • M° Saint-Sulpice • Tél. 01 42 22 61 49 • Lundi-samedi : 9 h 30-19 h
- 80 bd Haussmann, 8e • M° Saint-Lazare • Tél. 01 45 22 32 47 • Lundi-samedi : 9 h 30-19 h • Remise de 10 % avec le guide ou la carte (non cumulable avec la carte de fidélité).
- 79 rue Saint-Lazare, 9e • M° Trinité • Tél. 01 42 85 07 27 • Lundi-samedi : 9 h 30-19 h
- CC Créteil-Soleil • 94015 CRÉTEIL • M° Créteil-Préfecture • Tél. 01 49 80 06 57 • Lundi-samedi : 10 h-20 h ; mardi-vendredi : 10 h-21 h
- 74 bd Bellechasse • 94100 SAINT-MAUR • RER A, Saint-Maur + bus 111 • Tél. 01 49 76 92 62 • Lundi-samedi : 9 h-12 h 30, 14 h-19 h

5e ARRONDISSEMENT

LA LIBRAIRIE GOURMANDE   *Ouvrages en stock*

4 rue Dante (5e)
M° Saint-Michel
Tél. 01 43 54 37 27
Fax : 01 43 54 31 16
www.librairie-gourmande.fr
Lundi-samedi : 10 h-19 h

La Mecque des gourmets à Paris ! Pas moins de 15 000 ouvrages entièrement consacrés aux arts de la table et à la gastronomie du XVIe siècle à nos jours. Occasions (Hachette, Flammarion, etc.) de -30 à -50 %. Service de recherche et accueil très soignés.

LA PORCELAINE BLANCHE   *Porcelaine à prix doux*

119 rue Monge (5e)
M° Censier-Daubenton
Tél. 01 43 31 93 95
Fax : 01 43 31 07 88

Une référence dans le quartier depuis 25 ans. Assiettes plates en porcelaine à 2 €, verres luminarc à 1,30 € et de Bohême à 3 €. Accueil et service stylés. – Mardi-samedi : 10 h 30-19 h 30 ; lundi : 12 h-19 h 30 ; dimanche : 11 h-13 h.

8e ARRONDISSEMENT

CAMBRAY FRÈRES   *Grandes marques à -20 %*

9 rue Pasquier (8e)
M° Madeleine
Tél. 01 44 51 56 00
Minitel : 3615 CAMBRAY
www.cambray.com
Lundi : 14 h-18 h 30 ; mardi-samedi : 10 h-19 h

Cambray présente sur deux niveaux toutes les grandes marques des arts de la table vendues à -20 % par rapport aux prix conseillés. Ménagère 49 pièces argent massif dans écrin bois au prix du métal argenté soit 1 838 €. Cadre photo argent massif 13 × 18 cm à 98 € ou timbale à 85 €. Assiette plate 28 cm en porcelaine de Limoges unie Haviland 18 €. **Pour les listes de mariage, un bon d'achat de 25 % de la somme déposée est offert sur présentation du guide ou de la carte.**

AMPHORA
Céramiques tunisiennes

54 rue Notre-Dame-
de-Lorette (9e)
M° Saint-Georges
Tél. 01 45 96 05 95
Fax : 01 45 96 07 11
www.amphora.tunart.com
Lundi-samedi : 10 h-20 h

Pour vous rappeler vos vacances tunisiennes, Amphora importe toute la vaisselle de là-bas, dis... Verres pour le thé à la menthe : de 1,45 à 2,75 €. Plat à tagine taille moyenne : 22,90 €. Plat à couscous : 15,25 €. Pour le décor, la cage aux oiseaux de Sidi-Boussaïd à 34 € et toute une variété de carreaux de céramique à 22,80 € les six ou à 0,75 € la pièce pour la version unie. **Remise de 10 % avec le guide ou la carte à partir de 45 € d'achats.**

LE COMPTOIR DE FAMILLE
La vaisselle de grand-mère

35-37 passage Jouffroy (9e)
M° Richelieu-Drouot
Tél. 01 47 70 51 12
Fax : 01 42 46 79 25
Mardi-samedi : 10 h-19 h ;
lundi : 12 h 30-19 h

Une référence pour les amateurs d'ustensiles à l'ancienne : immenses bols de mère-grand à 12 € ; boîtes à sucres illustrées à 16 € ; torchons décorés à 4,65 €. Un voyage au cœur de son enfance avec des produits de qualité.

MAISON DE LA PORCELAINE
Porcelaine de table ou à feu

21 rue de Paradis (10e)
M° Poissonnière
Tél. 01 47 70 22 80
Fax : 01 42 47 02 11
www.maisonporcelaine.
com
Lundi-samedi : 10 h-18 h 30

300 m² où s'empilent plus de 5 000 modèles de vaisselle en porcelaine blanche ou décorée. Ramequins (7 cm de diamètre) : 1,5 €. Moule à tarte (30 cm de diamètre) : 14,50 €. Assiette à couscous : 7,25 €. Bol à facettes (14,50 cm de diamètre) : 5,50 €. Théière : 20 €. Beurrier : 12 €. Des assiettes à tous les prix. Également verrerie et coutellerie. Au sous-sol, toutes les fins de séries vendues avec 20 % de remise. **Petit cadeau, hormis le sourire, avec le guide ou la carte.**

EUROTRA
Vaisselle basique

119 bd Richard-Lenoir (11e)
M° Oberkampf
Tél. 01 43 38 48 48
Fax : 01 43 38 74 28
Lundi-samedi : 9 h 30-13 h,
14 h-19 h

Fournisseur d'un certain nombre de restaurants asiatiques, ce magasin ne fait pas dans la dentelle. Entendez par là qu'il s'agit de vaisselle basique avec quelques fioritures exotiques made in China ou Japan. Réservé en principe aux professionnels, il s'ouvre également aux particuliers auxquels il consent les mêmes prix. Mais chut, pas question de les dévoiler ici.

AUTRE ADRESSE
■ **Euro-Center** • 162 av. de Choisy, 13e • M° Place-d'Italie • Tél. 01 45 85 88 93 • Fax : 01 45 85 88 92 • Lundi-samedi : 9 h-13 h, 14 h-19 h

LE FIACRE
So British !

24 bd des Filles-du-Calvaire
(11e)
M° Filles-du-Calvaire
Tél. 01 43 57 15 50
www.lefiacreanglais.com

Le must de la faïence anglaise. Assiette Johnson à partir de 9,95 €, décor Old Castles, en bleu et rose. Six assiettes (26 cm) Johnson fin de série : 30 €. Également les faïences Spode, Burleigh, Portmeirion, Wedgwood. Toute la panoplie british est res-

Mardi-samedi : 10 h-13 h, 14 h-19 h

pectée : parfums, carterie, cookies, marmelades et, of course, thés Betjeman & Barton. **Remise de 5 % pour des achats supérieurs à 150 €, de 10 % à partir de 500 € (hors promotions) avec le guide ou la carte.**

15e ARRONDISSEMENT

BROCHARD ORFÈVRE
Pour tables raffinées et chics

3 rue Auguste-Bartholdi (15e)
M° Dupleix
Tél. 01 45 77 76 76
www.pierrebrochard.fr
Mardi-samedi : 10 h 30-13 h, 14 h-18 h 30

Saint-Louis, Baccarat, Ercuis, Hermès et tous les autres pour vous éblouir. Six porte-couteaux Nura métal argenté : 92 €. Des bijoux en cristal griffés Baccarat avec le pendentif en forme de cœur : 113 €. Coffret de deux tasses et soucoupes Haviland à 110 €. Pour les jeunes mariés, un cadeau de 25 % de la somme dépensée. **Remise de 25 % au-dessus de 760 € d'achats avec le guide ou la carte.**

AUTRES ADRESSES
- Carreau de Neuilly, 108 av. Charles-de-Gaulle • 92200 NEUILLY • M° Sablons • Tél. 01 46 24 28 85 • Mardi-samedi : 10 h-13 h 30, 15 h-19 h
- Centre commercial Leclerc • 95570 MOISSELLES • 20 km de la Porte de la Chapelle (A1 + N1) • Tél. 01 39 91 00 53 • Lundi-samedi : 10 h-20 h

16e ARRONDISSEMENT

ARC INTERNATIONAL
Facettes en verre et cristal

6 place des États-Unis (16e)
M° léna ou Boissière
Tél. 01 47 23 31 34
Fax : 01 47 20 22 84
www.arc.international.com
Lundi-vendredi : 10 h-18 h

Quartier chic et vaisselle tout aussi distinguée mais prix éthérés. Tables de fêtes, tables de tous les jours, des prix très étudiés qui se déclinent en verre, cristal, porcelaine ou faïence. Grandes vedettes du lieu, les assiettes « colors » de Studio Nova, sous toutes les couleurs à 5,50 € pièce. Mais aussi dans l'entrée, de magnifiques vases en verre de Venise aux couleurs flamboyantes. **Remise de 20 % avec le guide ou la carte sur les articles de fabrication maison.**

BRITISH SHOP
Tout pour tea time...

2 rue François-Ponsard (16e)
M° La Muette
Tél. 01 45 25 86 92
www.british-shop.fr
Lundi : 14 h 18 h 45 ; mardi-samedi : 10 h-18 h 45

De la vraie faïencerie anglaise et exclusivement. Fleurs et dessins parfois un tantinet désuets mais aussi plus modernes et colorés comme Bridgewater, série « Birds » (le mug à 21 €, les quatre assiettes à 84 €) ou Price Kensington « Moutons bleus » (11,20 € le mug, 11,20 € le coquetier, 19,90 € la théière de base). Tous les grands classiques sont suivis d'une année sur l'autre. Planche à découper en verre incassable avec six tailles à partir de 12,80 €. **Remise de 5 % avec le guide ou la carte.**

17e ARRONDISSEMENT

DE L'OFFICE À LA TABLE
Pour une cuisine tendance

26 rue des Batignolles (17e)
M° Rome ou Place-de-Clichy
Tél. 01 44 70 09 73

Jolis ustensiles de cuisine et vaisselle pour réveiller le quotidien. Vaisselle élégante avec gants en caoutchouc surmontés de grosses fleurs (24 €) et torchons Garnier Thiébault (11 €). Vaisselle colorée Festin

Lundi : 12 h 30-19 h 30 ;
mardi-samedi : 10 h 30-
19 h 30

Coquin à 16 € l'assiette ou 14 € le bol. Laissez-vous tenter par les verres relookés de Zaza, un peu chers (38 €) mais uniques et originaux. Accessoires Alessi et batteries de casseroles Buyer recommandées par les cuisiniers. **Remise de 5 % avec le guide ou la carte.**

18ᵉ	ARRONDISSEMENT

LA TABLE ROYALE

23 rue Vauvenargues (18ᵉ)
Mᵒ Guy-Môquet
Tél. 01 42 26 13 10
Fax : 01 42 26 50 77
www.table-royale.com
Lundi-samedi : 10 h-13 h,
14 h-19 h

Les classiques de la vaisselle

Si vous recherchez les classiques de la vaisselle, les prix dans ce magasin sont réduits de 15 à 20 % par rapport aux tarifs proposés par les fabricants : assiette modèle Basket, de Villeroy et Boch : 16 € l'unité (vendue par six). Assiette Amarilys, Haviland : 31,20 € l'unité (vendue par 6) ou 33,15 € au détail. Couverts métal argenté Ercuis et Table Royale, ménagère quarante-neuf pièces : 1 210 €. **Remise de 5 % avec le guide ou la carte.**

77	SEINE-ET-MARNE

BODUM (STOCK)

La Vallée Outlet Shopping Village
3 cours de la Garonne
77700 SERRIS
Accès : voir p. 395
Tél. 01 64 63 26 25
www.lavalleeoutletshop
pingvillage.com
Lundi-samedi : 10 h-20 h
(19 h en hiver) ; dimanche :
11 h-19 h

Design danois

Célèbre designer scandinave qui s'est fait connaître pour ses créations en verre allié à l'alu. Figurent ici la classique cafetière Brazil huit tasses (verres et plastiques très colorés : elle peut être mise au micro-ondes) : 10 € au lieu de 19,10 € ; théière : 15 € au lieu de 23,50 € ; petites tasses à 2,40 €. La belle cafetière Kenya, vue chez tous les architectes, vaut 22,50 € au lieu de 33,80 €... Saladiers, couverts, superbes sets à fondue, plats allant au micro-ondes, thermos et vaisselle sont également joliment bradés.

78	YVELINES

GUY DEGRENNE FACTORY

Usine Center
78140 VÉLIZY-
VILLACOUBLAY
Accès : p. 396
Tél. 01 34 58 27 00
Fax : 01 34 58 72 18
Mercredi-vendredi : 11 h-
20 h ; samedi-dimanche :
10 h-20 h

Stock Guy Degrenne et Létang-Rémy

Les fins de séries, les sur-stocks de fabrication et le second choix de chez Guy Degrenne et Létang-Rémy sont réunis dans ce vaste magasin. C'est en moyenne 40 à 60 % moins cher que sur catalogue. Ménagère quarante-neuf pièces « Cantabile » en écrin velours à 289 €. Service de table 42 pièces « Odessa vert » à 349 €. Assiette plate collection « Fleurs à Fleurs » à 5,95 €, ou dans la collection « Tendre Jardin » à 4,80 €. Nombreux services de table à partir de 155 €.

95	VAL-D'OISE

ORBRILLE

Usine Center
ZI Paris Nord II
95953 ROISSY-CDG
Accès : p. 399
Tél. 01 48 63 27 47

Argenterie et porcelaine

Les fins de séries de chez Ercuis et Saint-Hilaire brillent de leurs facettes astiquées. Ercuis vendu 50 % moins cher pour le second choix et Saint-Hilaire jusqu'à -40 %. Ménagère fin de série Ercuis quarante-neuf pièces à 750 € et trente-sept pièces à

Lundi-vendredi : 11 h-19 h ;
samedi-dimanche : 10 h-
20 h

510 €. Porcelaine blanche second choix fabrication Raynaud : l'assiette à 2,84 € et le format dessert à 2,30 €.

AUTRE ADRESSE

■ Usine Center, Route André-Citroën • 78100 VÉLIZY-VILLACOUBLAY • Accès : p. 396 • Tél. 01 39 46 19 83 • Mercredi-vendredi : 11 h-20 h ; samedi-dimanche . 10 h-20 h

---

LA TABLE DE LA REINE   *Fabricant de porcelaine*

Usine Center
ZI Paris Nord II
95952 ROISSY-CDG
Accès : p. 399
Tél. 01 48 63 20 75
Fax : 01 48 63 20 75
Lundi-vendredi : 11 h-19 h ;
samedi-dimanche : 10 h-
20 h

La Manufacture de la Reine, fabricant de porcelaine, vend ici des articles déstockés ou de second choix 30 % moins cher : service de table de 670 à 2 060 €. Pour la vaisselle quotidienne, l'assiette blanche à partir de 2 €, le mug à 2,9 € ou le moule à tarte à partir de 13,57 €. Articles d'orfèvrerie inox avec la marque Jean Couzon (-10 %) et de cristallerie française taillée main (-30 %).

VILLEROY ET BOCH   *Stocks de Villeroy et Boch*

Usine Center
ZI Paris Nord II
95700 ROISSY-CDG
Accès : p. 399
Tél. 01 48 63 25 23
Lundi-vendredi : 11 h-19 h ;
samedi-dimanche : 10 h-
20 h

Fins de séries, second choix et retour de magasins de la maison Villeroy et Boch vous séduiront d'autant plus que leurs prix sont amputés ici de 30 à 70 %. Assiette plate Villa Marton à 18,80 € ou modèle Twist à 11,10 €. Verre Vallery en cristal à 6,10 € pièce. Promotions dans l'année.

A **Adresse particulièrement recommandée**

⚜ **Adresse haut de gamme : le luxe à prix abordable**

AUTO, MOTO, VÉLO

L'auto et la moto sont les plus belles conquêtes du garagiste. Face à lui, le pékin se sent parfois aussi démuni qu'un patient devant un médecin. Pour les négocier et les conserver en état de marche sans se ruiner, voici quelques adresses sûres et des tuyaux pas cabossés. Sans oublier la nouvelle petite reine de Paris : la bicyclette.

¿ QUE CHERCHEZ-VOUS ?

 AUTO

ASSURANCES
169 *Comment choisir son assurance*

AUTO-ÉCOLES
170 Paris République Auto-école (10e)
170 Nat Auto-École (17e)
170 Auto-École Nationale Vingt (92)
170 ECF (93)

PIÈCES DE RECHANGE
170 MAP (10e, 18e, 93)
170 Gondouin (13e)

170 France Pièces Automobiles (18e)
171 Dépollution Automobile Chelloise (77)
171 Centre Auto Leclerc (78)
171 ACC (94)
171 Casse Center (95)

PNEUS
169 Relais du Pneu (4e, 12e)
169 Jumbo Pneus (92)
169 Jumbo Milord (93)
169 Petit-Jean (95)

RÉPARATIONS, ENTRETIEN
169 *Réparer et entretenir : un vrai casse-tête*

VOITURES D'OCCASION
167 Autoatnet
167 BOAD (9e)
168 Garage Jean Gitton (91)
168 Drouot Véhicules (93)

VOITURES NEUVES
167 AMTT
167 Aramis (15e)
167 IES (15e)
168 Élite Auto (78)
168 Garage Jean Gitton (91)
168 Autocom Assistance (92)

¿ QUE CHERCHEZ-VOUS ?

⊖ MOTO

ACCESSOIRES
171 4 en 1 (10ᵉ)
172 La Casquerie
(11ᵉ, 17ᵉ)
172 Challenge 75
(11ᵉ)
172 Dafy Moto (11ᵉ,
16ᵉ, 92)
173 Marcel Motos
Bastille (11ᵉ)
173 Motosport (11ᵉ,
17ᵉ)
174 CIMO Expo SA
(18ᵉ)
174 Racing Motorbike
(77)
174 Sasie Center (77)
175 Le Comptoir du
Motard (92)
175 Discount Moto
Center (92, 94)
175 D3 Motos (93)
175 Noisy Motor Bike
et Honda Motos
(93)
175 Jouy Moto (94)

ASSURANCES
172 ICC (10ᵉ)

**ENTRETIEN,
RÉPARATION**
171 Dynamic Sport
(2ᵉ, 9ᵉ)

172 Dafy Moto (11ᵉ,
16ᵉ, 92)
173 Moto Pasteur
(15ᵉ)
174 CIMO Expo SA
(18ᵉ)
174 Racing Motorbike
(77)
174 JP Motos (91)
175 Noisy Motor Bike
et Honda Motos
(93)

LOCATION DE MOTOS
171 Dynamic Sport
(2ᵉ, 9ᵉ)
174 CIMO Expo SA
(18ᵉ)

MOTO VERTE
172 Challenge 75
(11ᵉ)

**MOTOS NEUVES ET
D'OCCASION**
171 Dynamic Sport
(2ᵉ, 9ᵉ)
171 4 en 1 (10ᵉ)
172 Challenge 75
(11ᵉ)
173 Marcel Motos
Bastille (11ᵉ)
174 CIMO Expo SA
(18ᵉ)

174 Racing Motorbike
(77)
174 Sasie Center (77)
174 JP Motos (91)
174 Bernards
Malakoff Moto
(92)
175 Discount Moto
Center (92, 94)
175 D3 Motos (93)
175 Noisy Motor Bike
et Honda Motos
(93)
175 Jouy Moto (94)

PIÈCES DÉTACHÉES
175 Le Comptoir du
Motard (92)

SCOOTERS
171 Dynamic Sport
(2ᵉ, 9ᵉ)
172 Scoot Center
(10ᵉ)
173 Paris Scoot'
Occase (11ᵉ)
173 Moto Pasteur
(15ᵉ)

VÊTEMENTS
172 Dafy Moto (11ᵉ,
16ᵉ, 92)
175 Le Comptoir du
Motard (92)
175 D3 Motos (93)

¿ QUE CHERCHEZ-VOUS ?

→ VÉLO

ACCESSOIRES
177 Carnac Pro
Concept (15ᵉ)

BALADES
176 Roue Libre RATP
(1ᵉʳ)

GUIDES
176 Roue Libre RATP
(1ᵉʳ)

177 Office National
des Forêts (91)

LOCATION
176 Roue Libre RATP
(1ᵉʳ)

RÉPARATIONS
176 Au Réparateur de
Bicyclettes (3ᵉ)
176 Preya Cycles (3ᵉ)
176 Point Vélos (5ᵉ)
177 VTT Center (13ᵉ)

177 Bicycland (16ᵉ)

**VÉLOS NEUFS
ET D'OCCASION**
176 Au Réparateur de
Bicyclettes (3ᵉ)
176 Preya Cycles (3ᵉ)
176 Point Vélos (5ᵉ)
176 Franscoop (11ᵉ)
177 Laurent (11ᵉ)
177 VTT Center (13ᵉ)
177 Bicycland (16ᵉ)
178 Blix Center (92)

🅰 **Adresse particulièrement recommandée**

👑 **Adresse haut de gamme : le luxe à prix abordable**

AUTO

AMTT
25 ans d'expérience

Tél. 01 47 75 95 95
www.amtt.fr

Un peu compliqué, mais efficace : AMTT propose chaque mois des promotions sur les voitures neuves cumulables avec des remises allant jusqu'à 14 %. Seulement voilà : pas question de savoir sur quelle voiture ces remises et ces promotions existent. Il faut d'abord définir le type de voiture que l'on veut, remplir un questionnaire et on vous contacte sous 72 heures.

AUTOATNET
Promos sur le Net

Tél. 01 47 90 73 93
www.autoatnet.com

Un site multiforme : des voitures neuves à des prix négociés, des annonces d'occasions et des comparatifs des prix d'assurances, de crédit et de location. Début juin 2003, on pouvait notamment trouver des Toyota Corolla 110 D à -15 % et des Renault Megane à -17 % (20 385 €).

9ᵉ ARRONDISSEMENT

BOAD
Les enchères publiques

17 rue Scribe (9ᵉ)
Mᵒ Opéra
Tél. 01 44 94 78 78
www.dnid.org

Pour participer à toutes les ventes aux enchères des biens de l'État ou confisqués, vous pouvez vous abonner au Bulletin Officiel des Annonces des Domaines. Pour 29 € par an, cette publication bimestrielle vous informe de toutes les ventes sur les dix points de vente en France, dont deux à Paris. Pour information, on y trouve également des bijoux, de l'immobilier et des objets divers (meubles, matériel professionnel).

15ᵉ ARRONDISSEMENT

ARAMIS
Séduisant mousquetaire

230 rue Lecourbe (15ᵉ)
Mᵒ Convention
Tél. 01 55 76 88 88
Fax : 01 55 76 88 89
www.aramisauto.com
Lundi-vendredi : 9 h-19 h ; samedi . 9 h 30-17 h

Aussi séducteur que son homologue mousquetaire, cet Aramis-là vend des véhicules neufs, avec les mêmes garanties et les mêmes équipements que les concessionnaires, à des prix réduits de 8 à 22 %. Également des financements et des assurances, ainsi que des extensions de garantie et des contrats de maintenance. Clio Privilège 1,5 dCI 80 CV : -16 %. Laguna 1,9 dCI Privilège : -20 %. **Remise de 30 € avec le guide ou la carte.**

IES
Jusqu'à -22 % sur les voitures neuves

106 rue de Sèvres (15ᵉ)
Mᵒ Sèvres-Lecourbe
Tél. 08 92 88 07 07
Fax : 01 53 58 55 10
www.autoies.com
Mardi-vendredi : 10 h-13 h, 14 h-19 h ; samedi : 10 h-13 h, 14 h-17 h 30

Un mandataire qui a fait ses preuves. 3 000 véhicules en stock. Autos neuves moins chères de -5 à -22 %. Exemples relevés début juin 2003 : Toyota Land Cruiser NVVX 165 D-4D : 40 086 € (-10 %). Renault Clio Dynamique 1.5 dCI : 12 090 € (-22 %). **Une bouteille de champagne offerte sur présentation du guide ou de la carte.**

ÉLITE AUTO

Voitures neuves à petit prix

195 route Nationale 10
78310 COIGNIÈRES
30 km de la Porte d'Auteuil
(A13 + A12 + N10)
Tél. 01 30 49 40 40
Fax : 01 30 49 40 44
Minitel : 3617 ELITEAUTO
www.elite-auto.fr

Depuis sept ans, ce mandataire (élu plusieurs fois meilleur mandataire par la presse spécialisée) vous déniche la voiture de vos rêves de 7 à 21 % moins chère que chez le concessionnaire. Renault Laguna Estat dCI Initiale : 26 244 €. – Lundi-vendredi : 9 h-12 h, 14 h-18 h (samedi : 17 h).

GARAGE JEAN GITTON

Occasions Volkswagen et Audi

6 à 28 rue Pierre-Brossolette
91130 RIS-ORANGIS
20 km de la Porte d'Orléans (A6 + N7)
Tél. 01 69 06 24 94
Fax : 01 69 06 01 23
Lundi-samedi : 8 h-12 h, 14 h-19 h 30

Vend du neuf et de l'occasion. C'est cette dernière solution qui est l'objet de notre choix. Cinquante modèles exposés revendus (avec la garantie constructeur) à -15 et -20 % sous le prix du neuf. A savoir : plus l'on monte en gamme, plus la réduction est avantageuse. **Cadeau avec le guide ou la carte : un poste radiocassette ou laser.**

AUTOCOM ASSISTANCE

-20 % sur les véhicules neufs

16 bis rue des Fauvelles
92250 LA GARENNE-COLOMBES
M° La Défense-Grande-Arche
Tél. 01 42 42 24 22
Fax : 01 47 82 41 61
Minitel : 3615 COM1
www.autocom-assistance.com

Près de 20 000 véhicules neufs importés et livrés par ce mandataire depuis 1986 : c'est une garantie de sérieux. Et les tarifs sont séduisants. Début 2003 : Peugeot 307 SW Pack 2 HDI 110 : 20 158 € (-14 %). Mégane II Luxe Privilège 5 P 19 dCI : 19 393 € (-18 %). Commande en ligne possible. – Lundi-vendredi : 10 h-13 h, 14 h-18 h ; samedi : 10 h-13 h. **En cadeau, le plein de carburant avec le guide ou la carte.**

DROUOT VÉHICULES

Enchères publiques

17 rue de la Montjoie
93210 LA PLAINE-SAINT-DENIS
RER B, La Plaine-Stade-de-France
Tél. 01 48 20 20 81

Le marteau des enchères est tenu par des commissaires-priseurs qui s'engagent le plus souvent sur le kilométrage qu'ils certifient. De bonnes affaires dans les véhicules administratifs mais il faut s'y connaître un minimum. Pour les dates et points de vente, appelez le répondeur. Les enchères ont généralement lieu deux fois par mois, les lundis et mercredis.

AUTRE ADRESSE
■ 30 rue des Fillettes • 93300 AUBERVILLIERS • RER B, La Plaine-Stade-de-France • Ventes le samedi (à partir de 10 h).

Comment choisir son assurance

Il existe plusieurs types d'assureurs qui ont chacun leurs avantages et leurs inconvénients.

– Les mutuelles (GMF, MACIF, MATMUT, MAIF-Filia MAIF) sont généralement moins chères pour des conducteurs et les voitures « sans risques ». Mais le montant de leurs primes grimpe vertigineusement dès que l'on a un accident responsable. Par ailleurs, elles ont la résiliation facile et des montants de franchise généralement élevés.

– Les assureurs par téléphone (Direct Assurance, Eurofil, Reflex, Nexx, Tellit) sont souvent encore moins chers. Mais ils offrent moins de garanties et ont des critères de sélection draconiens.

– Enfin les assureurs traditionnels sont généralement plus chers pour les petites voitures et les bons conducteurs, mais ils reprennent l'avantage dès que l'on sort des sentiers battus (voiture de grosse cylindrée, conducteur avec malus).

Réparer et entretenir : un vrai casse-tête

– Les grandes marques se bousculent pour entretenir et réparer les véhicules. Sur le podium, Norauto, Midas et Speedy interviennent sur les freins, amortisseurs, échappement, vidange, éclairage en un temps chrono, garanties à l'appui. Tous disposent d'un site (norauto.fr, midas.fr, speedy.fr) où on trouve toutes les promos du moment et l'adresse du garage le plus proche. Dans l'éventail de choix, n'oublions pas Euromaster, Feu Vert, Maxauto et Point S, spécialisé dans les pneumatiques.
– Un gros pépin, vous cherchez un garagiste ? L'hebdomadaire Autoplus délivre une étiquette « garage confiance » aux adresses accueillantes, efficaces et honnêtes. Consultez la liste sur Internet : www. autoplus.fr.

Les pneus

Pour trouver des pneus intéressants, il faut sortir des sentiers battus et s'adresser à des spécialistes, souvent moins chers que les centres autos et les hypermarchés. Nous en avons sélectionné quelques-uns.

4ᵉ ARRONDISSEMENT

RELAIS DU PNEU
33 bd Bourdon, 4ᵉ • Mº Bastille • Tél. 01 42 72 01 12

Remises variables sur les pneus. Également vidange, batteries, banc de contrôle.

12ᵉ ARRONDISSEMENT

RELAIS DU PNEU
29 bd Diderot, 12ᵉ • Mº Gare-de-Lyon • Tél. 01 43 07 46 46

Remises variables sur les pneus.

92 HAUTS-DE-SEINE

JUMBO PNEUS
141-151 av. Louis-Roche • 92230 GENNEVILLIERS • Mº Asnières-Gennevilliers • Tél. 01 41 47 07 13 ou 01 47 92 37 25 • Lundi-samedi : 7 h-18 h
Michelin XH1 Energy (195 × 65 × 15) : 300 € les 4 pneus. **Remise de 50 % sur le parallélisme du train avant avec le guide ou la carte**.

93 SEINE-SAINT-DENIS

JUMBO MILORD
63 bd Ornano • 93200 SAINT-DENIS • Tél. 01 55 87 03 90 ou 01 55 87 03 92
Mêmes horaires et services que Jumbo Pneus.

95 VAL-D'OISE

PETIT-JEAN
28 rue Émile-Zola • 95870 BEZONS • 9 km de la Porte de Champerret (D908 + N192) • Tél. 01 39 47 67 96 • Lundi-samedi : 8 h 30-12 h, 14 h-18 h 15

Ce spécialiste Michelin vend aussi des pneus rechapés et agréés, à des prix tout doux. Il loue des pneus neige et n'est pas avare de bons conseils. **Avec le guide ou la carte : montage et équilibrage gratuit pour l'achat de pneus.**

Les auto-écoles

Les auto-écoles ont mauvaise réputation. Voitures mal entretenues, personnel peu pédagogue, formation bâclée voire arnaque pure et simple. La litanie est connue. Pour vous démarquer du million et demi de futurs automobilistes qui, chaque année, se présentent au permis B, soyez malin, comparez ! Mais pas forcément les prix : un prix d'attaque bas peut très bien signifier échec, c'est-à-dire heures supplémentaires à payer et une attente interminable avant d'obtenir son permis. Alors, comment les différencier ? Tout simplement par le délai de passage garanti de un mois et demi à deux mois pour avoir le permis entier (code et conduite). Si ce n'est pas le cas, c'est que l'école a beaucoup d'échecs et pas de suivi. Et le prix d'attaque à 500 € (voire 400 €) doublera allègrement avec les heures imposées. Donc, méfiance : faites-vous garantir un délai d'attente inférieur à deux mois !!! Et en attendant, voici quelques adresses sérieuses (mais pas forcément moins chères au premier abord).

3e ARRONDISSEMENT

FUN DRIVE
126 rue Vieille-du-Temple, 3e • M° Filles-du-Calvaire • Tél. 01 48 87 85 88

10e ARRONDISSEMENT

PARIS RÉPUBLIQUE AUTO-ÉCOLE
11 rue Bichat, 10e • M° République • Tél. 01 42 41 24 95 • Lundi-vendredi : 10 h-12 h, 17 h-19 h ; samedi : 10 h-12 h
Forfaits de 590 à 990 €.

17e ARRONDISSEMENT

NAT AUTO-ÉCOLE
8 rue Médéric, 17e • M° Courcelles • Tél. 01 42 12 92 00 • Lundi : 14 h-20 h ; mardi-vendredi : 10 h-14 h, 16 h-20 h ; samedi : 9 h-13 h

92 HAUTS-DE-SEINE

AUTO-ÉCOLE NATIONALE VINGT
96 av. Aristide-Briand • 92160 ANTONY • Tél. 01 42 37 64 66 • Lundi-vendredi : 10 h-12 h, 14 h 30-19 h 30

93 SEINE-SAINT-DENIS

ECF
72 av. Thiers • 93340 LE RAINCY • 10 km de la Porte de Bagnolet (A3 + A103) • Tél. 01 43 01 11 22 • Fax : 01 43 02 93 20 • Mardi-samedi : 9 h-12 h, 14 h-19 h

Forfait B : 701 €. Forfait AAC : 773 €. Forfait A et AL : 701 €. Stage 125 cm³ : 233 €. **Un chéquier parrainage d'une valeur de 160 € en cadeau avec le guide ou la carte.**

Les pièces de rechange

Pour ne pas se ruiner en achetant des pièces neuves d'origine, autant s'orienter vers les pièces d'occasion. Surtout quand il s'agit de gros morceaux : moteur, boîte de vitesses, alternateur, démarreur, embrayage, radiateur, pompe à eau… Remises en état, elles coûtent entre 20 et 60 % moins cher que neuves. Voici quelques adresses.

10e ARRONDISSEMENT

MAP
18 place Jacques-Bonsergent, 10e • M° Jacques-Bonsergent • Tél. 01 42 02 18 66 • Fax : 01 42 03 77 65 • Lundi-vendredi : 8 h 30-12 h, 13 h-18 h ; samedi : 8 h 30-12 h 30

Le plus important centre de stockage de pièces de la région parisienne. **Avec le guide ou la carte : carte privilège donnant droit à une remise de 25 %, + 8 % sur la plupart des pièces.**

13e ARRONDISSEMENT

GONDOUIN
72 rue Clisson, 13e • M° Nationale • Tél. 01 45 83 62 62 • Lundi-vendredi : 8 h 30-12 h, 13 h 30-18 h 30 ; samedi : 9 h-12 h

Excellent accueil. **Remise de 20 à 30 % sur les pièces neuves et échanges standards avec le guide ou la carte.**

18e ARRONDISSEMENT

FRANCE PIÈCES AUTOMOBILES
2 bd Ney, 18e • M° Porte-de-la-Chapelle • Tél.

01 40 35 11 23 • Lundi-vendredi : 9 h-19 h ; samedi : 9 h-18 h 30

Pièces détachées de -20 à -30 % pour toutes marques. **Remise de 20 % avec le guide ou la carte (hors promotions)**. Huit autres adresses à Paris et en banlieue parisienne (108 bd Brune, 100 bd Davout et à Sevran, Saint-Ouen, La Courneuve, Drancy, Villejuif et Bois-Colombes).

MAP

9 rue Ordener, 18ᵉ • Mᵒ Marx-Dormoy • Tél. 01 42 05 29 00 • Fax : 01 42 05 36 90 • Lundi-vendredi : 8 h 30-12 h, 13 h 30-18 h ; samedi : 8 h 30-12 h 30

Idem que place Jacques-Bonsergent.

77 SEINE-ET-MARNE

DÉPOLLUTION AUTOMOBILE CHELLOISE

Chemin du Corps-de-Garde • 77500 CHELLES • 15 km de la Porte de Vincennes (N34) • Tél. 01 60 20 84 28

De bons conseils et d'importantes remises sur les pneus et les pièces de rechange. **Remise supplémentaire de 5 % avec le guide ou la carte.**

78 YVELINES

CENTRE AUTO LECLERC

190 av. de l'Europe • 78955 CARRIÈRES-SOUS-POISSY • Tél. 01 39 70 49 20

Prix Leclerc sur les pièces et nombreuses promotions sur les pneus, les autoradios, les alarmes et l'échappement.

93 SEINE-SAINT-DENIS

MAP

161 av. Jean-Jaurès • 93300 AUBERVILLIERS • Mᵒ Aubervilliers-Pantin-Quatre-Chemins • Tél. 01 43 52 81 81

Idem que place Jacques-Bonsergent + atelier de montage.

94 VAL-DE-MARNE

ACC

18-20 rue Auguste-Taravella • 94500 CHAMPIGNY-SUR-MARNE • Tél. 01 48 82 03 33

Réductions jusqu'à 30 % sur les fournitures. Excellent accueil.

95 VAL-D'OISE

CASSE CENTER

177 bis rue Henri-Barbusse • 95100 ARGENTEUIL • Bus 161, av. du Marais • Tél. 01 39 61 47 34 • Lundi-samedi : 9 h-19 h

Pièces détachées à -20, -40 %. Atelier de montage. AUTRES ADRESSES : 174 av. Jean-Jaurès, 93300 Aubervilliers, Tél. 01 48 34 54 35. – 112-116 av. Lénine, 93300 Pierrefitte, Tél. 01 42 35 01 24.

⊖ MOTO

2ᵉ ARRONDISSEMENT

DYNAMIC SPORT

149 rue Montmartre (2ᵉ)
Mᵒ Bourse
Tél. 01 42 33 61 82
Fax : 01 42 21 90 38
www.dynamicmotos.com
*Lundi : 10 h 30-18 h 30 ;
mardi-vendredi : 10 h 15-
18 h 30 ; samedi : 10 h-
18 h 30*

Achat, réparation, location

Le magasin offre un service rapide sur toutes les opérations de remplacement à des tarifs forfaitaires « attractifs ». Au rayon motos, scooters et cyclomoteurs, une gamme de Peugeot et Yamaha, et de motos d'occasion révisées et garanties, que l'on peut louer. Motos à partir de 2 600 € (125 cm³). Scooters 50 cm³ à partir de 1 500 €. **Avec le guide ou la carte : remise (hors promotions) de 5 à 10 % sur les motos et de 10 à 20 % sur les accessoires.**

AUTRE ADRESSE
- 21 rue Turgot, 9ᵉ • Mᵒ Anvers • Tél. 01 42 81 39 59 • 9 h-12 h 30, 14 h 30-18 h 30 • Sur 650 m², atelier et pièces détachées.

10ᵉ ARRONDISSEMENT

4 EN 1

8 rue Philippe-de-Girard
(10ᵉ)

Yamaha et occasions

Ce concessionnaire Yamaha « se met en quatre pour être le numéro un ». 1 500 m² de surface sur

M° Château-Landon
ou Gare-du-Nord
Tél. 01 40 36 40 36
Fax : 01 44 72 07 50
www.4en1.fr
*Mardi-vendredi : 9 h 30-
13 h, 14 h-18 h 30 ;
samedi : 9 h 30-13 h, 14 h-
18 h*

quatre niveaux. Atelier et Quick service au rez-de-chaussée. Au premier : concession Yamaha avec plus de cinquante modèles de motos et scooters (achat neuf et reprise de l'ancienne). Vaste choix d'accessoires et deux cents motos en exposition. Reprises fermes. Dépôt-vente et service de recherche. Gravage antivol : 61 €. Lavage Karcher + nettoyage moto : 29 €. Casque intégral Nolan : à partir de 96 €. Top-case à partir de 58 €.

ICC   *Assurances pour engins de collection*

3 Cité Paradis (10°)
M° Poissonnière
ou Bonne-Nouvelle
Tél. 01 42 46 52 52
Fax : 01 42 46 31 19
www.iccassurances.fr
*Lundi-vendredi : 8 h 30-
12 h 15, 13 h 30-17 h 30*

ICC assure tous les engins de collection y compris la moto. Au tiers : 26 € l'année pour une moto d'avant 1961 ; 51,50 € pour une moto de 1961 à 1969. 63 € pour celles de 1970 à 1975. 69,50 € pour celles de 1976 à 1980. Également assurances autos de collection. Tarifs suivant l'âge et le nombre de véhicules.

SCOOT CENTER   *Vite fait, très bien fait*

▲ 262 rue du Faubourg-Saint-Martin (10°)
M° Stalingrad
Tél. 01 42 09 27 27
Fax : 01 40 35 08 09
www.scootcenter.fr
Lundi-vendredi : 9 h-19 h 30

Réparation express et soignée de scooters de toutes marques, dans la matinée ou la journée. Également vente de scooters Malagutti, Italjet et Benelli. GD Dink 125 : 3 500 €. Casque premier prix : 65 €. Service de dépannage-remorquage sur Paris : 60 €. **Remise de 10 % sur les réparations avec le guide ou la carte.**

11° ARRONDISSEMENT

LA CASQUERIE   *A casque veux-tu...*

8 bd Richard-Lenoir (11°)
M° Bastille
Tél. 01 48 05 31 31
Lundi : 14 h-19 h ; mardi-samedi : 10 h-19 h

Pour toutes les bourses, il y a ici le plus grand choix de la capitale, des marques traditionnelles aux dernières nouveautés. Le conseil y est professionnel et toujours attentif. Casques Jet de 50 à 150 €. Casques modulables de 150 à 400 €. **Remise de 5 % avec le guide ou la carte (hors promotion ou autre remise).**

AUTRE ADRESSE
■ 85 rue de Rome, 17° • M° Rome • Tél. 01 43 87 08 00

CHALLENGE 75   *Promotions « vertes »*

21 av. Parmentier (11°)
M° Voltaire
Tél. 01 43 55 25 34
Fax : 01 40 21 33 37
Mardi-samedi : 10 h-19 h

Ce spécialiste parisien de la moto verte est concessionnaire exclusif Honda. Accessoires et vêtements pour le tout-terrain. Atelier de réparation et promotions permanentes. A la même adresse, la société Off Road Import (tél. 01 47 00 45 24) distribue les motos KTM.

DAFY MOTO   *Centrale d'achat*

▲ 47 bd Voltaire (11°)
M° Oberkampf

Avec près de vingt-huit boutiques en France, Dafy Moto a créé une centrale qui achète directement

Tél. 01 48 05 15 30
Fax : 01 48 05 57 24
www.dafy-moto.fr
Lundi : 15 h-19 h ; mardi-samedi : 10 h-13 h, 14 h-19 h

aux fabricants. Accessoires vendus et montés sur place à des prix forfaitaires. Entretien courant des machines. Pantalon cuir à partir de 100 €. Blouson de cuir à partir de 159 €. Blouson textile étanche à partir de 140 €. Carte de fidélité.

AUTRES ADRESSES
- 11 av. de la Grande-Armée, 16ᵉ • Mᵒ Charles-de-Gaulle • Tél. 01 45 00 28 38 • Showroom.
- 38 Grande-Rue • 92310 SÈVRES • Tél. 01 41 14 43 30

MARCEL MOTOS BASTILLE

Pour s'équiper « Béhème »

76 bd Beaumarchais (11ᵉ)
Mᵒ Chemin-Vert
Tél. 01 47 00 60 50
Fax : 01 47 00 60 65
Mardi-samedi : 8 h 30-19 h

Un concessionnaire BMW qui se fait fort aussi de reprendre toute « pétrolette » pour l'achat d'une moto neuve ou d'occasion. Pour la bonne santé de votre deux-roues, un service rapide, pneumatiques, vidange faite dans le quart d'heure et sans rendez-vous. Casque BMW intégral : 459 €. Casque BMW Jet : 279 €. Gants BMW : de 49,75 à 139 €. **Une bouteille de champagne offerte avec le guide ou la carte pour 150 € d'achats.**

MOTOSPORT

A bon port

8 bd Richard-Lenoir (11ᵉ)
Mᵒ Bastille
Tél. 01 48 05 54 32
Lundi : 14 h-19 h ; mardi-samedi : 10 h-19 h

Le petit frère de la Casquerie, cette fois pour l'équipement : vêtements, gants, bottes. Du choix et de bons conseils. Pantalon pluie, doublure amovible : 50 €. Blousons de 119 à 250 €. Bottes de 100 à 200 €. Gants de 15 à 100 €. **Remise de 5 % avec le guide ou la carte, hors promotions.**

AUTRE ADRESSE
- 85 rue de Rome, 17ᵉ • Mᵒ Rome • Tél. 01 43 87 08 00

PARIS SCOOT' OCCASE

Scooters tous azimuts

28 rue Léon-Frot (11ᵉ)
Mᵒ Charonne
Tél. 01 44 64 99 98
www.paris-scoot-occase.com
Mardi-samedi : 9 h-12 h, 14 h-19 h

Le royaume de l'occasion scooter, 50, 80, 100, 125 ou 250 cm³. Vente, achat, reprise. Jusqu'à -60 % du prix du neuf. Scooters de 750 € à 2 300 €. Accessoires d'occasion. Paiement en trois ou quatre fois sans frais. **Avec le guide ou la carte : remise de 5 % sur les accessoires et les scooters d'occasion.**

15ᵉ ARRONDISSEMENT

MOTO PASTEUR

Scooters

33 bd Pasteur (15ᵉ)
Mᵒ Pasteur
Tél. 01 47 34 29 47
Lundi : 14 h- 19 h ; mardi-vendredi : 9 h-12 h 30, 14 h-19 h ; samedi : 14 h-17 h

Moto Pasteur s'est spécialisé dans le deux roues de la Dolce Vita, mais version française : Peugeot et MBK. Neufs et occasions. On saura vous y conseiller la monture idéale, de 50 à... 650 cm³. Un atelier et un service rapide attendent de pouvoir régler les petits problèmes. Scooter 50 cm³ à partir de 1 500 €. Casque : 75 €. **Remise de 10 % avec le guide ou la carte sur les accessoires, un peu moins sur les véhicules neufs.**

CIMO EXPO SA

Le temple de l'occasion sur 1 800 m²

237 rue Marcadet (18e)
M° Guy-Môquet
Tél. 01 53 06 60 60
Fax : 01 53 06 60 61
www.cimo.fr

250 modèles d'occasion contrôlés et garantis. Nombreux services : atelier (révision, réparation toute marque, service rapide), rayon accessoires (plus de 2 000 articles), location de motos. – Mardi-vendredi : 10 h-12 h 30, 14 h 15-19 h ; samedi : 10 h-18 h 45 (service commercial) ; 9 h 15-12 h 30, 14 h 15-18 h 30 ; samedi : 10 h-12 h 30, 14 h 15-17 h 45 (service atelier). **Remise de 10 % sur la location moto avec le guide ou la carte.**

SASIE CENTER

Tout pour la moto

7 rue Saint-Claude
77340 PONTAULT-
COMBAULT
24 km de la Porte de Bercy
(A4 + N104, sortie 16)
Tél. 01 60 29 52 60
www.sasie-center.com

Sasie Center organise sur son parking des ventes de particulier à particulier. Et on y trouve en plus accessoires, casques. Casque Interceptor Uni : 303 €. Combinaison Ixon Voxan : 30 €. Gants RS Dry (Ixon) : 27,31 €. – Mardi-vendredi : 10 h-12 h 30, 14 h 30-19 h 30 ; samedi : 9 h-19 h. **Remise de 10 % sur tous les articles (sauf points rouges).**

RACING MOTORBIKE

Suzuki exclusivement

5 rue Lamartine
77100 SAINT-THIBAULT
25 km de la Porte de Bercy
(A4 + A104)
Tél. 01 60 07 24 24
www.racing-motorbike.fr

400 m² d'exposition, vaste choix d'accessoires, un service rapide et un bon accueil chez ce concessionnaire exclusif Suzuki. Réparations et motos d'occasion de toutes marques. – Mardi-samedi : 9 h 30-12 h 30, 14 h-19 h (samedi fermeture à 18 h). **Avec le guide ou la carte : tarif préférentiel sur les accessoires et les deux roues.**

JP MOTOS

Des pros

94 bis av. François-
Mitterrand
91200 ATHIS-MONS
Tél. 01 69 57 97 98
www.jpmotos.com

Vente et réparations de motos et de scooters (concessionnaire exclusif Suzuki). Alex et Éric sont des pros et ne volent pas leurs clients. Atelier : 36 €/heure. Passage au banc : 25 € avec impression des courbes. – Mardi-samedi : 9 h-12 h, 14 h-19 h (fermé à 18 h le samedi).

BERNARDS MALAKOFF MOTO

Comme à la maison

6 rue André-Coin
92240 MALAKOFF
M° Malakoff-Plateau-
de-Vanves
Tél. 01 46 55 28 47
Fax : 01 46 55 61 23
*Lundi-samedi : 8 h 30-13 h,
14 h-19 h (samedi :
fermeture à 18 h)*

Ambiance conviviale, presque familiale chez les deux Bernards associés depuis 20 ans. Dans une rue calme de Malakoff, on prend le temps de distiller de précieux conseils. Concessionnaire Honda, Bernards Malakoff Moto propose également des occasions. Mais, pas n'importe quoi. Des motos qu'ils connaissent depuis leur mise en service ou qu'ils ont régulièrement suivies. Main-d'œuvre : 42 € l'heure. **Remise de 15 % sur les accessoires avec le guide ou la carte. Remise éventuelle (au coup par coup) sur les motos.**

LE COMPTOIR DU MOTARD
Pièces et accessoires

52 rue Gabriel-Péri
92120 MONTROUGE
M° Porte-d'Orléans
www.comptoirdumotard.
com

Vente de pièces, accessoires et vêtements. Hyperlubrifiant moteur Lubysil : 28 €. Béquille de stand arrière universelle : 65 €. Chaîne antivol moto 180 cm Magnum pro : 70 €. – Lundi, mardi, jeudi, vendredi : 8 h 30-17 h 30 ; mercredi : 10 h-21 h ; samedi : 9 h-14 h. **Tarif collectivités avec le guide ou la carte.**

93 SEINE-SAINT-DENIS

D3 MOTOS
Triumph et Harley neuves et d'occasion

59-61 av. Aristide-Briand
93320 LES PAVILLONS-
SOUS-BOIS
7 km de la Porte de Pantin
Tél. 01 48 48 12 12
www.d3motos.fr
*Mardi-samedi : 9 h-12 h 30,
14 h-19 h*

Ce concessionnaire Triumph, Buell et Harley sait recevoir ses clients avec le sourire et leur propose de séduisantes occasions de 4 500 à 19 000 €. Également des accessoires et des vêtements. Avant d'enfourcher son engin, le motard pourra se restaurer au pub du patron (9,50 € le menu à midi). **Remise de 10 % sur les vêtements avec le guide ou la carte.**

NOISY MOTOR BIKE ET HONDA MOTOS
Service rapide

221 rue de Brément
93130 NOISY-LE-SEC
M° Église-de-Pantin, puis
bus 147, arrêt Londeau.
5 km de la Porte
de Bagnolet (A3)
Tél. 01 48 44 20 49
*Mardi-samedi : 9 h-12 h,
14 h-19 h*

Pour toute moto en réparation ou en révision, le client repart automatiquement avec un véhicule de remplacement chez ce concessionnaire Honda. Autre point fort : le service rapide. Dépannage dans un rayon de 30 km. Casque intégral à partir de 75 €. Bloc disque antivol à partir de 19 €. Pour une 125 Honda Shadow, il vous en coûtera ainsi 70 € pour un pneu arrière (pose comprise) et 140 € pour un kit-chaîne. **Remise de 10 %, sauf sur article déjà en promotion, avec le guide ou la carte.**

94 VAL-DE-MARNE

DISCOUNT MOTO CENTER
Un nouveau discounteur

1 rue Reulos
94800 VILLEJUIF
M° Léo-Lagrange
Tél. 01 46 78 66 66
*Lundi : 14 h-19 h 30 ; mardi-
samedi : 10 h-12 h 30,
14 h-19 h 30*
AUTRE ADRESSE

Tout pour équiper le motard et la moto, vendu à prix discountés de 8 à 60 %. Casque Arai RX7XX : 555 €. Bulles toutes machines : 61 €. Vestes chaudes et étanches à partir de 30 €. Également un dépôt-vente de pièces et accessoires d'occasion. **Remise de 8 % avec le guide ou la carte.**

■ 79 bd Charles-de-Gaulle • 92700 COLOMBES • Tél. 01 42 42 50 05

JOUY MOTO
Kawa ou Yam

224 rue de Paris
94190 VILLENEUVE-
SAINT-GEORGES
Tél. 01 43 89 04 33
www.jouy-moto.com
Lundi-samedi : 9 h-19 h

C'est ici qu'on viendra choisir ses occasions Yam ou Kawa, mais aussi des motos neuves et des accessoires à prix très intéressants (de 10 à 40 % moins cher que dans les grandes surfaces moto). **Remise de 10 % avec le guide ou la carte.**

VÉLO

Les pistes cyclables ne sont plus ces bandes de peinture coincées entre bus et automobilistes. Mais ils semblent toujours bien fragiles, les cyclistes sur le bitume parisien. D'où l'importance de bien choisir, et entretenir, sa monture : le Hollandais, pour ceux qui veulent rester chics ; le VTT, maniable et infatigable, mais réservé aux sportifs ; le vélo de course, pour les adeptes des samedis au bois de Vincennes ; et enfin, le VTC, sans aucun doute le meilleur compromis.

1er ARRONDISSEMENT

ROUE LIBRE RATP

1 passage Mondetour (1er)
M° Châtelet-Les Halles
Tél. 08 10 44 15 34
www.ratp.fr
Tous les jours : 9 h-19 h

Balades et locations

Balades guidées à travers Paris. 21 € la balade de 3 heures (14 € pour les moins de 12 ans), ou 29 € la balade d'une journée (22 € pour les moins de 12 ans). On peut louer des VTC homme ou femme ou des VTT enfant : de 3 € l'heure... à 110 € l'an. Points de location : Concorde, porte d'Auteuil, Hôtel-de-Ville, Bassin de la Villette, Bercy et Bois de Vincennes, dans les « Cyclobus » (anciens bus reconvertis). **Remise de 10 % avec le guide ou la carte sur les tarifs balade et location (sauf sur le tarif spécial en semaine).**

3e ARRONDISSEMENT

AU RÉPARATEUR DE BICYCLETTES

44 bd de Sébastopol (3e)
M° Rambuteau
ou Les Halles
Tél. 01 48 04 51 19
Lundi-samedi : 10 h-19 h 30

Hollandais, italiens et anglais

Vente et réparations de vélos de ville, hollandais, italiens ou anglais, de VTT neufs ou d'occasion (à partir de 150 €). VTT neuf : 200 €. VTC allemand : 260 €. Promotions tournantes sur vélos Giant, Scott. **Remise de 5 % avec le guide ou la carte.**

PREYA CYCLES

14 rue Froissart (3e)
M° Saint-Sébastien-Froissart
Tél. 01 42 77 01 19
Mardi-samedi : 10 h-20 h ;
dimanche : 10 h-15 h

Du côté d'Amsterdam

Preya en a marre de voir revenir ses vélos de location en pièces. Alors, il a cessé la location et vend des pièces détachées. Et toujours des vélos hollandais de ville et des VTC. Réparation : 30 € de l'heure.

5e ARRONDISSEMENT

POINT VÉLOS

83 bd Saint-Michel (5e)
RER B, Luxembourg
Tél. 01 43 54 85 36
www.pointvelo.com
Lundi-samedi : 10 h-20 h

Aimable, bien placé, pratique

Vélo hollandais, VTC ou VTT neuf, Gazelle, Grant et Cyrus : à partir de 225 €, suivant arrivages. Occasion : à partir de 120 €. Réparations sans rendez-vous à 28 € l'heure. **Avec le guide ou la carte : remise de 5 % sur l'achat d'un vélo.**

11e ARRONDISSEMENT

FRANSCOOP

47 rue Servan (11e)
M° Saint-Maur
Tél. 01 47 00 68 43
Fax : 01 47 00 50 97
Lundi-samedi : 9 h 30-13 h,
14 h-19 h 30

Des vélos et des skis

On y trouve du matériel pour plusieurs sports, mais plus spécialement des vélos Commençal, Lapierre et Giant (à partir de 300 €) et des vélos d'occasion. Le rayon location de skis ayant fermé, les skis sont vendus ainsi que les chaussures (à partir de 30 €).

LAURENT
Trouvailles

9 bd Voltaire (11ᵉ)
Mᵒ République
Tél. 01 47 00 27 47
Lundi-samedi : 10 h-19 h

Excellent magasin riche en trouvailles, convivial, amical, avec un petit côté grenier. Fouiller pour dénicher, souvent en soldes, d'excellentes affaires. Vélo sur mesure à partir de 1 800 €. VTT : à partir de 228 €. VTC : à partir de 245 €. **Remise de 5 à 10 % avec le guide ou la carte (selon les articles).**

13ᵉ ARRONDISSEMENT

VTT CENTER
Rien que du VTT

1 place de Rungis (13ᵉ)
Mᵒ Maison-Blanche
Tél. 01 45 65 49 89
www.vttcenter.fr
Mardi-samedi : 10 h-19 h

Grand choix de modèles (surtout des VTT et quelques BMX). Près de soixante modèles de 455 à 6 100 €. VTT Center se démarque par son dépôt-vente. En permanence, une dizaine de modèles de 765 à 1 525 €. Possibilité également de composer son modèle personnalisé avec différentes pièces, neuves ou d'occasion.

15ᵉ ARRONDISSEMENT

CARNAC PRO CONCEPT
Vélo au détail

56 rue Balard (15ᵉ)
Mᵒ Javel ou Balard
Tél. 01 45 58 42 22
Fax : 01 45 58 15 95
*Mardi-vendredi : 11 h-19 h ;
samedi : 10 h-18 h*

Tout ce qui se démonte sur un vélo se trouve chez Carnac Pro Concept. De l'accessoire, rien que de l'accessoire. De la roue au support de selle en passant par les casques, gants et chaussures. Avec en vedette la vieille marque française, Carnac, qui fait aussi des bottes pour motards.

16ᵉ ARRONDISSEMENT

BICYCLAND
Ô Landais

98 av. de Versailles (16ᵉ)
Mᵒ Église-d'Auteuil
Tél. 01 45 20 03 95
Mardi-samedi : 10 h-20 h

Bien qu'il se dise spécialiste du vélo hollandais, M. Okutan vend des vélos de ville et VTC, neufs et d'occasion (à partir de 119 € pour l'occasion, de 239 € pour le neuf). Également restaurations et réparations. **Remise de 5 % avec le guide ou la carte.**

91 ESSONNE

OFFICE NATIONAL DES FORÊTS
Parcours cyclables

Éditions Grand Public
BP8
91167 LONGJUMEAU
CEDEX 9
www.onf.fr

L'Office édite sept guides à l'usage des VTTistes qui souhaitent oxygéner leurs mollets dans les forêts d'Ile-de-France : Saint-Germain, Versailles, Montmorency, Rambouillet, Fontainebleau, Sénart, Dourdan, Saint-Quentin-en-Yvelines. Flore, faune, histoire, principaux repères sont présentés dans un format facile à glisser dans une pochette porte-carte. 4,42 € pièce. Également un guide pratique de la France des forêts à 22,10 €. Commande par correspondance à l'adresse ci-contre ou sur le site Internet (quand il est accessible...).

BLIX CENTER

143 ter av. Maréchal-Foch
92210 SAINT-CLOUD
Tél. 01 47 71 10 01
*Mardi-samedi : 10 h-12 h,
14 h-19 h*

Attention, affaires !

On y trouve certes des vélos de ville, des VTT, des VTC, des vélos d'enfants et des pièces détachées, mais c'est dans le vélo de bicross que le magasin est le plus performant. Et plus particulièrement pour ce qui concerne le BMX Haro et US-Line. En cherchant bien, on y trouvera des affaires d'or (jusqu'à -50 % par rapport au prix conseillé d'origine). **Révision gratuite pour tout achat de vélo, avec le guide ou la carte.**

L'index des raisons sociales et commerciales se trouve en page 607.

L'index des produits recensés dans Paris Pas Cher se trouve en page 627.

BALADES

Dans Paris ou alentour, à pied, à vélo ou en bateau, elles sont innombrables les balades, gratuites ou pas chères du tout, qui vous permettront de devenir un vrai connaisseur de tous les coins de la capitale. Visite guidée.

¿ QUE CHERCHEZ-VOUS ?

 DANS Paris

À PIED
- **181** Visite des Jardins de Paris
- **182** Centre des Monuments Nationaux (4ᵉ)
- **182** Maison Paris Nature du Parc Floral (12ᵉ)
- **182** Amis de la Nature (18ᵉ)
- **183** Paris Côté Jardins (93)
- **183** *Le musée sauvage*

À VÉLO
- **166** « Vélo - Balades »

CINÉMA
- **182** Paris Story (9ᵉ)

EN BUS ET EN MÉTRO
- **181** RATP

SUR L'EAU
- **181** Batobus
- **182** Canauxrama (19ᵉ)

**Pour obtenir la carte Paris Pas Cher 2004,
reportez-vous à la fin de l'ouvrage,
remplissez le questionnaire
et renvoyez-le à l'adresse suivante :**

**Paris Pas Cher
19 av. Georges-Brassens
94550 Chevilly-Larue**

¿ QUE CHERCHEZ-VOUS ?

→ HORS Paris

**AUTOUR
D'AUVERS-SUR-OISE**
187 À l'Écomusée
187 Château
d'Auvers-sur-Oise
187 Corot, Daumier,
Daubigny
187 Sur les traces de
Van Gogh

**AUTOUR
DE CHANTILLY**
188 Au Musée du
Cheval
188 Le Potager des
Princes

**AUTOUR
DE FONTAINEBLEAU**
184 À pied et à vélo
avec les Amis
de la Forêt (77)
185 Balades en haut
des arbres (77)
184 Château de
Fontainebleau
(77)
185 Pique-Niques
et Peinture
185 Sports et
farniente à la
base de Buthiers
(77)
184 Suivez
l'audioguide (77)

185 Conservatoire
National des
Plantes
Médicinales
Aromatiques et
Industrielles (91)
185 Le Parc naturel
régional du
Gâtinais (91)

**AUTOUR
DE RAMBOUILLET**
186 De Sacrés
Sauteurs
186 Le Baladobus
186 Forfait Château
de Rambouillet
186 France Miniature
186 La Haute Vallée
de Chevreuse

**AUTOUR
DE SAINT-DENIS**
188 Dans la Foulée
de Zidane (93)
188 Les Petits Zoziaux
(93)
188 Les Rois de la
Nécropole (93)
188 Descente de
Rapides (95)
188 Mer de Sable
d'Ermenonville
(60)
188 Parc Astérix (60)

**AUTOUR
DE SAINT-GERMAIN-
EN-LAYE**
186 À la Recherche
des
Impressionnistes
187 Base de
Saint-Quentin-
en-Yvelines
186 Peindre en
Famille
186 Sur les Toits du
Château

**AUTOUR
DE VERSAILLES**
187 Académie du
Spectacle
Équestre
187 Dans l'Intimité de
Louis XIV

**LE LONG DE
LA MARNE**
189 Base de
Jablines-Annet
(77)
189 Port aux Cerises
(91)
189 Base de Créteil
(94)
189 De pont en pont
(94)

→ **DANS Paris**

BATOBUS

Tél. 01 44 11 33 99
10 h-19 h en avril, mai, octobre, novembre ; 10 h-21 h en juin, juillet, août, septembre

A l'eau Paris ?

Prenez une belle journée d'été. Divisez-la en sept. Puis trouvez un Batobus pour remonter (ou descendre) la Seine en autant d'escales : « Tour Eiffel » (proche du pont d'Iéna), « Musée-d'Orsay » (au pied du musée), « Saint-Germain-des-Prés » (proche de l'Institut de France), « Hôtel-de-Ville » (proche du pont d'Arcole), « Louvre » (entre le pont Royal et le pont du Carrousel), « Champs-Élysées » (au pied du pont Alexandre III). A bord, jouissez du clapotis, des cris de poulies rouillées des mouettes, de l'architecture des ponts. Entre deux débarcadères, visitez Paris. Billets en vente à chaque escale. Forfait un jour, escales illimitées : 10 € ; enfant (- de 12 ans) : 5,50 € ; cartes Vermeil : 8 € ; carte orange : 6,50 €. A l'escale : 2,50 € la première, 2 € après.

RATP

N'oubliez pas le Métropolitain

Balades pas chères dans la capitale et ses banlieues avec la carte RATP « Paris Visite ». Trajets illimités en métro, autobus, RER et Noctambus pendant une journée (zone 1 à 3) : 8,35 € ; deux jours : 13,70 € ; trois jours : 18,25 € ; cinq jours : 26,65 € ; demi-tarif pour les enfants de moins de 12 ans. La nuit, prendre les Noctambus qui circulent de 1 h à 5 h du matin, tarif unique : 2,40 €. Attention, repérez leurs heures de passage car ils sont malheureusement peu fréquents (les lignes Noctambus portent sur leurs panneaux d'arrêt un panonceau vert sur lequel une chouette dessinée flirte avec un croissant de lune).

VISITE DES JARDINS DE PARIS

Tél. 01 40 71 75 60
Minitel : 3615 PARIS
www.paris.fr

Parcs, jardins, canaux et grottes

Nombreux jardins parisiens à visiter. Des grands classiques : potagers de Paris, verdures de la Butte, etc. Et parmi les nouveautés, une redécouverte du cimetière du Père-Lachaise au travers de thèmes originaux : l'Égypte au Père-Lachaise, la chanson, le Père-Lachaise côté femmes, souvenirs botaniques, etc. Véritable Résurrection au jardin des morts. Pas d'inscription préalable sauf pour les non-voyants (01 40 71 75 60) et les malentendants. Programme disponible dans les mairies d'arrondissements. Se présenter 10 mn avant le début de la visite. 5,70 € et 3,90 € (tarif réduit). Carte d'abonnement pour six visites : 28,50 €, 19,50 € (tarif réduit). Compter 2 heures de balade. Équipez-vous de chaussures confortables.

CENTRE DES MONUMENTS NATIONAUX

Visites dans Paris et en Ile-de-France

7 bd Morland (1er étage) (4e)
M° Quai-de-la-Rapée
Renseignements :
01 44 54 19 30
Horaires variables selon visites

Deux à trois visites-conférences chaque jour : monuments de Paris, musées, lieux pittoresques (l'Hôpital Saint-Louis, etc.) ou visite de quartier. 8 € (-25 ans : 6 €). Plus intéressant, le carnet de onze tickets pour le prix de dix : 75 €, ce qui met la visite au prix d'une place de cinéma. Du 12 avril au 12 octobre, des excursions d'une demi-journée ou d'une journée sont proposées (programme au 01 44 54 19 35). Programmes gratuits sur place, dans les monuments parisiens et les offices de tourisme en banlieue.

PARIS STORY

Paris sur grand écran

11 bis rue Scribe (9e)
M° Opéra ou RER A, Auber
Tél. 01 42 66 62 06
www.paris-story.com
Séances au début de chaque heure. Tous les jours, toute l'année : 9 h-19 h

Histoire de la vie de la capitale, de Lutèce à nos jours, en film multivision irréprochable sur le plan de la vérité historique, bruits, surprises, fureur, gloire. Cette projection s'accompagne de quatorze panneaux. Intéressante exposition sur l'architecture de la ville depuis sa fondation. Monumental. Entrée : 8 € (adultes), 5 € (enfants, étudiants). Familles : entrée gratuite pour le deuxième enfant et ceux de moins de 6 ans. **Remise de 20 % sur le tarif adulte avec le guide ou la carte.**

MAISON PARIS NATURE DU PARC FLORAL

Sorties nature

Parc Floral de Paris
Route de la Pyramide (12e)
M° Château-de-Vincennes
Tél. 01 43 28 47 63
De février à décembre

Gratuites et sur réservation (l'entrée au parc reste payante). A pied dans le parc avec un guide, on découvre les oiseaux en hiver, fleurs et insectes, les plantes sauvages du bois...

AMIS DE LA NATURE

Promenons-nous dans les bois

197 rue Championnet (18e)
M° Guy-Môcquet
Tél. 01 46 27 53 56
Lundi-vendredi : 9 h-12 h, 14 h-17 h ; sorties dimanches et jeudis

Cette organisation de bénévoles, fondée il y a 106 ans, a passé un contrat de réciprocité avec les auberges de jeunesse. Elle organise marches sportives ou familiales (2 à 3 km à l'heure, balade de 10 km et plus) à pied ou à vélo. Elle propose aussi des visites de sites en Île-de-France, des soirées théâtre ou poésie. Adhésion annuelle de 30 € environ, à charge pour les participants de payer leur transport, pique-nique, et le prix d'entrée des musées.

CANAUXRAMA

Sur le canal et sur la Marne

Bassin de la Villette
13 quai de la Loire (19e)
M° Jaurès
Tél. 01 42 39 15 00
Fax : 01 42 39 11 24

Le canal Saint-Martin en bateau, de la Villette à l'Arsenal (ou inversement) le long des eaux tranquilles sur lesquelles plane l'ombre insolente d'Arletty. Départ 9 h 45 et 14 h 30. (En semaine : adultes, 13 € ; étudiants et cartes Vermeil : 11 € ; moins de 12 ans : 8 € ; moins de 6 ans : gratuit. Week-ends et jours fériés après-midi : 13 € pour tous). Balade sur la Marne aux teintes transparentes d'aquarelles, jeudi, samedi, dimanche, de Paris à Bry par Saint-Maurice, Saint-Maur, Joinville, Nogent, Le Perreux et retour à 17 h 15 (départ 9 h au port de l'Arsenal-Bastille : 33 € pour tous). Réservation obligatoire par téléphone. **Avec le guide ou la carte : balade sur le canal Saint-Martin tous les matins (11 € au lieu de 13 €).**

93 SEINE-SAINT-DENIS

PARIS CÔTÉ JARDINS

2 B rue Jules-Ferry
93100 MONTREUIL
Tél. 01 40 30 47 15
*L'été : RV, jeudi, samedi, dimanche et jours fériés à 10 h 20 ou 14 h 20.
Départ 10 mn plus tard*

Paris au bout des semelles

Près de 250 parcours. Ces escapades « naturalistes » ou « villageoises », selon qu'elles sont axées sur la botanique ou l'histoire, vous permettront d'arpenter pendant trois bonnes heures (voire une journée) quartiers pittoresques, parcs et jardins et, ponctuellement, demeures privées. Programme sur demande. La balade : 7 €, 5 € pour les jeunes, gratuit pour les moins de 15 ans. Adhésion à l'année : 50 € (participations illimitées). Forfait quatre visites : 20 €. Promenades privées sur demande (à partir de 115 €). **Une place gratuite lors de l'achat de la première carte du forfait quatre visites, avec le guide ou la carte.**

Le musée sauvage

Ce sont des œuvres installées au détour des rues, qu'on peut voir sans bourse délier, qui font le mystère de la capitale, et de celui qui les découvre un authentique Parisien. On agrémentera ces balades de la lecture du « Roman de Paris », voyage poétique et insolite au travers des plus beaux textes écrits sur la capitale par Aragon, Baudelaire, Cendrars, Apollinaire… et réunis par Gilles Durieux. Éd. Albin Michel.

3ᵉ *arrondissement*

– La plus vieille maison de Paris. 51 rue de Montmorency. Mᵒ Rambuteau.

– L'église Saint-Nicolas-des-Champs pour son « Assomption » de Simon Vouet (XVIIe). Mᵒ Réaumur-Sébastopol.

4ᵉ *arrondissement*

– Le splendide hôtel particulier de Sully, 62 rue Saint-Antoine, abrite la Caisse Nationale des Monuments historiques. Mᵒ Saint-Paul.

– La Fontaine du « Sacre du Printemps » par Niki de Saint-Phalle et Jean Tinguely. Place Stravinsky, évidemment. Mᵒ Rambuteau.

5ᵉ *arrondissement*

– Musée de sculptures en plein air. Quai Saint-Bernard. Mᵒ Gare-d'Austerlitz ou Jussieu.

– 19, quai Saint-Michel. Mᵒ Saint-Michel. Les ombres de Matisse et Marquet hantent les fe-

nêtres des 4ᵉ et 5ᵉ étages. Derrière ces vitres, ils ont peint (de 1892 à 1914) de nombreux « Pont Saint-Michel » et « Vues de Notre-Dame ». Certains de ces tableaux sont à Beaubourg et au Musée National d'Art Moderne.

6ᵉ *arrondissement*

– Une cour pavée du XVIIIᵉ siècle : la Cour de Rohan. Mᵒ Odéon.

– Des fresques de Delacroix dans l'église Saint-Sulpice. Mᵒ Saint-Sulpice.

7ᵉ *arrondissement*

– Un jardin japonais paisible : bambous, pierres, fontaine… dans l'enceinte de l'UNESCO. Mᵒ Ségur ou Cambronne.

– L'église Saint-François-Xavier pour sa « Cène » de Tintoret, dans la Sacristie. Mᵒ Saint-François-Xavier.

12e arrondissement

– Les tuiles vernissées et le haut toit du Centre Bouddhique du Bois de Vincennes, planté tout à côté du lac Daumesnil. M° Porte-Dorée.

14e arrondissement

– L'extraordinaire statue de Balzac par l'extraordinaire Rodin, au carrefour des boulevards de Montparnasse et de Raspail. Merci, les pigeons ! M° Vavin.

16e arrondissement

– Une rue 1930, la rue Mallet-Stevens, dessinée par l'architecte qui y fit construire ces belles maisons blanches aux volumes épurés. M° Jasmin.

– Une maison de Le Corbusier, la villa La Roche, encore habillée des meubles et tableaux du maî-

tre. 10-12 square du Docteur-Blanche. M° Jasmin.

– La maison où vécut le père de la Comédie Humaine (ne cherchez pas, on vous parle de Balzac), de 1840 à 1847. On y voit son cabinet (de travail), sa cafetière et beaucoup de manuscrits. Joli jardin. 47 rue Raynouard. M° Passy. Tél. 01 55 74 41 80. Entrée libre pour l'exposition permanente.

18e arrondissement

– A la manière de... Gauguin, Modigliani, Vermeer... Après 19 h, dans la rue Cavallotti, les rideaux de fer des boutiques se ferment comme les paupières sur des yeux. Surprise : elles sont peintes de personnages et paysages dans le style des peintres précités. La rue Cavallotti devient une galerie d'art. M° La Fourche ou Place-de-Clichy.

➔ HORS Paris

Voici, sélectionnées par l'une de nos plus impénitentes marcheuses (cycliste d'occasion et automobiliste par nécessité) quelques balades aux environs de Paris dont le charme ne sera guère altéré par les ponctions en euros. On trouvera à l'Espace du tourisme d'Ile-de-France (99 rue de Rivoli, Carrousel du Louvre, Paris 14e, M° Palais-Royal, tél. 08 28 16 66 66) des dépliants et deux comptoirs (SNCF et RATP) – malheureusement fermés le mardi – pour vous aider à vous déplacer. Existent aussi sur place une billetterie et un système de réservations hôtelières.

À Fontainebleau et autour

 77 SEINE-ET-MARNE

CHÂTEAU DE FONTAINEBLEAU

77300 FONTAINEBLEAU • 60 km de la Porte d'Italie (A6, N57, N7). Gare de Lyon, direction Laroche Migennes, Montereau ou Montargis. Descendre en gare de Fontainebleau Avon. Puis bus Connex ligne AB • Tél. 01 60 71 50 60 • www.musee-chateau-fontainebleau.fr • Château fermé le mardi

Visite du château de Fontainebleau (fresques du Primatice en particulier) et des jardins dessinés par Le Nôtre. Forfait train A/R + bus + entrée : compter 20 € par adulte au départ de Paris.

SUIVEZ L'AUDIOGUIDE

Office du Tourisme, 4 rue Royale • 77300 FONTAINEBLEAU • Tél. 01 60 74 99 99 • Lundi-samedi : 10 h-18 h ; dimanche : 10 h-12 h 30, 15 h-17 h

Balades avec un audioguide dans Fontainebleau et la forêt : il vous fera découvrir, en 1 h 30 à chaque fois, les cours et jardins du château, la ville de Fontainebleau ou encore les splendides

gorges de Franchard dans la forêt. La location de ce compagnon parlant, qui est à aller chercher à l'Office du Tourisme de Fontainebleau et s'appelle « Reviens », coûte 4,60 €. Également balades écolos à pied et à vélo avec l'Association des Amis de la Forêt de Fontainebleau.

À PIED ET À VÉLO AVEC LES AMIS DE LA FORÊT

Association des Amis de la Forêt de Fontainebleau, 26 rue de la Cloche • 77301 FONTAINEBLEAU • 65 km de la Porte d'Orléans (A6) • Tél. 01 64 23 46 45 • www.aaff.org • Permanence, mardi : 10 h-12 h ; vendredi : 14 h 30-16 h 30 (sauf juillet-août)

Balades à thèmes d'une demi à une journée presque tous les dimanches, 12 à 20 km à pied ou à vélo (apporter sa monture). Idée générale qui préside à ces sorties : la préservation de la forêt et sa découverte. Guidés par des bénévoles, on explore – à pied – sentiers, gorges et éboulements spectaculaires dans la forêt ; à vélo, on pédale à la lisière du bois. Certaines balades se font la nuit afin de mieux percevoir la vie nocturne des fourrés. Elles sont toutes gratuites.

SPORTS ET FARNIENTE À LA BASE DE BUTHIERS

77760 BUTHIERS • 70 km de la Porte d'Orléans (A6). SNCF (Gare de Lyon, RER D), Malesherbes, puis 2,5 km à pied • Tél. 01 64 24 12 87 • Fax : 01 64 24 15 79 • Renseignements : lundi-vendredi : 9 h-12 h, 13 h 30-18 h

C'est à notre avis la plus jolie base d'Ile-de-France, nichée en pleine forêt de Fontainebleau. Sentiers herbeux ou sableux, rochers pour la varappe. Centre de détente (piscine, solarium, toboggan aquatique, mini-golf, aires de pique-nique...) ouvert de mi-juin à la rentrée des classes de septembre. Entrée piscine adulte : 5,70 € le week-end et jours fériés, 5,20 € la semaine ; enfants : 4,10 €. Activités gratuites : escalade, randonnée, course d'orientation. Activités payantes : centre d'astronomie, mur d'escalade couvert, vélo, tir à l'arc, astronomie, VTT, tennis. Repas : 7 € dans la cafétéria en semaine, 9 € le week-end. Camping avec accès au centre de détente : 13 € par week-end et par personne (réservé groupes).

PIQUE-NIQUES ET PEINTURE
A Barbizon, chez Corot

Dessiner comme les impressionnistes : à Barbizon où séjournèrent Corot, Millet, Rousseau, on file pique-niquer en forêt et peindre, conseillé par un peintre professionnel (le matériel est fourni et l'amateur emporte sa toile en souvenir). Mais avant, on visite l'auberge Ganne aux meubles, murs et panneaux de bois, peints de scènes de chasse et de bouquets par des pré-impressionnistes les jours de pluie. Tarif : environ 4,50 €, gratuit jusqu'à 12 ans. Téléphoner pour connaître les tarifs exacts. Et puisqu'on est à deux pas de la maison de Millet, on ira jeter un œil (de connaisseur) sur les croquis préparatoires à la peinture de « L'Angélus ». Office du Tourisme de Barbizon : 55 Grande Rue, tél. 01 60 66 41 87.

BALADES EN HAUT DES ARBRES
PACSA, BP 17 • 77240 SEINE-PORT • 10 km de Barbizon, 18 km de Fontainebleau • Tél. 01 69 68 17 50 • De mai à septembre, tous les jours : 9 h 30 à la tombée de la nuit (départ 2 heures avant)

Balade en haut des arbres (de 1 à 23 mètres) dans le parc du château de Sainte-Assise : quatre parcours de difficultés différentes sur des chênes parfois centenaires où se succèdent ponts suspendus, passerelles et tyroliennes pour yououler dans le ciel. Durée 2 à 4 heures. 20 € par adulte. 11 et 15 € par enfant de 4 à 16 ans. Réservation obligatoire.

91 ESSONNE

CONSERVATOIRE NATIONAL DES PLANTES MÉDICINALES AROMATIQUES ET INDUSTRIELLES
Route de Nemours • 91490 MILLY-LA-FORÊT • 60 km de la Porte d'Orléans (A6) • Tél. 01 64 98 83 77 • Lundi-vendredi : 9 h-17 h (ouvert du 15/04 au 15/10) ; samedi, dimanche et fêtes, avec visites guidées : 14 h-18 h (ouvert du 1/05 au 15/09)

Jardin de 1 000 « simples » (mélisse, menthe, basilic et plantes médicinales), jardins médiéval et de plantes protégées, serre tropicale, séchoir, tous se visitent (4 € pour les adultes, 2,50 € pour les enfants de 6 à 12 ans). De ces paysages des délices proviennent les plantes dont les chercheurs extraient les huiles essentielles, analysant leurs potentiels chimiques. Une balade odorante et passionnante. 100 € la visite guidée pour vingt-cinq personnes. Pour 6 € on aura droit à une dégustation en plus (minimum vingt personnes). **Un plant de menthe de Milly en pot offert avec le guide ou la carte.**

LE PARC NATUREL RÉGIONAL DU GÂTINAIS
Maison Parc • 91490 MILLY-LA-FORÊT • A partir de Paris : A6, sortir à Milly-la-Forêt, puis direction Milly-Centre • Tél. 01 64 98 73 93

Balades à pied dans le Parc Naturel Régional du Gâtinais. La « Maison-Parc » est dans l'hôtel de ville de Milly-la-Forêt. A Milly même, on ira voir la chapelle Saint-Blaise, décorée par Jean Cocteau (pour les heures d'ouverture, se renseigner au 01 64 98 83 17 ; entrée : 4,50 €) et au centre du vieux village, derrière le lavoir, un vieux château abandonné derrière les grilles, aux tours envahies de lierre, qui paraissent hantées par la Belle et la Bête.

L'index des raisons sociales et commerciales se trouve en page 607.

À Rambouillet et autour

LE BALADOBUS
Renseignements sur les horaires au 01 30 52 09 09

Dimanche, découverte avec le Baladobus, de mai à octobre, des sites classés du parc : il dessert notamment le château de Breteuil où cinquante personnages de cire illustrent la vie d'autrefois. Dans le parc, promenades accompagnées par des guides en costumes d'époque. Puis sonne l'heure des contes de Perrault. Château, jardin et contes : 9,90 € (carte Vermeil et enfant : 7,90 €). Jardin et contes : 6,80 € (carte Vermeil et enfant : 5,40 €). Suite de la visite : le château de Dampierre, de la Madeleine (à Chevreuse), le Musée National des Granges de Port-Royal-des-Champs. A l'intention des randonneurs, le Baladobus passe à proximité du GR 11, des PR, des circuits PNR.

FORFAIT CHÂTEAU DE RAMBOUILLET
Quelques bons tuyaux
– Un petit passeport très précieux appelé « Carte multisites » valable toute l'année que l'on se procure à l'office du tourisme permet de visiter à tarif réduit (le propriétaire de la carte, sa famille et ceux qui les accompagnent), dès la deuxième visite, sept endroits superbes. Le château de Rambouillet (émouvants souvenirs napoléoniens, jardins à la française, canaux, îles...). – La laiterie de Marie-Antoinette et la chaumière aux coquillages au ravissant et kitschissime décor de nacre, de coquilles Saint-Jacques et autres maisons de mollusques. – La bergerie nationale où naissent plus de 1 000 agneaux chaque année. Y prospèrent aussi de grasses bufflonnes. – L'Espace Rambouillet. En pleine forêt, on y observe cerfs, biches, aurochs, sangliers et rapaces en vol libre présentés par des fauconniers. – Le musée rambolitrain : 4 000 petites locos et wagons. – Le jardin romantique, le palais du Roi de Rome et le tout nouveau Musée du Jeu de l'Oie.
– Idem pour les châteaux de la route historique

du Roi Soleil : Rambouillet, Breteuil, Dampierre et Maintenon. Réductions supplémentaires pour les enfants et gratuité totale pour les moins de 6 ans sur certains sites.

DE SACRÉS SAUTEURS
Haras National - Route Perray • 78610 LES BRÉVIAIRES • A12, direction Rambouillet, N10, sortie Le Perray-en-Yvelines, puis suivre le fléchage : les Bréviaires • Tél. 01 34 57 85 38 • Ouvert les samedis à 15 h

Découvrez en famille des étalons et poulinières ainsi que les représentants de neuf races de chevaux de trait qui présentent chaque samedi un de leurs travaux quotidiens.

LA HAUTE VALLÉE DE CHEVREUSE
Maison du Parc, Château de la Madeleine - BP 73 • 78460 CHEVREUSE • Tél. 01 30 52 09 09

Partez à pied dans le parc naturel régional de la Haute Vallée de Chevreuse. Vallées vertes, versants boisés, étangs. Dans les prés, des vaches à poils longs ressemblent étrangement à des aurochs ; elles ont pour mission, en broutant, d'empêcher l'avancée de la forêt. Toutes ces merveilles à 30 km de Paris.

FRANCE MINIATURE
78990 ÉLANCOURT • Gare Montparnasse prendre le train en direction de Rambouillet. Descendre à La Verrière, puis prendre le bus 411 (SQYBUS) jusqu'à Élancourt France Miniature • Tél. 01 30 16 16 30 • 1er avril au 11 novembre : 10 h-19 h (tous les jours)

En plein air, découverte des maquettes de 160 monuments français tels la tour Eiffel, le village de Saint-Tropez, le château de Blois, le Mont-Saint-Michel... ainsi que, dans le Palais de la Miniature, des miniatures qui évoquent des lieux et ambiances des quatre coins du monde. Stupéfiantes réductions d'une réalisation admirable. Un moyen comme un autre de revoir sa géographie en famille. Adulte : 19 €. Réductions pour les enfants.

À Saint-Germain-en-Laye et autour

SUR LES TOITS DU CHÂTEAU
Renseignements tarifaires et horaires au 01 39 10 13 00 • Fermé le mardi

Prendre de la hauteur sur les toits du château de Saint-Germain-en-Laye, aménagés pour la balade (à partir de mai, lorsqu'il fait beau). On peut y rester 1 heure (4 € + entrée au musée : 4 € par adulte) ou 1 h 30 (6 €). Pas de droit d'entrée à payer si on arrive tard : 16 h. Ateliers pour enfants au musée.

À LA RECHERCHE DES IMPRESSIONNISTES
RER A, direction Saint-Germain-en-Laye via la Défense. En voiture : A86 ou A14. Au pont de Chatou, rampe d'accès à la maison Fournaise

Visite à la maison Fournaise où Renoir peignit « Le Déjeuner des canotiers », et promenade dans le parc des Impressionnistes. On s'arrêtera devant les chevalets où sont installées des copies de tableaux peints à ces endroits précis, pour aller de « la Grenouillère » (les grenouilles étant les petites femmes en maillots rayés qui se baignaient là et que peignirent Renoir et Monet) à Croissy.

PEINDRE EN FAMILLE
Le Prieuré, 2 bis rue Maurice-Denis • 78100 SAINT-GERMAIN-EN-LAYE • RER A ou autoroute A13 • Tél. 01 39 73 77 87 • www.musee-mauricedenis.fr • Ateliers le mercredi sur rendez-vous : 14 h 30-16 h 30

Au musée Maurice-Denis, parents et enfants s'inspirent des toiles du peintre ou d'une de celles de sa collection consacrée aux Symbolistes et aux Nabis et repartent avec leur œuvre. Tarif : 6 €.

BASE DE SAINT-QUENTIN-EN-YVELINES

RD 912 • 78190 TRAPPES • 20 km de la Porte d'Auteuil (A13 + A12) • Tél. 01 30 16 44 40 • Tous les jours : 7 h 30-22 h 30 (entrée du parc)

Avec ses 600 hectares de verdure, bois et lac, la base abrite la première réserve naturelle d'Ile-de-France. Toute l'année, des balades y sont proposées : observation des renards, hiboux et oiseaux migrateurs... Adulte : 6,50 € ; enfant : 5 €. Inscription obligatoire par téléphone. On appréciera tout particulièrement l'étang et ses oiseaux. Entrée de la base : 2 € par véhicule. Activités gratuites : aire de jeux pour enfants et pataugeoire (juillet-août). Activités payantes : piscine à vagues (juin à août : à partir de 3,50 €), planches, dériveurs, catamarans et canoës. Équitation, golf de dix-huit trous. Mini-golf (3,20 € adultes, 2,40 € enfants). Ferme pédagogique.

À Versailles et autour

ACADÉMIE DU SPECTACLE ÉQUESTRE

Manège de la Grande-Écurie - Château de Versailles, (devant le château, avenue Rockfeller) • 78000 VERSAILLES • Tél. 01 99 02 07 14 • Mardi-vendredi : 9 h-13 h ; samedi et dimanche : 11 h-15 h

Art équestre, cirque, musique et danse combinés aux écuries royales de Versailles, éclairées de lustres vénitiens, gigantesques miroirs et fresques. Les reprises des élèves (sur des chevaux lusitaniens crème aux yeux bleus) sont publiques. Elles durent 40 minutes et sont suivies d'une visite des boxes. Tarif : 7 € ; moins de 18 ans : 3 €. Fermé en janvier et première quinzaine de février.

DANS L'INTIMITÉ DE LOUIS XIV

Château de Versailles • 78000 VERSAILLES • RER C, Versailles-Rive Gauche-Château de Versailles • Château fermé le lundi mais Grand et Petit Trianon ouverts

Louis XIV est votre cousin : partez à la découverte de sa chambre, de sa galerie des Glaces, de son parc et de ses carrosses. Bizarrement, vous êtes aussi apparenté à Marie-Antoinette et son Trianon vous attire. Filez-y en train. Forfait train et métro A/R + entrée : à partir de Paris, compter 21 € par adulte. Sur place, ateliers pour enfants.

À Auvers-sur-Oise et autour

SUR LES TRACES DE VAN GOGH

RER A, Cergy Préfecture à 10 km puis bus 9507 arrêt Van Gogh. SNCF, Auvers-sur-Oise. A15 sortie Saint-Ouen-l'Aumône puis Méry-sur-Oise jusqu'à Auvers

En passant devant l'église peinte par Vincent, puis devant le champ où il se donna la mort, on arrive au cimetière où sont jointes par un lierre fraternel les tombes de Vincent et Théo Van Gogh.

CHÂTEAU D'AUVERS-SUR-OISE

Rue de Léry • 95430 AUVERS-SUR-OISE • 25 km de la Porte de la Chapelle (A1 + A15 + N184) • Tél. 01 34 48 48 50 ou 01 34 48 48 45 • www.impressionist-auvers.com • Mardi-dimanche : 10 h 30-18 h (d'avril à septembre) ; mardi-dimanche : 10 h 30-16 h 30 (d'octobre à mars). Fermé en janvier

600 toiles impressionnistes sont projetées sur écran, déclenchant commentaires et chansons, pendant 1 h 30 et dans seize salles. Un film en relief sur la vie de Van Gogh présente les tableaux peints pendant son séjour à Auvers. On pourra vérifier sur place que les paysages n'ont guère changé. Billet-couplé SNCF AR + visite (à prendre à la gare du Nord ou gare Saint-Lazare). Sur place forfait famille (deux adultes, deux enfants) : 25 €. Adulte : 10 €. **Un carnet de voyage offert avec le guide ou la carte.**

COROT, DAUMIER, DAUBIGNY

61 rue Daubigny • 95430 AUVERS-SUR-OISE • Tél. 01 30 36 80 20 • Mercredi-dimanche : 14 h-18 h 30

1862-1882... les murs de la maison du peintre Daubigny furent offerts aux pinceaux de Corot, Daumier, Oudinot auxquels se sont joints ceux du maître de maison et de ses enfants. Entrée : 3,50 € par adulte. Gratuit jusqu'à 12 ans accompagnés.

À L'ÉCOMUSÉE

Maison du Parc • 95430 AUVERS-SUR-OISE • A15 direction Cergy-Pontoise/Rouen. N14 sortie Théméricourt • Tél. 01 34 48 65 00 • Mardi-vendredi : 9 h-12 h 30, 14 h-18 h : samedi : 14 h-18 h ; dimanche et jours fériés : 10 h-19 h (14 h-19 h jusqu'à fin avril). Fermé en décembre

Arts et traditions populaires, avec expo à thèmes (par exemple sur le cinéma) à l'Écomusée du Parc Naturel Régional du Vexin Français. 4 € pour adultes, 2 € pour enfants de 5 à 15 ans. Ateliers pour enfants sur place.

À Saint-Denis et autour

93 SEINE-SAINT-DENIS

LES PETITS ZOZIAUX
Renseignements : 18 rue Alexis-Lepère • 93100 MONTREUIL • Tél. 01 48 51 92 00 • www.perso. club-internet.fr/corif

Cap au nord vers les quatre parcs départementaux : celui de la Courneuve (A1, sortie La Courneuve) ; celui de l'Île-Saint-Denis (RER C, Épinay-sur-Seine ; A86, sortie Asnières-Villeneuve-la-Garenne) ; celui du Sausset (RER B, Villepinte, centre du parc) ; et le parc Jean-Moulin-les-Guilands (M° Porte-de-Bagnolet). Dans ces verdures, le Centre Ornithologique d'Île-de-France vous fait découvrir vie et mœurs des oiseaux d'Île-de-France. Cotisation annuelle : 18 € (9 € pour les étudiants et les enfants).

LES ROIS DE LA NÉCROPOLE
Basilique Saint-Denis, 2 place de la Légion-d'Honneur • 93200 SAINT-DENIS • M° Saint-Denis-Basilique. RER D et B, Saint-Denis. A1, sortie Saint-Denis • Tél. 01 48 09 83 54 • Ouvert de 10 à 18 h (16 h 30 en hiver)

Dans la basilique, s'alignent les tombes de rois de France, soixante-dix gisants : Dagobert, Pépin le Bref, François Ier... et une anne de Bretagne gisante si réaliste dans la mort qu'effrayée, elle demanda (de son vivant...) qu'une autre sculpture plus conventionnelle fût faite d'elle : les deux figurent ici. Entrée gratuite jusqu'à 17 ans.

DANS LA FOULÉE DE ZIDANE
Stade de France • 93210 SAINT-DENIS • RER B, La Plaine-Stade-de-France + 10 mn à pied. Ou RER D, Stade-de-France-Saint-Denis + 20 mn à pied • Visite toutes les heures de 10 h à 17 h tous les jours hors manifestations

Une heure à baguenauder dans le Stade de France : musée puis tour avec un guide qui vous mène du fond de la pelouse à la tribune officielle puis aux vestiaires en 1 heure chrono. Forfait train AR + visite guidée : à partir de Paris compter pour les 6-9 ans : 7,10 €. 10 ans et plus : 10,70 €. Un peu plus cher pour les zones 2 à 4 (jusqu'à 15 € pour les adultes).

95 VAL-D'OISE

DESCENTE DE RAPIDES
Rue des Étangs • 95000 CERGY • 25 km de la Porte de la Chapelle (A1 + A86 + A15) • Tél. 01 30 30 21 55 • Tous les jours : 9 h-21 h (été) ; 9 h-17 h (hiver)

A la base de Cergy, une rivière artificielle semblable à celle utilisée pour les Jeux olympiques de Sydney offre aux amateurs de sports en eau vive des descentes en canoë-kayak dignes des rapides de nos montagnes. Permet tout type de figures grâce à des obstacles amovibles qui modifient le cours de l'eau. Sur place aussi, barques, baignade, voile, planche à voile, parcours sportifs et jeux pour enfants. De 4 à 20 €.

60 OISE

PARC ASTÉRIX
Parc Astérix • 60128 PLAILLY • 30 km de la Porte de la Chapelle (A1, sortie parc Astérix) • Tél. 08 92 68 30 10 • www.parcasterix.fr • Du 30 mars au 6 octobre

Dernière attraction en date : le « transdemonium » où l'on affronte esprits et sorciers. Le petit Gaulois moustachu continue à résister à Disney, pardon aux Romains. Enfants (3-11 ans) : 23 €. Adultes (à partir de 12 ans) : 31 €. Moins de 3 ans : gratuit. Forfait SNCF (train + entrée) : 36 €. Moins de 12 ans : 25 €.

MER DE SABLE D'ERMENONVILLE
60950 ERMENONVILLE • A1, sortie n° 7. RER B, Roissy-Charles-de-Gaulle. Liaison en car avec le parc • Tél. 03 44 54 00 96 • Avril-septembre : 10 h 30-18 h 30

Nous voici en territoire indien installé sur des hectares de sable blanc : traversée de la jungle des Chipakas, attaque du train par les Indiens (des comédiens montés sur des chevaux s'élancent sur un train...), descente de la Cheyenne River, découverte du Temple du Mystère. Très aimé des enfants et de ceux qui le sont restés (nous tous). RER + entrée parc : 27,50 € adulte ; 19,40 € enfant. Entrée : 15,50 € (adultes) ; 13,50 € (enfants).

À Chantilly et autour

AU MUSÉE DU CHEVAL
60500 CHANTILLY

« Monsieur », prince de Condé, croyait avoir été un cheval (d'où l'allure seigneuriale des écuries de son château). Aujourd'hui, on y voit trente chevaux vivants, des expositions et surtout des présentations équestres de haute qualité dont on profitera grâce au « Pass Culture ». Il ouvre aussi les portes du château qui abrite la plus grande collection de tableaux anciens après celle du Louvre : des Watteau, Poussin, Raphaël, Ingres et autres confrères. « Pass Culture » à prendre sur place : 14 €. +65 ans : 13 €. Pour les 13 à 17 ans : 12 €. Pour les enfants de 4 à 12 ans : 8 €. Démonstrations de dressage de 30 mn à 11 h 30, 15 h 30, 17 h 15 en été et tous les week-ends, à 15 h 30 en semaine en hiver (renseignements au 03 44 57 40 40).

LE POTAGER DES PRINCES
17 rue de la Faisanderie • 60500 CHANTILLY

• 40 km de Paris (A1, sortie 7 Survilliers-Chantilly). SNCF Gare du Nord, Chantilly-Gouvieux. RER D • Tél. 03 44 57 40 40 • www.potagerdes princes.com • Semaine : 14 h-17 h ; week-end, jours fériés : 11 h-12 h 30, 14 h-17 h 30. Fermé le mardi

Enfin, une nouveauté élue « site de l'année » par la direction du tourisme : le Potager des Princes, un jardin créé par Le Nôtre, en plein centre de Chantilly, s'ouvre aux visiteurs. Il abrite arbres rares, verger et roseraie, faisans ainsi qu'une garenne de lapins en liberté, un jardin de plantes géantes : guneras qui font ressembler ceux qui se trouvent à leurs pieds à Poucette, bananiers, fougères immenses, etc. Ateliers pour enfants. Entrée : adulte, 7 € ; enfant moins de 12 ans : 5,50 €.

Le long de la Marne

77 SEINE-ET-MARNE

BASE DE JABLINES-ANNET
77450 JABLINES • 30 km de la Porte de Bercy (A4 + A104) • Tél. 01 60 26 04 31 • www.mai rie.wanadoo.fr/Jablines • Tous les jours : 8 h 30-19 h

A 30 km de Paris, dans cette jolie base s'étend la plus grande plage artificielle d'Ile-de-France. Elle longe un étang bordé d'un côté de forêts et de prairies. Entrée gratuite de novembre à mars. Le reste de l'année, compter 4,50 € par adulte et 2 € pour les enfants de moins de 12 ans (gratuit pour les moins de 3 ans). Activités gratuites : promenade, baignade, pique-nique, pêche, jeux d'enfants, football, course d'orientation. Activités payantes : pédalo, minigolf, voile et planches à voile, canoë-kayak, tennis, VTT, centre équestre. Hébergement possible et camping-caravaning trois étoiles. Pour glisser sur la dernière vague, essayer le téléski nautique.

91 ESSONNE

PORT AUX CERISES
91210 DRAVEIL • 22 km de la Porte de Bercy (A4 + A86 + N6 + N448). RER C, Juvisy, sortie côté Draveil, base à 400 m • Tél. 01 69 83 46 00 • www.portauxcerises.asso.fr

Cette base est située près de la forêt de Senart, pas loin d'Évry et d'ailleurs beaucoup plus près de la Seine que de la Marne. Chères lectrices (lecteurs), pardonnez-nous ce classement élastique. Très aimée des enfants, elle se niche au cœur de 150 hectares de forêts (bois de Mousseaux) et plans d'eau. De multiples jeux sont mis à la disposition des petits. Entrée gratuite. Activités gratuites : parcours sportifs, jeux pour enfants. Activités payantes : petit train, manège, poney, pédalos, mini-golf. Stages enfants encadrés par des moniteurs diplômés : poney, tennis, voile, ateliers scientifiques, tennis (de 1,30 à 7,70 €). Piscine à vagues : de 2,60 à 6,50 € . Hébergement possible en chambre de deux à six lits : nuit + petit déjeuner. Location de salles. **Remise de 10 % sur les locations de salles (hors forfait) avec le guide ou la carte.**

94 VAL-DE-MARNE

BASE DE CRÉTEIL
Rue Jean-Gabin • 94000 CRÉTEIL • M° Créteil-Préfecture, 10 km de la Porte de Bercy (A4 + A86), bus 392 • Tél. 01 48 98 44 56 • Tous les jours : 9 h-12 h 30, 14 h-18 h

Cette base, la seule accessible en métro, privilégie les sports aquatiques : magnifique piscine à vagues avec toboggan de 70 m, et école de dériveurs réputée. Déjeuner sur l'herbe et au restaurant abordable avec vue sur le lac. Entrée et parcours sportif gratuits. Activités payantes (tarif de base : 6 € ; enfant : 4 €) : piscine à vagues (week-end et mercredi de juin, tous les jours juillet-août : 11 h-19 h). Location de planche à voile le week-end. École de voile (séances de 3 heures, week-end et jours fériés). Maison de la nature. **Remise de 15 % avec le guide ou la carte, uniquement pour la voile**.

DE PONT EN PONT
94340 JOINVILLE-LE-PONT • RER A, arrêt Joinville-le-Pont ou autoroute A4, sortie 4

Voici, à notre avis, la plus belle balade à faire le long de la Marne : à pied, ou à vélo, du pont de Joinville au pont de Nogent, aller et retour (6,5 km, qu'on peut réduire en ne faisant pas le tour de l'île Fanac ou en rentrant par Nogent, au pont de Nogent). On commence la balade par l'escalier situé sur le pont de Joinville. Il mène à l'île Fanac et à son parc créé au Second Empire. A la hauteur du club de canoë-kayak Joinville Eau Vive, engagez-vous dans le chemin ombragé, sous les saules, les frênes et les aulnes, qui fait le tour de l'île. Les brèmes sortent une bouche ronde pour venir brouter les petites herbes des berges, les martins-pêcheurs pêchent et les joggeurs trottinent. Reprendre le pont de Joinville et suivre à gauche le quai de Polangis qui vous mène tout droit aux cornets de frites que vendent les guinguettes du bord de l'eau. Un peu plus loin, une passerelle permet de rejoindre le Parc de Loisirs du Tremblay à Champigny (jeux pour enfants, aire de pique-nique. Sports à y pratiquer : foot américain, rugby, golf, tir à l'arc, bicross). Tout au long du chemin, s'alignent des maisons qui furent les villégiatures des Parisiens du début du siècle : charpentes en bois, petits auvents sculptés, balconnets kitchounets et géraniums de rigueur. On oublie vite Paris, à un quart d'heure de ce coin figé dans une éternité de vacances.

BARS, BOÎTES

Qu'y a-t-il de commun entre l'assoiffé de relations de comptoir, le filou dragueur, le chercheur de nouvelles associations musicales et l'amoureux transi à la quête d'un endroit où séduire sa belle ? A tous ceux-là, et à tous les autres, « Paris Pas Cher » propose une galaxie d'endroits branchés ou non, calmes ou assourdissants qui ont au moins deux points communs : on s'y sent bien et on n'y perdra ni son âme, ni ses économies.

¿ QUE CHERCHEZ-VOUS ?

BARS
192 Le Footsie (2ᵉ)
193 Harry's Bar (2ᵉ)
193 L'Imprévu (4ᵉ)
194 Le Bombardier (5ᵉ)
194 Café Aussie (5ᵉ)
194 Les Pipos (5ᵉ)
194 Pub Saint-Michel (5ᵉ)
195 Le Reflet (5ᵉ)
196 Le Hammam Club (9ᵉ)
197 Café le Mécano Bar (11ᵉ)
198 L'Entre Potes (11ᵉ)
198 Le Lèche Vin (11ᵉ)
198 Le Wax (11ᵉ)
200 L'Aubergine (17ᵉ)
200 Trois-Pièces-Cuisine (17ᵉ)

BARS À BIÈRES
194 Le Bombardier (5ᵉ)
195 Shywawa (5ᵉ)
195 The Frog and Princess (6ᵉ)
197 L'Arambar (11ᵉ)
199 Le Falstaff (14ᵉ)

BARS À CHAMPAGNE
199 Le Dokhan's (16ᵉ)

BARS À COCKTAILS
198 L'Entre Potes (11ᵉ)

BARS À JEUX
202 Flann O'Brien (1ᵉʳ)
202 Le Lescot (1ᵉʳ)
202 L'Apparemment Café (3ᵉ)
193 L'Imprévu (4ᵉ)
202 Oya (13ᵉ)

BARS À THÈMES
192 Au Père Tranquille (1ᵉʳ)
200 Abracadabar (19ᵉ)
203 La Maroquinerie (20ᵉ)

BARS BRANCHÉS
195 Alcazar (6ᵉ)
196 Chez Prune (10ᵉ)
197 Le Ba-Ta-Clan Café (11ᵉ)
197 Le Café Charbon (11ᵉ)
198 Le Réservoir (11ᵉ)
198 Le Wax (11ᵉ)
199 L'OPA (12ᵉ)

BARS ET CULTURE
192 Le Fumoir (1ᵉʳ)
203 Les Phares (4ᵉ)

203 La Patache (10ᵉ)
197 L'Arambar (11ᵉ)
197 Le Ba-Ta-Clan Café (11ᵉ)
203 Bistrot Le Paul Bert (11ᵉ)
203 L'Entrepôt (14ᵉ)
200 Le Refuge (17ᵉ)
203 La Maroquinerie (20ᵉ)

BARS MUSICAUX
192 La Bodeguita del Medio (1ᵉʳ)
193 Le Rex Club (2ᵉ)
193 The Frog and Rosbif (2ᵉ)
194 Les Pipos (5ᵉ)
194 Pub Saint-Michel (5ᵉ)
196 Opus Jazz and Soul Club (10ᵉ)
197 Cannibale Café (11ᵉ)
198 Le Réservoir (11ᵉ)
201 Le Satellit' Café (11ᵉ)
199 L'OPA (12ᵉ)
193 The Frog at Bercy (12ᵉ)
199 Le Batofar (13ᵉ)
201 La Guinguette Pirate (13ᵉ)
199 Le Smoke (14ᵉ)
201 Opus Latino (15ᵉ)

¿ QUE CHERCHEZ-VOUS ?

200 Le Refuge (17e)
200 Le Divan du
Monde (18e)
201 La Flèche d'Or
(20e)
202 Disneyland Paris
(77)

BARS-NARGUILÉ
194 Le Café Égyptien
(5e)

BOÎTES DE NUIT
192 Banana Café
(1er)
201 Le Slow Club (1er)
193 Le Pulp (2e)
195 Le Saint (5e)
201 Le Concorde
Atlantique (7e)
196 Latina Café (8e)

196 Le Monte-Cristo
(8e)
198 Le Gibus (11e)
201 Le Bus Palladium
(18e)
200 Le Divan du
Monde (18e)
201 L'Élysée-Montmar-
tre (18e)
201 La Locomotive
(18e)

CONCERTS
194 Le Café Universel
(5e)

JAZZ
202 Le Duc des
Lombards (1er)
202 Le Petit Opportun
(1er)

202 Le Sunset (1er)
202 Le Sunside (1er)
193 The Frog and
Rosbif (2e)
203 Le Caveau de la
Huchette (5e)
203 Le Petit Journal
Saint-Michel (5e)
203 Le Bilboquet (6e)
196 Opus Jazz and
Soul Club (10e)
193 The Frog at Bercy
(12e)
203 Le Petit Journal
Montparnasse
(14e)
199 Le Smoke (14e)
203 Utopia Café
Concert (14e)
200 Le Refuge (17e)
203 Studio des Islettes
(18e)

Ⓐ **Adresse particulièrement recommandée**

♔ **Adresse haut de gamme : le luxe à prix abordable**

AU PÈRE TRANQUILLE

16 rue Pierre-Lescot (1ᵉʳ)
Mº Châtelet
Tél. 01 45 08 00 34
Tous les jours : 9 h-0 h

Bar : univers parallèles

Plusieurs groupes et associations se réunissent au Père Tranquille. Ainsi, des plus sérieux (« Le Bar des Sciences » le premier mercredi du mois à 19 h 30) aux plus loufoques (« Altitude » réservée aux personnes de grandes tailles, tous les samedis midi), les rendez-vous ne manquent pas de côtoyer de nouveaux univers. Perrier : 4 €.

BANANA CAFÉ

13-15 rue de la Ferronnerie (1ᵉʳ)
Mº Châtelet
Tél. 01 42 33 35 31
Tous les jours : 23 h à l'aube

Aux gays lurons

Le Banana est à la nuit parisienne ce que Guy Martin est à la gastronomie : une référence. Une boîte homo, donc, mais pas que ça : beaucoup de jolies plantes y trouvent refuge pour échapper aux dragueurs un peu lourds. Amis hétéros, faites preuve de finesse ! Consommation à partir de 4,50 € (9 € le week-end). **Un cocktail offert les lundi et mardi avec le guide ou la carte.**

LA BODEGUITA DEL MEDIO

10 rue des Lombards (1ᵉʳ)
Mº Châtelet
Tél. 01 44 59 66 90
Mardi-samedi : 11 h 30-2 h du matin

La salsa comme là-bas

Fatigué de ces bars qui n'ont de cubain que le nom ? Ici, pas d'erreur, l'authenticité est poussée à son paroxysme. Pas de cours de salsa ou de DJ à la mode, juste un excellent quartet cubain tout droit venu de sa Havane natale pour faire danser les p'tits Blancs de Paname aux sons des meilleurs arrangements sud-américains. Gratuite en semaine, l'entrée coûte 8 € les vendredis et samedis soir.

LE FUMOIR

6 rue de l'Amiral-Coligny (1ᵉʳ)
Mº Pont-Neuf
Tél. 01 42 92 00 24
Fax : 01 42 92 05 05
www.lefumoir.com
Tous les jours : 11 h-2 h du matin

Bar à lire

Un bar élégant aux allures de maison bourgeoise du XIXᵉ siècle. Les murs sont tapissés de livres à consulter sur place. Il se dégage des lieux une atmosphère feutrée qui attire inexorablement les jolis badauds du quartier. Apéritifs : à partir de 4,50 €. Cocktails : à partir de 9 €.

LE FOOTSIE

10-12 rue Daunou (2ᵉ)
Mº Opéra
Tél. 01 42 60 07 20
Lundi-samedi : 18 h-4 h du matin

Comme à la Bourse

Nul bistrot n'a mieux intégré les valeurs marchandes de notre société que celui-ci. Pour preuve, les prix des boissons évoluent ici selon leur « cote ». La vodka-orange remporte un franc succès ? Son tarif s'envole aussitôt ! Inversement, vous l'aurez compris, un alcool peu réclamé s'échangera contre quelques malheureux kopecks. Plus capitaliste, tu meurs ! On aime ou on adore. Nous, on trouve ça rigolo.

HARRY'S BAR

Sur les traces d'Hemingway

5 rue Daunou (2ᵉ)
Mº Opéra
Tél. 01 42 61 71 14
*Tous les jours : 10 h-4 h
du matin*

C'est ici, en 1921, qu'un serveur bien inspiré eut l'idée d'ajouter un zeste de jus de tomate dans sa vodka préférée. Ainsi naquit le Bloody Mary. Chargé d'histoire, le Harry's Bar vit encore dans le souvenir des cuites mémorables de Scott Fitzgerald et d'Ernest Hemingway, deux habitués des lieux. Suivons leurs traces dans ce zinc hors du temps, seul témoin parisien de la vraie culture américaine. Cocktails : de 9,75 à 16 € (quand même...).

LE PULP

Le club qui monte encore

26 bd Poissonnière (2ᵉ)
Mº Grands-Boulevards
Tél. 01 40 26 01 93
www.pulp.xroot.com
Jeudi-samedi : 0 h-6 h

L'après-midi, le Pulp s'appelle « Entract » : c'est un endroit où les « seniors » viennent draguer comme des ados, mais dès que la nuit tombe les lesbiennes trash et les clubbers hystériques se prélassent sur les mêmes canapés. Entrée libre le jeudi, 9 € le week-end.

LE REX CLUB

Musique électronique

5 bd Poissonnière (2ᵉ)
Mº Bonne-Nouvelle
Tél. 01 42 21 34 80
*Mercredi-dimanche :
de 23 h 30 à l'aube*

Ce temple parisien de la techno est le club qui a fait la légende de Laurent Garnier. Entrée de 8 à 15 € selon les soirs. Consommations entre 4 et 8 €.

THE FROG AND ROSBIF

Pub : bière maison

116 rue Saint-Denis (2ᵉ)
Mº Étienne-Marcel
Tél. 01 42 36 34 73
Fax : 01 42 36 48 02
*Tous les jours : 12 h-2 h
du matin*

Certainement l'un des pubs les plus connus de la capitale. Non sans raison. L'extrême gentillesse du personnel n'y est sans doute pas pour rien (même si les cuistots étaient en grève au moment où nous écrivions ces lignes, pour protester contre leurs mauvaises conditions de travail). Les étudiants profiteront des soirées du lundi pour déguster, à prix très doux, les six bières maison. Chaque dimanche, un « lunchtime jazz » est proposé par la maison. Durant l'happy hour (de 18 h à 20 h 30), la pinte s'échange à 4 €.

AUTRE ADRESSE
■ **The Frog at Bercy** • Bercy Village, 12ᵉ • Mº Cour-Saint-Émilion • Tél. 01 43 40 70 71

4ᵉ ARRONDISSEMENT

L'IMPRÉVU

Au calme près de Beaubourg

9 rue Quincampoix (4ᵉ)
Mº Les Halles
Tél. 01 42 78 23 50
www.imprevu.com
Tous les jours : midi-2 h

Son nom ne le suggère pas, et pourtant, l'Imprévu est un café où l'on prend vite ses habitudes. Comme les étudiants qui fréquentent le lieu, on se cale dans un fauteuil club pour siroter son Monaco en jouant aux échecs. Dans la salle du fond, une tente bédouine est plantée sous un ciel étoilé : un havre pour conversations feutrées. Accueil sympa. Café : 1,80 € ; bières : de 3 à 4 € ; sodas : 3,20 €.

LE BOMBARDIER
Bières anglaises

Λ 2 place du Panthéon (5e)
RER B, Luxembourg
Tél. 01 43 54 79 22
Tous les jours : 11 h-2 h
du matin

Une échoppe dans le plus pur style anglais à deux pas du Panthéon. Le Bombardier cultive ses origines et réjouit les étudiants des facs voisines. L'atmosphère feutrée des lieux invite ses hôtes aux bavardages légers, aidés en cela par les pintes de bière que dispense avec plaisir le personnel anglophone. Les soirées étudiantes du mardi soir offrent les largesses de l'happy hour jusqu'à l'extinction des feux. Happy hours : 16 h-21 h. Bière : 3 €. Cocktail : 4 €.

CAFÉ AUSSIE
Oz-tralie bar...

Λ 184 rue Saint-Jacques (5e)
M° Luxembourg
Tél. 01 43 54 30 48
Fax : 01 43 25 47 91
www.cafe-oz.com
Tous les jours : 16 h-2 h
du matin

Un bar australien avec tout ce que ça implique d'exotisme. Le décor est quasi aborigène, l'accueil souriant et la clientèle cosmopolite. En prime : des happy hours pas farouches : tous les jours, de 16 h à 21 h 30. Cocktails : 2,50 €.

LE CAFÉ ÉGYPTIEN
Chicha vous dit...

Λ 112-114 rue Mouffetard
(entrée rue de l'Arbalète)
(5e)
M° Censier-Daubenton
Tél. 01 43 31 11 35
Tous les jours : 12 h-2 h

Depuis que New York a bouté ses fumeurs hors des bars, Paris est l'une des rares grandes métropoles où il est encore possible de s'adonner au plaisir de la fumette... de narguilé. Courez au Café Égyptien ! Le tabac, également appelé chicha, y est excellent et disponible dans plusieurs saveurs. Le chicha : 3 €.

LE CAFÉ UNIVERSEL
Bières et jazz

Λ 267 rue Saint-Jacques (5e)
RER B, Luxembourg
Tél. 01 43 25 74 20

Dès 21 h ça balance. Offrez une tournée à vos copains (bière à environ 2,85 €), le jazz, lui, vous est offert par Azou, le patron : petites formations et jazz vocal qui po, po, pi, dou, ah !

LES PIPOS
Interdit aux casse-pieds

Λ 2 rue de l'École-
Polytechnique (5e)
M° Maubert-Mutualité
Tél. 01 43 54 11 40
Tous les jours : 8 h-2 h
du matin

« L'esprit » de la montagne n'a pas totalement disparu. Pour preuve, ce bar à vin dont la façade est classée monument historique. Attention tout de même, l'endroit pratique la discrimination : entrée interdite aux casse-pieds (écrit noir sur blanc !). Si vous n'en êtes pas un, pénétrez sans crainte. Ici, le tutoiement est de rigueur et la bonne humeur obligatoire. Des airs d'accordéon accompagnent la dégustation. Dur de résister. Ne résistons pas. Le verre de rouge s'apprécie à partir de 3 €.

PUB SAINT-MICHEL
Karaoké... ou pas

19 quai Saint-Michel (5e)
M° Saint-Michel
Tél. 01 46 33 30 41
Tous les jours : 22 h à l'aube

Des dizaines d'habitués se pressent chaque soir dans l'établissement qui a fait peau neuve l'été dernier. Au rez-de-chaussée, les chalands poussent la chansonnette et massacrent, comme il se doit, les tubes de Sardou et Hallyday. Tout cela est très kitsch mais le karaoké a ses harmonies que la musique ignore. Au premier étage, on peut boire un verre et

– c'est le patron qui nous l'assure – ne pas ouïr les « performances » de nos chanteurs d'un soir. Ouf ! Bières à partir de 5 €.

LE REFLET
Comme à la maison

6 rue Champollion (5ᵉ)
RER B, Luxembourg
Tél. 01 43 29 97 27
*Tous les jours : 10 h-2 h
du matin*

Voilà un zinc qui se fout de la modernité. Pas de videurs, pas de déco branchée, pas de serveuses en minijupe. L'universitaire côtoie le pilier de bar dans un même élan de convivialité. Laurent, le maître des lieux, est un fondu de cinoche. Aux murs, les affiches de ses stars préférées jouent des coudes pour se faire remarquer du badaud. En prime, des prix riquiqui : le demi à 2 € et les plats à 9 €.

LE SAINT
House et techno

7 rue Saint-Séverin (5ᵉ)
Mᵒ Saint-Michel
Tél. 01 40 20 43 23 (jour)
ou 01 43 25 50 04 (nuit)
www.lesaintdisco.com
*Mardi-samedi : de 23 h
à l'aube*

Les recalés des boîtes branchées se dépêchent d'aller au Saint. Ici, l'ambiance est bon enfant et nul costume hors de prix n'est exigé pour passer l'entrée. Beaucoup d'étudiants en semaine, beaucoup de touristes le week-end. **Entrée gratuite pour nos lecteurs (avec le guide ou la carte).**

SHYWAWA
Des bières, des bières, des bières...

7 rue du Petit-Pont (5ᵉ)
Mᵒ Saint-Michel
Tél. 01 46 33 16 76
Fax : 01 46 33 16 76
shywawabar@free.fr
*Tous les jours : ouvert toute
la nuit (de 17 h à 5 h
du matin et jusqu'à 6 h
le samedi)*

A deux pas de la place Saint-Michel, ce bar à bières draine les étudiants assoiffés des facs voisines. Quarante bouteilles différentes, dix marques de pressions (2,50 € le demi), mais également de nombreux cocktails à la bière. Happy hours jusqu'à 21 h : demi à 2,10 € ; cocktails à la bière à partir de 2,20 €. De quoi étancher bien des soifs.

6ᵉ ARRONDISSEMENT

ALCAZAR
M'as-tu vu ?

62 rue Mazarine (6ᵉ)
Mᵒ Odéon
Tél. 01 53 10 19 99
Tous les jours : 19 h-2 h

Réouvert depuis peu, l'Alcazar s'est rapidement fait un nom dans la vie nocturne parisienne. Cette popularité, l'endroit la doit avant tout à sa mezzanine, repère de tout ce que la capitale compte de « beautiful people » et de stars éphémères. Décor minimaliste, ambiance studieuse et musique branchée (lounge, cool jazz, trip-hop) constituent les atouts de ce nouveau club. En prime, notons la présence de DJ d'exception, parmi lesquels l'ex-chanteuse du groupe Niagara. Mais si, souvenez-vous : « C'est l'amour à la plage, ah ouh, tcha tcha tcha... ». Entrée gratuite. Cocktails : 10 €.

THE FROG AND PRINCESS
Mousse maison

9 rue Princesse (6ᵉ)
Mᵒ Saint-Germain-des-Prés
Tél. 01 40 51 77 38
www.frogpules.com

Un pub anglais parmi d'autres ? Non, Monsieur ! L'établissement se fait fort de nous servir une bière maison. L'énorme monstre de cuivre trône fièrement en queue de salle et brasse sans relâche un jus dé-

Lundi-vendredi : 17 h 30-2 h ; samedi et dimanche : 12 h-2 h du matin

licat et savoureux, pour le plus grand bonheur des amateurs. Il est également possible (mais pas obligatoire !) de déguster les fleurons de l'art culinaire anglais, tels que l'inusable Fish and Chips (12 €). Le demi : 6 €. En mai dernier, cuistots en grève (comme dans tous les Frog).

8e ARRONDISSEMENT

LATINA CAFÉ

Salsa à l'œil

114 av. des Champs-Élysées (8e)
M° George-V
Tél. 01 42 89 98 89
Tous les jours : 10 h-5 h (jusqu'à 6 h le samedi)

Une immense boîte qui résonne d'airs latinos sur trois étages. Cuba et le Brésil sont à l'honneur. Pour se mettre en jambes, l'endroit dispense des cours de salsa tous les dimanches de 20 h à 22 h 30 (la participation est de 7 €). Et l'occasion de montrer vos progrès tous les soirs à partir de 23 heures. Bière : 5 €. Café : 2,50 €. Cocktails : de 6 à 10 €.

LE MONTE-CRISTO

Boîte amsud

68 av. des Champs-Élysées (8e)
M° Franklin-D.-Roosevelt
Tél. 01 45 62 30 86
Tous les jours : 12 h-6 h du matin

Pour qui ne l'aurait pas compris, l'heure est à la world music et plus particulièrement celle en provenance d'Amérique du Sud. Il ne passe pas un mois, en effet, sans qu'un bar latino n'ouvre ses portes à Paris. Le Monte-Cristo, outre qu'il fait figure de pionnier, est l'un des plus actifs. Le club est souvent comble et dispense, pour les amateurs, des cours de salsa tous les dimanches après-midi. Entrée : 10 € en semaine, 18 € le week-end.

9e ARRONDISSEMENT

LE HAMMAM CLUB

Bonjour les trentenaires

94 rue d'Amsterdam (9e)
M° Place-de-Clichy
Tél. 01 55 07 80 00
Mardi-dimanche : 23 h 30 à l'aube

Sous l'impulsion de David Bahri, le Hammam est devenu, en quelques années, un incontournable des nuits parisiennes. La décoration, d'inspiration mauresque, est à l'image de la réputation des lieux sans fausse note. Le DJ résident, au nom imprononçable (Lil'fingz), distille une musique hétéroclite dans un esprit « lounge » que les trentenaires bon chic bon genre, majoritaires ici, apprécient particulièrement. 15 € en semaine, 16 € le vendredi et 20 € le samedi, boisson comprise.

10e ARRONDISSEMENT

CHEZ PRUNE

Pour tous les âges

71 quai de Valmy (10e)
M° République
Tél. 01 42 41 30 47
Tous les jours : 8 h-2 h ; dimanche : à partir de 10 h

Une promenade nocturne au bord du canal Saint-Martin se termine souvent Chez Prune. On y déguste un verre de vin (2,20 €) ou une pression (2 €) dans une ambiance de brocante chic où les couleurs éclatent. Le matin, des joggers s'y arrêtent pour prendre un café (1 €).

OPUS JAZZ AND SOUL CLUB

Concert de jazz et autres...

167 quai de Valmy (10e)
M° Louis-Blanc
Tél. 01 40 34 70 00 (salle)
Fax : 01 40 34 67 70

Salle de concert aux allures de loft new-yorkais, nichée sur les bords du canal Saint-Martin, où l'on écoute du Jazz, de la Soul, de la Funk. Au rez-de-chaussée : bar et salle de concert. A l'étage : res-

www.opus-club.com
Mardi-dimanche : concerts vers 22 h

taurant. Concerts de bonne qualité, assez variés. Entrée : 10 € si vous allez dans la salle du bas, sinon pour le restaurant : menu unique à 31 €.

11ᵉ ARRONDISSEMENT

L'ARAMBAR

7 rue de la Folie-Méricourt (11ᵉ)
M° Saint-Ambroise
Tél. 01 48 05 57 79
Lundi-dimanche : 15 h-2 h

Allons boire à l'Arambar

Ce bar réconcilie avec talent les accros de la bière et les amateurs d'art. Au programme : expositions permanentes, théâtre les vendredis, samedis et dimanches soir (parfois les lundis) et soirées à thèmes. Ici, culture rime avec biture. Bière : de 2,20 à 2,90 €. **Deuxième consommation offerte avec le guide ou la carte.**

LE BAR FBI

45 rue de la Folie-Méricourt (11ᵉ)
M° Oberkampf ou Saint-Ambroise
Tél. 01 43 14 26 36
www.fbiparis.com
Lundi-samedi : 19 h-2 h (jusqu'à 5 h le troisième samedi du mois)

Secouez-moi

Encore un qui a trop vu Tom Cruise faire son intéressant dans le film « Cocktails ». Le beau gosse prenait un malin plaisir à jongler avec les bouteilles, rien que pour impressionner les filles. Stéphane, le maître des lieux, est moins beau que Tom. Mais Stéphane s'en fout. Lui, quand il remue les alcools en tous sens, c'est pour de vrai. Et toc ! Prix unique : 6 € pour tous les cocktails (3 € pendant les happy hours, de 19 à 22 h).

LE BA-TA-CLAN CAFÉ

50 bd Voltaire (11ᵉ)
M° Saint-Ambroise
Tél. 01 49 23 96 33
Fax : 01 49 23 96 84
Tous les jours : 7 h-2 h

Café expo-biblio

C'est un beau, grand café jaune d'or au décor méditerranéo-chinois. Tableaux aux murs, bibliothèque et livres dédicacés sur place par des écrivains en vogue. Terrasse au soleil l'été. Salades composées : de 8,50 à 10 €. Café : 2,20 €. Cocktails sans alcool : 9 €. Bière : de 3,80 à 4,10 €.

LE CAFÉ CHARBON

109 rue Oberkampf (11ᵉ)
M° Parmentier
Tél. 01 43 57 55 13
Tous les jours : 9 h-2 h ; vendredi et samedi : jusqu'à 4 h

1900 et toujours branché

Un superbe bar Belle Époque aux lustres dorés, aux ombres veloutées et fresques aux murs, chaud l'hiver, frais en terrasse l'été, voici le branché Charbon dont on ne se lasse pas, et sa bière à prix de prolo : 2,20 €. Café : 1,10 €. Au fond, concerts à gogo au « Nouveau Casino ».

CAFÉ LE MÉCANO BAR

99 rue Oberkampf (11ᵉ)
M° Parmentier
Tél. 01 40 21 35 28
Tous les jours : 9 h-2 h (jusqu'à 5 h le week-end)

De bielles en bières

Le Mécano a transformé son ancienne usine de machines-outils en bar avec terrasse au soleil. Les mécaniques mortes sont exposées comme des sculptures abstraites et les outils collés au plafond. La graisse a laissé place aux vinaigrettes légères dans les bonnes salades composées croquantes (8 à 12 €). Accueil très chaleureux. Café : 1 €. Concerts occasionnels et DJ le week-end.

CANNIBALE CAFÉ

93 rue Jean-Pierre-Timbaud (11ᵉ)
M° Couronnes
Tél. 01 49 29 95 59

Aux sons des violons tziganes

Une jeunesse cosmopolite, assoiffée de relations humaines, se retrouve ici pour discuter de tout et de rien, autour d'un excellent café (1,10 €) aux sons des violons tziganes dont la charmante patronne est

Tous les jours : 8 h 30-2 h

éperdument amoureuse. La cuisine, quant à elle, ressemble au décor : traditionnelle, avec une pincée d'exotisme. Bière : 2 €.

L'ENTRE POTES
Copains, copines

14 rue de Charonne (11ᵉ)
Mᵒ Ledru-Rollin
Tél. 01 48 06 57 04
Tous les jours : 17 h-2 h du matin. Happy hours : 17 h-20 h

L'ambiance est toujours conviviale. Au bar, on vous intègre tout de suite dans la conversation. Les habitués forment une grande famille où plusieurs générations cohabitent dans la rigolade. A ne pas rater : les cocktails, spécialité de la maison. Le demi pression : 3 €. Alcool : 8 €. Cocktails : 8,50 €. Pour descendre aux toilettes, n'oubliez pas votre ticket de métro. **Avec le guide ou la carte, un verre offert entre 17 h et 20 h (après le premier verre).**

LE GIBUS
Boîte techno

18 rue du Faubourg-du-Temple (11ᵉ)
Mᵒ République
Tél. 01 47 00 78 88
Fax : 01 47 00 36 21
gibus-club.paris@wanadoo.fr
Mardi-samedi : de 23 h à l'aube

Le Gibus change de couleurs et s'adapte aux nouvelles exigences de la nuit parisienne. Exit le rock des années 80, place à la musique électronique. Au choix : techno, house, tech-house et deep-house. Tout cela semble bien compliqué. Rassurez-vous, sur la piste de danse, tout se ressemble et c'est très bien comme ça. Entrée : 16 € (avec conso). **Entrée gratuite en semaine et le vendredi avant 2 heures du matin avec le guide ou la carte.**

LE LÈCHE VIN
Kitschissime bar

Å 13 rue Daval (11ᵉ)
Mᵒ Bastille ou Breguet-Sabin
Tél. 01 43 55 98 91
Mardi-samedi : 18 h 30-2 h ; lundi : 18 h-1 h ; dimanche : 17 h-minuit

Ne vous fiez pas au nom de l'endroit, qui n'a rien d'un bar à vin. On vient ici pour le décor, dont on peut dire qu'il porte le mauvais goût à son paroxysme (images saintes en patchwork sur les murs). Du kitsch à l'état brut définitivement réjouissant. Bière : demi de 2,30 à 2,80 €. Pinte de 3,20 à 5,50 €. Alcools : 5,50 €. Cocktails : 6 €.

LE RÉSERVOIR
Au bonheur du funk

Å 16 rue de la Forge-Royale (11ᵉ)
Mᵒ Ledru-Rollin
Tél. 01 43 56 39 60
www.reservoirclub.com
Tous les jours : 20 h-5 h

Décor moyenâgeux plus Disney que Walter Scott pour ce caf'conc' où se succèdent des groupes plutôt démentiels et dont Mary de Vivo a pris la succession de Mouss à la direction. Une pincée de « beautiful people », un zeste de curieux et une brassée de longilignes demoiselles assurent le fond de clientèle. Attention : pas de consommations en dessous de 8 € (cocktails).

LE WAX
Tendance électronique

15 rue Daval (11ᵉ)
Mᵒ Bastille
Tél. 01 40 21 16 16
Tous les jours : 18 h-2 h du matin (jusqu'à 6 h du matin les vendredi et samedi)

Une sorte de milk-bar tiré d'Orange Mécanique (sans les pervers). Murs maquillés d'orange Casimir et sièges chics en cuir blanc. Des DJ ultra-demandés comme Eva Gardner, Labybird, Cyril K. et Didier Sinclair de Radio FG (le mercredi) se relaient aux platines. En général, pas de droit d'entrée, juste un utile vestiaire. Happy hours jusqu'à 21 h : sodas, apéritifs (kir, martini...) à 2,50 € ; pression : 3 €. Après 21 h, sodas, jus de fruits, apéritifs : 3,50 € ; bière : 4,50 € ; whisky : 7,50 €.

12ᵉ ARRONDISSEMENT

L'OPA

Comme à Londres

9 rue Biscornet (12ᵉ)
Mᵒ Gare-de-Lyon
Tél. 01 49 28 97 16
www.opabastille.com
Mardi-jeudi : 20 h-2 h ;
vendredi-samedi : 20 h-6 h ;
fermé le dimanche et le lundi
(aux dernières nouvelles)

Ancienne fabrique reconvertie en loft, cette « Offre Publique d'Ambiance » ne déçoit pas. Un verre à la main (bière, apéros : 4 € ; vodka orange : 8 €), de jeunes danseurs s'agitent sur une musique variée (bidouillages électroniques, groove, acid jazz...). Une lampe-sablier remplie d'huile orange égrène des secondes de plaisir fluide. Sur grand écran, une vidéo expérimentale accompagne les efforts du DJ. Les vigiles laissent entrer quelques baskets. A l'étage, le restaurant est pris d'assaut par des trentenaires à l'air convenable. Entrée payante le week-end : 10 €.

13ᵉ ARRONDISSEMENT

LE BATOFAR

Concerts branchés dans un bar flottant

Face au 11 quai François-Mauriac (13ᵉ)
Mᵒ Quai-de-la-Gare
Tél. 01 56 29 10 00
www.batofar.org
Dimanche-jeudi : 21 h-3 h ;
vendredi et samedi : 22 h-
6 h

Le Batofar est un rescapé. Par manque de moyens, la péniche underground a bien failli baisser pavillon à l'automne. C'était compter sans la vaillance de ses moussaillons. Le nouvel équipage est passionné et tout aussi « cultureux » que le précédent. Au programme : concerts électros et nombreuses manifestations culturelles. En prime, un accueil que le commandant de bord promet « exceptionnel ». Embarquez sans crainte, qu'on vous dit ! Trois spectacles : de 7 à 12 €. Bière : 3,50 €.

14ᵉ ARRONDISSEMENT

LE FALSTAFF

Bar à bibine

42 rue de Montparnasse (14ᵉ)
Mᵒ Montparnasse
Tél. 01 43 35 38 29
Tous les jours : 8 h-5 h
du matin

L'apologie de la bière sous toutes ses formes, des plus classiques aux plus originales (une bière au chocolat, ça vous tente ?). On peut aussi y déguster les sacro-saintes moules-frites, sans lesquelles il manquerait quelque chose au décor bruxellois de ce bar à bibine. Bières : de 2,30 à 12,30 €.

LE SMOKE

Old New York bar

29 rue Delambre (14ᵉ)
Mᵒ Montparnasse
ou Edgar-Quinet ou Vavin
Tél. 01 43 20 61 73
Lundi-samedi : 12 h-2 h

L'anachronisme du lieu est agréable. Le temps semble s'être arrêté aux portes de l'établissement qui n'entend rien aux modes. Ici, on boit, on fume et on écoute du jazz, dans un décor très « old New York ». Le demi : 2,30 €. Menu le midi : 8,20 € ; le soir : 12 €. Happy hour : 15 h-18 h.

16ᵉ ARRONDISSEMENT

LE DOKHAN'S

Une orgie de bulles

117 rue Lauriston (16ᵉ)
Mᵒ Trocadéro
Tél. 01 53 65 66 99
Tous les jours : 19 h-2 h

L'un des tout derniers bars à champagne de la capitale. Pour cette seule raison, l'adresse mérite notre attention. L'endroit est drôlement classique et ravira les couples en quête de romantisme, façon films noirs des années 50. La flûte est assez chère (de 13 à 22 €), mais bon ! C'est du champagne, quoi !

L'AUBERGINE   *Plan drague*

46 rue des Dames (17ᵉ)
Mᵒ Villiers
Tél. 01 43 87 67 95
*Lundi-samedi : 10 h 30-2 h
du matin*

L'Aubergine mérite franchement le détour. Un bistrot bon enfant où il convient de jouer des coudes pour commander son demi. Une clientèle jeune et décontractée vient y manger une cuisine traditionnelle des plus correctes et boire d'excellents cocktails. Ne le répétez surtout pas mais il paraît que c'est un bon plan drague. Cocktails : 5,50 et 6 €.

LE REFUGE   *Jazz et couscous gratuit*

34 rue Lemercier (17ᵉ)
Mᵒ La Fourche
Tél. 01 42 93 46 16
Tous les jours : 15 h-2 h

La musique est bonne, les prix ramassés (demi : 2 € ; café : 1,20 € ; verre de vin : 2,30 € et le couscous gratuit tous les jeudis !), les frites maison et le patron plein d'initiatives : concerts de jazz le vendredi et le samedi, quelques lectures de contes et le sourire perpétuel de Momo et de son frère.

TROIS-PIÈCES-CUISINE   *L'appart*

25 rue de Chéroy (17ᵉ)
Mᵒ Villiers
Tél. 01 44 90 85 10
*Tous les jours : 8 h 30-2 h
du matin*

Ouvert depuis moins d'un an, ce Trois-Pièces-Cuisine n'est pas à louer mais les propriétaires sont de formidables maîtres de maison. On peut donc quand même visiter et on va pas s'gêner ! Une bande-son électro, entre house et techno, plante le décor. L'ambiance est à l'avenant. La clientèle, parmi laquelle beaucoup d'habitués, affiche une trentaine heureuse. On y fait également restaurant. Menu : 9,20 €.

LE DIVAN DU MONDE   *Boîte-spectacles*

75 rue des Martyrs (18ᵉ)
Mᵒ Pigalle
Tél. 01 44 92 77 66
*Lundi-dimanche : 19 h 30-
5 h (selon les concerts)*

Spectacles musicaux en tous genres : musiques d'aujourd'hui, acoustique, électronique, rock, raï, hip-hop, grunge, ou encore théâtre. Puis souvent, vers 23 h 30, une fois les musiciens partis, les DJ entrent en piste et le public danse jusqu'aux aubes violettes. Prix d'entrée et des consos variables. Programme sur place, ou à la FNAC et Virgin.

ABRACADABAR   *Au milieu de nulle part*

123 av. Jean-Jaurès (19ᵉ)
Mᵒ Laumière
Tél. 01 42 03 18 04
*Dimanche-lundi : 18 h-2 h ;
jeudi-samedi : 18 h-5 h*

Une adresse drôlement chouette, au milieu de nulle part. Un havre de paix que côtoient les Parisiens du Nord, trop souvent oubliés des artisans de la nuit. Ici, pas de fausses manières, la bonne humeur et les amitiés d'un soir sont de rigueur. On refait le monde autour de cocktails maison (3,80 €) et de bière (2,50 € le demi) et on participe aux événements culturels organisés par le maître des lieux : concerts, ciné-club et courts métrages.

20ᵉ ARRONDISSEMENT

LA FLÈCHE D'OR

Concerts et bals

102 bis rue de Bagnolet (20ᵉ)
Mº Alexandre-Dumas
Tél. 01 43 72 42 44
Fax : 01 43 72 87 95
www.flechedor.com
Tous les jours : de 10 h à 2 h

Deux grands comptoirs, deux scènes, un restaurant en balcon au-dessus des voies ferrées. Des concerts de tous genres pour un public relativement jeune. A ne pas rater : les bals du dimanche après-midi. Entrée : de 1 à 5 €, selon les concerts. Bière : à partir de 2 € (3 € après 21 h). Café : 0,80 €. Brunch le dimanche (13 €).

Quelques autres adresses

Bars-clubs ou boîtes à concerts, voici encore quelques autres classiques de la nuit dont l'entrée, plutôt bon marché en semaine, fait un bond le samedi soir (environ 15 €, consommations coûteuses).

1ᵉʳ ARRONDISSEMENT

LE SLOW CLUB

130 rue de Rivoli, 1ᵉʳ • Mº Louvre • Tél. 01 42 33 84 30 • Mardi-dimanche : 23 h 30 à l'aube
Entrée de 8 à 13 €. Soirées hip-hop (les dimanches) et R'n'B (les mercredis), avec, parfois, des rappeurs célèbres dans la salle.

7ᵉ ARRONDISSEMENT

LE CONCORDE ATLANTIQUE

23 quai Anatole-France, Port de Solferino, 7ᵉ • Mº Concorde • Tél. 01 47 05 71 03 • Mardi-samedi : 19 h-4 h du matin
Une boîte sur une magnifique péniche. Certains soirs, vers 2 h, l'équipage vous offre une mini-croisière impromptue sur la Seine. Musique house et danseurs sur leur trente et un. Entrée : 8 € après minuit.

11ᵉ ARRONDISSEMENT

LE SATELLIT' CAFÉ

44 rue de la Folie-Méricourt, 11ᵉ • Mº Oberkampf • Tél. 01 47 00 48 87 • Mardi-jeudi : 20 h-4 h ; vendredi-samedi : 22 h-6 h
La plaque tournante des « musiques du monde » (artistes africains, latins...). Trois concerts par semaine (les mardis, mercredis et jeudis à 21 h). DJ les vendredis et samedis jusqu'à l'aube. Demi : 6 €. Cocktails : de 8 à 12 €. Question : est-il vrai, comme nous l'affirme un lecteur, que l'on refuse les Noirs à l'entrée ? A surveiller...

13ᵉ ARRONDISSEMENT

LA GUINGUETTE PIRATE

Quai François-Mauriac, 13ᵉ • Mº Quai-de-la-Gare • Tél. 01 43 49 68 68 ou 01 45 84 41 71 • www.guinguettepirate.com • Mardi-samedi : 19 h-2 h ; dimanche : 16 h-2 h
A bord d'une jolie jonque, partez à l'abordage de nouvelles contrées musicales. Tous les styles s'y produisent, y compris vous et moi lors des soirées scène ouverte. A partir de 5 € l'entrée.

15ᵉ ARRONDISSEMENT

OPUS LATINO

33 rue Blomet, 15ᵉ • Mº Sèvres-Lecourbe • Tél. 01 40 34 70 00 • www.opus-club.com • 21 h-2 h
Entrée libre du mardi au mercredi, 10 € avec une conso du jeudi au samedi. Bar-club avec une piste de danse de 100 m². Cours de danses latines tous styles (samba, salsa cubaine, rueda...).

18ᵉ ARRONDISSEMENT

LE BUS PALLADIUM

6 rue Fontaine, 18ᵉ • Mº Pigalle • Tél. 01 53 21 07 33 • Tous les jours : 23 h 30 à l'aube
Toujours agréable. Ladies Night les mardis soir : les filles sont traitées en princesses (entrée et boissons gratuites). Musique rap, R'n'B et house.

LA LOCOMOTIVE

90 bd de Clichy, 18ᵉ • Mº Blanche • Tél. 01 53 41 88 88 • Tous les jours : 23 h à l'aube
Trois pistes, trois styles (hip-hop/R'n'B, concert, rock indé), un décor surprenant. Clientèle très jeune. Inconvénient : c'est souvent plein.

L'ÉLYSÉE-MONTMARTRE

72 bd Rochechouart, 18ᵉ • Mº Anvers • Tél. 01 55 07 06 00
Cette salle de concert est aussi l'une des boîtes les plus branchées du moment avec les soirées de house music Open House et Club Europa, le Bal (chansons des années 70 et 80 jouées par un groupe délirant) et Scream (public gay, DJ efficaces).

77 SEINE-ET-MARNE

DISNEYLAND PARIS
Grande Scène, Disney Village, La Vallée Chessy

• 77777 MARNE-LA-VALLÉE • Tél. 01 60 30 20 20 • www.disneylandparis.com
Mickey a l'oreille musicale et nous propose de nombreux concerts gratuits.

Les bars à jeux

De la belote au go en passant par le Monopoly ou le Scrabble, certains cafés et bars se sont fait une spécialité d'attirer le chaland en lui proposant de jouer. Petit périple ludique autour de la capitale. Également des jeux à l'Imprévu (p. 193).

1er ARRONDISSEMENT

FLANN O'BRIEN
6 rue Bailleul, 1er • M° Louvre • Tél. 01 42 60 13 58 • Tous les jours : 16 h-20 h
Dites « darts » (ça fait chic) et comprenez « fléchettes ».

LE LESCOT
26 rue Pierre-Lescot, 1er • M° Étienne-Marcel • Tél. 01 42 33 68 76 • Tous les jours : 8 h-2 h
Les subtilités du go enseignées par Maître Lim tous les samedis après-midi. Café : 2 €.

3e ARRONDISSEMENT

L'APPAREMMENT CAFÉ
18 rue des Coutures-Saint-Gervais, 3e • M° Saint-Sébastien-Froissart • Tél. 01 48 87 12 22 • Tous les jours : midi-2 h

Jeux de société (tabou, go, trivial pursuit, échecs...), presse du jour et bibliothèque. Salades : de 7,60 à 14 €. Jus d'orange : 3,50 €. Cocktails : de 6 à 8,50 €.

13e ARRONDISSEMENT

OYA
25 rue de la Reine-Blanche, 13e • M° Gobelins • Tél. 01 47 07 59 59 • Mardi-samedi : 14 h-minuit ; dimanche : 14 h-21 h 30
250 jeux, pour la plupart inconnus, de stratégie, de simulation, de réflexion, de politique ou d'économie. Et on peut repartir avec son jeu sous le bras (à partir de 9 €) ou s'étaler sur place, le café ayant doublé sa surface. Café : 1 €. Boisson non alcoolisée : 5 € avec une partie. Soda supplémentaire : 2 €.

Jazz

Certes, les temps ont changé. Cela fait bien longtemps que Saint-Germain ne vibre plus aux rythmes jubilatoires de cuivres déchaînés. Montparnasse ne jure plus que par sa tour tandis que Dame Mouffetard pleure sur les cadavres de ses caves d'antan, dévorées par les charognards du hamburger. Allons, camarades jazzophiles, la coupe est pleine mais l'espoir subsiste ! Ici et là, coincés entre les oreilles de Mickey et les vocalises larafabianesques, demeurent des gens de foi, imbibés de swing jusqu'à l'ivresse. Prions qu'ils ne dessaoulent jamais. Amen ! Voici une liste des principaux clubs de jazz. Si vous voulez un programme complet de chacun d'eux, allez voir sur jazzvalley.com, excellent site pour tout savoir sur le jazz.

1er ARRONDISSEMENT

LE DUC DES LOMBARDS
42 rue des Lombards, 1er • M° Châtelet • Tél. 01 42 33 22 88 • Fax : 01 40 28 98 52 • www.jazzvalley.com/venue/duc • Concerts tous les soirs : 21 h-3 h du matin (4 h les week-ends)
Entrée : 19 à 23 €. Le club accueille la crème de la scène française (Martial Solal, Henri Texier). **3 € de remise avec le guide ou la carte.**

LE PETIT OPPORTUN
15 rue des Lavandières-Saint-Opportune, 1er • M° Châtelet • Tél. 01 42 36 01 36 • Mardi-dimanche : concert à 22 h 30

Entrée : 13 à 16 €. **Remise de 20 % avec le guide ou la carte.**

LE SUNSET
60 rue Lombards, 1er • M° Châtelet • Tél. 01 40 26 46 60 • www.jazzvalley.com/venue/sunset • Concerts tous les soirs : 21 h 30-4 h du matin
Concert chaque soir de jazz électrique. Entrée : de 8 à 25 €. **Remise de 3 € à nos lecteurs (sauf week-end) avec le guide ou la carte.**

LE SUNSIDE
60 rue des Lombards, 1er • M° Châtelet • Tél. 01

40 26 21 25 • www.jazzvalley.com/venue/ sunside • Concert tous les soirs : 20 h 30-2 h du matin

Concert de jazz acoustique. Entrée : de 8 à 25 €. **Remise de 3 € à nos lecteurs (sauf week-end) avec le guide ou la carte**.

5ᵉ ARRONDISSEMENT

LE CAVEAU DE LA HUCHETTE
5 rue de la Huchette, 5ᵉ • Mᵒ Saint-Michel • Tél. 01 43 26 65 05 • Fax : 01 40 51 71 70 • www.jazzvalley.com/venue/caveaudelahuchette • Tous les jours : 21 h 30-2 h 30 du matin ; week-end : jusqu'à 4 h

Entrée : de 8 à 13 €. Jazz New Orleans, swing et charme rétro.

LE PETIT JOURNAL SAINT-MICHEL
71 bd Saint-Michel, 5ᵉ • Mᵒ Luxembourg • Tél. 01 43 26 28 59 • Fax : 01 43 54 13 17 • www.petitjournalsaintmichel.com • Lundi-samedi : concerts 21 h 30-2 h du matin

Entrée + consommation : 18,50 €. Jazz assez traditionnel, voire classique. **Une coupe de champagne offerte avec le guide ou la carte**.

6ᵉ ARRONDISSEMENT

LE BILBOQUET
13 rue Saint-Benoît, 6ᵉ • Mᵒ Saint-Germain-des-Prés • Tél. 01 45 48 81 84 • www.jazzvalley.com/venue/bilboquet

Club cosy où l'on joue chaque soir, à partir de 22 h 30, des standards de jazz. Concert à partir de 18 €.

14ᵉ ARRONDISSEMENT

LE PETIT JOURNAL MONTPARNASSE
13 rue du Commandant-Mouchotte, 14ᵉ • Mᵒ Montparnasse-Bienvenüe • Tél. 01 43 21 56 70 • Fax : 01 43 21 58 89 • www.jazzvalley.com/venue/petitjournal-montparnasse • Lundi-jeudi : 21 h-0 h 30 ; vendredi-samedi : 21 h-2 h

Entrée : de 15 à 30 €. Immortalisé par Michel Legrand, ce club spacieux et cossu est ouvert à tous les jazz. **Une coupe de champagne est offerte avec le guide ou la carte**.

UTOPIA CAFÉ CONCERT
79 rue de l'Ouest, 14ᵉ • Mᵒ Pernéty • Tél. 01 43 22 79 66 • Tous les jours : 22 h-3 h du matin

Consommation : à partir de 8 €. Petit club sympa où le blues est roi.

18ᵉ ARRONDISSEMENT

STUDIO DES ISLETTES
10 rue des Islettes, 18ᵉ • Mᵒ Barbès-Rochechouart • Tél. 01 42 58 63 33 • www.jazzvalley.com/venue/studiodesislettes • Lundi-samedi : 21 h 30-2 h

Du lundi au jeudi : Jam Sessions (entrée : 4 €). Vendredi et samedi : concerts de be-bop à 8 €.

Bars et culture

La philosophie de comptoir existe bel et bien. Nous l'avons rencontrée dans plusieurs cafés et bars parisiens qui la cultivent avec enthousiasme. Tout comme la littérature ou la psychologie. Partons à la découverte de ces lieux où souffle l'esprit.

4ᵉ ARRONDISSEMENT

LES PHARES
7 place de la Bastille, 4ᵉ • Mᵒ Bastille • Tél. 01 42 72 04 70 • Tous les jours : 6 h 30-4 h

Discussions philosophiques le dimanche matin. Café : 1,50 €.

10ᵉ ARRONDISSEMENT

LA PATACHE
60 rue de Lancry, 10ᵉ • Mᵒ Louis-Blanc • Tél. 01 42 08 14 35 • Tous les jours : 18 h-2 h

Soirées théâtrales autour du poêle à charbon. Jours et heures par téléphone. Spectacle-bière : 3 €.

11ᵉ ARRONDISSEMENT

BISTROT LE PAUL BERT
18 rue Paul-Bert, 11ᵉ • Mᵒ Faidherbe-Chaligny • Tél. 01 43 72 24 01

Chaque dernier lundi du mois, rencontre avec un auteur de polars autour d'une « Poulpeuse », bière dédiée au Poulpe.

14ᵉ ARRONDISSEMENT

L'ENTREPÔT
7 rue Francis de Pressensé, 14ᵉ • Mᵒ Pernety • Tél. 01 45 40 07 50 • Tous les jours : 10 h-1 h

Philo-ciné le dimanche après-midi. Séance : 6,10 €.

20ᵉ ARRONDISSEMENT

LA MAROQUINERIE
23 rue Boyer, 20ᵉ • Mᵒ Gambetta • Tél. 01 40 33 30 60 • Lundi-samedi : 11 h-1 h

Lectures, concerts-rencontres, débats, spectacles gratuits. Au sous-sol, concerts (7,50 à 20 €). Bière : 2,50 €.

BRICOLAGE, DÉCORATION, BEAUX-ARTS

Vous vous sentez une âme de bricoleur, l'instinct d'un artiste décorateur, qu'à cela ne tienne : Paris Pas Cher est là pour vous aider à réaliser vos rêves. Au meilleur prix…

¿ QUE CHERCHEZ-VOUS ?

ABAT-JOUR
211 Poublan (11ᵉ)

AFFICHES
207 Image et Graphique (8ᵉ)

BOIS
215 Brico Monge (5ᵉ)
215 Compas (5ᵉ)
218 Tible, Dumont et Fils (94)
218 Brico-Dépôt (95)
218 TLB (95)

CARTES POSTALES
207 Image et Graphique (8ᵉ)

ÉLECTRICITÉ
215 Comptoir Électricité Franco Belge (9ᵉ)

ENCADREMENTS
207 Arphil Cadres (4ᵉ)
207 Image et Graphique (8ᵉ)
207 Atelier Carlier (11ᵉ)
207 Cadrex (11ᵉ)
208 L'Éclat de Verre (11ᵉ, 14ᵉ, 78, 91, 92)
208 Atelier Jacques Vidal (14ᵉ)
209 Galerie Corot (16ᵉ)
210 Célimage La Boutique (93)

ENTRETIEN
216 Les Frères Nordin (11ᵉ)
216 Produits d'Antan (11ᵉ)

FENÊTRES
218 Sainthimat (91)
219 Lodico 95 (95)

GÉNÉRALISTES
214 Leroy-Merlin (3ᵉ)
218 BHV (4ᵉ)
217 Batkor (77, 93, 94)
218 Brico-Dépôt (95)

HALOGÈNES
211 Keria Luminaires
212 Kott Luminaires (95)

ISOLANTS
216 Bien-Être Matériaux (14ᵉ)

KILIMS
220 Arts Décoratifs d'Anatolie (4ᵉ, 6ᵉ)
221 La Galerie du Tapis (6ᵉ)
224 Tapis Scheherazade (17ᵉ)

LITHOS
210 Frémeaux et Associés (94)

LUMINAIRES
211 Keria Luminaires
212 Ebony (4ᵉ)
211 Massinet (11ᵉ)
211 EPI Luminaires (12ᵉ)
212 Centre Régional du Luminaire (94)
212 Kott Luminaires (95)

MATÉRIAUX
216 Bien-Être Matériaux (14ᵉ)
219 L'Antiquaire du bâtiment (78)
219 Perreault (78)
219 Sotrapmeca Bonaldy (78)
219 Beaumarié (92)
219 Mazeau (93)
219 Dussel (94)

MÉTAUX
215 A. Weber (3ᵉ, 94)

MOQUETTES
220 Mildécor (4ᵉ)
222 Artirec (11ᵉ, 12ᵉ, 78, 93, 94)
221 Couleurs Daval (11ᵉ, 77)
222 Pigmacolor (11ᵉ, 17ᵉ)
225 Bastille Moquette (12ᵉ)
225 Arago Décors (13ᵉ)

¿ QUE CHERCHEZ-VOUS ?

225 Établissements Thiery (13ᵉ)
225 Mulin (14ᵉ)
223 La Moquetterie (15ᵉ)
223 Technicosol - Le Renouveau (15ᵉ)
223 Espace Moins le Quart (16ᵉ)
224 Harry'Sol (18ᵉ)
225 L'Affaire des Moquettes (78, 95)
226 Colorissimo (92)
225 Décorasol (92)
224 Moquettes et Parquets de la Reine (92)
226 Sacofra (94)

OBJETS DÉCORATIFS
213 Quand les Belettes s'en Mêlent (2ᵉ, 4ᵉ)
212 CSAO (3ᵉ)
212 Ebony (4ᵉ)
213 Graine d'Intérieur (11ᵉ)
213 Domicile Connu (15ᵉ)
213 Le Pavillon Niel (17ᵉ)
214 Route de la Soie (93)

OUTILLAGE
214 Turbigom (3ᵉ)
215 A. Weber (3ᵉ, 94)
218 BHV (4ᵉ)
215 Brico Monge (5ᵉ)
216 Outillage Marcouty (11ᵉ)
217 Ets Barthelemy (18ᵉ)
217 Aux Forges de l'Est (20ᵉ)
218 Brico-Dépôt (95)

PAPIERS PEINTS
220 Mildécor (4ᵉ)
221 The Stencil Store (6ᵉ)
221 Techniques et Décors (7ᵉ)
221 Couleurs Daval (11ᵉ, 77)
225 Établissements Thiery (13ᵉ)
222 Heytens (14ᵉ, 95)
213 Domicile Connu (15ᵉ)
223 Technicosol - Le Renouveau (15ᵉ)
223 Espace Moins le Quart (16ᵉ)
224 Peintures PC (18ᵉ)
225 L'Affaire des Moquettes (78, 95)
225 Colorissimo (92, 93)
226 Sacofra (94)

PARQUETS
220 Mildécor (4ᵉ)
222 Artirec (11ᵉ, 12ᵉ, 78, 93, 94)
221 Couleurs Daval (11ᵉ, 77)
225 Bastille Moquette (12ᵉ)
225 Arago Décors (13ᵉ)
216 Bien-Être Matériaux (14ᵉ)
225 Mulin (14ᵉ)
225 L'Affaire des Moquettes (78, 95)
226 Colorissimo (92)
225 Décorasol (92)
224 Moquettes et Parquets de la Reine (92)
224 Prestige de France (92)

226 Sacofra (94)
218 TLB (95)

PEINTURES
222 Artirec (11ᵉ, 12ᵉ, 78, 93, 94)
221 Couleurs Daval (11ᵉ, 77)
222 Pigmacolor (11ᵉ, 17ᵉ)
225 Arago Décors (13ᵉ)
225 Établissements Thiery (13ᵉ)
216 Bien-Être Matériaux (14ᵉ)
222 Heytens (14ᵉ, 95)
225 Mulin (14ᵉ)
225 Peintures de Paris (15ᵉ)
223 Technicosol - Le Renouveau (15ᵉ)
224 Peintures PC (18ᵉ)
225 Colorissimo (92, 93)
224 Prestige de France (92)
226 Sacofra (94)

PLASTIQUES
215 A. Weber (3ᵉ, 94)

PORTES
218 Sainthimat (91)
219 Lodico 95 (95)

QUINCAILLERIE
215 Au Progrès (11ᵉ)

RÉCUPÉRATEURS
219 L'Antiquaire du bâtiment (78)
219 Perreault (78)
219 Sotrapmeca Bonaldy (78)
219 Beaumarié (92)
219 Mazeau (93)
219 Dussel (94)

¿ QUE CHERCHEZ-VOUS ?

REVÊTEMENTS NATURELS
220 Mildécor (4ᵉ)
222 Artirec (11ᵉ, 12ᵉ, 78, 93, 94)
223 La Moquetterie (15ᵉ)
224 Prestige de France (92)

RIDEAUX
226 Françoise Capiaux (8ᵉ)
226 Hergé (9ᵉ)
227 Les Stores Eurodrap (11ᵉ)
227 Atelier 104 (94)

ROBINETTERIE
216 Le Chirurgien du Robinet (12ᵉ)

SCULPTURES
210 Frémeaux et Associés (94)

SERRURERIE
217 Aux Forges de l'Est (20ᵉ)

STAGES DE BRICOLAGE
220 Ateliers de la Cour Roland (78)
220 Académie des Loisirs du Bricolage (95)

STORES
226 Hergé (9ᵉ)
227 Les Stores Eurodrap (11ᵉ)
227 Bautex (16ᵉ)
227 Stores de Tournus (20ᵉ)

TABLEAUX
208 Art Up Déco (9ᵉ, 12ᵉ)
209 Galerie Corot (16ᵉ)
210 Célimage La Boutique (93)
210 Frémeaux et Associés (94)

TABLEAUX (FOURNITURES)
209 Graphigro (6ᵉ, 11ᵉ, 15ᵉ, 18ᵉ)
208 Lejeune Beaux-Arts (12ᵉ)
209 Hache Calippe et Cie (14ᵉ)
209 La Règle d'Or (14ᵉ)
210 Lez Arts (20ᵉ)
210 Marin (94)

TAPIS MAIN
221 La Galerie du Tapis (6ᵉ)
221 Garotex (10ᵉ)

224 Tapis Scheherazade (17ᵉ)

TAPIS MÉCANIQUES
222 Artirec (11ᵉ, 12ᵉ, 78, 93, 94)
221 Couleurs Daval (11ᵉ, 77)
225 Arago Décors (13ᵉ)
223 Gavo (16ᵉ)
223 Light and Moon (16ᵉ)
213 Le Pavillon Niel (17ᵉ)

TEINTURES
214 Dylon Colour Center (1ᵉʳ)

TISSUS MURAUX
213 Domicile Connu (15ᵉ)
223 Technicosol - Le Renouveau (15ᵉ)
223 Espace Moins le Quart (16ᵉ)
224 Tissus de la Reine (92)

TUYAUX
214 Turbigom (3ᵉ)

VITRES
218 Assuvitre (11ᵉ)
217 Miroiterie Maestrini (20ᵉ)

Pour obtenir la carte Paris Pas Cher 2004, reportez-vous à la fin de l'ouvrage, remplissez le questionnaire et renvoyez-le à l'adresse suivante :

**Paris Pas Cher
19 av. Georges-Brassens
94550 Chevilly-Larue**

CADRES, tableaux et pinceaux

ARPHIL CADRES

24 rue de la Cerisaie (4ᵉ)
Mᵒ Bastille
Tél. 01 42 74 09 19
Fax : 01 42 77 54 00
*Mardi-samedi : 9 h 30-13 h,
14 h-18 h 30*

Encadrement et matériel pour l'encadrement

Arphil encadre à l'aide de plus de 400 baguettes différentes dont de superbes bois patinés, en relief, avec argentures, à motifs de vagues Art Nouveau ou Art Déco pour encadrer sujets modernes ou miroirs. Plus ou moins larges, elles valent de 2,40 à 120 €. Ceux qui savent encadrer trouveront ici tout le matériel : baguettes de 2,40 m à partir de 7 €, verre optique et classique. Nouveauté 2003 : miroirs encadrés sur mesure pour dessus de cheminée, à partir de 200 €. **Remise de 10 % avec le guide ou la carte.**

IMAGE ET GRAPHIQUE

59 bd des Batignolles (8ᵉ)
Mᵒ Villiers
Tél. 01 42 94 15 94
Fax : 01 42 94 10 22
www.aile-b.com
*Lundi : 13 h 30-19 h ; mardi-
vendredi : 10 h-12 h 30,
13 h 30-19 h ; samedi :
10 h-13 h, 14 h-19 h*

Affiches de grande qualité

La maison propose une collection d'affiches inédites : photos en noir et blanc prises d'avion (23 €), belles reproductions (60 × 80 cm) de tableaux de Picasso, Monet, Kandinsky. Des cartes postales sur tous les sujets. Encadrements standard (60 × 80 cm aluminium à partir de 40,50 €) ou sur mesure. Promotions permanentes sur les affiches. Catalogue sur Internet. **Remise de 10 % avec le guide ou la carte (sauf sur les articles soldés).**

ATELIER CARLIER

56 rue Amelot (11ᵉ)
Mᵒ Saint-Sébastien-
Froissard
Tél. 01 43 38 17 72
*Mardi-samedi : 10 h 30-
12 h 30, 14 h-19 h 30*

L'imagination au pouvoir

Françoise Carlier crée toujours d'élégants miroirs entourés de perles de verre (carré, 28 × 28 cm : 68,60 €), hexagonaux (intérieur 40 × 37, extérieur 50 × 60 cm : 213,43 €). Moulures classiques ou créées abondent. Elle encadre les objets qu'on lui apporte dans des boîtes, ou plus classiquement des aquarelles (par ex. : 30 × 40 cm avec marie-louise et jolie baguette à 83,85 €). Elle a aussi cette année des lampes de créateurs (à partir de 110 €) et des petites tables en fer forgé recouvertes de carrelages ou de mosaïques. **Réduction de 10 % avec le guide ou la carte.**

CADREX

120 rue du Chemin-Vert
(11ᵉ)
Mᵒ Père-Lachaise
ou Saint-Maur
Tél. 01 43 57 87 96
*Mardi-vendredi : 9 h-12 h,
14 h-18 h 30 ; samedi :
9 h 30-12 h 30 (téléphoner
avant de se déplacer)*

Cadrex-tras

Simon encadre depuis 24 ans gravures, lithos, canevas, miroirs au bénéfice de professionnels de la décoration ou de particuliers. Cette année, il réalise des biseaux et inclut des passe-partout. Il fabrique aussi de jolis cadres, des boîtes pour médailles et objets en relief. Ses cadres pour photos sont peu chers : 13 × 18 cm : 3,80 € ; 55 × 40 cm en jonc doré prêt à poser : 28,97 €. Un miroir 55 × 40 cm encadré avec une baguette laquée de 15 mm : 30,95 €. **Remise de 10 % avec le guide ou la carte.**

ART UP DÉCO

39-41 av. Daumesnil (12ᵉ)
Mᵒ Gare-de-Lyon
Tél. 01 46 28 80 23
Fax : 01 46 28 56 19
www.artupdeco.com
*Mardi-samedi : 11 h-19 h ;
dimanche : 14 h-19 h*

Vente de tableaux en libre-service

Une très vaste galerie où quatre-vingt-deux artistes exposent plus de 3 000 toiles de tous formats. Leurs prix : de 40 à 700 €, raisonnables pour commencer une collection (encadrement : caisse américaine ou métal brossé, de 27 à 88 € selon format). Échange accepté dans les 15 jours qui suivent l'achat ; ou encore pendant 3 ans (contre 33 % du prix du tableau). Sur mesure possible : on donne à un artiste le thème, les couleurs, le format d'une toile et son cadre à exécuter.

AUTRE ADRESSE
■ Printemps Haussmann, 64 bd Haussmann, 9ᵉ • Mᵒ Havre-Caumartin • Tél. 01 42 82 58 42 • Lundi-samedi : 9 h 30-19 h (nocturne jeudi jusqu'à 22 h)

LEJEUNE BEAUX-ARTS

73 av. Ledru-Rollin (12ᵉ)
Mᵒ Ledru-Rollin
Tél. 01 43 07 57 62
Mardi-samedi : 9 h 30-18 h

Acryliques pas chers

Soulages, Di Rosa, Yvaral, Rothko font grande consommation de Liquitex, somptueuses peintures acryliques importées ici. Lejeune, philanthrope, les laisse partir « au meilleur prix de France », affirme-t-il : 127 couleurs de 5,05 à 12,65 € le tube de 60 ml. Les excellentes huiles (huiles Rembrandt 40 ml, 125 couleurs : 4,75 à 17,55 €) extra-fines Old Holland (170 couleurs) valent de 6,85 à 30,50 € les 40 ml. Les aquarelles Old Holland (qualité exceptionnelle et coloris rares) sont très abordables : la plupart des godets ou tubes sont à 4,60 €. Et toujours les 370 couleurs des pigments Kremer à partir de 7,30 € pour un pot de 100 g. Accueil charmant. **Remise de 10 % sur certains produits avec le guide ou la carte (hors promotions).**

ATELIER JACQUES VIDAL

16 rue Niepce (14ᵉ)
Mᵒ Pernety
Tél. 01 43 35 45 81
Fax : 01 43 35 45 81
*Lundi-vendredi : 8 h-12 h 30,
14 h-18 h (sur rendez-vous)*

Baguettes d'experts

Depuis longtemps déjà, Jacques Vidal et son fils manient la baguette avec dextérité ; ils travaillent surtout pour les galeries mais n'hésitent pas à vous conseiller pour tous vos travaux (sur rendez-vous). Sous-verre avec passe-partout biseau 54 × 45 cm : 64 € HT. De nombreuses autres possibilités. **Tarifs « pro » réservés normalement aux artistes, consentis aux lecteurs de Paris Pas Cher.**

L'ÉCLAT DE VERRE

26 rue Vercingétorix (14ᵉ)
Mᵒ Gaîté
Tél. 01 43 22 93 60
*Lundi : 14 h 15-18 h 30 ;
mardi-vendredi : 9 h 30-
18 h 30 ; samedi : 9 h 30-
19 h*

Chaîne d'encadrement

L'Éclat de Verre enrichit ses collections et se renouvelle. Inédites : les baguettes « plat patiné » (bien avec des tableaux modernes), cinq couleurs, deux largeurs, à partir de 11,50 € le mètre ; les baguettes de bois « striées », quatre couleurs à 17,25 € le mètre et toujours de belles baguettes en bambou en deux largeurs à partir de 8,75 €. A utiliser en fond de cadre, une série de beaux papiers végétaux (à partir de 3,59 € la feuille), ainsi que des tissus contrecollés. Les encadreurs débutants y trouveront également de bons conseils.

AUTRES ADRESSES
- 2 bis rue Mercœur, 11ᵉ • Mᵒ Voltaire • Tél. 01 43 79 23 88 • Lundi : 14 h 15-18 h 30 ; mardi-vendredi : 9 h 30-18 h 30 ; samedi : 9 h 30-19 h
- 10 rue André-Chénier • 78000 VERSAILLES • 11 km de la Porte de Saint-Cloud • Tél. 01 30 83 27 70 • Lundi : 9 h 30-13 h, 14 h 15-18 h 30 ; mardi-vendredi : 9 h 30-18 h 30
- 24 rue de Paris • 78560 PORT-MARLY • 12 km de la Porte Maillot (N13) • Tél. 01 39 16 48 27 • Lundi : 14 h 15-18 h 30 ; mardi-samedi : 9 h 30-18 h 30
- 1 av. de l'Amazonie, ZI de Courtabœuf • 91940 LES ULIS CEDEX • 20 km de la Porte de Saint-Cloud • Tél. 01 69 29 01 82 • Lundi : 13 h-18 h 30 ; mardi-samedi : 9 h 30-18 h 30
- 6 rue Paul-Vaillant-Couturier • 92300 LEVALLOIS-PERRET • Mᵒ Pont-de-Levallois • Tél. 01 47 59 99 45 • Lundi : 14 h 15-18 h 30 ; mardi-samedi : 9 h 30-18 h 30

HACHE CALIPPE ET CIE   *Grand couturier des pinceaux*

7 rue Brezin (14ᵉ)
Mᵒ Mouton-Duvernet
Tél. 01 45 40 60 82
Fax : 01 45 41 19 98
Mardi-samedi : 9 h-12 h 30,
14 h-19 h

Tous les restaurateurs de tableaux du Louvre viennent se fournir chez Hache Calippe qui pratique des prix de prêt-à-porter. Cependant, il n'emploie que les poils sophistiqués doux et fins des martres Kolinski de Sibérie et petit-gris de Kazan. La série 660 est parfaite pour la gouache et l'acrylique (de 3,70 à 14,20 €). Pour l'encre et l'aquarelle, on préférera la série 620 (de 7,50 à 34,20 €). **Remise de 10 % avec le guide ou la carte.**

LA RÈGLE D'OR   *Au bonheur des peintres*

45-47 bd Saint-Jacques
(14ᵉ)
Mᵒ Saint-Jacques ou RER B,
Denfert-Rochereau
Tél. 01 45 65 21 06
Mardi-samedi : 9 h 30-
12 h 30, 14 h-19 h
(fermeture à 17 h le samedi)

Une vieille fabrique, un jardin romantique, une boutique remplie de livres sur les techniques et l'histoire de l'art, des produits de restauration et un service encadrement. Aquarelles Venezia (15 ml) : 3,70 €. Liant acrylique mat : 13,80 € le litre. Papier aquarelle chiffon 300 g (76 × 56 cm) : 3,30 €. Papier Canson CA, 180 g (65 × 50 cm) : 0,80 €. **Avec le guide ou la carte : réduction de 10 % pour un achat de 15 €, 15 % au-dessus de 150 € et 25 % au-dessus de 380 €.**

15ᵉ ARRONDISSEMENT

GRAPHIGRO   *Beaux-arts et loisirs créatifs*

157 rue Lecourbe (15ᵉ)
Mᵒ Vaugirard
Tél. 01 42 50 45 49
www.graphigro.com
Lundi-samedi : 10 h-19 h

Ce beau magasin rénové est à fréquenter pour ses promotions constantes : de 20 à 50 % de réduction sur (suivant les moments) les matériels de beaux-arts, arts graphiques, infographie, loisirs créatifs et papeterie ou encore sur les livres spécialisés dans ces domaines. A fréquenter aussi pour la foultitude des matériaux proposés (18 000 références). Les vendeurs, aimables, sont de bon conseil.

AUTRES ADRESSES
- 133 rue de Rennes, 6ᵉ • Mᵒ Rennes • Tél. 01 53 63 60 00
- 207 bd Voltaire, 11ᵉ • Mᵒ Boulets-Montreuil • Tél. 01 43 48 23 57
- 120 bis rue Danrémont, 18ᵉ • Mᵒ Lamarck-Caulaincourt • Tél. 01 42 58 93 40

16ᵉ ARRONDISSEMENT

GALERIE COROT   *Tableaux et cadres*

8 rue Corot (16ᵉ)
Mᵒ Église-d'Auteuil

Depuis 14 ans, Florence Basard-Espérandieu encadre des toiles avec goût et raison (délai : deux se-

Tél. 01 42 88 46 80
*Mardi-vendredi : 10 h-
12 h 45, 14 h 30-19 h ;
samedi : 10 h 30-19 h*

maines, prix inchangés depuis l'année dernière). Cadre de 30 × 40 cm, bois couleur + passe-partout : 35 €. Porte-photos : à partir de 9 €. Nettoyage simple d'une toile de 60 × 73 cm : 152 €. Restauration possible de cadres anciens. **Devis gratuit et réduction de 10 % avec le guide ou la carte.**

20ᵉ ARRONDISSEMENT

LEZ ARTS

81 rue Julien-Lacroix (20ᵉ)
Mᵒ Couronnes, Belleville,
Pyrénées
Tél. 01 43 49 30 86
*Lundi-vendredi : 10 h-13 h,
14 h-19 h ; samedi : 11 h-
18 h (fermé à 18 h le jeudi)*

Fournitures de beaux-arts, arts graphiques

Des milliers de feuilles de papier de tous formats et couleurs, ainsi que de nombreux supports (bois, métaux, grillages, plomb...) pour inventions graphiques imaginatives sont les spécialités de la maison. Pack de 100 feuilles Canson 50 × 65 cm : 10,60 €. On y trouve aussi des aquarelles Winsor et Newton, boîte de douze : 11,43 € ; de gros tubes d'huile fine Lefranc : 150 ml, 4,88 € ; de l'acrylique : 400 ml, 9,71 € ; de la colle en bombe : 500 ml, 9,91 €... Des trésors !

93 SEINE-SAINT-DENIS

CÉLIMAGE LA BOUTIQUE

78 av. de la République
93300 AUBERVILLIERS
Mᵒ Aubervilliers-Pantin-
Quatre-Chemins
Tél. 01 48 33 55 82
*Mardi-samedi : 10 h-13 h,
14 h 30-19 h*

Des tableaux qui cadrent avec votre style

Célimage a pris ses aises pour présenter sa vaste sélection de cadres nus formats marine, paysage et figure. Plus de 500 modèles de baguettes en bois, résine et aluminium à des prix inchangés (cadre 40 × 60 cm, baguette de couleur 25 mm : 25 €). Nouveautés de l'année : des miroirs de décoration de tous styles, ainsi qu'un grand choix de cadres à coins rebouchés. Travail sur mesure (« entre deux verres » ou autres) à la demande (délai de 8 jours). Des reproductions en vente à partir de 5,30 €. Places de parking gratuites assurées. **Remise de 20 % avec le guide ou la carte.**

94 VAL-DE-MARNE

MARIN

70 av. Gabriel-Péri
94110 ARCUEIL
RER B, Laplace + bus 323.
2 km de la Porte d'Orléans
Tél. 01 47 40 04 20
Lundi-samedi : 9 h-18 h

Au bonheur des artistes

La maison Marin travaille pour les musées depuis 50 ans et fabrique à l'intention des professionnels tout le matériel indispensable à la réalisation de tableaux : châssis, toiles, chevalets, cadres, couleurs, pinceaux, vernis. Cadre doré 45 mm, cinq figures : 22,84 €. Toiles enduites 2 × 10 m, deux couches acrylique polyester : 91,35 €. Lin moyen : autour de 197 € le rouleau de 10 m. Le chef-d'œuvre achevé peut être encadré sur place.

FRÉMEAUX ET ASSOCIÉS

18-20 rue Robert-
Giraudineau
94300 VINCENNES
RER A, Vincennes ou
Mᵒ Château-de-Vincennes
Tél. 01 43 74 90 24
www.fremeaux.com

Lithos, estampes pour tous les goûts

A portée de toutes bourses, voici 5 000 lithos et gravures originales ou d'exécution exposées dans une vaste et claire galerie. Lithos originales de Miro à partir de 100 €, de Matisse (1952) à partir de 250 € ; lithos originales signées à partir de 120 € (Chagall : 300 €) ; lithos d'exécution d'impressionnistes à partir de 120 € ; tableaux anciens à partir

Lundi-samedi : 10 h 30-13 h, 14 h 30-19 h

de 700 €. Objets d'art africain vieux de quelques décennies à partir de 300 €. **Remise de 5 % avec le guide ou la carte.**

LUMINAIRES

KERIA LUMINAIRES

www.keria.fr

Lampes en série

Les quinze magasins de la région parisienne regorgent de suspensions, d'appliques, de lampadaires et de spots au design lumineux. Des promotions intéressantes. Kit quatre spots sur tubes pour éclairer salon ou cuisine américaine : autour de 58 € ; lampadaire en fer forgé (hauteur 180 cm) : à partir de 99 € ; lustre trois lumières en épi : à partir de 45 €. Adresses sur le site Internet.

11ᵉ ARRONDISSEMENT

MASSINET

20 rue Trousseau (11ᵉ)
Mº Faidherbe-Chaligny
Tél. 01 48 06 79 79
Fax : 01 48 06 37 41
Lundi : 14 h-18 h 30 ; mardi-vendredi : 9 h-12 h, 14 h-18 h 30 ; samedi : 9 h-12 h

Bronze et ferronnerie d'art (classique)

On fournit ambassades et amateurs de grands lustres fabriqués par la maison : c'est très beau. On peut aussi faire minimaliste en s'offrant cinq à dix grandes larmes à accrocher dans une carcasse presque vide : c'est très chic. Lustre en bronze et strass (diamètre 60 cm) : 1 200 €. Remise aux normes possible de lampes et lustres anciens. **Réduction de 15 % avec le guide ou la carte.**

POUBLAN

70 rue Amelot (11ᵉ)
Mº Saint-Sébastien-Froissart
Tél. 01 43 38 43 43
Lundi-jeudi : 9 h 45-12 h 30, 13 h 45-17 h ; vendredi : fermeture à 16 h

Matériaux pour la confection d'abat-jour

Les portes de l'atelier de ces fabricants-grossistes s'ouvrent aux lecteurs de Paris Pas Cher pour un minimum de 15 € d'achat (vite récupérés puisque nous sommes chez des grossistes). Et nous voici devant des carcasses de toutes formes (carrées, rectangulaires, en forme de pagode ou de pyramide), de toutes tailles, pieds de lampes, douilles, passementerie. Des conseils sont prodigués à ceux ou celles qui souhaitent réaliser eux-mêmes les feux de leurs rampes.

12ᵉ ARRONDISSEMENT

EPI LUMINAIRES

30 cours de Vincennes (12ᵉ)
Mº Nation
Tél. 01 43 46 11 36
Fax : 01 43 45 94 19
www.epiluminaires.fr
Lundi-vendredi : 9 h-18 h ; samedi : 10 h-18 h

Des milliers d'étoiles

Sur trois niveaux et 1 500 m², 5 000 modèles sont exposés, depuis les créations les plus récentes des designers d'aujourd'hui jusqu'aux classiques éternels. La variété s'étend aux prix : appliques d'intérieur design à partir de 45 € ; jolie lampe de bureau toute simple à partir de 75 €. Avec un peu de chance, un modèle en fin de série vous reviendra 30 % moins cher. Également des abat-jour, des miroirs, une collection de meubles d'appoint et de fauteuils. **Remise de 15 % avec le guide ou la carte sauf sur les réparations.**

CENTRE RÉGIONAL DU LUMINAIRE — *Lumière en gros*

19 rue Condorcet (ZI)
94430 CHENNEVIÈRES
RER A, Champigny
+ bus 208
Tél. 01 45 76 63 17

Illuminations chez cet aimable grossiste dont les stocks (qui recèlent des soldes permanents) sont importants. Plafonnier : 15 €. Lanterne plaqué or : 50 € au lieu de 62 €. – Lundi-vendredi : 9 h-12 h, 14 h-19 h ; samedi : 9 h 30-19 h.

KOTT LUMINAIRES — *Fabricant de luminaires*

14 rue de la Procession
95100 ARGENTEUIL
6 km de la Porte d'Asnières
Tél. 01 34 10 38 61
Fax : 01 34 10 56 48
Lundi-vendredi : 8 h-13 h,
14 h-16 h

Luminaires de qualité à moitié prix. Ce créateur qui travaille pour de grandes marques n'a pas changé ses prix, son but étant de faire bénéficier ses clients des fins de séries spéciales mises au point par les grandes signatures. On trouvera chez lui (dans 400 m²) des lampes de formes classiques ayant vocation à durer : lampadaires, appliques, liseuses ou encore lampe de chevet (complète avec abat-jour : autour de 78 €).

→ OBJETS décoratifs

Nous avons répertorié ici quelques boutiques où l'on pourra agréablement compléter la décoration de son intérieur sans faire de folies. Mais on a intérêt à jeter un œil également du côté des rubriques « Cadeaux » (p. 228) et « Meubles et brocante » (p. 401), voire « Cadres, tableaux et pinceaux » (p. 207).

CSAO — *Commerce équitable*

Compagnie du Sénégal
et de l'Afrique de l'Ouest
1 rue Elzévir (3ᵉ)
Mᵒ Saint-Paul
Tél. 01 44 54 55 88
Lundi-samedi : 11 h-19 h ;
dimanche : 14 h-19 h

Témoignant d'un goût très sûr et souvent d'une franche gaieté, voici de beaux objets fabriqués sous le soleil et dont l'achat permet la création d'écoles, d'infirmeries, etc. Laissez parler votre cœur et fournissez-vous en vanity-case dont la structure en fer vient de boîtes de conserve recyclées (22 €). A offrir aussi un tableau sur verre (de 15 à 60 €), un voile léger très coloré (130 × 300 cm : 45 €), ou encore un chatoyant tapis lavable à losanges bleus (que l'on peut aussi emmener à la plage : 70 × 130 cm : 15 €). Accueil adorable.

EBONY — *Luminaires et artisanat marocain*

39 rue Sainte-Croix-
de-la-Bretonnerie (4ᵉ)
Mᵒ Hôtel-de-Ville
Tél. 01 42 72 21 21
Fax : 01 42 72 65 65
Mardi-samedi : 11 h-
19 h 30 ; dimanche : 14 h-
19 h (sauf l'été)

C'est au Maroc que sont exécutées par les meilleurs artisans ces belles lampes et appliques en peaux colorées (vendues ici à partir de 40 €). A côté d'elles des tables zelliges et des grands miroirs aux encadrements d'inspiration orientale, mêlant os, coquilles d'œufs et maillechort (alliage de cuir-zinc-plomb qui ne s'oxyde pas) dont on peut s'inspirer pour faire faire sur mesure son propre modèle. Plus modestes, des cendriers (9 à 29 €). **Remise de 10 % sur tout objet marocain avec le guide ou la carte.**

QUAND LES BELETTES S'EN MÊLENT

Créations charmantes et poétiques

24 rue de Sévigné (4e)
M° Saint-Paul
Tél. 01 42 77 30 78
*Mardi-samedi : 11 h 30-14 h, 15 h-19 h ;
dimanche : 14 h 30-19 h 30*

Parfois loufoques, parfois sérieux, souvent surprenants, ce sont les objets pour la maison et petits cadeaux créés par les Belettes (de 3 à 267 €). De fines mouches, n'en déplaise à M. Buffon.

AUTRE ADRESSE

■ 24 Galerie Vivienne, 2e • M° Bourse • Tél. 01 42 60 67 14 • Lundi-samedi : 11 h-19 h

11e ARRONDISSEMENT

GRAINE D'INTÉRIEUR

Jeune, gai

90 rue du Faubourg-Saint-Antoine (11e)
M° Ledru-Rollin
Tél. 01 43 41 21 21
*Lundi-samedi : 10 h-19 h ;
dimanche : 14 h-19 h*

Un style très Almodovar, Movida et années 50 réunis. Des couleurs détonantes : orange, vert anis, fuchia, bleu canard... Guirlande à vingt petites lampes entourées de papier de soie colorée : 35 €. Petite tasse et soucoupe assortie très colorée : 15 €. Rideau à pattes (violet, fuschia, brun, orange...) 136 × 250 : 32 €. Parfums d'intérieur et bougies.

15e ARRONDISSEMENT

DOMICILE CONNU

Décoratrice artiste

39 et 46 rue Lecourbe (15e)
M° Convention ou Lourmel
Tél. 01 47 34 07 99
Lundi-vendredi : 10 h-19 h 30 ; dimanche : 10 h-13 h

Deux boutiques qui se regardent, dirigées par une accueillante décoratrice qui fourmille d'idées (surtout consultez-la) et se met en quatre pour ses clients. Une atmosphère décontractée, un fouillis sympa, on y trouve tout ce que l'on cherche et ce que l'on ne cherche pas. Pour la maison, des idées, des coups de cœur, ça change tout le temps, une foultitude de cadeaux originaux et tendance, tous styles et tous prix à partir de 3 € : vases, lampes, plateaux, vaisselle (dont de la vaisselle sur mesure), fleurs artificielles, guirlandes lumineuses, cadres, etc. Des tissus d'ameublement : plus de 500 tissus en stock à des prix très intéressants et une remise de - 20 % sur tous les tissus éditeurs. Puis des papiers peints, des meubles et canapés, des tapis grandes marques, etc. Abat-jour sur mesure et confection rideaux, stores, voilages à des prix très raisonnables. **Avec le guide ou la carte, 5 % de remise supplémentaire sur les tissus-éditeurs. Sur les autres objets des boutiques, 5 % à partir de 30 € d'achats.**

17e ARRONDISSEMENT

LE PAVILLON NIEL

Dégriffages permanents

29 bis rue Pierre-Demours (17e)
M° Ternes ou Pereire
Tél. 01 43 80 63 28

Le style nature bourgeonne joliment sous forme de tapis en tissage façon sisal (60 × 120 cm : 39 € ; jusqu'à 200 × 290 : 139 €) gansé ou non gansé ; de nappes aux teintes de futaies, imprimées (150 ×

Lundi : 14 h 30-19 h ; mardi-samedi : 11 h-19 h

250 cm : 29 €), de boîtes de rangement en tressés faux cuir, de vaisselles en forme de feuilles. Tout ça côtoie de beaux boutis provençaux faits main, des chemins de table en organdi (à partir de 27 €) déroulés sur de ravissants petits meubles (à partir de 109 €). Raffiné. **Avec le guide ou la carte : 5 % de réduction + un cadeau souvenir au-dessus de 100 € d'achats + une carte de fidélité.**

93 SEINE-SAINT-DENIS

ROUTE DE LA SOIE
Chinés en Chine

39 rue Jules-Vallès
93400 SAINT-OUEN
M° Porte-de-Clignancourt
Tél. 01 40 10 00 45
*Vendredi : 8 h-17 h ;
samedi-lundi : 8 h-19 h*

Foultitude de petits objets décoratifs et meubles d'appoint en direct de Pékin, de Canton et de Mongolie à des prix défiant toute concurrence.

 # OUTILS et matériaux

1ᵉʳ ARRONDISSEMENT

DYLON COLOUR CENTER
Coloration à domicile

25 rue Étienne-Marcel (1ᵉʳ)
M° Étienne-Marcel
Tél. 01 45 08 08 46
www.dylon.fr
Lundi-vendredi : 10 h-12 h 45, 14 h-18 h 15

Facile, pas cher… Reteindre des rideaux, des coussins, teindre des voilages, c'est faisable chez soi dans sa propre machine à condition de suivre très attentivement les conseils prodigués sur place et la notice accompagnant le produit. Teinture grand teint pour coton, lin, tissus naturels, pour 500 g à 1,2 kg : 9 €. Teinture multi-usages (pour 250 g de viscose, laine, polyamide, nylon) : 3 €. Peinture pour tissus : de 3,60 à 4,30 € (pot de 25 ml). **Remise de 10 % avec le guide ou la carte.**

3ᵉ ARRONDISSEMENT

LEROY-MERLIN
Super brico

52 rue Rambuteau (3ᵉ)
M° Rambuteau
Tél. 01 44 54 66 66/
0 810 634 634 (serveur)
www.leroymerlin.fr
Lundi-samedi : 9 h-20 h

Un lecteur, aussi fin bricoleur qu'observateur, nous écrit : « Sur trois étages, on trouve tout : robinetterie, électricité, peinture bois, salles de bains, miroiterie, tapis, jardinage… et moins cher que dans les grandes surfaces de bricolage. » Une quinzaine de magasins en région parisienne, adresses sur le site web ou au 0 810 634 634.

TURBIGOM
Un bon tuyau

65 rue de Turbigo (3ᵉ)
M° Arts-et-Métiers
Tél. 01 48 87 56 91
www.turbigom.fr
*Lundi-vendredi : 9 h-12 h,
13 h 15-18 h*

Toutes les sortes de tuyaux, durites en caoutchouc, caoutchouc mousse et en synthétique, toutes les tailles, longueurs, coloris et usages : pour l'eau, l'huile moteur, l'essence, l'alimentaire… On ne pensait plus que cela puisse encore exister depuis la disparition du rayon correspondant au BHV il y a quelques années.

A. WEBER
Métaux et plastiques pour tous

9 rue du Poitou (3ᵉ)
Mᵒ Filles-du-Calvaire
Tél. 01 42 71 23 45
www.weber-france.com
*Lundi-vendredi : 8 h 30-
17 h 30*

Vaste choix de métaux et plastiques chez Antoine Weber (boulons, tubes, etc.), ainsi qu'une centaine de milliers d'outils à l'attention des bricoleurs en tout genre. Vend aussi de l'altuglass, prisé dans l'aménagement de lofts car moins cher que des cloisons de verre ; pour les cuisines modernes, du zinc. Et toutes les vis du monde, même celles qu'on croyait disparues.

AUTRES ADRESSES
- 66 rue de Turenne, 3ᵉ • Mᵒ Filles-du-Calvaire • Tél. 01 42 71 23 45
- 34 rue Maurice-Gunsbourg • 94200 IVRY (Port Sud) • RER C, Ivry-sur-Seine • Tél. 01 46 72 34 00 (tous métaux)

5ᵉ ARRONDISSEMENT

BRICO MONGE
Tout pour le bricolage

16 rue Monge (5ᵉ)
Mᵒ Maubert-Mutualité
Tél. 01 43 54 32 43
Fax : 01 44 07 24 85
Lundi-samedi : 9 h-19 h

Toutes les sortes de bois figurent chez Brico-Monge. On les fait découper sur place aux mesures souhaitées et tant qu'on y est, on demande conseil et on achète la quincaillerie qui permettra de faire tenir le chef-d'œuvre. Toujours des étagères à partir de 23 € et par exemple une commode de quatre tiroirs à 150 €. Également découpe de verre et de miroir, tringlerie, boissellerie, meubles de rangement.

COMPAS
Menuiserie à prix rabotés

14 rue du Cardinal-Lemoine (5ᵉ)
Mᵒ Cardinal-Lemoine
Tél. 01 46 33 79 81
*Mardi-samedi : 8 h 30-
12 h 30, 14 h-18 h 30*

Ça sent bon la sciure chez monsieur Compas, as de la découpe, qui vend ses bois et coups de scie à prix si serrés à une importante clientèle d'artisans, sans dédaigner les obscurs particuliers que nous sommes. 20 € le m² latté coupé.

9ᵉ ARRONDISSEMENT

COMPTOIR ÉLECTRICITÉ FRANCO BELGE
Tout pour les électriciens

30 rue de Londres (9ᵉ)
Mᵒ Saint-Lazare
Tél. 01 48 74 42 13
*Lundi-jeudi : 7 h 30-12 h,
13 h 30-17 h 30 ; vendredi :
fermeture à 16 h 30*

Ce distributeur de matériel électrique accueille volontiers les particuliers à la recherche de l'élément qui leur manque et leur accorde les prix réservés aux professionnels. Tout est là, à part les composants électroniques. Une seule condition, facile à remplir : acheter pour un minimum de 45 € hors taxes.

11ᵉ ARRONDISSEMENT

AU PROGRÈS
Bronzes et cuivreries pour ameublement

11 bis rue Faidherbe (11ᵉ)
Mᵒ Faidherbe-Chaligny
Tél. 01 43 71 70 61
*Lundi-vendredi : 8 h 30-12 h,
13 h 30-18 h*

Dans une boutique qui respire son XIXᵉ (siècle), on s'ébahit devant les murs gainés de petits tiroirs, portant chacun le modèle de ce qu'il contient : poignées, serrures, clous, crochets, paumelles, ferrures, anneaux de portes, de tiroirs, de commodes, roulettes par milliers. En bronze, cuivre ou fer rustique, ils complètent tous styles de meubles anciens (Moyen Age, Renaissance, Louis XIII...) et modernes. Le catalogue renferme plus de 4 000 références. L'accueil est charmant.

LES FRÈRES NORDIN

A 215 rue du Faubourg-Saint-
Antoine (11ᵉ)
Mᵒ Faidherbe-Chaligny
Tél. 01 43 72 38 35
Minitel : 3616 NORDIN
www.loisirs-creatifs.com
lundi-samedi : 9 h 30-
12 h 30, 14 h 30-18 h

Ébéniste-restauration d'objets d'art

Trois raisons de venir ici : apporter aux ébénistes un meuble à restaurer ou à tapisser. Venir chercher conseils et produits pour détacher un meuble, le patiner, nettoyer la cuisine, la céruser, etc. Acheter de quoi réaliser des peintures à l'ancienne : terres et pigments à colorer les peintures ; cires, ou glacis 250 g : 9,73 €. Cire (en vaporisateur 400 g) : 10,36 €. Vernis à craqueler : 16,17 €. Sur Minitel, conseils pour entretenir meubles, sols et objets d'art.

OUTILLAGE MARCOUTY

A 107 av. de la République
(11ᵉ)
Mᵒ Père-Lachaise
Tél. 01 43 57 94 09
Fax : 01 48 06 66 29
Lundi-jeudi : 9 h-12 h 30,
13 h 30-17 h 30 ; vendredi :
fermeture à 16 h

Du solide pour bricoler sérieux

Promotions toute l'année chez Marcouty (en janvier 2003, pinces, vis et tournevis professionnels vendus à moitié prix). La maison, dépositaire Delta (machines à bois), propose du matériel électroportatif de grandes marques (Ryobi, Makita), des escabeaux, échelles, échafaudages à prix tranchés. Au rayon des aides de poche, la gomme abrasive « Efface Tout » : 0,80 € au lieu de 2,30 €. Ciseau à bois électrique de grande marque : 35 €. **Réductions de 5 % avec le guide ou la carte sur l'achat de trois machines électriques.**

PRODUITS D'ANTAN

10 rue Saint-Bernard (11ᵉ)
Mᵒ Faidherbe-Chaligny
Tél. 01 43 71 82 85
www.produits-dantan.com
Lundi-vendredi : 8 h 30-
12 h 30, 13 h 30-18 h ;
samedi : 9 h 30-12 h 30,
14 h-17 h

Tout pour l'entretien des meubles

Voici toute une gamme de produits expérimentés pour nettoyer marbre, bronze, cuivre ou cuir mais aussi pour donner un nouvel éclat à vos meubles de bois. Crème nourricière 400 g : 11,90 € (existe en incolore et toutes teintes de bois). Décireur du Faubourg (1/2 litre) : 7,20 €. Vernis à craqueler et patine à vieillir. **Remise de 10 % avec le guide ou la carte.**

12ᵉ ARRONDISSEMENT

LE CHIRURGIEN DU ROBINET

7 rue de Chaligny (12ᵉ)
Mᵒ Reuilly-Diderot
Tél. 01 43 42 45 99
Mardi-vendredi : 8 h 30-
12 h, 13 h 30-18 h ;
samedi : 8 h 30-12 h,
13 h 30-17 h

Robinetterie en pièces détachées

Robinets, siphons, bondes, inverseurs, vidanges, chasses d'eau en pièces et tuyauteries y afférant... Cet endroit est une mine pour tout plombier amateur. Les prix ne sont pas moins chers qu'ailleurs, mais on est (presque) totalement sûr de trouver l'introuvable.

14ᵉ ARRONDISSEMENT

BIEN-ÊTRE MATÉRIAUX

A 47 av. Reille (14ᵉ)
Mᵒ Porte-d'Orléans
Tél. 01 45 81 08 80
Lundi-vendredi : 10 h-13 h,
14 h-18 h 30 ; samedi :
fermeture à 17 h

Bio bio

Peintures naturelles et saines, isolants qui respirent... On citera tout particulièrement l'ouate de lin qui protège du bruit et du froid tout en sentant le foin ! Laine de mouton, chanvre et liège figurent aussi au catalogue. Côté peintures, elles s'appellent « Holzweg » et on les étendra tout particulièrement dans les chambres d'enfants car (à la chaux-caséine, sans émanations quand on les pose) elles ne provoquent pas d'allergie (environ quarante coloris) : 4 kg pour 35 m², environ 25 €. Pour les sols : lino naturel et parquets.

18e ARRONDISSEMENT

ETS BARTHELEMY

88 bis rue Damrémont
(18e)
M° Lamarck-Caulaincourt
ou Jules-Joffrin
Tél. 01 46 06 56 53
*Lundi-jeudi : 8 h 30-12 h,
13 h 30-18 h ; vendredi :
8 h 30-12 h, 13 h 30-17 h*

Outils de pros pour amateurs

Des marques connues : Karcher, Facom, Bosch, etc. Des prix sur les outils, machines-outils et autre matériel électroportatif inférieurs de 15 et 30 % à ceux des magasins de détail. La maison se charge aussi de faire réparer le matériel défectueux. **20 % de réduction avec le guide ou la carte.**

20e ARRONDISSEMENT

AUX FORGES DE L'EST

40 et 42 rue d'Avron (20e)
M° Buzenval
Tél. 01 43 73 20 69
Fax : 01 43 73 74 76
www.forgest.com
*Mardi-samedi : 8 h 15-
12 h 15, 14 h-18 h 45*

Facom, Stanley, Makita ou Bosch en promo

Depuis le service de clés minute jusqu'aux blindages de portes (mais ils ne posent plus les blindages), la maison propose de nombreux systèmes de sécurité. Serrurerie de marque : JPM, Vachette, Ronis. On y trouve également une vaste gamme d'outillage électrique de marque (Bosch, Makita, Festo, Metabo, Lurem) et tous les accessoires nécessaires. Remises sur Makita (40 %), Bosch (30 %), Festo (20 %). **Remise de 15 % (hors promotions) ou de 10 % avec le guide ou la carte sur certaines grosses machines.**

MIROITERIE MAESTRINI

37 rue Bisson (20e)
M° Couronnes
Tél. 01 47 97 58 68
*Mardi-jeudi : 8 h-12 h, 14 h-
18 h ; vendredi : 8 h-12 h*

Taille miroirs, fenêtres et vitrines

On y est accueilli en haut d'un petit escalier de bois, sous un hangar, au cœur du Belleville-Ménilmontant des artisans : on vous demande vos mesures, l'épaisseur de verre demandée, et le prix, modique, est établi sur place. On peut même le discuter un peu. Accueil gentil et courtois. On peut choisir les qualités de verre en se baladant dans le hangar de bois. Une adresse charmante. On se croirait dans le Paris des années 50.

94 VAL-DE-MARNE

BATKOR

12 quai Marcel-Boyer
94200 IVRY-SUR-SEINE
RER C, Boulevard-Masséna
Tél. 01 45 21 00 93
www.batkor.fr

La providence des bricoleurs

On y trouve tout pour aménager sa maison mais on préfère ne pas communiquer de prix... – Lundi-vendredi : 8 h 30-19 h ; samedi : 9 h-19 h ; dimanche : 9 h 30-12 h 30.

AUTRES ADRESSES
- 21 ZI des Saints-Pères • 77100 NANTEUIL-LES-MEAUX • 50 km de la Porte de la Chapelle (A1 + A104 + N3) • Tél. 01 64 33 44 56 • Lundi-vendredi : 8 h 45-12 h 15, 14 h-19 h 15 ; samedi : 8 h 45-19 h 15 ; dimanche : 9 h 30-12 h 30
- Parc d'activités de la Courtilière • 77400 SAINT-THIBAULT-DES-VIGNES • 25 km de la Porte de Bercy (A4 + A104) • Tél. 01 64 02 23 63 • Lundi-vendredi : 9 h-12 h, 14 h-19 h ; samedi : 9 h-19 h ; dimanche : 9 h 30-12 h 30
- 39-43 rue de Paris • 93000 BOBIGNY • M° Bobigny-Pablo-Picasso • Tél. 01 48 40 32 32 • Lundi-samedi : 9 h-19 h 15 ; dimanche : 9 h 30-12 h 30

■ 229 av. de la République • 93800 ÉPINAY-SUR-SEINE • 9 km de la Porte de la Chapelle (A1 + N14) • Tél. 01 48 22 06 70 • Lundi-vendredi : 9 h-12 h 30, 14 h-19 h ; samedi : 9 h-19 h ; dimanche : 9 h 30-12 h 30

■ 21 av. du Maréchal-de-Lattre-de-Tassigny • 94120 FONTENAY-SOUS-BOIS • RER A, Fontenay-sous-Bois. 4 km de la Porte de Vincennes • Tél. 01 43 94 38 38 • Lundi-vendredi : 8 h 30-12 h 30, 14 h-19 h 15 ; samedi : 9 h-19 h 15 ; dimanche : 9 h 30-12 h 30

TIBLE, DUMONT ET FILS

Tible scie, Dumont cloue, les fils « apprécient »

15-17 av. Pierre-Sémard
94200 IVRY-SUR-SEINE
M° Pierre-Curie
Tél. 01 46 70 80 80
*Lundi : 8 h-12 h ; mardi-vendredi : 8 h-12 h,
13 h 30-17 h 45 ; samedi :
8 h 15-12 h, 13 h 45-17 h*

Depuis 80 ans, Tible fournit des bois : bois d'intérieur comme lames de terrasse, gros caillebotis et bardages. En vedette aujourd'hui, le mélèze de Sibérie, le pin traité en autoclave, ainsi que les essences exotiques pour les planchers. Parquets en teck de Birmanie, en wengé, en ipé, en chêne 1er choix, en merbeau, en bambou. Téléphoner pour connaître les prix. **Remise de 10 % avec le guide ou la carte.**

95 VAL-D'OISE

BRICO-DÉPÔT

Vente de matériaux de bricolage

Avenue de Stalingrad
95140 GARGES-LES-GONESSES
18 km de la Porte
de la Chapelle (A1)
Tél. 01 30 11 12 60

Outils de grandes marques à prix discountés. Revêtements de sols stratifiés clipsables à partir de 4,29 € le m². Clôture en bois : à partir de 12 € le panneau sapin de 180 × 180 cm. Venir souvent, les arrivages diffèrent les uns des autres. – Lundi-vendredi : 6 h 30-12 h 30, 14 h-19 h30 ; samedi : 6 h 30-19 h 30.

Quelques autres adresses

Trouvailles de dernière minute, bons plans susurrés par nos lecteurs, ou découvertes qui méritent une mention sans long développement, voici encore, en vrac, quelques adresses de bon conseil.

4e ARRONDISSEMENT

BHV

55 rue de la Verrerie, 4e • M° Hôtel-de-Ville • Tél. 01 42 74 90 00 • Minitel : 3615 BHV • www.bhv.com • Lundi-samedi : 9 h 30-19 h 30 ; mercredi : jusqu'à 21 h

Le BHV est parfois plus cher que d'autres magasins de bricolage. Son intérêt réside dans l'incommensurable choix des objets nécessaires aux bricolages pointus que recèle son sous-sol : outils, clous de toutes formes et tailles, matériel électrique, téléphonique... tout est là.

11e ARRONDISSEMENT

ASSUVITRE

93 rue du Chemin-Vert, 11e • M° Voltaire • Tél. 01 48 06 72 23 • Lundi-vendredi : 8 h-12 h, 13 h-18 h ; samedi : 9 h-12 h, 13 h 30-17 h

Miroiterie et vitrerie. Service rapide et très aimable. Prix tout à fait corrects pour les miroirs sur mesure. Carreau de fenêtre 50 × 70 cm : 85 €.

Verre opaque de salle de bains 50 × 70 cm : 95 €. Si vous cassez votre miroir, il vous en coûtera 30 € de déplacement (+ le miroir évidemment).

91 ESSONNE

SAINTHIMAT

60 av. de Paris • 91790 BOISSY-SOUS-SAINT-YON • 33 km de la Porte d'Orléans (A6 + A10 + N20) • Tél. 01 64 91 93 93

Spécialisé en fenêtres, portes, escaliers, portails.

95 VAL-D'OISE

TLB

65 av. de l'Europe • 95334 DOMONT • 18 km de la Porte de la Chapelle (A1 + N1) • Tél. 01 39 35 43 43 • Lundi-vendredi : 8 h-12 h, 13 h 45-18 h ; samedi : 8 h 30-12 h, 14 h-18 h

Parquets et bois. Grand choix de parquets massifs, flottants ou stratifiés, lambris, tasseaux...

vendus 10 % en dessous des prix pratiqués en grandes surfaces.

LODICO 95
ZAC les Ponts de Baillet, Av. Bosquet • 95560 BAILLET-EN-FRANCE • 22 km de la Porte de la Chapelle (A1 + N1) • Tél. 01 34 69 83 00 • www.lodico.fr • Lundi-jeudi : 8 h 30-12 h, 14 h-18 h 30 ; vendredi : 8 h 30-12 h, 14 h-17 h 30

Fabricant de fenêtres PVC, stores, portes, volets, persiennes. Travaux sur mesures. Devis gratuit sous 48 h. Excellent professionnel.

Les démolisseurs récupérateurs

Si l'envie vous prend de transformer votre pavillon de banlieue en manoir campagnard, si vous rêvez d'installer une vieille cheminée de marbre qui vous rappelle votre enfance, ou simplement si les matériaux anciens vous attirent plus que le prêt-à-poser d'aujourd'hui, foncez chez les démolisseurs-récupérateurs qui, d'un chantier à l'autre, rassemblent des trésors qui vous seront fort utiles. Voici quelques adresses.

78 YVELINES

PERREAULT
Les Grands-Champs - N13 • 78240 CHAMBOURCY • 30 km de la Porte d'Auteuil (A13) • Tél. 01 39 65 11 55 • Mardi-vendredi : 13 h 30-17 h 30 ; samedi : 9 h-12 h, 13 h 30-17 h 30

Matériaux en bois (poutres en chêne : 18,29 € le mètre linéaire ; parquets en chêne : 38,11 € et 45,73 € le m² ; madriers, fenêtres), carrelages ou terre cuite (carrelages, tuiles plates, pavés : environ de 33,54 à 38,11 € le m²), des pavés et des appuis de fenêtres autour de 76,22 €. **Remise de 10 % avec le guide ou la carte**.

SOTRAPMECA BONALDY
16 av. de Triel, Chemin du Pépin • 78540 VERNOUILLET • 36 km de la Porte d'Auteuil (A13) • Tél. 01 39 65 67 70 • Lundi-vendredi : 9 h-12 h, 13 h 30-17 h

Poutres en chêne (458 € le m³), portes, fenêtres et appuis de fenêtres.

L'ANTIQUAIRE DU BÂTIMENT
58 rue de la Haye-aux-Vaches-Saint-Hubert • 78690 LES ESSARTS-LE-ROI • 35 km de la Porte d'Auteuil (A13 + A12 + N10) • Tél. 01 34 84 98 83 • Dimanche, lundi, mercredi, jeudi : 9 h-20 h ; vendredi : 11 h 30-20 h

Carreaux anciens (80 € hors taxe le m², entièrement trié). Très belle cheminée en pierre de campagne, style Louis XIII : 2 200 € (HT). Cheminée de marbre, début XXe : 610 € (HT) environ. **Avec le guide ou la carte : remise de 5 % et livraison gratuite en région parisienne**.

92 HAUTS-DE-SEINE

BEAUMARIÉ
227 rue de Versailles • 92410 VILLE-D'AVRAY • 5 km de la Porte de Saint-Cloud (N10 + D407) • Tél. 01 47 09 68 02 • Fax : 01 47 50 07 94

Lots de parquets, lavabos, portes-fenêtres, portails, balustrades, lambardes en fer forgé, statues de pierre, radiateurs en fonte, cheminées, parquets de récupération et un atelier de serrurerie. Un magasin de brocante. **Remise de 5 à 10 % avec le guide ou la carte**.

93 SEINE-SAINT-DENIS

MAZEAU
28 rue Jules-Vallès • 93400 SAINT-OUEN • M° Porte-de-Clignancourt • Tél. 01 40 11 63 92 • Lundi-vendredi : sur rendez-vous ; samedi : 7 h-18 h

Spécialisé en fer, fer forgé, fonte, sanitaires, grilles de jardin, pieds de table bistrot, luminaires, portes.

94 VAL-DE-MARNE

DUSSEL
43 av. Gambetta • 94700 MAISONS-ALFORT • M° Maison-Alfort-Stade • Tél. 01 43 68 12 15/01 43 68 18 15 • Fax : 01 43 76 40 10

Balcons, fer forgé, radiateurs, bois de charpente, sanitaires, portes, fenêtres et un peu de brocante. Radiateur : de 0,80 à 1,50 € le kilo. Parquet en chêne : 35 € le m². Porte d'entrée à partir de 250 €. **Remise de 10 % avec le guide ou la carte**.

Stages de bricolage

C'est pas tout d'avoir de bonnes adresses où trouver clous, vis, outils et matériaux divers. Encore faut-il savoir s'en servir sans se faire des trous dans la paume, des encoches dans le gras du mollet et des taches un peu partout. Être bricoleur, ce n'est pas un don. Ça s'apprend. Si, si...

 78 YVELINES

ATELIERS DE LA COUR ROLAND
Domaine de la Cour Roland • 78350 JOUY-EN-JOSAS • Tél. 01 39 46 69 96

Responsable des stages ébénisterie-menuiserie : M. Julien.

95 VAL-D'OISE

ACADÉMIE DES LOISIRS DU BRICOLAGE
Les Ateliers du Bois-Joly, 29 rue de Beaumont • 95290 L'ISLE-ADAM • Tél. 01 34 08 52 44

Deux stages de travail du bois. Le premier (menuiserie) permet de concevoir et de réaliser de petits meubles. Le second (bois découpé) donne l'occasion aux stagiaires de fabriquer des objets décoratifs et des jouets. Prix : 95 € (une journée), 180 € (deux journées), 262 € (trois journées), 342 € (quatre journées). **Remise de 5 % avec le guide ou la carte.**

→ REVÊTEMENTS sols et murs, tapis

En règle générale, lorsque les matériaux achetés dans un magasin sont posés par les spécialistes maison, on bénéficie de la TVA à 5 %. Pour l'instant. Mais à Bruxelles, ça phosphore sec. Et on pourrait bien avoir bientôt des (mauvaises) surprises...

4e ARRONDISSEMENT

ARTS DÉCORATIFS D'ANATOLIE

Kilims d'Anatolie, du Caucase, d'Iran et d'Asie centrale

52 rue des Archives (4e)
M° Hôtel-de-Ville
Tél. 01 42 78 03 02
Fax : 01 40 29 40 39
Lundi-samedi : 10 h-19 h

Beaucoup de belles pièces anciennes restaurées (de 76 à 4 000 € : hafras iraniens à partir de 180 €, sofrehs iraniens ou afghans, 130 × 130 cm, à partir de 200 €). Kilims Maïmana (Afghanistan) : 49 € le m². Beaucoup de choix autour de 300 €. Housses de coussins 50 × 50 cm : 22 €. Nettoyage : 15,24 € le m². **Réduction de 10 % avec le guide ou la carte.**

AUTRE ADRESSE
■ 7 rue des Canettes, 6e • M° Saint-Germain-des-Prés • Tél. 01 43 25 21 29 • Lundi-samedi : 11 h-19 h 30

MILDÉCOR

Revêtements naturels, moquettes

20 bd Sébastopol (4e)
M° Châtelet-Les Halles
Tél. 01 48 87 50 24
ou 01 48 87 58 65
www.mildecor75.com
Lundi-samedi : 8 h 30-20 h

Le rayon peinture a été supprimé au profit d'un show-room de 260 m² rempli de meubles de tous les coins du monde : de Chine, table à opium en teck (60 × 120 cm : 227 €) ; d'Inde, une table à café en palissandre (50 × 90 cm : 150 €) ; d'Italie, un canapé convertible deux places (456 €). Aux murs, miroirs, lampes, cadres à vendre. Parallèlement, grand choix de jonc de mer, coco, sisal en 4 m de large à partir de 10 € le m² (pose en 320 : 5 € le m²), moquette velours à partir de 8 € le m². Parquets stratifiés à partir de 10,50 € le m². Parking remboursé en face du magasin. **Remise de 5 %, livraison gratuite Paris et proche banlieue avec le guide ou la carte.**

6e ARRONDISSEMENT

LA GALERIE DU TAPIS

124 rue de Vaugirard (6e)
M° Duroc ou Montparnasse
Tél. 01 42 22 08 02
*Mardi-samedi : 10 h 30-
19 h 30 ; lundi : 14 h 30-
19 h*

La garantie de l'expérience

Des pièces originales issues de toutes provenances à un excellent rapport qualité-prix. Grand Kilim Senneh (Perse), si finement tissé que l'on peut le mettre à l'endroit ou à l'envers, 200 × 300 cm : 1 035 €. Tapis Shiraz (Perse), 155 × 110 cm : 180 €. Nettoyage et restauration sur devis. **Remise de 10 % avec le guide ou la carte.**

THE STENCIL STORE

20 rue Littré (6e)
M° Montparnasse
Tél. 01 45 49 91 74
www.stencilstore.com
*Mardi-samedi : 10 h 30-
19 h*

Pochoirs

Grâce à l'emploi de pochoirs, voici une petite frise de dauphins autour des murs de la chambre de bébé ; une autre, sucession de fruits, au-dessus de l'étagère de la cuisine. De quoi égayer sa maison à peu de frais (9 à 17 € les grands pochoirs) et sans grand talent technique. Et toujours pour aider le débutant, il existe ici des peintures pour fonds difficiles, ce qui évite de décaper les murs. **Remise de 10 % avec le guide ou la carte sur les pochoirs (après un stage au Stencil Store).**

7e ARRONDISSEMENT

TECHNIQUES ET DÉCORS

42 av. de La Bourdonnais (7e)
M° École-Militaire
Tél. 01 44 18 36 96
Fax : 01 45 51 23 38
*Mardi-vendredi : 10 h-
12 h 30, 13 h 30-18 h 30 ;
samedi : 10 h-12 h 30,
13 h 30-17 h 30*

Spécialité : la paille japonaise

La maison n'est pas sectaire et abrite dans ses murs, outre la paille et le bambou (850 × 91 cm : 73 €), d'étonnants revêtements en matériaux naturels tels le bananier à la texture fine et chatoyante comme une soie très claire (en quatre coloris pastel, 80 € pour 5 m^2) ou le kenas (de la jute chinoise ou coréenne) dans des tons très lumineux (à partir de 45 € en 775 × 91 cm). **Remise de 5 % ou colle gratuite (hors promotions et soldes) avec le guide ou la carte.**

10e ARRONDISSEMENT

GAROTEX

32 rue du Faubourg-Poissonnière (10e)
M° Bonne-Nouvelle
ou Poissonnière
Tél. 01 48 24 64 81
*Lundi-vendredi : 9 h-
12 h 30, 14 h-18 h ; samedi
matin : sur rendez-vous*

Grands tapis d'Orient

Nouveauté : des tapis modernes, faits main, tufté, 100 % laine (170 × 240 cm : 660 €). Beaucoup de grands tapis, également. Kazak qui rappelle les tapis russes : 220 € le m^2. Pakistan : 80 € le m^2. On exposera ces merveilles sur des moquettes de belle qualité à partir de 10 € le m^2, à choisir sur échantillon. **Remise de 5 % avec le guide ou la carte.**

11e ARRONDISSEMENT

COULEURS DAVAL

7 cité de la Roquette (11e)
M° Bastille
Tél. 01 43 55 20 09
Lundi-samedi : 8 h-18 h

Un grossiste pour les particuliers

Papiers peints (à partir de 8,99 €), peinture, stucs décoratifs, parquet stratifié clipsable en 8 mm : 15,20 € le m^2, moquette, tissus d'ameublement (Designers Guild, Boussac, Nobilis, Crowson), de quoi refaire sa maison du sol au plafond au prix de gros, en bénéficiant de conseils de spécialistes. Nouveau : du jonc de mer et du sisal. Accueil charmant.

Livraison gratuite Paris et région parisienne à partir de 152,45 € d'achat. **10 % sur les revêtements de sol et les papiers peints avec le guide ou la carte. Remboursement du guide à partir de 152,45 € d'achat.**

AUTRES ADRESSES
- Show-room, 58 rue de la Roquette, 11e • M° Bastille • Tél. 01 47 00 82 84 • Lundi-samedi : 9 h-18 h 30
- 11 av. du Général-Patton • 77000 MELUN • 50 km de la Porte d'Orléans (A6) • Tél. 01 60 56 55 65 • Entrepôt de 1 800 m². Rayon tapis mécaniques.

PIGMACOLOR   *Tarif professionnel*

75 bd de Ménilmontant (11e)
M° Père-Lachaise
Tél. 01 43 55 28 47
Lundi-vendredi : 7 h-19 h ; samedi : 8 h-18 h

On viendra ici discrètement acheter peintures ou moquettes en grosses quantités et fournitures pour décorateurs et artistes peintres, en connaissant exactement modèles et marques désirées. Tarifs professionnels.

AUTRE ADRESSE
- 10 bd Bessières, 17e • M° Porte-de-Clichy • Tél. 01 53 11 01 39 • Lundi-vendredi : 7 h 30-12 h 30, 13 h 30-17 h 30 ; samedi : 8 h-12 h

12e ARRONDISSEMENT

ARTIREC   *Traduisez : « Artisans Récupérateurs »*

4 bd de la Bastille (12e)
M° Quai-de-la-Rapée
Tél. 01 43 40 72 72
Fax : 01 43 40 25 05
www.artirec.fr
*Lundi-samedi : 9 h-19 h
(juillet-août fermé le lundi)*

Nouveautés : ardoises, pâtes de verre, mosaïques, bois mural (selon arrivages). De toute façon, des stocks d'invendus de moquettes, tissus, revêtements muraux, parquets, peintures, marbres. Les artisans vous font profiter de leurs aubaines. Les prix sont en fonction des arrivages et toujours très intéressants. Un conseil, munissez-vous des mesures et quantités exactes dont vous avez besoin et achetez en une seule fois, le magasin tourne vite et pas de réassort ! **Remise de 5 % avec le guide ou la carte.**

AUTRES ADRESSES
- 8 impasse Saint-Sébastien, 11e • M° Saint-Sébastien-Froissart ou Richard-Lenoir • Tél. 01 43 55 66 50 • Mardi-samedi : 9 h 30-13 h, 14 h-18 h 30 • Tissus et revêtements de murs.
- N12, ZI Sainte-Apolline • 78370 PLAISIR • 25 km de la Porte d'Auteuil (A13 + A12 + N12) • Tél. 01 30 55 55 15 • Mardi-samedi : 9 h-12 h 30, 14 h-18 h 30 • Sols, murs, tissus.
- 10 bd Gallieni • 93360 NEUILLY-PLAISANCE • RER A, Neuilly-Plaisance • Tél. 01 43 08 23 23 • Mardi-samedi : 9 h 30-12 h 30, 14 h-19 h • Sols, murs, tissus.
- 8 rue Roger-Salengro • 94270 LE KREMLIN-BICÊTRE • M° Porte-d'Italie • Tél. 01 46 71 08 08 • Mardi-samedi : 9 h-13 h, 14 h-19 h • Sols.

14e ARRONDISSEMENT

HEYTENS   *Fabricant de tissus, peintures et papiers peints*

104-106 av. du Maine (14e)
M° Gaité
Tél. 01 43 27 64 85
Lundi-samedi : 10 h 30-19 h 30

Ce sont les collections maison qu'il faut choisir en priorité, d'autant qu'elles se coordonnent et que la maison y additionne la confection gratuite de rideaux, voiles et stores. Également tringlerie et accessoires.

AUTRES ADRESSES
- Centre Commercial Art de Vivre • 95610 ÉRAGNY-SUR-OISE • Tél. 01 34 48 95 75
- Paris Nord II • 95946 ROISSY-CDG • Accès : voir p. 399 • Tél. 01 48 63 01 31 • Lundi-samedi : 10 h 30-19 h ; dimanche : 10 h-18 h 30

15ᵉ ARRONDISSEMENT

LA MOQUETTERIE

Choix, grandes marques et conseils

334 rue de Vaugirard (15ᵉ)
Mº Convention
Tél. 01 48 42 42 62
*Lundi-samedi : 9 h 30-
12 h 30, 14 h 30-19 h*

Un stock de 100 000 m² constitué en partie de moquettes de marques déclassées à 50 %. Petits et grands métrages parmi lesquels un joli choix de moquettes anglaises à motifs. Des moquettes végétales (sisal, coco, jonc de mer) à partir de 8,99 € le m², synthétiques à partir de 2,90 €, laine à partir de 14 €. Pose maison 4,50 € collé, 11 € tendu. Devis gratuit, livraison Paris et province, conseils attentifs, même par téléphone. **Remise de 5 % avec la carte ou le guide qui est généralement remboursé.**

TECHNICOSOL - LE RENOUVEAU

Une maison quarantenaire

106 rue Saint-Charles (15ᵉ)
Mº Charles-Michels
Tél. 01 45 78 16 50
www.technicosol.fr
Lundi-samedi : 8 h 30-19 h

Depuis 1966, la maison pratique une aimable réduction de 18 à 35 % sur le prix catalogue des produits qu'elle propose. A savoir : dans 600 m², des moquettes de bonne qualité à partir de 9 € le m², du papier peint à partir de 9 € le rouleau, des peintures et tissus de toutes marques, des tringles, etc. En ce qui concerne les stores d'intérieur, Technicosol propose par exemple un store prêt à poser (50 × 180 cm) à partir de 30 €. Sur place, atelier de tapisserie et personnel spécialisé dans la pose. **Remise de 5 à 7 % avec le guide ou la carte.**

16ᵉ ARRONDISSEMENT

ESPACE MOINS LE QUART

Prix réduit... d'un quart

9 rue Gros (16ᵉ)
Mº Jasmin ou RER C,
Maison-de-la-Radio
Tél. 01 42 15 00 99
*Lundi-vendredi : 10 h-18 h ;
samedi : sur rendez-vous*

Logique non ? Toujours signés de grands éditeurs, voici des papiers peints à partir de 25 € le rouleau, des moquettes en laine à partir de 72 € le m² et des tissus à partir de 30 € le mètre en 140 cm. A assortir aux petits meubles et canapés présentés sur place. Existe aussi un atelier qui peut façonner rideaux ou dessus-de-lit et refaire des sièges. **Remise de 20 % jusqu'à 300 € d'achat et de 25 % dès 400 € d'achat avec le guide ou la carte.**

LIGHT AND MOON

Showroom dans un pressing

44 av. de Versailles (16ᵉ)
Mª Mirabeau ou Église-
d'Auteuil
Tél. 01 45 20 60 02
Fax : 01 45 20 25 03
www.lightandmoon.com
*Lundi-vendredi : 8 h 15-
19 h ; samedi : sur rendez-
vous (il vaut mieux téléphoner
avant)*

Présentés dans un pressing, des tapis contemporains. Fabriqués en banlieue parisienne, 100 % pure laine vierge de Nouvelle-Zélande, de très grande qualité (5 kg de laine au m²), ces tapis sont garantis à vie. On peut choisir parmi le catalogue ou bien faire réaliser aux dimensions et coloris de son choix. Comptez 310 € environ le m² pour un modèle en sept couleurs. Délai de livraison deux à trois semaines. **Remise de 5 % avec le guide ou la carte.**

AUTRE ADRESSE

■ **Gavo** • 84 rue de Michel-Ange, 16ᵉ • Mº Exelmans • Tél. 01 47 43 11 43 • Lundi-samedi : 8 h 30-19 h • Succursale de Light and Moon où sont exposés les tapis.

TAPIS SCHEHERAZADE

Aux mille et un tapis

159 av. de Wagram (17ᵉ)
Mᵒ Wagram
Tél. 01 46 22 16 57
ou 01 46 22 60 20
Lundi-samedi : 10 h-20 h

Importateur de tapis d'Orient (à partir de 150 € le m², en laine ou en soie, neufs ou anciens, M. Motevally a en permanence un bon millier de pièces dans son magasin. Estimation, réparation et nettoyage de tapis, tapisseries et kilims. Réparation de bordures ou de frange : 30 € le mètre. Lavage, traitement anti-dérapant : 15 € le m². **Remise de 20 % sur la vente des tapis avec le guide ou la carte.**

HARRY'SOL

Économique, économique !

37 bd Barbès (18ᵉ)
Mᵒ Château-Rouge
Tél. 01 42 64 74 37
Lundi-samedi : 9 h 15-19 h

Voici un des marchands de moquette les moins chers de Paris. Aimable, en plus, ce qui, hélas, n'est pas toujours assuré dans la profession. Mis en concurrence avec quatre autres grands marchands et discounters, a vendu une moquette 12,97 € le m², les prix variant ailleurs de 15,26 à 27,17 € pour le même produit.

PEINTURES PC

Qualité, conseils, sourires

85 rue Ordener (18ᵉ)
Mᵒ Marcadet-Poissonniers
Tél. 01 46 06 22 13
*Mardi-samedi : 9 h 30-12 h,
14 h-18 h 45*

Un couple de charmants commerçants vend pinceaux, rouleaux, couteaux à enduire à des prix intéressants. Peinture blanche glycéro (Théodore Lefebvre) : 69,25 € les 10 litres, 23,50 € les 2,5 litres, et peinture mate acrylique « tous usages » à 51,90 € les 10 litres. Papiers peints à partir de 6 € le rouleau. **Remise de 5 % avec le guide ou la carte.**

MOQUETTES ET PARQUETS DE LA REINE

Parquets exotiques, moquettes de tous styles

40 route de la Reine
92100 BOULOGNE
Mᵒ Porte-de-Saint-Cloud
Tél. 01 46 03 02 30
www.moquettes-reine.fr/
www.parquets-reine.fr
Lundi-samedi : 9 h-19 h

Le Bolon, un tissé en vinyle et polyester, qui imite le sisal et peut se laver à l'eau de Javel : 42,70 € en 2 m de large. En vogue aussi l'épais jonc de mer (à partir de 12,12 €) et les moquettes synthétiques à partir de 6,08 € le m². Laine berbère en promotion : 11,43 € le m². Tissé plat : 16,69 € le m². Côté parquet, le « flottant clic » se vend à partir de 40 € le m², et les collés 55,34 € le m² (Iroko). Enfin la « lame large chêne » coûte 54,94 € le m². **Remise de 5 % avec le guide ou la carte.**

AUTRE ADRESSE

■ **Tissus de la Reine** • 126 route de la Reine • 92100 BOULOGNE • Mᵒ Pont-de-Saint-Cloud • Tél. 01 46 04 85 67 • Tissus d'ameublement et muraux, voilages.

PRESTIGE DE FRANCE

Peintures, parquets, stratifiés, sols naturels

9 rue d'Ailly
92210 SAINT-CLOUD
Mᵒ Pont-de-Saint-Cloud
Tél. 01 46 02 09 00
Lundi-samedi : 9 h-19 h

Coco, sisal, jonc de mer ou parquets exotiques (grand choix, c'est une des spécialités de la maison)... Parquets stratifiés de 10 à 20 € le m² (un très beau stratifié chêne à 18 €). Du vrai parquet chêne à partir de 28,80 € le m², des peintures de pros à prix pro et des fins de séries à mi-prix toute l'année. Pose rapide à la demande. **Remise de 5 % avec le guide ou la carte.**

| 95 | VAL-D'OISE |

L'AFFAIRE DES MOQUETTES

Soldes permanents

18 quai Voltaire
95870 BEZONS
RER A, La Défense
+ bus 161
Tél. 01 39 61 71 11
Mardi-vendredi : 9 h-12 h 30, 14 h-19 h ; samedi : 9 h-19 h

Rachat de stock, faillite, matériel d'exposition. Sols plastiques de 3,05 à 15,90 € le m² (épaisseur 4 mm). Parquets stratifiés, coco, jonc de mer. Moquettes de 3,05 à 22,90 € le m² pour une belle laine ; papier peint : de 3,80 à 10,70 € le rouleau. Arrivages permanents. **Remise de 5 % avec le guide ou la carte.**

AUTRE ADRESSE

- ■ ZI des Garennes, Rue Levassor • 78130 LES MUREAUX • 30 km de la Porte de Saint-Cloud • Tél. 01 34 92 93 94 • Mardi-vendredi : 9 h-12 h 30, 14 h-18 h 30 ; samedi : 9 h-12 h 30, 14 h-17 h 30

Quelques autres adresses

Trouvailles de dernière minute, bons plans susurrés par nos lecteurs, ou découvertes qui méritent une mention sans long développement, voici encore, en vrac, quelques adresses de bon conseil.

| 12ᵉ | ARRONDISSEMENT |

BASTILLE MOQUETTE
20 bd de la Bastille, 12ᵉ • Mᵒ Bastille • Tél. 01 43 45 66 63 • Lundi-samedi : 9 h-13 h, 14 h-19 h

Appartient à Décorasol. Moquettes et surtout parquets. **Remise de 5 % avec le guide ou la carte**.

| 13ᵉ | ARRONDISSEMENT |

ARAGO DÉCORS
18 bis bd Arago, 13ᵉ • Mᵒ Gobelins • Tél. 01 47 07 20 12 • Lundi-samedi : 9 h 30-12 h 30, 14 h-19 h

Appartient à Décorasol. Moquettes, parquets, peintures, etc. **Remise de 5 % avec le guide ou la carte**.

ÉTABLISSEMENTS THIERY
42 rue des Cordelières, 13ᵉ • Mᵒ Gobelins ou Glacières • Tél. 01 47 07 44 12 • Lundi-vendredi : 7 h 30-12 h, 13 h 30-18 h 30

Nouveautés : stores d'intérieur fabriqués sur mesure (et sur devis évidemment, et posés par la maison, à la demande) dans cette maison où l'accueil est charmant. Pinceaux, moquette, papiers peints, parquets flottants, quick-step, tentures murales, peinture maison : 3 litres satin à 25,80 €, 3 litres brillant à 27,90 € en toutes teintes de l'arc-en-ciel grâce à un mélangeur commandé électroniquement. Des conseils de pro vous seront très gentiment prodigués. **Prix**

professionnels avec le guide ou la carte, livraison gratuite Paris et banlieue et cadeaux.**

| 14ᵉ | ARRONDISSEMENT |

MULIN
173 rue du Château, 14ᵉ • Mᵒ Pernety • Tél. 01 43 22 16 17 • Lundi-vendredi : 7 h-16 h ; samedi : 7 h-12 h

Grossiste en papiers, peintures, moquettes, parquets... Tarifs d'entreprises.

| 15ᵉ | ARRONDISSEMENT |

PEINTURES DE PARIS
14 rue Frémicourt, 15ᵉ • Mᵒ Émile-Zola ou Cambronne • Tél. 01 45 79 77 47 • Lundi-vendredi : 7 h-18 h 30 ; samedi : 8 h 30-12 h, 14 h-18 h

Peintures professionnelles de marques, 30 à 40 % moins chères.

| 92 | HAUTS-DE-SEINE |

COLORISSIMO
93 av. Roger-Salengro • 92370 CHAVILLE • Tél. 01 47 09 22 18 • Lundi-vendredi : 7 h 30-12 h, 14 h-18 h ; samedi : 8 h 30-12 h 30

Fabricant de peintures. Papiers peints. **Remise selon achat avec le guide ou la carte.**

DÉCORASOL
152 av. Paul-Doumer • 92500 RUEIL-MALMAISON • Tél. 01 47 49 77 00 • Lundi : 14 h-19 h ; mardi-samedi : 9 h-13 h, 14 h-19 h

Moquettes, parquets, meubles. **Remise de 5 % avec le guide ou la carte**.

COLORISSIMO
79 bd Voltaire • 92600 ASNIÈRES • Tél. 01 41 11 86 66 • Lundi-vendredi : 7 h 30-12 h, 14 h-18 h ; samedi : 8 h 30-17 h

Peintures maison, papiers peints, moquettes, parquets.

93 SEINE-SAINT-DENIS

COLORISSIMO
5 rue Colmet-Lépinay • 93100 MONTREUIL-SOUS-BOIS • Tél. 01 48 57 50 54 • Lundi-vendredi : 7 h 30-12 h 30, 14 h-18 h ; samedi : 8 h 30-12 h 30

Fabricant de peintures, vernis, vendeur de pinceaux et décors tels que stucs, marbres, etc. **Remise selon achat avec le guide ou la carte**. AUTRE ADRESSE. 44 av. des Chardons, 77340 PONTAULT-COMBAULT, Tél. 01 60 28 05 29.

94 VAL-DE-MARNE

SACOFRA
101 bis av. Raspail • 94250 GENTILLY • Tél. 01 47 40 87 88 • Lundi-vendredi : 7 h-12 h, 13 h 30-17 h ; samedi : 8 h 30-12 h

Parquets stratifiés, peintures, papiers peints, moquettes. **Tarif entreprise offert avec le guide ou la carte**.

➔ STORES et rideaux

8ᵉ ARRONDISSEMENT

FRANÇOISE CAPIAUX
22 rue du Colisée (8ᵉ)
Mᵒ Franklin-Roosevelt
ou Saint-Philippe-du-Roule
Tél. 01 42 89 41 15
Lundi-samedi : sur rendez-vous

De belles façons d'embellir vos fenêtres

Bien habiller une fenêtre avec les tissus que vous possédez, c'est tout un art que pratique Françoise Capiaux en mettant un point d'honneur à ce que les finitions (main, évidemment) soient impeccables. Cependant, Mme Capiaux propose aussi une nouvelle satinette molletonnée (15 € le mètre en 260 cm de large) ce qui évite de travailler molleton + satinette. D'où gains de fournitures et de façon. Le lé d'un rideau, doublé (satinette non fournie, fait main, tête flamande double ou triple, crochets fournis) vous coûtera 69 €. La maison vous propose aussi un choix de stores. **Remise de 25 % sur les tissus d'éditeurs, déplacement et pose gratuits pour les rideaux (pas pour les tringles !) avec le guide ou la carte**.

9ᵉ ARRONDISSEMENT

HERGÉ
73 rue du Faubourg-Poissonnière
(2ᵉ étage avec ascenseur)
(9ᵉ)
Mᵒ Poissonnière
Tél. 01 47 70 44 79
Lundi-vendredi : 9 h-12 h 30, 13 h 30-18 h
Téléphoner avant de se déplacer

Grossiste en stores, voilages et rideaux

Depuis 1947, la maison peaufine tous les stores conçus par l'esprit humain (extérieurs pour véranda et terrasse), à projection pour les immeubles style haussmannien (une armature supporte une toile qui se projette en avant), manuels ou motorisés, sur mesure ou pas. Hergé confectionne aussi les rideaux, voilages ou stores bateau à plis avec les tissus d'éditeur qu'on trouve sur place et va (gratuitement) prendre les mesures de vos fenêtres si nécessaire. **Autre gentillesse pour nos lecteurs : une réduction de 10 à 20 % selon le produit, avec le guide ou la carte**.

11ᵉ ARRONDISSEMENT

LES STORES EURODRAP

3 impasse Bon-Secours
(11ᵉ)
Mᵒ Charonne
Tél. 01 43 70 97 60
Lundi-vendredi : 9 h-17 h

Stores en fibres naturelles

C'est la spécialité maison qui rejoint la mode actuelle : store en bambou, raphia, roseau ou carrément papier, de structures bateau ou à enrouleur en diverses finitions. Les teintes terre sont belles et s'accordent particulièrement bien avec meubles ethniques ou années 30.

16ᵉ ARRONDISSEMENT

BAUTEX

⚑ 155 rue de la Pompe (16ᵉ)
Mᵒ Victor-Hugo
Tél. 01 45 53 80 90
www.bautex-france.fr
*Lundi-vendredi : 9 h-12 h 30,
14 h-18 h ; samedi : 9 h 30-
12 h 30 et sur rendez-vous*

Conseils et grand savoir-faire

Cette maison sérieuse fournit et pose stores extérieurs en toile et intérieurs (vénitiens, rouleaux ou type bateau dans tous les tissus d'éditeurs) et volets roulants avec ou sans motorisation. Au chapitre nouveautés : des stores vénitiens à lamelles transparentes et alu façon bois : 545 € pose comprise en largeur 130 cm × hauteur 200 cm. Motorisation de volets roulants : pour un axe de 2 000 mm, compter 335 €, pose comprise. Stores vénitiens en bois, lamelles de 50 mm, manœuvre par cordon, longueur 130 cm × hauteur 200 cm : 545 € pose comprise, tissus d'éditeurs avec prise de métré. Confection à l'ancienne et mise en place avec tringles de tous types. Tous les cas particuliers sont de la compétence de Bautex. **Remise de 15 % avec le guide ou la carte + carte de fidélité. Devis gratuit.**

20ᵉ ARRONDISSEMENT

STORES DE TOURNUS

👑 28 ter rue Belgrand (20ᵉ)
Mᵒ Gambetta
Tél. 01 47 97 98 41
*Mardi-samedi : 9 h-12 h,
14 h 30-18 h 30*

Du sur-mesure très soigné

Tous les types de stores peuvent être fabriqués et coupés dans cette bonne maison (sur devis) : en tissu, en lamelles bois (plus de vingt couleurs), en lamelles métal (nombreuses teintes), en toile, à enrouleur, etc.

94 VAL-DE-MARNE

ATELIER 104

54 bd de Créteil
94100 SAINT-MAUR
RER A, Saint-Maur
Tél. 01 41 81 32 30
*Lundi : sur rendez-vous ;
mardi-vendredi : 9 h-12 h,
14 h 30-19 h ; samedi : 9 h-
12 h, 15 h-18 h*

Sur mesure

Confection de voilages, rideaux et dessus-de-lit soignés, réalisés à l'ancienne avec des tissus de grands éditeurs à choisir sur place. Compter 150 € pour une paire de rideaux doublés avec tête flamande. 5 % supplémentaire avec œillets ou pattes

⚑ **Adresse particulièrement recommandée**

👑 **Adresse haut de gamme : le luxe à prix abordable**

CADEAUX

Faites-vous plaisir : offrez des cadeaux. Et n'oubliez pas que la façon de donner vaut mieux que ce que l'on donne. Autrement dit : inutile de dépenser des cents et des mille. Un sourire, un mot gentil et un passage dans l'une des adresses ci-après. Le tour est joué : vous vous êtes fait un(e) nouvel(le) ami(e).

¿ QUE CHERCHEZ-VOUS ?

ARTISANAT
235 Amazonia (1er, 4e, 6e, 11e)
232 Ikat (4e)
233 Cumbia (6e)
234 L'Artisan du Liban (7e)
234 Boutic Ethic (7e)
234 Artisans du Monde (9e, 15e)
235 La Compagnie des Quais (10e)
237 La Boutique Tibétaine (18e)
238 Andines (93)

BIJOUX
235 Amazonia (1er, 4e, 6e, 11e)
233 Cumbia (6e)
235 IBF (13e)
236 Pétalissimo (16e)
237 La Boutique Tibétaine (18e)

DESIGN
231 La Chaise Longue (1er, 3e, 6e, 9e, 16e)
235 PA Design (9e)
237 Novitas (18e)

DIVERS
230 Boutique des Musées de France (1er)
230 Nature et Découvertes (1er)

234 L'Artisan du Liban (7e)
234 Boutic Ethic (7e)
234 Le Kiosque de l'Assemblée (7e)
230 Boutique Musée et Compagnie (12e)
236 Tobo Novo (15e)
236 L'Entrepôt (16e)
236 La Boutique des Anges (18e)
237 L'Homme Moderne (78)

FLEURS ARTIFICIELLES
236 Pétalissimo (16e)

GADGETS
231 La Chaise Longue (1er, 3e, 6e, 9e, 16e)
231 Pylônes (1er, 2e, 4e, 18e)
230 Why ? (1er, 4e, 6e)
230 PVC (2e)
231 Dom (4e)
232 Tumbleweed (4e)
237 Do You Speak Martien ? (18e)

JEUX ET JOUETS
230 Boutique des Musées de France (1er)
230 Why ? (1er, 4e, 6e)

232 Tumbleweed (4e)
232 Games in Blue (5e)
233 Jeux Descartes (5e, 15e, 17e)
230 Boutique Musée et Compagnie (12e)
237 Do You Speak Martien ? (18e)

MINÉRAUX
233 La Galerie Boullé (6e)
234 Minerales do Brasil (8e)
235 IBF (13e)

MOULAGES
231 Des Pieds et des Mains (3e)

OBJETS DÉCORATIFS
231 La Chaise Longue (1er, 3e, 6e, 9e, 16e)
231 Pylônes (1er, 2e, 4e, 18e)
230 PVC (2e)
231 Dom (4e)
232 Kimonoya (4e)
232 Tumbleweed (4e)
233 Boba (6e)
234 L'Artisan du Liban (7e)
234 Artisans du Monde (9e, 15e)
236 L'Entrepôt (16e)

¿ QUE CHERCHEZ-VOUS ?

236 Pétalissimo (16ᵉ)
236 La Boutique des
Anges (18ᵉ)

PAPETERIE
232 Mélodies
Graphiques (4ᵉ)
232 Papier + (4ᵉ)

POUR HOMME
234 Le Kiosque de
l'Assemblée (7ᵉ)

237 L'Homme
Moderne (78)

VAISSELLE
232 Kimonoya (4ᵉ)
236 L'Entrepôt (16ᵉ)

VÊTEMENTS
230 Why ? (1ᵉʳ, 4ᵉ,
6ᵉ)

230 PVC (2ᵉ)
234 L'Artisan du Liban
(7ᵉ)
236 L'Entrepôt (16ᵉ)
237 La Boutique
Tibétaine
(18ᵉ)
237 Do You Speak
Martien ? (18ᵉ)
237 L'Homme
Moderne (78)

**Vous voulez recevoir gratuitement
le prochain Paris Pas Cher ? Signalez-nous,
par courrier, une bonne adresse qui n'y figure pas
ou une erreur qui se serait glissée dans le texte (si, si, ça arrive),
avant le 1ᵉʳ février 2004.**

**Si vous êtes le premier (ou la première) à nous l'avoir signalée,
et que nous la retenons,
vous recevrez un exemplaire du guide 2005,
à paraître en septembre 2004.**

**Paris Pas Cher
19 av. Georges-Brassens
94550 Chevilly-Larue**

BOUTIQUE DES MUSÉES DE FRANCE

Cadeaux inspirés de chefs-d'œuvre

Forum des Halles
203 porte Berger
Niveau -2 (1ᵉʳ)
Mᵒ Châtelet-Les Halles
Tél. 01 40 39 92 21
www.rmn.fr
Lundi-samedi : 10 h 30-19 h 15

Voici des boîtes « masques africains rituels » d'après originaux à partir de 22,50 €, un pendentif trèfle à quatre feuilles en vermeil (38 €). Et encore quatre sets de table Picasso (29 €). Tout un rayon enfants avec des livres, des jeux comme ces pages « Récré-Musées » (Égypte, Moyen Âge, Versailles, etc.) (4,50 €).

AUTRE ADRESSE
■ **Boutique Musée et Compagnie** • Bercy Village - Centre Commercial de Bercy Village, Chaix 40 et 42 - Cour Saint-Émilion, 12ᵉ • Mᵒ Cour-Saint-Émilion • Tél. 01 40 02 98 72

NATURE ET DÉCOUVERTES

La vie en vert

Le Carrousel du Louvre
99 rue de Rivoli (1ᵉʳ)
Mᵒ Palais-Royal-Musée-du-Louvre
Tél. 01 47 03 47 43
www.natureetdecouvertes.com
Tous les jours : 10 h-20 h

Des boutiques où l'on peut toucher, sentir, voir, entendre, goûter. Lampe à huile orange/cannelle (22,71 €). Baromètre laiton (22,50 €). Boussoles (de 7,55 à 45 €). Coffret reflexologie (25,90 €). Boîtes pastilles effervescentes aux algues (12,95 €). Confitures, tisanes, épices et sirops de fleur (8 €). Pour les enfants : jumelles randonnée (23 €). Microscope (30,34 €). Autres adresses dans le 1ᵉʳ, 8ᵉ, 9ᵉ, 12ᵉ, 13ᵉ, 16ᵉ et à Boulogne-Billancourt (92), Créteil (94), Éragny (95), La Défense (92), Le Chesnay (78), Noisy-le-Grand (93), Orgeval (78), Parly II (78), Rosny-sous-Bois (93), Thiais (94), Val d'Europe (77), Vélizy (78). Tél. au 01 39 56 01 47 pour adresses et heures d'ouverture.

WHY ?

Cadeaux-gadgets, pas chers du tout

93 rue Rambuteau
Forum des Halles
Niveau rue (1ᵉʳ)
Mᵒ Châtelet-Les Halles
ou Étienne-Marcel
Tél. 01 40 26 39 56
www.why.fr
Lundi-samedi : 11 h-20 h

L'ambiance est tonique, la musique aussi, les vendeurs sympa et tout le monde s'amuse. Les prix vont de 1 à 46 €. Housse de téléphone portable en peluche : 10,52 €. Moine porte-encens : 7,47 €. Papillons ventouse : 3,66 €. Sofa gonflable en PVC : 37,96 €.

AUTRES ADRESSES
■ 14-16 rue Jean-Jacques Rousseau, 1ᵉʳ • Mᵒ Louvre • Tél. 01 42 33 36 95
■ 22 rue du Pont-Neuf, 1ᵉʳ • Mᵒ Pont-Neuf • Tél. 01 42 33 41 25
■ 41 rue des Francs-Bourgeois, 4ᵉ • Mᵒ Saint-Paul • Tél. 01 44 61 72 75
■ 12 rue des Lombards, 4ᵉ • Mᵒ Châtelet • Tél. 01 42 71 06 54
■ 14-16 rue Bernard-Palissy, 6ᵉ • Mᵒ Saint-Germain-des-Prés • Tél. 01 45 48 71 98

PVC

Kitscheries divertissantes

56 rue Tiquetonne (2ᵉ)
Mᵒ Étienne-Marcel
Tél. 01 40 28 13 08
www.ilovepvc.net

PVC = Au Pays des Vedettes Célèbres. Kitsch à gogo, détournement du ringard, déco avant-garde ou années 60-70, objets fétiches, gadgets grand teint. Tee-shirts motifs appliqués ou relief (16 €). Ca-

*Lundi-samedi : 11 h 30-
19 h 30*

bas façon daim ornés d'animaux tendres et char-
meurs : 20 €. Sacs plastique cartes hologrammes :
de 15 à 20 €. Rideaux perles plastique : de 25 à
30 €.

PYLÔNES

Adorables cadeaux farfelus pas chers

52 galerie Vivienne (2ᵉ)
Mᵒ Bourse
Tél. 01 42 61 51 60
www.pylones.com
Lundi-samedi : 11 h-19 h 30

De délicieuses dingueries à prix tout petits. Des animaux gloutons pour accrocher vos torchons :
14,50 €. Bébé bavera sans complexe sur les petits
animaux colorés de son bavoir plastique (13 €) et,
pour jardiner en harmonie avec ce que vous plan-
tez, enfilez ces sabots de plastique coloré ornés
d'une fleur (29 €). Mètre ruban de sac : 7 €. Grille-
pain : 44 €. Lampe de bureau en métal (huit coloris) : 49 €.

AUTRES ADRESSES
- Les 3-Quartiers - RDC, 23 bd de la Madeleine, 1ᵉʳ • Mᵒ Madeleine • Tél. 01 42 61 08 26
- 57 rue Saint-Louis-en-l'Ile, 4ᵉ • Mᵒ Pont-Marie • Tél. 01 46 34 05 02
- 7 rue Tardieu, 18ᵉ • Mᵒ Anvers • Tél. 01 46 06 37 00

3ᵉ ARRONDISSEMENT

LA CHAISE LONGUE

Objets design chics du quotidien

20 rue des Francs-
Bourgeois (3ᵉ)
Mᵒ Saint-Paul
Tél. 01 48 04 36 37
*Lundi-samedi : 11 h-19 h ;
dimanche : 14 h-19 h*

Des objets tendance et rétro pour se réjouir l'œil en
bluffant son voisin de palier, sans trop aplatir sa
bourse. Les montres chics sont une spécialité de la
maison. Réveils « flexo » ou télescopiques de 23 à
26 €. Mini-frigo (quatre coloris) deux fonctions
(chaud ou froid) : 149 €. Briquet insecte : 6 €. Mug
tête de chat : 8 €. Bouillotte cœur : 5 à 8 €. Chaise
enfant en bois, grenouille, chat, ours ou souris :
25 €.

AUTRES ADRESSES
- 30 rue Croix-des-Petits-Champs, 1ᵉʳ • Mᵒ Palais-Royal • Tél. 01 42 96 32 14
- 8 rue Princesse, 6ᵉ • Mᵒ Mabillon • Tél. 01 43 29 62 39
- 2 rue de Sèze, 9ᵉ • Mᵒ Madeleine ou Havre-Caumartin • Tél. 01 44 94 01 61
- 5 av. Mozart, 16ᵉ • Mᵒ La Muette • Tél. 01 42 88 54 90

DES PIEDS ET DES MAINS

Moulages en plâtre-pierre ou en bronze

22 Passage Molière
(par le 157 rue Saint-
Martin) (3ᵉ)
Mᵒ Rambuteau
Tél. 01 42 77 53 50
ou 06 61 97 47 99
*Vendredi-samedi : 14 h-
18 h et sur rendez-vous*

Brigitte Massoutier moule les pieds et les mains des
nourrissons (main ou pied : 125 €), de leurs aînés
(enfant jusqu'à 12 ans : 140 €), aussi de leurs parents (adultes : 230 €). **Moulage de deux mains
(partielles) adultes (père et mère) + celles
de leurs deux enfants : 250 € au lieu de
300 €, avec le guide ou la carte.**

4ᵉ ARRONDISSEMENT

DOM

Style années 70

21 rue Sainte-Croix-
de-la-Bretonnerie (4ᵉ)
Mᵒ Hôtel-de-Ville
Tél. 01 42 71 08 00
www.dom-ck.com
*Lundi-samedi : 11 h -20 h ;
dimanche : 14 h-20 h*

Les classiques des années 70 sont toujours là : fauteuils gonflables plastique, lampes à cire, rideaux
de perle et leurs prix restent stables. Ampoule cactus
plusieurs coloris (8,95 €) et son support (7,50 €).
Gâteau anniversaire gonflable : 4,50 €. Lampes
Mathos : 79 €. Au sous-sol, des meubles design :
canapés, tables basses, lampadaires, etc. **Remise
de 5 % avec le guide ou la carte.**

IKAT

Bel artisanat japonais

36 rue François-Miron (4ᵉ)
Mᵒ Saint-Paul
Tél. 01 48 04 53 34
Lundi-samedi : 11 h-19 h

Cours de savoir-vivre japonais chez Ikat : qu'est-ce qui porte l'emblème d'une famille (motif stylisé dans un cercle) ? Faut-il fermer sa veste haori ? Non, pour montrer les motifs des kimonos portés dessous. Kimonos anciens toutes couleurs (de 91,50 à 177 €). Kimonos coton noir et blanc imprimé géométrique (48,80 €). Vêtements d'inspiration asiatique en matières naturelles.

KIMONOYA

Japon éternel

11 rue du Pont-Louis-
Philippe (4ᵉ)
Mᵒ Pont-Marie ou Hôtel-
de-Ville
Tél. 01 48 87 30 24
Fax : 01 42 77 30 27
www.kimonoya.fr
*Lundi : 14 h-19 h ; mardi-
samedi : 11 h-19 h*

En provenance directe du pays du Soleil-Levant, un choix de kimonos anciens en soie, noire pour les hommes et à motifs fleuris ou géométriques pour les femmes (à partir de 125 €), des yukatas en coton bleu et blanc comme il se doit (à partir de 55 €). Beaucoup de vaisselle, théières en fonte, objets à prix rikiki.

MÉLODIES GRAPHIQUES

Papiers, plumes et cahiers

10 rue du Pont-Louis-
Philippe (4ᵉ)
Mᵒ Pont-Marie
Tél. 01 42 74 57 68
Fax : 01 42 74 30 01
*Lundi : 14 h-19 h ; mardi-
samedi : 11 h-19 h*

Pour les auteurs à la hauteur, des cahiers (16 €) et des carnets de voyage (37 €) reliés plein cuir. Cire à cacheter (4 €) et sceaux (9 à 13 €). Calligraphie sur commande (0,70 € l'enveloppe). Cette très élégante boutique ressuscite toute la magie de l'écrit. **5 % de remise avec le guide ou la carte.**

PAPIER +

Papiers à lettres originaux et raffinés

9 rue du Pont-Louis-Philippe
(4ᵉ)
Mᵒ Pont-Marie ou Saint-Paul
Tél. 01 42 77 70 49
www.papierplus.com
Lundi-samedi : 12 h-19 h

Papier bleu, cartons rouges : adaptez votre papeterie à vos états d'âme. Le facteur fera le reste. Beaux papiers gris pâle ou foncé et d'autres couleurs (21 × 29,7 cm) ; 250 feuilles : 4,60 € ; enveloppes assorties : 6,10 € les 250. Et pour conserver les beaux souvenirs d'une vie, superbes albums photos de 32 à 96 € (sept formats, vingt coloris). Boîtes (cinq formats) recouvertes de tissus à partir de 43 €.

TUMBLEWEED

Marqueterie de bois, farfeluterie et magie

19 rue de Turenne (4ᵉ)
Mᵒ Saint-Paul
Tél. 01 42 78 06 10
www.tumbleweedparis.com
*Lundi-samedi : 11 h-19 h ;
dimanche : 14 h-19 h*

Jouets rigolos (pour grandes personnes, surtout…) en bois, métal ou carton. Ils viennent d'Europe, d'Amérique, du Japon, sont faits main et valent de 8 à 200 €. Choix de toupies en bois (de 9 à 24 €). Boîtes japonaises marqueterie : cherchez l'ouverture… Douze manipulations (60 €). Canard sur tricycle métal avec sa clef (25 €). Automates carton à monter (8 €). Lapins, souris en marionnettes de main (27 €). Puzzles en bois et casse-tête esthétiques et diaboliques à partir de 10 €.

5ᵉ ARRONDISSEMENT

GAMES IN BLUE

Jeux introuvables et copies d'ancien

24 rue Monge (5ᵉ)
Mᵒ Cardinal-Lemoine

Le démon du jeu est ici un séducteur cosmopolite : mah-jong chinois, awélés africains, go japonais,

Tél. 01 43 25 96 73
Fax : 01 43 54 87 51
Lundi : 14 h-19 h 30 ; mardi-samedi : 10 h-13 h, 14 h-19 h 30 (fermé le dimanche)

jeux de darts anglais… Plusieurs dizaines de modèles de jeux d'échecs (à partir de 24 €). Choix de puzzles en bois (à partir de 28 € les quatre-vingts pièces), beaucoup de jeux de stratégie (Stratego : 54 €), casse-tête (à partir de 18 €) et boîtes à secret (à partir de 77 €). Grand choix de puzzles en carton à partir de 18 €.

JEUX DESCARTES

52 rue des Écoles (5ᵉ)
Mº Saint-Michel ou
Cluny-La Sorbonne
Tél. 01 43 26 79 83
Fax : 01 43 26 98 61
http// : perso.p.club-inter
net.fr/drake8
Lundi : 11 h 30-19 h ; mardi-samedi : 10 h 30-19 h

Magie, cart-games, jeux et darts

Des jeux de société, de simulation, de rôle, de mah-jong, de tangram, de la jonglerie et les puzzles les plus difficiles (dit-on) du monde. Des boîtes de tour de magie (à partir de 9,60 €), des cassettes vidéo magie et une quantité de jeux rapides et intelligents pour deux et plus, tel le Fantasy Business (15 €). Plein de bons jeux de société comme « Sans foi ni loi » (15 €) ou « Mare Nostrum » (primé aux As d'or) : 42 €, « Une Vie de chien » (33,54 €) ou « La Vallée des Mamouths » (29 €) et tutti quanti. A surveiller, les promotions tournantes. **Remise de 10 % avec le guide ou la carte.**

AUTRES ADRESSES
■ 39 bd Pasteur, 15ᵉ • Mº Pasteur • Tél. 01 47 34 25 14
■ 6 rue Meissonnier, 17ᵉ • Mº Wagram • Tél. 01 42 27 50 09

6ᵉ ARRONDISSEMENT

BOBA

37 rue Saint-Placide (6ᵉ)
Mº Saint-Placide
Tél. et fax 01 45 49 09 25
Mardi-samedi : 10 h 15-19 h

Petits objets décoratifs et cadres sur mesure

Un magasin spacieux, gai, rempli de choses sympathiques et accueil à l'avenant : lampes, bougies, sujets décoratifs, tissus toutes couleurs, petits meubles d'appoint, quantité de miroirs, etc. Très intéressant, ici, les cadres standard et sur mesure qu'on réalise en huit jours : cadre simple 18 × 24 cm : à partir de 6,90 €. **Remise de 5 % (hors soldes et promotions) avec le guide ou la carte.**

CUMBIA

113, 115 rue du Cherche-Midi (6ᵉ)
Mº Duroc, Falguière
ou Montparnasse
Tél. 01 40 49 02 82
www.cumbia.fr
Lundi : 12 h-18 h, mardi-samedi : 10 h 30-19 h

Le bon côté de la Colombie

Livres, CD de rythmes tropicaux : salsa, merengue, vallenato, cumbia, tropical… Artisanat, bijoux, presse, petites choses à grignoter, et coin rencontre-échange autour d'une bière ou d'un café colombien. **Réduction 5 % sur CD, livres et sur l'artisanat avec le guide ou la carte.**

LA GALERIE BOULLÉ

28 rue Jacob (6ᵉ)
Mº Saint-Germain
ou Odéon
Tél. 01 46 33 01 38
Mardi-samedi : 10 h 30-13 h, 14 h-19 h

Rêves de pierre

Les paesines sont des marbres paysagers de Florence : des plaques de marbre poli dont les nervures dessinent de véritables petits tableaux. Ils voisinent avec des septeria, des jaspes, des marbres de Chine. Si les grandes paesines valent un prix certain, on trouve aussi des coupes de pierres plus petites, très belles, accessibles à tous les budgets. Les prix varient entre 15 et 250 €, selon la taille et la pierre, avec le rêve en prime.

L'ARTISAN DU LIBAN

L'Orient raffiné

30 rue de Varenne (7ᵉ)
Mº Sèvres-Babylone
ou Rue-du-Bac
Tél. 01 45 44 88 57
Fax : 01 45 44 99 86
www.alyad.com
Lundi : 14 h-19 h ; mardi-samedi : 10 h 30-19 h

Une boutique artisanale de qualité, créée par une ONG qui fait travailler dinandiers, souffleurs de verre, saponiers, menuisiers, tisserands. Vaisselle, couverts, plateaux, plats, coussins, quantité de sacs, trousses de toilette, objets cadeaux. Également des tissus, des rideaux, des caftans. Étuis divers : rouge à lèvres, lunettes, briquet, cigarettes, de 5,35 à 12,20 €. Sac tissu ottoman de 20 à 50 €. Porte-clefs verre soufflé cabochon cuivre : 6,90 €. Lampes à huile en verre soufflé à partir de 22 €. **5 % de remise avec le guide ou la carte.**

BOUTIC ETHIC

Fraternellement éthique

1 place de l'École-Militaire (7ᵉ)
Mº École-Militaire
Tél. 01 45 55 56 06
www.bouticethic.com
Mardi-samedi : 11 h-19 h

Des objets issus du commerce équitable. Des cadeaux glanés la plupart du temps aux Philippines, au Cambodge, Laos, en Thaïlande, Inde, au Zimbabwe, Kenya, Bénin, Burkina Faso, Pérou et Guatemala. Albums photos recouverts de papiers chatoyants : 20 €. Sac sisal coloré, poignées cuir : 24 €. Étoles soie toutes teintes : 23 et 42 €. Assiettes en pierre de savon à partir de 10 €.

LE KIOSQUE DE L'ASSEMBLÉE

Patrimoine et nation

4 rue Aristide-Briand (7ᵉ)
Mº Assemblée-Nationale
Tél. 01 40 63 61 21
Fax : 01 40 63 55 69
www.assemblee-nationale.fr
Lundi-vendredi : 9 h 30-18 h 30

Cendriers, stylos, cravates, sets de bureau, portefeuilles, montres, réveils, parapluies, foulards soie, cartes à jouer. Les enfants apprendront à être citoyens dans des jolis livres comme Le Petit Citoyen : 9 €. Tapis souris Assemblée : 3,50 €. Gravure panorama encadrée Assemblée Nationale 1818 : 33,50 €. Belles médailles que l'on peut faire graver : à partir de 23 €. Mug : 4,50 €. Parapluies pliants : 26 €. Vide-poche à partir de 6 €.

MINERALES DO BRASIL

Minéralogie

86 rue de Miromesnil (8ᵉ)
Mº Villiers
Tél. 01 45 63 18 66
www.midobras.com
Lundi : 10 h-18 h ; mardi : 12 h-20 h ; mercredi-samedi : 10 h-18 h

Oublions la logorrhée pseudo-médicale tendance new-age qui parasite le commentaire (« cette pierre draine et énergétise (sic) l'ensemble de nos organes et fonctions ») et concentrons-nous sur la réelle beauté de ces minéraux, réunis ici par centaines, souvent à tout petits prix. Colliers : améthyste à partir de 4 € ; tourmaline à partir de 9 € ; aigue-marine à partir de 18 € ; turquoise de Chine à partir de 5 €. En promotion : colliers en pierres roulées (45 matières) : lot de 40 € les 5 colliers ou 80 € les 15 colliers. **Avec le guide ou la carte : cadeau d'une valeur de 10 % de l'achat.**

ARTISANS DU MONDE

Commerce équitable

20 rue Rochechouart (9ᵉ)
Mº Cadet
Tél. 01 48 78 55 54

Faire un geste de solidarité en (se) faisant plaisir. Ici, les produits du monde entier permettent à des paysans et artisans pauvres de mieux vivre. Tentures

www.artisansdumonde.org
Lundi-samedi : 11 h-19 h

murales « Arpillera » du Pérou : de 33,54 à 110,83 €. Couvre-lit du Népal : 87,67 €. Café bio du Mexique (pur Arabica) : 3,20 € les 250 g. Sac du Vietnam en toile brodée : 6,95 €. Et, tout nouveau, la bière du Laos à base de sève de fleurs de palmier fermentée : 1,25 € les 33 cl.

AUTRES ADRESSES
- 42 av. Félix-Faure, 15ᵉ • Mᵒ Boucicaut • Tél. 01 45 57 82 44
- 31 rue Blomet, 15ᵉ • Mᵒ Volontaires • Tél. 01 45 66 62 97

PA DESIGN   *Jeunes créateurs*

2 bis rue Fléchier (9ᵉ)
Mᵒ Notre-Dame-de-Lorette
Tél. 01 42 85 20 85
Fax : 01 42 80 95 20
www.pa-design.com
Mercredi-samedi : 11 h-19 h

Des créations de jeunes designers. Toise plastique où l'on glisse une photo face à la taille : 16 €. Une paire de coquetiers ange et démon : 6 €. Un mètre en bois avec panorama de 2 000 ans d'histoire : 17 €. D'irrésistibles mécaniques gigotantes : à partir de 11,50 €. **Remise de 5 % et cadeau avec le guide ou la carte.**

10ᵉ ARRONDISSEMENT

LA COMPAGNIE DES QUAIS   *Éthiquement beau, original et pas cher*

32 rue Beaurepaire (10ᵉ)
Mᵒ République
Tél. et fax :
01 42 00 61 29
*Mardi-samedi : 11 h-
19 h 30 ; dimanche :
14 h 30-19 h 30*

Commerce équitable : des objets originaux qui ont tous une histoire. Statuettes bronze, pièces uniques (Burkina Faso) : 29 €. Panier tressé main (Mali) : 29 €. Housse de coussin en soie (Inde) : 9,80 €. Lanterne en soie du Vietnam : 38 €. Et si votre bourse est un peu gonflée, craquez pour les « tsupas », longues robes tibétaines en soie sauvage : 135 €. **Remise de 5 % avec le guide ou la carte.**

11ᵉ ARRONDISSEMENT

AMAZONIA   *Pour orner les belles*

26 rue de Lappe (11ᵉ)
Mᵒ Bastille
Tél. 01 53 36 75 56
*Lundi-mercredi : 11 h-21 h ;
jeudi : 11 h-22 h ;
vendredi : 11 h-24 h ;
samedi : 11 h-1 h du matin*

Beaucoup de bijoux et d'artisanat, d'Indonésie, du Népal, du Guatemala et des Indes. Beaux colliers corne et bois (6,50 à 36 €). Colliers perles de verre toutes couleurs qu'on peut torsader : à partir de 9,15 €. Quantité de bagues argent et pierre : argent ciselé et lapis-lazuli à 12 €. Des miroirs bois : 15 €. Sacs tissu : à partir de 20 €. Porte-encens céramique : 6,10 €. **Remise de 5 % avec le guide ou la carte.**

AUTRES ADRESSES
- 5 Grande-Galerie, Forum des Halles - Niveau -3, 1ᵉʳ • Mᵒ les Halles • Tél. 01 40 39 03 28
- 88 rue Saint-Martin, 4ᵉ • Mᵒ Rambuteau • Tél. 01 40 27 83 28
- 30 rue Saint-André-des-Arts, 6ᵉ • Mᵒ Saint-Michel • Tél. 01 46 33 06 73

13ᵉ ARRONDISSEMENT

IBF   *Les pierres les moins chères de Paris*

27 rue Caillaux (13ᵉ)
Mᵒ Maison-Blanche
Tél. 01 45 82 70 71
Fax : 01 45 84 29 47
*Lundi : 14 h-18 h 30 ; mardi-
samedi : 10 h 30-18 h 30*

Un accueil gracieux et des pierres comme s'il en pleuvait. En vrac, à la pièce, toutes les pierres semi-précieuses, lapis, améthyste, aigue-marine, quartz, jade : à partir de 0,76 €. Côté bijoux, sautoirs baroques (cornaline, sodalite, turquoise, etc.) : à partir de 9,15 €. Colliers perles d'eau douce (à partir de

4,60 €), bracelets quartz rose (4,60 €), etc. Restent les sphères, pyramides, sculptures, bouddhas, animaux (à partir de 6,90 €). On peut y faire modifier un collier selon son goût. **Remise de 10 % avec le guide ou la carte.**

15ᵉ ARRONDISSEMENT

TOBO NOVO
Cadeaux originaux pour la maison

104 rue Saint-Charles (15ᵉ)
Mᵒ Charles-Michels
Tél. 01 45 78 11 44
Fax : 01 45 78 11 56
*Lundi : 12 h 30-19 h 30 ;
mardi-samedi : 10 h-19 h 30*

Des cadeaux qui changent au fil des saisons, toujours originaux et qui permettent de décorer la maison de façon gaie et colorée. Porte-savon pieuvre résine : 8,99 €. Bougies « longue durée » : 1 € (quinze couleurs). Bougies parfumées : 9,50 € (dix senteurs). Savons fantaisie (à partir de 0,75 €).

16ᵉ ARRONDISSEMENT

L'ENTREPÔT
Cadeaux déco sur 600 m²

50 rue de Passy (16ᵉ)
Mᵒ Passy ou La Muette
Tél. 01 45 25 64 17
Fax : 01 40 50 89 82
www.lentrepot.com
Lundi-samedi : 10 h 30-19 h

Le plus grand magasin de cadeaux et de décoration de Paris. Les vendeurs en tablier beige virevoltent un peu partout. Housses et coussins soie toutes couleurs : le coussin garni à 15,10 €. Multitude d'assiettes et serviettes papier (le paquet : 5 €) tous décors. Jolis bougeoirs verre : de 17 à 35 €. Toutes sortes de boîtes, tiroirs rangement bois, ou toile : de 33 à 36 €. Guirlande lampion : 33 €. Vide-poches feuille en bronze : 14 €. Albums photos à thème : 28 €. On peut aussi déposer sa liste de mariage.

PÉTALISSIMO
Bouquets éternels, senteurs et bijoux

2 rue Raynouard
(1 rue de Passy) (16ᵉ)
Mᵒ Passy
Tél. 01 45 24 53 24
*Mardi-samedi : 10 h 45-
19 h 15*

Une eau qui ne croupit jamais, ses petites bulles pour toujours figées dans leur remontée vers la surface. Voici de poétiques bouquets qui jamais ne se fanent, en tissu et résine (vase et eau), qui ont un chic fou. A la tige, les plus belles fleurs en tissu du monde. Roses de jardin : de 2,50 à 16,50 € (le rosier). Orchidées : à partir de 4,50 € à la tige et de 30 € en composition. Lys blanc deux têtes : 4 €. Branche feuillage aubépine : 6 €. Et aussi des cadres, des lampes, des bijoux (à partir de 10 €). **Cadeau avec le guide ou la carte.**

18ᵉ ARRONDISSEMENT

LA BOUTIQUE DES ANGES
Angelus à toute heure

2 rue Yvonne-Le-Tac (18ᵉ)
Mᵒ Abbesses
Tél. 01 42 57 74 38
Fax : 01 42 57 11 72
*Lundi-samedi : 10 h 30-
18 h 45 ; dimanche : 14 h-
18 h*

Ici, pas d'ange gardien mais une gardienne des anges : Brigitte de Cuyper a fait de sa boutique un véritable royaume angelu. Jolie série de boîtes « ange » : rondes et ovales à partir de 9 €, boîtes à pilules à 3 €. Faites-vous protéger par un chérubin or ou argent patiné (fabrication maison) : 10 €. Cadre en résine ou fonte : à partir de 12 €. Petite librairie qui raconte des « histoires d'anges ». **Ange parfumé en cadeau avec le guide ou la carte.**

LA BOUTIQUE TIBÉTAINE
Le Tibet à Paris

4 rue Burq (18ᵉ)
Mᵒ Abbesses
Tél. 01 42 59 14 86
Mardi-samedi : 11 h-19 h

Toutes les grâces de la civilisation tibétaine sont rassemblées dans ce petit espace. Ce qui donne envie de choisir de jolies boucles d'oreilles à partir de 25 €, en argent et pierres semi-précieuses, ou un petit sac en coton tout brodé (9,15 €), ou encore un pendentif Bouddha argent (23 €). Il pourra se vêtir d'une tunique vert bronze coton brillant col tibétain à 42 € et, pour soulager tous ses petits maux, essayer le baume tibétain à 7 €, le tout, dans les vapeurs d'encens. **Remise de 5 % avec le guide ou la carte.**

DO YOU SPEAK MARTIEN ?
Au pays des kidults

8 rue des Trois-Frères (18ᵉ)
Mᵒ Abbesses
Tél. 01 42 52 89 72
Fax : 01 42 57 08 90
www.doyouspeakmartien.com
Mardi-samedi : 11 h-19 h

Une boutique toute flash et paillettes, peinte en rose Barbie et bourrée d'objets qui clignotent allègrement. Vous êtes au royaume des gadgets américains et japonais. Mignons porte-clefs animaux : 2,80 €. Cendriers à motif métal coloré : 3 €. Pêches-à-la-ligne : de 0,50 à 3 €. Scotch japonais imprimé (19 mm de largeur) : 6 € le rouleau de 60 mètres. Tee-shirt Emily : 35 €.

NOVITAS
Beaux objets scandinaves

19 rue La Vieuville (18ᵉ)
Mᵒ Abbesses
Tél. 01 42 23 22 87
Fax : 01 42 57 11 10
www.novitas.fr
Mardi-samedi : 14 h-19 h

Une boutique élégante, un style dépouillé, une dominante d'acier poli et des objets séduisants, originaux, très design qui, au cœur du quartier des Abbesses, arrivent tout droit de Scandinavie. Intelligents accessoires de rangement pour le bureau ou la cuisine comme des vide-poches aimantés ou des pinces à épices aimantées : 14,50 € les quatre. Carafes thermos Stelton : à partir de 47 €. Range-CD articulé modulable, à fixer au mur ou à poser : 45 € les vingt-quatre CD. Amusant pèse-lettres lame d'acier : 20 €. Enrouleur de fils électriques Cable Turtle à partir de 6 € (huit coloris). **Remise de 10 % (hors soldes et promotions) avec le guide ou la carte.**

78 YVELINES

L'HOMME MODERNE
Entre mode et gadget

Usines Center
Route André-Citroën
78140 VÉLIZY-VILLACOUBLAY
Accès : voir p. 396
Tél. 01 39 46 31 87
Fax : 01 39 46 31 80
Mercredi-vendredi : 11 h-20 h ; samedi-dimanche : 10 h-20 h

Bonne aubaine ! Très connue pour son catalogue, cette mine de cadeaux visible dans treize boutiques traditionnelles se retrouve ici jouant les fins de stock très sensiblement démarquées. Que vous cherchiez une chemise sans repassage, un beau porte-papiers cuir, une calculatrice-radio, des jumelles ou un sautoir-loupe, vous aurez toujours d'heureuses surprises car les anciens prix sont affichés et le minimum de démarque est de 30 % (et parfois jusqu'à 70 %).

ANDINES

Artisanat d'Amérique latine, d'Inde et d'Afrique

6 rue Arnold-Géraux
93450 L'ILE-SAINT-DENIS
RER D, Saint-Denis-Gare
Tél. 01 48 20 48 60
Fax : 01 48 20 50 93
www.andines.com
*Lundi-vendredi : 9 h-13 h,
14 h-18 h*

Andines fait venir de coopératives et d'associations d'artisans quelque 2 000 cadeaux authentiques. Tout un choix de bijoux : précolombiens (à partir de 12 €), fantaisie d'Inde (à partir de 8 €) ou en argent Touareg ou brésiliens (à partir de 15 €). Aussi des poteries du Brésil (à partir de 12 €), des mangeurs de chagrin (poupées magiques) du Guatemala (à partir de 2,30 €) et des beaux batiks africains (à partir de 20 €). Nouveau cette année : des produits alimentaires : café de Colombie (3,80 €), vinaigre de mangue du Burkina Faso (5,95 €). **Remise de 10 % avec le guide ou la carte.**

L'index des raisons sociales et commerciales se trouve en page 607.

L'index des produits recensés dans Paris Pas Cher se trouve en page 627.

CINÉMA

Au tarif normal, une place de cinéma pour un film nouveau coûte 10 € sur les Champs-Élysées (prix maximum, compter 8,50 ou 8,70 € dans les quartiers un peu moins huppés).

A ce tarif, les abonnements offerts par les distributeurs sont à considérer. L'abonnement dit « illimité » coûte 16,46 € par mois dans le circuit UGC qui a inventé la formule. Il donne accès à toutes les salles et à tous les films quel qu'en soit l'horaire. Pour les boulimiques d'images, l'avantage est évident. Mais il implique un abonnement d'au moins deux ans. Gaumont, Pathé et MK2 ont une formule semblable, à 18 € par mois.

Il existe par ailleurs des carnets de billets, un peu semblables aux carnets de métro, qui donnent droit à cinq places pour 26,15 € chez UGC, à cinq places pour 32 € chez Gaumont, six places pour 36,50 € chez MK2. De nombreux cinémas indépendants ont également leur formule d'abonnement.

Reste que beaucoup de cinémas, et souvent les meilleurs par la qualité de leur répertoire, offrent des séances ouvertes à tous à des prix très avantageux, sous réserve de quelques conditions de calendrier ou d'horaires. A noter que la plupart de ces salles ont des répondeurs téléphoniques payants, dont la gourmandise augmentera sensiblement le prix des places. En conséquence, nous conseillons d'acquérir pour quelques centimes un bon programme des spectacles, genre l'Officiel, Pariscope, Zurban, le Nouvel Observateur Paris Île-de-France ou Télérama, dont les informations sont précises et exactes. Et nous ne donnons ici que les adresses des cinémas recommandables.

1er ARRONDISSEMENT

UGC CINÉ CITÉ LES HALLES
Porte du jour, Forum des Halles (1er) • M° Châtelet-Les Halles
Séances avant 12 h : 4,50 €.

UGC ORIENT EXPRESS
Niveau -4, Forum des Halles (1er) • M° Châtelet-Les Halles
Séances de 11 h : 4,50 €.

2e ARRONDISSEMENT

REX ET GRAND REX
1 bd Poissonnière (2e) • M° Bonne-Nouvelle
Séances avant 12 h : 4,20 et 4,50 €.

3e ARRONDISSEMENT

MK2 BEAUBOURG
50 rue Rambuteau (3e) • M° Rambuteau
Avant midi : 4,90 €.

4e ARRONDISSEMENT

LATINA
20 rue du Temple (4e) • M° Hôtel-de-Ville
Lundi et mercredi : 5 €.

5e ARRONDISSEMENT

ACCATONE
20 rue Cujas (5e) • M° Luxembourg
Mercredi : 5,50 €.

ACTION ÉCOLES
23 rue des Écoles (5°) • M° Maubert-Mutualité
A 17 h 20, 18 h ou 19 h : 5,50 € sauf week-end et fêtes.

CHAMPO
51 rue des Écoles (5°) • M° Cluny
Première séance : 4,50 €.

ÉPÉE DE BOIS
100 rue Mouffetard (5°) • M° Censier-Daubenton
A midi sauf samedi, dimanche et fêtes : 5 €.

ESPACE SAINT-MICHEL
7 place Saint-Michel (5°) • M° Saint-Michel
Mercredi : 5,20 € (il existe tous les jours une formule buffet + film à 13,72 €).

GRAND ACTION
5 rue des Écoles (5°) • M° Cardinal-Lemoine
A 17 h 20, 18 h ou 19 h : 5,50 € sauf week-end et fêtes.

IMAGES D'AILLEURS
21 rue de la Clef (5°) • M° Censier-Daubenton
Lundi et mercredi : 5,10 €.

PANTHÉON
13 rue Victor-Cousin (5°) • M° Luxembourg
Mercredi et lundi : 5,50 €.

QUARTIER LATIN
9 rue Champollion (5°) • M° Odéon ou Cluny
Lundi et mercredi : 5,20 €.

REFLET MÉDICIS LOGOS
3 rue Champollion (5°) • M° Saint-Michel et Cluny-La Sorbonne
Avant midi, ainsi que mercredi toute la journée : 5,50 €.

STUDIO GALANDE
42 rue Galande (5°) • M° Saint-Michel
Mercredi : 5,35 €.

STUDIO DES URSULINES
10 rue des Ursulines (5°) • RER A, Luxembourg
Séance du matin : 5 €. Mercredi et lundi : 5,50 €.

6ᵉ ARRONDISSEMENT

ACTION CHRISTINE ODÉON
4 rue Christine (6°) • M° Odéon
A 17 h 20, 18 h ou 19 h : 5,50 € sauf week-end et fêtes.

L'ARLEQUIN
76 rue de Rennes (6°) • M° Saint-Sulpice
Mercredi : 5,50 €.

LE BRETAGNE
73 bd du Montparnasse (6°) • M° Montparnasse-Bienvenüe
Avant midi : 5 €.

CINOCHE
Carrefour de l'Odéon, 1 rue de l'Odéon (6°) • M° Odéon
Mercredi : 4,50 €.

LUCERNAIRE FORUM
53 rue Notre-Dame-des-Champs (6°) • M° Notre-Dame-des-Champs ou Vavin
Mercredi : 5,50 €.

MK2 HAUTEFEUILLE
7 rue Hautefeuille (6°) • M° Saint-Michel
Avant midi : 4,90 €.

MK2 ODÉON
113 bd Saint-Germain (6°) • M° Odéon
Avant midi : 4,90 €.

RACINE ODÉON
6 rue de l'École-de-Médecine (6°) • M° Odéon
Lundi et mercredi : 5,80 €.

SAINT-ANDRÉ-DES-ARTS
30 rue Saint-André-des-Arts et 12 rue Gît-le-Cœur (6°) • M° Saint-Michel
Mercredi et lundi : 5,80 €.

LE SAINT-GERMAIN-DES-PRÉS
Place Saint-Germain-des-Prés (6°) • M° Saint-Germain-des-Prés
Lundi-mercredi : 6 €.

TROIS LUXEMBOURG
67 rue Monsieur-le-Prince (6°) • M° Luxembourg
Lundi, mercredi : 5,30 €.

UGC DANTON
99 bd Saint-Germain (6°) • M° Odéon
Première séance du matin : 4,50 €.

UGC MONTPARNASSE
83 bd du Montparnasse (6°) • M° Montparnasse-Bienvenüe
Première séance (vers 11 h) : 4,90 €.

UGC ODÉON
124 bd Saint-Germain (6°) • M° Odéon
Première séance du matin : 4,50 €.

UGC ROTONDE
103 bd du Montparnasse (6°) • M° Vavin
Séance du matin (vers 11 h) : 4,90 €.

7ᵉ ARRONDISSEMENT

LA PAGODE
57 bis rue de Babylone (7°) • M° Saint-François-Xavier
Lundi-mercredi : 5,80 €.

8e ARRONDISSEMENT

LE BALZAC
1 rue Balzac (8e) • Mo George-V
Lundi, mercredi : 5,50 €.

ÉLYSÉES LINCOLN
14 rue Lincoln (8e) • Mo George-V
Mercredi : 5,60 €.

GAUMONT AMBASSADE
50 av. des Champs-Élysées (8e) • Mo Franklin-D.-Roosevelt
Dimanche à 11 h : 4,50 €.

GAUMONT MARIGNAN
27-33 av. des Champs-Élysées (8e) • Mo Franklin-D.-Roosevelt
Dimanche à 11 h : 4,50 €.

SAINT-LAZARE-PASQUIER
44 rue Pasquier (8e) • Mo Saint-Lazare
Lundi : 5,50 €.

UGC GEORGE-V
146 Champs-Élysées (8e) • Mo George-V
Séance du matin : 4,90 €.

9e ARRONDISSEMENT

LES 5 CAUMARTIN
101 rue Saint-Lazare (9e) • Mo Havre-Caumartin
Séance de midi : 4,60 €.

MAX LINDER PANORAMA
24 bd Poissonnière (9e) • Mo Grands-Boulevards
Séance entre 9 h et 12 h 30 : 4,50 €. Lundi et mercredi : 6 €.

PARAMOUNT OPÉRA
2 bd des Capucines (9e) • Mo Opéra
Lundi : 5,35 et 5,80 €.

UGC OPÉRA
32 bd des Italiens (9e) • Mo Opéra
Première séance du matin (vers 11 h) : 4,50 €.

10e ARRONDISSEMENT

LE BRADY
39 bd de Strasbourg (10e) • Mo Château-d'Eau
5,70 et 6,50 € à toutes les séances.

L'ARCHIPEL PARIS CINÉ
17 bd de Strasbourg (10e) • Mo Strasbourg-Saint-Denis
Mercredi : 5 €.

11e ARRONDISSEMENT

LA BASTILLE
5 rue du Faubourg-Saint-Antoine (11e) • Mo Bastille
Mercredi : 5 €.

CINÉ ALTERNATIVE
18-20 rue du Faubourg-du-Temple (11e) • Mo République
Lundi, mercredi : 5 €.

MAJESTIC BASTILLE
4 bd Richard-Lenoir (11e) • Mo Bastille
Mercredi : 5,50 €.

MK2 BASTILLE
4 bd Beaumarchais (11e) • Mo Bastille
Avant midi : 4,90 €.

12e ARRONDISSEMENT

MK2 NATION
133 bd Diderot (12e) • Mo Nation
Avant midi : 4,90 €.

UGC CINÉ CITÉ BERCY
2 Cour Saint-Émilion (12e) • Mo Cour-Saint-Émilion
Première séance du matin : 4,90 €.

13e ARRONDISSEMENT

ESCURIAL PANORAMA
11 bd Port-Royal (13e) • Mo Gobelins
Mercredi : 5,50 €.

MK2 BIBLIOTHÈQUE
128-162 av. de France (13e) • Mo Quai-de-la-Gare
Séance avant midi : 4,90 €.

UGC GOBELINS
66 bis av. des Gobelins (13e) • Mo Gobelins
Séance avant midi : 4,50 €.

14e ARRONDISSEMENT

DENFERT
24 place Denfert-Rochereau (14e) • Mo Denfert-Rochereau
Lundi, mercredi : 5 €.

GAUMONT PARNASSE
3 rue d'Odessa (14e) • Mo Montparnasse-Bienvenüe
Séance du matin : 5,50 €.

LE MIRAMAR
3 rue du Départ (14e) • Mo Montparnasse-Bienvenüe
Avant midi : 5 €.

LES MONTPARNOS
16-18 rue d'Odessa (14e) • Mo Montparnasse-Bienvenüe
Séance avant midi : 5 €.

SEPT PARNASSIENS
98 bd du Montparnasse (14e) • Mo Montparnasse ou Vavin
Séance de 11 h : 4,60 €.

15e ARRONDISSEMENT

GAUMONT AQUABOULEVARD
4-6 rue Louis-Armand (15e) • M° Balard
Séance de 11 h : 5 €.

LE GRAND PAVOIS
364 rue Lecourbe (15e) • M° Balard
Mercredi : 5,50 €. Dimanche matin et avant
midi : 4 €.

MK2 BEAUGRENELLE
Centre Beaugrenelle, 16 rue Linois (15e)
• M° Charles-Michels
Avant midi : 4,90 €.

SAINT-LAMBERT
6 rue Péclet (15e) • M° Vaugirard
Toutes les places à 6,75 €. Avant 14 h et mercredi : 5,55 €.

UGC CONVENTION
204 rue de la Convention (15e) • M° Convention
Avant midi : 4,50 €.

16e ARRONDISSEMENT

MAJESTIC PASSY
18 rue de Passy (16e) • M° Passy
Mercredi : 5,50 €.

17e ARRONDISSEMENT

CINÉMA DES CINÉASTES
7 av. de Clichy (17e) • M° Place-Clichy
Mercredi : 4,90 et 5,50 €.

MAC MAHON
5 av. Mac-Mahon (17e) • M° Étoile
Toutes les places à 6,50 €.

UGC MAILLOT
Palais des Congrès (17e) • M° Porte-Maillot
Séance de 11 h : 4,90 €.

18e ARRONDISSEMENT

PATHÉ WEPLER
140 bd de Clichy et 8 av. de Clichy (18e)
• M° Place-Clichy
Avant midi : 5 €.

STUDIO 28
10 rue Tholozé (18e) • M° Blanche
Mercredi, jeudi, vendredi à 15 h : 4,80 €.

19e ARRONDISSEMENT

MK2 QUAI-DE-SEINE
14 quai de la Seine (19e) • M° Jaurès
Avant midi : 4,90 €.

20e ARRONDISSEMENT

MK2 GAMBETTA
6 rue Belgrand (20e) • M° Gambetta
Avant midi : 4,90 €.

QUELQUES SALLES DE BANLIEUE

Excellents programmes, véritables militants de l'amour du cinéma... et pas chers.

ÉCRAN
14 passage de l'Aqueduc, 93200 SAINT-DENIS
• M° Saint-Denis-Basilique
Toutes places à 6 €.

LE GEORGES MÉLIÈS
Centre Commercial Croix-de-Chavaux • 11 av. de la Résistance, 93100 MONTREUIL • M° Croix-de-Chavaux
Toutes places à 5,35 €.

MAGIC CINÉMA
Centre Commercial Bobigny 2, rue du Chemin-Vert, 93000 BOBIGNY • M° Bobigny-Pablo-Picasso
Places : 5,50 €.

ROYAL PALACE
165 Grand-Rue-Charles-de-Gaulle, 94130 NOGENT-SUR-MARNE • RER A, Nogent-le-Perreux
Séance du matin : 5 € (samedi, dimanche et fêtes).

LE VINCENNES
30 av. de Paris, 94300 VINCENNES • M° Berrault
Toutes places : 7,50 €. Avant 12 h 30 : 4,50 €.

TEMPLES DU CINÉMA

CINÉMATHÈQUE FRANÇAISE
Palais de Chaillot, Av. Albert-de-Mun (16e)
• M° Trocadéro • Tél. 01 56 26 01 01. Et aussi 42 bd Bonne-Nouvelle (10e) • M° Bonne-Nouvelle • Tél. 01 56 26 01 01
Classiques, films rares, grandes rétrospectives. Place : 4,73 €.

CENTRE POMPIDOU
Place Georges-Pompidou, côté rue Saint-Martin (4e) • M° Rambuteau ou Hôtel-de-Ville
Pratiquement toute l'année, le Centre Pompidou donne des cycles grand public ou beaucoup plus avant-gardistes. Séances tous les soirs en semaine, trois séances les samedis et dimanches. Place : 5 € (3 € pour les étudiants).

FORUM DES IMAGES

Forum des Halles, Porte Saint-Eustache, Grande Galerie (1ᵉʳ) • Mᵒ Châtelet-Les Halles • Tél. 01 44 76 62 00 • Fermé le lundi, nocturne le mardi (22 h)

Abonnement annuel : 105 € ; carnet de 10 billets : 35 € ; pour une seule journée : 5,50 €, ce qui en fait le champion de l'image pas chère puisqu'on peut pour ce prix visionner autant de films qu'on le souhaite, sur écran cinéma ou vidéo : soit, dans une journée, quatre films sur écran de cinéma, 2 heures de visionnage vidéo (catalogue exceptionnel) et une demi-heure de consultation Internet.

CINÉ-CLUBS

La formule redevient à la mode. Les journaux de cinéma Positif, Les Cahiers du Cinéma, Le Monde, Synopsis ont le leur. Le critique Claude Jean-Philippe anime le sien les dimanches midi au cinéma Arlequin, rue de Rennes (6ᵉ). On recommandera aussi l'excellent ciné-club du Majestic Passy, 18 rue de Passy, Mᵒ Passy. Tous les derniers dimanches du mois, vers 10 h 30. Entrée : 5,50 €.

Pour joindre Paris Pas Cher

**Paris Pas Cher
19 av. Georges-Brassens
94550 Chevilly-Larue**

**Téléphone (répondeur) et fax :
01 41 73 74 92**

CUISINES, SALLES DE BAINS, CARRELAGES

« Lave tes mains avant de passer à table. » Cette injonction à nos chers bambins fait la liaison entre ces deux pôles de la vie à la maison : la salle de bains et la cuisine. Et c'est la raison sans doute pour laquelle ce sont généralement les mêmes commerçants qui nous proposent les deux. Florilège.

¿ QUE CHERCHEZ-VOUS ?

ACCESSOIRES DE SALLES DE BAINS
248 Vac SARL Entrepôt (11ᵉ, 93)

CARRELAGES
245 Aire Azur Carrelage (11ᵉ)
246 Pierre Basset, Carrelages 2B (11ᵉ)
246 Promo Carreau (11ᵉ)
248 Vac SARL Entrepôt (11ᵉ, 93)
246 Marc Maset (15ᵉ)
247 Ceramis (16ᵉ, 78, 92)
247 SNHAF (18ᵉ)
249 Porcelanosa (77, 78, 94)
248 Europe Carrelage (92)
248 Stock B (92)
249 Forum du Bâtiment (93)
248 Sanigalor (93)
249 Unidal (93)

CHAUFFAGE
245 Estrada (9ᵉ)

247 Sivelec (19ᵉ)
249 Forum du Bâtiment (93)
248 Sanigalor (93)

CLIMATISATION
245 Equip'Froid (11ᵉ)
247 Sivelec (19ᵉ)

CUISINES
245 Total Consortium Clayton (5ᵉ, 94)
245 Leicht (7ᵉ, 16ᵉ)
245 Création Saint-Augustin (8ᵉ)
262 Showroom 2001 (9ᵉ)
248 Vac SARL Entrepôt (11ᵉ, 93)
246 Marc Maset (15ᵉ)
245 Linea Quattro (16ᵉ)
415 Régimeubles Paris-Est (17ᵉ, 18ᵉ)
247 Cuisinement Vôtre (78)

248 Europe Carrelage (92)
248 Stock B (92)
245 Création Saint-Mandé (94)

SALLES DE BAINS
245 Total Consortium Clayton (5ᵉ, 94)
245 Leicht (7ᵉ, 16ᵉ)
245 Création Saint-Augustin (8ᵉ)
248 Vac SARL Entrepôt (11ᵉ, 93)
246 Ets Lescouezec (12ᵉ, 77, 94)
246 Marc Maset (15ᵉ)
245 Linea Quattro (16ᵉ)
415 Régimeubles Paris-Est (17ᵉ, 18ᵉ)
248 Europe Carrelage (92)
248 Stock B (92)
249 Forum du Bâtiment (93)
248 Sanigalor (93)
245 Création Saint-Mandé (94)

5e ARRONDISSEMENT

TOTAL CONSORTIUM CLAYTON   *Cuisines déstockées*

31 rue Buffon (5e)
M° Gare-d'Austerlitz
Tél. 01 47 07 12 89
Fax : 01 43 36 58 03
www.total-consortium-clay
ton.com
Mardi-samedi : 10 h-19 h

Les cuisines Linea Quattro, Leicht, Poggenpohl, La Cuisine Française, les salles de bains Antonio Lupi, sont ici régulièrement destockées. De plus, possibilité de faire réaliser vos plans par un architecte d'intérieur (étude gratuite). De nombreux modèles exposés dans les boutiques ou à consulter sur le site Internet « Le Coin des Affaires » (jusqu'à -50 % !). Catalogue sur demande. **Avec le guide ou la carte : 25 % sur les cuisines Linea Quattro, 15 % sur Leicht, 23 % sur les encastrables Siemens, 10 à 20 % sur les autres marques. Et un livre de cuisine pour étrenner tout ça !**

AUTRES ADRESSES
- **Leicht** • 204 bd Saint-Germain, 7e • M° Saint-Germain-des-Prés • Tél. 01 45 44 24 43 • Leicht, Antonio Lupi.
- **Création Saint-Augustin** • 8 rue Roy, 8e • M° Saint-Augustin • Tél. 01 42 94 27 00 • Poggenpohl, Antonio Lupi.
- **Création Saint-Mandé** • 42/44 bd du Temple, 11e • M° République • Tél. 01 43 38 76 78 • Linea Quattro, La Cuisine Française, Leicht, Antonio Lupi.
- **Leicht** • 25 bd Exelmans, 16e • M° Exelmans • Tél. 01 45 24 62 81 • Leicht, Linea Quattro, Antonio Lupi.
- **Linea Quattro** • 47 rue de Boulainvilliers, 16e • M° La Muette • Tél. 01 42 15 23 46 • Linea Quattro, Leicht, Antonio Lupi.
- **Création Saint-Mandé** • 1/3 place du Général-Leclerc • 94160 SAINT-MANDÉ • Tél. 01 53 66 16 26 • Antonio Lupi, Leicht, Linea Quattro, La Cuisine Française.
- 5 rue du Moutier • 94370 SUCY-EN-BRIE • Tél. 01 49 82 01 01 • La Cuisine Française, Antonio Lupi, Linea Quattro, Leicht. Parking : 6 rue de Brévannes.

9e ARRONDISSEMENT

ESTRADA   *Chaleur électrique*

43 rue Saint-Georges (9e)
M° Saint-Georges
Tél. 01 48 78 18 61
Fax : 01 42 85 14 49
Lundi-vendredi : 8 h-12 h, 14 h-18 h ; samedi : 9 h-12 h

Les meilleurs appareils des plus grandes marques de chauffage électrique Acova, Airelec, Atlantic, CG Design, Campa-Cid, Finimétal, Linéal, LVI, Nobo, Noirot, Thermor. Devis gratuit pour installation. Catalogue tous les deux ans. Campa rayonnant Prélude 1 000 W blanc : 423 €. Linéal sèche-serviettes First 600 W : 369,56 €. Campa sèche-serviettes Aquaray 950 W/1 150 W : 430 €. Accueil charmant. **Remise de 25 % avec le guide ou la carte.**

11e ARRONDISSEMENT

AIRE AZUR CARRELAGE   *Influence méditerranéenne*

5 rue Oberkampf (11e)
M° Filles-du-Calvaire
Tél. 01 47 00 38 20
Fax : 01 47 00 41 64
www.aireazur.com
Lundi-vendredi : 9 h 30-13 h, 14 h-19 h ; samedi : 10 h 30-18 h

Pour donner à nos salles de bains des allures de bains maures, Aire Azur innove avec de beaux zelliges marocains. Pour les murs ou les sols de 90 à 130 € le m². Également, de belles ardoises de 65 à 105 € le m² (sols ou murs). **Remise de 10 % avec le guide ou la carte.**

EQUIP'FROID   *Venu du froid*

37 bis rue de Montreuil (11e)

Ce spécialiste de la climatisation équipe aussi bien les particuliers que les professionnels (hôtels, restau-

M° Faidherbe-Chaligny
Tél. 01 43 56 02 10
Fax : 01 43 56 78 20
Lundi-vendredi : 8 h 30-17 h

rants, boutiques, cabinets médicaux...). Toutes les grandes marques : Daïkin, York, Mitsubishi Electric, Airwell. Compter 2 288 € en moyenne tout compris, pour une surface de 25 m² avec une journée d'installation. **Remise de 10 % avec le guide ou la carte.**

PIERRE BASSET, CARRELAGES 2B   *Poésie côté carrelage*

 50 rue Jean-Pierre-Timbaud
(fond de cour) (11ᵉ)
M° Parmentier
Tél. 01 48 06 19 40
Fax : 01 43 55 12 72
Lundi-samedi : 10 h-18 h

Belle harmonie de carreaux aux couleurs ensoleillées du Sud de la France (en direct de l'usine de Salernes). A savourer, les 100 références de motifs muraux à assortir aux sols, aux plans de travail, à l'évier ou à la vasque... Tout entièrement fait à la main et sur commande. Tomettes à partir de 30,49 € le m². Splendides pavés façon XVIIIᵉ fait main : 53,36 € le m². **Remise de 20 % avec le guide ou la carte.**

PROMO CARREAU   *Des carreaux à gogo*

86 bd Richard-Lenoir (11ᵉ)
M° Saint-Ambroise
ou Richard-Lenoir
Tél. 01 43 38 76 15
Fax : 01 43 38 76 43
www.promocarreau.com
*Lundi-vendredi : 8 h-19 h ;
samedi : 9 h 30-18 h 30*

De toutes les tailles, de toutes les formes, de toutes les couleurs, décorés ou unis, des carreaux en grès, en émail, en faïence, en provenance d'Espagne, d'Italie ou du Portugal. Émaux craquelés Cerasarda : 35 € le m². Carreaux « Métro » (dix coloris) 7,5 × 15 cm : à partir de 30 €. Carreaux tunisiens (peints à la main) 20 × 20 cm : 54 € le m². Marbre vieilli Botticino 10 × 10 cm : 43 € le m². Également sanitaire J. Delafon, Allia, Robinetterie Grotto. **Remise de 15 à 20 % (en fonction des produits) avec le guide ou la carte.**

12ᵉ ARRONDISSEMENT

ETS LESCOUEZEC   *Tout pour la salle de bains*

6 rue Abel (12ᵉ)
M° Gare-de-Lyon
Tél. 01 46 28 50 15
Fax : 01 46 28 81 75
www.lescouezec.fr
*Mardi-vendredi : 9 h 30-
13 h, 14 h-18 h ; samedi :
9 h 30-12 h 30, 14 h-18 h*

Les plus grandes marques de sanitaire (Porcher, Alia, Horus, Roth, Absolute, etc.). Chauffage Francobelge, Guillot, Atlantic. Ensemble cabine douche Rothalux, Blanc, Kinedo. Également, possibilité d'installer meubles et cabines de douche sur mesure. **Remise de 15 à 25 % avec le guide ou la carte.**

AUTRES ADRESSES
- 21 rue Nicephore-Niepce • 77100 MEAUX • 50 km de la Porte de la Chapelle (A1 + A104 + N3) • Tél. 01 60 23 28 42 • Fax : 01 60 23 94 67
- 82 av. Roger-Salengro • 94500 CHAMPIGNY • 10 km de la Porte de Bercy (A4). RER A, Champigny • Tél. 01 43 97 02 39

15ᵉ ARRONDISSEMENT

MARC MASET   *Architecture d'intérieur, tous corps d'état*

9 bis rue Lakanal (15ᵉ)
M° Commerce
Tél. 01 45 32 47 76
Fax : 01 45 32 31 78
www.marc-maset-sarl.com

Meubles de cuisine et salles de bains à choisir avec le maître des lieux qui peut aussi rénover votre appartement du sol au plafond. Marbres, carrelages italiens, mauresques, espagnols, mexicains, portugais bien installés en box. Décor Briare ou Bisarra.

Mardi-vendredi : 10 h-13 h,
14 h-19 h ; samedi : 10 h-
13 h, 14 h-18 h

Carrelages à partir de 18,29 €. Frise à partir de 2,59 €. Nouveau : balnéothérapie, hydrothérapie, à partir de 4 600 €. **Remise de 10 à 20 %, en fonction des produits et quantités, avec le guide ou la carte, hors promotions.**

16e ARRONDISSEMENT

CERAMIS

A
130 av. de Versailles (16e)
M° Exelmans
Tél. 01 46 47 50 98
Fax : 01 46 47 67 17
www.azulejos.com
Mardi-samedi : 10 h-
13 h 30, 14 h-18 h 30

Pure tradition portugaise

En direct du Portugal, un beau choix de carreaux. Azulejos à partir de 182 € le panneau de 50 × 70 cm. Tomettes à partir de 38 € HT le m^2. Carreau ciment entre 45 et 76 € HT le m^2. Marbre à partir de 76 € HT le m^2. A voir : dans la boutique en face (au 139) des objets décoratifs et arts de la table (argenterie, verrerie, nappes...). **Remise de 10 % avec le guide ou la carte.**

AUTRES ADRESSES
- 1 bis av. Gaston-Boissier • 78220 VIROFLAY • 10 km de la Porte de Saint-Cloud • Tél. 01 30 24 34 41
- 47 rue Anatole-France • 92370 CHAVILLE • 8 km de la Porte de Saint-Cloud • Tél. 01 41 15 00 10

18e ARRONDISSEMENT

SNHAF

A
69 rue Ordener (18e)
M° Marcadet-Poissonniers
Tél. 01 42 54 82 33
Lundi vendredi : 9 h-19 h ;
samedi : 9 h 30-13 h, 15 h-
18 h 30

Cocorico !

De grandes marques françaises de carrelages (Villeroy et Boch, Émaux de Briare...) à des prix tout rabougris. Braderies sans cesse renouvelées. Villeroy et Boch, collection century 33 × 33 cm : 19 € le m^2 (premier choix). Briare 2,5 × 2,5 cm, bleu ou blanc : 42 € le m^2. Très compétitif le rayon bricolage pour peintres et carreleurs. Enduit de lissage et rebouchage : 22 € le sac de 25 kg. **Remise de 5 % avec le guide ou la carte, hors promotions.**

19e ARRONDISSEMENT

SIVELEC

A
11 rue de Cambrai
Bâtiment 028, ascenseur
gauche 1er étage (19e)
M° Corentin-Cariou
Tél. 01 40 35 65 63
Fax : 01 42 09 04 16
www.sivelec.com
Lundi-vendredi : 9 h-12 h 30,
13 h-18 h ; samedi : 10 h-
17 h (de juin à février)

Ils soufflent du chaud ou du froid

De la chaudière à la climatisation en passant par le sèche-serviettes ou le ballon d'eau chaude, les plus grandes marques sont proposées : Frisquet, ELM Leblanc, Airelec, Acova... Possibilité d'installation avec TVA à 5,5 %. Acova 750 W : 438 €. Rayonnant Arkos 1 000 W : 190 €. Tous les prix sont à consulter sur le site. **Remise de 20 à 30 % sur le chauffage et de 20 % sur la climatisation avec le guide ou la carte.**

78 YVELINES

CUISINEMENT VÔTRE

A
7 bis rue Marius-Minnard
78640 NEAUPHLE-
LE-CHÂTEAU
33 km de la Porte d'Auteuil
(A13 + A12 + N12)

Cuisines, je vous aime

« Cuisiniste de vocation » comme Renald Jolly aime le dire. Vos désirs sont des ordres, madame ! Très conciliant, cet artisan installe votre cuisine, la vend en kit ou vous la livre dans votre maison secondaire, à l'autre bout de la France. A vous de

Tél. 01 34 89 77 77
Tél./Fax : 01 34 87 81 93
ou 06 63 19 19 61
www.cuisinementvotre.net
Mardi-samedi : 11 h-19 h

choisir : César, Cesa, Chabert-Duval, Alno, Perene, neuf éléments à monter soi-même : à partir de 1 260 € pour 3 mètres linéaires. Électroménager Bosch, Siemens. Aussi des meubles de salle de bains. **Remise de 5 % sur les meubles montés à partir de 2 300 € avec le guide ou la carte.**

92	HAUTS-DE-SEINE

STOCK B

16-22 av. de Verdun
92320 CHÂTILLON
Tél. 01 40 92 10 11
Fax : 01 40 92 82 11
Lundi-vendredi : 8 h-12 h 30, 13 h 30-19 h ; samedi : 9 h-19 h

Un bon bain de références

Toutes les grandes marques exposées dans le magasin ou disponibles sur commande (Horus, Franke, Blanco, Grohe, Idéal Standard, Geberit...). Le particulier aussi bien que le professionnel y trouvera tout ce qui concerne le sanitaire, carrelage, plomberie, robinetterie... Belle sélection de meubles de salles de bains et de robinetterie design exposés dans le hall d'entrée. Dans le catalogue des promotions : cabine complète Sanaga : 331 €. Mitigeur Hansgrohe : 90 €. Les lots de super Grès (en stock) : 18,14 € le m². Conseils professionnels et sympathiques en plus. **Remise de 10 %, hors promotions, avec le guide ou la carte.**

EUROPE CARRELAGE

21 rue de Stalingrad
92000 NANTERRE
RER A, Nanterre-Ville
Tél. 01 47 21 57 90
Fax : 01 47 21 87 41
Lundi-vendredi : 8 h-12 h, 13 h 30-18 h 30 ; samedi : 9 h-18 h 30

Carrelages et belles salles de bains

Outre des carrelages et des marbres en provenance de toute l'Europe, de beaux ensembles salles de bains, cabines de douche, robinetterie... Également, plan de travail en marbre ou granit (sur mesure) pour salles de bains et cuisines. Belle vasque en terre cuite émaillée à 290 € HT à poser sur un meuble en teck à 1 300 € HT. Intéressant aussi, le plan en teck lamellé collé à partir de 35,83 € le mètre linéaire. **Remise de 15 % avec le guide ou la carte sur les produits stockés.**

93	SEINE-SAINT-DENIS

SANIGALOR

142 av. Gallieni
93170 BAGNOLET
M° Gallieni
Tél. 01 43 60 44 52
Fax : 01 43 60 62 90
www.sanigalor.fr
Lundi-vendredi : 9 h-12 h, 14 h-19 h ; samedi : 9 h-13 h

Salles de bains, carrelages, chauffages en stock

Chez ce spécialiste de la salle de bains (2 500 m² en stock) vous n'aurez que l'embarras du choix et vous hésiterez peut-être entre installer une simple porte de douche Roth (à partir de 290 €), un luxueux système de balnéothérapie (à partir de 1 150 €) ou bien, pourquoi pas, pour vous ressourcer, un vrai hammam (à partir de 5 335 €). Également carrelages et chauffages en stock. Nouvelle salle d'exposition de 300 m². **Remise de 20 % sur le tarif fabricant avec le guide ou la carte.**

VAC SARL ENTREPÔT

106 bd Marx-Dormoy
93190 LIVRY-GARGAN
12 km de la Porte
de Bagnolet (A3 + N3)
Tél. 01 43 81 01 46
Fax : 01 43 02 50 22

Déstockage de carrelages

Des lots de carreaux pour sols et murs de 60 à 70 % moins cher. Fins de séries Gardenia, Villeroy et Boch. Côté cuisine ou salle de bains, possibilité de faire établir son plan sur mesure (meubles Delacroix). Côté sanitaire, Hoesch, Sarreguemines et robinetterie, Horus, RS et Grohe. Carrelages sols à

Lundi-samedi : 9 h-12 h, 14 h-19 h

partir de 7 € le m², faïences murales à partir de 6 € le m². **Remise de 20 % sur le tarif fabricant avec le guide ou la carte.**

AUTRE ADRESSE
■ 24 bd Richard-Lenoir, 11ᵉ • Mᵒ Bastille • Tél. 01 43 55 06 35 • Lundi-samedi : 10 h-13 h, 14 h-19 h • Le magasin d'exposition. Même matériel, mêmes prix. Une adresse formidable !

UNIDAL

Mini prix, maxi choix

A
12 et 14 rue Perche
93330 NEUILLY-SUR-MARNE
15 km de la Porte de Bercy (A4 + N370)
Tél. 01 43 08 23 00
Fax : 01 43 08 62 76
Lundi-samedi : 9 h-12 h 30, 14 h-19 h

Dans un hall de 500 m² d'exposition, un choix inimaginable de carreaux de toutes sortes, surtout du grès-cérame (Polis, Unicom, Kronos, Rex, Villeroy et Boch, Sanchis, Casa dolce casa). Polis, grès émaillé 20 × 25 cm (plusieurs coloris) : 11 € le m². Carreaux faïence (15 × 15 cm) : 6 € le m². Dans la cour, un large éventail de carreaux de second choix à partir de 7,50 € le m². **Remise de 20 %, hors promotions, avec le guide ou la carte.**

FORUM DU BÂTIMENT

Forum and Co

3 bd Jean-Jaurès
93400 SAINT-OUEN
Mᵒ Mairie-de-Saint-Ouen
Tél. 01 40 12 85 85
Fax : 01 40 12 98 84
www.auforumdubatiment.com
Lundi-vendredi : 7 h 30-19 h ; samedi : 7 h 30-13 h

Carrelage, salle de bains, chauffage, plomberie, serrurerie et même l'électricité ! Tout pour rénover son « home » dans ce showroom. Cabine de douche blanc intégral à partir de 420 €. En promotion, un WC Selles Royan compact à 180 €. **Pour les lecteurs de Paris Pas Cher, des remises de 15 à 25 % sur les plus grandes marques de sanitaires : Grotte, Allia, Selles, Jacob Delafon, Jado et bien d'autres encore... Et pour la livraison, c'est gratuit !**

94 VAL-DE-MARNE

PORCELANOSA

Carreaux en Espagne

67 av. Aristide-Briand
94110 ARCUEIL
1 km de la Porte d'Orléans (N20)
Tél. 01 49 12 12 57
Fax : 01 49 12 12 58
www.porcelanosa.com
Lundi-vendredi : 10 h-12 h, 14 h-19 h ; samedi : 9 h-19 h

En direct de l'usine située près de Valence (en Espagne), grès ou faïences unis ou décorés habillent la maison du sol aux murs en passant par les frises coordonnées. Grès émaillé (grand passage) 33 × 33 cm à partir de 25,80 € le m². En promotion ; gamme Rubis : sols, murs et frises : 23,02 € le m² ; gamme Diamant : sols, murs et frises : 25,80 € le m². **Remise de 10 % avec le guide ou la carte.**

AUTRES ADRESSES
■ 80 N6 • 77240 VERT-SAINT-DENIS (MELUN) • Tél. 01 60 56 57 47 • Fax : 01 60 56 90 80
■ 107 N10 • 78310 COIGNIÈRES • 30 km de la Porte d'Auteuil (A13 + A12) • Tél. 01 30 49 12 80 • Fax : 01 30 49 13 28 • Lundi-samedi : 9 h-12 h 30, 14 h-19 h

A Adresse particulièrement recommandée

♛ Adresse haut de gamme : le luxe à prix abordable

CULTURE

Bibliothèques, concerts, expositions, centres culturels, conférences, cours divers : les occasions de se cultiver sont légion à Paris. Et comme elles ne coûtent pas cher, vous n'aurez désormais plus aucune excuse de prendre le Pirée pour un général hottentot.

¿ QUE CHERCHEZ-VOUS ?

BIBLIOTHÈQUES, MÉDIATHÈQUES
254 Les Bibliothèques de la Ville de Paris
254 Médiathèque musicale de Paris (1er)
254 Bibliothèque Administrative (4e)
255 Bibliothèque Forney (4e)
255 Bibliothèque Publique d'Information du Centre Pompidou (4e)
255 Bibliothèque des Littératures Policières (BILIPO) (5e)
255 Bibliothèque-Médiathèque du Muséum d'Histoire Naturelle (5e)
255 Bibliothèque du Cinéma, dans la Bibliothèque André-Malraux (6e)
255 Bibliothèque Mazarine (6e)
256 Institut Hongrois (6e)
255 Bibliothèque de la Documentation Française (7e)

255 Bibliothèque Nationale de France (13e)
257 Maison de la Culture du Japon à Paris (15e)
256 Bibliothèque Trocadéro, Tourisme (16e)
257 Goethe Institut (16e)
256 Médiathèque de la Cité de la Musique (19e)
256 Médiathèque de la Cité des Sciences et de l'Industrie, La Villette (19e)

CENTRES CULTURELS
256 Centre Wallonie Bruxelles (4e)
256 Centre de Langue et Culture Italienne (5e)
256 Institut Finlandais (5e)
256 Institut Hongrois (6e)
257 Maison de la Culture du Japon à Paris (15e)
257 Goethe Institut (16e)

CINÉMA
253 Musée du Louvre (1er)

256 Centre Wallonie Bruxelles (4e)
256 Institut Finlandais (5e)
256 Institut Hongrois (6e)
257 Maison de la Culture du Japon à Paris (15e)
257 Goethe Institut (16e)

CONCERTS
253 Musée du Louvre (1er)
256 Centre Wallonie Bruxelles (4e)
256 Centre de Langue et Culture Italienne (5e)
256 Institut Finlandais (5e)
256 Institut Hongrois (6e)

CONFÉRENCES
256 Institut Finlandais (5e)
258 Universités ouvertes

COURS DE BRODERIE
254 Espace 16 (17e)

COURS DE CHANT
253 Ateliers Beaux-Arts (1er)

¿ QUE CHERCHEZ-VOUS ?

COURS DE COUTURE
254 Espace 16 (17ᵉ)

COURS DE COUTURE D'AMEUBLEMENT
254 C3B - Carrefour Chrétien (15ᵉ)

COURS DE CUISINE
253 Centres d'Animation
253 ADAC (3ᵉ)

COURS DE DANSE
253 Philotechnique (5ᵉ)
253 Inter 7 (7ᵉ)

COURS DE DESSIN
253 Ateliers Beaux-Arts (1ᵉʳ)
253 École Supérieure des Arts Appliqués Duperré (3ᵉ)
253 Philotechnique (5ᵉ)

COURS DE GYM
253 Inter 7 (7ᵉ)

COURS DE LANGUES
253 Centres d'Animation
257 Cours Municipaux d'Adultes
258 INALCO - Institut National des Langues et Civilisations Orientales (7ᵉ)
253 Inter 7 (7ᵉ)
258 Konversando (9ᵉ)
258 Wice (15ᵉ)
257 Goethe Institut (16ᵉ)

258 Universités ouvertes

COURS D'HISTOIRE DE L'ART
253 Musée du Louvre (1ᵉʳ)

COURS DE MUSIQUE
253 Philotechnique (5ᵉ)
258 La Leçon de Musique (20ᵉ)

COURS DE PEINTURE
253 Centres d'Animation
253 Ateliers Beaux-Arts (1ᵉʳ)
253 Musée du Louvre (1ᵉʳ)
253 ADAC (3ᵉ)
253 École Supérieure des Arts Appliqués Duperré (3ᵉ)
258 Rougier & Plé (3ᵉ)
253 Philotechnique (5ᵉ)
253 Inter 7 (7ᵉ)
254 Association Familles de France, Fédération de Paris (9ᵉ)

COURS DE PEINTURE SUR MEUBLES
254 Atelier Évelyne B (94)

COURS DE PEINTURE SUR PORCELAINE
258 Rougier & Plé (3ᵉ)
254 Pièces Uniques (15ᵉ)

COURS DE PHOTOGRAPHIE
253 Centres d'Animation

253 Ateliers Beaux-Arts (1ᵉʳ)
253 ADAC (3ᵉ)

COURS DE POTERIE
258 Rougier & Plé (3ᵉ)

COURS DE RESTAURATION SUR PORCELAINE
254 Pièces Uniques (15ᵉ)

COURS DE SCULPTURE
253 Ateliers Beaux-Arts (1ᵉʳ)
253 Musée du Louvre (1ᵉʳ)

COURS DE YOGA
253 Philotechnique (5ᵉ)

COURS D'ENCADREMENT
254 C3B - Carrefour Chrétien (15ᵉ)
254 Espace 16 (17ᵉ)

COURS D'HISTOIRE
257 École du Louvre (1ᵉʳ)

COURS D'HISTOIRE DE L'ART
257 École du Louvre (1ᵉʳ)
253 ADAC (3ᵉ)
253 École Supérieure des Arts Appliqués Duperré (3ᵉ)
254 C3B - Carrefour Chrétien (15ᵉ)

COURS DIVERS
253 Centres d'Animation

¿ QUE CHERCHEZ-VOUS ?

257 Cours Municipaux d'Adultes

253 ADAC (3ᵉ)

257 Conservatoire National des Arts et Métiers (3ᵉ)

258 Rougier & Plé (3ᵉ)

256 Centre de Langue et Culture Italienne (5ᵉ)

253 Inter 7 (7ᵉ)

254 Association Familles de France, Fédération de Paris (9ᵉ)

254 C3B - Carrefour Chrétien (15ᵉ)

258 *Universités ouvertes*

EXPOSITIONS

256 Centre Wallonie Bruxelles (4ᵉ)

256 Institut Finlandais (5ᵉ)

257 Maison de la Culture du Japon à Paris (15ᵉ)

SOUTIEN SCOLAIRE

254 Association Familles de France, Fédération de Paris (9ᵉ)

VOIR AUSSI

310 « Gratuit »

482 « Théâtre, danse »

A **Adresse particulièrement recommandée**

👑 **Adresse haut de gamme : le luxe à prix abordable**

ARTISANAT de loisirs-créations

CENTRES D'ANIMATION
Tél. 08 20 00 75 75 (Paris Info Mairie) • Minitel : 3615 PARIS, puis SPO, puis CENTRES D'ANIMATION • portailj.paris.fr • Mardi-vendredi : 10 h-18 h

Héritiers des maisons de jeunes, ces quarante-trois centres parisiens (liste au téléphone) offrent plus de 300 activités. Cuisine, danse contemporaine, Qi Gong, badminton, boxe française, arts du cirque, ateliers d'initiation à la vidéo, au multimédia, à la musique assistée par ordinateur... De 30 à 76 € par trimestre. Cours de cuisine enfants : 306 € l'année. Adhésion : 15,24 € (adulte), 9,15 € (enfant). Délectable cours de cuisine (2 h 45 par semaine) : 164 € le trimestre. Initiation à l'œnologie (259 € pour 10 séances).

 ARRONDISSEMENT

ATELIERS BEAUX-ARTS
15 rue Jean-Lantier (1ᵉʳ) • Mᵒ Châtelet • Tél. 01 42 36 06 68 • Minitel : 3615 PARIS puis ENS • Mardi-vendredi : 9 h 30-12 h 30, 14 h-17 h

Un enseignement classique de grande qualité est prodigué dans ces vingt-deux ateliers parisiens. Les cours (de 3 heures) sont donnés par des artistes professionnels. Pour s'inscrire, retirer un formulaire de candidature à la mairie de Paris sans tarder, dès le 1ᵉʳ septembre et l'envoyer à l'atelier choisi avant le 15 septembre. Tarif : 136 à 200 € l'an, selon la discipline choisie.

MUSÉE DU LOUVRE
99 rue de Rivoli (1ᵉʳ) • Mᵒ Palais-Royal-Musée-du-Louvre • Tél. 01 40 20 52 63

Des ateliers pour adultes qui sont en général des initiations à une technique artistique : peinture, pastel, fresque, mosaïque, dessin, sculpture. Ou encore, initiation aux principes de muséographie et scénographie ou à des domaines de l'histoire de l'art. Les cours sont donnés par des conférenciers du musée et par des artistes invités. Durée de chaque atelier : de 2 à 3 heures. Coût (qui inclut toujours le droit d'entrée au musée) : tout dépend du nombre de séances ; de une séance par atelier (8,50 € ou 4,50 € pour les enfants) à neuf séances (76,50 €). Inscription préalable conseillée (dans le hall Napoléon sous la pyramide). Il faut aussi fréquenter assidûment les concerts dits « Midi du Louvre » (tous les jeudis à 12 h 30) auxquels participent des artistes confirmés tels Paul Meyer ou le quatuor Vogler tout comme de jeunes musiciens. Tarif : un concert : 10 € ; dix-huit concerts : 55 € (soit 3 € par concert).

 ARRONDISSEMENT

ADAC
Hôtel de Retz, 9 rue Charlot (3ᵉ) • Mᵒ Rambuteau • Tél. 01 42 33 45 54 (14 h 30-18 h) 01 44 61 87 87 (standard) • Fax : 01 44 61 87 88 • www.adacparis.com • Lundi-vendredi : 9 h 30-13 h, 14 h 30-18 h

200 disciplines artistiques et artisanales sont enseignées dans les 450 ateliers de la mairie de Paris (liste dans les mairies) : arts plastiques et métiers d'art, arts du spectacle et sciences du bien-être (yoga, Qui Cong, cuisine, œnologie, couture...), audiovisuel et nouvelles technologies de la création (infographie, 3D animation et effets spéciaux, MAO, PAO, photo et son numériques ; infos au 01 47 70 51 04). Nouveautés de l'année : des stages d'écriture, restauration de meubles, réfection de sièges. Pour les jeunes : création et réalisation de costumes de théâtre, jardin et formation musicale. Tarifs spéciaux pour les ateliers nouvelles technologies. Coût : adhésion pour la saison : 16 €. Cotisation pour le trimestre : 108 €, 252 € la saison (adulte) ; cotisation pour le trimestre : 54 €, 126 € la saison (enfant -15 ans).

ÉCOLE SUPÉRIEURE DES ARTS APPLIQUÉS DUPERRÉ
11 rue Dupetit-Thouars (3ᵉ) • Mᵒ République • Tél. 01 42 78 95 30

Une école d'art (parrainée par les Cours Municipaux d'adultes) très complète. Elle offre des cours du soir d'histoire de l'art (inscription par correspondance, à partir du 2 septembre, se procurer sans tarder le bulletin d'adhésion dans les mairies ou sur place) à 62 € pour plus d'une centaine d'heures d'enseignement. Cours de dessin (au même prix) et cours de peinture (prix selon les spécialités).

 ARRONDISSEMENT

PHILOTECHNIQUE
18 rue des Fossés-Saint-Jacques (5ᵉ) • RER B, Luxembourg • Tél. 01 43 54 36 20 • www.philotechnique.fr • Horaires variables

38 € par an ! L'association philanthropique propose des cours de français, culture générale, sciences, quatorze langues différentes, musique, chant, danse, dessin, couture, yoga, taï chi, Qi-Gong.

 ARRONDISSEMENT

INTER 7
16 bis av. de La Motte-Picquet (7ᵉ) • Mᵒ Latour-Maubourg ou École-Militaire • Tél. 01 47 05 48 44 • www.ifrance.com/intersept • Horaires variables

Cours de trompe-l'œil (patines), réfection de sièges, peinture sur bois, mosaïque décorative, cours de peinture sur porcelaine, abat-jour, couture d'habillement et d'ameublement, langues, gymnastique… Certains cours sont donnés par des bénévoles. D'autres sont payants (tarif variant d'une discipline à l'autre). Préinscription obligatoire dès le 1er septembre. **Remise de 10 % avec le guide ou la carte, si règlement à l'avance.**

9e ARRONDISSEMENT

ASSOCIATION FAMILLES DE FRANCE, FÉDÉRATION DE PARIS
28 place Saint-Georges (9e) • Mo Saint-Georges • Tél. 01 44 53 45 90 • Lundi-vendredi : 9 h-18 h

Une bonne vingtaine d'associations « Familles de France » existent à Paris et dans la proche banlieue. Des bénévoles, souvent des professeurs, donnent des cours : français, langues, micro-informatique, soutien scolaire… A cela s'ajoutent baby-sitting, visites guidées, peinture, réfection de sièges, informations et conseils donnés sur la consommation et le surendettement… Coût très modique. Familles, je vous aime…

15e ARRONDISSEMENT

C3B - CARREFOUR CHRÉTIEN
11 rue Linois (15e) • Mo Charles-Michels • Tél. 01 45 79 90 45 • Accueil : lundi-samedi : 14 h 30-18 h 30

Couture d'ameublement, encadrement, théâtre, musique, dessin, danse, gym, art floral, etc., la liste des cours disponibles au Carrefour Chrétien est encore longue. Les tarifs oscillent entre 61 et 120 € le trimestre. Oui, mon ange.

PIÈCES UNIQUES
10 rue Bouchut (15e) • Mo Ségur • Tél./fax : 01 47 83 76 56 ou 06 72 99 88 99 • www.antiquesdeco.com • Lundi-vendredi : 9 h 30-13 h, 14 h-20 h

Les cours, donnés par une passionnée, durent 2 h 30. Restauration sur porcelaine : on apporte la pièce abîmée (20 €). Peinture sur porcelaine : on apporte une pièce blanche ou, sinon, on en achète une sur place (tasse à café : 4 €). Le cours coûte 20 €. **Réduction de 10 % avec le guide ou la carte sur l'achat des objets.**

17e ARRONDISSEMENT

ESPACE 16
16 rue Roger-Bacon (17e) • Mo Porte-de-Champerret • Tél. 01 45 72 38 70

Il est impératif de s'inscrire dès le 8 septembre. Cours de broderie, couture, encadrement, de 2 h 30 par semaine hors vacances scolaires. Ateliers : 78 € par an.

94 VAL-DE-MARNE

ATELIER ÉVELYNE B
1 rue Charles-Fourier • 94500 CHAMPIGNY-SUR-MARNE • 10 km de la Porte de Bercy (A4 + N4) • Tél. 01 49 83 68 92 • Horaires variables. Appeler pour prendre rendez-vous

On apporte chez Évelyne l'objet à peindre (petit meuble, objet métallique) ainsi qu'un pinceau de martre numéro six (qu'on pourra acheter chez Cleton : 41 rue Saint-Sabin, 11e). Attention, les peintures (fournies par Évelyne) sont indélébiles. Il sera sage de se vêtir et chausser d'habits usagés. 20 € pour 3 heures. On paie à la séance. Évelyne vend aussi quelques meubles : armoires, bibliothèques, buffets, objets décoratifs.

➔ BIBLIOTHÈQUES, médiathèques

LES BIBLIOTHÈQUES DE LA VILLE DE PARIS
Adresses et horaires sur Minitel • Tél. 08 2000 75 75 • www.paris.fr • Mardi-samedi. Adresses et horaires sur Internet et par téléphone

Soixante-cinq bibliothèques municipales à Paris. Conditions d'inscription : présenter une carte d'identité, une autorisation des parents pour les mineurs. Livres, partitions, méthodes d'apprentissage de langues et revues sont prêtés gratuitement. Pour emprunter des CD, on versera 30,50 € par an, 61 € si on ajoute des vidéos. Une seule inscription permet d'emprunter dans toutes les bibliothèques informatisées.

1er ARRONDISSEMENT

MÉDIATHÈQUE MUSICALE DE PARIS
Forum des Halles, 8 porte Saint-Eustache (1er) • Mo Les Halles • Tél. 01 55 80 75 30 • Mardi-samedi : 12 h-19 h

Archives sonores en écoute sur place. Vidéocassettes en prêt et consultation sur place. Documentation musicale et chorégraphique. CD-Rom, accès Internet. Mêmes tarifs que dans les bibliothèques de la ville de Paris (voir ci-dessus). Cette médiathèque est un trésor.

4e ARRONDISSEMENT

BIBLIOTHÈQUE ADMINISTRATIVE
Hôtel de Ville, Escalier W - 5e étage (4e) • Mo Hô

tel-de-Ville • Tél. 01 42 76 48 87 • Lundi-vendredi : 9 h 30-18 h

Documentation administrative française et étrangère et histoire de Paris. Consultation gratuite sur place.

BIBLIOTHÈQUE FORNEY
Hôtel de Sens, 1 rue du Figuier (4ᵉ) • Mᵒ Saint-Paul ou Pont-Marie • Tél. 01 42 78 14 60 • Mardi-vendredi : 13 h 30-20 h 30 ; samedi : 10 h-20 h 30

Beaux-Arts, arts décoratifs, sciences et techniques appliquées aux métiers. Prêt et consultation sur place.

BIBLIOTHÈQUE PUBLIQUE D'INFORMATION DU CENTRE POMPIDOU
Place Georges-Pompidou, Entrée rue Saint-Martin (4ᵉ) • Mᵒ Rambuteau ou Hôtel-de-Ville • Tél. 01 44 78 12 33 • www.bpi.fr • Lundi, mercredi-vendredi : 12 h-22 h ; samedi, dimanche et jours fériés : 11 h-22 h

La bibliothèque est d'entrée libre. On y consulte sur place 350 000 livres, 2 400 revues, 10 000 CD, 3 000 documents sonores parlés, des dossiers de presse thématiques, des films documentaires et (presque) toute la presse française et étrangère. On peut y apprendre 135 langues ou dialectes, s'y familiariser avec des logiciels de bureautique, management, comptabilité et didacticiels d'autoformation (sur réservation : 150 titres avec cours, exercices d'application, outils d'évaluation des compétences acquises), rechercher un emploi sur des sites Internet ou préparer un examen au calme à une place isolée. Entrée libre aussi aux conférences, à certains colloques et ateliers.

5ᵉ ARRONDISSEMENT

BIBLIOTHÈQUE DES LITTÉRATURES POLICIÈRES (BILIPO)
48-50 rue du Cardinal-Lemoine (5ᵉ) • Mᵒ Cardinal-Lemoine • Tél. 01 42 34 93 00 • Mardi-vendredi : 14 h-18 h, samedi : 10 h-17 h

Littérature policière et domaines annexes (criminologie, espionnage, cinéma policier...). Consultation sur place (pas de prêts). Jusqu'à fin octobre, exposition très intéressante sur « le commissaire Maigret » qui sera suivie d'une expo sur le roman policier pour la jeunesse (jusqu'en décembre).

BIBLIOTHÈQUE-MÉDIATHÈQUE DU MUSÉUM D'HISTOIRE NATURELLE
38 rue Geoffroy-Saint-Hilaire (5ᵉ) • Mᵒ Monge • Tél. 01 40 79 36 27 • www.mnhm/mnhm/bcm • Lundi-vendredi : 9 h 30-19 h, fermé le mardi matin, samedi : 9 h 30-18 h pour la bibliothèque ; lundi-samedi : 9 h 30-18 h, fermé le mardi matin pour la médiathèque

Une des bibliothèques les plus riches du monde dans le domaine des sciences de la nature et de

la vie. Une partie est en consultation libre. Films, documents sonores et vidéodisques sont consultables sur demande.

6ᵉ ARRONDISSEMENT

BIBLIOTHÈQUE DU CINÉMA, DANS LA BIBLIOTHÈQUE ANDRÉ-MALRAUX
78 bd Raspail (6ᵉ) • Mᵒ Rennes • Tél. 01 45 44 53 85 • Mardi-vendredi : 14 h-19 h ; samedi : 14 h-18 h

Théorie, techniques, écriture de scénarios, musiques de films, décors, acteurs, télévision, vidéos... A consulter et voir sur place, des revues et 300 vidéos documentaires sur le cinéma.

BIBLIOTHÈQUE MAZARINE
23 quai de Conti (6ᵉ) • Mᵒ Pont-Neuf • Tél. 01 44 41 44 06 • Lundi-vendredi : 10 h-18 h

Histoire de France (Moyen Age, XVIᵉ-XVIIIᵉ siècle). Généalogie. Une des plus belles bibliothèques de Paris (500 000 ouvrages). Laissez-passer gratuit pour 48 heures sur présentation d'une pièce d'identité (+ deux photos). Carte 10 séances : 7,50 €. Carte annuelle : 15 €.

7ᵉ ARRONDISSEMENT

BIBLIOTHÈQUE DE LA DOCUMENTATION FRANÇAISE
29 quai Voltaire (7ᵉ) • Mᵒ Rue-du-Bac • Tél. 01 40 15 72 72 • www.ladocumentationfrancaise.fr • Lundi-mercredi et vendredi : 10 h-18 h (arrêt de communication des documents entre 11 h 40 et 13 h ; jeudi : 10 h-13 h)

Entrée libre à tous. Actualité politique, économique et sociale. Fonds très riche sur l'Afrique. Accès libre à Internet.

13ᵉ ARRONDISSEMENT

BIBLIOTHÈQUE NATIONALE DE FRANCE
11 quai François-Mauriac (13ᵉ) • Mᵒ Quai-de-la-Gare ou Bibliothèque-François-Mitterrand • Tél. 01 53 79 59 59 • www.bnf.fr et http ://gallica. bnf.fr • Haut-de-jardin, mardi-samedi : 10 h-20 h ; dimanche ; 12 h-19 h Rez-de-jardin, lundi : 14 h-20 h ; mardi-samedi : 9 h-20 h

Le haut-de-jardin est ouvert à tous les plus de 16 ans : 3 € la journée, 30 € l'année (15 € pour les étudiants et les chômeurs). Le rez-de-jardin est ouvert aux « chercheurs » (il faut avoir plus de 18 ans et être reconnu comme tel après un entretien) ; 2 jours : 4,50 € ; 15 jours : 30 € (TR : 15 €) ; annuel : 46 € (TR : 23 €). L'attente des livres est souvent longue et le nombre des places assises restreint. Petit choix de journaux. Intéressantes soirées littéraires soirées-portraits d'écrivains. Mais la BNF, c'est aussi des dizaines de milliers de titres téléchargeables gratuitement sur le site Gallica (voir ci-dessus).

16e ARRONDISSEMENT

BIBLIOTHÈQUE TROCADÉRO, TOURISME

6 rue du Commandant-Schloesing (16e) • Mo Trocadéro • Tél. 01 47 27 26 47 • Mardi-vendredi : 13 h-19 h ; mercredi-samedi : 10 h-19 h

Section tourisme et voyages en France et à l'étranger et aussi discothèque de 15 000 titres.

19e ARRONDISSEMENT

MÉDIATHÈQUE DE LA CITÉ DE LA MUSIQUE

221 av. Jean-Jaurès (19e) • Mo Porte-de-Pantin • Tél. 01 44 84 46 77 • www.cite-musique.fr • Mardi-samedi (sauf jours fériés) : 12 h-18 h (fermeture annuelle les deux premières semaines de juin)

Elle complète la Médiathèque Musicale de Paris en offrant en consultation sur place 20 000 partitions, 2 600 livres sur la musique, 1 700 ouvrages sur la danse et 900 livres de disciplines complémentaires. S'y ajoutent vidéos, documents audio, et une centaine de revues périodiques. Une partie de ces trésors est réservée aux enseignants et aux étudiants.

MÉDIATHÈQUE DE LA CITÉ DES SCIENCES ET DE L'INDUSTRIE, LA VILLETTE

30 av. Corentin-Cariou (19e) • Mo Porte-la-Villette • Tél. 01 40 05 76 76 ou 01 40 05 83 35 • www.cite-sciences.fr • Mardi : 12 h-19 h 45 ; mercredi-dimanche : 12 h-18 h 45

Consacrée aux sciences et aux techniques, aux industries, aux métiers et aux artisanats. Plus de 300 000 livres, des revues, films, cassettes audio, soixante bornes Internet, CD-Rom et logiciels éducatifs destinés aux adultes, enfants, chercheurs et entreprises. La plus riche collection de logiciels éducatifs jamais offerte en accès libre. Consultation sur place gratuite. Abonnement au prêt inclus dans celui de la Cité : 25 € ; tarif réduit (-25 ans) : 19 € ; forfait famille (quatre personnes) : 80 €.

⊖ CENTRES culturels

4e ARRONDISSEMENT

A

CENTRE WALLONIE BRUXELLES

127-129 rue Saint-Martin, (Place Beaubourg) (4e) • Mo Châtelet-Les Halles • Tél. 01 53 01 96 96 • Mardi-dimanche : 11 h-19 h

Remarquables expos (rue Saint-Martin), rencontres littéraires, lectures et conférences sont généralement gratuites. Théâtre, chanson, danse, cinéma, le festival francophone sont payants (salle de spectacle et librairie au 46 rue Quincampoix, 4e). Centre de documentation ouvert sur rendez-vous : on y consulte tous les journaux belges et catalogues d'exposition et de beaux-arts. **Réduction avec le guide ou la carte : danse, théâtre, musique 10 € (au lieu de 15 €) ; cinéma 2,50 € (au lieu de 4 €).**

5e ARRONDISSEMENT

CENTRE DE LANGUE ET CULTURE ITALIENNE

4 rue des Prêtres-Saint-Séverin (5e) • Mo Saint-Michel ou Cluny-La Sorbonne • Tél. 01 46 34 27 00 • Fax : 01 43 54 20 85 • www.centrital. com • Lundi-jeudi : 9 h 30-13 h 30, 14 h 30-19 h ; vendredi-samedi : 9 h 30-13 h

Conférences, concerts, lectures, stages de danse, mais aussi ateliers de cuisine italienne, séjours linguistiques et voyages vers la péninsule sont quelques-unes des nombreuses animations que propose ce centre culturel italien en contrepartie d'une cotisation de 40 € par an (pour certaines activités, il est demandé une petite participation en plus).

A

INSTITUT FINLANDAIS

60 rue des Écoles (5e) • Mo Cluny-La Sorbonne • Tél. 01 40 51 89 09 • Fax : 01 40 46 09 33 • info@institut-finlandais.ass.fr • Mardi-samedi : 12 h-18 h ; jeudi : 12 h-21 h

Une allure de chalet moderne, une programmation particulièrement riche en cinéma (entrée : 3,50 € ; gratuit pour les enfants). A ces grâces, s'ajoutent des conférences, des expositions, des soirées littéraires gratuites, des concerts réguliers de musique de chambre vocale, baroque, contemporaine, de pop et de jazz (7 € la place), une bibliothèque de 3 000 volumes, 500 CD et vidéos que l'on emprunte librement. Cours de finnois sur place.

6e ARRONDISSEMENT

INSTITUT HONGROIS

92 rue Bonaparte (6e) • Mo Saint-Sulpice • Tél. 01 43 26 06 44 • www.hongrie.org ou www.instituthongrois.org • Accueil, lundi-vendredi : 9 h-13 h, 15 h-18 h. Bibliothèque, lundi et mercredi : 15 h-18 h ; mardi : 9 h-12 h, 15 h-20 h ; jeudi : 15 h-20 h

Cinéma tous les jeudis à 19 h (sous-titrés français, 3 € l'entrée, 2 € pour les étudiants). Toute l'année des concerts classiques magnifiques, des expos (dont une superbe sur Alexandre Trauner, le décorateur de grands films de Billy Wilder, Marcel Carné, Joseph Losey), des colloques. Et, en bibliothèque, 6 000 volumes.

15ᵉ ARRONDISSEMENT

MAISON DE LA CULTURE DU JAPON À PARIS
101 bis quai Branly (15ᵉ) • Mᵒ Bir-Hakeim • Tél. 01 44 37 95 00 • www.mcjp.asso.fr • Mardi-samedi : 12 h-19 h (bibliothèque : 13 h-18 h) ; nocturne jeudi jusqu'à 20 h

Sa richesse, ce sont ses projections de films des grands cinéastes japonais : Naruse, Fukasaku, Masumura, Yamamoto, Kitano... sous-titrés en français (3 € l'entrée). A voir aussi, de belles expos (photos, sculptures en papier et autres...). A lire sur place, environ 3 000 ouvrages en japonais, anglais et français. Tous les mercredis,

dégustation d'un gâteau et d'un peu de thé après la « cérémonie du thé » (15 h et 16 h ; entrée : 7,62 € sur réservation), cours de go (4 € la séance, 2 € en tarif réduit), cours d'Ikebana (23 €, on emporte son œuvre). Filez-y.

16ᵉ ARRONDISSEMENT

GOETHE INSTITUT
17 av. d'Iéna (16ᵉ) • Mᵒ Iéna • Tél. 01 44 43 92 30 • www.goethe.de/fr/par • Lundi-vendredi : 9 h-21 h. Bibliothèque, mardi-vendredi : 14 h-20 h

35 000 volumes en bibliothèque que l'on peut emprunter gratuitement. Souvent de belles expos, des conférences-concerts, longs et courts métrages en entrée libre à grappiller dans le programme trouvé sur place. Remarquables cours de langue. Accueil charmant. Il existe un site Internet bilingue qui délivre des infos sur les civilisations française et allemande et les langues. En 2003, un quiz franco-allemand a été organisé. Les prix : des voyages linguistiques ou d'études, des cassettes, des CD, des livres (www. fplusd.fr).

COURS divers

COURS MUNICIPAUX D'ADULTES
Tél. 01 44 61 16 40 • Minitel : 3615 PARIS, puis ENS ou FORM • www.paris.fr

Ces cours du soir (la liste est très vaste), fort sérieux, permettent d'acquérir des compétences dans des domaines tels que l'informatique, les langues, les techniques industrielles, la bureautique (Word, Excel, Power Point ou Access, parfois en stages intensifs de jour), la comptabilité, la gestion, les techniques industrielles, les métiers de l'artisanat, etc. Également des cours pour handicapés mentaux adultes. Certaines formations préparent aux CAP, brevet des collèges, bacs divers, neuf langues, BTS, ou encore aux concours administratifs, aux concours d'entrée dans les écoles d'art et aux examens de l'université de Cambridge. De 27 à 220 € par formation (nota : les tarifs ont peut-être changé...). S'inscrire dès le 1ᵉʳ septembre, mais il existe des sessions d'été.

1ᵉʳ ARRONDISSEMENT

ÉCOLE DU LOUVRE
Palais du Louvre - Porte Joujard, Place du Carrousel (1ᵉʳ) • Mᵒ Palais-Royal-Musée-du-Louvre • Tél. 01 55 35 18 00 • Minitel : 3615 EDL • www.ecoledulouvre.fr

Programme sur place. Sans condition d'âge ni de diplôme, l'École s'ouvre à tous. Cours gratuits

sur l'histoire de Paris tous les vendredis de 18 h 30 à 19 h 30 de novembre à mai sans inscription. Cours Rachel Boyer d'histoire générale de l'art : trente-sept leçons répétées trois fois par semaine de septembre à juin les lundi, mardi et jeudi de 18 h 30 à 19 h 45 (80 € l'année scolaire). Enfin, les cours de l'École proprement dite sont ouverts aux auditeurs libres (quarante-deux disciplines, 292 € par an et par cours, inscription par correspondance dès le mois d'avril). Cours d'été : cycles d'une semaine, 176 € (87 € pour étudiants de moins de 28 ans).

3ᵉ ARRONDISSEMENT

CONSERVATOIRE NATIONAL DES ARTS ET MÉTIERS
292 rue Saint-Martin (3ᵉ) • Mᵒ Réaumur-Sébastopol • Tél. 01 40 27 23 30 (info-formation) • Minitel . 3615 CNAMINFO • www.cnam.fr et www.palerme.cnam.fr/viatic • Lundi-vendredi : 9 h-17 h

Un enseignement de qualité qui prépare à différents diplômes (700 formations), du bac au diplôme d'ingénieur ou troisième cycle dans les domaines économie, gestion, homme et travail, sciences et technologies de l'information et de la communication, sciences et techniques industrielles. Aucun diplôme n'est demandé au moment de l'inscription. Les études se font au rythme de chacun (en cours du soir, le jour ou par correspondance : courrier ou Net) avec un système d'unités de valeur capitalisables. Formations courtes ou longues diplômantes ou certifiantes. Leur durée peut être raccourcie par validation des acquis professionnels. (Compter 92 € pour l'inscription + 31 € par demi-unité supplémentaire.) Approfondissement permanent de connaissances, voire ouverture vers un changement de profession, ces études offrent un diplôme reconnu par l'État et les professionnels. En complément, ouverts à tous et gratuits, plus de 200 séminaires et conférences : ce sont les « Rencontres du Café des techniques » et les conférences des « Jeudis de l'environnement » (18 h 30-20 h), les dimanches de la vie (11 h-12 h 30)... Le CNAM propose aussi des stages de formation aux entreprises et aux demandeurs d'emploi. On obtient aussi des validations des acquis de l'expérience.

ROUGIER & PLÉ
13-15 bd des Filles-du-Calvaire (3ᵉ) • Mᵒ Filles-du-Calvaire • Tél. 01 44 54 81 00 • Fax : 01 42 76 03 90 • Minitel : 3615 ROUGIERETPLE • www.rougieretple.fr • Mercredi : 10 h 30-12 h, 14 h-15 h 30, 16 h-17 h 30

Ouverts toute l'année aux adultes comme aux enfants, les ateliers ont lieu tous les mercredis et durent 1 h 30 (inscription obligatoire). En période de Noël et avant la fête des mères, on apprend aux enfants à créer des petits cadeaux fort sympathiques. Pour adultes, un calendrier des démonstrations gratuites de techniques d'artisanat ou de beaux-arts est disponible au magasin. Elles vont de la restauration de meubles au modelage et à l'aquarelle, la poterie, la peinture sur porcelaine et l'encadrement, la mosaïque, la reliure, les bijoux, la gainerie. Coût : environ 6 €. Sur place, une librairie de guides et tout le matériel (pas toujours bon marché, hélas) nécessaire au plaisir de créer.

7ᵉ ARRONDISSEMENT

INALCO - INSTITUT NATIONAL DES LANGUES ET CIVILISATIONS ORIENTALES
1/3 rue de Lille (7ᵉ) • Mᵒ Rue-du-Bac • Tél. 01 49 26 42 00 • Lundi-vendredi : 10 h-18 h

Toutes les langues. Compter environ 180 € par an.

9ᵉ ARRONDISSEMENT

KONVERSANDO
8 bis cité de Trévise (entrée au rez-de-chaussée, côté square) (9ᵉ) • Mᵒ Grands-Boulevards ou Cadet • Tél. 01 47 70 21 64 • www.konversando.fr • Téléphoner pour connaître les horaires car ils dépendent de la langue choisie

Voici un club de linguistique épatant. Konversando propose une gamme d'activités orientées vers la pratique des langues (anglais, allemand, espagnol, italien et français langue étrangère) par la conversation. Ces activités, complémentaires des formations classiques, s'adressent à un public d'adultes, à partir d'un niveau intermédiaire faible. Pour un prix moyen de 4 € de l'heure, Konversando propose des activités originales et efficaces comme les échanges de conversation entre Français et étrangers, le « Business English » (pratique de l'anglais des affaires) ou le « Let's go ! » (initiation avancée de la conversation en anglais). Test de niveau obligatoire (10 €), adhésion (50 € : validité illimitée) puis système d'abonnements d'un ou trois mois. Atmosphère chaleureuse.

15ᵉ ARRONDISSEMENT

WICE
20 bd du Montparnasse (15ᵉ) • Mᵒ Duroc • Tél. 01 45 66 75 50 • www.wice-paris.org • Lundi-vendredi : 9 h-17 h

Pour tous ceux qui sont déjà « débrouillés » en anglais et qui veulent se perfectionner, des cours pas chers du tout : stages en juin et septembre, de 9 h 30 à 11 h tous les matins, par groupes de 6 à 8 : 170 €. Stages de novembre à mai, une fois par semaine, le mardi matin ou après-midi, ou le vendredi matin : 195 €. Également des cours d'histoire de l'art ou des cours d'anglais à travers les films et la littérature. Mais là, ça s'adresse à des anglophones (presque) confirmés (110 € pour six sessions de 2 heures).

20ᵉ ARRONDISSEMENT

LA LEÇON DE MUSIQUE
6 place Gambetta, (Mairie, salle des mariages) (20ᵉ) • Mᵒ Gambetta • Tél. 01 43 15 20 79 • Premier jeudi du mois : à 16 h, 18 h puis à 20 h (possible changement d'horaires à la rentrée 2003)

Jean-François Zygel, premier prix du Conservatoire Supérieur de Paris de piano et de composition, initie le public à la musique classique : Chopin, Fauré, Mahler... Il exécute des extraits de leurs œuvres, les commente tout en racontant la vie du musicien. Passionnant. Il est conseillé de se présenter 30 minutes avant le début du concert. Tarif : 6 €.

Universités ouvertes

Sans condition d'âge ni de parchemin, ces facs sont ouvertes à tous (mais ne délivrent aucun diplôme). Les cours sont toujours donnés par des professeurs de la fac ou des intervenants de même niveau. S'inscrire le plut tôt possible, car il y a foule. Renseignements généraux à l'AIUTA, 23 rue de Cronstadt, 15ᵉ, Tél. 01

56 56 10 19, Mº Convention, du lundi au vendredi (fermé le mercredi), de 9 h 30 à 17 h. Cette association active possède aussi les adresses de facs similaires en province et à l'étranger et les donne bien aimablement. Quant à nous, voici les grandes orientations de nos universités franciliennes.

Université dans la Cité

Université Paris VI, Pierre et Marie-Curie, 4 place Jussieu, 5ᵉ, 01 44 27 32 89. Mº Jussieu. Médecine, sciences. Inscription à partir de la mi-septembre. Tarif : 125 € par an pour environ 80 conférences. univcite@admp6.jussieu.fr

Université Ouverte

Université Paris VII, Maison de la Pédagogie, aile A, 1ᵉʳ étage, 2 place Jussieu, 5ᵉ. Mº Jussieu. Tél. 01 44 27 68 91 ou 78 03. Langues, sciences, lettres et sciences humaines, arts. Inscription : début octobre. Tarif : frais de dossier, 38 €. Inscription : 142 € pour 36 h annuelles de cours de langues. Anglais : 185 à 215 € selon niveau.

Université Inter-Ages de Paris IV Sorbonne

1 rue Victor-Cousin, 5ᵉ. Mº Luxembourg. Tél. 01 40 46 26 19. Lundi-vendredi : 9 h 30-12 h, 14 h-17 h. Arts, sciences sociales, langues, généalogie, cinéma, etc. 35 à 40 séries de 12 cours de 1 heure suivis d'un entretien avec le professeur. Inscription fin juin et mi-décembre. Tarif : 70 € pour 12 cours.

Université du Milieu de la Vie

Institut Catholique de Paris (bureau n° 04), 21 rue d'Assas, 6ᵉ. Mº Rennes ou Saint-Placide. Tél. 01 44 39 52 70. Lundi-vendredi : 14 h 30-17 h. Culture générale (lettres, histoire des religions, cinéma européen, etc.), 6 cycles de cours-conférences (16 h à 18 h) de 12 fois environ 1 heure : 64 €. Langues (anglais, allemand, espagnol, italien) : 132 € pour 24 h de cours. Inscription à partir de la fin mai jusqu'à mi-octobre.

Université Inter-Ages de Versailles

6 impasse des Gendarmes, 78000 Versailles. Tél. 01 30 97 83 90. Gare Versailles-Rive-Gauche. Lundi-vendredi : 8 h 30-12 h 30, 13 h 30-17 h. Lettres, arts, sciences humaines, sciences et techniques, langues, ateliers. Cycles de conférence (12 cours de 1 h ou 8 cours de 1 h 30 ou 6 cours de 2 h), visites, excursions et voyages en relation avec les programmes. Inscription : 32 € par an. Cycle de conférences : à partir de 75 € (pour les Versaillais) et 92 € pour les autres.

Université Inter-Ages de Créteil et du Val-de-Marne

6 place de l'Abbaye, 94000 Créteil. Mº Créteil-Préfecture. Tél. 01 45 13 24 45. Lundi-vendredi : 10 h-12 h (pour les informations). Lettres, sciences humaines, langues, arts (cours et ateliers dans la journée principalement), initiation à l'informatique. Cycles de conférences. Visites de monuments et de musées (réservées aux adhérents). Adhésion : 49 à 56 € par an, qui comprend trois conférences par semaine. Cours de langues : de 168 à 198 € par an.

Université de la culture permanente Paris X Nanterre

Bât. G, bureau R35, 200 av. de la République, 92000 Nanterre. Tél. 01 40 97 78 62. Tronc commun : culture générale (histoire de l'art, de la musique, sociologie, psychologie, histoire, gymnastique, conférences). Accès aux enseignements de toutes les spécialités, au centre sportif, à la bibliothèque, au restaurant universitaire. Inscriptions dès juin. Tarif tronc commun : 122 €. Supplément pour cours spécifiques (philosophie, civilisation arabe, civilisation de sud-est asiatique, économie, écologie) : 92 € pour chaque cours. Anglais : 198 €. Travaux dirigés en histoire de l'art : 130 €.

Pour obtenir la carte Paris Pas Cher 2004, reportez-vous à la fin de l'ouvrage, remplissez le questionnaire et renvoyez-le à l'adresse suivante :

**Paris Pas Cher
19 av. Georges-Brassens
94550 Chevilly-Larue**

ÉLECTROMÉNAGER

On classe les appareils ménagers essentiellement en deux catégories : les « bruns », téléviseurs, magnétoscopes et autres chaînes hi-fi, et les « blancs », réfrigérateurs, lave-linge et lave-vaisselle. Le marché est vaste, les marques nombreuses. Un peu à l'écart des sentiers battus, il est possible de s'en procurer à moindre prix, sans devoir renoncer à la garantie ni à un service de qualité. Suivez le guide.

¿ QUE CHERCHEZ-VOUS ?

BOUTIQUES
261 France Ménager (4e, 9e, 15e, 17e, 77, 92)
262 Showroom 2001 (9e, 10e)
261 France Ménager Showroom (12e)
262 Serap (14e, 92, 93)
263 Nesri Discount (20e)
267 Dae Sun (77)
267 Dif. Éco (78)
267 Menasold (78)
263 SODEM (78)
267 DEM (Dégrif Électro Ménager) (91)
264 France Espace Collectivités (91)
264 Francecom (91)
264 Salgueiro et Anselmi (91)
267 Diff'92 (92)
265 GF (92)
265 PRODIFEM (92)

265 Tecniconfort 92 - Expert (92)
261 Arts Ménagers Services (magasin et dépôt) (94)
267 Entrepôt Defives (95)

DÉGRIFFÉS
261 Centrale des Affaires (8e, 9e, 11e, 93)
262 Électro-Star (10e, 93, 94)
263 La Source du Confort (18e)
263 Nesri Discount (20e)
263 Lee Électroménager (77)
265 CJD Poiret (78, 93, 95)
267 Dif. Éco (78)
266 L'Entrepôt Électroménager (91)
265 Démarq Philips (92)

266 Électro-Choc Ménager (93)
266 Entrepôt BHV (94)
266 Brandt Appliances (95)
266 Distrilux (95)

OCCASION
261 Centrale des Affaires (8e, 9e, 11e, 93)
263 La Source du Confort (18e)
263 Nesri Discount (20e)
265 CJD Poiret (78, 93, 95)
266 Envie Paris-Saint-Denis (93)

PIÈCES DÉTACHÉES
262 Showroom 2001 (10e)
262 SIRVAM (12e)

STOCKS
263 Darty Stock (77)
264 Thomson VP (91)
263 Serap Stock (95)

4ᵉ ARRONDISSEMENT

FRANCE MÉNAGER

S'équiper à prix réduit

23 rue des Lombards (4ᵉ)
Mᵒ Châtelet-Les Halles
Tél. 01 48 87 73 37
Fax : 01 48 87 32 63
www.electromust.com
*Mardi-samedi : 10 h-13 h,
14 h-19 h*

Ici, vous pourrez équiper votre cuisine avec des appareils neufs à prix mini. Le matériel de retour d'exposition est cédé de 15 à 30 % moins cher que dans les magasins habituels. Les appareils neufs sont vendus entre 5 et 10 % moins cher (hors produits point rouge).

AUTRES ADRESSES

■ 39 rue du Faubourg-Poissonnière, 9ᵉ • Mᵒ Bonne-Nouvelle ou Poissonnière • Tél. 01 47 70 83 47 • Mardi-samedi : 10 h-13 h, 14 h-19 h 30

■ **France Ménager Showroom** • 18 rue de la Voûte, 12ᵉ • Mᵒ Porte-de-Vincennes • Tél. 01 43 41 33 00 • Lundi-vendredi : 8 h 30-12 h 30, 13 h 30-18 h 30 ; samedi : 10 h-13 h, 14 h-18 h • Cuisines COMERA. **Remise de 30 % avec le guide ou la carte sur les meubles de cuisine et de 10 % sur l'électroménager à partir de 304,90 € d'achat.**

■ 4 place Violet, 15ᵉ • Mᵒ Félix-Faure • Tél. 01 45 77 55 49 • Mardi-samedi : 10 h-13 h, 14 h-19 h

■ 42-44 rue Guersant, 17ᵉ • Mᵒ Porte-de-Champerret • Tél. 01 55 37 22 44 • Mardi-samedi : 10 h-13 h, 14 h-19 h

■ ZA La Haie Passart, rue Gustave-Eiffel • 77170 BRIE-COMTE-ROBERT • 20 km de la Porte de Bercy (A4 + N19) • Tél. 01 60 62 08 08 • Mardi-samedi : 9 h 30-13 h, 14 h-19 h • Cuisines COMERA. **Remise de 30 % avec le guide ou la carte sur les meubles de cuisine et de 10 % sur l'électroménager à partir de 304,90 € d'achat.**

■ 58 av. Pierre-Grenier • 92100 BOULOGNE • Mᵒ Marcel-Sembat ou Porte-de-Saint-Cloud • Tél. 01 46 08 27 14 ou 01 46 08 27 15 • Mardi-samedi : 10 h-13 h, 14 h-19 h 30 • Pas d'espace bonnes affaires à cette adresse.

■ **Arts Ménagers Services (magasin et dépôt)** • ZI, 15 rue Condorcet • 94430 CHEN-NEVIÈRES-SUR-MARNE • 10 km de la Porte de Bercy (A4 + N4) • Tél. 01 49 62 23 10 • Lundi-samedi : 9 h 30-12 h 30, 14 h-18 h 30

9ᵉ ARRONDISSEMENT

CENTRALE DES AFFAIRES

Gros électro-ménager de retour d'expo

11 rue de Parme (9ᵉ)
Mᵒ Place-Clichy ou Liège
Tél. 01 45 26 98 16
Lundi-samedi : 9 h-19 h

Beaucoup d'appareils encastrables et toujours du gros électroménager (Bosch, AEG, Siemens...). Parce qu'ils ont été exposés, ou qu'ils sont un peu rayés, les produits sont vendus de 20 à 30 %, voire 40 % moins chers. Garantie de 2 ans pour les appareils neufs ou revenant d'exposition, 6 mois pour l'occasion. Réfrigérateur-congélateur Arthur Martin (140 cm) : 250 €. Lave-vaisselle douze couverts Bosch : 399 €. Aspirateur Siemens 1 600 W : 99 €. En occasion : réfrigérateur à 75 €, lave-linge à 120 €. « Nos transporteurs et installateurs ont changé et nous en sommes satisfaits », nous assure la direction. **Remise de 10 % sur l'occasion avec le guide ou la carte. Remboursement du guide pour tout achat de matériel neuf.**

AUTRES ADRESSES

■ 85 rue d'Amsterdam, 8ᵉ • Mᵒ Place-Clichy • Tél. 01 40 16 01 07 • Lundi-samedi : 9 h-19 h • A deux pas de la précédente.

■ 47 bd Ménilmontant, 11ᵉ • Mᵒ Père-Lachaise • Tél. 01 43 79 22 35 • Lundi-samedi : 9 h-19 h

■ 42 rue de Lagny • 93100 MONTREUIL • Mᵒ Bérault • Tél. 01 48 58 64 64 (numéro de la rue de Parme où l'on vous renseignera sur les disponibilités à Montreuil) • Jeudi-samedi : 10 h-19 h

SHOWROOM 2001 — *Spécial lecteurs*

28 rue de Châteaudun (9ᵉ)
Mº Notre-Dame-de-Lorette
Tél. 01 42 82 11 11
www.armenager.com
*Lundi-samedi : 9 h 30-
18 h 30*

Dans ce magasin, on choisira électroménager et meubles de cuisine assortis. **Selon les appareils, nos lecteurs bénéficient d'une réduction de 10 à 15 % par rapport aux prix courants (avec le guide ou la carte) ; la garantie est de 3 ans.**

AUTRES ADRESSES

■ 39 rue de Châteaudun, 9ᵉ • Mº Notre-Dame-de-Lorette • Tél. 01 42 82 11 11 (standard) • Lundi-samedi : 9 h 30-18 h 30 • On trouvera ici du gros électroménager américain, par exemple de grands réfrigérateurs avec distributeur de glaçons.

■ 38 rue Saint-Georges, 9ᵉ • Mº Saint-Georges • Tél. 01 49 95 08 92 • Lundi-samedi : 9 h 30-13 h, 14 h-18 h 30 • Petit électroménager. On essaie tables à repasser et fer à vapeur sur place.

■ Palais de la Machine à laver, 208 bis rue du Faubourg-Saint-Denis, 10ᵉ • Mº La Chapelle • Tél. 01 42 05 50 64 • Lundi-vendredi : 9 h-17 h 30 ; samedi : 9 h-13 h • Ici figurent seulement les accessoires, les pièces détachées, le service après-vente et le dépannage. **Remise de 25 % sur les pièces détachées avec le guide ou la carte.**

10ᵉ ARRONDISSEMENT

ÉLECTRO-STAR — *Fins de stocks ou modèles d'exposition en discount*

81 bd Magenta (10ᵉ)
Mº Gare-de-l'Est
Tél. 01 47 70 26 64

Petit et gros électroménager à prix cassés, de toutes marques, livrés neufs dans leur emballage et garantis 2 ans. – Lundi : 14 h 30-19 h 30 ; mardi-samedi : 10 h-19 h 30.

AUTRES ADRESSES

■ 31 rue du Sergent-Godefroy • 93100 MONTREUIL • Tél. 01 49 88 95 96 • Lundi-samedi : 9 h-12 h, 14 h-19 h • Parking clients.

■ CC Achaland, 11 rue Convention • 94380 BONNEUIL-SUR-MARNE • Tél. 01 43 77 23 46 • Lundi-dimanche : 10 h-13 h, 14 h-19 h 30

12ᵉ ARRONDISSEMENT

SIRVAM — *Stock Hoover de pièces détachées*

14 rue Michel-Chasles (12ᵉ)
Mº Gare-de-Lyon
Tél. 01 46 28 90 57
*Lundi-vendredi : 9 h 30-
18 h 30 ; samedi : 10 h-
18 h*

On trouvera ici des pièces détachées d'origine ainsi qu'aspirateurs, machines à expresso, centrales vapeur et fers à repasser. La maison dépanne aussi les appareils de toutes marques en 48 heures (tarif horaire : 28 €). Frais de déplacement : 28 € pour Paris. Travail rapide, soigné, sérieux signalé par un de nos lecteurs.

14ᵉ ARRONDISSEMENT

SERAP — *Voir, comparer, acheter...*

⚐ 70 rue du Père-Corentin
(14ᵉ)
Mº Porte-d'Orléans
Tél. 01 40 52 74 00
*Mardi-samedi : 10 h-
19 h 30 ; lundi : 14 h-
19 h 30*

Voici un des magasins chouchous de nos lecteurs. Le choix d'appareils bruns et blancs est vaste dans cette entreprise réservée au départ aux collectivités et qui propose aussi de l'électroménager neuf. Les prix sont inférieurs de 10 %, parfois même plus, à ceux pratiqués par la grande distribution. **Magasins ouverts aux titulaires de la carte Paris Pas Cher.**

AUTRES ADRESSES

■ Centre Commercial Eiffel, 37 rue d'Alsace • 92300 LEVALLOIS-PERRET • Mº Louise-Michel • Tél. 01 40 87 85 00 • Mardi-samedi : 10 h-19 h 30

■ Centre Commercial Gallieni, 33-35 av. du Général-de-Gaulle • 93170 BAGNOLET • Mº Gallieni • Tél. 01 43 62 32 00 • Lundi : 14 h-19 h 30 ; mardi-samedi : 10 h-19 h 30

■ **Serap Stock** • Rue de l'Éclipse, bd du Moulin-à-Vent • 95800 CERGY-NEUVILLE • Tél. 01 34 43 99 80 • Mardi-vendredi : 12 h 30-19 h 30 ; samedi : 10 h-19 h • Arrivent au stock des appareils d'électroménager sur lesquels on déplore quelques rayures. Ces petits impacts entraînent de notables baisses de prix.

18e ARRONDISSEMENT

LA SOURCE DU CONFORT

65 rue Ramey (18e)
M° Jules-Joffrin
Tél. 01 42 54 44 49
Mardi-samedi : 10 h-19 h

L'occasion à ne pas manquer

Gros électroménager de très grandes marques, d'occasion mais pas n'importe laquelle, ou de retour d'exposition. Résultat : des prix parfois très petits. Réfrigérateur deux portes à partir de 136 €, lave-vaisselle à 145 €, lave-linge à 151 €, congélateur-armoire à 197 €, cuisinière à gaz quatre feux à 150 €. La maison assure aussi dépannages et réparations et si vous préférez acheter du neuf, elle le commandera pour vous. **Remise de 5 à 15 % avec le guide ou la carte.**

20e ARRONDISSEMENT

NESRI DISCOUNT

98 bd de Ménilmontant
(20e)
M° Père-Lachaise
Tél. 01 43 66 19 31
Fax : 01 46 36 55 44
www.nesri.fr
Lundi-samedi : 9 h-19 h

Fins de séries et occasions

En fonction des arrivages, vous trouverez ici des appareils en fins de séries déstockés ou d'occasion ainsi que de nombreuses promotions, le tout à des prix très intéressants : lave-linge 5 kg à partir de 245 € ; cuisinière gaz à partir de 150 € ; micro-ondes à partir de 90 €. **Remise de 10 % hors promotions, avec le guide ou la carte.**

77 SEINE-ET-MARNE

LEE ÉLECTROMÉNAGER

35 bd de Beaubourg
77184 EMERAINVILLE
21 km de Porte de Bercy (A4)
Tél. 01 64 62 03 44
www.lee-electromenager.fr
Mardi-samedi : 9 h-12 h 30, 14 h-19 h

Discounter

15 à 40 % sur les prix neufs. Gros appareils, aspirateurs et micro-ondes de deuxième choix. Marques proposées avec défauts d'aspect mais garantie constructeur (2 ans pièces, main-d'œuvre et déplacement) : Bosch, Siemens, Ariston, etc. Service après-vente gratuit dans un rayon de 35 km.

DARTY STOCK

1 rue Mercier
ZI Mitry-Compans
77290 MITRY-MORY
20 km de la Porte
de la Chapelle
(A1 + A104)
Tél. 01 64 27 46 04
www.darty.com
Lundi-samedi : 10 h-12 h 30, 14 h-19 h

Moins cher que le moins cher

Modèles de fins de séries, appareils souffrant d'un petit défaut d'aspect, retour d'exposition : ici, Darty vend son électroménager, petit ou gros, et ses appareils de hi-fi, vidéo environ 15 % moins cher que dans son réseau de magasins habituels. Le choix est vaste et se renouvelle sans cesse. Livraison gratuite. Lors d'un achat, demander les adresses des services après-vente. Informez-vous aussi du coût de leur déplacement afin de ne pas avoir de mauvaise surprise.

78 YVELINES

SODEM

Zone Industrielle
de la Grosse-Pierre
18 rue de la Grosse-Pierre

Réductions selon les arrivages

Des fins de séries, mais aussi du matériel neuf avec défaut d'aspect : des appareils électroménagers de marques (Miele, Liebherr, Bosch, Siemens, Rosières,

78540 VERNOUILLET
30 km de la Porte d'Auteuil
(A13)
Tél. 01 39 28 94 77
Mercredi-vendredi : 14 h 30-19 h ; samedi : 10 h-12 h 30, 14 h 30-19 h

AUTRE ADRESSE
- 41 rue René-Valognes • 78711 MANTES-LA-VILLE • 55 km de la Porte d'Auteuil (A13) • Tél. 01 34 77 30 08 • Mardi-vendredi : 14 h 30-19 h ; samedi : 10 h-12 h 30, 14 h-19 h

Vedette, Whirlpool, Laden). En fonction des arrivages, les tarifs sont inférieurs de 15 à 25 % aux prix normaux. Exemple : une différence de 190 € sur un four Bosch. Garantie constructeur et possibilité d'extension de la garantie à 5 ans sur les appareils du groupe Whirlpool. **Livraison et installation gratuites dans un rayon de 20 km avec le guide ou la carte.**

91　ESSONNE

THOMSON VP　　　　　　　　　　*Stock*

12-16 rue Émile-Baudot
91120 PALAISEAU
RER B, Palaiseau
Tél. 01 69 19 62 00
Mardi-vendredi : 9 h-18 h ; samedi : 8 h 30-18 h 30

Petit et gros électroménager. Téléviseurs, hi-fi et téléphones. Lave-linge Arthur Martin : 325 € au lieu de 699 € en grande distribution. Réfrigérateur Vedette, une porte, quatre étoiles : 337 € au lieu de 450 €.

FRANCE ESPACE COLLECTIVITÉS　*Grandes marques aux meilleurs prix*

ZI La Croix-Blanche, Espace Technologie, 15 av. Scotte
91700 SAINTE-GENEVIÈVE-DES-BOIS
22 km de Porte d'Italie (A6)
Tél. 01 69 46 24 40
www.france-espace-collect.com
Lundi-samedi : 10 h-19 h 30

Vendus 15 à 25 % en dessous des prix normaux, ces appareils de grandes marques de l'électroménager blanc (Brandt, Siemens, Miele : gros appareils et encastrables) et aussi des téléviseurs et du matériel hi-fi, TVC, vidéo, DVD. La livraison, en revanche, est payante. **Remise de 5 % supplémentaire sur le premier achat avec le guide ou la carte.**

SALGUEIRO ET ANSELMI　*Grossiste en appareils allemands*

1 route de Versailles
91190 VILLIERS-LE-BACLE
21 km de la Porte de Saint-Cloud (N118)
Tél. 01 69 41 32 09
Mardi-samedi : 10 h-12 h, 14 h 30-18 h

Des économies de 10 à 30 % sur le prix public d'achat et sur des modèles signés Miele, Bosch, Siemens, Neff, Liebherr, De Dietrich, tout Electrolux, Rosières, neufs et emballés. On ne trouve ici que du premier choix, avec une garantie de 2 ans par le fabricant. Si l'objet convoité n'est pas dans l'entrepôt, on l'obtient sur commande une semaine environ plus tard. Peu de petit électroménager, TV et hi-fi. Par contre, quelques objets de décoration signés SA et Comptoir de Famille. **Remise de 5 % avec le guide ou la carte.**

FRANCECOM　　　　*Regarder, comparer, acheter*

A 95 av. du Général-de-Gaulle (N7)
91170 VIRY-CHÂTILLON
15 km de la Porte d'Italie
Tél. 01 69 44 35 82
Mardi-vendredi : 10 h-13 h, 14 h 30-19 h 15 ; samedi : 10 h-13 h, 14 h-19 h

Prix de 15 à 20 % sous la norme à cette excellente adresse existant depuis 25 ans, destinée aux collectivités et qui ouvre ses portes exceptionnellement aux lecteurs de Paris Pas Cher. Sur deux niveaux, TV, hi-fi, vidéo, ménagers, encastrables, cuisines et salles de bains. Promotions fréquentes. **Remise de 3 % aux nouveaux clients avec le guide ou la carte.**

92 HAUTS-DE-SEINE

TECNICONFORT 92 - EXPERT   *S'équiper à prix réduit*

101 av. Édouard-Vaillant
92100 BOULOGNE-
BILLANCOURT
M° Marcel-Sembat
Tél. 01 46 21 96 55
www.vdirectce.com
Mardi-samedi : 10 h-18 h

Petit et gros électroménager, à quoi s'ajoute du matériel hi-fi à des prix inférieurs d'au moins 20 % aux prix « grande surface » avec garantie d'un an. Seul point négatif : pas de livraison possible. Lave-vaisselle AEG : 640,74 € au lieu de 913,17 €. Sèche-linge Whirlpool : 470 € au lieu de 699,99 €.

GF   *Neuf à prix réservés aux collectivités*

13 av. du Général-Leclerc
92340 BOURG-LA-REINE
3 km de la Porte d'Orléans
(N20)
Tél. 01 46 65 55 55
Fax : 01 46 65 07 69
Tous les jours : 10 h-19 h 30

Plus de 15 000 appareils référencés neufs et emballés d'origine. Livraison gratuite sur la région parisienne. Garantie totale de 2 ans. Machine à laver top Arthur Martin : 599 € au lieu de 699 €. Lave-vaisselle Whirlpool : 480 € au lieu de 600 €. Réfrigérateur combi Miele : 646 € au lieu de 760 €. TV combi 16/9ᵉ Philips : 1 529 € au lieu de 1 799 €. S'ajoutent salles à manger, salons, literie et cuisines. **Réductions de 10 à 15 % avec le guide ou la carte.**

PRODIFEM   *Grandes marques, petits prix*

8 av. Otis-Mygatt
92500 RUEIL-MALMAISON
5 km de la Porte Maillot
Tél. 01 47 08 31 20
Fax : 01 47 49 57 66
www.prodifem.fr

Ici, réfrigérateurs, cuisinières et autres lave-linge, mais aussi téléviseurs et matériel hi-fi sont ceux des plus grandes marques françaises et européennes, en moyenne 20 % moins cher qu'ailleurs. Garantie totale électroménager 2 ans. – lundi-vendredi : 9 h-12 h, 14 h-19 h.

DÉMARQ PHILIPS   *Stock Philips*

35 rue de Verdun
92150 SURESNES
5 km de la Porte Maillot
Tél. 01 47 28 57 47
(serveur vocal)

Gros et petit électroménager présentant quelques défauts d'aspect : leur prix chute en conséquence de 30 % environ. Certains samedis, la maison procède à des ventes spéciales particulièrement intéressantes. Téléphonez pour obtenir ces dates. – Mardi-vendredi : 12 h 30-16 h 30 ; certains samedis (se renseigner) : 9 h-13 h.

93 SEINE-SAINT-DENIS

CJD POIRET   *Le bon endroit au bon moment*

93 av. Marceau
93700 DRANCY
5 km de la Porte de Pantin
Tél. 01 48 32 10 65
*Mardi-vendredi : 9 h 30-
12 h 30, 14 h-19 h ;
samedi : 10 h-19 h 45*

La maison reçoit des lots, des fins de séries ou encore des appareils de second choix qu'elle revend entre 10 et 30 % moins cher que le neuf. Cuisinières, réfrigérateurs, hi-fi, vidéo. Garantie 2 ans pièces et main-d'œuvre – et déplacement pour les gros appareils. **Garantie étendue à 3 ans au lieu de 2 avec le guide ou la carte.**

AUTRES ADRESSES
- Usine Center, Rue André-Citroën • 78140 VÉLIZY-VILLACOUBLAY • 10 km de la Porte de Saint-Cloud (N118), voir p. 000 • Tél. 01 39 46 07 24 • Mercredi-vendredi : 11 h-20 h ; samedi-dimanche : 10 h-20 h
- Quai des Marques, 395 av. du Général-Leclerc • 95130 FRANCONVILLE • 15 km de la Porte de la Chapelle (A1 + A15), voir p. 398 • Tél. 01 34 15 30 22 • Fax : 01 34 14 42 00 • Lundi-vendredi : 11 h-20 h ; samedi : 10 h-20 h

■ 11 av. Jean-Jaurès • 95400 ARNOUVILLE-LÈS-GONESSE • 20 km de la Porte de la Chapelle (A1)
• Tél. 01 39 87 05 70 • Mardi-vendredi : 10 h-12 h 30, 14 h-19 h 30 ; samedi : 10 h-19 h 30
• Également TV, hi-fi et vidéo.

ÉLECTRO-CHOC MÉNAGER

Intégrables ou pas

41 bis bd Henri-Barbusse
93100 MONTREUIL-
SOUS-BOIS
M° Mairie-de-Montreuil
Tél. 01 49 88 12 12
*Lundi-samedi : 9 h 30-
19 h 30*

L'électrochoc, ici, n'est pas douloureux, au contraire. L'accueil charmant est très compétent et l'entreprise vaut le détour. Les lave-vaisselle et autres appareils ménagers destinés à équiper la cuisine sont vendus entre 15 et 35 % moins cher que sur le marché. Réfrigérateurs à partir de 181,41 €, lave-linge à partir de 242,39 €. Réfrigérateurs américains à partir de 1 050,37 €. Appareils neufs uniquement, fins de séries ou retours d'exposition. **Livraison gratuite avec le guide ou la carte.**

AUTRE ADRESSE
■ **L'Entrepôt Électroménager** • 11 av. de la Résistance, ZAC de la Croix-Blanche • 91700 SAINTE-GENEVIÈVE-DES-BOIS • 25 km de la Porte d'Orléans (A6) • Tél. 01 69 46 27 27 • Fax : 01 60 16 75 70 • Lundi-samedi : 10 h 30-19 h 15

ENVIE PARIS-SAINT-DENIS

Gros appareils d'occasion

295 av. du Président-
Wilson
93210 SAINT-DENIS-
LA-PLAINE
RER D ou B, Stade-
de-France
Tél. 01 48 20 43 48
Lundi-samedi : 10 h-19 h

Tous ces appareils d'occasion sont révisés et testés par des techniciens. Ils ressortent de leurs mains avec une garantie d'un an et ne coûtent que le tiers de leur prix à l'état neuf. Matériel collecté et formation des salariés assurée par la communauté Emmaüs. Réfrigérateur top à partir de 90 €, lave-linge à partir de 105 €, une cuisinière à gaz à partir de 90 €, lave-vaisselle à partir de 150 €, etc. Parking gratuit.

94 VAL-DE-MARNE

ENTREPÔT BHV

Second choix haut de gamme

119 bd Paul-Vaillant-
Couturier
94200 IVRY-SUR-SEINE
M° Mairie-d'Ivry + bus 125
Tél. 01 49 60 44 10
SAV : 01 40 60 44 44

Second choix, fins de séries : l'entrepôt du BHV récupère les nombreux appareils exposés dans les divers magasins du groupe, ainsi que les fins de séries et les seconds choix. Ils sont alors vendus à prix réduit. – Lundi-samedi : 10 h-20 h.

95 VAL-D'OISE

BRANDT APPLIANCES

Brandt décliné sur tous les tons

11 rue Jean-Poulmarc'h
ZI du Val-d'Argent
95100 ARGENTEUIL
8 km de la Porte d'Asnières
(D909)
Tél. 01 34 10 81 76

20 % moins cher et quelques très petits défauts d'aspect en plus, voici de gros appareils signés Brandt et ses marques dérivées : Sauter, De Dietrich, Thomson, Vedette. Ils bénéficient d'une garantie totale de 2 ans. – Mardi et vendredi : 10 h-19 h ; samedi : 10 h-18 h 15 ; mercredi et jeudi : 10 h-18 h. **Remise de 5 % avec le guide ou la carte.**

DISTRILUX

Stock Électrolux

ZI Moimont 2
2 rue Jules-Vallès
95670 MARLY-LA-VILLE
27 km de la Porte
de la Chapelle (A1 + N17)

Ce groupe distribue tout le matériel Électrolux dont les marques Faure, Arthur Martin, AEG, Tornado, Zanussi, Flymo. Les appareils sont neufs mais dépréciés en raison, par exemple, de petites rayures. Ils valent de 20 à 30 % moins cher et restent garantis

Tél. 01 30 29 41 54
Mardi-vendredi : 9 h 30-
18 h ; samedi : 9 h-12 h 45

un an. L'adresse du service après-vente est donnée lors de l'achat avec la facture.

ENTREPÔT DEFIVES

34 rue du Bois-du-Pont
(à côté des Sanitaires
Porcher)
95310 SAINT-OUEN-
L'AUMÔNE
25 km de la Porte
de la Chapelle (A1 + A15)
Tél. 01 34 64 52 91

Whirlpool à moindre coût

La gamme des produits Whirlpool est ici déclinée à moindre prix. Qu'il s'agisse de réfrigérateurs, de lave-linge ou de sèche-linge, les appareils du groupe, neufs, sont vendus entre 10 et 20 % moins chers qu'ailleurs. Le magasin propose aussi des téléviseurs et des chaînes hi-fi de marque Philips. – Mardi : 15 h-19 h ; mercredi-samedi : 10 h-12 h, 15 h-19 h.

AUTRE ADRESSE
■ 69 rue Henri-Barbusse • 95100 ARGENTEUIL • 10 km de la Porte Maillot (A14 + A86) • Tél. 01 39 61 73 87 • Mardi : 15 h-19 h ; mercredi-samedi : 10 h-12 h, 15 h-19 h • Mêmes articles + literie.

Quelques autres adresses

Trouvailles de dernière minute, bons plans susurrés par nos lecteurs, ou découvertes qui méritent qu'on s'y intéresse sans long développement, voici encore quelques adresses de bon conseil.

77 SEINE-ET-MARNE

DAE SUN
6-8 rue du Fort • 77340 PONTAULT-COMBAULT
• Tél. 01 60 18 10 60 • Dimanche et lundi : 14 h 30-19 h 30 ; autres jours . 9 h 30-19 h 30
Téléviseurs fins de séries, électroménager à prix réduit. **Remise de 5 à 20 % avec le guide ou la carte.**

78 YVELINES

MENASOLD
19 place Berthelot • 78360 MONTESSON
• 15 km de la Porte Maillot (A14) • Tél. 01 39 13 02 63 • Lundi-samedi : 9 h-12 h, 14 h-20 h
Électroménager et téléviseurs.

DIF. ÉCO
1 bis rue Paul-Doumer • 78510 TRIEL-SUR-SEINE
• 31 km de la Porte Maillot (A14) • Tél. 01 39 70 64 36 • Mardi-samedi : 10 h-12 h 30, 14 h 10-19 h
10 à 50 % sur l'électroménager de second choix

(quelques éraflures). Électroménager à prix réduit et matériel de bricolage.

91 ESSONNE

DEM (DÉGRIF ÉLECTRO MÉNAGER)
14 rue de la Croix-Blanche, ZAC de la Croix-Blanche • 91700 SAINTE-GENEVIÈVE-DES-BOIS
• Tél. 01 60 15 62 90 • Dimanche : 14 h-19 h ; lundi-vendredi : 10 h-12 h 30, 14 h-19 h ; samedi : 10 h-19 h
Les grandes marques d'électroménager à prix soldés (très tirés).

92 HAUTS-DE-SEINE

DIFF'92
36 rue Raymond-Barbet • 92000 NANTERRE
• RER A, Nanterre-Ville ou bus 159 • Tél. 01 46 14 06 06 • Mardi-samedi : 9 h 30-12 h 30, 14 h-19 h
Hi-fi, électroménager, télévision, vidéo, home cinéma, canapés, literie 10 à 20 % moins cher que les prix normaux (en période de promotions : 25 à 30 %).

A **Adresse particulièrement recommandée**

♔ Adresse haut de gamme : le luxe à prix abordable

ENFANTS

« Comment c'est-y-donc possible d'oser avoir des enfants à Paris ? » Continuez de les laisser dire et de profiter, grâce à Paris Pas Cher, de la région de France la plus fertile en activités et la moins onéreuse pour l'habillement de votre progéniture. Outre le présent chapitre, reportez-vous également à la nouvelle rubrique Mode : « Chaussures enfant » p. 64, « Vêtements enfant » p. 133. Dans les dépôts-ventes, vous trouverez dans un joyeux mélange puériculture, vêtements et chaussures…

¿ QUE CHERCHEZ-VOUS ?

À LA FERME
290 Gîtes de France (9e)
285 Ferme de Paris (12e)
285 La Ferme des Autruches (77)
285 Bergerie Nationale (78)
286 Ferme de Gally (78)
286 Ferme Pédagogique du Bel Air (91)
286 Ferme Pédagogique du Piqueur (92)
286 La Ferme des Gondoles (94)

ANIMATIONS, SPECTACLES
287 À la Ribambelle
289 Musée de la Curiosité et de la Magie (4e)
287 Musée en Herbe (16e)
287 Que la Fête Commence (16e)
287 Atchoum Animations et Spectacles (20e)

288 Bidouille le Clown (92)
289 Une Journée au Cirque de Paris (92)
288 Alpha Baby (94)

AQUARIUMS
284 Centre de la mer (5e)
285 Aquarium de la Porte Dorée (12e)

ATELIERS
288 L'Atelier du Jardin des Tuileries (1er)
288 La Maison du Geste et de l'Image (1er)
289 Mercredis Découverte Lenôtre (8e)
287 Musée en Herbe (16e)
289 La Cité des Enfants (19e)
286 Ferme de Gally (78)

CHAUSSURES
64 « Chaussures enfant »

CINÉMA
289 Forum des Images (1er)
289 Écran des Enfants (4e)
290 Cinémathèque Française (10e)
290 Ciné-Club Junior (17e)
290 Ciné-Goûter (92)

DÉCOUVERTE DE LA NATURE
285 Grande Galerie de l'Évolution (5e)
290 Gîtes de France (9e)
285 Le Jardin des Papillons (12e)
286 Espace Rambouillet (78)
286 La Serre aux Papillons (78)

DÉPÔTS-VENTE
272 Les Années Troc (12e)
273 Bambini Troc (12e)
273 Troc Lutin (13e)
273 Bambin Troc (15e)
274 Baby Troc (16e)
274 Lollipops (16e)

¿ QUE CHERCHEZ-VOUS ?

274 Arsouilles & Compagnie (17ᵉ)
274 Machin-Chouette (17ᵉ)
275 D'un Môme à l'Autre (18ᵉ)
275 Chamaille (19ᵉ)
275 Troc'Bébé (19ᵉ)
275 Baby Troc (92)
276 Pti Mômes (94)

GARDE D'ENFANTS
277 Fondation Claude-Pompidou (1ᵉʳ)
278 Alliance Française (6ᵉ)
278 Entraide Allemande (12ᵉ)
278 La Maison de l'Enfance (13ᵉ, 15ᵉ, 16ᵉ, 18ᵉ)
278 L'Arche (14ᵉ)
278 Verein für Internationale Jugendarbeit (14ᵉ)
278 La Maison Verte (15ᵉ)
278 L'Arbre Bleu (18ᵉ)
277 *Faire garder vos petits*

JEUX VIDÉO, CONSOLES
280 Paris-Jussieu Consoles (5ᵉ)
200 Score Games (6ᵉ, 9ᵉ, 15ᵉ, 16ᵉ)
281 Ultima Games (13ᵉ, 14ᵉ)

JOUETS, POUPÉES
282 La Grande Récré
282 Imaginarium
282 Toys « R » Us
282 Apache (1ᵉʳ)
287 Si Tu Veux (2ᵉ)
271 Big Shop (3ᵉ)

279 Nouveautés Parisiennes (3ᵉ)
279 Multicubes (4ᵉ)
280 Âge Tendre et Tête de Bois (6ᵉ)
280 La Boîte à Doudou (9ᵉ)
280 La Boîte à Joujoux (9ᵉ)
281 Pintel Jouets (10ᵉ, 12ᵉ)
272 Les Années Troc (12ᵉ)
273 Troc Lutin (13ᵉ)
273 Bambin Troc (15ᵉ)
273 Sauvel Natal (15ᵉ, 93)
281 Zig et Puce (15ᵉ)
274 Lollipops (16ᵉ)
274 Arsouilles & Compagnie (17ᵉ)
275 D'un Môme à l'Autre (18ᵉ)
281 L'Entrepôt du Jouet (77)
276 Papouille (93)
282 Éveil et jeux (95)
282 *Chirurgiens des jouets*
283 *Les Ludothèques de Paris*

LOISIRS ENCADRÉS
290 Centres de Loisirs de la Ville de Paris
290 Vacances Arc-en-Ciel
288 Jardin des Enfants, aux Halles (1ᵉʳ)

MATÉRIEL POUR FÊTES
287 Si Tu Veux (2ᵉ)
287 Balloons Shop (15ᵉ)
281 Zig et Puce (15ᵉ)
288 Alpha Baby (94)

PUÉRICULTURE
271 Big Shop (3ᵉ)
275 L'Avenue des Bébés (6ᵉ, 8ᵉ, 19ᵉ)
272 Langex (10ᵉ)
272 Mom (10ᵉ)
272 Jumeaux et Plus (11ᵉ)
272 Les Années Troc (12ᵉ)
273 Bambini Troc (12ᵉ)
273 Troc Lutin (13ᵉ)
273 Bambin Troc (15ᵉ)
273 La Do Ré (15ᵉ)
273 Sauvel Natal (15ᵉ, 93)
274 Lollipops (16ᵉ)
135 LPB (17ᵉ)
275 D'un Môme à l'Autre (18ᵉ)
275 Chamaille (19ᵉ)
275 Troc'Bébé (19ᵉ)
275 Baby Troc (92)
276 Papouille (93)
276 Tout Pour Devenir Grand (93)
276 Pti Mômes (94)

PUÉRICULTURE : JUMEAUX
272 Jumeaux et Plus (11ᵉ)
276 Papouille (93)
276 Tout Pour Devenir Grand (93)

PUÉRICULTURE : PRÊT
276 *Empruntez un siège auto chez Midas*

RÉPARATION DE POUSSETTES
271 Caron Laveille (10ᵉ)

SOUTIEN SCOLAIRE
279 *Aide aux devoirs*

¿ QUE CHERCHEZ-VOUS ?

VACANCES
290 Centres de Loisirs de la Ville de Paris
290 Vacances Arc-en-Ciel
290 Gîtes de France (9ᵉ)

VÊTEMENTS DE GROSSESSE
271 C&A (1ᵉʳ, 9ᵉ, 15ᵉ)
275 L'Avenue des Bébés (6ᵉ, 8ᵉ, 19ᵉ)
272 Les Années Troc (12ᵉ)

273 Bambini Troc (12ᵉ)
273 Troc Lutin (13ᵉ)
274 Arsouilles & Compagnie (17ᵉ)
274 Machin-Chouette (17ᵉ)
275 D'un Môme à l'Autre (18ᵉ)
275 Chamaille (19ᵉ)

VÊTEMENTS NEUFS
271 Big Shop (3ᵉ)
272 Langex (10ᵉ)
273 La Do Ré (15ᵉ)
133 « Vêtements enfant »
129 « Vêtements jeune »

ZOOS
285 Ménagerie du Jardin des Plantes (5ᵉ)
285 Zoo de Vincennes (12ᵉ)
285 La Ferme des Autruches (77)
286 Espace Rambouillet (78)
286 La Serre aux Papillons (78)
286 Thoiry (78)

VOIR AUSSI
378 « Jeunes étudiants »

**Vous voulez recevoir gratuitement
le prochain Paris Pas Cher ? Signalez-nous,
par courrier, une bonne adresse qui n'y figure pas
ou une erreur qui se serait glissée dans le texte (si, si, ça arrive),
avant le 1ᵉʳ février 2004.**

**Si vous êtes le premier (ou la première) à nous l'avoir signalée,
et que nous la retenons,
vous recevrez un exemplaire du guide 2005,
à paraître en septembre 2004.**

**Paris Pas Cher
19 av. Georges-Brassens
94550 Chevilly-Larue**

BÉBÉ, puériculture, meubles

Tout ce qu'il faut pour équiper maman pendant la grossesse et bébé pendant les premières années. Dans ce chapitre, on trouvera quelques boutiques vendant (entre autres) des vêtements pour enfants – notamment de nombreux dépôts-ventes – mais on consultera utilement la rubrique Mode (« Chaussures enfant » p. 64, « Vêtements enfant » p. 133) pour habiller Rodrigue ou Célestine dès qu'ils voudront rivaliser d'élégance avec leurs copains (copines) de classe.

3e ARRONDISSEMENT

BIG SHOP

241 rue Saint-Martin (3e)
M° Réaumur-Sébastopol
Tél. 01 42 72 28 94
Fax : 01 42 72 63 41
Mardi-vendredi : 9 h-16 h 30

Un grossiste nous ouvre ses portes

Big Shop est un immense magasin de gros qui reçoit nos lecteurs et eux seuls ! Pour ce privilège, quelques menues contraintes : présentez-vous en ayant une idée de ce que vous cherchez (pas de démonstration sur place) et faites des achats pour un montant minimum de 80 €. Pensez à tout car vous trouverez chez ce spécialiste des 0-2 ans, layette, puériculture, mobilier et jouets d'éveil à prix plancher (25 % d'économie en général + SAV garanti sur le matériel). Vous bénéficierez en prime des conseils avisés d'une équipe de pros. Dors bien : à partir de 7,50 €. Poussette canne ultra légère toute équipée avec housse portable : 76,22 €. Espèces ou Carte Bleue.

9e ARRONDISSEMENT

C&A

45-49 bd Haussmann (9e)
M° Chaussée-d'Antin
Tél. 01 53 30 89 33
Lundi-vendredi : 9 h 30-20 h ; jeudi : nocturne 21 h ; samedi : 9 h 30-19 h 30

Une bonne adresse future maman

Les collections de vêtements de grossesse C&A, beaucoup moins connues que le reste, n'en sont pas moins remarquables par leur coupe simple et mode à la fois. Pantalons : de 24,95 à 44,95 €. Chemisiers : de 14,95 à 39,95 €. Sweats et jupes : à partir de 19,95 €. Slips par 2 : 12,95 €. Soutien-gorge : de 16,95 à 19,95 €.

AUTRES ADRESSES

- 126 rue de Rivoli, 1er • M° Châtelet • Tél. 01 53 40 93 23 • Lundi-samedi : 9 h 30-19 h 15
- Centre commercial Maine-Montparnasse, Tour Montparnasse, 15e • M° Montparnasse-Bienvenüe • Tél. 01 43 21 49 20 • Lundi-samedi : 9 h 30-19 h 15
- 17 magasins dans la région parisienne : vérifier au préalable qu'ils disposent d'un rayon maternité digne de ce nom

10e ARRONDISSEMENT

CARON LAVEILLE

16 rue du Chalet (10e)
M° Belleville
Tél. 01 42 45 52 41
Mardi-vendredi : 14 h-18 h ; samedi : 9 h-12 h, 13 h-16 h

Réparateur de poussettes

Toutes les poussettes fabriquées en Europe seront réparées dans l'heure. Une photo du landau de la famille Brasseur témoigne aussi de la passion de cet artiste pour les landaus anciens qu'il restaure avec amour. Vis ou rivets à changer : 8 €. Achat et pause de nouvelles roues : de 8 à 32 € ; d'un guidon Bébé Confort : 35 €. **Remise de 10 % avec le guide ou la carte.**

LANGEX   *Pour budgets modestes*

30 rue d'Enghien (10ᵉ)
Mᵒ Bonne-Nouvelle
ou Strasbourg-Saint-Denis
Tél. 01 47 70 63 20
Fax : 01 40 22 96 51
*Mardi-samedi : 10 h 15-18 h
(boutique junior : 10 h 15-
13 h 30, 14 h 30-18 h)*

En tant que fournisseur des collectivités, Langex propose tout le matériel de puériculture et petit mobilier mais aussi les vêtements de 0 à 8 ans à des prix tronçonnés de 30 % par rapport aux tarifs habituellement pratiqués. Rien que du solide : ici on sélectionne les articles de qualité. Gigoteuses réglables 0-6 mois : 12,96 € ; 6-12 mois : 19,97 €. Couverture polaire (100 × 150) : 11,90 €. Pyjama velours Absorba : 16 €. Sur-pyjama polaire Absorba : 17 €. Anorak (3 ans) : 26 €. Pilote (6 mois) : 24 €. Et les meilleures affaires en petite puériculture.

MOM   *Petite boutique, grandes marques*

11 rue de l'Aqueduc (10ᵉ)
Mᵒ Gare-du-Nord
Tél. 01 42 09 05 13
Fax : 01 40 36 39 73
Mardi-samedi : 9 h-18 h

Dépôt de la marque Bébé Confort mais aussi Chicco, Peg-Perego, Graco, Inglesina et Red Castle ainsi que des meubles Sauthon et Poyet Laguelle. Poussette canne : 38,42 €. Chaise Omega : 114 €. Siège Cosmos : 118,91 €. Lit parapluie : 71 €. Poussette Everest : 299 €. Nursery Agua : 85 €. Poussette jumeaux (face à face) : 246 €. Ne soyez pas impatients, il y a parfois trois semaines d'attente pour la grosse puériculture. **Prix collectivités avec le guide ou la carte.**

11ᵉ ARRONDISSEMENT

JUMEAUX ET PLUS   *Réservé aux naissances multiples*

2 rue Henri-Ranvier (11ᵉ)
Mᵒ Voltaire
Tél. 01 43 70 03 31
www.jumeaux-paris.com
*Tous les jours sauf mercredi :
9 h-17 h 30*

Deux ou trois bébés d'un seul coup ? Pas de problème. Jumeaux et Plus, l'Association de Paris, veille au grain : conseils, dialogue avec d'autres parents, commandes groupées avec tarifs préférentiels (couches, lait, puériculture), guide d'adresses et de numéros de téléphone pour obtenir des aides et des gardes, un journal trimestriel avec des petites annonces, de la location de matériel, un site Internet... Deux fois par an, l'association organise une braderie de vêtements. Pour bénéficier de ces services, il faut adhérer à l'association (cotisation : 27,50 € par an). **Avec le guide ou la carte : deux Rapid' Bib offerts pour une adhésion.**

12ᵉ ARRONDISSEMENT

LES ANNÉES TROC   *De 0 à 16 ans, et même avant !*

4 rue du Docteur-Goujon
(12ᵉ)
Mᵒ Daumesnil
Tél. 01 40 04 98 16
*Lundi : 14 h-19 h ; mardi-
vendredi : 10 h-19 h*

Du rayon future maman aux fringues branchées des ados (Quicksilver, Cimarron, Chattawak, etc.) sans oublier les articles pour bébé. Tous les articles sont de marque et soigneusement sélectionnés. Turbulettes à partir de 13 €, pantalon future maman à 22,50 €, sweat à capuche Lili Gaufrette à 20 €, porte-bébé dorsal à 25 €, chaussures neuves (erreur d'achat) à environ 15 €. Également un petit rayon d'articles neufs étiquetés. Des livres, des jouets et jeux. Dépôts sans rendez-vous mardi, jeudi et vendredi. **Remise de 5 % avec le guide ou la carte.**

BAMBINI TROC

26 av. du Bel-Air (12e)
M° Nation Parking facile
Tél. 01 43 47 33 76
*Mardi-samedi : 10 h-13 h,
14 h 30-18 h 30*

Dépôt-vente de belles marques

Dans cette jolie boutique, tout est IM-PEC-CA-BLE. Les vêtements (0-16 ans mais aussi future maman) sont tous de marques et en parfait état. Idem pour les articles de puériculture vendus la moitié du prix du neuf. Ensemble Marèse (6 mois) : 13,40 €. Petite robe Sonia Rykiel : 16,80 €. Haut marin Cyrillus : 9,60 € (3 ans). Chaussures Kenzo quasi neuves (pointure 35) : 35 €. Combinaison pilote Catimini (3 mois) : 28 €. Sans oublier la future maman (Balloon, Neuf Lunes, Formes...).

13e ARRONDISSEMENT

TROC LUTIN

6 rue des Cinq-Diamants
(13e)
M° Place-d'Italie
ou Corvisart
Tél. 01 45 81 44 57
*Mardi, mercredi, vendredi :
10 h-18 h ; jeudi : 10 h-
19 h ; samedi : 10 h-12 h,
15 h-18 h 30*

Tout pour les lutins

Dépôt-vente pour enfants de 0 à 12 ans : vêtements de marque, future maman, jouets éducatifs et matériel de puériculture. Vous et vos farfadets seront équipés ! Robes de 7 à 23 €, sweats Nike à 15 €, lit bois + matelas à 68 €, maxi-cosi à 50 €, landau-poussette Bébé-Confort à 130 €, chaussures Till à 20 €. Les vêtements de sports d'hiver sont vendus au tiers du prix du neuf. Également cassettes vidéo & CD Rom.

15e ARRONDISSEMENT

BAMBIN TROC

4 rue de l'Abbé-Groult
(15e)
M° Commerce ou Félix-
Faure
Tél. 01 42 50 77 93
*Mardi-vendredi : 10 h-
18 h 30 ; samedi : 10 h-
12 h 30, 14 h 30-18 h 30*

Dépôt-vente très complet

Sur deux étages, vous trouverez de quoi habiller vos bambins de pied en cap (0-16 ans) jusqu'à l'équipement de ski, de judo ou d'équitation (tenue de judo à partir de 12 €). Également du matériel de puériculture, des jouets, des livres, etc. Poussettes doubles à partir de 120 € (déstockage Graco), siège auto à 60 €, lit à barreaux à partir de 30 €. Un rayon cycle (vélos, trottinettes, tricycles). **Remise de 5 % sur présentation du guide ou de la carte.**

LA DO RÉ

356 rue de Vaugirard (15e)
M° Convention ou Porte-
de-Versailles
Tél. 01 42 50 26 47
Fax : 01 42 50 90 99
www.ladore.com
Mardi-samedi : 9 h 30-19 h

Meubles et puériculture à petits prix

25 % d'économie en moyenne sur les grandes marques françaises et étrangères. Lit Kangourou Alizée non transformable : 177 €. Poussette trois roues Jané (+ matrix) : 448,80 €. Siège auto Iséos (Bébé-Confort) : 179 €. On peut y déposer une liste de naissance et y récolter de précieux conseils. **Remise de 10 % sur le nouveau rayon vêtements bébé (Petit Bateau, Marèse) avec le guide ou la carte.**

AUTRE ADRESSE

■ 35 rue Saint-Lambert, 15e • M° Convention ou Porte-de-Versailles • Tél. 01 42 50 82 62 • Mardi-vendredi : 10 h 15-12 h 30, 15 h-18 h 30 ; samedi : 10 h-13 h, 14 h 30-18 h 30 • Mobilier.

SAUVEL NATAL

25 rue Desnouettes (15e)
M° Convention
Tél. 01 42 50 47 47

Discounter en articles pour enfants

Depuis, l'année dernière, la surface d'exposition a plus que doublé. Du landau au chauffe-biberon en passant par le parc ou la baignoire, Sauvel Natal

*Mardi-vendredi : 10 h-19 h ;
samedi : 9 h 30-18 h 30*

propose tous les articles de puériculture dans les plus grandes marques vendus 25 % en dessous du prix public. Siège auto Absorber Bébé Confort, lit parapluie Graco, poussette Easy Walker, transat Cocon Bébé Confort. Également un joli choix de meubles Eguizier, Sautton, Galipette, Kangourou. Toute la petite puériculture en libre-service et quelques jeux d'éveil.

AUTRE ADRESSE
■ 203 av. du Président-Wilson • 93210 LA PLAINE-SAINT-DENIS • RER B, Stade-de-France • Tél. 01 48 09 09 20 • Mardi-vendredi : 10 h-19 h ; samedi : 9 h 30-18 h 30

16ᵉ ARRONDISSEMENT

BABY TROC   *Dépôt-vente BCBG*

16 rue de Magdebourg (16ᵉ)
Mº Trocadéro
Tél. 01 47 27 37 28
Lundi : 14 h-18 h 30 ; mardi-vendredi : 10 h-18 h 30 ; samedi : 10 h-17 h

Baby Troc se concentre sur les enfants (plus de vêtements de grossesse). Quartier oblige, restons chics mais pas à n'importe quel prix. Bonpoint, Donaldson, Lili Gaufrette, Cyrillus, Ralph Lauren et depuis peu Diesel et Quicksilver. Robe chasuble Lili Gaufrette de 24,40 à 28,20 €. Polo Ralph Lauren de 24,40 à 28,20 €. T-shirt Bonpoint : 27,55 €. Et les chaussures qui vont avec (Start Rite, etc.). **Remise de 10 % avec le guide ou la carte.**

LOLLIPOPS   *Discount et dépôt-vente : 0-12 ans*

64 rue La Fontaine (16ᵉ)
Mº Jasmin ou Église-d'Auteuil
Tél. 01 42 30 50 51
www.lollipopsenfant.com
Mardi-samedi : 10 h-13 h, 14 h 30-19 h

Petite boutique pleine à craquer, Lollipops propose des articles de puériculture (entre autres Graco et Chicco), des jeux, jouets et vêtements jusqu'à l'adolescence en dépôt-vente ou neufs déstockés : nacelle + kit auto + sac puériculture Chicco : 99 €. Siège auto Gracco : 90 €. Poussette double : 150 €. Selon arrivages. Robes et chaussures : de 7 à 20 €. Lots de vêtements neufs à prix tronçonnés. Rayon grossesse. **10 % de remise avec le guide ou la carte.**

17ᵉ ARRONDISSEMENT

ARSOUILLES & COMPAGNIE   *Équiper l'arsouille*

95 rue Lemercier (17ᵉ)
Mº Brochant
Tél. 01 42 63 16 40
Fax : 01 42 63 16 40
Mardi-vendredi : 10 h 30-12 h 30, 15 h-19 h ; samedi : 10 h 30-19 h

Un dépôt-vente qui sent le neuf et ne propose que du premier choix (erreur d'achat ou peu porté ou utilisé) à 50 % du prix initial. Kangourous, bureaux d'écolier ou jeux de société voisinent avec les parcs, tapis d'éveil et... les nippes. La femme enceinte y trouve son compte (ensemble Formes neuf 60 € et un grand choix de jupes, robes et pantalons Cyrillus, Avenue des Bébés). Quant aux loustics, on les sappe Cacharel (robe neuve 1 an : 25 €), GAP, Bonpoint (veste 14 ans : 30 €), Kenzo (jogging 6 mois : 25 €) mais aussi DPAM ou Sergent Major. En chaussure : que des petites pointures.

MACHIN-CHOUETTE   *Dépôt-vente : enfants et futures mamans*

47 av. de Villiers (17ᵉ)
Mº Malesherbes
Tél. 01 47 63 40 44

Chez Machin-Chouette, on s'occupe des futures mamans et de leurs lutins : beaucoup de choix des marques Neuf Lunes, Delachaux ou Formes. Chez les

*Mardi-vendredi : 13 h 30-
18 h 30 ; samedi : 10 h-
12 h 30. Pendant
les vacances, téléphonez
avant de passer*

enfants, Lili Gaufrette, Jacadi et toute la clique sont de la partie. Pyjama Victor et Moi : 11,50 €. Bloomer neuf : 14,50 €. Tailleur bleu marine popeline : 140 €. Jolis tee-shirts Formes : 17,50 €.

18ᵉ ARRONDISSEMENT

D'UN MÔME À L'AUTRE

Dépôt-vente à prix rikiki

181 rue Marcadet (18ᵉ)
Mº Lamarck-Caulaincourt
Tél. 01 42 54 78 87
*Mardi-samedi : 10 h 30-
13 h, 14 h-18 h*

Petit dépôt-vente consacré uniquement à l'enfant de 0 à 10 ans. Les articles les plus basiques et les marques les plus prestigieuses s'y côtoient à des prix tout petits. Pyjama : 5,50 €. Blouson : 10,55 €. Turbulette : 10,55 €. Stérilisateur et chaise haute à partir de 30 €. **Remise de 10 % avec le guide ou la carte, hors promotions.**

19ᵉ ARRONDISSEMENT

L'AVENUE DES BÉBÉS

En attendant bébé et pour bébé

59 rue de Meaux (19ᵉ)
Mº Jaurès ou Bolivar
Tél. 01 42 08 50 29
Fax : 01 42 08 08 10
Lundi-samedi : 10 h-19 h

L'Avenue des Bébés donne aux femmes enceintes l'envie de rester jolies grâce à une ligne de vêtements élégante et jeune : pantalon à partir de 55 €, chemises à partir de 50 €, jupe courte à partir de 35 €. Dans le magasin du 19ᵉ, un rayon complet de puériculture avec notamment les sacs et porte-bébés de la marque Babybjörn (à partir de 69 €) ou les articles Bébé Confort et Gracco.

AUTRES ADRESSES

■ 89 rue de Sèvres, 6ᵉ • Mº Sèvres-Babylone • Tél. 01 45 44 55 66 • Que pour la future maman.
■ 79 bd de Courcelles, 8ᵉ • Mº Terne ou Courcelle • Tél. 01 47 66 00 33 • Que pour la future maman.

CHAMAILLE

Dépôt-vente bien fourni

4 rue de la Villette (19ᵉ)
Mº Jourdain
Tél. 01 40 03 87 82
*Mardi-samedi : 10 h-
13 h 30, 15 h-19 h*

Dépôt-vente où s'affichent des articles sans prétention aux côtés de bonnes surprises (mieux vaut savoir fouiller) : lit à partir de 40 €, poussette à partir de 45 €, parcs de 15 à 30 € et jouets de 4 à 25 €. Marques Gracco, Bébé Confort. Beaucoup de choix dans les vêtements de 0 à 5 ans.

TROC'BÉBÉ

Puériculture : neuf et occasion

128 rue de Crimée (19ᵉ)
Mº Laumière
Tél. 01 53 19 93 91
Fax : 01 43 07 87 84
Lundi-samedi : 10 h-19 h

Beaucoup de choix dans les articles de puériculture en neuf ou occasion (poussette double Gracco neuve à 230 €, poussette d'occasion à partir de 50 €). Les vêtements sont en dépôt-vente avec des pyjamas à 5,35 €, des chemises à 4,45 € (2 ans), des jeans à 5,35 € (2 ans). Il y a du beau et du moins beau, du presque neuf et du nettement moins frais : faites le tri. Chaussettes : 0,60 € ; bodies : 1,70 €. Plein de jouets Babysun neufs à partir de 10 €. **Remise de 5 % sur le neuf avec le guide ou la carte.**

92 HAUTS-DE-SEINE

BABY TROC

Troc 0-16 ans

4 rue du Commandant-Pilot
92200 NEUILLY

Pas seulement pour les bébés puisque Dominique accorde une attention toute particulière aux vête-

M° Sablons
Tél. 01 47 22 74 50
Mardi-samedi : 10 h-19 h

ments des ados en sélectionnant leurs marques préférées (Lulu Castagnette, Quicksilver, Ralph Lauren...) même si elles changent aussi vite que le temps. Beaucoup de choix en vêtements de sports d'hiver (même en avril). Robe Bonpoint (3 ans) : 37 € ; ensemble Burburry (6 mois) : 43 € ; blouson GAP matelassé (10 ans) : 24 €. Et le Baby Dior qui fait craquer (robe 18 mois) : 39 €.

93 SEINE-SAINT-DENIS

PAPOUILLE

71 bis rue Ernest-Savart
93100 MONTREUIL-
SOUS-BOIS
M° Mairie-de-Montreuil
Tél. 01 48 70 79 70
Fax : 01 48 70 71 91
www.devenirgrand.com
*Lundi-samedi : 9 h 30-
12 h 30, 13 h 45-17 h 45*

Puériculture à des tarifs collectivités

Fournisseur des crèches et des collectivités, Papouille ouvre ses portes aux particuliers qui bénéficieront sur les jouets, la puériculture et l'ameublement de tarifs 14 % en moyenne en dessous des prix normaux. Porte-bébé Cœur-à-Cœur : 55 € ; poussette canne Chicco : 96 € ; poussette double Bitwin (+ capote et habillage) : 224 €. Mais également, des parcs, des lits et des tapis d'éveil (consulter régulièrement les disponibilités sur le site Internet) et surtout des jouets (intérieur-extérieur) comme le célèbre poney Rody gonflable (34 €). **Remise de 3 % avec le guide ou la carte.**

AUTRE ADRESSE
■ **Tout Pour Devenir Grand** • BP 12 • 93101 MONTREUIL CEDEX • (azur : commandes) : 01 48 70 79 70 • Fax : 01 48 70 71 91 • www.devenirgrand.com • Une nouveauté qui va séduire nos lecteurs : un catalogue de vente par correspondance (pratiquement le même stock que Papouille) qui évitera le déplacement à Montreuil. Pour nos lecteurs, le port sera offert cette année. Une seule condition, préciser lors de la commande par téléphone, le code attribué à Paris Pas Cher : PPC 04.

94 VAL-DE-MARNE

PTI MÔMES

69 rue Émile-Raspail
94110 ARCUEIL
M° Porte-d'Orléans
Tél. 01 46 63 17 71
*Mardi-samedi : 10 h-
13 h 30, 15 h-19 h 30*

Vêtements de marques, puériculture, meubles

En dépôt-vente : vêtements de marques pour enfants (Babimini, Cyrillus, Natalys, Jacadi, etc.), ou articles de puériculture en parfait état. Au rayon neuf, de la grosse puériculture (spécialiste Bébé Confort, Mon Bébé) et des chambres d'enfants Pic-Epeiche, Payet Laguelle ainsi que des jouets. Tee-shirts, grenouillères, bodys, gants, écharpes : à partir de 2 €. Pyjamas : de 2,50 à 10 €. Robes d'été : de 2,50 à 15 €. **Remise de 10 % avec le guide ou la carte.**

Empruntez un siège auto chez Midas

Opération « Bébé sans bobo » : les Centres Midas prêtent des sièges auto sans aucune obligation d'achat ou d'utilisation de leurs services pour les petits de 9 mois à 6 ans, contre une caution encaissée de 60 €. Ce sont des sièges réglementaires conformes aux normes de sécurité. Soit l'emprunteur rend le siège au bout d'un an et récupère intégralement sa caution, soit il le garde plus de deux ans et en devient propriétaire. Et comme Midas jette les sièges utilisés, il vous prête toujours un fauteuil neuf. Midas a peut-être des oreilles d'â... mais il est rudement serviable. Minimum d'utilisation : un an. Appeler le centre Midas le plus proche de votre domicile ou consultez Internet : www.midas.fr (produits et services).

GARDE et aide aux devoirs

Faire garder vos petits

Pour trouver l'être cher qui va s'occuper de vos petits trésors, point de rabais mais point d'excès non plus. Paris Pas Cher vous aide à faire le point et vous donne quelques pistes pour dénicher la perle rare.

GARDES RÉGULIÈRES

Les crèches

Pour les plus petits et pour des gardes régulières, vous pouvez bien entendu les confier à des crèches, qui les accueillent en général de 2 mois à 3 ans. Les places sont rares (inscrivez vos petits le plus tôt possible), mais les tarifs sont très avantageux. Les crèches familiales (municipales ou privées) vous permettent de faire garder votre petit par une assistante maternelle, à son domicile, et en compagnie de quelques petits copains. Une directrice assure le lien entre l'assistante maternelle et vous-même. Les tarifs sont établis en fonction des revenus de la famille et du nombre d'enfants. Les assistantes maternelles agréées libérales accueillent les bambins à leur domicile, mais il n'y a pas d'intermédiaire entre elles et les parents. Les crèches parentales, ou collectifs parents-enfants, sont des associations réservées aux parents non soumis au régime des 35 heures, qui participent à leur fonctionnement (garde, gestion, etc.), encadrés par du personnel spécialisé. Renseignez-vous auprès de votre mairie pour connaître les structures d'accueil de votre quartier.

Les jeunes gens au pair

La formule « au pair » est une solution sympathique et familiale pour faire garder vos enfants par des étudiants, français ou étrangers, filles ou garçons. En général, les jeunes gens effectuent 30 heures de travail hebdomadaire (gardes et petits travaux ménagers), en échange d'une chambre individuelle, d'une couverture sociale, du couvert, de la carte orange et de 300 € d'argent de poche. Nous vous donnons en fin de texto quelques adresses d'organismes parisiens, particulièrement recommandables.

La garde partagée

Quand votre petit si cher n'a pas trouvé de place à la crèche, la solution consiste souvent à vous entendre avec une autre famille pour partager les coûts d'une nourrice à domicile. Les enfants sont gardés tantôt chez les uns, tantôt chez les autres et vous bénéficiez d'une aide de l'état (AGED). Mais vous devenez vous-même employeur et il faut savoir faire passer des entretiens d'embauche, rédiger un contrat de travail... Attention, les organismes qui proposent de tout faire à votre place font payer leurs services très cher, et ce n'est pas toujours justifié. Pour s'en sortir : se rendre à la PMI ou s'armer de patience pour consulter Internet (portails de parents : www.bebe.fr ou www.ABC-enfance.com). Les conseils sont gratuits (www.employer-une-nou nou.info) mais les annonces souvent payantes. Or pour cela, un papier dans le hall de l'immeuble ou à la loge est souvent plus efficace !

GARDES OCCASIONNELLES

Les haltes-garderies

Pour les plus jeunes, vous avez la possibilité de les confier à une halte-garderie. Les haltes-garderies municipales accueillent les enfants de 0 à 6 ans et sont en général réservées aux gardes occasionnelles (trois demi-journées par semaine maximum). Renseignez-vous auprès de votre mairie pour connaître celles qui sont le plus proche de votre domicile.

Les baby-sitters

En général, les tarifs pratiqués sont ceux du SMIC horaire et ils peuvent varier en fonction du nombre d'enfants. Pour décrocher la baby-sitter de vos rêves, trois solutions. La première consiste à contacter l'une des nombreuses agences de baby-sitting, qui poussent comme des champignons dans la capitale. Dans le cadre de Paris Pas Cher, nous ne vous en citerons aucune. Et pour cause, ces organisations facturent des frais d'agence excessifs

Vous pouvez déposer une annonce chez Monsieur Saucisson ou Madame Petit Four, les commerçants de votre quartier, ou adopter une stratégie plus offensive en déposant votre « wanted » dans l'un des viviers estudiantins de la capitale, le CIDJ ou le CROUS (voir p. 384 et p. 385). Succès garanti : si vous n'avez pas des exigences abracadabrantes, vous croulerez sous les appels téléphoniques.

1er ARRONDISSEMENT

FONDATION CLAUDE-POMPIDOU

Enfants handicapés, 42 rue du Louvre, 1er • M° Louvre-Rivoli • Tél. 01 40 13 75 00 • Fax : 01 40 13 75 09 • www.fondationclaudepompi dou.asso.fr • Lundi-jeudi : 9 h-12 h 30, 13 h 30-18 h ; vendredi : 9 h-12 h

Accompagnement ou garde à domicile des enfants handicapés par des bénévoles. Ce service gratuit est offert une fois par semaine ou par quinzaine, par demi-journée (3 heures).

6ᵉ ARRONDISSEMENT

ALLIANCE FRANÇAISE
101 bd Raspail, 6ᵉ • Mᵒ Notre-Dame-
des-Champs, Rennes ou Saint-Placide • Tél. 01
42 84 90 00 • Fax : 01 42 84 91 00 • www.al
liancefr.org • Lundi-vendredi : 8 h 30-17 h
Baby-sitters de tous les pays. 23 € pour afficher
une annonce 2 mois. 6 € l'heure de garde. Vacances en famille 381,12 € par mois pour
5 heures par jour, 6 jours par semaine.

12ᵉ ARRONDISSEMENT

ENTRAIDE ALLEMANDE
2 rue Dorian, 12ᵉ • Mᵒ Nation • Tél. 01 55 78
80 70 • Fax : 01 55 78 80 71 • www.entraide-
allemande.org • Lundi-vendredi : 9 h-12 h, 14 h-
17 h
Jeunes filles au pair allemandes. 30 heures par
semaine contre une chambre individuelle, le couvert et 260 € d'argent de poche par mois. **5 %
de remise avec le guide ou la carte sur
les frais d'inscription (25 € + 50 € en cas
de placement).**

13ᵉ ARRONDISSEMENT

LA MAISON DE L'ENFANCE
239 rue de Tolbiac, 13ᵉ • Mᵒ Glacière • Tél. 01
43 13 53 13 • Lundi-vendredi : 9 h-17 h
On y trouve surtout des informations sur les modes de garde (+ petit atelier d'éveil).

14ᵉ ARRONDISSEMENT

L'ARCHE
53 rue de Gergovie, 14ᵉ • Mᵒ Pernety • Tél. 01
45 45 46 39 • Fax : 01 45 45 46 39 • Lundi-
vendredi : 9 h 30-17 h
Jeunes filles au pair d'Europe centrale. Adhésion : 90 € pour l'été, 190 € pour l'année.

**VEREIN FÜR INTERNATIONALE
JUGENDARBEIT**
84 rue de Gergovie, 14ᵉ • Mᵒ Pernety • Tél. 01
45 43 47 42 • Fax : 01 45 43 39 38 • aupair.
vij.paris@wanadoo.fr • Lundi-vendredi : 9 h 30-
15 h
Jeunes gens au pair allemands. Adhésion :
130 € (pour la famille) ; 50 € (pour les jeunes
qui veulent aller en Allemagne).

15ᵉ ARRONDISSEMENT

LA MAISON DE L'ENFANCE
91 rue Blomet, 15ᵉ • Mᵒ Vaugirard • Tél. 01 56
08 56 25
Ici : surtout des informations.

LA MAISON VERTE
13 rue Meilhac, 15ᵉ • Mᵒ Commerce, Émile-Zola
ou Cambronne • Tél. 01 43 06 02 82 • Fax : 01
43 06 41 46 • Lundi-vendredi : 14 h-19 h ; samedi : 15 h-18 h 30 ; fermé une semaine pendant les vacances de Noël, du 20 juillet au
1ᵉʳ septembre
Créée en 1979 par Françoise Dolto, la Maison
Verte est une vaste pièce lumineuse garnie de
jouets et de livres, ouverte aux parents, grands-
grands, futurs parents et enfants (de moins de
4 ans). On apporte son goûter, des chauffe-bi-
berons sont à disposition. Les bambins chahutent
par terre tandis que leurs parents parlent avec
les « accueillants » ou les autres parents des soucis de leur progéniture. Une participation financière est demandée dont le montant reste libre.

16ᵉ ARRONDISSEMENT

LA MAISON DE L'ENFANCE
7 rue Serge-Prokofiev, 16ᵉ • Mᵒ Ranelagh • Tél.
01 40 50 13 94 • Lundi-jeudi : 8 h 45-12 h,
13 h-17 h 30 ; vendredi : 8 h 30-12 h, 13 h-17 h
Lieu d'accueil et d'information pour les familles
désireuses de se renseigner sur les gardes d'enfants, les loisirs, les activités extra-scolaires ou
sur les associations concernant la petite enfance.
Propose aussi des ateliers multi-activités pour les
enfants à partir de 2 ans. Cotisation annuelle
par famille : 25 €. Participation aux ateliers : 4 €
par séance.

18ᵉ ARRONDISSEMENT

L'ARBRE BLEU
52 rue Polonceau, 18ᵉ • Mᵒ Barbès-Rochechouart • Tél. 01 42 59 38 26 • Lundi-samedi :
14 h-17 h ; mercredi : 14 h-18 h (y compris pendant vacances scolaires) ; permanence, lundi-
vendredi : 9 h-12 h
Lieu d'information le matin. L'après-midi, parents
et enfants de 0 à 4 ans sont accueillis par des
professionnels de la petite enfance dans un espace de jeu, de détente, de parole et d'écoute
pour une somme modique de 1,07 €. Deux ma-
tinées par mois des ateliers sont organisés à partir d'un thème (peinture, jeu d'eau, pâte à sel...)
pour les enfants accompagnés de leurs parents
pour la même somme : 1,07 €.

LA MAISON DE L'ENFANCE
2 rue Duc, 18ᵉ • Mᵒ Jules-Joffrin • Tél. 01 42 51
36 64 • Fax : 01 42 51 36 65 • Lundi-vendredi :
9 h-17 h
Ici, uniquement des informations (en particulier
sur les modes de fraude d'assistantes maternelles), pas d'activités.

Aide aux devoirs

Soutien scolaire dans un domaine, aide aux devoirs ou coups de pouce ponctuels : ils sont offerts aux écoliers, collégiens, lycéens en difficulté par diverses catégories de bonnes âmes. Pour bénéficier gratuitement de leurs compétences, il suffit de se présenter par téléphone et l'on vous orientera jusqu'à la personne qualifiée pour vous aider.

• **Les jeunes au service des jeunes** : les étudiants de grandes écoles et d'université dispensent 2 heures de cours individuels par semaine, dans les différents locaux de l'Association Presse Enseignement. Exclusivement réservés aux personnes en difficultés (sociales ou financières). Pour les Parisiens ou habitants de la petite couronne, scolarisés ou exclus du système scolaire, entre 14 et 25 ans. Association Presse Enseignement : 157 rue Montmartre, 2ᵉ. Tél. 01 42 21 49 76. Fax 01 42 33 05 87.

• **Les étudiants de l'ESSEC**, par le biais de l'association « A l'Unisson », donnent des cours dans les maisons de quartiers à Cergy-Pontoise, du CP à la Terminale. Tél. 01 30 30 43 69 (BDE de l'ESSEC). www. esseclive.com.

• **Il existe dans certains Centres d'Animations de la Ville de Paris** des clubs de soutien scolaire, presque gratuits, intitulés « Aide aux devoirs » réservés aux enfants du quartier. Coût : variable selon le centre. Centre Jean-Verdier, 10ᵉ. Tél. 01 42 03 00 47 • Centre Marc-Sangnier, 14ᵉ. Tél. 01 45 39 88 11 • Centre Les Frères Voisin, 15ᵉ. Tél. 01 45 57 96 97 • Centre René-Binet, 18ᵉ. Tél. 01 42 55 69 74 • Il existe d'autres centres pratiquant cette activité. Malheureusement, il n'existe pas d'organisme centralisant les informations sur les Centres d'Animation : vous pouvez vous rendre à votre mairie d'arrondissement et y demander « Centre d'Animation Magazine » qui sort deux ou trois fois par an et répertorie les Centres d'animations et leurs activités.

➔ JOUETS et jeux

3ᵉ ARRONDISSEMENT

NOUVEAUTÉS PARISIENNES

101 rue du Temple (3ᵉ)
Mᵒ Rambuteau
ou République
Tél. 01 42 72 77 48
*Lundi-vendredi : 9 h-18 h ;
samedi : 9 h-12 h*

Grossiste en jouets

On est un peu perdu au milieu des boîtes et des magasiniers, mais on trouve presque tous les jouets dont rêvent les enfants à prix de grossiste. Quelques exemples de prix hors taxes : Barbies entre 4,10 € et 30,49 €, puzzle en bois à partir de 1,50 €, peluches à partir de 1,22 €, jeux de société (scrabble junior : 17,80 € ; Uno : 10,86 €), ordinateurs pour enfants à partir de 15 €. Attention ! Montant d'achat minimum : 30 €.

4ᵉ ARRONDISSEMENT

MULTICUBES

5 rue de Rivoli (4ᵉ)
Mᵒ Saint-Paul
Tél. 01 42 77 10 77
Fax : 01 42 77 13 37
www.multicubes.fr
*Mardi-samedi : 10 h-19 h
(fermeture entre 14 h et
15 h l'été)*

Du bois dont on fait les jouets

Marionnettes tchèques, cheval à bascule et autres merveilles sont en vente dans ce joli magasin spécialisé dans les jouets en bois pour enfants de 0 à 6 ans. Point de vente conseil Brio, vous y trouverez tous les accessoires pour agrandir le circuit de Théophile. Également toute la famille des poupées Götz et leurs accessoires. Ustensiles pour cordons bleus à partir de 1,20 €, ferme en bois à partir de 58 €, nouvelle maison de poupée Sélecta à partir de 145 €, jouets à tirer ou à pousser de 15 à 45 €.

ÂGE TENDRE ET TÊTE DE BOIS

Un petit air de « bon vieux temps »

🅰 1 Cour du Commerce-
Saint-André (6e)
M° Odéon
Tél. 01 43 26 19 65
*Mardi-samedi : 11 h-
19 h 30 ; dimanche-lundi :
14 h-19 h*

Dans le cadre pittoresque de ce passage pavé, jouxtant le Procope, la petite boutique est à elle seule une invitation au jeu. Uniquement des jouets traditionnels, à des prix très raisonnables. Cheval à bascule : 90 € ; camion en bois et sa remorque : 26,50 € ; peluche Babar : 28,80 €, poupée Bécassine : 33,50 € le grand modèle et 26,50 € le petit. A l'entrée, de multiples tentations : petits jouets et babioles entre 1 et 3 € (parmi lesquelles la célèbre « boîte à vache »).

LA BOÎTE À JOUJOUX

Maisons de poupées à la folie

41-43 passage Jouffroy (9e)
M° Grands-Boulevards
Tél. 01 48 24 58 37
Fax : 01 40 22 93 77
www.joujou.com
et miniaturesworld.com
*Lundi-samedi : 10 h-19 h ;
dimanche : sur rendez-vous*

La boutique fabrique des maisons de poupées, avec électricité 12 volts et moulures, à peindre et à décorer vous-même (à partir de 152 €). Les petits meubles démarrent à 3,81 € mais vous pourrez choisir le papier peint, les tapis d'Orient, la vaisselle et plein d'autres accessoires. Promos sur des ensembles : ensemble cuisine (cinq pièces), 25 € ; ensemble bébé (trois pièces), 19 €. Jouets en tôle de collection avec la moto à 45,50 € et la voiture à 60 €. Soldats de plomb à partir de 22,50 € les quatre. Catalogue et commande sur Internet.

AUTRE ADRESSE
■ **La Boîte à Doudou** • 24-26 passage Jouffroy, 9e • M° Grands-Boulevards • Tél. 01 42 46 27 86 • Mêmes jours et heures d'ouverture • Spécialisé dans les objets et vêtements dérivés de la BD : Tintin, Babar, Bécassine, etc. Figurines : de 4,50 à 300 €. Exclusivités Pixi Leblon-Delienne.

SCORE GAMES

Échange et achat de jeux vidéo

6 rue d'Amsterdam (9e)
M° Saint-Lazare
Tél. 01 53 32 03 20
Fax : 01 53 32 03 21
Minitel : 3615
SCOREGAMES
www.scoregames.com
*Lundi-samedi : 9 h 30-
19 h 30*

Un réseau d'achats et d'échanges de jeux informatiques, DVD, consoles... De l'occasion jusqu'à 80 % moins cher que le neuf mais aussi du neuf à prix tout à fait raisonnable. Jeux CD Rom PC neufs à partir de 14,99 €, occasions (garanties un an) à partir de 10 €. Jeu Playstation neuf à partir de 24,90 € pour les plus cotés, occasions à partir de 9 €. Fréquentes promotions sur les consoles (lors de notre passage X-Box, Game Cube et Playstation II à 199 €) et les jeux neufs. Jeux Playstation II d'occasion à partir de 19,90 €. **Remise de 5 % avec le guide ou la carte (hors consoles et promotions).**

AUTRES ADRESSES
■ **Paris-Jussieu Consoles** • 46 rue des Fossés-Saint-Bernard, 5e • M° Jussieu • Tél. 01 43 29 59 59 • Lundi : 12 h-19 h ; mardi-samedi : 10 h-19 h
■ 56 bd Saint-Michel, 6e • M° Cluny-La Sorbonne • Tél. 01 43 25 85 55 • Lundi-samedi : 10 h-19 h
■ 365 rue de Vaugirard, 15e • M° Convention • Tél. 01 53 688 688 • Lundi : 12 h 30-19 h 30 ; mardi-samedi : 10 h 30-19 h 30
■ 137 av. Victor-Hugo, 16e • M° Victor-Hugo • Tél. 01 44 05 00 55 • Lundi : 13 h-19 h ; mardi-samedi : 10 h-19h
■ Vingt-six adresses en Ile-de-France.

PINTEL JOUETS

C'est Noël !

16 rue Fabre-d'Églantine
(12ᵉ)
Mᵒ Nation
Tél. 01 43 07 95 52
www.pinteljouets.waika9.
com
Lundi-samedi : 10 h-19 h

AUTRE ADRESSE

Supermarché du jouet proposant plus de 10 000 références à prix compétitifs : fort Playmobil à 56 € ;
baril Kapla à 42 €. Toute la famille Corolle (prix
moyen : 39 €), Barbie, Meccano. Également des tricycles et petits vélos (le porteur Chicco 4 en 1 :
54,99 €). Et du jeu vidéo (Gameboy Advance SP :
124,99 € et jusqu'à -50 % sur anciens jeux).

■ 10 rue de Paradis, 10ᵉ • Mᵒ Gare-de-l'Est • Tél. 01 44 83 84 15 • Mardi-samedi : 9 h 30-18 h 30

ULTIMA GAMES

Jeux vidéo, jeux PC et consoles

57 av. des Gobelins (13ᵉ)
Mᵒ Place-d'Italie
Tél. 01 47 07 33 00
Fax : 01 45 35 30 90
Minitel : 3615
ULTIMAGAMES
*Lundi : 11 h-19 h ; mardi-
samedi : 10 h-19 h*

Achat-vente de jeux vidéo et de consoles neufs
ou d'occasion. Consoles et jeux sont vérifiés et garantis. Prix moyen jeu Game Cube neuf : 60 €. Prix
moyen jeu Game Cube occasion : 40 €. Prix moyen
jeu Playstation II neuf : 45 €. Prix moyen jeu Playstation II occasion : 30 €. CD Rom d'occasion à
partir de 10 € et nombreuses promotions sur jeux
de plus de 6 mois. Échanges de jeux récents, coût :
8 €. Ultima reprend « cash » les jeux récents, environ à la moitié de la valeur du cours de l'occasion.
Pour cinq jeux achetés ou échangés, le sixième est
offert.

AUTRE ADRESSE

■ 1 bis rue Friant, 14ᵉ • Mᵒ Alésia • Tél. 01 45 42 80 69

ZIG ET PUCE

Jouets sélectionnés

24 rue Mademoiselle (15ᵉ)
Mᵒ Commerce
Tél. et fax 01 47 05 30 58
*Mardi-samedi : 10 h-19 h ;
de la mi-novembre à Noël :
ouvert également le lundi*

Dans ses nouveaux locaux plus spacieux, Zig et
Puce ne propose pas seulement les marques populaires de jouets (Lego, Playmobil, Fisher Price, Nathan...), mais aussi toute une sélection haut de
gamme ou moins diffusée : les trains en bois Brio
(un wagon à partir de 5,90 €), les animaux Schleich
(à partir de 3,20 €), les chevaliers Papo (4 €), les
miniatures en métal Siku (2,70 €). Rayon de jeux
pour ados et adultes à partir de 10 €. Matériel pour
la fête et les goûters. Location de bouteille d'hélium
pour les ballons (41 €). Nouveau : ateliers (à partir
de 4 ans et jusqu'à huit enfants) et goûters d'anniversaire (sur place, jusqu'à douze enfants).

L'ENTREPÔT DU JOUET

Des jouets par milliers

ZI 13 rue Lavoisier
77400 LAGNY-
SUR-MARNE
30 km de la porte de Bercy
(A4 + A104 + direction
Lagny-Centre)
Tél. 01 60 07 17 90

3 000 références de grandes marques (Mattel,
Lego, Fisher Price, Playmobil...) avec un choix tout
à fait important en maquettes et puzzles (enfants et
adultes). Toupies Beyblades (10,50 €), poupée
Diva Starz de Mattel (45 €), aimants Geomag
(12 €) ou Action Man Skater (12,96 €). Catalogue
gratuit de Noël à retirer sur place à partir de sep-

Fax : 01 60 07 20 95

tembre. – Lundi-vendredi : 9 h-19 h ; samedi : 10 h-13 h, 15 h-19 h. (En novembre, samedi : 9 h-19 h ; dimanche : 9 h-13 h. En décembre, samedi : 9 h-19 h ; dimanche : 9 h-13 h, 14 h-18 h.)

| **95** | VAL-D'OISE |

ÉVEIL ET JEUX

Jeux pédagogiques

95907 CERGY-PONTOISE CEDEX 9
Tél. 0 892 350 888 (Info) ou 0 892 350 777 (0,34 €/mn, commande)
Minitel : 3615 EVEILJEUX (0,34 €/mn)
www.eveiletjeux.com

Ce catalogue de vente par correspondance propose toute une collection de jeux et jouets jolis, éducatifs, créatifs que vous ne trouverez pas forcément ailleurs destinés à des enfants de 2 à 14 ans. Valise docteur (25 €), jeux du Lynx (28 €), globe junior (35 €), mosaïques magnétiques (23 €), mais aussi tente Pop Up et hochets malins. Et plein d'autres trésors à découvrir avec vos enfants. – Lundi-vendredi : 8 h-19 h ; samedi : 9 h-13 h (période de Noël, samedi : 9 h-18 h).

Les supermarchés du jouet

Sachez qu'il existe également des chaînes de magasins qui sont de véritables supermarchés du jouet. Le choix est généralement conséquent et les prix raisonnables. Ils deviennent très intéressants à la fin de l'année quand le Père Noël reçoit de nombreuses commandes, ce qui lui permet d'acheter en gros à des prix imbattables.

LA GRANDE RÉCRÉ
www.lagranderecre.fr
Neuf adresses à Paris, quinze en région parisienne dont une au Quai des Marques de Franconville (voir chapitre Magasins d'Usines). Liste des magasins sur le site web.

IMAGINARIUM
www.imaginarium.fr
Les petits magasins de cette franchise espagnole sont de véritables boîtes à malice. Trois enseignes à Paris, dont une rue de Bréa (6e, tél. 01 43 26 18 29).

TOYS « R » US
Tél. 03 44 21 82 18 (service clientèle) • www.toysrus.fr
Plus d'adresse à Paris... Tournez-vous vers la banlieue : douze magasins, dont un à la Défense (tél. 01 47 76 29 78).

APACHE
Forum des Halles, Porte Rambuteau, niveau -2, 1er • Tél. 01 58 71 20 35 (répondeur qui donne les adresses) • www.apache.fr
Six adresses à Paris, 3 en banlieue (dont une aux Halles : 01 44 88 52 00).

Chirurgiens des jouets

| **2e** | ARRONDISSEMENT |

CENTRAL TRAIN
81 rue de Réaumur, 2e • Mo Sentier • Tél. 01 42 36 70 37 • www.central-train.fr • Lundi-samedi : 10 h-19 h
Réparation-vente de trains miniatures. Modélisme avion, bateau, voiture.

| **3e** | ARRONDISSEMENT |

LA MAISON CITERNE
21 bd du Temple, 3e • Mo République • Tél. 01 42 78 00 16 • Fax : 01 42 78 00 16 • Mardi-samedi : 9 h-12 h 30, 14 h-19 h
Spécialiste du train miniature à la vente (neuf et occasion). Autos miniatures aussi. Réparation poupées, ours, trains...

Les Ludothèques de Paris

Un millier de jouets que des Pères Noël en civil (sans barbe blanche ni doudoune rouge) prêtent aux enfants pour des cacahuètes. Un rêve ? Non : une ludothèque, sorte de 25 décembre permanent. Il existe au moins quatorze ludothèques à Paris et 200 en région parisienne (dont l'Association des Ludothèques en Ile-de-France donne les adresses par téléphone au 01 53 62 06 00 ou sur www.alif-ludo.org) ; elle vend également un annuaire des ludothèques de la région). Vos enfants y trouveront des centaines de jeux et de jouets à utiliser sur place ou chez vous (selon les ludothèques), en général le mercredi et le samedi, mais certaines sont ouvertes les autres jours de la semaine. Généralement très bon marché, elles demandent une cotisation annuelle entre 15 et 23 € et une participation symbolique (environ 1 €) par jouet emprunté... Attention, les ludothèques de la Mairie de Paris sont des associations indépendantes, il est donc préférable de vérifier par téléphone, avant de vous déplacer, les horaires, tarifs et services proposés, notamment pendant les vacances. En principe, la cotisation est de 16 € pour les ludothèques subventionnées par la ville de Paris.

4e ARRONDISSEMENT

LUDOTHÈQUE VILLE DE PARIS - ADAC

22 ter rue des Jardins-Saint-Paul, 4e • M° Pont-Marie ou Saint-Paul • Tél. 01 42 77 86 09 • Mardi-vendredi : 15 h-18 h ; samedi : 16 h-17 h 45

16 € par an de cotisation. 9 € par trimestre ou 20 € par an pour jouer sur place. 1 à 2,50 € l'emprunt pour 15 jours.

5e ARRONDISSEMENT

LUDOTHÈQUE VILLE DE PARIS - ADAC

65 rue Galande, 5e • M° Maubert-Mutualité ou Saint-Michel • Tél. 01 43 25 96 09 • Mardi et vendredi : 15 h-18 h ; mercredi : 15 h-18 h ; samedi : 16 h-17 h 45

Mêmes tarifs que rue des Jardins-Saint-Paul.

LUDOTHÈQUE VILLE DE PARIS - ADAC

18 rue Poliveau, 5e • M° Saint-Marcel • Tél. 01 45 35 68 95 • Mardi-vendredi : 15 h-18 h ; samedi : 16 h-18 h

Mêmes tarifs que rue des Jardins-Saint-Paul.

12e ARRONDISSEMENT

BIBLIO-LUDOTHÈQUE PARIS NATURE

Pavillon 2, Parc Floral de Vincennes, 12e • M° Château-de-Vincennes • Tél. 01 43 28 47 63 • www.parcfloraldeparis.com (« Maison de la nature ») • Mercredi, samedi et vacances scolaires : 9 h 30-12 h, 13 h 30-16 h 45

Plus de 200 jeux sur le thème de la nature et de l'environnement. A essayer sur place (pas d'emprunt) et gratuitement. Entrée du parc Floral :

d'avril à septembre 1,50 € (adulte) et 0,75 € (6-10 ans) ; d'octobre à mars, 0,75 € (adulte) et 0,35 € (6-10 ans). Gratuit pour les moins de 6 ans, les plus de 60 ans et les chômeurs.

13e ARRONDISSEMENT

ASSOCIATION DES LUDOTHÈQUES EN ILE-DE-FRANCE

33 rue de la Colonie, 13e • M° Place-d'Italie, Corvisart ou Tolbiac • Tél. 01 53 62 06 00 • www.alif-ludo.org • Lundi-vendredi : 10 h-18 h

Toutes les coordonnées des ludothèques d'Ile-de-France sur le site de l'association. L'annuaire édité par l'ALIF mentionne également les horaires, conditions d'adhésion, ainsi que le calendrier des activités proposées par chaque ludothèque.

LUDOTHÈQUE CARAVANSÉRAIL DÉVELOPPEMENT

33 rue de la Colonie, 13e • M° Corvisart ou Tolbiac • Tél. 01 43 13 15 83 • Mardi : 16 h 30-18 h 30 ; mercredi : 10 h-12 h, 14 h-18 h 30 ; jeudi : 10 h-12 h, 16 h-18 h 30 ; vendredi : 16 h-18 h 30 ; samedi : 14 h-18 h 30 (hors vacances scolaires)

25 € par an de cotisation par famille. 1,60 € par jouet emprunté. Des animations pour les 8-14 ans le mardi, des soirées de jeux pour toute la famille. Le jeudi matin est réservé aux tout petits (0-5 ans). Les enfants de moins de 6 ans sont accompagnés d'un adulte.

14e ARRONDISSEMENT

LUDOTHÈQUE DU LOREM

4 rue des Mariniers, 14e • M° Porte-de-Vanves • Tél. 01 45 43 18 57 • www.lorem.org • Mardi et jeudi : 10 h-12 h (pour les moins de 3 ans accompagnés d'un adulte) ; mercredi : 9 h 30-12 h 30, 14 h-18 h (accueil des plus de 3 ans

non accompagnés) ; samedi : 10 h-12 h 30, 14 h-17 h

Adhésion annuelle : 15,50 €, puis formules à la carte gratuites ou non : carte 10 prêts (10 €), 10 visites avec animateurs (26 € le matin, 38 € l'après-midi). Forfait trimestre : 56 € (pour venir jouer). Nouveau : accueil jeux pour les plus de 6 ans, tous les jours de 16 h 30 à 19 h (10 visites : 10 €). Le prêt se fait dans toutes les plages d'ouverture de la ludothèque.

15e ARRONDISSEMENT

L'ARMOIRE À JOUETS - APEI
89 rue Mademoiselle, 15e • M° Commerce ou Cambronne • Tél. 01 42 73 18 13 (de préférence le lundi : 14 h 30-18 h sauf vacances)

Ludothèque créée pour les enfants handicapés, mais ouverte à toutes les familles. Adhésion familiale annuelle : 23 € + 8 € d'assurance.

LUDOTHÈQUE C3B
11 rue Linois, 15e • Tél. 01 45 79 90 45 • Mercredi : 14 h 30-18 h

Adhésion dégressive en fonction du nombre d'enfants : 20 € (1er), 16 € (2e), 11 € (3e). Prêt : 46 € par an, plus environ 1 € par jeu emprunté. Forfait animation annuel : 107 € (plus de 6 ans). Dans le cadre de la ludothèque : ateliers de création, initiation au roller, skate et jeux d'extérieur.

PETIT POUCET
Espace Jeux - CAF de Paris, 9 rue Bargue, 15e • Tél. 01 47 83 36 37 • Mercredi : 14 h-18 h

Réservé habitants du 15e. Les mamans (ou les papas) viennent avec leurs enfants. Pas de prêt de jouets. Adhésion familiale : 1,50 € par mois.

17e ARRONDISSEMENT

LUDOTHÈQUE VILLE DE PARIS - ADAC
65 bd Bessières, 17e • M° Porte-de-Clichy et Porte-de-Saint-Ouen • Tél. 01 42 29 62 03 • Mardi-vendredi : 15 h-18 h ; samedi : 16 h-17 h 45

Mêmes tarifs que rue des Jardins-Saint-Paul.

18e ARRONDISSEMENT

LA LIBELLULE DORÉE
Centre social - CAF Belliard, 64 rue R. Binet, 18e • Tél. 01 53 06 34 56 ou 01 53 09 97 80 • Jeudi : 17 h-19 h ; samedi : 15 h-17 h

Pour les enfants accompagnés d'un adulte, de six mois à 12 ans. On joue sur place mais c'est gratuit. Priorité donnée aux habitants du 18e.

LUDOTHÈQUE ESPACE TORCY
2 rue de Torcy, 18e • M° Marx-Dormoy • Tél. 01 40 38 67 29 • ludotorcy@hotmail.com • Mercredi : 10 h-12 h 30, 14 h-17 h ; samedi : 10 h 30-12 h 30, 14 h-18 h

La moins chère : adhésion annuelle en fonction des revenus (de 8 à 32 €). 0,50 € la séance, 0,50 € l'emprunt pour les adhérents.

20e ARRONDISSEMENT

LA RONDE DES PETITS ET DES GRANDS
Centre social Croix-St-Simon, 125 rue d'Avron, 20e • Tél. 01 44 64 16 93 • Lundi et jeudi : 13 h 30-18 h

Gratuit pour les habitants du 20e. Adhésion au Centre social : 9 €.

➜ LOISIRS

Animaux et nature

Qu'ils soient velus, volants, rampants, vivants, naturalisés ou sur grand écran, les animaux fascinent toujours les enfants. Et la capitale est une vraie jungle. La mairie de Paris propose une série d'animations et d'ateliers pour découvrir faune, flore, air, eau et sol. L'opération s'appelle Paris Nature (sites, publications, activités) : renseignements au 01 43 28 47 63 ou à la maison Paris Nature (parc Floral de Paris, bois de Vincennes, 12e). Par ailleurs, une foule d'adresses vous invite au safari ou à la pêche au gros. Alors, embarquez !

5e ARRONDISSEMENT

CENTRE DE LA MER
195 rue Saint-Jacques, 5e • RER B, Luxembourg • Tél. 01 44 32 10 70 • Fax : 01 40 51 73 16 • www.oceano.org/cme2 • Mardi-vendredi :

10 h-12 h 30, 13 h 30-17 h 30 ; samedi-dimanche : 10 h-17 h 30

Méduses et poissons tropicaux, à contempler dans leurs six aquariums ou sur grand écran. Des projections de documentaires (dont les films du commandant Cousteau) les mercredis, samedis et dimanches (quotidien pendant les vacances scolaires). Adultes : 4,60 €. 12-18 ans, familles nombreuses, Carte Jeune : 3 €. 3-12 ans : 2 €. Moins de 3 ans : gratuit. La projection est comprise dans le prix d'entrée. Animation le week-end : 3 € par enfant. **Une à deux entrées adulte à 3 € avec le guide ou la carte.**

GRANDE GALERIE DE L'ÉVOLUTION
Museum National d'Histoire Naturelle - Jardin des Plantes, 36 rue Geoffroy-Saint-Hilaire, 5ᵉ • Mᵒ Censier-Daubenton ou Gare-d'Austerlitz • Tél. 01 40 79 54 79 ou 01 40 79 56 01 • www.mnhn.fr • Mercredi-lundi : 10 h-18 h ; nocturne jeudi jusqu'à 22 h

La grande parade des animaux (... naturalisés) : un fascinant mélange de poésie et de sérieux scientifique. Collection d'insectes et papillons. Auditorium : films naturalistes à 15 h tous les samedis et dimanches. Médiathèque. Animation pendant les vacances scolaires. Plein tarif : 7 € ; tarif réduit : 5 € (gratuit moins de 18 ans).

MÉNAGERIE DU JARDIN DES PLANTES
Museum National d'Histoire Naturelle - Jardin des Plantes, 57 rue Cuvier, 5ᵉ • Mᵒ Austerlitz-Jussieu • Tél. 01 40 79 37 94 (standard) ou 01 40 79 56 01 • Tous les jours. Hiver : 9 h-17 h ; été : 9 h-18 h ; fermeture 1 demi-heure plus tard dimanche et jours fériés

Ignoriez-vous que vous disposiez du plus ancien zoo du monde ? Plus de 200 ans et une belle variété d'animaux, du fauve aux reptiles (le beau vivarium vaut à lui seul la visite). Entrée : 6 €. Tarif réduit : 3,50 € (enfants de 4 à 16 ans ou étudiants de 16 à 27 ans). Gratuit pour les moins de 4 ans. 1,50 € pour les groupes scolaires et les centres aérés au-dessus de 4 ans.

12ᵉ ARRONDISSEMENT

AQUARIUM DE LA PORTE DORÉE
293 av. Daumesnil, 12ᵉ • Mᵒ Porte-Dorée • Tél. 01 44 74 84 80 • Fax : 01 43 43 27 53 • Mercredi-lundi (fermé le mardi) : 10 h-17 h 30

Le Musée des Arts d'Afrique et d'Océanie ferme, l'aquarium demeure. Plongez dans l'univers fascinant des lagons et des mers tropicales, et n'oubliez pas, en partant, vos enfants envoûtés par les crocodiles. Plein tarif : 4 €. Tarif réduit (4-25 ans) : 2,60 €. Gratuit pour les moins de 4 ans. Visites-conférences les lundi et jeudi sur rendez-vous (01 40 15 85 22).

FERME DE PARIS
1 route du Pesage, en face de l'hippodrome, Bois de Vincennes, 12ᵉ • RER A, Joinville + bus 112 (+ marche) • Tél. 01 43 28 47 63 • Octobre à mars, week-ends et jours fériés : 13 h 30-17 h ; avril à juin et en septembre, week-ends et jours fériés : 13 h 30-19 h ; juillet, août et vacances de Pâques, mardi-dimanche : 13 h 30-19 h

Bonjour, veaux, vaches, cochons, couvées..., céréales, potager et verger. En lisière de Paris, une vraie exploitation agricole de 5 ha, attend les petits citadins. En mars : les nouveau-nés de la ferme ; en mai : la tonte des brebis ; début juillet : les moissons. Entrée : 3,35 €. Tarif réduit enfants : 1,65 €. Gratuit pour les enfants de moins de 6 ans. Carte d'abonnement annuelle : 10,35 € ou 5,15 €.

LE JARDIN DES PAPILLONS
Pavillon 6, Parc floral, 12ᵉ • Mᵒ Château-de-Vincennes, bus 112 • Tél. 01 43 28 47 63 • Du 15 mai au 30 septembre : lundi-vendredi, 13 h 30-17 h 30 ; week-end et jours fériés : 13 h 30-18 h. Du 1ᵉʳ au 15 octobre : 13 h 30-17 h tous les jours

Il reste encore des papillons parisiens, mais plutôt que de butiner vos jardinières délicatement parfumées au gaz d'échappement, ils préfèrent se donner rendez-vous au Parc Floral. Entrée : 0,75 à 1,50 €. Gratuit pour les moins de 6 ans.

ZOO DE VINCENNES
53 av. de Saint-Maurice, 12ᵉ • Mᵒ Porte-Dorée ou Saint-Mandé-Tourelle • Tél. 01 44 75 20 10 ou 01 44 75 20 00 • En hiver, lundi-samedi : 9 h-17 h ; dimanche et jours fériés : 9 h-17 h 30. En été, lundi-samedi : 9 h-18 h ; dimanche et jours fériés : 9 h-18 h 30

Un grand zoo dans un jardin de rêve. Plus de 1 000 animaux. Entrée : 8 €. Tarif réduit : 5 € pour les enfants de 4 à 16 ans et les étudiants de moins de 27 ans. Groupes scolaires : 1,50 €. Bonne nouvelle : le célèbre Grand Rocher (accès gratuit) vient de réouvrir. Gratuit pour les enfants de moins de 4 ans.

77 SEINE-ET-MARNE

LA FERME DES AUTRUCHES
1 Grande-Rue • 77940 MONTMACHOUX • 80 km de la Porte d'Orléans (A6, sortie Fontainebleau, puis 25 km) • Tél. 01 60 96 29 49 • Fax : 01 64 32 05 54 • www.autruche-rieuse.com • Du 1ᵉʳ avril au 31 octobre, dimanche et jours fériés : 15 h 30 (départ de la visite guidée). Juillet et août : 2 visites supplémentaires le mardi et le jeudi (15 h 30). Magasin, mardi-dimanche : 15 h-19 h

En cas de pluie, chaussez vos bottes pour une visite guidée pleine d'humour au milieu des autruches. Enfants (5 à 12 ans) : 2,50 € ; adultes : 3,50 € ; groupes (à partir de 20) : 2,50 €. Visite avec dégustation autruche (sur réservation) : 4 € par personne (tarif groupe). **Remise de 10 % avec le guide ou la carte.**

78 YVELINES

BERGERIE NATIONALE
Parc du Château de Rambouillet • 78120 RAMBOUILLET • 40 km de la Porte de Saint-Cloud (N10) • Tél. 01 61 08 68 00 (standard) 01 61 08 68 70 (animation) • Fax : 01 61 08 69 20

• www.bergerie-nationale.educagri.fr • Mercredi au dimanche et jours fériés : 14 h-17 h 30
A l'époque de Louis le Seizième, de gentils mérinos tout bouclés ont été importés d'Espagne en France. C'est leur histoire que raconte ce musée du mouton. Une boutique propose également produits laitiers, terrines et volailles. Entrée adulte : 4 € ; enfants (6-12 ans) : 2,80 €. Gratuit pour les moins de 6 ans. **Tarifs avec le guide ou la carte : 3 et 2 €.**

ESPACE RAMBOUILLET

Route de Clairefontaine • 78120 RAMBOUILLET • 50 km de la Porte de Saint-Cloud • Tél. 01 34 83 05 00 • Minitel : 3614 ESPACERAMB • www.onf.fr/espaceramb/ • Avril-octobre, tous les jours : 9 h-18 h ; novembre-mars : 10 h-17 h sauf lundi. Fermeture annuelle de mi-décembre à mi-janvier

Une promenade en forêt au cours de laquelle vous rencontrerez, en liberté ou dans des enclos, cerfs, biches, sangliers ou aurochs. Un enchantement ! Le domaine est grand et, pour les plus petits qui traînent encore des pieds, vous pourrez louer un poney (8 € la première demi-heure, puis 3 € par 1/4 h). Cent rapaces dans des volières ; trois spectacles de rapaces en vol libre par jour (du 15 mars au 15 novembre). 3-12 ans : 6,20 €, plus de 12 ans : 7,80 €. Réductions famille nombreuse.

FERME DE GALLY

Route de Bailly • 78210 SAINT-CYR-L'ÉCOLE • 12 km de la Porte d'Auteuil (A13) • Tél. 01 30 14 60 60 • www.gally.com • Lundi-mardi-jeudi-vendredi : 16 h-17 h 30 ; mercredi et vacances : 10 h-12 h 30, 14 h-18 h 30 ; samedi, dimanche, jours fériés : 10 h-19 h

Les activités de la ferme sont multiples : découvrir les animaux, fabriquer du pain, du beurre, presser du jus de pommes, extraire du miel, faire la cueillette de fruits et légumes... mais aussi organiser son goûter d'anniversaire (6-12 ans : sur réservation) ou jouer les aventuriers dans le labyrinthe de maïs de 2 hectares. Entrée à la ferme : 3,30 € (adultes), 2,50 € (enfants de plus de 3 ans) et 2 € par activité. Labyrinthe : 5 € (adultes), 4 € (enfants).

THOIRY

Parc et Château de Thoiry • 78770 THOIRY-EN-YVELINES • 40 km de la Porte d'Auteuil (A13 + A12 + N12, sortie Thoiry + D11 à partir de Poncharrain) • Tél. 01 34 87 40 67 • Fax : 01 34 87 54 12 • www.thoiry.tm.fr • Tous les jours : 10 h-18 h (été) ; 10 h-17 h (hiver) ; parc à pied ouvre à 11 h

Réserve africaine à parcourir avec votre voiture pour ensuite vous balader à pied dans le jardin zoologique. Réserve africaine + jardin botanique et zoologique : 17,20 € (adultes), 12,80 € (enfants), gratuit pour les moins de 3 ans. Troisième enfant gratuit (sur présentation de la carte famille nombreuse). Self-service sur place avec menu pas cher pour vos bambins. Nouveau : l'île

mystérieuse : aire de jeux pour enfants. **Réduction de 3,50 € par adulte avec le guide ou la carte, offre limitée à quatre personnes pour la réserve africaine et les jardins.**

LA SERRE AUX PAPILLONS

1 av. des Platanes • 78940 LA QUEUE-LES-YVELINES • 40 km de la Porte d'Auteuil (A13 + A12 + N12) • Tél. 01 34 86 42 99 • Mars-novembre : 9 h 30-12 h 15 ; 14 h 30-17 h 45

Les plus beaux papillons du monde folâtrent au milieu des plantes rares et des visiteurs. On vous explique toute leur histoire dans une vidéo de 20 mn. Vous trouverez ici aussi un insectarium avec des bêbêtes peu ragoûtantes (mygales, scorpions, dragons d'eau...) et une ruche transparente. La visite dure 1 h à 1 h 30. Entrée : 5,80 € adulte ; 4,30 € de 3 à 18 ans ; groupe : 4,70 €/adulte, 3,70 €/enfant (de 3 à 18 ans).

91 ESSONNE

FERME PÉDAGOGIQUE DU BEL AIR

19 route de Gif • 91190 VILLIERS-LE-BÂCLE • 20 km de la Porte de Saint-Cloud (N118) • Tél. 01 69 41 18 42 • Fax : 01 60 19 29 13 • www.ville-villierslebacle.fr • Samedi, dimanche et jours fériés : 10 h-17 h (jusqu'à 19 h l'été) ; en semaine réservé aux groupes scolaires

Caresser l'ânesse, tirer le bouc du bouc, câliner les chèvres et faire du pain... Ou bien, se laisser guider par ses narines dans les allées du jardin aromatique. L'art de tirer parti des trésors de la campagne. Tarif entrée + ateliers : 4 € (adultes), 2 € (enfants), gratuit pour les moins de 3 ans. Tarif à l'année : 45 € pour la famille.

92 HAUTS-DE-SEINE

FERME PÉDAGOGIQUE DU PIQUEUR

Domaine de Saint-Cloud • 92210 SAINT-CLOUD • Tél. 01 46 02 24 53 • Fax : 01 47 71 38 20 • Le mercredi et vacances scolaires, accueil des enfants et des groupes scolaires sur réservation. Samedi, dimanche et jours fériés : 10 h-12 h 30, 13 h 30-17 h 30

De l'autre côté du périphérique, le magnifique parc de Saint-Cloud abrite une ferme plus vraie qu'à la campagne. Les familles la visiteront le week-end et les jours fériés, les enfants (à partir de 4 ans) pourront participer aux ateliers thématiques du mercredi ou des vacances (jardinage, environnement, animaux de la ferme, etc.). Entrée : 1,52 € ; atelier : 6,10 € ; 10 ateliers : 54,88 €. Programme des ateliers sur simple appel téléphonique.

94 VAL-DE-MARNE

LA FERME DES GONDOLES

Parc des Gondoles, Chemin d'exploitation • 94600 CHOISY-LE-ROI • 7 km de la Porte de Choisy (N305) • Tél. 01 48 90 77 11 (lundi-vendredi : 14 h-16 h) • Tous les jours : 9 h-12 h, 14 h-17 h (en hiver), 14 h-19 h (en été)

La Ferme Enfantine de la ville de Choisy, dans son parc de 4 hectares, abrite tant d'animaux (moutons, ânes, chèvres, volailles, pigeons, lapins, vaches...) que certains Parisiens, un peu fleurs de béton, y traînent des heures entières de l'écurie à la basse-cour. Entrée gratuite.

Anniversaires et fêtes

Vous n'y échapperez pas : ce n'est plus pour fêter ses 18 ans que votre fille saccagera votre appartement la première fois mais bien pour ses 2 ans, ses copains de crèche se chargeant de liquider votre réserve de fraises Tagada et de faire naviguer vos vinyles Collector dans la baignoire. Alors, pas de panique, voici quelques adresses où se fournir en ballons, en jouets de pêche à la ligne et, pourquoi pas, où dénicher une animation pas trop onéreuse pour occuper les vingt terreurs que vous avez convoquées un peu hâtivement.

À LA RIBAMBELLE

Tél. 01 41 93 10 00 • Lundi-samedi : 9 h-12 h, 14 h-19 h

Des anniversaires à la carte pour les 3 à 11 ans : depuis un numéro de clowns jusqu'à la transformation de votre appartement en tripot... Animation de 3 heures avec clown ou fée (maquillage, magie, marionnettes) : 160 € pour quinze enfants (de 3 à 7 ans). Animation de 3 heures, mini-boum ou casino, pour les enfants de 7 à 11 ans : 160 €. **Avec le guide ou la carte : un cadeau à l'enfant dont c'est l'anniversaire**.

2ᵉ ARRONDISSEMENT

SI TU VEUX

68 galerie Vivienne, 2ᵉ • Mᵒ Bourse • Tél. 01 42 60 59 97 • Lundi-samedi : 10 h 30-19 h

Pour parents débordés ou simplement pour vous simplifier la vie avec dix garnements à la maison pendant 3 heures : des kits de fêtes à thèmes (safari, autour du monde, maison hantée, sirènes et pirates, la fête au château...) pour 29,73 €. En plus, des ballons, des pochettes cadeaux, des kits cannes à pêche (5,79 €), etc. Un catalogue VPC sur demande avec des prix révisés sur les kits chaque année en septembre (commande par téléphone).

15ᵉ ARRONDISSEMENT

BALLOONS SHOP

38 rue Georges-Pitard, 15ᵉ • Mᵒ Plaisance • Tél. 01 48 56 20 39 • Fax : 01 48 56 83 50 • Mardi-samedi : 10 h 15-13 h, 14 h-19 h

LE spécialiste du ballon. Allez, allez, on ne se dégonfle pas ; on vole chez Balloons Shop, qui décline le ballon dans une cinquantaine de coloris. Pour ceux qui ne manquent pas de souffle : 0,23 à 0,31 €. Pour ceux qui en manquent : 1,23 € gonflé à l'hélium sur place. Kit hélium à louer : 56 € (bouteille, gonfleur, 50 ballons) ; 96 € (150 ballons). Également tous les autres accessoires pour faire la fête : cotillons, déguisements, farces et attrapes, feux d'artifice, etc.

Livraison de cinquante ballons tout gonflés (dans les arrondissements proches du 15ᵉ) : 91 €.

16ᵉ ARRONDISSEMENT

MUSÉE EN HERBE

Jardin d'Acclimatation, Bois de Boulogne, 16ᵉ • Mᵒ Sablons • Tél. 01 40 67 97 66 • Fax : 01 40 67 92 13 • www.musee-en-herbe.com • Tous les jours : 10 h-18 h ; samedi : 14 h-18 h (musée)

Pour le repos des parents mais surtout la joie des enfants, le Musée en Herbe organise des anniversaires encadrés par des animateurs compétents : 228 € pour dix enfants (exposition, atelier-création, goûter). Ateliers dessin-peinture les mercredi, samedi, dimanche, 4,5 € pour une heure. Expositions-jeux (entrée : 3 €) et même baby-ateliers à partir de 2 ans et demi. **Avec le guide ou la carte, une entrée achetée donne droit à une entrée gratuite**.

QUE LA FÊTE COMMENCE

11 rue Jean-Giraudoux, 16ᵉ • Mᵒ Georges-V ou Alma-Monceau • Tél. 01 47 20 00 00 • Fax : 01 47 20 52 72 • www.que-la-fete-commence. com • Lundi-vendredi : 9 h 30-13 h, 14 h-19 h

Anniversaires de choc : des stands (de barbe à papa ou de pop-corn), des spectacles, une pêche à la ligne, des maquillages et de la décoration, et pourquoi pas une mini-boum ou une karaoké-party ? Animation simple à partir de 3-4 ans (2 heures) : 200 €. Animation à thèmes avec mini-boum, chasse au trésor, jeux olympiques : 230 €. Mini-boum ciné-star : 270 €. Également spectacle de clown, de magicien, ventriloque, guignol : 275 €. **Avec le guide ou la carte : cadeau d'un ballon à l'hélium géant**.

20ᵉ ARRONDISSEMENT

ATCHOUM ANIMATIONS ET SPECTACLES

102 rue Orfila, 20ᵉ • Mᵒ Maraîchers • Tél. 01 43 15 02 00 • Fax : 01 43 15 08 30 • www.atchoum.asso.fr • Lundi-vendredi : 9 h 30-12 h 30, 14 h-19 h

Môssieur Jojo, Mademoiselle Pouet-Pouet, ou un de leurs compères marionnettistes, sculpteurs de ballons, comédiens, fées ou magiciens se feront une joie d'animer l'anniversaire de Jules ou de Rosalie. Pour les 3 ans : 115 € (1 h 30). Pour les 4-12 ans : 130 € (3 h). Spectacle clown magicien ou marionnettes : 230 €. Mini-boom : 230 € (à partir de 8 ans).

92 HAUTS-DE-SEINE

BIDOUILLE LE CLOWN
144 rue Martre, Bât. C7 - Appart. 3109 • 92110 CLICHY • Tél. 01 47 37 40 54 ou 06 17 35 44 44 • Fax : 01 47 37 40 54

Bidouille enchantera vos enfants (tout comme vous) avec ses tours de magie, ses spectacles, sa sculpture de ballons et toutes sortes d'animations. 1 heure de spectacle : 150 €, 2 heures avec 1 animation et 1 spectacle : 230 €. Anniversaires, mariages et fêtes... laissez faire Bidouille, c'est son affaire.

94 VAL-DE-MARNE

ALPHA BABY
8 rue Robert-Giraudineau • 94300 VINCENNES • M° Château-de-Vincennes • Tél. 01 43 65 32 32 • Fax : 01 43 65 25 43 • www.alphababy.fr • Lundi-samedi : 9 h-19 h

Gamme complète de formules adaptées à chaque âge (2-11 ans). Pour les petits : « Bisous » (115 € pour 10 enfants) avec une heure d'animation, maquillage, spectacle et sculpture sur ballons. Pour les grands : jeux de rôles, miniboums ou ateliers magie (de 170 à 200 € pour 15 enfants). **Un cadeau à l'enfant dont c'est l'anniversaire avec le guide ou la carte.**

Ateliers

Voici une sélection de quelques-uns des ateliers ou loisirs originaux qui pourront amuser vos enfants. Certains d'entre eux sont encadrés, d'autres se feront en votre compagnie. Et n'oubliez pas : la plupart des innombrables musées de la capitale (et notamment Le Louvre) regorgent d'ateliers pour enfants ; alors foncez sur votre Officiel ou votre Pariscope et téléphonez, vos enfants découvriront les grands maîtres ou les subtilités de la science en s'amusant...

1er ARRONDISSEMENT

L'ATELIER DU JARDIN DES TUILERIES
Atelier sous la terrasse du bord de l'eau, côté Seine, 1er • M° Tuileries • Tél. 01 42 96 19 33 • Hors vacances, tous les mercredis : 10 h, 14 h, 16 h ; pendant les vacances, lundi-vendredi : 10 h, 14 h, 16 h

Ateliers jardinage dans deux potagers, ou peinture et sculpture pour des enfants de 4 à 12 ans. Réservation obligatoire. Atelier de 1 h 30 (7 €) ou les dix ateliers (55 €). Formule demi-journée à 14 € ou une journée entière à 21 €. Goûters d'anniversaire. **Avec le guide ou la carte, 5 € l'atelier de 1 h 30.**

JARDIN DES ENFANTS, AUX HALLES
105 rue Rambuteau, 1er • M° Châtelet-Les Halles, sortie Rambuteau • Tél. 01 45 08 07 18 • Mardi-dimanche : horaires variables selon saisons. Accès à tous (enfants et parents) le samedi matin de 10 h à 14 h

Aire de jeu accueillant, du mardi au vendredi, les enfants de 7 ans révolus à 11 ans inclus, non accompagnés, puisqu'ils sont pris en charge par les animateurs (le samedi matin, tous les enfants quel que soit leur âge sont accueillis à condition d'être accompagné par un adulte). Les participants peuvent utiliser le Jardin comme une simple aire de jeu (piscine à balles, toboggans, mur d'escalade, toile d'araignée, etc.) ou participer aux jeux mis en place par les animateurs. Durée de jeu limitée à une heure. Une fois par mois (en général le dernier dimanche du mois), un grand jeu de 3 heures. Entrée : 0,35 €. Gratuit pour les familles nombreuses avec la carte Paris Famille. Fermé en cas de pluie.

LA MAISON DU GESTE ET DE L'IMAGE
42 rue Saint-Denis, 1er • M° Châtelet-Les-Halles • Tél. 01 42 36 33 52 • Fax : 01 40 26 40 14 • www.mgi-paris.org • Lundi-vendredi : 9 h-19 h ; samedi : 9 h-18 h

Les ados (10-20 ans) peuvent faire des stages de vidéo, de théâtre ou de nouvelles technologies encadrés par des professionnels à la Maison du Geste et de l'Image. Ateliers les mercredi et samedi, et pendant les vacances scolaires. Se renseigner auprès des mairies ou des comités d'entreprise pour la prise en charge des stages. Vidéo ou nouvelles technologies cinq jours : 92 €. Théâtre, cinq jours : 69 €. Atelier vidéo à l'année (un samedi sur deux, septembre à avril) : 137 €. Formations Internet-multimédia : inscription annuelle avec accès à toutes les formations : 10 €. Atelier théâtre à l'année tous les mercredis après-midi, septembre à avril : 122 €. **10 % de remise sur les stages avec présentation du guide ou de la carte.**

4e ARRONDISSEMENT

MUSÉE DE LA CURIOSITÉ ET DE LA MAGIE

11 rue Saint-Paul, 4e • Mo Saint-Paul • Tél. 01 42 72 13 26 • www.museedelamagie.com • Mercredi, samedi, dimanche : 14 h-19 h ; petites vacances, tous les jours : 14 h-19 h

Ouvrez vos mirettes : illusions d'optique, curiosités physiques, objets mystérieux, spectacle de prestidigitation. Vous en serez tout ébaudis. Une boutique pour les apprentis-magiciens. Entrée du musée : 7 € (adulte), 5 € (3-12 ans). Stages pendant les vacances scolaires. **Avec le guide ou la carte : gratuité pour un enfant d'une famille de quatre personnes (deux adultes et deux enfants).**

8e ARRONDISSEMENT

MERCREDIS DÉCOUVERTE LENÔTRE

École des Amateurs Gastronomes Lenôtre, Pavillon Élysée - 10 av. des Champs-Élysées, 8e • Mo Champs-Élysées-Clemenceau • Tél. 01 42 65 85 10 • Fax : 01 42 65 76 23 • Mercredi : 14 h-16 h ou 16 h 30-18 h 30

Comment faire des cuisiniers en herbe ? En inscrivant vos enfants (8-11 ans) à l'atelier Lenôtre du mercredi. Ils y prépareront des tartelettes au citron, des muffins au chocolat, des crèmes vanille, des cakes aux fruits. Réserver très longtemps à l'avance. Participation 38 € pour 2 heures de gourmandise (en français ou en anglais !).

19e ARRONDISSEMENT

LA CITÉ DES ENFANTS

Cité des Sciences et de l'Industrie, 30 av. Co-

rentin-Cariou, 19e • Mo Porte-de-la-Villette • Tél. 01 40 05 80 00 (serveur) ; réservation conseillée au 0 892 69 70 72 (0,34 € la mn + frais de réservation : 2 €) • www.cite-sciences. fr • Mercredi, samedi, dimanche : 10 h 30, 12 h 30, 14 h 30, 16 h 30 ; mardi, jeudi, vendredi : 9 h 45, 11 h 30, 13 h 30, 15 h 30. Attention, horaires spéciaux pendant les vacances scolaires. Il est conseillé de réserver sa visite par téléphone

Il suffit de voir l'air réjoui des enfants en train de piloter une grue sur un chantier, de jouer au petit cameraman de la télévision ou de pénétrer dans une serre peuplée de papillons, pour comprendre qu'ici on n'apprend qu'en s'amusant, comme des fous ! Deux parcours de 1 h 30 : un pour les 3-5 ans, l'autre pour les 5-12 ans. Tarif : 5 € par personne (les enfants doivent être accompagnés d'un adulte).

92 HAUTS-DE-SEINE

UNE JOURNÉE AU CIRQUE DE PARIS

115 bd Charles-de-Gaulle • 92390 VILLE-NEUVE-LA-GARENNE • 5 km de la Porte de Clignancourt (N14) • Tél. 01 47 99 40 40 • Fax : 01 47 99 02 22 • Mercredi et dimanche : 10 h-17 h ; ou spectacle : 15 h-17 h

Une nouvelle façon d'aller au cirque. A 10 h, on s'entraîne avec les artistes, à 12 h, on déjeune avec eux et à 15 h on assiste au spectacle. Une ménagerie et un musée des arts forains (visite non comprise dans le tarif). **Avec le guide ou la carte : journée complète avec repas : 25,50 € par enfant, 28,50 € par adulte ; spectacle seul : 6 € par enfant, 9,50 € par adulte.**

La cinéphilie dès 18 mois

Les parents cinéphiles et les autres surveilleront les programmations des 3 salles suivantes. Elles se chargent d'initier avec brio les jeunes yeux au grand art du XXe siècle pour qu'il reste celui du XXIe siècle. Dans les Hauts-de-Seine, ils se précipiteront sur l'opération « Ciné-Goûter ».

1er ARRONDISSEMENT

FORUM DES IMAGES

Porte Saint-Eustache, Forum des Halles, 1er • RER Châtelet-Les Halles • Tél. 01 44 76 62 00 (bureaux) • www.forumdesimages.net • Mercredi et samedi : 15 h (arriver en avance : les places peuvent être rares...)

Une initiation au cinéma de très bonne qualité, adaptée à tous les âges : depuis « La Nuit du chasseur » jusqu'aux burlesques américains des années 20 en passant par des court-métrages d'animation et des films récents. Parfois des séances exceptionnelles de ciné-concert. Le tout est suivi d'un débat et d'un goûter inclus dans le

prix d'entrée. Adulte : 5,50 €. Enfant : 3,50 €. Vente une semaine avant la séance.

4e ARRONDISSEMENT

ÉCRAN DES ENFANTS

Centre Georges Pompidou - Salle cinéma 2 (niveau -1), Place Georges Pompidou, 4e • Mo Rambuteau • Tél. 01 44 78 44 22 • Fax : 01 44 78 12 24 • www.bpi.fr • Tous les mercredi (sauf juillet, août et début septembre) : 14 h 30

Pour les enfants à partir de 4 ans, des films rares, inédits ou des grands classiques. Programmation en lien avec les activités proposées par la bibliothèque du Centre Pompidou. Réservation groupe obligatoire. Tarifs : 3 € (adulte), 2 € (-16 ans), 1,50 € (groupe).

10ᵉ ARRONDISSEMENT

CINÉMATHÈQUE FRANÇAISE
42 bd Bonne-Nouvelle, 10ᵉ • Mᵒ Bonne-Nouvelle • Tél. 01 53 65 74 45 • www.cinemathequefran caise.com • Mercredi et samedi : 14 h 30

Séances jeune public. Initiation à la cinéphilie à travers des programmations thématiques sur deux mois. Adultes : 4,70 €. Enfants de moins de 12 ans : 3 €. Tarif groupe (à partir de dix personnes) : 2,30 €.

17ᵉ ARRONDISSEMENT

CINÉ-CLUB JUNIOR
Cinéma des Cinéastes, 7 av. de Clichy, 17ᵉ • Mᵒ Place-de-Clichy • Tél. 01 53 42 40 20 ou 01 53 42 40 00 • Mercredi, samedi, dimanche : matin et après-midi

Tous les week-ends le Cinéma des Cinéastes or- ganise des séances jeune public. Séances de 16 h : 5,40 €. Films en exclusivité : 5,40 et 4,90 € (TR). Séances du matin : 4 €. **Tarifs ad- hérents (4 €) avec le guide ou la carte.**

92 HAUTS-DE-SEINE

CINÉ-GOÛTER
92000 HAUTS-DE-SEINE • Tél. 01 47 29 30 31 (poste 55413) • www.hauts-de-seine.net/cine gouter

Pour la huitième année consécutive, vingt-six ci- némas des Hauts-de-Seine choisissent une pro- grammation commune pour les enfants (saison septembre-juin). Grands classiques ou sorties na- tionales (le dessin animé du moment), la projec- tion est suivie d'un goûter. Une programmation pour les tout petits de 18 mois à 3 ans (Ciné Bout'chou). Se renseigner auprès du cinéma le plus proche de chez vous pour savoir s'il parti- cipe à l'opération. Tarifs variables selon les ci- némas : pas plus de 3,50 € pour les enfants.

Vive les vacances

C'est un problème insoluble : les enfants ont parfois plus de jours de vacances que leurs parents. Voici quelques pistes pour occuper votre progéniture.

CENTRES DE LOISIRS DE LA VILLE DE PARIS
Tél. Paris Info Mairie : 08 2000 75 75 • Lundi- vendredi : 8 h 45-17 h 30

Les Centres de loisirs accueillent les enfants de 3 à 13 ans, domiciliés et scolarisés à Paris, dans les locaux scolaires, entre 8 h 30 et 18 h (18 h 30 en maternelle). Des sorties sont prévues mais ne sont pas systématiques qu'en juillet et août. Les enfants peuvent fréquenter le centre de loisirs de leur choix, qui ne sera pas nécessairement celui de leur école. Première inscription : se pré- senter le matin de 8 h 20 à 9 h. Tarifs en fonction des ressources : de 0 à 3,51 €, repas et goûter inclus pour la journée.

VACANCES ARC-EN-CIEL
Tél. Arc-en-Ciel : 01 42 76 28 71 ; ou directe- ment : 01 42 76 36 98 • Lundi-vendredi : 8 h 45- 17 h 30

La « colo » de la mairie : les petits Parisiens (ex- clusivement) de 4 à 16 ans partiront découvrir la nature, pratiqueront des activités sportives (équitation, activités nautiques, plongée...) ou des activités de découverte (astronomie, cirque, musique...) pour des séjours de cinq à douze jours. Et tout ça pour un coût modeste variant en fonction des revenus (tarifs 2003 : 2,06 à 18,52 € par jour). Chaque année, trois journées d'information sont organisées au mois de mars, puis une brochure accompagnée d'une carte-ré- ponse est diffusée dans les mairies d'arrondisse- ment fin mars. Cette carte-réponse permet d'ob- tenir un rendez-vous en vue d'une inscription. Ouf ! Mais après ce rude parcours administratif, vive les vacances !

9ᵉ ARRONDISSEMENT

GÎTES DE FRANCE
59 rue Saint-Lazarre, (librairie des Gîtes de France), 9ᵉ • Mᵒ Trinité • Tél. 01 49 70 75 75 • Fax : 01 42 81 28 53 • Minitel : 3615 GITES DEFRANCE • www.gites-de-france.fr • Lundi-ven- dredi : 10 h-18 h 30 ; samedi : 10 h-13 h, 14 h- 18 h 30

Formule proposée pour des enfants entre 4 et 15 ans : les Gîtes d'enfants (vingt maximum ac- cueillis) situés à la campagne, mer ou montagne avec ambiance familiale, activités d'éveil ou sportives. Coût d'environ 260 € par enfant.

FÊTES ET MARIAGES

Il y a celles et ceux qui se marient en jeans, font des agapes chez McDo et qui font la fête (pardon, la teuf...) chaque fois qu'il leur tombe un œil. Ce chapitre ne leur est pas destiné. Tous les autres, après avoir lu ce qui suit, sauront qu'il n'est pas nécessaire de posséder un compte en Suisse pour s'amuser. Merci qui ?

¿ QUE CHERCHEZ-VOUS ?

ACCESSOIRES DE MARIAGE
299 La Femme Écarlate (7e)
300 Annie Couture (9e)

ANIMATION
296 Eurydice (17e)
296 Soleil-Sonne (20e)
296 Les Concerts Lyriques de Paris (77)
297 Les Mille et Une Nuits (78)
298 Jour de Fête Animation (93)
298 Anim'art (94)

AUBADES ET SÉRÉNADES À DOMICILE
296 Soleil-Sonne (20e)

COTILLONS ET CIE
296 L'Amicale de Tuttifiesta (9e, 17e, 20e)

DÉGUISEMENTS
294 Au Clown de la République (3e)
296 L'Amicale de Tuttifiesta (9e, 17e, 20e)

293 Au Clown de Montmartre (9e)
294 Sommier Costumier (10e)
294 Académie Du Bal Costumé (12e)
296 Arlequin Sommier (17e)

LISTES DE MARIAGE
299 Ikéa
299 Samaritaine, Espace Mariage (1er)
299 BHV (4e)
299 FNAC (6e)
299 Le Bon Marché Rive Gauche (7e)
299 Caves Taillevent (8e)
299 Les boutiques Mariages des Galeries Lafayette (9e)
299 Printemps à Deux (9e)
299 Christofle (16e)

LOCATION DE SALLES
293 Le Coq Héron (1er)
525 Collation (6e)
293 Les Voûtes de Paris (6e)

295 Le Nominoé et le Baphomet (13e)
295 Salons Étoile-Marceau (16e)

LOCATION DE VÊTEMENTS
293 Jean-Jacques (6e)
299 La Femme Écarlate (7e)
300 Costumes Mucha (9e)
300 Créations Morgan (10e)
294 Sommier Costumier (10e)

LOCATION DE VOITURES DE LUXE
295 Carte Blanche (16e, 51, 78)

MATÉRIEL POUR FÊTES
297 La Table de Cana (7e, 92)
294 Restomenu (12e)
295 Options (16e)
296 Eurydice (17e)
297 Duquesne Service (78)

¿ QUE CHERCHEZ-VOUS ?

**REPORTAGE
PHOTO/VIDÉO**
298 Anim'art (94)

ROBES DE MARIÉE
299 La Femme
Écarlate (7ᵉ)
300 Nina Meert (7ᵉ)
300 Annie Couture
(9ᵉ)
300 Costumes Mucha
(9ᵉ)
300 Les Mariés
d'Élodie (9ᵉ)
300 Dandyrama (10ᵉ)
300 Half and Half
(13ᵉ)

300 Tati (18ᵉ)

TRAITEURS
297 La Table de
Cana (7ᵉ, 92)
294 La Maison du
Petit Four (13ᵉ)
295 Feuillantine (15ᵉ)
297 Les Mille et Une
Nuits (78)
297 Cocktail Cocktail
(92)
298 Les Fourneaux de
Marthe et
Matthieu (92)
298 L'Asie à Votre
Table et Antilles
Chez Toi (93)

**VÊTEMENTS
DE CÉRÉMONIE**
299 La Femme
Écarlate (7ᵉ)
300 Costumes Mucha
(9ᵉ)
300 Créations
Morgan (10ᵉ)
300 Fleur de Peau
(13ᵉ)
300 Half and Half
(13ᵉ)

**VINS ET
CHAMPAGNES**
139 « Alimentation »

**L'index des raisons sociales et commerciales
se trouve en page 607.**

**L'index des produits recensés dans Paris Pas Cher
se trouve en page 627.**

LE COQ HÉRON

3 rue du Coq-Héron (1er)
M° Les Halles, Louvre-
Palais-Royal
Tél. 01 40 26 88 68
Fax : 01 40 39 70 02

Soirées en caves

Le Coq Héron dispose de trois jolies caves voûtées Renaissance en enfilade pouvant accueillir jusqu'à 100 personnes. Location simple de 18 h à 2 h : 1 212 €. Avec le repas (22,87 € en semaine, 25,92 € le vendredi ; 38,11 € le week-end). Forfait heures supplémentaires après minuit : 110 €/heure. Pour une soirée dansante, le DJ des lieux est chaudement recommandé (305 €).

JEAN-JACQUES

36 rue de Buci (6e)
M° Mabillon
Tél. 01 43 54 25 56
www.jean-jacques-location.
com
*Mardi-vendredi : 9 h-18 h ;
samedi : 9 h-17 h*

Location d'habits de gala

C'est sans aucun doute le lieu où vous trouverez une tenue à louer pour un événement exceptionnel même si vos mensurations le sont tout autant (toutes les retouches et réajustements sont soigneusement apportés). Smoking (à partir de 60 €), habit (96 €), jaquette (96 et 130 €), redingote (115 €), chapeaux ou chaussures vernies ou non (25 €). Les accessoires, comme chemise à col cassé, nœud papillon ou gilets sont à la vente. A la vente également, des smokings pour 340 € ou des trois pièces (jaquette, gilet, pantalon) pour 680 €. Tarif spécial à partir de six locations.

LES VOÛTES DE PARIS

10 rue Servandoni (6e)
M° Odéon
Tél. 01 43 54 43 41
Fax : 01 43 54 35 71
www.sabertrand.fr/voutes
*Renseignements du lundi
au vendredi : 9 h 30-
18 h 30*

Fiesta en caves voûtées...

... mais pas n'importe lesquelles puisqu'il s'agit de l'ancien foyer des orphelins de Saint-Sulpice datant du XVIIe siècle et accueillant jusqu'à soixante personnes. Location de 19 h à 1 h : 1 500 € (200 € l'heure supplémentaire jusqu'à 3 h). Location à la demi-journée (9 h-13 h ou 14 h-18 h, sauf samedi) : 550 € ; ou la journée (9 h-18 h, sauf samedi) : 1 000 €. Avec chaises, tables, sono et une personne mise à disposition. La maison conseille des prestataires, traiteurs, fleuristes, etc.

AU CLOWN DE MONTMARTRE

22 rue du Faubourg-
Montmartre (9e)
M° Grands-Boulevards
Tél. 01 47 70 05 93
Fax : 01 47 70 05 93
www.clown.fr
Lundi-samedi : 9 h-19 h

Les indispensables de la fête

Vous cherchez la perruque des Jackson Five (12,05 €), une paire de lunettes en strass (7,50 €) ou un collier de fleurs de Tahiti (2,90 €) ? Vous êtes arrivés, c'est ici. La boutique déborde de masques (à partir de 4,45 €), de perruques (à partir de 5,95 €), loups, farces et attrapes, cotillons et tutti quanti. Au sous-sol, un choix impressionnant de 2 000 déguisements à louer entre 7,60 et 22,87 € pour le week-end. **Remise de 10 % avec le guide ou la carte sur les locations.**

SOMMIER COSTUMIER
Costumes à louer

3 passage Brady (10ᵉ)
M° Strasbourg-Saint-Denis
Tél. 01 42 08 27 01
Fax : 01 42 08 69 66
www.sommier.com
*Mardi-vendredi : 10 h-19 h ;
samedi : 10 h-18 h*

C'est l'endroit où vous trouverez la cotte de mailles ou le costume de dame de la cour dont vous rêvez. Votre choix peut se porter plus modestement sur celui d'un bagnard ou d'un homme préhistorique. Plus de 4 000 costumes de toute époque pour adultes et enfants sont disponibles à partir de 22 € et jusqu'à 228 € pour le week-end. Également aube de communion à 37 €. La maison fabrique aussi des déguisements sur commande. **Remise de 5 % avec le guide ou la carte.**

ACADÉMIE DU BAL COSTUMÉ
Déguisement tous styles toutes époques

22 av. Ledru-Rollin (12ᵉ)
M° Gare-de-Lyon
Tél. 01 43 47 06 08
Fax : 01 42 78 03 72
www.location-de-costumes.com
Mardi-samedi : 10 h-19 h

AUTRE ADRESSE
■ **Au Clown de la République** • 11 bd Saint-Martin, 3ᵉ • M° République • Tél. 01 42 72 73 73

3 000 costumes d'époque médiévale ou contemporaine pour adultes et enfants loués entre 30 et 120 €. Vous trouverez néanmoins très facilement à vous déguiser moyennant 45 €. Pas de soucis donc à se faire pour votre escapade à Venise… Également des accessoires de maquillage, articles de fêtes et jonglerie. **Remise de 10 % avec le guide ou la carte.**

RESTOMENU
Vaisselle jetable

58 rue Crozatier (12ᵉ)
M° Ledru-Rollin
Tél. 01 43 45 72 61
Fax : 01 43 47 21 25
lundi-vendredi : 9 h 15-12 h 30, 14 h 30-19 h

Restomenu est spécialisé dans les articles jetables basiques ou sophistiqués pour vous éviter de faire la vaisselle. Anita se fera d'ailleurs un plaisir de vous aider à choisir parmi toutes les couleurs et formes proposées. Dix flûtes à champagne plusieurs couleurs (2,85 €), douze assiettes plastique rondes ou octogonales (4,93 €) ou les douze à dessert (3,47 €), deux cents serviettes couleur (7 €)… Il vous falloir une grande poubelle ! **Remise de 5 % avec le guide ou la carte sur toutes les assiettes plastique couleur.**

LA MAISON DU PETIT FOUR
Salé ou sucré de qualité

37 rue Louise-Weiss (13ᵉ)
M° Chevaleret
Tél. 01 45 85 08 09
Fax : 01 45 85 07 77
www.petit-four.fr
*Accueil sur rendez-vous ;
lundi-vendredi : 6 h 30-16 h 30 ; samedi : 6 h 30-12 h*

Frédéric Bastien est artisan pâtissier traiteur. Voici 9 ans qu'il s'est spécialisé dans la réalisation de buffets, cocktails et autres réceptions. Tout est fabriqué sur place de façon traditionnelle à des prix très raisonnables pour une qualité haut de gamme : soixante petits fours frais sucrés (38 €), quarante-huit canapés et fraîcheurs salés (38 €), pain surprise et garniture maison (34 € les soixante-dix pièces).

LE NOMINOÉ ET LE BAPHOMET   *Fêtes rustiques*

36 bd Arago (13ᵉ)
Mº Gobelins
Tél. 01 43 31 09 18
*Visite tous les lundis : 17 h-
20 h*

Dans les vestiges de l'abbaye des Cordelières avec poutres et pierres apparentes comme il se doit, deux salles : le Nominoé et le Baphomet. L'une est idéale pour les dîners au coin du feu (soixante-dix personnes) : 100 à 400 €. L'autre est parfaite pour les soirées dansantes (soixante personnes) : 360 à 710 € les 6 heures de présence (sono incluse).

15ᵉ ARRONDISSEMENT

FEUILLANTINE   *Tchin-tchin*

52 rue Castagnary (15ᵉ)
Mº Plaisance
Tél. 01 45 33 17 34
Fax : 01 45 33 40 70
www.feuillantine.fr
Sur rendez-vous

Feuillantine vous régalera de grenailles au saumon fumé, de pois gourmands à la viande des Grisons et d'autres délices en vous préparant un cocktail ou un dîner aussi succulent pour vingt que pour 1 000. Prix par personne : cocktail quinze pièces à 10 €, cocktail dînatoire vingt-trois pièces à 17,80 €. Réception de mariage incluant cocktail et dîner avec matériel et personnel pour 59 €. **Remise de 5 % avec le guide ou la carte à partir de 300 €.**

16ᵉ ARRONDISSEMENT

CARTE BLANCHE   *Roulez, carrosse !*

126 bd Murat (16ᵉ)
Mº Porte-de-Saint-Cloud
Tél. 01 46 51 54 66
ou 06 09 45 97 89
www.carteblanchelimou
sine.com

Une journée exceptionnelle mérite une voiture d'exception pour être inoubliable. Louez une voiture avec chauffeur (exiger chapeau et gants blancs !), bar, télévision, climatisation et téléphone. Ce n'est pas hors de prix : limousine américaine 6 places à 140 € pour un transfert dans Paris, ou 320 € pour 4 heures la nuit (430 € la 8 places). Osez aussi l'Excalibur cabriolet à 600 € (forfait mariage). **Remise de 5 % avec le guide ou la carte.**

AUTRES ADRESSES
■ 3 rue Vialard • 51000 CHALONS-EN-CHAMPAGNE • Tél. 03 26 69 30 80
■ 13 rue Saint-Honoré • 78000 VERSAILLES • Tél. 01 39 02 66 66

OPTIONS   *Location de vaisselle raffinée*

21 rue Gros (16ᵉ)
Mº Mirabeau
Tél. 01 42 24 11 00
Fax : 01 40 50 81 23
www.options.fr
*Lundi-vendredi : 10 h-
19 h 30 ; samedi : 10 h-
18 h*

Une envie de recevoir une centaine de personnes autour de tables joliment décorées (style baroque, provençal, Empire...) : Options dispose de tout pour mettre en place. Plus modestement, il peut aussi vous louer des articles de base à prix tout à fait raisonnables : le verre Élégance à 0,37 €, l'assiette Rohan à 0,34 €, le couvert Vieux Paris en inox à 0,29 € ou en argent à 0,30 €.

SALONS ÉTOILE-MARCEAU   *Salons à louer*

79 av. Marceau (16ᵉ)
Mº Charles-de-Gaulle-Étoile
Tél. 01 47 20 01 05
www.salons.etoile.com

Dans un hôtel particulier néo-classique, naguère résidence privée des Bourbons d'Espagne, deux salons de 230 m² modulables, pouvant accueillir jusqu'à 250 invités et disposant de tous les équipements pour l'animation et la communication. Parkings à proximité. Tarifs hors taxes en journée : 1 100 €. Demi-journée : 750 €. Soirée : 1 200 €.

ARLEQUIN SOMMIER

33 rue Brochant (17e)
M° Brochant
Tél. 01 42 28 47 69
www.arlequin-sommier.fr
*Mardi-vendredi : 10 h-13 h,
13 h 30-19 h ; samedi :
fermeture à 18 h*

Location de costumes

Encore tout nouveau dans le quartier, Arlequin Sommier dispose d'une incroyable collection de costumes à louer allant de la préhistoire à nos jours. Vous déguiser en pomme, poire ou abricot ? C'est possible, en ours blanc, en Père Noël ou en corsaire aussi. La liste est longue et les tarifs démarrent à 16 € pour les enfants et 23 € pour les adultes. Vente d'accessoires, masques et maquillages... **Réduction de 5 % avec le guide ou la carte.**

EURYDICE

147 rue Cardinet (17e)
M° Brochant
Tél. 01 53 06 37 07
Fax : 01 44 85 24 70
www.eurydice.fr
Lundi-vendredi : 9 h-19 h

Sono et éclairage

Ce serait dommage de rater votre soirée à cause d'une sono qui tousse après minuit. Eurydice loue la paire de haut-parleurs et amplificateur (2 × 300 W) pour 90 €, la table de mixage (pour réussir les enchaînements) pour 30 €. Pour un déchaînement garanti, laissez-vous tenter par le kit lumière effet disco à 55 € et la machine à fumée à 35 € (et 9 € le liquide). Livraison possible. **Remise de 10 % avec le guide ou la carte.**

L'AMICALE DE TUTTIFIESTA

32 rue des Vignoles (20e)
M° Buzenval ou Avron
Tél. 01 43 70 21 00
ou 0 825 030 825
www.tuttifiesta.com
Lundi-samedi : 10 h-19 h

Que la fête commence !

2 000 m² réunissent tous les accessoires indispensables à la réussite d'une fête, soit 6 000 références pour la décoration, le déguisement, l'animation et les loisirs créatifs : chapeaux papier à partir de 3 € ou version feutrine entre 5 et 8 €. Les perruques s'arrachent à partir de 4,50 € mais si vous choisissez de vous déguiser en pirate, il vous en coûtera 40 €. Et pour pimenter le tout : des confettis, lampions, guirlandes, ballons... **Remise de 5 % sur présentation du guide ou de la carte à partir de 150 € d'achat.**

AUTRES ADRESSES
■ 8 rue Rochambeau, 9e • Tél. 01 49 95 02 08
■ 47 rue Saint-Ferdinand, 17e • M° Porte-Maillot • Tél. 01 40 68 77 89 • Location de costumes.

SOLEIL-SONNE

50 rue Piat (20e)
M° Pyrénées
Tél. 01 42 40 65 12
www.soleilsonne.com
Lundi-samedi : 10 h-20 h

Les troubadours sont de retour

L'art du chant à cappella, le temps d'une aubade surprise pour un mariage, un anniversaire ou pour étonner vos amis... Effet bœuf garanti ! Aubade surprise anniversaire à partir de 250 €. Concert d'une heure : 700 €. Également spectacles pour enfants et un petit cadeau ou une surprise à la fin du spectacle...

LES CONCERTS LYRIQUES DE PARIS

7 rue des Petits-Prés
77590 BOIS-LE-ROI

Cérémonie de mariage et bel canto

Vous pouvez leur faire confiance : grâce à deux chanteurs lyriques et un musicien, ils se chargeront

12 km de Fontainebleau
(A6)
Tél. 01 60 69 66 36,
06 81 33 97 32
ou 06 61 15 66 36
Fax : 01 60 69 66 36

d'animer la cérémonie de votre mariage. Il en coûtera à nos lecteurs 370 € au lieu de 400 €. Mais cette association peut tout aussi bien vous proposer un récital lyrique, des artistes de variétés internationales pour animer une soirée (450 €) ou encore un orchestre de chambre pour mélomanes exigeants. Suffit de demander et je chante soir et matin !

78   YVELINES

LES MILLE ET UNE NUITS   *Spectacles à domicile*

48 rue Victor-Hugo
78700 CONFLANS
RER A, Conflans fin d'Oise
Tél. 01 39 72 80 77
www.les1001nuits.com
*Sur rendez-vous du lundi
au samedi*

Mille et une façons de faire un spectacle chez vous : clown, concert, orchestre, feux d'artifice, anniversaires pour enfants. Magicien (490 €), DJ (610 €). Feux d'artifice à partir de 1 200 €. Service traiteur pour mariage ou anniversaire. **Remise de 5 % avec le guide ou la carte.**

DUQUESNE SERVICE   *Mobilier et vaisselle à louer*

Rue Fontenelle
ZI du Petit-Parc
78920 ECQUEVILLY
Tél. 01 34 75 59 60
www.duquesneservice.fr
*Lundi-vendredi : 8 h-12 h,
14 h-18 h ; samedi : 8 h-
12 h*

Vous cherchez une voiture à glace, une machine à pop-corn et quelques parasols pour abriter les grand-mères pour la fête de fin d'année. Duquesne a tout ça et encore plus au tarif préférentiel pour nos lecteurs : la chaise de jardin résine à 2,10 €, la table ronde huit personnes à 6,84 € et sa nappe damassée blanche à 6,67 €, le verre à 0,28 €, l'assiette à 0,32 €, le couvert en inox à 0,23 €, etc. (Prix hors taxes.)

92   HAUTS-DE-SEINE

LA TABLE DE CANA   *Réceptions et dîners*

5 bis rue Maurice-Ravel
92168 ANTONY CEDEX
RER B Antony, prendre le
Paladin 1 (bus)
jusqu'à Ravel
Tél. 01 55 59 53 53
www.table-de-cana.fr
*Lundi-vendredi : 9 h-18 h ;
samedi : 9 h-16 h*

La Table de Cana a donné naissance à des annexes dans toute la France. Elle organise tout type de réceptions (de 20 à 3 000 personnes) à des tarifs parmi les plus bas de Paris. Dans les premiers prix et par personne, avec vingt personnes minimum, cocktail dix pièces à 7 €, buffet à partir de 15 €, avec vaisselle et boissons, repas à partir de 12 €... La Table de Cana est également une entreprise d'insertion.

AUTRES ADRESSES
■ 77 rue de Lille, 7ᵉ • Mᵒ Rue-du-Bac • Tél. 01 53 63 88 52
■ 9 rue de la Sablière • 92230 GENNEVILLIERS • Tél. 01 41 11 25 25

COCKTAIL COCKTAIL   *Canapés raffinés*

6 bis rue Georges-
Legagneux
92800 PUTEAUX
Tél. 01 41 38 08 34
ou 01 41 18 04 11
www.cocktailcocktail.com
Lundi-vendredi : 9 h-18 h

Que dites-vous d'un mille-feuilles d'aubergines, tomates confites et mozzarella ou d'une souris d'agneau caramélisée à la vanille et plein d'autres choses toutes aussi succulentes ? Elles sont deux à se mettre en quatre pour vous préparer des cocktails ou dîners raffinés, exotiques ou originaux, à des prix qui restent assez raisonnables si l'on vient nom-

breux. Cocktail quinze pièces (base 100) : 14 € ;
ou dîner (base 200) : 22 € par personne, hors personnel et matériel.

LES FOURNEAUX DE MARTHE ET MATTHIEU

Bonne action pour un buffet

▲ 25 rue Émile-Duclaux
92150 SURESNES
4 km de la Porte de Passy
Tél. 01 46 97 04 09
Fax : 01 46 97 89 41
Lundi-samedi : 8 h 30-17 h 30

Ces fourneaux-là sont chaleureux et généreux puisque leur vocation première est d'accompagner les personnes en convalescence psychiatrique par une activité de préparation de cocktails et autres types de réceptions. Les prix sont extrêmement décents. Prix par personne : cocktail dix pièces à 7 €, buffet froid à partir de 10 €, repas chaud à 17 €. Également, service de plateaux-repas vendus entre 12 et 21 € pour un menu très amélioré.

| **93** | SEINE-SAINT-DENIS |

JOUR DE FÊTE ANIMATION

L'effet DJ

29 allée des Chalets
93220 GAGNY
Tél. 01 43 01 13 47
www.lamelodiedubonheur.com

Le disc-jockey sera certainement une des clefs de la réussite de votre soirée. Ceux de Jour de Fête, en outre, ne sont pas inabordables : 457 € (forfait 4 heures du matin), 92 € de plus si vous voulez qu'il se transforme en animateur ou 685 € (forfait 5 heures du matin) pour un DJ et un animateur. Et pour les amateurs(...trices) : strip-tease ou chippendale à domicile. **Remise de 10 % avec le guide ou la carte.**

L'ASIE À VOTRE TABLE ET ANTILLES CHEZ TOI

Buffets épicés

30 rue Gabriel-Péri
93310 LE PRÉ-SAINT-GERVAIS
M° Hoche
Tél. 01 48 40 50 30
Fax : 01 48 40 12 66
www.asita-sa.com
Lundi-samedi : 8 h-19 h

Ça change du traditionnel pain surprise et de la pièce montée. C'est coloré, parfumé, pimenté, épicé... L'Asie à Votre Table et Antilles Chez Toi organisent dîners et buffets de là-bas. Soirée « Mille et une Nuits » avec boureck et baklawas : 25 € par personne. **Remise de 5 % avec le guide ou la carte hors boissons et services.**

| **94** | VAL-DE-MARNE |

ANIM'ART

Ambiance de fêtes

133 quai de la Pie
94100 SAINT-MAUR-DES-FOSSÉS
10 km de la Porte de Bercy (A4)
Tél. 01 48 85 48 47
Fax : 01 43 97 15 27
www.animart.fr
Lundi-vendredi : 8 h-12 h, 14 h-18 h 30

Imaginez le sosie de Michael Jackson ou de Johnny débarquant en plein milieu de votre fête, c'est le succès assuré pour 602 €. Anim'art peut également vous proposer un clown-animateur (350 €), un orchestre (1 070 €), une danseuse orientale (450 €) mais aussi un karaoké, un reportage photos (535 € les 80 photos) ou encore la messe de votre mariage avec chanteurs de gospel ou trompette et orgue. **Remise de 10 % avec le guide ou la carte.**

Les listes de mariage

Chaque magasin un tant soit peu huppé se doit aujourd'hui d'avoir sa liste de mariage. Il serait trop long de tous les énumérer. Contentons-nous de citer quelques-uns de ceux qui, pour l'occasion, consentent des avantages particuliers à tous les jeunes mariés passés par chez eux.

IKÉA
Minitel : 3615 IKEA • www.ikea.fr (pour obtenir la liste des magasins)
Bonification de 5 % sur le montant de la liste et cadeau surprise.

1er ARRONDISSEMENT

SAMARITAINE, ESPACE MARIAGE
19 rue de la Monnaie, 1er • M° Pont-Neuf • Tél. 01 40 41 26 35
Remise de 10 % sur les robes de mariée, de 5 % sur tous les achats du magasin (sauf points rouges) jusqu'au 1er anniversaire de mariage.

4e ARRONDISSEMENT

BHV
52 rue de Rivoli, 4e • M° Hôtel-de-Ville • Tél. 01 42 74 96 16 • Fax : 01 42 74 97 75
Remise de 5 % sur le montant total de la liste jusqu'au 1er anniversaire de mariage, de 10 % sur les alliances dont gravure offerte.

6e ARRONDISSEMENT

FNAC
136 rue de Rennes, 6e • M° Montparnasse-Bienvenüe • Tél. 01 49 54 30 00
Remise de 5 % sur le montant de la liste et carte FNAC gratuite pour 3 ans.

7e ARRONDISSEMENT

LE BON MARCHÉ RIVE GAUCHE
22 rue de Sèvres, 7e • M° Sèvres-Babylone • Tél. 01 44 39 82 00
Bonification de 5 % sur le montant de la liste. Remise de 10 % sur les alliances, l'ameublement et 25 % sur la literie. 2 h de parking gratuites pour chaque visite pendant un an.

8e ARRONDISSEMENT

CAVES TAILLEVENT
199 rue du Faubourg-Saint-Honoré, 8e • M° Saint-Philippe-du-Roule • Tél. 01 45 61 14 09
Remise de 10 % sur tous les achats suivants et à vie.

9e ARRONDISSEMENT

LES BOUTIQUES MARIAGES DES GALERIES LAFAYETTE
40 bd Haussmann, 9e • M° Chaussée-d'Antin • Tél. 01 42 85 12 00
(60 magasins en France). 75 € en chèque cadeaux pour le parrainage d'un ami ; rajout sur la liste d'une somme équivalente à 10 % de la valeur de la robe de mariée (si celle-ci est achetée aux Galeries) ; 5 % d'escompte sur le montant total de la liste (sauf pour les voyages).

PRINTEMPS À DEUX
64 bd Haussmann, 9e • M° Havre-Caumartin • Tél. 01 42 85 86 87 • www.printempsadeux.com
Remise de 5 % sur les achats jusqu'au 1er anniversaire de mariage ; de 10 % sur les bagues de fiançailles, les costumes (sauf points rouges), les alliances, les faire-part, les invitations. Rajout sur la liste de 10 % de la valeur de la robe (si celle-ci est achetée chez Pronuptia). Partenariat avec Citadium, FNAC, Conforama.

16e ARRONDISSEMENT

CHRISTOFLE
95 rue Passy, 16e • M° Passy • Tél. 01 42 65 62 43
Remise de 10 % sur le montant de la liste et de 10 % ensuite sur tous les achats pendant 5 ans.

ET AUSSI...
Brochard (p. 161), Cambray Frères (p. 159), Aubry-Cadoret (p. 157) et La Table Royale (p. 162).

Robes de mariée, vêtements de fête et de cérémonie

7e ARRONDISSEMENT

LA FEMME ÉCARLATE
42 av. Bosquet, 7e • M° École-Militaire • Tél. 01 45 51 08 44 • Mardi-samedi : 11 h-19 h

Location de robes de soirée (92 et 275 €) et robes de mariée (228 et 610 €) haute couture (Ricci, Azzaro, Scherrer, Lacroix, Torrente, Haraé Mori). Accessoires. **Remise de 10 % sur les locations et accessoires en location gratuite**.

NINA MEERT
4 rue de Varenne, 7ᵉ • Mᵒ Varenne • Tél. 01 42 22 13 79 • Mardi-samedi : 11 h-19 h

Robes de mariée simples et épurées de 1 000 à 3 000 €. Également robes de soirée à partir de 650 €.

9ᵉ ARRONDISSEMENT

ANNIE COUTURE
23 rue du Faubourg-Poissonnière, 9ᵉ • Mᵒ Bonne-Nouvelle ou Grands-Boulevards • Tél. 01 47 70 76 60 • Fax : 01 40 22 07 48 • Lundi-samedi : 10 h-19 h

Robes de mariée aux mesures avec essayages de 200 à 600 € pour des modèles raffinés en satin et guipure ou taffetas blanc ou écru. Tous les accessoires à mini-prix (38 à 76 € les jupons), gants, coiffes, etc. **Avec le guide ou la carte : remise de 10 % et gants et jarretière offerts**.

COSTUMES MUCHA
58 rue de La Rochefoucauld, 9ᵉ • Mᵒ Saint-Georges • Tél. 01 49 95 04 42 • www.costumes-mucha.com • Lundi-samedi : 11 h-19 h (pour un mariage, prendre rendez-vous)

Belles robes de mariée sur mesure à partir de 760 € ou possibilité de première location sur mesure à partir de 305 € (la formule est originale). Également bijoux et chapeaux (pièces uniques). Locations de décors et déguisements. **Remise de 5 % avec le guide ou la carte**.

LES MARIÉS D'ÉLODIE
9 rue de Châteaudun, 9ᵉ • Mᵒ Notre-Dame-de-Lorette ou Le Pelletier • Tél. 01 48 74 66 86 • www.elodie.fr • Lundi-samedi : 10 h-19 h (sur rendez-vous)

Robes de mariée pas chères de 300 à 1 200 €. **Remise de 10 % avec le guide** – AUTRE ADRESSE. 29 bd Henri IV, 75004 Paris, Mᵒ Bastille, Tél. 01 42 77 58 70.

10ᵉ ARRONDISSEMENT

CRÉATIONS MORGAN
33 bd de Strasbourg, 10ᵉ • Mᵒ Strasbourg-Saint-Denis ou Château d'eau • Tél. 01 48 24 46 43 • Fax : 01 43 81 28 60 • www.creation-morgan.com • Lundi-samedi : 10 h-19 h

Pour homme, location jaquette (3 pièces) : 140 € ; smoking : 75 € ; haut-de-forme : 44 €, redingote et pantalon : 150 € (forfait 3 jours, retouches et nettoyage inclus). Accessoires et costumes à la vente (taille 48 à 62). **Remise de 10 % avec le guide ou la carte**.

DANDYRAMA
74 bd de Magenta, 10ᵉ • Mᵒ Gare-de-l'Est • Tél. 01 40 36 88 20 • Fax : 01 46 07 94 76 • www.dandyrama.fr • Lundi : 10 h 30-18 h ; mardi-samedi : 10 h-18 h

Arrivages permanents de robes de mariée dégriffées à partir de 100 €. Rayon hommes avec smokings. AUTRE ADRESSE. 8 bd de Magenta, Paris (10ᵉ), Tél. 01 44 52 83 83.

13ᵉ ARRONDISSEMENT

FLEUR DE PEAU
29 av. des Gobelins, 13ᵉ • Mᵒ Gobelins • Tél. 01 47 07 76 84 • Fax : 01 43 31 64 90 • www.fleurdepeau.fr • Lundi : 14 h-17 h ; mardi-vendredi-samedi : 10 h-19 h ; mercredi-jeudi : 10 h-13 h, 14 h-19 h

Tenues de cérémonies et soirées-cocktails BCBG. Robe longue à partir de 150 €, veste en soie à 200 € et jupe à 110 €, robe de mariée à partir de 230 €. Fins de séries à partir de 80 €. **Remise de 5 % avec le guide ou la carte**.

HALF AND HALF
28 av. des Gobelins, 13ᵉ • Mᵒ Gobelins • Tél. 01 43 36 91 15 • Fax : 01 43 36 94 77 • Mardi, mercredi, jeudi : 10 h-14 h, 15 h-19 h ; vendredi-samedi : 10 h-19 h 30

Dépôt-vente chic où sont soigneusement sélectionnées des tenues de cocktail griffées, des robes de mariée de créateurs à moitié prix et beaucoup de robes longues en guipure, soie ou dentelle en 38-40 (entre 600 et 800 € la plupart). Manteau Agnès B en cachemire à 172 € ou tailleur Lacroix à 345 €. **Remise de 5 % avec le guide ou la carte (sauf robes de mariée)**.

18ᵉ ARRONDISSEMENT

TATI
5 rue Belhomme, 18ᵉ • Mᵒ Barbès-Rochechouart • Tél. 01 55 29 50 00 • www.tati.fr • Lundi-samedi : 10 h-19 h

Pour mariages peu coûteux : robe de mariée à 59,90 €, voile à 8,99 € et jarretière à 1,49 €, etc. AUTRES ADRESSES A PARIS. 11 bis rue Scribe, 9ᵉ, Mᵒ Opéra, Tél. 01 47 42 20 28. – 68-80 av. du Maine, 14ᵉ, Mᵒ Gaîté, Tél. 01 56 80 06 80.

FLEURS ET JARDINS

La fleur que tu m'avais jetée... euh ! Je l'ai retrouvée dans l'un des magasins suivants. Toute fraîche, ruisselante de rosée et pour presque rien. Visite guidée.

¿ QUE CHERCHEZ-VOUS ?

ATELIERS BONSAÏS
303 Maison mère (92)

BONSAÏS
303 Bonsaï Rémy Samson (7ᵉ)
303 Maison mère (92)

COURS
308 AACL (6ᵉ)
308 Chai de Bercy, Maison du Jardinage (12ᵉ)
308 École du Breuil (12ᵉ)

ÉQUIPEMENT DE JARDIN
306 Matin Vert (60)

EXPOSITIONS
307 Domaine de Courson (91)
307 Domaine de Saint-Jean-de-Beauregard (91)

FLEURS COUPÉES
302 Au Nom de la Rose Diffusion
302 Monceau Fleurs
303 Céline Dussaule (11ᵉ)
304 Une Fleur des Fleurs (11ᵉ)
305 Fleurs d'Auteuil (16ᵉ)
305 Elyfleur (17ᵉ)
305 Howea (17ᵉ)

305 Primfleur (17ᵉ)
306 Christian Collin (94)

GRAINES
302 Vilmorin (1ᵉʳ)
304 Truffaut (12ᵉ, 13ᵉ, 94)

JARDINERIES
302 Vilmorin (1ᵉʳ)
304 Truffaut (12ᵉ, 13ᵉ, 94)
306 Hermès (92)

ORCHIDÉES
302 La Maison de l'Orchidée (4ᵉ, 8ᵉ, 16ᵉ)
306 Marcel Lecoufle Orchidées (94)

PÉPINIÈRES
302 Vilmorin (1ᵉʳ)
304 Truffaut (12ᵉ, 13ᵉ, 94)
307 Pépinières Emmanuel Croux (77)
307 Pépinières l'Orme-Montferrat (77)
308 Pépinière Patrick Nicolas (92)
308 Les Jardins d'Ombre et Lumière (94)
306 Marcel Lecoufle Orchidées (94)

308 EARL Pépinières Bernard Saussey Producteur (95)

PLANTES
302 Monceau Fleurs
303 Nice Fleurs (8ᵉ)
303 Céline Dussaule (11ᵉ)
304 Une Fleur des Fleurs (11ᵉ)
304 La Fleurothèque (12ᵉ)
304 Truffaut (12ᵉ, 13ᵉ, 94)
305 Fleurs d'Auteuil (16ᵉ)
305 Elyfleur (17ᵉ)
305 Howea (17ᵉ)
305 Primfleur (17ᵉ)
307 Domaine de Courson (91)
307 Domaine de Saint-Jean-de-Beauregard (91)

PRODUITS HORTICOLES
302 Vilmorin (1ᵉʳ)
304 Truffaut (12ᵉ, 13ᵉ, 94)

ROSES
302 Au Nom de la Rose Diffusion
302 Monceau Fleurs
305 Fleurs d'Auteuil (16ᵉ)
305 Primfleur (17ᵉ)
306 Christian Collin (94)

AU NOM DE LA ROSE DIFFUSION   *Toujours roses*

Tél. 0 892 350 007
www.aunomdelarose.fr

Les amoureux, grands effeuilleurs de roses, y ravitailleront leur flamme. Bouquets de base, 11 roses de 40 cm : 7 €. Bouquets du soir (compositions à base de vingt-trois roses) : 22,50 €. Composition de bouquet de mariée : 61 €. Parfum d'intérieur « Esprit de Rose », « Rose d'Orient », « Rose de Mai » en spray et en bougie : 26 €. Treize magasins à Paris, adresses sur le site (en bas à gauche de la page d'accueil) ou par téléphone.

MONCEAU FLEURS   *Libre-service*

Tél. 0 825 057 058
(0,15 € mn)
ou 01 56 43 72 74
(service clientèle)
www.monceaufleurs.fr
(vente en ligne)

Très grand choix de fleurs dans de vastes seaux d'eau fraîche. Début juin 2003, dix roses de 40 cm de haut : 4,70 € ; trois lys : 2 €. Pour le balcon, il y avait des soucis à replanter : 8,20 € les six ; des thuyas plicata de 80 cm de haut à 11,20 € ; un plant de tomates cerises à point à 13,10 €. Également beaucoup de plantes d'intérieur. Dieffenbachia (30 cm : 4,20 €) ; ficus (50 cm : 27 €). Pour obtenir l'adresse d'un des dix-neuf magasins parisiens, téléphonez.

1ᵉʳ ARRONDISSEMENT

VILMORIN   *Jardinerie-graineterie : la moins chère de Paris*

4 quai de la Mégisserie
(1ᵉʳ)
Mº Châtelet
Tél. 01 42 33 61 62
Lundi : 10 h-19 h ; mardi-samedi : 9 h-19 h (parfois le dimanche)

Les planteurs du dimanche trouvent ici des végétaux irréprochables et originaux, tels ces pieds de vigne (portant grappes) pour exposition sud : 14 €. Pour le balcon, géranium lierre en gros pot (14,10 €), œillets d'Inde, pétunias et pensées les moins chers de la capitale. Ces spécialistes des plantules condimentaires ou des fleurs qu'on croyait introuvables ont toujours une vaste sélection de graines bon marché : pois de senteur Spencer, myosotis, centaurée, œillet d'inde : à partir de 1,45 € le sachet de graines. S'ajoutent aux plantes une librairie très riche bien fournie aussi en magazines et un vaste rayon phytosanitaire.

4ᵉ ARRONDISSEMENT

LA MAISON DE L'ORCHIDÉE   *Orchidées pas chères*

Marché aux fleurs
51 place Louis-Lépine (4ᵉ)
Mº Cité
Tél. 01 43 29 66 77
Fax : idem
Tous les jours : 10 h 30-19 h (sauf lundi matin)

Passionné par ces fleurs étranges, Jean-Paul Margueritte élève lui-même ses filles de l'air, beautés d'origine sud-américaine et asiatique, les couve dans ses serres avant de vous les présenter si solides et si belles : cattleya qui sentent si bon (à partir de 35 €), phalaenopsis blanc (très demandé : à partir de 15 €), oncidium (« pluie d'or » : à partir de 35 €) et paphiopedilum (sabots de Vénus : à partir de 30 €). Il rempote gratuitement les orchidées qui proviennent de chez lui. Du 1ᵉʳ mars au 30 octobre, plantes carnivores à partir de 8 €. Compositions florales et déco. Vente par téléphone. **Remise de 10 % avec le guide ou la carte (sur les plantes uniquement).**

AUTRES ADRESSES
- 13 rue de Castellane, 8ᵉ • Mᵒ Madeleine • Tél. 01 42 66 44 44 • Fax : 01 42 66 18 48 • Lundi-vendredi : 10 h 30-14 h, 15 h-19 h 15
- 44 rue Poussin, 16ᵉ • Mᵒ Porte-d'Auteuil • Tél. 01 46 51 12 12

7ᵉ ARRONDISSEMENT

BONSAÏ RÉMY SAMSON

10 rue de la Comète (7ᵉ)
Mᵒ Latour-Maubourg
Tél. 01 45 56 07 21
Mardi-samedi : 10 h 30-13 h, 14 h-19 h

La plus grande collection de bonsaïs

Visitée par le monde entier. Trente-trois années de soins de haute compétence permettent d'admirer chez Isabelle et Rémy Samson 350 espèces avec 30 variétés par espèce de chacun de ces arbres à fruits (pistachiers, oliviers, pêchers), à fleurs (rhododendrons qui fleurissent prune, bordeaux ou parme), tropicaux... Ou encore ces paysages oniriques : onze pins de 60 cm de haut, âgés de 40 ans et plantés dans 30 cm². Service de garde de bonsaï, à partir de 15 € par mois et par arbre. Grand choix d'accessoires pour réaliser un jardin japonais : palissades en bambou, fontaines, lanternes en lave et en granit... Bonsaï de 6-8 ans : 20 €, puis selon l'âge et la variété jusqu'à 450 €. Jeunes plants : à partir de 15 €. Poteries : de 5 à 29 €. **Avec le guide ou la carte, remise de 10 % sur l'achat d'un bonsaï, d'outils (sauf « samoura »), de poteries, à l'exclusion de tout autre achat ou prestation.**

AUTRE ADRESSE
- **Maison mère** • 25 rue de Chateaubriand • 92290 CHÂTENAY-MALABRY • 7 km de la Porte d'Orléans • Tél. 01 47 02 91 99 • Fax : 01 47 02 61 76 • Lundi-samedi : 9 h-18 h • Musée du Bonsaï. Beaucoup plus de choix encore que rue de la Comète et, sur place, ateliers de 2 h-2 h 30 sous la direction de Rémy Sanson. Deux options : on crée un paysage ou on travaille sur le bonsaï qu'on a apporté. Cours, mise en pratique immédiate par les élèves, puis corrections (45 €). Toujours à Châtenay, réunion du club des bonsaïstes un jeudi par mois, épouses (ou maris) et bonsaïs familiaux acceptés. Démonstration, séances d'entretien enthousiaste (cotisation annuelle : 100 € les dix cours par an).

8ᵉ ARRONDISSEMENT

NICE FLEURS

5 rue de Rigny (8ᵉ)
Mᵒ Saint-Augustin
Tél. 01 45 22 85 70
www.nicefleurs.com
Lundi-samedi : 8 h 30-19 h 30 ; dimanche : 9 h 30-13 h (sauf en juillet et août)

Fleurs et plantes

Lorsque le besoin de fleurir son balcon taraude le Parisien, il file chez Nice Fleurs où s'alignent (en mai, par barquettes de dix plantules en fleurs), des géraniums à 18,50 € et des pétunias à 6,50 €. Pour verdir son appartement toute l'année, il choisira un bégonia rose (5,50 € en pot) ou un ficus benjamina (10 € : 1 m). Bouquet rond : environ 23 € (du printemps à l'automne) ; 30,50 € en hiver. Commandes possibles sur le site Internet. **Remise de 10 % avec le guide ou la carte.**

11ᵉ ARRONDISSEMENT

CÉLINE DUSSAULE

10 rue Saint-Sabin (11ᵉ)
Mᵒ Bastille ou Bréguet-Sabin

Bouquets et plantes de pleine terre

En septembre (comme à tout changement de saison), les fleurs et micro-plantes que Céline reçoit ont été cultivées en pleine terre, d'où leur solidité et leur

Tél. 01 49 23 09 32
Lundi-vendredi : 10 h 30-
20 h 30 ; samedi : 10 h 30-
19 h 30

arôme. Dahlias : de 10 à 12 € la botte. Petits bouquets : à partir de 7 €. Au printemps, une botte de vingt superbes tulipes doubles blanches avec quelques éclats de vert, ou à fleur de lys ou les ébouriffées perroquets valaient de 17,50 à 35 € la demi-botte. Ne pas manquer, du 14 au 21 novembre, les curiosités servant à garnir les sapins de Noël : boules transparentes à partir de 3 €, très beaux cristaux comme dans les pays nordiques, ou oiseaux de paradis à pincer sur les branches du sapin ou les bords de verre (à partir de 7 €).

UNE FLEUR DES FLEURS

Belles compositions florales

80 rue Oberkampf (11ᵉ)
Mᵒ Parmentier
Tél. 01 43 57 15 61
Lundi : 12 h-20 h ; mardi-
jeudi à samedi : 10 h-20 h ;
mercredi : 13 h-20 h ;
dimanche : 10 h-13 h 30 ;
fermé mi-juillet à fin août

Des fleurs parfumées, c'est ce que ce magasin préfère. Aussi n'est-il jamais plus heureux que lorsqu'il reçoit des pivoines (à partir de 6 € la botte), des pois de senteur (10 €), du seringat (6 € la botte). Ces grands coloristes dont les bouquets à tendance impressionniste remplissent le magasin s'épanouissent aussi à l'automne lorsque arrivent les marguerites (4,50 € la botte), les hélianthus (8 à 12 €) et tous les feuillages à baies de couleur dont ils émaillent leurs bouquets. Bouquet rond : à partir de 23 €. Bouquet de fleurettes : environ 4,50 €. **Avec le guide ou la carte : remise de 20 % sur les fleurs achetées en bottes à emporter.**

12ᵉ ARRONDISSEMENT

LA FLEUROTHÈQUE

Plantes et fleurs à prix amincis

256 bis av. Daumesnil
(12ᵉ)
Mᵒ Michel-Bizot
Tél. 01 43 43 32 36
Lundi-samedi : 9 h 30-
19 h 30 ; dimanche : 9 h-
12 h 30

A l'automne, les jardinières s'embrasent. Un feu qui ne coûte pas cher si on le crée à partir des plantes de belle qualité de la Fleurothèque : pot de chrysanthèmes à trois grosses fleurs : 8 € ; à pomponnettes : 6,50 €. Pot de bruyère à 7 € et de pâquerettes à 1,50 €. **Remise de 10 % avec le guide ou la carte.**

13ᵉ ARRONDISSEMENT

TRUFFAUT

Jardinerie, animalerie

85 quai de la Gare (13ᵉ)
Mᵒ Quai-de-la-Gare
Tél. 01 53 60 84 50
www.truffaut.com
Tous les jours : 10 h-20 h

C'est un jardin luxuriant et coloré en plein Paris au décor changeant, aux plantes de qualité variable. En juin, on trouvait des hortensias à six têtes à 15 €. A planter, des géraniums lierre simple (dix godets : 13 € ; géraniums zonales : 21,50 €). Six godets de rose d'Inde à 4,45 €. Des palmiers à chanvre en pot, 1 m de haut, 80 cm de large : 35 €. Librairie. Animations et ateliers gratuits.

AUTRES ADRESSES
- 60 rue Cour Saint-Émilion, 12ᵉ • Mᵒ Cour-Saint-Émilion • Tél. 01 53 46 66 70 • www.truffaut.com • Beaucoup d'objets décoratifs ; une librairie au sous-sol et un coin pour s'asseoir en feuilletant les livres.
- 4 quai Marcel-Boyer • 94200 IVRY-SUR-SEINE • 6,5 km de la Porte d'Ivry • Tél. 01 56 20 29 30 • Le dernier-né. Trois étages. Beaucoup d'articles de jardin. Une petite librairie. Des perles, macramés, petites poteries à décorer... Et un café sur une belle terrasse fleurie, ouvert l'été.
- Dix-huit adresses dans la région parisienne : consultez le site Internet.

FLEURS D'AUTEUIL
Le moins cher du pas cher

103 bis bd de
Montmorency (16ᵉ)
Mᵒ Porte-d'Auteuil
Tél. 01 40 71 61 61
Tous les jours : 8 h 30-21 h

Toujours somptueux : c'est pour nous le meilleur fleuriste de Paris. En pénétrant dans les lieux, on sait d'instinct qu'on en repartira couvert de fleurs tant elles sont belles, abondantes et abordables. A l'automne, on s'offrira un bouquet de chrysanthèmes ou d'asters à 3,05 €, au printemps des fleurs originales comme les nigelles. Mais aussi un bouquet de dix roses de toutes couleurs à 2,50 €. Pour la maison, on hésitera parmi la foultitude de très belles plantes d'intérieur. Cyclamen (7 €), azalée (6 €), orchidée (22,40 €), de très beaux hortensias bleus à huit têtes (18,50 €).

ELYFLEUR
Des fleurs 24 h sur 24

82 av. de Wagram (17ᵉ)
Mᵒ Ternes ou Wagram
Tél. 01 47 66 87 19
Fax : 01 42 27 29 13
7 jours sur 7, jour et nuit

Aux aubes blanches comme en plein après-midi ou la nuit, on viendra chez Ely choisir ses fleurs coupées à prix extrêmement raisonnables. La nuit, les commandes de roses rouges (à partir de 2,50 € pièce) affluent (auxquelles on peut ajouter du champagne, 28 € la bouteille, demi-bouteille à 18 €), livrées dans l'heure. Amoureux, n'hésitez pas, la vie passe si vite ! Possibilité de commander par téléphone ou fax. Livraison de jour sur Paris (à partir de 31 € d'achat) : 10 €. **Réductions à partir de 76,22 € d'achats, avec le guide ou la carte.**

HOWEA
Fleurs coupées et plantes pas chères

76 av. de Villiers (17ᵉ)
Mᵒ Wagram
Tél. 01 47 63 00 96
*Lundi-samedi : 8 h 30-
20 h 30 ; dimanche :
8 h 30-20 h*

Des arbustes de pépinières garnissent le trottoir d'Howea, avenue de Villiers. De grandes et belles plantes à balcon dont les buis en grosse boule (environ 45 €) ou sur tige, les thuyas aurea de 1,70 m à 66 € et les grands enonymus aurea (laurier panaché jaune) qui tiennent bien l'hiver (22 à 70 €). Pour l'intérieur, des palmiers. A l'automne s'exposent des bouquets de 5 chrysanthèmes à 4 €, de 5 grands lys blancs ou orange, à environ 5 €. En avril : bouquets de vingt roses pastel à petits boutons à 12 €. En toute saison, bouquets ronds à partir de 26 €. Quant aux conseils, ils sont gratuits.

AUTRE ADRESSE
■ 81 rue de Courcelles, 17ᵉ • Mᵒ Courcelles • Tél. 01 43 80 28 20 • lundi-samedi : 8 h 20 h 30 , dimanche . 0 h 30-19 h • Une majorité de fleurs coupées, peu de plantes d'intérieur, pas d'arbustes.

PRIMFLEUR
Libre-service, grand choix

80 av. de Villiers
et 126 av. de Wagram
(17ᵉ)
Mᵒ Wagram
Tél. 01 42 27 13 06
Tous les jours : 9 h-19 h 45

1 000 m² de chlorophylle de belle qualité, à tous les prix. Fleurs à la botte : chrysanthèmes, tulipes 3 à 4 € ; bouquets ronds à partir de 20 € ; plantes fleuries, cyclamens et azalées : 3,50 à 40 €. Plantes vertes, de 20 cm à 3 m et micro-plantes : 1,50 à 2 €. Beaucoup de plantes d'extérieur : rhododendrons à 15 €, thuyas de 1 mètre à 15 €. Poteries et accessoires variés. La qualité prime.

HERMÈS

182 av. Charles-de-Gaulle
92200 NEUILLY-SUR-SEINE
M° Pont-de-Neuilly
Tél. 01 46 24 50 12
Lundi-samedi : 9 h-19 h 30

Jardinerie, accessoires et aliments pour animaux

Dans la serre, l'exubérance des plantes entrelacées rappelle la saine et moite verdure des jardins botaniques. Plantes de première qualité. A l'automne, présentation d'azalées, cyclamens, poinsettias, étoiles de Noël, etc. Tous les accessoires : jardinières, terreaux, pieds d'arbre de Noël et petite décoration de jardin.

MARCEL LECOUFLE ORCHIDÉES

5 rue de Paris
94470 BOISSY-ST-LÉGER
10 km de la Porte de Bercy
(A4 + N19)
Tél. 01 45 95 25 25
Lundi : 14 h-18 h (sauf juillet et août) ; mardi-samedi : 10 h-19 h. Jours fériés : téléphoner

Haute bouture

Dans ces serres prospère la plus grande collection d'orchidées de France. Évoquant un vol de papillons nocturnes, des reines vénéneuses ou la pureté d'un enfant, les orchidées ne laissent personne indifférent. Leurs fleurs durent plusieurs semaines, leur entretien est dérisoire et leur prix étonnamment bas : phalaenopsis blanc (une hampe, avec cache-pot : 32 €). Engrais, compost, livres, tout sur les orchidées. Promotions ponctuelles au magasin. Visite guidée des serres sur rendez-vous (pour les groupes) : 4,25 € par personne. **Remise non cumulable de 5 % avec le guide ou la carte.**

CHRISTIAN COLLIN

23 av. du Général-
de-Gaulle
94160 SAINT-MANDÉ
M° St-Mandé-Tourelles
Tél. 01 48 08 26 05
Lundi : 10 h-20 h ; mardi-samedi : 9 h-20 h ; dimanche : 9 h-13 h 30

Bouquets haute couture à prix mini

Des fleurs aux tons subtils et rares, à la tige et aux feuillages fermes, emplissent la boutique de Christian Colin, tout juste cueillies chez des horticulteurs sérieux. En juin, on trouvait chez lui des bottes de roses thé embaumant rose, poire et citron, comme on en trouvait autrefois dans les jardins de curé (vingt pour 9,50 €). Des pois de senteur à 7,50 €. Vingt grandes roses Bengale ou lilas parfumées (40 cm de haut : 15 €). Dix lys blancs à 12,50 €. Christian Colin, coloriste-né, possède le don rare de faire des bouquets très haute couture.

MATIN VERT

ZI Paris-Nord 1
82 route de Soissons
60800 CRÉPY-EN-VALOIS
Tél. 03 44 94 48 95
ou 03 44 94 48 94
(commandes)
Fax : 03 44 94 48 90
www.matinvert.fr
Lundi : 14 h-18 h ; mardi-samedi : 9 h-12 h, 14 h-18 h

Équipement de jardin sur catalogue

Meubles, abris, jardinières... tout l'équipement du jardin à commander par correspondance (catalogue envoyé sur simple demande). Dans les centres d'exposition s'étale une forêt de modèles en bois, jolis et solides. Bac à fleurs en rondins (45 × 45 cm) : 27 €. Portique pour enfants (300 × 250 × 290 cm) : 102 €. Abri (2,5 m²) : à partir de 311,25 €. Serre de jardin verre/alu (189 × 193 cm, hauteur 293 cm) : 431,33 €.

A surveiller : les expo-ventes

Les expositions-ventes de plantes permettent de sortir des sentiers battus en matière d'aménagement des jardins, terrasses et balcons. Elles évitent aussi le rabâchage de la trilogie « géranium-impatiens-pétunias », dont l'uniformité plombe souvent la beauté des façades. Les fleurs de collection font également de beaux cadeaux. Dans les deux expos ci-après, on trouvera un choix de végétaux réellement gigantesque (plusieurs centaines d'exposants : certains viennent d'Angleterre ou de Hollande pour proposer leurs dernières obtentions, introuvables en France), des parcs classés à visiter, des possibilités d'échange de plantes, des conférences, des systèmes de consigne et de transport des végétaux jusqu'au parking.

91 ESSONNE

DOMAINE DE COURSON
91680 COURSON-MONTELOUP • 35 km de la Porte d'Orléans (A6 + N20) • Tél. 01 64 58 90 12

Journées de printemps : en mai ; journées d'automne : en octobre. Téléphoner pour connaître les tarifs, les horaires des navettes et les dates des manifestations (conférences, location des lieux, visites château, parc, repas…). Visites et goûters : minimum vingt personnes, mardis et jeudis sur rendez-vous.

DOMAINE DE SAINT-JEAN-DE-BEAUREGARD
91940 SAINT-JEAN-DE-BEAUREGARD • 30 km de la Porte d'Orléans (A6 + A10) • Tél. 01 60 12 00 01 • www.domsaintjeanbeauregard.com • Jusqu'au 15 novembre, visite tous les dimanches et jours fériés de 14 h à 18 h

20 et 21 septembre 2003 : Journées du Patrimoine. Saint-Jean-de-Beauregard reçoit une trentaine d'artisans d'art. Les encadreurs seront particulièrement à l'honneur. – 14 au 16 novembre 2003, de 10 h à 18 h. Fête des plantes, fruits et légumes d'hier et d'aujourd'hui. A cette occasion, un parfum exquis de pommes et de poires submerge les visiteurs, lesquels repartent chargés de pleins paniers de légumes et de fruits. Entrée 10 € (tarif réduit : 7 €). – Au printemps, fin avril en général, a lieu la fête des plantes vivaces axée tous les ans sur un thème différent (l'année dernière : les parfums). Entrée 10 € (tarif réduit : 7 €). – 15 mars au 15 novembre, tous les dimanches et jours fériés, visite du château, parc, potager, pigeonnier (7,25 et 6,50 €). Exceptionnel, le potager fleuri, du XVIIe, avec ses légumes rares (petits pois carrés, épinards fraise, bettes à côtes roses) et la succession de ses floraisons. A l'occasion de fêtes, possibilité de louer des salles de réception. Tarif réduit : 6,50 et 5,50 €. **Tarif réduit sur présentation du guide ou de la carte.**

Les pépinières : des mines de plaisir

Cette année encore, voici un bouquet de pépinières. Pourquoi ? Parce que dans ces nurseries végétales prospèrent des plantes bien adaptées à notre climat, à notre terroir, des plantes plus solides. Parce que les pépiniéristes créent de nouveaux hybrides et ont une âme de collectionneur (ce n'est pas « du » lierre qu'on trouve chez Patrick Nicolas, mais soixante-dix variétés). Ces artistes sont modestes. Ils accueillent le profane avec la même gentillesse qu'un professionnel, leurs conseils n'ont pas de prix et les prix de leurs végétaux sont petits, petits… Certains vendent aussi leurs plantes par correspondance.

77 SEINE-ET-MARNE

PÉPINIÈRES EMMANUEL CROUX
Ferme de Genouilly • 77390 CRISENOY • 40 km de la Porte de Bercy (N6 + A5) • Tél. 01 64 38 25 37 • Lundi-samedi : 8 h 30-12 h, 14 h-17 h en juin, juillet, août, téléphoner)

Plantes de terre de bruyère. Une sélection de variétés éprouvées et des créations maison, gracieuses et solides. Obtentions Croux (azalées 30 à 50 cm environ : 21 €). Plantes de haies, végétaux d'ornement, de pleine terre. Également

des végétaux de grande taille. **Remise de 5 % sur présentation du guide ou de la carte.**

PÉPINIÈRES L'ORME-MONTFERRAT
77560 COURTACON • 90 km de la Porte de Bercy (N4) • Tél. 01 64 01 02 68 • Fax : 01 64 01 09 12 • Lundi, jeudi à samedi : 8 h-12 h, 13 h 30-17 h

Spécialiste des conifères. Plus de 150 variétés. Conifères pour balcons : thuya émeraude, 1 mètre : 9 €. Conifères nains : 0,30 m : 18 €. Arbres fruitiers (variété de pommes à cidre) : 47 €, et variétés de bouleaux (blanc, racines nues, 2,50 m : 20 €). Promotions permanentes. **Remise sur le montant des achats avec le guide ou la carte**.

92 HAUTS-DE-SEINE

PÉPINIÈRE PATRICK NICOLAS

8 sentier du Clos-Madame • 92190 MEUDON • 3 km de la Porte de Versailles • Tél. 01 45 34 09 27 • Lundi-mardi, jeudi-samedi : 10 h-18 h

Plantes grimpantes, lierres, clématites, chèvrefeuilles auxquels s'ajoutent quelques plantes de rocaille. Plus de 100 variétés de lierres (en godet : 4 € ; en conteneur de 2 litres : 10 à 12 €), sedums en godets : de 3 à 5 €. Clématites en conteneur : de 15 à 25 €. Chèvrefeuilles en conteneur : 15 à 25 €. Plusieurs variétés de buis et des petits fruits. Agriculture biologique. **Remise de 5 % avec le guide ou la carte**.

94 VAL-DE-MARNE

LES JARDINS D'OMBRE ET LUMIÈRE

9 rue Lafayette • 94100 SAINT-MAUR-LA VARENNE • RER A, Champigny • Tél. 01 48 89 50 05 • www.lesjardinsdombre.com • Mardi-vendredi : 11 h-18 h ; samedi : 9 h-19 h et le premier dimanche du mois

Bambous, plantes de bruyère, fougères tapissent ce ravissant jardin japonais. Jeune phyllostachys nigra (bambou aux cannes noires) : 26,39 €. Autres bambous de 42 à 127 €. Tout au fond, superbe maison japonaise et bon choix de cadeaux sélectionnés avec beaucoup de goût (de 7 à 75 €) avec quelques jolis meubles de jardin en bambou. **Remise de 5 % avec le guide ou la carte**.

95 VAL-D'OISE

EARL PÉPINIÈRES BERNARD SAUSSEY PRODUCTEUR

71 route de Pontoise • 95540 MÉRY-SUR-OISE • 25 km de la Porte de la Chapelle (A1 + A15 + A115) • Tél. 01 34 64 80 33 • Lundi-samedi : 9 h-12 h, 13 h 30-18 h 30 (fermé en juillet-août)

On est surpris de la modicité des prix de M. Saussey, compte tenu de la qualité de ses plantes. (Compter deux à trois fois moins cher que dans les circuits habituels.) Les beaux rosiers arbustes anciens valent, selon les variétés, environ 10 € et les prix des rosiers anciens grimpants débutent à 14,50 €. Vous trouverez là des vivaces en conteneurs de 2 litres à environ 6 €, des variétés d'anémones du Japon, toutes sortes de campanules, des arbustes persistants et caducs élevés en pleine terre. Viburnum times 1 mètre : 25,50 €. Le choix est énorme et l'accueil irremplaçable. **Remise de 5 % avec le guide ou la carte**.

Pour apprendre à avoir les doigts verts

Jardiner s'apprend et les bulbes s'épanouissent dans les jardins de la connaissance tels ceux de l'École du Breuil, nos favoris. Leurs professeurs apprennent mieux que personne à semer, cultiver et soigner plantes d'intérieur et d'extérieur, fleurs ou encore le potager. Au Breuil, faire une fleur est aussi synonyme de donner un cours car ils sont presque donnés : 1,41 € l'heure, en théorie et en démonstration au jardin. Voici réparties dans Paris quelques autres adresses pour mieux cultiver le jardin de ses délices.

6e ARRONDISSEMENT

AACL

55 bis rue d'Assas, 6e • Mo Notre-Dame-des-Champs • Tél. 01 43 25 43 03

Cours de jardinage et d'art floral de haute tenue. Adhésion annuelle : 36 €. Jardinage : le cours (3,20 €) à prendre soit par cycle de deux (6,40 €), de quatre (12,80 €) ou de cinq (16 €). Cours d'art floral en démonstration, par cycle de six cours : 27,60 €. Les cours de perfectionnement par groupes de quinze élèves, sont à prendre auprès des responsables en septembre (prix variant chaque année en fonction du coût des fleurs, les élèves emportent contenant et fleurs). L'Association qui propose des voyages à thèmes botaniques de quatre à cinq jours en France et d'une semaine à l'étranger, édite aussi des magazines toujours passionnants, aux sujets souvent très fouillés.

12e ARRONDISSEMENT

CHAI DE BERCY, MAISON DU JARDINAGE

41 rue Paul-Belmondo, 12e • Mo Bercy • Tél. 01 53 46 19 19 • Avril à septembre : mardi-vendredi : 13 h 30-18 h ; samedi-dimanche et jours fériés : 13 h-18 h 30 (fermeture à 17 h 15 de mi-novembre à fin janvier)

Nouveau : troc de plantes tous les jeudis après-midi. Des expositions, une salle d'actualité, une bibliothèque, des conseils de jardinage en ville. Cours de jardinage sur inscription sur place, samedi 10 h-12 h de septembre à juin : 5,43 € par cours.

ÉCOLE DU BREUIL

Route de la Ferme, Bois de Vincennes, 12e • Mo Château-de-Vincennes + bus 112, arrêt Carrefour-de-Beauté ou RER A, Joinville-le-Pont • Tél

01 53 66 14 00 • Lundi : 14 h-17 h 30 ; mardi-vendredi : 10 h-17 h ; cours lundi et samedi matin, mardi et jeudi soir

71 € par an pour environ 50 heures de cours (1,42 € le cours !), avec démonstration au jardin et dans le potager de l'École, en plein bois de Vincennes. Voir les saisons passer, sentir l'odeur de la terre remuée, et apprendre... un délice ! Lors du week-end Portes ouvertes (en mai), les élèves vendent les plantes qu'ils ont multipliées. Elles sont d'une qualité exceptionnelle. (Conseils de jardinage gratuits, conférences et visites guidées.)

Pour joindre Paris Pas Cher

Paris Pas Cher
19 av. Georges-Brassens
94550 Chevilly-Larue

Téléphone (répondeur) et fax :
01 41 73 74 92

GRATUIT

Du couscous au concert, en passant par les coiffeurs, les musées, les cours et les sports, la capitale regorge d'endroits où l'euro n'a pas cours. Vous ne nous croyez pas ? Suivez le guide.

¿ QUE CHERCHEZ-VOUS ?

ADMINISTRATION
325 CIRA, Centre Interministériel de Renseignements Administratifs
326 Préfecture de Police
326 CNIDFF, Centre National d'Information et de Documentation des Femmes et des Familles (13e)
327 Sources d'Europe (92)

AIDE, CONSEILS
325 Consultations Fiscales et Juridiques
326 Paris Notaires Info (1er)
326 Médiateur de la République (8e)
326 APMER, Association Pour le Mieux Être des Retraités (9e)
327 Sources d'Europe (92)

ANIMATIONS
320 FNAC Junior

BEAUTÉ
314 Jean-Marc Maniatis (6e)
314 Sephora (8e)

314 Atelier international de maquillage (11e)
314 Printemps-Nation (12e)

CENTRES CULTURELS
314 Centre Culturel Suédois (3e)
314 Centre Culturel Suisse (3e)
315 Instituto Cervantes, Centre Culturel Espagnol (8e)
315 Centre Culturel Calouste Gulbenkian, Portugal (16e)

CINÉMA
314 Centre Culturel Suédois (3e)
314 Centre Culturel Suisse (3e)
323 Pavillon de l'Arsenal (4e)
315 Centre Culturel Canadien (7e)
315 Instituto Cervantes, Centre Culturel Espagnol (8e)
315 Centre Culturel Calouste Gulbenkian, Portugal (16e)
321 Parc de la Villette (19e)

COIFFEURS
314 Jean-Marc Maniatis (6e)

CONCERTS
315 Église Saint-Roch (1er)
315 Carrefour Échanges Rencontres Insertion Saint-Eustache (CERISE) (2e)
316 Atrium Musical Magne (3e)
314 Centre Culturel Suédois (3e)
314 Centre Culturel Suisse (3e)
316 Cité Internationale des Arts (4e)
316 Église des Billettes (4e)
316 Église Saint-Merri (4e)
316 Conservatoire Gabriel Fauré (5e)
315 Centre Culturel Canadien (7e)
316 Église Américaine (7e)
316 Institut National des Jeunes Aveugles (7e)
316 Saint-Thomas-d'Aquin (7e)

¿ QUE CHERCHEZ-VOUS ?

316 Conservatoire Supérieur de Paris (8ᵉ)
315 Instituto Cervantes, Centre Culturel Espagnol (8ᵉ)
316 Toyota (8ᵉ)
316 Église de la Trinité (9ᵉ)
317 Théâtre Mogador (9ᵉ)
317 Conservatoire Paul Dukas (12ᵉ)
317 Kiosque Paris Jeunes (15ᵉ)
317 Saint-Jean-Baptiste-de-Grenelle (15ᵉ)
315 Centre Culturel Calouste Gulbenkian, Portugal (16ᵉ)
317 Radio France (16ᵉ)
317 École Normale de Musique (17ᵉ)
317 Conservatoire National Supérieur de Musique et de Danse de Paris (19ᵉ)
317 Église Réformée de France (94)

CONFÉRENCES
318 Université Permanente de Paris
319 Université de Tous les Savoirs (6ᵉ)
315 Centre Culturel Canadien (7ᵉ)
315 Instituto Cervantes, Centre Culturel Espagnol (8ᵉ)

315 Centre Culturel Calouste Gulbenkian, Portugal (16ᵉ)

COURS
318 Université Permanente de Paris
318 Bricolo Café du BHV (4ᵉ)
318 Collège de France (5ᵉ)
318 Collège International de Philosophie (5ᵉ)
319 Université de Tous les Savoirs (6ᵉ)
319 Castorama (20ᵉ)

COURS DE MUSIQUE
316 Institut National des Jeunes Aveugles (7ᵉ)

COURS DE PHOTO
318 École du Louvre (1ᵉʳ)

DANSE
316 Conservatoire Gabriel Fauré (5ᵉ)
316 Conservatoire Supérieur de Paris (8ᵉ)

ÉMISSION DE RADIO
320 le Masque et la Plume (16ᵉ)

EMPLOI
325 CIRA, Centre Interministériel de Renseignements Administratifs
325 Info-Emploi
322 Les Maisons de l'Emploi

322 Cyber Emploi (11ᵉ)
326 CNIDFF, Centre National d'Information et de Documentation des Femmes et des Familles (13ᵉ)
327 BIOP, Bureau pour l'Information et l'Orientation Professionnelle (17ᵉ)
327 Cité des Métiers (19ᵉ)
327 Sources d'Europe (92)

ENFANTS
320 FNAC Junior

EXPOSITIONS
314 Centre Culturel Suédois (3ᵉ)
323 Institut du Monde Arabe (5ᵉ)
315 Centre Culturel Canadien (7ᵉ)
315 Centre Culturel Calouste Gulbenkian, Portugal (16ᵉ)
324 Fondation Mona Bismark - Association Culturelle Américaine (16ᵉ)
327 Sources d'Europe (92)

FAMILLE
326 Inter Service Parents
326 Paris Info Mairie
326 Antenne des Mineurs du barreau de Paris (1ᵉʳ)

¿ QUE CHERCHEZ-VOUS ?

326 CNIDFF, Centre National d'Information et de Documentation des Femmes et des Familles (13e)

GARDE D'ENFANTS
321 Playmobil Fun Park (94)

HANDICAPÉS
327 MOB, Mouvement Ouverture et Bénévolat en Faveur des Aveugles (17e)

INTERNET
322 Les Maisons de l'Emploi
322 Cyber Emploi (11e)

JEUX
320 Games Workshop (6e, 8e, 14e)

LOGEMENT
327 ANIL, Agence Nationale d'Information sur le Logement (14e)

MUSÉES
324 Centre Pompidou (1er)
324 Musée du Louvre (1er)
323 Musée Carnavalet (3e)
323 Musée Cognacq-Jay (3e)
325 Musée Picasso (3e)
323 Musée Victor-Hugo (4e)

323 Pavillon de l'Arsenal (4e)
323 Institut du Monde Arabe (5e)
323 Musée des Collections Historiques de la Préfecture de Police (5e)
325 Musée du Moyen Âge et Thermes de Cluny (5e)
325 Musée Delacroix (6e)
323 Musée-Librairie du Compagnonnage (6e)
325 Musée d'Orsay (7e)
325 Musée Rodin (7e)
323 Musée Valentin Haüy (7e)
323 Musée de la Vie Romantique (9e)
324 Musée du Parfum (9e)
324 Mémorial du Maréchal Leclerc-de-Hauteclocque et de la Libération de Paris et Musée Jean Moulin (15e)
324 Musée Bourdelle (15e)
324 Fondation Mona Bismark - Association Culturelle Américaine (16e)
324 Maison de Balzac (16e)
324 Musée d'Art Moderne de la Ville de Paris (16e)
325 Palais de Tokyo (16e)

324 Art, Culture et Foi (18e)
325 Château de Fontainebleau (77)
325 Château et Musée des Antiquités Nationales de Saint-Germain-en-Laye (78)
324 Musée du Bonsaï (92)
325 Musée National de la Renaissance (95)

PERTE DE CHÉQUIERS ET DE CARTES
326 Banque de France (1er)

PLANNING FAMILIAL
328 Planning Familial (2e, 14e)

PROMENADES
324 Art, Culture et Foi (18e)

RESTAURANTS
321 La Chope de Château-Rouge (18e)

SANTÉ-AIDE PSYCHOLOGIQUE
329 Croix Rouge Écoute (8e)
329 Centre de Thérapie Familiale Monceau (9e)
330 Paris Ados Services (19e)

SANTÉ-ALCOOL
328 Drogues Alcool Tabac Info Service

¿ QUE CHERCHEZ-VOUS ?

329 Alcooliques
Anonymes (5ᵉ)
329 Alanon (9ᵉ)

SANTÉ-BILAN
329 Centre de Bilan
de Santé de
l'Enfant (11ᵉ)
330 Centre
d'Examens de
Santé (12ᵉ)
330 IPC
(Investigations
Préventives et
Cliniques) (16ᵉ)

SANTÉ-DROGUE
328 Drogues Alcool
Tabac Info
Service

**SANTÉ-HÉPATITES
B ET C**
328 Centre
d'Information et
de dépistage (4ᵉ)

SANTÉ-SIDA
328 Centre
d'Information et
de dépistage (4ᵉ)

330 Centre Régional
d'Information et
de Prévention du
Sida (15ᵉ)

SANTÉ-SYPHILIS
328 Centre
d'Information et
de dépistage (4ᵉ)

SOUTIEN SCOLAIRE
319 Cyberpapy
319 www.lettres.net/
sos
319 www.ruedeseco-
les.com
319 www.yazata.com
320 Secours
Catholique (7ᵉ)
320 PMI- Maison de
quartier (95)

SPORTS
330 Basket de rue
331 Golf : Blue Green
331 Gymnastique :
Sport Nature
332 Patinage

332 Roller, rink
hockey, skate
board
332 Tennis de table

THÉÂTRE
314 Centre Culturel
Suédois (3ᵉ)
314 Centre Culturel
Suisse (3ᵉ)
316 Conservatoire
Gabriel Fauré
(5ᵉ)
315 Instituto
Cervantes, Centre
Culturel Espagnol
(8ᵉ)

TROC
321 MRERS,
Mouvement des
Réseaux
d'Échanges
Réciproques de
Savoirs (91)

VOYANCE
320 Le Bar sans Nom
(11ᵉ)

**Vous voulez recevoir gratuitement
le prochain Paris Pas Cher ? Signalez-nous,
par courrier, une bonne adresse qui n'y figure pas
ou une erreur qui se serait glissée dans le texte (si, si, ça arrive),
avant le 1ᵉʳ février 2004.**

**Si vous êtes le premier (ou la première) à nous l'avoir signalée,
et que nous la retenons,
vous recevrez un exemplaire du guide 2005,
à paraître en septembre 2004.**

**Paris Pas Cher
19 av. Georges-Brassens
94550 Chevilly-Larue**

BEAUTÉ

6ᵉ ARRONDISSEMENT

JEAN-MARC MANIATIS
35 rue de Sèvres (6ᵉ) • Mᵒ Sèvres-Babylone • Tél. 01 47 20 00 05 (bureau), 01 45 44 16 39 (salon) • Un soir de la semaine à partir de 18 h 30

Couleur, coupe et permanente gratuites pour les moins de 25 ans. Téléphoner pour prendre rendez-vous en précisant qu'on souhaite servir de modèle pour un training. Il faudra ensuite vous présenter (du lundi au samedi, de 9 h 30 à 19 h) pour faire apprécier longueur et tenue de votre chevelure. C'est alors qu'on vous dira éventuellement ce qu'on en fera car la coupe adoptée sera choisie par les coiffeurs. AUTRES ADRESSES. 12 rue du Four, 6ᵉ, Mᵒ Mabillon. – 18 rue Marbeuf, 8ᵉ, Mᵒ Franklin-Roosevelt. – Galeries Lafayette, 2ᵉ étage, 40 bd Haussmann, 9ᵉ, Mᵒ Chaussée-d'Antin.

8ᵉ ARRONDISSEMENT

SEPHORA
70-72 av. Champs-Élysées (8ᵉ) • Mᵒ Franklin-D.-Roosevelt • Tél. 01 53 93 22 50 • Lundi-samedi : 10 h-minuit ; dimanche et jours fériés : 11 h-minuit ; fermetures exceptionnelles en été à 1 h du matin

Sephora présente – en libre service – dans sa luxueuse cathédrale dédiée à la beauté, toutes les grandes marques de maquillages, parfums et soins. Vous y trouverez l'orgue à parfums qui décline les familles olfactives tel un peintre qui décline ses couleurs primaires sur sa palette. Vous pourrez bénéficier gratuitement de sessions de « maquillage flash » réalisées par des maquilleurs professionnels (se renseigner sur place pour connaître les dates et prendre rendez-vous). Vous pourrez aussi tout essayer (derniers parfums à la mode, rouges, mascara, poudres...), conseillé par des conseillères très professionnelles (et même bilingues, trilingues) jusqu'au cœur de la nuit.

11ᵉ ARRONDISSEMENT

ATELIER INTERNATIONAL DE MAQUILLAGE
19 rue de la Pierre-Levée (11ᵉ) • Mᵒ République • Tél. 01 48 05 16 40 • Lundi-vendredi : 13 h 30-16 h 30

Passer entre les mains des élèves de cette école (la séance dure 3 heures) équivaut à une transformation radicale : ils sont en effet virtuoses en maquillage de beauté, de théâtre ou d'effets spéciaux. Une photo offerte au cobaye immortalise sa nouvelle tête, histoire de lui rappeler combien il était beau (ou belle) en Frankenstein ou belle de défilé.

12ᵉ ARRONDISSEMENT

PRINTEMPS-NATION
21-25 cours de Vincennes (12ᵉ) • Mᵒ Nation • Tél. 01 43 71 12 41 • Tous les jours : 10 h-19 h 30 ; le jeudi jusqu'à 21 h

On peut essayer maquillages et parfums à volonté dans la belle et grande parfumerie libre-service. On notera un intéressant présentoir de fards pour peaux noires. (Un truc : à l'aide de testeurs, essayer un rouge à lèvres de très grande marque, par exemple, puis rechercher son équivalent dans le rayon des marques bon marché.)

 CENTRES culturels

3ᵉ ARRONDISSEMENT

CENTRE CULTUREL SUÉDOIS
11 rue Payenne (3ᵉ) • Mᵒ Saint-Paul • Tél. 01 44 78 80 20 • Minitel : 3614 SUÈDE • www.amb-suede.fr • Mardi-vendredi : 10 h-13 h et 14 h-17 h 30 (accueil). Expos et café : mardi-dimanche : 12 h-18 h

Une programmation renouvelée tous les trois mois : expos variées (dessins de mode, Lars Nilsson, textes sur Strindberg...) ; concerts classiques, jazzy ou d'improvisation ; lectures de pièces, films documentaires... Ateliers pour enfants (environ 6,10 € ; inscription préalable obligatoire), une bibliothèque riche – installée dans un salon XVIIIᵉ – qui offre, sur rendez-vous uniquement, outre ses volumes, de petits dépliants de remise à niveau sur les thèmes de l'art moderne, le design, l'architecture, la danse, le cinéma en Suède ; des portraits de Strindberg, de Bergman... Aux beaux jours, on ira prendre boissons et pâtisseries (suédoises, de 1 à 3,50 €) au soleil, attablé dans la cour de ce bel hôtel. Accueil charmant.

CENTRE CULTUREL SUISSE
32 et 38 rue des Francs-Bourgeois (au fond du passage, à droite) (3ᵉ) • Mᵒ Saint-Paul • Tél. 01 42 71 38 38 • Accueil et bibliothèque, lundi-vendredi : 10 h-12 h 30, 14 h-18 h ; jeudi : nocturne jusqu'à 22 h. Expos, mercredi-dimanche : 14 h-19 h

Axé sur l'art contemporain helvète. Gratuit : la bibliothèque (5 000 ouvrages à consulter sur place), expositions, colloques, lectures publiques et 360 CD à écouter sur le juke-box. Quelques cycles en entrée libre. Une participation peut vous être demandée pour le cinéma, le théâtre, ou les très beaux concerts de musique contemporaine.

7ᵉ ARRONDISSEMENT

CENTRE CULTUREL CANADIEN

5 rue de Constantine (7ᵉ) • Mᵒ Invalides • Tél. 01 44 43 21 90 • Minitel : 3615 CANADA • Mardi, mercredi, vendredi : 10 h-18 h ; jeudi : 10 h-21 h ; samedi : 14 h-18 h

Accueil charmant au Centre, très tourné vers les arts visuels et les nouvelles technologies : projections ou installations de vidéos, lancement de livres avec rencontre des auteurs, conférences, colloques, expos, bibliothèque (20 000 titres, 300 périodiques). On trouvera aussi sur place un service actif de documentation sur les universités canadiennes.

8ᵉ ARRONDISSEMENT

INSTITUTO CERVANTES, CENTRE CULTUREL ESPAGNOL

7 rue Quentin-Bauchart (8ᵉ) • Mᵒ George-V • Tél. 01 40 70 92 92 • Lundi-jeudi : 9 h-20 h ; vendredi : 9 h-14 h (fermé pendant les vacances de Noël et le mois d'août)

Lieu philanthropique, il se passe (presque) tous les soirs quelque chose à l'Institut Cervantès :

projection d'excellents films en VO (parfois sous-titrés), conférences fréquentes, expositions et concerts de musique contemporaine, classique ou flamenco. Au 11 av. Marceau, une bibliothèque espagnole de 50 000 volumes (lundi : 14 h-19 h ; mardi-vendredi : 10 h-18 h). Prêt de films, de cassettes et de disques (carte de membre réservée aux étudiants à 16 € (8 € tarif réduit) par an et gratuite pour les étudiants du Centre).

16ᵉ ARRONDISSEMENT

CENTRE CULTUREL CALOUSTE GULBENKIAN, PORTUGAL

51 av. d'Iéna (16ᵉ) • Mᵒ Kleber • Tél. 01 53 23 93 93 • www.gulbenkian-paris.org • Centre, lundi-vendredi : 9 h-18 h ; bibliothèque, lundi : 14 h-20 h ; mardi-vendredi : 9 h-17 h (fermé pendant les vacances scolaires et du 15 juillet au 15 septembre)

Un magnifique hôtel particulier qui abrite des manifestations totalement gratuites : concerts splendides, très intéressantes expositions de peintures, sculptures, photos, récitals de poésie en portugais, séminaires et colloques dirigés par d'éminents spécialistes de la culture portugaise. La bibliothèque offre 70 000 volumes, des périodiques, des CD et quelques vidéocassettes en accès et emprunt libres. Chaque année, le Centre édite et vend de très intéressants ouvrages.

CONCERTS

Des concerts à l'œil ont lieu quotidiennement dans certains grands lieux dont les noms suivent. D'autres ont « leur jour », comme autrefois on recevait dans son salon. Certaines salles, enfin, régalent les oreilles épisodiquement. On leur donnera la chasse dans Pariscope et l'Officiel des Spectacles.

1ᵉʳ ARRONDISSEMENT

ÉGLISE SAINT-ROCH

296 rue Saint-Honoré (1ᵉʳ) • Mᵒ Pyramides • Tél. 01 42 44 13 26 • Fax : 01 42 44 13 19 • Bureau des concerts, mardi : 10 h-15 h ; jeudi et vendredi après-midi

Mardis musicaux de 12 h 30 à 13 h 15. Pour le programme, écrire à : Bureau des concerts, Église Saint-Roch, 24, rue Saint-Roch, 75001 Paris. Concerts très variés : lyriques, de musique de chambre ou encore de solistes (venant souvent du Conservatoire International de Musique) accompagnés à l'orgue. Vedettes du répertoire : Haendel, Bach, Vivaldi, Telemann, Mozart, Rossini, Beethoven, Verdi, Bruckner et le Stabat Mater de Pergolèse. Avis aux artistes : ils peuvent proposer programmes et participation (demander Patrick Chauffournier).

2ᵉ ARRONDISSEMENT

CARREFOUR ÉCHANGES RENCONTRES INSERTION SAINT-EUSTACHE (CERISE)

46 rue Montorgueil (2ᵉ) • Mᵒ Les Halles • Tél. 01 42 21 43 25

Dans l'église, le dimanche de 17 h 30 à 18 h, installez-vous devant la sculpture de Keith Haring – « La Vie du Christ » – (qui est un écrin de lumière) pour écouter des organistes renommés, moment de sérénité. A côté, chez « Cerise », chaque mercredi de 18 h 30 à 19 h 30, d'octobre à juin, concerts dits de « la Cerise sur le piano ». Musique de chambre et jazz avec des musiciens du Centre de Pratique Instrumentale Amateur d'Ile-de-France et du Conservatoire National Supérieur de Musique de Paris (c'est chez Cerise qu'on trouvera aussi des informations sur le Conservatoire de Musique et d'Expressions Artistiques ouvert aux personnes handicapées et accidentées de la vie). Le programme, chaque mois différent, peut être consulté environ trois semaines à l'avance. Depuis février 2003, un café associatif (Café Reflets) vous accueille le mercredi (18 h 30-20 h), le jeudi (18 h 30-22 h) et le dernier dimanche de chaque mois. Débats/rencontres avec des artistes le jeudi.

3e ARRONDISSEMENT

ATRIUM MUSICAL MAGNE
Hôtel de Brossier, 12 rue Charlot (3e) • M° Saint-Sébastien-Froissart ou Filles-du-Calvaire • Tél. 01 42 74 73 74

Les premier et troisième mercredis de chaque mois, à 12 h 30, des concerts d'environ 40 minutes, en collaboration avec l'École Normale de Musique de Paris. Ils sont offerts par la généreuse maison Magne qui met à la disposition de jeunes pianistes reconnus (tels Emika Kawabata, Cyril Guillotin...) certains de leurs plus beaux pianos à queue. L'accueil est charmant, la salle propre à apprécier les plus beaux moments musicaux et l'atmosphère recueillie.

4e ARRONDISSEMENT

CITÉ INTERNATIONALE DES ARTS
18 rue de l'Hôtel-de-Ville (4e) • M° Pont-Marie • Tél. 01 42 78 71 72 (demander le service des concerts)

Presque tous les mardis à 20 h 30, concerts classiques ou jazzy donnés par les résidents : des concertistes venus du monde entier. Programme par téléphone ou sur place. (S'y ajoutent deux expos de sept artistes par mois. Vernissage un mercredi sur deux.) Salles de concerts et d'expositions accessibles aux personnes handicapées.

ÉGLISE DES BILLETTES
24 rue des Archives (4e) • M° Hôtel-de-Ville • Tél. 01 42 72 37 08

Souvent, le jeudi, concert d'orgue et piano à 20 h 45. Le dimanche, juste avant le Culte, flots d'orgues à 10 h 30, sur un spécimen de Mulheisen. Programme (pour un mois) consultable au Centre Culturel Luthérien au 22 rue des Archives.

ÉGLISE SAINT-MERRI
78 rue Saint-Martin ou 76 rue de la Verrerie (4e) • M° Hôtel-de-Ville • Tél. 01 42 71 40 75 • Permanence, mardi : 18 h 30-21 h

De jeunes musiciens aux instruments (souvent du piano) pour 1 h 30 de musique classique à 21 h le samedi, dans l'abside et de 16 h à 17 h le dimanche.

5e ARRONDISSEMENT

CONSERVATOIRE GABRIEL FAURÉ
12 rue de Pontoise (5e) • M° Maubert-Mutualité • Tél. 01 46 33 97 98

Certains mardis, hors période scolaire (se renseigner par téléphone ou sur place), à partir de 20 h, récitals, concerts, orchestres, musique de cham-

bre, jazz, théâtre et spectacles chorégraphiques, tous offerts par les élèves. Le programme établi pour deux mois est disponible sur place.

7e ARRONDISSEMENT

ÉGLISE AMÉRICAINE
65 quai d'Orsay (7e) • M° Alma-Marceau ou Invalides • Tél. 01 40 62 05 00

Concerts de musique classique les dimanches à 17 h, de septembre à mi-juin. S'y produisent des musiciens de talent et de toutes nationalités. L'entrée est gratuite, une libre participation aux frais est demandée à la sortie.

INSTITUT NATIONAL DES JEUNES AVEUGLES
56 bd des Invalides (7e) • M° Duroc • Tél. 01 44 49 35 35

Tous les mardis (de la Toussaint jusqu'à Pâques) de 12 h 30 à 13 h 30. Concerts de haute tenue : piano, musique de chambre, ou encore chorale, jazz, joué par professeurs et élèves non voyants. Le programme (trimestriel scolaire) est à demander par courrier à l'Institut.

SAINT-THOMAS-D'AQUIN
Place Saint-Thomas-d'Aquin (7e) • M° Rue-du-Bac • Tél. 01 42 22 59 74

Le remarquable maître Bedois (Arsène) organiste de la paroisse prend, hélas pour nous, sa retraite cette année. Aussi, le programme des concerts (novembre à juin, une fois par mois et plus, le dimanche à 17 h) sera-t-il un peu bouleversé. Téléphoner pour le connaître.

8e ARRONDISSEMENT

CONSERVATOIRE SUPÉRIEUR DE PARIS
14 rue de Madrid (8e) • M° Europe • Tél. 01 44 70 64 00

Du lundi au vendredi, de novembre à juin (en général à 12 h 30 et 18 h), auditions publiques de classes d'instruments dirigées par des professeurs célèbres. Par ailleurs, des concerts sont offerts à l'auditorium à 19 h (réservation recommandée au 01 44 70 64 00). Du grand art. Également un spectacle gratuit de danse contemporaine début avril et un spectacle gratuit de ballet en mai. Ce qui est proposé à nos oreilles est si varié et de si haute qualité que nous vous recommandons de prendre le programme, établi tous les deux mois, au Conservatoire.

TOYOTA
79 av. des Champs-Élysées (8e) • M° George-V • Tél. 01 56 89 29 79 • Jeudi : 19 h-24 h

Roulez jeunesse avec les Dj's Toyota tous les jeudis soir.

9e ARRONDISSEMENT

ÉGLISE DE LA TRINITÉ
Place d'Estienne-d'Orves (9e) • M° Trinité • Tél. 01 48 74 12 77

Musique classique ou sacrée, de 12 h 45 à 13 h 30, le jeudi. Après le concert, s'ils en ont le temps, vous partagerez avec les musiciens, dans la salle des mariages, sandwiches et boissons proposés par de bénévoles mélomanes tout en parlant musique et harmonie du monde.

THÉÂTRE MOGADOR
25 rue de Mogador (9e) • RER E, Haussmann-Saint-Lazare • Tél. 01 56 35 12 00 • www.or chestredeparis.com

Deux concerts de musique classique sont offerts tous les jeudis pendant la période scolaire par l'Orchestre de Paris en collaboration avec le Conservatoire de Paris et le programme Déclic de Radio-France.

12e ARRONDISSEMENT

CONSERVATOIRE PAUL DUKAS
45 rue de Picpus (12e) • Mo Nation ou Daumesnil • Tél. 01 43 47 17 66

Mardis et mercredis musicaux à 19 h (pendant la période scolaire) : concerts symphoniques gratuits joliment nommés « Comme Si » et « Comme Fa ». En fin d'année scolaire un ouvrage lyrique est proposé (entrée 15 € pour payer la location de la salle, des costumes, des répets). En 2003, « La Traviata » nous fut donnée pour ce prix modique. Programme sur place.

15e ARRONDISSEMENT

KIOSQUE PARIS JEUNES
101 quai Branly (15e) • Mo Bir-Hakeim • Tél. 01 43 06 15 38 • Lundi-vendredi : 10 h-18 h

Plus de 50 000 places (gratuites ou au moins à moitié prix) distribuées aux moins de 28 ans par la Mairie de Paris dans les kiosques Paris Jeunes. AUTRES ADRESSES. Kiosque Bastille, 25 bd Bourdon, 4e, Mo Bastille, Tél. 01 42 76 22 60, lundi-vendredi : 10 h-19 h. – Kiosque Luxembourg, 91 bd Saint-Michel, 5e, Mo Luxembourg, Tél. 01 40 51 12 05, lundi-samedi : 12 h-20 h.

SAINT-JEAN-BAPTISTE-DE-GRENELLE
Place Étienne-Pernet (15e) • Mo Félix-Faure • Tél. 01 56 56 83 10 • www.sjbg.org

L'église ouvre ses portes à des groupes de musiciens qui viennent s'y produire en auditions libres, parfois le dimanche de 16 h à 17 h 30. Se renseigner à l'avance.

16e ARRONDISSEMENT

RADIO FRANCE
Maison de la Radio, 116 av. du Président-Kennedy (16e) • Mo Ranelagh ou RER C, Kennedy-Radio-France • Tél. 01 56 40 15 16 • www.ra diofrance.fr

De septembre à juin, un week-end de concerts gratuits par mois ; en février les trente concerts du festival de musique contemporaine « Présen

ces », mais aussi toutes les émissions musicales publiques de France Inter, France Culture ou France Musiques.

17e ARRONDISSEMENT

ÉCOLE NORMALE DE MUSIQUE
78 rue Cardinet (17e) • Mo Malesherbes • Tél. 01 47 63 85 72

D'octobre à avril, les mardis et jeudis de 12 h 30 à 13 h 30, vous pourrez entendre gratuitement les grands concertistes et les professeurs des conservatoires de demain dans la salle Cortot. En mars et en juin, vous pourrez assister aux passages des diplômes supérieurs des concertistes (téléphoner au 01 47 63 87 90 pour connaître jours et heures des auditions).

19e ARRONDISSEMENT

CONSERVATOIRE NATIONAL SUPÉRIEUR DE MUSIQUE ET DE DANSE DE PARIS
209 av. Jean-Jaurès (19e) • Mo Porte-de-Pantin • Renseignements et réservation : 01 40 40 46 46 ou 01 40 40 46 47 • www.cnsmdp.fr

Très opulente programmation musicale du Conservatoire qui affiche, tenez-vous bien, près de trois cents concerts à chaque saison, gratuits. Concerts ou spectacles (se renseigner pour les dates et horaires) sur réservation. Également cinq à six spectacles gratuits par an donnés par le Junior Ballet du Conservatoire. A tout cela, s'ajoutent encore des projections de documentaires sur des musiciens et des danseurs.

94 VAL-DE-MARNE

ÉGLISE RÉFORMÉE DE FRANCE
42 av. Joffre • 94100 SAINT-MAUR-DES-FOSSÉS • RER A, Parc de Saint-Maur • Tél. 01 48 83 09 32 • A partir du 10 octobre, une fois par mois, un vendredi soir, à 20 h 30

Dans cette belle église, l'association « Caix d'Hervelois » et l'« Ensemble Marin Marais » créés par Jean-Louis Charbonnier, gambiste international, qui fut chargé de la direction musicale du film « Tous les Matins du Monde », donnent des récitals gratuits de l'œuvre de Marin Marais. L'ensemble est composé de deux basses de viole (aux archets : Jean-Louis Charbonnier et Paul Rousseau), d'un théorbe (joué par Mauricio Buraglia) et d'un clavecin (au clavier : Pierre Trocellier). Des découvertes sont souvent au programme, car l'œuvre de Marin Marais est immense. L'ambiance est à la fois familiale et recueillie. Cependant, on pourra aller écouter l'Ensemble en concert tous les samedis à 17 h et 21 h dans l'église des Billettes où l'acoustique est meilleure : 22 rue des Archives (4e), Mo Hôtel-de-Ville, réservations au 01 42 54 06 37, fax : 01 42 54 08 88, 15 € (TR : 10 €).

COURS

UNIVERSITÉ PERMANENTE DE PARIS · *Pour une retraite active*

Tél. : s'adresser à la mairie de son arrondissement (service social)

Voici la fac gratuite des retraités. Après s'être inscrits, ils peuvent assister à de multiples conférences sur la littérature, l'histoire, la connaissance des institutions, la santé, les goûts et les saveurs, les sciences... Des ateliers à prix modéré les aident à maintenir santé, vitalité, mémoire ou les forment au Net. A partir de 55 ans. Programmes et adresses dans les mairies parisiennes.

1er ARRONDISSEMENT

ÉCOLE DU LOUVRE · *Conférences publiques*

99 rue de Rivoli
Amphithéâtre Rohan (1er)
Mº Palais-Royal
Tél. 01 55 35 18 35
www.ecoledulouvre.fr
Vendredi : 18 h 30

Grâce à la Ville de Paris et à l'École du Louvre, toute une série de conférences d'une heure vous attendent, de novembre à mai ; les thèmes varient.

4e ARRONDISSEMENT

BRICOLO CAFÉ DU BHV · *Bricolage et sirotage*

52 rue de Rivoli
(au sous-sol) (4e)
Mº Hôtel-de-Ville
Tél. 01 42 74 90 00
www.cyberbricoleur.com
Café ouvert du lundi au samedi dès 9 h 30. Fermeture variable (de 18 h à 19 h 15). Master classes du lundi au samedi à 16 h

Trop petit (hélas), son charmant décor évoque l'atelier familial d'un bricolo du dimanche dans une comédie musicale signée Jacques Demy. Retour à la réalité, entre deux cafés (1,20 €), on s'y instruit gratuitement : d'émérites bricoleurs viennent convertir les fainéants siroteurs à l'art de monter un tableau électrique, préparer des murs avant peinture, à patiner du bois, monter une lampe, découper du verre, raccorder une machine à laver, etc. Et pour se donner du cœur à l'ouvrage, on s'offrira un en-cas à 5,20 € (sandwich suédois, boisson, petit pain), des tartes ou quiches qui embaument (à partir de 2,50 €) ou pour les gros appétits une énorme et délicieuse assiette nordique + dessert + boisson (8,80 €).

5e ARRONDISSEMENT

COLLÈGE DE FRANCE · *De très haut niveau*

11 place Marcelin-Berthelot
(5e)
Mº Maubert-Mutualité
Tél. 01 44 27 11 47
www.college-de-france.fr

Quarante-cinq professeurs de très haut niveau, dont plusieurs Prix Nobel et nobélisables, présentent aux têtes les mieux faites de la Nation l'état des recherches les plus pointues dans les disciplines littéraires et scientifiques, au cours de centaines de cours. Cependant, tout le monde peut y assister sans bourse délier. Programme téléchargeable sur le site.

COLLÈGE INTERNATIONAL DE PHILOSOPHIE · *De grands philosophes français*

1 rue Descartes (5e)
Mº Maubert-Mutualité
Tél. 01 44 41 46 80

Antonia Soulez, Alain Badiou, Jacques Rancière, Jacques Derrida, Régis Debray et autres grandes pointures enseignent tous les grands courants de la

www.ci-philo.asso.fr
*Jours variables. Heures
invariables : 18 h-22 h*

philosophie au cours d'une centaine de séminaires par an, cours, colloques ou journées de réflexion. Tous les samedis matin, débat autour d'un livre (entrée 25 rue de la Montagne-Sainte-Geneviève). Programme au 1 rue Descartes ou sur le site Internet du Collège.

6ᵉ ARRONDISSEMENT

UNIVERSITÉ DE TOUS LES SAVOIRS
Tout savoir et gratuitement

Université René-Descartes -
Paris V - Amphi Binet
45 rue des Saints-Pères (6ᵉ)
Mᵒ Saint-Germain-des-Prés
Tél. 01 42 86 20 62
www.tous-les-savoirs.com
Tous les jours : 18 h 30

À l'Université René-Descartes (Paris V), dans l'amphi Binet, se tiennent trois séries annuelles de conférences très suivies sur les sujets les plus variés. Qu'on en juge : en 2003, les interfaces, la Chine d'aujourd'hui, le Globe, les effets globaux, etc. On peut suivre ces conférences en direct, en différé, ainsi qu'obtenir biographies et résumés sur le site Internet de l'Université ou www.canal-u.education.fr.

20ᵉ ARRONDISSEMENT

CASTORAMA
Cours gratuits de bricolage

9 cours de Vincennes (20ᵉ)
Mᵒ Nation
Tél. 01 55 25 14 14
Demander le service
clientèle
www.castorama.fr
*Lundi-samedi : 9 h-20 h ;
cours le samedi de 9 h 30
à 11 h 30 dans tous les
magasins Castorama*

Les cours sont très suivis et les places recherchées car les thèmes développés sont chers au cœur des bricoleurs(leuses) : comment monter une porte coulissante, faire des travaux de plomberie, isoler une pièce, installer un parquet flottant, un dressing, etc. En suivant les « Castostages » gratuits, l'apprenti(e) bricoleur s'entendra répondre à ses questions. Il se verra enseigner des tours de main qui l'amèneront à devenir virtuose de la perceuse et grand faiseur d'économies. S'inscrire (très à l'avance) sur place dans tous les magasins Castorama, où l'on trouvera le programme des stages.

Soutien scolaire gratuit

Rien ne remplacera la présence attentive d'un professeur auprès de votre enfant. Cependant, voici d'efficaces ersatz : quelques sites de soutien gratuit que nous avons essayés au printemps 2003, sachant que parfois les sites ne durent pas plus longtemps que les roses...

CYBERPAPY
www.cyberpapy.com
En histoire, maths, français, langues, physique et philo, les « cyberpapys » aident les collégiens et lycéens qui les appellent à l'aide (prière d'être précis dans l'énoncé des questions). Ces aimables seniors ne font pas les devoirs mais aident à comprendre, corrigent et renseignent dans un délai de 2 à 48 h.

WWW.LETTRES.NET/SOS
Aide limitée au français, fournie par des profs qui exigent des élèves un travail suivi et réfléchi.

WWW.RUEDESECOLES.COM
Du CP à la terminale. Soutien, surtout efficace en maths et en français, grâce à la présence d'exercices interactifs.

WWW.YAZATA.COM
De la 3ᵉ à la terminale. Des trucs pour bien apprendre ses leçons. On s'entraîne aussi en anglais (et en français) par le biais de « chats ». Deux fois par semaine, des profs dans ces deux matières répondent aux questions qu'on leur pose. You don't say !

SECOURS CATHOLIQUE
106 rue du Bac, 7e • Tél. 01 48 07 58 21
• www.secours-catholique.asso.fr
Téléphonez, on vous indiquera l'antenne la plus proche.

PMI- MAISON DE QUARTIER
Place des Linandes • 95000 CERGY • Tél. 01 30 30 62 70
Cours gratuits (primaire, collège, lycée) donnés par les étudiants de l'ESSEC et d'autres aux élèves en difficulté.

→ DIVERS

FNAC JUNIOR
Tél. 01 30 61 81 50
www.fnac.com
Lundi-dimanche : 11 h-21 h

Ateliers et jeux pour petits de 3 à 7 ans

La FNAC organise bénévolement, chaque mercredi (et plus souvent encore pendant les vacances) d'heureuses séances de découpages, peinture, jeux de société ou une heure de contes. Programme changeant tous les mois et différent dans chaque magasin (se renseigner pour les jours et les horaires). FNAC dans le 6e, le 12e, le 16e, le 17e, à Antony, Boulogne, Créteil, La Défense, Marne-la-Vallée, Parly II et Saint-Germain-en-Laye (adresses et programmes disponibles au 01 30 61 81 50 et sur le Web).

GAMES WORKSHOP
10 rue Hautefeuille (6e)
Mo Odéon
Tél. 01 46 33 20 01
*Mardi, mercredi et
vendredi : 11 h-19 h ;
samedi : 10 h-19 h ;
jeudi : 14 h-19 h*

Batailles gracieuses

On se castagne dans les magasins Games Workshop, des bagarres pour jouer, organisées par la firme elle-même, qui fait s'affronter ses clients – amateurs de jeux de plateaux – tous les mercredis et samedis après-midi. C'est ainsi que dans un monde médiéval fantastique, vous endosserez la peau d'un « guerrier du chaos » pour vaincre les dantesques « chevaliers de la Bretonnie ». Deux heures d'un bonheur terrible et gratuit.

AUTRES ADRESSES
 ■ 7 rue Intérieure, 8e • Mo Saint-Lazare • Tél. 01 44 70 00 60
 ■ 13 rue Poirier-de-Narcay, 14e • Mo Porte-d'Orléans • Tél. 01 45 45 72 03 • Démonstrations tous les jours.

LE BAR SANS NOM
49 rue de Lappe (11e)
Mo Ledru-Rollin
Tél. 01 48 05 59 36
Mardi : 18 h-21 h

Voyance gratuite

Tous les mardis, de 18 h à 21 h, dans un décor parfaitement théâtral, les voies du destin qui s'inscrivent au creux de votre menotte vous seront déchiffrées à l'œil.

LE MASQUE ET LA PLUME

Maison de la Radio
116 av. du Président-Kennedy (16e)
Mo Passy ou RER C,
Kennedy-Radio-France

Duels et diatribes

L'oreille voit, l'œil écoute et tous les passionnés de théâtre, de cinéma, de livres viennent ici regarder les mots qui font mouche. Formules au vent, arguments en bataille, le Masque et la Plume est l'expression la plus contemporaine du récit de cape et

Tél. 01 45 25 10 45
Renseignements
et inscription, lundi-vendredi :
9 h 30-12 h 30

d'épée. Jérôme Garcin, maître d'armes, orchestre les singuliers combats de ses mousquetaires, le public (300 personnes) pouvant intervenir dans les assauts. Plus qu'une émission, un acte. Et mieux encore, un acte totalement gratuit, l'entrée dans l'arène étant libre, à la seule condition de s'être inscrit. Enregistrement un jeudi soir sur deux, pour une diffusion tous les dimanches à 20 h sur France-Inter.

18e ARRONDISSEMENT

LA CHOPE DE CHÂTEAU-ROUGE

40 rue de Clignancourt
(18e)
M° Château-Rouge
Tél. 01 46 06 20 10
Tous les jours, toute l'année :
7 h du matin-2 h du matin

Danyahia offre le couscous

Les vendredi et samedi soir, une philanthrope, espèce rare, voire phénomène unique dans Paris, l'exquise Danyahia, sert le couscous gratuitement à tous ceux qui sont là, habitués comme curieux. Pour humidifier les gosiers après la semoule et la danse jusqu'à point d'heure, les bières (premiers prix : 1,60 € au comptoir, 1,80 € en salle, mais on peut en choisir six autres un peu plus onéreuses) et autres consommations sont à prix doux. Un service brasserie vient d'être créé.

19e ARRONDISSEMENT

PARC DE LA VILLETTE

211 av. Jean-Jaurès (19e)
M° Porte-de-Pantin
Tél. 01 40 03 75 75
ou 01 40 03 75 03
Minitel : 3615 LAVILLETTE
www.villette.com
Dès la nuit tombée...

Toiles aux étoiles et concerts-bals

Festival gratuit de cinéma en plein air de la Villette, de mi-juillet à fin août (relâche le lundi). Chaque année, un nouveau thème est exploré : « Aventures », « Cinéma Japonais », « Familles, clans et tribus », etc. Apportez couvertures, pique-niques, thermos et rêvez... Des transats sont en location à 6 €. En juillet-août, les dimanches à 17 h 30, on s'assoit dans l'herbe pour écouter les orchestres, ou on danse sur des musiques du monde entier.

91 ESSONNE

MRERS, MOUVEMENT DES RÉSEAUX D'ÉCHANGES RÉCIPROQUES DE SAVOIRS

3 bis cours Blaise-Pascal
BP 56
91002 ÉVRY CEDEX
RER D, Évry-Courcouronnes
Tél. 01 60 79 10 11
Fax : 01 60 79 15 41
www.mirers.org
Lundi-jeudi : 9 h 30-12 h,
13 h 30-17 h ; vendredi :
13 h 30-17 h

Tout peut s'apprendre et s'échanger

Inès apprend l'informatique à Chloé qui apprend à faire des tartes au citron à Kim qui apprend la danse à Karim qui apprend le patin à glace à Jules qui apprend... Dans ces échanges, tout rapport d'argent est exclu. Tous les âges, cultures et catégories sociales sont représentés. Téléphonez, on vous donnera gentiment l'adresse du réseau qui vous intéresse à Paris, en banlieue ou dans toute la France. Un tissu social plus chaud qu'une laine polaire.

94 VAL-DE-MARNE

PLAYMOBIL FUN PARK

22-24 rue des Jachères
Parc Silic-Fresnes
94260 FRESNES

Baby-jeux

Cette grande salle de jeux (2 000 m²) est ouverte à tout enfant (à partir de 18 mois) accompagné et surveillé par un adulte. Ils joueront là avec leurs

RER B, Antony + bus 396
(La Cerisaie)
Tél. 01 49 84 94 44
*Mardi-dimanche : 10 h-19 h
(toute la semaine pendant
les vacances scolaires
de la zone C)*

Playmobils favoris : le Palais des merveilles, les chevaliers perchés sur leurs donjons, cow-boys, chevaux et saloon, maisons... Puis, ensemble, ils siroteront un café (1,22 €) ou un jus de fruits (1,50 €) accompagnés de sandwiches (2,75 à 3,35 €) et tartes aux fruits (2 €) au café installé dans le centre. Et s'il leur vient envie d'offrir un de ces jeux à leur folâtre progéniture, il leur sera facturé 5 % moins cher. Une affaire fair-play.

Le Net à l'œil

Voici quelques endroits où vous pourrez surfer jusqu'à plus soif pour pas un rond.

LES MAISONS DE L'EMPLOI

Pour les adultes, dans les Maisons de l'Emploi des 13ᵉ et 18ᵉ arrondissements, aide à la recherche de jobs sur le Net. Condition : être inscrit à l'ANPE et avoir plus de 26 ans. Les moins de 26 ans s'adresseront à la Mission Locale de leur quartier. ADRESSES. 126 av. d'Italie, 13ᵉ, Tél. 01 53 62 03 06. – 164 rue Ordener, 18ᵉ, Tél. 01 55 79 13 75. – 27 et 29 rue du Maroc, 19ᵉ, Tél. 01 53 33 88 90. – 31 rue de Pixérécourt, 20ᵉ, Tél. 01 58 53 53 70.

11ᵉ ARRONDISSEMENT

CYBER EMPLOI

155 rue de Charonne, 11ᵉ • Mᵒ Charonne • Tél. 01 58 39 36 00 • www.cyber-emploi-centre.com • Lundi-vendredi : 9 h-12 h, 13 h 30-17 h 30

Recherche de jobs, de formations en entreprises, de stages sur la ville. Sur rendez-vous, les jeunes Parisiens au chômage (de 16 à 25 ans) sont accueillis par un formateur. 20 ordinateurs sont mis à leur disposition. Ils peuvent y consulter les offres d'emploi, puis taper leur CV qu'ils envoient aussitôt par e-mail. On les aide à pratiquer lesdites opérations, si nécessaire. La consultation est gratuite mais son temps réduit à 1 h 30. Pour ceux qui ignorent l'art de naviguer sur le web, des sessions sont offertes. AUTRES ADRESSES. 24 rue des Écoles, 5ᵉ, Mᵒ Maubert-Mutualité, Tél. 01 40 51 96 16, www.paris-jeunes-emploi.org. – 5 rue Roberval, 17ᵉ, Mᵒ Guy-Môquet, Tél. 01 53 06 93 16.

Échecs à l'œil et au soleil

Échecs à l'œil au Jardin du Luxembourg sur des tables installées ou improvisées sur trois chaises, de 13 h à la fermeture du jardin. Le niveau est souvent élevé, les champions font défiler les amateurs et leur règlent leur compte en deux sets, sans épargner, le plus souvent, leurs conseils. Échecs plus faciles le long du canal Saint-Martin. Également des échecs au jardin des Halles. ADRESSES. Jardin des Halles, 101 rue Rambuteau, 1ᵉʳ, Mᵒ Les Halles. – Jardin du Luxembourg, Entrées rues Guynemer et Vaugirard, 6ᵉ, Mᵒ Odéon ou RER B, Luxembourg, de 13 h à la fermeture du jardin. – Canal Saint-Martin, 10ᵉ.

Å **Adresse particulièrement recommandée**

👑 **Adresse haut de gamme : le luxe à prix abordable**

MUSÉES

3ᵉ ARRONDISSEMENT

MUSÉE CARNAVALET
23 rue de Sévigné (3ᵉ) • Mᵒ Saint-Paul • Tél. 01 44 59 58 58 • Fax : 01 44 59 58 10 • www.pa ris.fr/musees/musee-carnavalet • Mardi-dimanche : 10 h-18 h

Toute l'histoire de Paris. Fait partie des collections permanentes gratuites.

MUSÉE COGNACQ-JAY
8 rue Elzévir (3ᵉ) • Mᵒ Saint-Paul • Tél. 01 40 27 07 21 • www.paris.fr/musees/ • Mardi-dimanche : 10 h-18 h

Cet hôtel particulier restitue l'aspect intime et familier de l'art du XVIIIᵉ siècle : admirables dessins de Watteau, peintures de Rembrandt, Hubert Robert, Canaletto, Tiepolo, La Tour, Ucello, Mantegna...

4ᵉ ARRONDISSEMENT

MUSÉE VICTOR-HUGO
Hôtel de Rohan-Guéménée, 6 place des Vosges (4ᵉ) • Mᵒ Bastille • Tél. 01 42 72 10 16 • www.paris.fr/musees • Mardi-dimanche : 10 h-18 h

L'appartement reflète l'éclectisme et la fantaisie des goûts du maître : meubles gothiques, salle à manger chinoise. Exceptionnelles collections de photos d'Hugo et de sa famille, de dessins et d'aquarelles de Victor et de caricatures de Daumier.

PAVILLON DE L'ARSENAL
21 bd Morland (4ᵉ) • Mᵒ Sully-Morland • Tél. 01 42 76 33 97 • www.pavillon-arsenal.com • Mardi-samedi : 10 h 30-18 h 30 ; dimanche : 11 h-19 h

Paris, la ville et ses projets. Au rez-de-chaussée, une exposition présente le développement de la capitale du XIIᵉ au XXIᵉ siècle. Au premier étage, des expos temporaires sur l'architecture et l'urbanisme contemporain. Au deuxième étage, au salon vidéo, 120 films en consultation libre : enregistrements de conférences d'architectes, d'urbanistes, d'artistes... Une bibliothèque spécialisée en livres pour architectes (10 000 volumes), photothèque. Une librairie spécialisée en livres pour architectes et petits objets cadeaux de 2 à 20 € conçus par de jeunes créateurs. Le centre de documentation est ouvert du mardi au vendredi de 14 h à 18 h.

5ᵉ ARRONDISSEMENT

INSTITUT DU MONDE ARABE
1 rue des Fossés-Saint-Bernard (5ᵉ) • Mᵒ Jussieu ou Cardinal-Lemoine • Tél. 01 40 51 38 38 01 40 51 38 11 (programmation) • Fax : 01 43 54 76 45 • www.imarabe.org • Mardi-dimanche : 10 h-18 h ; bibliothèque, mardi-samedi : 13 h-20 h

Entrée libre dans le monde des Mille et Une Nuits 5 jours par semaine à l'Institut du Monde Arabe, à travers les expositions temporaires (photographies, objets...) de la salle d'actualité (périodiques, méthodes de langues, films) et la consultation gratuite des ouvrages de la bibliothèque sur place. Certaines expositions sont payantes.

MUSÉE DES COLLECTIONS HISTORIQUES DE LA PRÉFECTURE DE POLICE
4 rue de la Montagne-Sainte-Geneviève (entrée par le commissariat au 2ᵉ étage) (5ᵉ) • Mᵒ Maubert-Mutualité • Tél. 01 44 41 52 50 • Lundi-vendredi : 9 h-17 h ; samedi : 10 h-17 h

Évocation d'illustres meurtriers, pièces à conviction de grands procès, tout sur l'assassinat d'Henri IV, l'histoire du Collier de la reine, l'emprisonnement de Marie-Antoinette, l'affaire Stavisky... Prendre rendez-vous pour les visites de groupe.

6ᵉ ARRONDISSEMENT

MUSÉE-LIBRAIRIE DU COMPAGNONNAGE
10 rue Mabillon (6ᵉ) • Mᵒ Mabillon • Tél. 01 43 26 25 03 • Lundi-vendredi : 14 h-18 h (fermé du 14 juillet au 15 septembre)

Quelques-uns des chefs-d'œuvre des compagnons et tous les vieux métiers présentés : tailleurs de pierre, ébénistes, serruriers, zingueurs... La vie d'artisan.

7ᵉ ARRONDISSEMENT

MUSÉE VALENTIN HAÜY
5 rue Duroc (7ᵉ) • Mᵒ Duroc • Tél. 01 44 49 22 30 • Fax : 01 44 49 27 27 • Mardi et mercredi : 14 h 30-17 h (réservation souhaitable, fermé en juillet et en août, groupes sur rendez-vous)

Histoire de l'accessibilité culturelle des personnes handicapées visuelles, de Valentin Haüy au XVIIIᵉ siècle, à nos jours.

9ᵉ ARRONDISSEMENT

MUSÉE DE LA VIE ROMANTIQUE
16 rue Chaptal (9ᵉ) • Mᵒ Pigalle • Tél. 01 48 74 95 38 • www.paris.fr/musees/ • Mardi-dimanche : 10 h-18 h (fermé les jours fériés)

Lilas, glycines et roses au jardin : une serre romantique agrémentée d'une source (et d'un salon de thé, l'été). Dans une maison rose au cœur de l'atelier (salon tout meublé), voici le souvenir encore vivace de George Sand et de ses visiteurs : Delacroix, Chopin, Liszt, Tourgueniev.

MUSÉE DU PARFUM

9 rue Scribe (9ᵉ) • Mᵒ Opéra • Tél. 01 47 42 04 56 • Lundi-samedi : 9 h-17 h 30 ; dimanche : 9 h 30-16 h

500 ans d'histoire du parfum déroulée conjointement dans ce musée et celui, voisin, des Capucins (39 bd des Capucines, 2ᵉ). Des boutiques où les produits Fragonard sont vendus à prix d'usine. Et d'effarants alambics...

15ᵉ ARRONDISSEMENT

MÉMORIAL DU MARÉCHAL LECLERC-DE-HAUTECLOCQUE ET DE LA LIBÉRATION DE PARIS ET MUSÉE JEAN MOULIN

Jardin Atlantique (couvrant la gare Montparnasse) (15ᵉ) • Mᵒ Montparnasse-Bienvenüe • Tél. 01 40 64 39 44 • www.paris.fr/musees/memorial/accueil/

Voici, retracé, le destin de ces deux hommes d'exception. Accès aux collections permanentes gratuit.

MUSÉE BOURDELLE

18 rue Antoine-Bourdelle (15ᵉ) • Mᵒ Montparnasse-Bienvenüe • Tél. 01 49 54 73 73 • www.paris.fr/musees/bourdelle/ • Mardi-dimanche : 10 h-18 h

Plus de 500 plâtres, bronzes, marbres, dessins et photos admirablement présentés dans le cadre familier du jardin, de la maison et de l'atelier où vécut Bourdelle.

16ᵉ ARRONDISSEMENT

FONDATION MONA BISMARK - ASSOCIATION CULTURELLE AMÉRICAINE

34 av. de New-York (16ᵉ) • Mᵒ Alma-Marceau • Tél. 01 47 23 38 88 • Mardi-samedi : 10 h 30-18 h 15

Un ancien hôtel particulier où s'expose une programmation éclectique : on se souviendra longtemps de la splendide expo sur les parures de plumes des Indiens d'Amazonie.

MAISON DE BALZAC

47 rue Raynouard (16ᵉ) • Mᵒ Passy • Tél. 01 55 74 41 80 • www.paris.fr/musees/balzac/ • Mardi-dimanche : 10 h-18 h (fermé les jours fériés)

Objets d'art, manuscrits, éditions originales et cafetière du génie, qui écrivit ici plus de 12 romans dans ce qui fut « le nid, la coque, l'enveloppe certaine de ma vie ». Ainsi nommait-il cette petite maison où il vécut sept années. Gratuit pour la collection permanente.

MUSÉE D'ART MODERNE DE LA VILLE DE PARIS

11 av. du Président-Wilson (16ᵉ) • Mᵒ Alma-Marceau • Tél. 01 53 67 40 50 • www.paris.fr/musees/ • Mardi-vendredi : 10 h-17 h 40 ; samedi-dimanche : 10 h-19 h

Accès aux collections permanentes gratuit. Tous les principaux courants de l'art moderne (depuis 1906) sont représentés ici : fauvisme, cubisme, surréalisme...

18ᵉ ARRONDISSEMENT

ART, CULTURE ET FOI

7 rue Saint-Vincent (18ᵉ) • Mᵒ Lamarck-Caulaincourt • Tél. 01 49 24 11 60 (mardi et jeudi aux heures de bureau)

Plus d'une trentaine d'églises parisiennes sont à visiter gratuitement. Les mentors sont de dévoués paroissiens formés par l'Archevêché de Paris à faire découvrir pierres, fresques, tableaux, statues, vitraux... Téléphoner avant de se déplacer pour avoir la programmation.

92 HAUTS-DE-SEINE

MUSÉE DU BONSAÏ

25 rue de Châteaubriand • 92290 CHÂTENAY-MALABRY • 10 km de la Porte d'Orléans (N20 + N186) • Tél. 01 47 02 91 99 • Lundi-samedi : 9 h-18 h

Sur des plates-formes de 50 cm, des forêts de neuf à onze hêtres quadragénaires, des ficus banyan de 350 ans, hauts d'un mètre seulement... L'art du bonsaï consiste à faire entrer l'immensité dans l'exiguïté, introduire l'irréel dans la réalité.

Musées gratuits le 1ᵉʳ dimanche du mois

1ᵉʳ ARRONDISSEMENT

CENTRE POMPIDOU

Place Georges-Pompidou, 1ᵉʳ • Mᵒ Rambuteau • Tél. 01 44 78 12 33 • Dimanche : 11 h-21 h (gratuit pour le musée, pas les expos)

MUSÉE DU LOUVRE

Entrée principale par la Pyramide, 1ᵉʳ • Mᵒ Palais-Royal-Musée-du-Louvre • Tél. 01 40 20 53 17 ou 01 40 20 51 51 (serveur vocal) ou 01 40 20 57 60 (réservations groupes autonomes) et 01 40 20 51 77 (réservations groupes visites-conférences) • www.louvre.fr • Jeudi-dimanche : 9 h-18 h ; lundi et mercredi : 9 h-21 h 45 (fermé le mardi)

Le premier dimanche de chaque mois (et le 14 juillet) le Louvre s'ouvre gratuitement à tout le monde. Gratuit aussi tous les jours pour les moins de 18 ans et les chômeurs.

3e ARRONDISSEMENT

MUSÉE PICASSO

Hôtel Salé, 5 rue de Thorigny, 3e • Mo Filles-du-Calvaire • Tél. 01 42 71 25 21 • 9 h 30-18 h (tous les jours sauf le mardi)

5e ARRONDISSEMENT

MUSÉE DU MOYEN ÂGE ET THERMES DE CLUNY

6 place Paul-Painlevé, 5e • Mo Cluny-La Sorbonne • Tél. 01 53 73 78 00 • Tous les jours (sauf mardi) : 9 h 15-17 h 45

6e ARRONDISSEMENT

MUSÉE DELACROIX

6 rue de Furstenberg, 6e • Mo Saint-Germain-des-Prés • Tél. 01 44 41 86 50 • Tous les jours (sauf mardi) : 9 h 30-12 h 30, 14 h-17 h

Tableaux, dessins, gravures et objets ayant appartenu à Delacroix présentés dans la maison du peintre ornée d'un délicieux petit jardin secret où il fait bon venir bouquiner aux beaux jours.

7e ARRONDISSEMENT

MUSÉE D'ORSAY

1 rue de la Légion-d'Honneur, 7e • Mo Solférino ou RER C, Musée d'Orsay • Tél. 01 40 49 48 14 • www.musee-orsay.fr • Tous les jours (sauf lundi) : 10 h-18 h ; jeudi : jusqu'à 21 h 45 ; dimanche : 9 h-18 h

Conférences gratuites les mercredis à 12 h 30.

MUSÉE RODIN

77 rue de Varenne, 7e • Mo Varenne • Tél. 01 44 18 61 10 • Tous les jours (sauf lundi) : 9 h 30-16 h 45

16e ARRONDISSEMENT

PALAIS DE TOKYO

13 av. du Président-Wilson, 16e • Mo Iéna ou Alma-Marceau • Tél. 01 47 23 38 86 • Tous les jours (sauf lundi) : 12 h-0 h

Expositions d'œuvres contemporaines : toiles, sculptures, installations, vidéos...

77 SEINE-ET-MARNE

CHÂTEAU DE FONTAINEBLEAU

77300 FONTAINEBLEAU • Tél. 01 60 71 50 70 • Tous les jours (sauf mardi) : 9 h 30-17 h

78 YVELINES

CHÂTEAU ET MUSÉE DES ANTIQUITÉS NATIONALES DE SAINT-GERMAIN-EN-LAYE

Musée d'Archéologie Nationale, Place Charles-de-Gaulle • 78100 SAINT-GERMAIN-EN-LAYE • RER A, Saint-Germain-en-Laye • Tél. 01 39 10 13 00 • www.musee-antiquitesnationales.fr • Tous les jours (sauf mardi) : 9 h-17 h 15 ; 1er mai au 30 septembre, samedi et dimanche : 10 h-18 h 15

95 VAL-D'OISE

MUSÉE NATIONAL DE LA RENAISSANCE

Château d'Écouen • 95440 ÉCOUEN • Tél. 01 34 38 38 50 • Tous les jours (sauf mardi) : 9 h 30-12 h 30, 14 h-17 h 15

RENSEIGNEMENTS, aide, conseils

CIRA, CENTRE INTERMINISTÉRIEL DE RENSEIGNEMENTS ADMINISTRATIFS

Tél. 0 821 08 09 10 (0,12 €/min) • www.service-public.fr • Lundi-vendredi : 9 h-12 h 30, 14 h-17 h 30

Répond, uniquement par téléphone, à tous les types de questions, du droit du travail (engagement, démission...) à la Sécurité sociale (retraite, RMI...), en passant par le droit privé, le logement et l'urbanisme, les douanes (baux commerciaux), les allocations familiales, la justice, la fonction publique ou hospitalière, le PACS, la fiscalité... Site Internet riche mais peu clair. Coordonnées des neuf centres de Province auprès de votre préfecture.

CONSULTATIONS FISCALES ET JURIDIQUES

Un jour par semaine dans toutes les mairies de Paris (juillet, août exceptés) des avocats renseignent, orientent, aident leurs semblables. Des avocats fiscalistes conseillent les contribuables dans la rédaction de leur déclaration d'impôts. Téléphonez à la mairie de votre arrondissement pour prendre rendez-vous.

INFO-EMPLOI

Tél. 0 825 347 347 (0,15 €/min) • Minitel : 3615 EMPLOI • www.travail.gouv.fr • Lundi-vendredi : 9 h-18 h

Toute l'information sur le travail, l'emploi et la formation professionnelle par téléphone, Minitel ou Internet, donnée par une vingtaine de juristes du Ministère du Travail. Que vous soyez employeur, employé ou chômeur, vous trouverez aussi des fiches infos, des simulations de calcul (35 h et chèques emploi-service). Sur le site Internet d'Info-Emploi, les dates de concours d'entrée dans les administrations de l'État et leurs conditions d'inscription.

INTER SERVICE PARENTS

Tél. 01 44 93 44 93 • Lundi-vendredi : 9 h 30-12 h 30 ; 13 h 30-17 h (sauf jeudi matin)

Il existe ici quatre sources d'aide. Inter Service Parents (uniquement par téléphone) prodigue des consultations juridiques et sociales et des conseils en matière de psychologie et de scolarité. Au Café de l'École des Parents : 164 bd Voltaire 75011 Paris, tél. 01 44 93 24 14. Dans un cadre très agréable, on trouvera documentations variées et informations sous forme de débats et d'échanges. Borne Internet à disposition. Destiné aux jeunes mineurs, Fil Santé Jeunes leur donne conseils juridiques et infos médicales sur la contraception. Tél. 0 800 235 236 de 8 h à 24 h. Jeunes Violence Écoute répond aux questions concernant le racket, la violence dans les lycées, etc. Tél. 0 800 20 22 23, de 8 h à 23 h.

PARIS INFO MAIRIE

Tél. 08 2000 75 75 • www.paris.fr • Lundi-vendredi : 8 h-19 h ; samedi : 8 h 30-13 h

Informations gratuites sur toutes les allocations, données par la mairie de Paris ou l'État, sur la couverture maladie universelle, sur l'emploi, sur le chômage, sur le code du travail et sur tous les organismes susceptibles d'aider les familles. On vous répond également sur Internet (voir site Web, ci-dessus).

PRÉFECTURE DE POLICE

Tél. 08 91 01 22 22

A ce numéro, tous renseignements concernant les préfourrières de Paris, la carte grise, la carte d'identité sécurisée, les passeports, les permis de conduire, le service « Information sécurité » (pour savoir comment protéger son domicile), les associations « loi de 1901 », la prévention de la délinquance... et la marche à suivre pour devenir policier.

1er ARRONDISSEMENT

ANTENNE DES MINEURS DU BARREAU DE PARIS

8 place Sainte-Opportune (1er) • M° Châtelet • Tél. 01 42 36 34 87 • Lundi-vendredi : 14 h-17 h

Aide juridique gratuite par téléphone. Pour les affaires plus malaisées, on consultera des avocats spécialisés qui reçoivent ici gratuitement et sans rendez-vous mineurs ou parents en difficulté, tous les après-midi, afin de les aider à résoudre leurs problèmes familiaux.

BANQUE DE FRANCE

31 rue Croix-des-Petits-Champs (1er) • M° Palais-Royal • Tél. accueil-orientation : 01 42 92 42 92 • opposition : 0 892 705 705

Que faire lorsqu'on vient de perdre ou de se faire voler son chéquier ou ses cartes de crédit ? Téléphoner pour le signaler et faire tout de suite opposition par téléphone. On vous indiquera la marche à suivre. Pour les renseignements bancaires, les demander à sa propre banque.

PARIS NOTAIRES INFO

1 bd Sébastopol (1er) • M° Châtelet • Tél. 01 44 82 24 44 • www.paris.notaires.fr ou www.encheres-paris.com • Lundi-jeudi : 10 h-18 h ; vendredi : 10 h-12 h

Sur rendez-vous, consultations gratuites de 20 minutes (prière de préparer son dossier) mais très courues. Thèmes : les successions, contrats de mariage, donation entre époux, programme de ventes aux enchères (apparts, maisons, en général, peu d'offres) et dépliants. Ici aussi ont lieu les séances publiques de ventes aux enchères (tél. 01 44 82 24 82).

8e ARRONDISSEMENT

MÉDIATEUR DE LA RÉPUBLIQUE

7 rue Saint-Florentin (8e) • M° Concorde • Tél. 01 55 35 24 24 • Lundi-vendredi : 9 h-18 h

Chaque Français s'estimant floué par une décision ou un comportement de l'administration peut faire appel au médiateur. Pour cela, il faut s'adresser à un député ou un sénateur, ou encore contacter le délégué du médiateur dans sa préfecture. Ce recours est gratuit (et par téléphone uniquement).

9e ARRONDISSEMENT

APMER, ASSOCIATION POUR LE MIEUX ÊTRE DES RETRAITÉS

12 rue Blanche (9e) • M° Trinité • Tél. 01 42 80 06 51 • Lundi-vendredi : 9 h 30-13 h

Ces conseils gratuits sont prodigués par des juristes retraités. Ils aident leurs concitoyens à déchiffrer un contrat d'assurance peu clair, à lire la loi sur le PACS ou encore un arrêt embrouillé. Ils s'y connaissent en droit rural, droit de la propriété et du voisinage, droit notarial et du patrimoine. Bref, ces têtes aussi sages que pensantes se doublent d'un grand cœur. Rencontres sur rendez-vous. Réponses également possibles par courrier.

13e ARRONDISSEMENT

CNIDFF, CENTRE NATIONAL D'INFORMATION ET DE DOCUMENTATION DES FEMMES ET DES FAMILLES

7 rue du Jura (13e) • M° Gobelins • Tél. 01 42 17 12 00 • Minitel : 3615 CNIDFF • www.info femmes.com • Lundi-jeudi : 14 h-17 h 30

Un centre qui informe gratuitement sur le droit du travail, le droit de la famille (garde des enfants, calcul d'une pension alimentaire, bureau d'aide aux victimes), l'emploi, la santé et la vie familiale pratique, associative et quotidienne. Une aide véritable pour les femmes qui souhaitent recommencer à travailler. Il existe un Espace Emploi au 8 rue du Jura, 13e, tél. 01 42 17 12 60. Renseignements par téléphone, le matin de 9 h 30 à 12 h 30.

14ᵉ ARRONDISSEMENT

ANIL, AGENCE NATIONALE D'INFORMATION SUR LE LOGEMENT

46 bis bd Edgar-Quinet (14ᵉ) • Mᵒ Edgar-Quinet • Tél. 01 42 79 50 50 ou 01 42 02 65 95 (coordonnées des ADIL) • Minitel : 3615 ANIL • www.anil.org • 9 h-18 h, sur rendez-vous

Un service d'aide qui répond à vos questions sur votre logement concernant l'acquisition, l'amélioration, la location, les prêts et même les travaux d'entretien à faire ou à prévoir. Vous y trouverez, ainsi que sur Minitel, et sur le Net, toutes les informations que vous cherchez. Conseils personnalisés et gratuits en matière juridique, financière, fiscale et réglementaire. Accueil charmant, de très compétentes personnes (juristes, en particulier) se mettent en quatre pour résoudre les problèmes de leurs interlocuteurs. Des ADIL (soixante-huit antennes de l'ANIL en France) sont présentes dans chacun des départements d'Ile-de-France (sauf les Yvelines).

17ᵉ ARRONDISSEMENT

BIOP, BUREAU POUR L'INFORMATION ET L'ORIENTATION PROFESSIONNELLE

Chambre de Commerce et d'Industrie de Paris, 47 rue de Tocqueville (17ᵉ) • Mᵒ Villiers • Tél. 01 55 65 60 00 (serveur vocal du BIOP) • Minitel : 3615 CCIP • www.ccip.fr/biop • Centre de documentation, lundi-jeudi : 13 h 30-17 h (sur rendez-vous uniquement)

Ce bureau dépend de la Chambre de Commerce et d'Industrie de Paris. Il a pour vocation d'informer sur les filières de formation en commerce, gestion et techniques dispensés par ses établissements d'enseignement. C'est un répondeur qui vous posera des questions : êtes-vous élève, étudiant, demandeur d'emploi inscrit à l'ANPE ou exercez-vous une activité ? Munissez-vous d'un papier et d'un crayon ; il vous aiguillera vers une aide à l'orientation ou vers une formation.

MOB, MOUVEMENT OUVERTURE ET BÉNÉVOLAT EN FAVEUR DES AVEUGLES

13 square Gabriel-Fauré (17ᵉ) • Mᵒ Malesherbes • Tél. 01 47 66 24 60 • Sur rendez-vous

Un bien sympathique accueil vous est réservé dans cette association (loi 1901) qui prête gratuitement des versions sonores (cassettes audio) de livres et recherche des bénévoles (de 7 à 77 ans) pour lire – en toutes langues – à haute voix des textes à la demande de personnes non voyantes. A ceux qui souhaitent garder les cassettes, il est demandé d'en fournir des neuves.

19ᵉ ARRONDISSEMENT

CITÉ DES MÉTIERS

30 av. Corentin-Cariou, (niveau -1 de la Cité des Sciences et de l'Industrie) (19ᵉ) • Mᵒ Corentin-Cariou • Tél. 01 40 05 85 85 • Mardi-vendredi : 10 h-18 h ; samedi : 12 h-18 h

En consultation gratuite, documentation et offres d'emploi de l'ANPE. Des entretiens d'orientation et de conseil sans rendez-vous. Des spécialistes y dispensent leurs conseils. Vous pouvez participer à des conférences, des débats, des ateliers. Des journées d'information et de recrutement sont également proposées, ainsi que des entretiens d'orientation. Aucun renseignement n'est délivré par courrier.

92 HAUTS-DE-SEINE

SOURCES D'EUROPE

Le Socle de la Grande Arche (1ᵉʳ sous-sol) • 92044 PARIS-LA DÉFENSE • RER A, La Grande-Arche (sortie E) • Tél. 01 41 25 12 12 • Minitel : 3615 EUROPE • www.info-europe.fr • Lundi-vendredi : 10 h-18 h

Offre la possibilité de découvrir l'Union européenne au travers de 500 journaux, fiches d'information, revues de presse. La médiathèque est riche de 1 000 dossiers documentaires thématiques, 40 000 documents et 2 000 livres. L'ensemble est consultable librement. Les bibliothécaires sont disponibles et compétentes. Dans l'Eurolibrairie, on pourra acheter plus de 500 titres. Cet endroit est incontournable pour qui veut chercher du travail en Europe.

Pour obtenir la carte Paris Pas Cher 2004, reportez-vous à la fin de l'ouvrage, remplissez le questionnaire et renvoyez-le à l'adresse suivante :

**Paris Pas Cher
19 av. Georges-Brassens
94550 Chevilly-Larue**

SANTÉ

Outre les adresses ci-après, on consultera également avec profit la brochure éditée par la Mairie de Paris, intitulée « La Prévention des grandes maladies ». Elle se trouve dans toutes les mairies de la capitale.

DROGUES ALCOOL TABAC INFO SERVICE

Écoute, informations... sur les drogues et les toxicomanies

Tél. (numéro vert) : 113
www.drogues.gouv.fr

Par drogues, on entend ici également alcool et tabac. Ouvert à tous, 24 h/ 24, gratuit, anonyme et confidentiel, Drogues Alcool Tabac Info Service est le service national d'accueil téléphonique pour l'information et la prévention en matière de drogues et de toxicomanies.

2ᵉ ARRONDISSEMENT

PLANNING FAMILIAL

Contraception et IVG

10 rue Vivienne (2ᵉ)
Mᵒ Bourse
Tél. 01 42 60 93 20
(nᵒ rue Vivienne)
0 800 803 803 (nᵒ Vert
sur la sexualité
et la contraception)
*Lundi : 12 h-16 h ; mardi :
17 h-19 h 30 ; jeudi : 12 h-
15 h. Infos téléphoniques
tous les jours : 10-12 h
et à partir de 13 h 15*

Écoute, sexualité, contraception (numéro d'appel gratuit d'un poste fixe). Pour les consultations médicales, prendre rendez-vous au 01 42 60 93 20 du lundi au vendredi. Informations aussi sur l'interruption volontaire de grossesse au 01 47 00 18 66, de 12 h à 19 h (tous les jours). La pilule du lendemain se délivre anonymement sans ordonnance et gratuitement pour les mineures ou les femmes sans sécurité sociale, ici et dans toutes les pharmacies. Tiers payant pour les autres. « A prendre jusqu'à 70 h MAXIMUM après un rapport mal protégé » (dixit le Planning Familial).

AUTRE ADRESSE

■ Centre Masséna, 93 bd Masséna - Tour Mantoue, 14ᵉ • Mᵒ Porte-d'Ivry • Tél. 01 45 84 28 25 • Le mercredi et le vendredi de 10 h 30 à 15 h 30, on répond par téléphone aux questions sur la sexualité.

4ᵉ ARRONDISSEMENT

CENTRE D'INFORMATION ET DE DÉPISTAGE

Dépistage anonyme et gratuit

2 rue du Figuier (4ᵉ)
Mᵒ Pont-Marie ou Saint-Paul
Tél. 01 49 96 62 70
*Horaires variables :
téléphoner*

Réception chaleureuse et attitude délicate vis-à-vis des consultants. Les résultats des tests de dépistage du sida, de l'hépatite B ou C ou de la syphilis arrivent environ 1 semaine plus tard. Ils sont remis en main propre par un médecin. Soutien psychologique assuré par le Centre dans le service d'hygiène mentale (à la même adresse) en cas de test positif et prise en charge sur place des adultes sur rendez-vous au 01 48 87 79 33 ; et pour les enfants sur rendez-vous aussi au 01 48 87 81 93. Pour les questions de droit relatives à la défense des familles des malades et d'eux-mêmes, s'adresser au 0 810 636 636 (Sida info droit) : mardi : 16 h-22 h ; jeudi : 16 h-20 h ; vendredi : 14 h-18 h. Liste des 7 centres parisiens sur 3615 PARIS.

5ᵉ ARRONDISSEMENT

ALCOOLIQUES ANONYMES

3 rue Frédéric-Sauton (5ᵉ)
Mᵒ Maubert-Mutualité
Tél. 01 43 25 75 00
(24 h/24)
*Lundi-dimanche : 9 h-21 h
(permanence téléphonique :
24 h/24)*

A la repêche des alcooliques
et de leurs familles

D'anciens alcooliques (ils savent de quoi ils parlent)
sauvent ceux qui s'enfoncent en leur proposant une
aide programmée et en les soutenant jusqu'à la gué-
rison. Assistance téléphonique et accueil sur place.
Anonymat assuré pour tous.

8ᵉ ARRONDISSEMENT

CROIX ROUGE ÉCOUTE

1 place Henry-Dunant (8ᵉ)
Mᵒ George-V
Tél. 0 800 858 858
*Tous les jours : 10 h-22 h ;
samedi, dimanche et jours
fériés : 12 h-18 h*

Aide psychologique pour tous

Au téléphone, sept jours sur sept, une douzaine
d'oreilles attentives de personnes généreuses for-
mées à l'écoute par la Croix Rouge. Un service
d'aide ouvert à tous, aussi anonyme que gratuit.

9ᵉ ARRONDISSEMENT

ALANON

4 rue Fléchier (9ᵉ)
Mᵒ Notre-Dame-de-Lorette
Tél. 01 42 81 97 05
*Lundi-vendredi : 10 h-12 h,
14 h-16 h ; en dehors
de ces horaires, téléphoner
au 01 43 48 31 12
ou 01 40 09 83 79*

Pour l'entourage d'un alcoolique

Quelle attitude avoir vis-à-vis d'une personne dépen-
dante de l'alcool, quelles paroles prononcer ? Dirigé par des bénévoles, c'est tout un programme de
pratiques quotidiennes qui est enseigné pour aider
la famille à sortir l'alcoolique de son enfer. Réunions
réalisées dans l'anonymat.

CENTRE DE THÉRAPIE FAMILIALE
MONCEAU

91 rue Saint-Lazare (9ᵉ)
Mᵒ Trinité ou Saint-Lazare
Tél. 01 53 20 11 50
www.centre-monceau.com
*Lundi-vendredi : 9 h 30-
19 h , samedi : matin*

Aide psychologique
aux familles, aux ados
et aux toxicomanes

Avec Papa, Maman et fratrie (si possible), des jeunes viennent recevoir ici aide et conseils de la part
de psychothérapeutes formés à la thérapie familiale.
Consultations sur rendez-vous minimum 15 jours à
l'avance (éviter le samedi). Anonymat garanti.

11ᵉ ARRONDISSEMENT

CENTRE DE BILAN DE SANTÉ DE L'ENFANT

96-98 rue Amelot (11ᵉ)
Mᵒ Filles-du-Calvaire
ou Oberkampf
Tél. 01 49 23 59 00
*Lundi-vendredi : 8 h 30-
17 h 30 (sauf jours fériés)*

Bébé sous examen

Réservé aux affiliés du régime général. Impérative-
ment, vous remplirez un questionnaire à prendre ou
à demander à votre caisse ou à ce centre. Ce bilan
est accordé aux enfants de 12 à 18 mois et de 3 ans
et demi à 4 ans et demi.

12e ARRONDISSEMENT

CENTRE D'EXAMENS DE SANTÉ

Bilan gratuit pour tous

5 rue de la Durance (12e)
M° Daumesnil
Tél. 01 53 44 57 00
*Lundi-vendredi : 8 h 30-
17 h 30 (sauf jours fériés)*

A partir de 16 ans, pour tous les assurés sociaux.
Un imprimé à remplir et on obtient son rendez-vous
un mois et demi plus tard environ, dans l'un des cinq
centres parisiens (5e, 10e, 13e, 15e, 19e), ou à Orly
(94).

15e ARRONDISSEMENT

CENTRE RÉGIONAL D'INFORMATION ET DE PRÉVENTION DU SIDA

33 av. du Maine (15e)
M° Montparnasse
Tél. 01 56 80 33 33
*Mardi-vendredi : 13 h-19 h ;
samedi : 10 h-17 h*

Brochures gratuites, photocopieuses sur place, on
apprendra tout sur le sida, les soins prodigués aux
malades atteints, etc.

16e ARRONDISSEMENT

IPC (INVESTIGATIONS PRÉVENTIVES ET CLINIQUES)

*Centre d'examens conventionné
par les CPAM d'Ile-de-France*

6-14 rue Lapérouse (16e)
M° Kléber ou Boissière
Tél. 01 53 67 35 35
pour prendre rendez-vous
*Lundi-jeudi : 8 h-18 h ;
vendredi : 8 h-17 h*

Tous les 5 ans, pour les assurés du régime général
et leurs ayants droit et plus souvent pour les personnes en situation de difficultés sociales. Ils bénéficieront d'examens de santé gratuits. Lors de l'examen
clinique, le médecin dispose de la totalité des résultats et effectue un entretien à caractère préventif
avec le patient. Celui-ci reçoit son dossier sous
15 jours avec les conseils pour le suivi du traitement.

19e ARRONDISSEMENT

PARIS ADOS SERVICES

En pétard de 13 à 21 ans

3 rue André-Danjon (19e)
M° Ourcq
Tél. 01 42 40 20 42
Tous les jours : 9 h-19 h

Ça s'arrange ! Tous les jours, même samedis et dimanches sans rendez-vous, des éducateurs spécialisés reçoivent les ados avec ou sans leur famille.
Rabibochage. Hébergement momentané de l'ado
(dans certains cas seulement et uniquement s'il est
mineur). Sur place aussi, on informe sur tous les
sujets de la vie et on oriente lorsqu'on le peut.

SPORTS

*Déjà que vous vous demandez pour quelle étrange raison vous devriez faire du
sport... Mais payer pour vous épuiser, il n'en est évidemment pas question.
Quelques idées pour vous dépenser sans éreinter votre porte-monnaie.*

Basket de rue

*Inspiré des playgrounds américains, plusieurs terrains de basket de rue sont en-
tourés de grilles pare-ballons et de paniers capables de supporter les smashs et
les dunks les plus athlétiques.*

– Roquette, l'Orillon ou impasse des Jardiniers (11e).

– Sous le métro Glacière et square Heloïse et Abélard (13e).

– Square de l'Aspirant-Dunand et square Olivier-Noyer-Leonidas (14e).

– Parc omnisport Suzanne-Lenglen, square du Dr-Calmette et jardin de la gare de Vaugirard (15e).

– Square de la rue Hélène (17e).

– Square rue Charles-Hermite, square du Passage Léon et square Marcel-Sembat (18e).

– Terrain de sport Curial-Cambrai, square Alexandre-Luquet, square des Saints-Simoniens, jardin rue des Cendriers, jardin Gare-de-Charonne et jardin rue des Frères-Flavien (20e).

– Playgrounds de Neuilly, Parc de la Folie-Saint-James (92).

– Jardin du Luxembourg (6e).

– Jardin du Champ-de-Mars (7e).

– Square de la Roquette (11e).

– Terrain Curial, M° Stalingrad, square Petit (19e).

Golf : Blue Green

Initiation gratuite de 3 heures, clubs et balles prêtés dans sept clubs de la région parisienne (Villennes-sur-Seine, Guerville, Saint-Quentin-en-Yvelines, Saint-Aubin, Chevry, Marolles-en-Brie, Villeray). Premières balles au practice et premiers pas sur le parcours. Apprentissage des approches et du putting. S'inscrire au 0 803 305 000 (garder patience, c'est souvent occupé).

Gymnastique : Sport Nature

Footing, exercices de gym douce et stretching de septembre à juin, tous les dimanches, de 9 h à 12 h, dans onze parcs et jardins parisiens (se présenter avec une pièce d'identité et 2 photos). Bougez-vous avec les moniteurs de la ville de Paris (on vous abritera par temps de pluie). Tél. 08 2000 75 75 ou 01 42 76 36 55 ou 01 42 76 24 76 (bureau de l'Animation sportive). www. paris.fr.

– Gymnase Lucien-Gaudin : rendez-vous au Jardin Tino-Rossi, Quai Saint-Bernard ou Quai de la Rapée, 5e, M° Gare-d'Austerlitz.

– Jardin du Luxembourg, 6e, rendez-vous devant le Pavillon des Gardes dans le jardin, M° Luxembourg.

– Stade Lavigerie, rendez-vous aux vestiaires place du Cardinal-Lavigerie, 12e, M° Porte-de-Charenton ou Porte Dorée.

– Square René-Legall, rendez-vous dans le jardin, rue Croulebarbe, 13e, M° Corvisart.

– Stade Georges-Carpentier, rendez-vous aux vestiaires des tennis, 89 bd Masséna, 13e, M° Porte-d'Ivry ou Porte-de-Choisy.

– Parc Montsouris, rendez-vous à l'intérieur du parc, Mire de l'Observatoire, bd Jourdan, 14e, RER B, Cité-Universitaire.

– Centre Sportif Suzanne-Lenglen, Plaine de Vaugirard, rendez-vous aux vestiaires des tennis, 2 rue Louis-Armand, 15e, M° Place-Balard.

– Stade Émile-Anthoine, rendez-vous dans le hall d'accueil, 9 rue Jean-Rey, 15e, M° Bir-Hakeim.

– Parc Georges-Brassens, rendez-vous à l'entrée du parc, 40 rue des Morillons, 15e, M° Porte-de-Vanves.

– Stade Georges-Hébert, rendez-vous à l'entrée du stade, 10 bd Murat, 16e, M° Porte-d'Auteuil.

– Parc des Buttes-Chaumont, rendez-vous au Kiosque à musique, place Armand-Carrel, 19e, entrée devant la Mairie du 19e, M° Buttes-Chaumont ou Laumière.

Patinage

En décembre et janvier trois patinoires à l'air libre dans Paris. Glace rustique, ambiance familiale qui réchauffe les cœurs. Les spectateurs, massés derrière les palissades de bois, encouragent vivement les débutants, réconfortent ceux qui chutent, applaudissent les artistes. (Totalement gratuit pour ceux qui possèdent des patins, location modique pour les autres, 5 € pour les adultes, 2 € pour les petits.) En 2002-2003, la mairie a ouvert trois patinoires aux adresses ci-dessous. A vous de découvrir les éventuelles nouveautés de la saison... Tél. 08 2000 75 75. www.paris.fr.

– Place de l'Hôtel-de-Ville (devant la Mairie), (4ᵉ), Mᵒ Hôtel-de-Ville.

– Place de Stalingrad (19ᵉ), Mᵒ Stalingrad.

– Montparnasse, Place Raoul-Dautry (15ᵉ), Mᵒ Montparnasse.

Roller, rink hockey, skate board

L'entraînement peut se faire sur les voies sur berge, le dimanche de 10 h à 16 h, ainsi qu'aux adresses détaillées ci-dessous (sous réserve d'un changement des habitudes des aficionados du roller). Randonnées gratuites : la fameuse « Friday Fever's night », réservée aux sportifs (voir p. 479) et la rando du dimanche après-midi destinée aux débutants et aux familles.

– 1ᵉʳ arrondissement : un tracé de rink hockey dans le gymnase Suzanne-Berlioux et devant le Palais-Royal.

– 7ᵉ arrondissement : une piste d'évolution libre sur la dalle ouest des Invalides.

– 13ᵉ arrondissement : deux aires et deux rampes de street roller acrobatique dans le stade Boutroux et au parc Vincent-Auriol.

– 14ᵉ arrondissement : évolution libre dans le stade Jules-Noël et au parc Serment-de-Koufra.

– 20ᵉ arrondissement : une aire de rink hockey et une piste de roller dans le TEP Davout, ainsi qu'une aire d'initiation dans le square Séverine.

Tennis de table

La mairie de Paris met à la disposition de tous des tables dans des squares et jardins. Voici quelques adresses. A l'amateur d'apporter raquettes, balles et adversaire.

– Jardin Tino-Rossi (5ᵉ). Mᵒ Gare-d'Austerlitz.

– Jardin Marco-Polo (6ᵉ). Mᵒ Port-Royal.

– Square de la Trinité (9ᵉ). Mᵒ Trinité.

– Square Eugène-Varlin (10ᵉ). Mᵒ Château-Landon.

– Square de la Roquette (11ᵉ). Mᵒ Philippe-Auguste.

– Parc Floral de Paris (12ᵉ). Mᵒ Château-de-Vincennes.

– Square Trousseau (12ᵉ). Mᵒ Ledru-Rollin.

– Jardin des Deux-Moulins (13ᵉ). Mᵒ Corvisart.

– Square du Chanoine-Violet (14ᵉ). Mᵒ Félix-Faure.

– Parc Georges-Brassens (15ᵉ). Mᵒ Porte-de-Vanves.

– Parc du Ranelagh (16ᵉ). Mᵒ Ranelagh.

– Jardin des Batignolles (17ᵉ). Mᵒ Brochant.

– Promenade Bernard-Lafay, Jardin Champerret (17ᵉ). Mᵒ Porte-de-Champerret.

– Square Raymond-Queneau (18ᵉ). Mᵒ Porte-de-la-Chapelle.

– Parc de la Butte du Chapeau-Rouge (19ᵉ). Mᵒ Pré-Saint-Gervais.

– Square Séverine (20ᵉ). Mᵒ Porte-de-Bagnolet.

– Place des Abbesses (18ᵉ). Mᵒ Abbesses.

HI-FI, VIDÉO, PHOTO, TÉLÉVISION

DVD, photo numérique, home vidéo, câble, satellite et tutti quanti : à l'heure où vous lirez ces lignes, certaines de ces innovations récentes seront peut-être déjà dépassées.
Qu'importe le progrès, pourvu qu'on ait l'image et le son.
« Moët Hennessy » comme disent les Britanniques.

¿ QUE CHERCHEZ-VOUS ?

ACCESSOIRES ET TRAVAUX PHOTO
336 Tati (3ᵉ)
336 Photo Beaubourg (4ᵉ)
336 Objectif Boétie (8ᵉ)
337 Self Color (10ᵉ)
339 Muller (14ᵉ)
341 Photo Club Entreprise (92)
341 Photo Station (92)

HI-FI
335 Groupement Excellence
335 Servilux (1ᵉʳ)
335 TMS (2ᵉ)
336 Ça S'Discute (4ᵉ)
382 Avec (5ᵉ)
336 Blue Sound (5ᵉ)
335 Vidéo Flash (7ᵉ)
335 Musique et Technique (8ᵉ)
337 Volumes (8ᵉ)
337 Discovery (10ᵉ)
335 Europ Photo (10ᵉ)
335 Illel (10ᵉ, 15ᵉ)
337 Cobra (11ᵉ)
337 DMS (11ᵉ)
338 Magma (11ᵉ)
335 Photo Ciné Arma (11ᵉ)

338 Audio Synthèse (12ᵉ)
339 Alain Choukroun (15ᵉ)
339 AVC (15ᵉ)
339 CTA - Centre Technique Audio (15ᵉ)
340 New Tone (15ᵉ)
340 Présence Rive Gauche (15ᵉ)
335 Radio Trocadéro (16ᵉ)
335 Télé Pop Music (19ᵉ)
341 Promofix (78)
264 Thomson VP (91)
341 ASTV (92)
267 Diff' 92 (92)
265 Techniconfort Export (92)

OCCASIONS ET SECOND CHOIX
336 Ça S'Discute (4ᵉ)
336 Photo Beaubourg (4ᵉ)
336 Objectif Boétie (8ᵉ)
338 Espace Service Multimédias (11ᵉ)
340 Nation Photo Vidéo (11ᵉ)

339 Photo Denfert (14ᵉ)
340 Mac Mahon Photo Vidéo (17ᵉ)
340 Discount Photo Services (18ᵉ)
341 ASTV (92)
341 Philips Produits Démarqués (92)

PHOTO
335 Cirque Photo Vidéo (3ᵉ)
336 Ça S'Discute (4ᵉ)
336 Photo Beaubourg (4ᵉ)
336 Objectif Boétie (8ᵉ)
338 Le Grand Format (11ᵉ)
338 Magma (11ᵉ)
338 La Maison du Leica (11ᵉ)
338 Moyen Format (11ᵉ)
340 Nation Photo Vidéo (11ᵉ)
338 Le Numérique (11ᵉ)
339 Muller (14ᵉ)
339 Photo Denfert (14ᵉ)
340 Mac Mahon Photo Vidéo (17ᵉ)

¿ QUE CHERCHEZ-VOUS ?

340 Shop Photo
Vidéo Canon
(17ᵉ)
340 Discount Photo
Services (18ᵉ)
264 Thomson VP (91)

VIDÉO, TÉLÉ
335 TMS (2ᵉ)

335 Cirque Photo
Vidéo (3ᵉ)
336 Ça S'Discute (4ᵉ)
382 Avec (5ᵉ)
337 Discovery (10ᵉ)
337 Cobra (11ᵉ)
337 DMS (11ᵉ)
338 Magma (11ᵉ)
340 Nation Photo
Vidéo (11ᵉ)

339 AVC (15ᵉ)
340 Présence Rive
Gauche (15ᵉ)
340 Mac Mahon
Photo Vidéo (17ᵉ)
341 Promofix (78)
341 ASTV (92)
267 Diff' 92 (92)
265 Techniconfort
Export (92)

**Pour obtenir la carte Paris Pas Cher 2004,
reportez-vous à la fin de l'ouvrage,
remplissez le questionnaire
et renvoyez-le à l'adresse suivante :**

**Paris Pas Cher
19 av. Georges-Brassens
94550 Chevilly-Larue**

GROUPEMENT EXCELLENCE

Excellent réseau

Tél. 01 40 34 43 26
Fax : 01 40 34 95 44
www.illel.fr
Lundi : 15 h 30-19 h ; mardi-samedi : 11 h-19 h

Les appareils distribués par Excellence sont sélectionnés par ceux qui les vendent. C'est sans doute pour cela qu'ils présentent (les appareils) un excellent rapport qualité-prix. Camescopes numériques grandes marques : à partir de 630 €. Minichaîne audio à partir de 150 €. Lecteur deux CD : 65 €. Lecteur DVD : 150 €. Appareil photo numérique : à partir de 200 €. **Avec le guide ou la carte, remise supplémentaire, hors promotion ou soldes.**

AUTRES ADRESSES
- **Vidéo Flash** • 45 rue du Bac, 7e • Mº Bac • Tél. 01 42 22 12 60 • Fax : 01 45 44 48 62
- **Musique et Technique** • 81 rue du Rocher, 8e • Mº Villiers • Tél. 01 43 87 49 30 • Fax : 01 45 22 75 20
- **Europ Photo** • 18 rue du Faubourg-Poissonnière, 10e • Mº Bonne-Nouvelle • Tél. 01 47 70 67 62
- **Illel** • 86 bd de Magenta, 10e • Mº Gare-du-Nord • Tél. 01 40 34 68 69 • Fax : 01 40 34 95 44
- **Photo Ciné Arma** • 18 rue du Faubourg-du-Temple, 11e • Mº République • Tél. 01 48 05 34 93 • Fax : 01 48 05 17 30
- **Illel** • 3 rue Vasco-de-Gama, 15e • Mº Lourmel • Tél. 01 45 54 09 22 • Fax : 01 45 54 40 85
- **Radio Trocadéro** • 1 av. Paul-Doumer, 16e • Mº Trocadéro • Tél. 01 47 27 34 13 • Fax : 01 47 27 54 14
- **Télé Pop Music** • 10 av. Jean-Jaurès, 19e • Mº Jaurès • Tél. 01 42 49 88 76 • Fax : 01 42 49 80 80

1er ARRONDISSEMENT

SERVILUX

Grands noms, petite boutique

29 rue des Pyramides (1er)
Mº Pyramides
Tél. 01 42 61 35 38
Fax : 01 49 27 97 90
Mardi-samedi : 10 h 30-14 h, 15 h-19 h

On croise de grands noms dans cette petite boutique, de Denon à Teac en passant par Sony ou Panasonic, à prix souvent allégés. Des réductions de 10 à 30 % (sur les prix publics conseillés) sur les marques Toshiba, Teac et Denon ; de 20 à 30 % sur les enceintes JM Lab, Cabasse ou Triangle, et de 10 à 20 % sur les produits Sony, Philips, Panasonic et Yamaha. Également écran plasma et LCD (Philips, Sony, Pioneer, Toshiba, Panasonic).

2e ARRONDISSEMENT

TMS

Prix et qualité garantis

89 bd de Sébastopol (2e)
Mº Réaumur-Sébastopol
Tél. 01 42 36 87 61
Fax : 01 42 36 51 40
Lundi-samedi : 9 h-19 h 30

Une garantie de 2 ans pièces et main-d'œuvre, la signature des grandes marques japonaises et européennes – Thomson, Panasonic, Yamaha, Denon, etc. – et des prix réduits signalent cette excellente adresse à votre attention. Magnétoscope quatre têtes : à partir de 149 €. DVD Philips multizones : 199 €. TV couleur 70 cm stéréo : à partir de 394,84 €. Chaîne hi-fi Aiwa : 135,68 €. **Remise de 10 à 25 % avec le guide ou la carte.**

3e ARRONDISSEMENT

CIRQUE PHOTO VIDÉO

Tous en piste

9 bis bd des Filles-du-Calvaire (3e)

On trouve quelques bonnes affaires sur des appareils neufs et d'occasion. Par exemple, côté argen-

M° Filles-du-Calvaire
Tél. 01 40 29 91 91
www.cirquephotovideo.
com
*Mardi-samedi : 10 h-13 h,
14 h-18 h 45*

tique, le Dinax 5 (+ deux zooms) à 550 €, avec fourre-tout, et le Compax G1 avec objectif 2-35 à 910 €. Ceux qui préfèrent le numérique pourront opter, entre autres, pour le Minolta Dimage F100 à 559 €.

TATI
Tati et patata

À 172 rue du Temple (3°)
M° République
Tél. 01 42 71 41 77
www.tati.fr
*Lundi-vendredi : 10 h-19 h ;
samedi : 9 h 15-19 h*

Des travaux standard mais de qualité satisfaisante. Dans le domaine des travaux photos comme dans d'autres, Tati veut dire petits prix sous 48 heures. Développement : 3,20 €. Tirages 10 × 15 : 0,23 € ; 13 × 19 : 0,64 €. Également des posters de différentes dimensions. En principe, tous les magasins Tati assurent cette prestation. Adresses sur le site Internet.

4ᵉ ARRONDISSEMENT

ÇA S'DISCUTE
Sans discussion

13 rue des Rosiers (4°)
M° Saint-Paul
Tél. 01 42 74 41 21
Fax : 01 42 74 41 05
*Lundi, mardi, jeudi,
vendredi : 11 h-19 h ;
dimanche : 14 h-19 h*

Toute la gamme du coréen Samsung. Et pour cause : nous sommes dans le centre technique de la marque. Baladeur MP3 : 95 €. Home cinéma 5 HP + caisson : 490 €. Camescope numérique : 850 €. Magnétoscope : 100 €. Rayon électroménager intéressant. **Avec le guide ou la carte, remise de 5 %.**

PHOTO BEAUBOURG
Nikon et Leica neufs et d'occasion

À 67 rue Rambuteau (4°)
M° Les Halles
ou Rambuteau
Tél. 01 42 77 93 00
Fax : 01 42 78 78 16
www.photo-beaubourg.com
Mardi-samedi : 10 h-19 h

Toujours de belles pièces dans les deux marques reines, et toujours un choix sur Internet. Les occasions sont garanties 1 an. L'atelier maison travaille exceptionnellement vite (trois jours à une semaine). OCCASION. Nikon F4 : 838 €. Leica M6 : 1 500 €. – NEUF. Leica Digilux I : 1 100 €. **Avec le guide ou la carte, remise de 15 % sur les films et 10 % sur les Nikon Coolpix.**

5ᵉ ARRONDISSEMENT

BLUE SOUND
Accessoirement

106 rue Monge (5°)
M° Censier-Daubenton
Tél. 01 45 35 10 11
Fax : 01 45 35 00 55
*Mardi-samedi : 10 h-13 h,
14 h 30-19 h*

Tous les accessoires que vous avez toujours voulu posséder sans savoir où les acheter. Table de mixage : à partir de 69 €. Câble enceinte (sans oxygène) « Audiophile » : à partir de 1 € le mètre. Location de sono : à partir de 69 €.

8ᵉ ARRONDISSEMENT

OBJECTIF BOÉTIE
L'image dans tous ses états

6 rue La Boétie (8°)
M° Saint-Augustin
ou Miromesnil
Tél. 01 42 65 50 28
Fax : 01 42 65 26 24
objectifboetie@wanadoo.fr

Tirages grand ou petit format, cartonnés, margés ou non, noir et couleur. Du matériel neuf ou d'occasion dans toutes les grandes marques, des devis gratuits pour les réparations... Un service de location de matériel de cinéma. Et un rayon numérique – appareils et consommables. De tout pour faire un monde

Lundi-vendredi : 9 h 30-18 h 30

et des heureux... Compacts Autofocus 24 × 36 : à partir de 61 €, avec film et piles. Tirage 13 × 18 « manuel » noir et blanc : 4 €. **Avec le guide ou la carte, remise de 10 %.**

VOLUMES
Poésie du son

📍 26 rue de Constantinople (8ᵉ)
Mᵒ Villiers
Tél. 01 45 22 31 00
*Mardi-vendredi : 10 h 30-13 h, 14 h 30-19 h ;
samedi : 10 h 30-12 h, 15 h-19 h*

Poète de la modulation, Jean-Jacques Lasserenne définit sa démarche comme « le choix du bon concept ». Féru de marques rares ou à faible diffusion (électronique Hartley, Brinkmann, Bow Technologies, Quad, Jeff Rowland ou Spendor), il vous aidera à définir vos besoins réels avant de vous proposer l'appareil qui y répond.

10ᵉ ARRONDISSEMENT

DISCOVERY
Nouveautés à prix anciens

4 rue Martel (10ᵉ)
Mᵒ Château-d'Eau
Tél. 01 48 24 02 55
Fax : 01 47 70 00 33
*Mardi-vendredi : 11 h 30-13 h 30, 14 h 30-19 h ;
samedi : 11 h-18 h 30*

Des prix d'un autre âge pour TV, vidéo, magnétoscopes, home cinéma dans les modèles les plus récents des plus grandes marques (Toshiba, LG, Denon, Panasonic, Sony...). Enceintes Davis Axel III : 390 € la paire. Ampli audio-vidéo Denon AVR 1603 : 398 €. Écran plasma LG MZ42TZ43 : 3 790 €.

SELF COLOR
Labo-photo en location

29 rue des Vinaigriers (10ᵉ)
Mᵒ Jacques-Bonsergent
Tél. 01 42 09 42 41
www.selfcolor.com
Lundi-samedi : 10 h-22 h

C'est un endroit unique. Vous pouvez louer ce laboratoire photo pour vos tirages traditionnels avec une qualité professionnelle. Attention ! Ici pas de prestation de tirages. Forfait location labo-photo : 146 € les 12 heures.

11ᵉ ARRONDISSEMENT

COBRA
Tester avant d'acheter

66 av. Parmentier (11ᵉ)
Mᵒ Parmentier
Tél. 08 25 30 10 80
www.cobrason.com
*Mardi-vendredi : 10 h-12 h 45, 14 h-19 h ;
samedi : 10 h-19 h*

Initialement deux boutiques, à présent concentrées en un seul et bel espace de 100 m². Les prix y sont toujours attrayants, de 10 à 15 % et parfois même jusqu'à 50 % de moins que les prix conseillés. Lecteur DVD Pioneer 656 : 470 €. Écran plasma Hitashi CL 42 PD 3000 : 7 490 €. Appareil photo Canon digital IXUS 400 : 532 €. Service après-vente. **Remise de 15 % avec le guide ou la carte (hors promotions).**

DMS
15 % moins cher qu'ailleurs

76 av. Parmentier (11ᵉ)
Mᵒ Parmentier
Tél. 01 43 57 90 77
Lundi-vendredi : 10 h-13 h, 14 h 30-19 h ; samedi : 10 h-13 h, 14 h 30-18 h

Hi-fi, vidéo, home cinéma, ici on trouve tout à 15 % en dessous des prix publics. Écran LCD Sharp 33 cm : 594 €. Télévision Panasonic, écran ultraplat : 1 399 €. Chaîne hi-fi Yamaha : 650 €. Également électroménager. Travaille presque exclusivement avec les comités d'entreprises. **Remise de 10 à 20 % (selon les produits) avec le guide ou la carte et livraison gratuite.**

ESPACE SERVICE MULTIMÉDIAS   *Déstockage*

102 bd Beaumarchais (11e)
Tél. 01 40 01 96 96
Fax : 01 40 01 96 97

Déstockage permanent de matériel hi-fi et vidéo de grandes marques. Tous les produits sont neufs, mais dévalués de 15 à 30 % en fonction de l'année du modèle. Garantie 1 an pièces et main-d'œuvre. Une bonne adresse.

MAGMA   *Prix et service à suivre*

55 rue Saint-Sébastien
(11e)
M° Saint-Sébastien-
Froissard
Tél. 01 48 06 20 85
www.magma.fr

Un service de qualité, des promotions alléchantes, que demander de plus ? Magma est une adresse à suivre, que l'on prenne soin de ses yeux ou de ses oreilles... Combiné ampli-tuner-DVD 5 × 35 W (Denon ADV 7000) : 1 030 €. Canon A30 Powershot : 329 €. – Mardi-vendredi : 10 h-12 h 30, 14 h-19 h ; samedi : 10 h-19 h. **Remise variable selon les produits avec le guide ou la carte.**

AUTRES ADRESSES
- 53 bd Voltaire, 11e • M° Saint-Ambroise • Tél. 01 48 06 20 85
- 74 bd Voltaire, 11e • M° Saint-Ambroise • Tél. 01 55 28 80 70 ou 73 • Magasin photo et vidéo.

MOYEN FORMAT   *Le choix des moyens*

50 bd Beaumarchais (11e)
M° Chemin-Vert
Tél. 01 48 07 13 18
Fax : 01 48 05 23 18
www.lemoyenformat.com
*Mardi-samedi : 9 h 30-13 h,
14 h-19 h*

Les amateurs de moyen format trouveront ici leur bonheur et des compétences pour s'y retrouver. Sur Internet, plusieurs milliers d'occasions disponibles et très régulièrement mises à jour. La boutique offre un choix étendu d'occasions révisées et garanties 6 mois. Pour un Rolleiflex, compter 457 € (ou plus). Un Mamiya avec objectif standard : 533 €. Ensemble Hasselblad à partir de 1 448 €.

AUTRES ADRESSES
- **Le Grand Format** • 54 bd Beaumarchais, 11e • M° Chemin-Vert • Tél. 01 40 21 30 40 • www.legrandformat.com • Où l'on distribue Arca, Gandolfi, Silvestri, Horseman, Cambo, etc.
- **La Maison du Leica** • 52 bd Beaumarchais, 11e • M° Chemin-Vert • Tél. 01 43 55 24 36 • www.lamaisonduleica.com
- **Le Numérique** • 56 bd Beaumarchais, 11e • M° Chemin-Vert • Tél. 01 40 21 70 00 • www.le numerique.com

12e ARRONDISSEMENT

AUDIO SYNTHÈSE   *La crème du son franco-anglais*

8 rue de Prague (12e)
M° Ledru-Rollin ou Gare-
de-Lyon
Tél. 01 43 07 07 01
Fax : 01 43 07 05 01
www.audio-synthese.fr
*Mardi-vendredi : 13 h-20 h ;
samedi : 11 h-19 h ; lundi :
13 h-20 h (en décembre)*

Du matériel anglais et français de moyenne et haute gamme, soigneusement sélectionné et garanti 2 ans. L'assemblage, la livraison et l'installation sont gratuits. Facilités de paiement (dix fois sans frais). Lecteur CD Myryad Z 110 + ampli Myryad Z 140 + enceintes Linn Ninka : 3 134 €. Linn Classik Movie (DVD-CD-Tuner-Ampli AV) + pack enceinte Linn Classik Unik : 5 750 €. **Remise de 5 % avec le guide ou la carte.**

14ᵉ ARRONDISSEMENT

MULLER
Expertise gratuite

17 rue des Plantes (14ᵉ)
Mᵒ Alésia
Tél. 01 45 40 93 65
Fax : 01 45 40 40 69
www.photomuller.com
*Mardi-samedi : 10 h-13 h,
15 h-19 h*

On trouve ici des choses que l'on ne trouve pas ailleurs – c'est déjà beaucoup – et monsieur Muller expertise gratuitement tous les matériels, ce qui est presque mieux. Une boutique à visiter plusieurs fois dans l'année pour ses promotions sur des fins de séries, ainsi que pour son nouveau rayon prises de vues en stéréo. On y trouve toujours de bons boîtiers mécaniques anciens, le service lampes pour vieux projecteurs, 20 % de remise sur le stock de papier Ilford et des produits à 30 et 40 % en dessous de leur prix habituel. Lot de pellicules trente-six poses : 30 € les dix. En promotion, jumelles (Berkut) : 75,50 €. **Cadeau personnalisé avec le guide ou la carte (filtre, pellicule).**

PHOTO DENFERT
Clichés sous-marins

6 rue Schoelcher (14ᵉ)
Mᵒ Raspail
Tél. 01 43 35 14 92
Fax : 01 43 27 77 73
www.photo-denfert.com
*Mardi-samedi : 9 h-13 h,
14 h 30-18 h 30*

Envie de faire un gros plan de Jojo le mérou ou d'une accorte sirène ? Vous êtes à la bonne adresse, puisqu'on loue ici du matériel sous-marin pour la photo et la vidéo. On peut également faire réparer, et le devis est gratuit. Nikon Coolpix 4005 : 847 €. Occasions Nikon F90 X : 594 €. F 801 : 396 €. Flash SB 25 : 259 €. **Avec le guide ou la carte, remise de 10 %.**

15ᵉ ARRONDISSEMENT

ALAIN CHOUKROUN
Le son en situation

113 rue Cambronne (15ᵉ)
Mᵒ Cambronne
Tél. 01 40 56 30 20
Fax : 01 47 34 29 28
*Mardi-samedi : 11 h-13 h,
14 h 30-19 h*

Le matériel moyen et haut de gamme est ici mis en situation dans deux auditoriums. L'installation sera réalisée par un technicien. Ampli Euphia alliance 250 : 1 700 € ; lecteur Rega Planet : 999 € ; enceintes Rega ELA 2 : 1 550 € la paire.

AVC
Conseils, son et images

45 rue de la Croix-Nivert (15ᵉ)
Mᵒ Cambronne
Tél. 01 45 66 65 85
Fax : 01 45 66 64 11
www.avchomecinema.com
*Mardi-samedi : 10 h-13 h,
14 h-19 h*

De tout, des classiques TV (et abonnements au câble et satellites) jusqu'aux écrans à plasma, dans les grandes marques, Sony, Philips, Thomson, Panasonic et des installations complètes Home Cinéma. TV Sony 37 cm écran plat : 269 €. Lecteur DVD Sony ou Philips : a partir de 149 €. Appareil photo numérique Sony : à partir de 249 €. **Remise de 10 à 20 % avec le guide ou la carte.**

CTA - CENTRE TECHNIQUE AUDIO
Crème du son

138 rue Lecourbe (15ᵉ)
Mᵒ Vaugirard
Tél. 01 45 30 05 73
*Lundi : sur rendez-vous ;
mardi-vendredi : 10 h 30-
18 h 30 ; samedi : 10 h 30-
19 h*

Si vous avez les oreilles délicates ou simplement de grandes exigences musicales, vous trouverez ici la crème du son... parfois au prix de la crème : Marantz, Cairn, Atoll, Cambridge. Les connaisseurs se feront composer des chaînes de 460 à 13 720 €. Ensemble Onkyo (ampli-tuner CR 185 + enceintes KEF coda 7 + enceintes) : 547,29 €. **Remise (variable) avec le guide ou la carte.**

NEW TONE
 8 rue de l'Abbé-Groult
(15ᵉ)
Mᵒ Commerce
Tél. 01 45 30 06 44
Fax : 01 45 30 22 43
*Mardi-samedi : 11 h-13 h,
14 h-19 h*

Bonnes marques bons conseils
Les grandes marques classiques dans le son « moyen de gamme » : Marantz, Yamaha, Triangle, Cabasse, etc. On est donc dans un domaine sans surprise, mais la compétence des vendeurs permet de découvrir de nouveaux charmes à la qualité la plus éprouvée. Quant aux prix, ils sont raisonnables, mais dépendent des éléments assemblés.

PRÉSENCE RIVE GAUCHE
7 av. du Maine (15ᵉ)
Mᵒ Montparnasse
Tél. 01 45 48 49 89
www.presence-rive-gauche.
com
*Mardi-samedi : 10 h 30-
19 h*

Hi-fi et home cinéma
Quatre auditoriums permettent de tester le matériel moyen et haut de gamme tant pour la hi-fi que pour le home cinéma. Au programme : Martin Logan, Thiel, Krell, Cyrus, Primare, Manley, Boston, Copland, Panasonic, Barco. Ce n'est pas donné, mais c'est du beau matos.

17ᵉ ARRONDISSEMENT

MAC MAHON PHOTO VIDÉO
31 av. Mac-Mahon (17ᵉ)
Mᵒ Charles-de-Gaulle-Étoile
Tél. 01 43 80 17 01
Fax : 01 45 74 40 20
macmahonphoto@aol.com
Lundi-samedi : 10 h-19 h

Stocks grandes marques
Une belle boutique où abondent les grandes marques. Un espace Leica vient d'être inauguré, avec d'excellentes affaires à saisir sur des modèles d'exposition et de salons. Les marques Contax, Canon et Minox sont toujours disponibles, à des prix intéressants (de 15 à 25 % moins cher que chez les grands distributeurs). **Remise de 10 % (sauf prix déjà remisé) avec le guide ou la carte.**

AUTRE ADRESSE
■ **Nation Photo Vidéo** • 241 bd Voltaire, 11ᵉ • Mᵒ Nation • Tél. 01 43 71 60 72 • Mardi-samedi : 10 h-19 h

SHOP PHOTO VIDÉO CANON
53 et 55 rue de Prony (17ᵉ)
Mᵒ Wagram ou Monceau
Tél. 01 47 63 68 56
Fax : 01 40 54 97 37
www.shop-photo-canon.
com
*Mardi-vendredi : 10 h-19 h ;
samedi : 10 h 15-18 h*

La Maison du Canon
Toute la gamme du fabricant japonais est présente, du 14 mm au 4/600 mm, ainsi que tous les accessoires photo, vidéo et numérique. On y propose également de nombreuses occasions révisées et garanties 6 mois. **Avec le guide ou la carte : remise de 10 % sur le matériel (hors promotions) et de 20 % sur les travaux photo.**

18ᵉ ARRONDISSEMENT

DISCOUNT PHOTO SERVICES
14 av. de Saint-Ouen (18ᵉ)
Mᵒ La Fourche
Tél. 01 44 69 00 70
*Lundi-vendredi : 8 h 30-
13 h 30, 15 h-20 h ;
samedi : 10 h-20 h*

Films et développement
L'adresse idoine pour les travaux photo : tirage plus développement de vingt-quatre vues, 10 × 15 : 8,50 €. On peut également y acheter des films pas chers. Kodak Gold 200 asa, vingt-quatre poses : 10,50 € les trois. Film Polaroïd 600 et Image : 14 €.

78 YVELINES

PROMOFIX
Glanons à l'ouest

30 rue de Pologne
78100 SAINT-GERMAIN-
EN-LAYE
RER A, Saint-Germain-
en-Laye
Tél. 01 39 21 06 31
Fax : 01 39 21 16 55
*Mardi-samedi : 10 h-13 h,
14 h-19 h*

Peu de modèles en exposition, l'établissement travaillant essentiellement sur commande. Les amateurs de TV, hi-fi, vidéo haut de gamme s'y rendent avec les références des modèles afin d'obtenir ces derniers à des prix variant de 10 à 25 % en dessous des grandes surfaces. Toutes les marques sont représentées, de Sony à Pioneer en passant par Cabasse.

92 HAUTS-DE-SEINE

PHOTO CLUB ENTREPRISE
Défense de l'image

25 passage de la Coupole
92400 COURBEVOIE
RER A, La Défense
Tél. 01 49 00 02 50
Fax : 01 49 00 18 82
Lundi-vendredi : 8 h-19 h

Les tours de la Défense abritent ce petit refuge des amateurs d'images dans lequel les photos APS, 135 et numériques sont traitées en 1 heure. Tirage numérique : 0,18 €. CD-Rom avec développement d'un film 135 ou APS : 4,50 €. Copie de photo 20 × 30 : 5,30 €. **Remise de 10 % sur les appareils photo avec le guide ou la carte.**

ASTV
Télés d'occasion

52 bd Gabriel-Peri
92240 MALAKOFF
M° Malakoff-Plateau-
de-Vanves
Tél. 01 47 35 14 93
Fax : 01 47 35 53 50

Monsieur Dupuy répare les téléviseurs et magnétoscopes et vend uniquement des « télés d'occasion ». TV 36 cm : 68 € ; 42 cm : 99 € ; 51 cm : à partir de 122 € ; 66 cm : à partir de 198 €. Tout est garanti 6 mois, 1 an ou plus. – Lundi : 14 h 30-19 h , mardi-samedi : 9 h-12 h 30, 14 h-19 h.

PHOTO STATION
Développement et tirage

Les Quatre-Temps
15 parvis de La Défense
92092 PUTEAUX
RER A, La Défense
Tél. 01 49 01 20 47

Des prix vraiment compétitifs pour tous les types de développement et de tirage photo. Développement et tirage vingt-quatre poses (9 × 13) : 4,50 € ; trente-six poses : 6,30 €. Numérique : banc : 0,20 € ; le tirage, classique : 0,35 € ; optis : 0,45 € (de un à trente-neuf tirages). Prix dégressifs pour plus de quarante tirages.

PHILIPS PRODUITS DÉMARQUÉS
Tout Philips à Suresnes

35 rue de Verdun
92156 SURESNES
M° La Défense + bus T2,
Suresnes-Longchamp
Tél. 01 47 28 57 38
*Mardi-vendredi : 12 h 30-
16 h 30*

Tous les produits de la marque Philips sont présents dans cette boutique où l'on doit les prix réduits à de petits défauts d'aspect ou à l'exposition de l'appareil. Mais rassurez-vous, le constructeur offre néanmoins une garantie d'un an sur tous les produits. Combi TV-magnétoscope : à partir de 200 €. Lecteur DVD : à partir de 180 €.

A Adresse particulièrement recommandée

👑 Adresse haut de gamme : le luxe à prix abordable

HÔTELS, LOGEMENT

Vous trouverez dans le « Que cherchez-vous » ci-après des listes d'hôtels classés par prix : il est entendu que ces prix concernent des chambres pour une personne. A deux ou à trois, on paiera plus cher. Attention : certains hôtels changent leurs prix en cours d'année (ou en fonction des saisons). Il pourra donc arriver que les prix indiqués soient – légèrement – infléchis. Sur ce, bonne nuit… Et si, malgré nos conseils, elle n'est pas bonne, n'hésitez pas à nous le faire savoir.

¿ QUE CHERCHEZ-VOUS ?

CAMPING
351 Gîtes de France (9e)

HÔTELS À MOINS DE 25 €
346 Hôtel Henri-IV (1er)
352 Hôtel Moderne du Temple (10e)
352 Hôtel Vicq d'Azir (10e)
352 BHA, Budget Hotels and Accomodations (11e)
353 CISP Maurice Ravel (12e)
354 CISP Kellermann (13e)
359 Hôtel Bonséjour (18e)
360 Le Village Hostel (18e)
361 Centre d'Hébergement Louis Lumière (20e)

HÔTELS DE 25 À 35 €
345 Hôtel de Lille (1er)
347 Hôtel Tiquetonne (2e)

348 Hôtel du Commerce (5e)
352 Marclau Hôtel (10e)
352 BHA, Budget Hotels and Accomodations (11e)
355 La Maison des Clubs de l'Unesco (13e)
357 Eldorado Hôtel (17e)
357 Hôtel Avenir Jonquière (17e)
362 Hôtel Tamaris (20e)

HÔTELS DE 35 À 50 €
345 Etap Hôtel
345 Formule 1
349 Hôtel Marignan (5e)
349 Port-Royal Hôtel (5e)
350 Résidence Pension Ladagnous (6e)
352 BHA, Budget Hotels and Accomodations (11e)
353 Hôtel de Reims (12e)

353 Lux Hôtel Picpus (12e)
354 Hôtel des Arts (13e)
354 Hôtel Verlaine (13e)
355 Hôtel des Voyageurs (14e)
356 Hôtel Amiral (15e)
359 Hôtel Sofia (18e)
360 Style Hôtel (18e)
360 Hôtel Le Laumière (19e)
361 Hôtel Rhin et Danube (19e)
361 Eden Hôtel (20e)
361 Hôtel l'Oiseau Bleu (20e)
362 Nadaud Hôtel (20e)

HÔTELS DE 50 À 65 €
345 Flor Rivoli (1er)
347 Hôtel Bonne Nouvelle (2e)
347 Hôtel de Roubaix (3e)
349 Hôtel Pierre Nicole (5e)
349 Hôtel de Nesle (6e)
350 Grand Hôtel Lévêque (7e)

¿ QUE CHERCHEZ-VOUS ?

351 Hôtel Sélect Élysée (8ᵉ)
351 Hôtel Astrid Royal (10ᵉ)
352 BHA, Budget Hotels and Accomodations (11ᵉ)
353 Garden Hôtel (11ᵉ)
353 Hôtel Lyon Mulhouse (11ᵉ)
354 Nouvel Hôtel (12ᵉ)
354 Hôtel Neptune (13ᵉ)
355 Résidence Les Gobelins (13ᵉ)
356 Hôtel du Parc Montsouris (14ᵉ)
356 Hôtel de l'Avre (15ᵉ)
356 Hôtel Pasteur (15ᵉ)
357 Hôtel Exelmans (16ᵉ)
358 Hôtel Prince Albert Wagram (17ᵉ)
358 Amarys Hôtel Simart (18ᵉ)
359 Hôtel Utrillo (18ᵉ)
360 Crimée Hôtel (19ᵉ)
361 La Perdrix Rouge (19ᵉ)

HÔTELS À PLUS DE 65 €
345 Hôtel Agora (1ᵉʳ)
346 Hôtel Le Lescot (1ᵉʳ)
346 Hôtel Londres Saint-Honoré (1ᵉʳ)
346 Hôtel Saint-Roch (1ᵉʳ)
347 Hôtel de la Place des Vosges (4ᵉ)

347 Hôtel de Nice (4ᵉ)
348 Familia Hôtel (5ᵉ)
348 Hôtel de Suez (5ᵉ)
348 Hôtel des Grandes Écoles (5ᵉ)
349 Hôtel Minerve (5ᵉ)
350 Hôtel du Globe (6ᵉ)
350 Hôtel Récamier (6ᵉ)
350 Hôtel Le Pavillon (7ᵉ)
351 Hôtel Modial Européen (9ᵉ)
352 République Hôtel (10ᵉ)
352 BHA, Budget Hotels and Accomodations (11ᵉ)
353 Hôtel Lyon Bercy (12ᵉ)
355 Hôtel des Bains (14ᵉ)
357 Hôtel Au Palais de Chaillot (16ᵉ)
357 Hôtel Boileau (16ᵉ)
358 Résidence Malesherbes Hôtel (17ᵉ)
358 Comfort Inn Sacré-Cœur (18ᵉ)
359 Ermitage Hôtel (18ᵉ)
359 Hôtel New Montmartre (18ᵉ)
362 Chinagora Hôtel (94)

HÔTELS AVEC JARDIN
348 Hôtel des Grandes Écoles (5ᵉ)

349 Port-Royal Hôtel (5ᵉ)
349 Hôtel de Nesle (6ᵉ)
354 Nouvel Hôtel (12ᵉ)
355 Hôtel des Voyageurs (14ᵉ)
356 Hôtel de l'Avre (15ᵉ)
356 Hôtel Pasteur (15ᵉ)
357 Hôtel Boileau (16ᵉ)
357 Hôtel Exelmans (16ᵉ)
357 Eldorado Hôtel (17ᵉ)
360 Hôtel Le Laumière (19ᵉ)

HÔTELS AVEC PARKING
345 Formule 1
347 Hôtel Bonne Nouvelle (2ᵉ)
347 Hôtel Tiquetonne (2ᵉ)
348 Hôtel des Grandes Écoles (5ᵉ)
351 Hôtel Astrid Royal (10ᵉ)
354 CISP Kellermann (13ᵉ)
354 Hôtel Neptune (13ᵉ)
355 Résidence Les Gobelins (13ᵉ)
355 Hôtel des Bains (14ᵉ)
355 Hôtel des Voyageurs (14ᵉ)
356 Hôtel Amiral (15ᵉ)
357 Hôtel Exelmans (16ᵉ)

¿ QUE CHERCHEZ-VOUS ?

357 Eldorado Hôtel (17e)

358 Résidence Malesherbes Hôtel (17e)

359 Ermitage Hôtel (18e)

359 Hôtel Sofia (18e)

359 Hôtel Utrillo (18e)

360 Pacific Hôtel (18e)

360 Crimée Hôtel (19e)

360 Hôtel Le Laumière (19e)

361 La Perdrix Rouge (19e)

362 Nadaud Hôtel (20e)

HÔTELS POUR LA JEUNESSE
363 MIJE Fauconnier (4e)

363 MIJE Fourcy (4e)

363 MIJE Maubuisson (4e)

363 Auberge de Jeunesse Jules-Ferry (11e)

353 CISP Maurice Ravel (12e)

354 CISP Kellermann (13e)

363 Auberge de Jeunesse d'Artagnan (20e)

361 Centre d'Hébergement Louis Lumière (20e)

363 Auberge de jeunesse Léo-Lagrange (92)

363 Auberge de Jeunesse Cité-des-Sciences (93)

LOCATIONS TEMPORAIRES
360 Pacific Hôtel (18e)

361 Hôtel Rhin et Danube (19e)

362 Résidence Aurmat (92)

362 Hôtel Maison des Cinq Silences (93)

LOGER À LA CAMPAGNE
351 Gîtes de France (9e)

LOGER CHEZ L'HABITANT
351 Gîtes de France (9e)

358 Alcôve & Agapes (18e)

VOIR AUSSI
501 « Voyages »

A Adresse particulièrement recommandée

♔ Adresse haut de gamme : le luxe à prix abordable

ETAP HÔTEL
Étape à petits prix

Tél. 0 892 688 900
Minitel : 3615 ETAP
www.etaphotel.com

Vous trouverez toujours une chambre dans l'un des vingt-six Etap Hôtel de la région parisienne (dont une dizaine aux portes mêmes de la capitale). Ici, pour 46 € (une personne) ou 49 € (deux ou trois personnes), petit déjeuner compris, vous aurez une chambre propre, confortable et climatisée, avec sanitaires et télévision. Et les animaux sont acceptés pour 2 €. Toutes les adresses sur le Net.

FORMULE 1
Une bonne formule

Tél. 08 91 70 53 50
Fax : 01 49 21 90 99
www.hotelformule1.com

Tout est propre et fonctionnel, les chambres sont insonorisées et climatisées (les hôtels donnent sur le périphérique). Pour une, deux ou trois personnes, comptez 35 €. Petit déjeuner : 3,40 €. Douches et WC dans le couloir. N'oubliez pas de réserver à l'avance, c'est complet tous les soirs. Cartes de crédit uniquement. Une mention spéciale pour le Formule 1 du 29 rue du Docteur-Babinski, 18ᵉ, Mᵒ Porte-de-Saint-Ouen, situé à un quart d'heure de Montmartre. Parking payant sous l'hôtel. Quatre autres Formule 1 à quelques dizaines de mètres des portes de la capitale (voir site Internet).

1ᵉʳ ARRONDISSEMENT

FLOR RIVOLI
Près du Louvre

13 rue des Deux-Boules
(1ᵉʳ)
Mᵒ Châtelet-Les Halles
Tél. 01 42 33 49 60
Fax : 01 40 41 05 43
www.hotel-flor-rivoli.com

Ce petit hôtel de quatre étages avec ascenseur compte vingt chambres. Il est situé en plein cœur de Paris, entre les Halles et le Louvre. Au quatrième, les chambres ont un air de campagne avec leurs poutres apparentes. Toutes les chambres ont douche et WC, télévision satellite, téléphone, double vitrage, sèche-cheveux et même coffre-fort ! Borne Internet en libre service à la réception. Taxe de séjour incluse dans les prix. Single : de 55 à 65 € ; double : 80 €. Petit déjeuner : 6 €. Taxe de séjour en sus : 0,65 € par personne et par nuit.

HÔTEL AGORA
Vue sur Saint-Eustache et Beaubourg

7 rue de la Cossonnerie
(1ᵉʳ)
Mᵒ Châtelet-Les Halles
Tél. 01 42 33 46 02
Fax : 01 42 33 80 99
www.123france.com/
hotel-agora ;
hotel.agora.fr@wanadoo.fr

Ici, le décor est planté : meubles d'époque et horloge du XIXᵉ siècle, art moderne et gravures des Halles. Au sixième étage, les chambres sont mansardées ; au cinquième, elles donnent sur Saint-Eustache et Beaubourg. Toutes ont leur double vitrage. Pour contenter les grincheux, salles de bains, moquettes et papiers peints ont été refaits et la façade ravalée. La single, avec douche, WC et télévision : de 66,65 à 92,65 € ; la double : de 92,30 à 107,30 €. Petit déjeuner : 7,5 €. Taxe de séjour incluse. Parking public à proximité. **Remise de 10 % avec le guide ou la carte.**

HÔTEL DE LILLE
Le chant des oiseaux

8 rue du Pélican (1ᵉʳ)
Mᵒ Palais-Royal
Tél. 01 42 33 33 42

Dans cet hôtel modeste et bien placé, l'absence de télé dans les chambres ravira les amateurs de chants d'oiseaux. Dans les chambres, meublées Belle Époque et rénovées sans faire bouger les tarifs, le téléphone permet simplement de recevoir des appels. La chambre pour une personne est à 33,54 € ; pour deux, à 42,69 €. La double, de 39,64 € (sans douche) à 48,79 € (avec douche et WC). Petit déjeuner : 5,34 €.

HÔTEL HENRI-IV   *Classé, et pas plus cher pour ça !*

25 place Dauphine (1ᵉʳ)
Mᵒ Pont-Neuf ou Cité
Tél. 01 43 54 44 53

Savez-vous que cet hôtel a été construit à la même époque que le Pont-Neuf, il y a 450 ans ? Ses vingt et une chambres ont été rénovées – l'une a même sa baignoire ! –, certaines donnent sur la place Dauphine. Les prix sont agréablement renversants. Jugez-en ! La single avec lavabo : de 23 à 27 € ; la double : de 31 à 36 € ; la double avec douche : 43 €. Les doubles ou triples, avec douche et WC : de 43 à 55 € ; la double avec bain et WC : 70 €.

HÔTEL LE LESCOT   *Le calme au cœur des Halles*

26 rue Pierre-Lescot (1ᵉʳ)
Mᵒ Étienne-Marcel
Tél. 01 42 33 68 76
Fax : 01 42 33 97 10

Installé dans le quartier piétonnier, cet hôtel est doublement vitré, ce qui protège votre sommeil. Douche ou bain, WC, sèche-cheveux, téléphone, télévision satellite et Canal + dans toutes les chambres. La single : 65 € ; la double : 72 € ; la triple : 91 €. Petit déjeuner : 5,50 €. Un ascenseur dessert les neuf chambres et votre voiture dort dans un parking public tout proche. **Petit déjeuner offert pour la première nuit de séjour avec le guide ou la carte.**

HÔTEL LONDRES SAINT-HONORÉ   *Les Tuileries à l'heure du Net*

13 rue Saint-Roch (1ᵉʳ)
Mᵒ Tuileries ou Pyramides
Tél. 01 42 60 15 62
Fax : 01 42 60 16 00
hotel.londres.st.honore@
gofornet.com

Décoration soignée, fauteuils club et haute technologie à votre service (modem Internet dans les chambres, air conditionné dans certaines) : les deux étoiles ne sont pas usurpées. Plusieurs chambres, rassemblées, forment une suite (200 € pour quatre à cinq personnes). Chambre simple avec douche ou bain, WC, télévision, séchoir à cheveux : de 64 à 80 €. La double : de 84 à 100 €. Petit déjeuner : 6,5 €. Animaux acceptés (12 € par jour). Taxe de séjour : 0,65 € par personne et par jour. Petite augmentation prévue début 2004. **Petit déjeuner offert pour trois nuits consécutives avec le guide ou la carte.**

HÔTEL SAINT-ROCH   *Net et soigné*

25 rue Saint-Roch (1ᵉʳ)
Mᵒ Pyramides
Tél. 01 42 60 17 91
Fax : 01 42 61 34 06

Un deux étoiles qui ne les usurpe pas : tout y est net, soigné (y compris les chambres dont chacune est équipée d'un modem Internet). Les prix vont de 64 € (chambre simple avec douche ou bain, WC, télévision, séchoir) à 200 € (suite pour quatre à cinq personnes). Petite augmentation prévue début 2004. **Petit déjeuner offert pour trois nuits, avec le guide ou la carte.**

2e ARRONDISSEMENT

HÔTEL BONNE NOUVELLE

17 rue Beauregard (2e)
Mº Bonne-Nouvelle
Tél. 01 45 08 42 42
Fax : 01 40 26 05 81
www.hotel-bonne-nouvelle.
com

A la bonne nouvelle

Dans ce deux étoiles confortable situé tout près des grands boulevards, les chambres, totalement rénovées en 2002, sont fonctionnelles (mini-frigo, téléphone avec prise modem et télévision câblée). Pour une personne, compter de 55 à 65 €. Pour deux : de 63 à 72 €. La triple : de 87 à 105 €. Lit supplémentaire : 15 €. Pour votre voiture, vous choisissez entre le parking privé (10 €/24 h) ou public (tarif préférentiel). Petit déjeuner au lit : 6 € ; en salle : 5 €. **Remise de 10 % (et stylo offert) avec le guide ou la carte.**

HÔTEL TIQUETONNE

6 rue Tiquetonne (2e)
Mº Étienne-Marcel
ou Les Halles
Tél. 01 42 36 94 58
Fax : 01 42 36 02 94
*Fermeture en août et à Noël
(une semaine)*

Rue piétonnière

Cet hôtel de sept étages avec ascenseur compte quarante-cinq chambres où vous trouverez calme et repos, qu'elles donnent sur la cour ou sur la rue piétonnière. La chambre simple avec lavabo : 28 € (douche sur le palier : 5 €) ; avec douche et WC : 38 € ; la double, avec douche et WC également : 46 €. Petit déjeuner : 5 €. Parking public : 19,82 €/24 h.

3e ARRONDISSEMENT

HÔTEL DE ROUBAIX

6 rue Greneta (3e)
Mº Réaumur-Sébastopol
ou Arts-et-Métiers
Tél. 01 42 72 89 91
Fax : 01 42 72 58 79

Central et convenable

Non loin du Marais, du centre Pompidou et de la République, vous serez conquis par la position centrale de cet hôtel, propre et confortable, au décor désuet. Chambres équipées de télévision, de double vitrage et de salles de bains toutes neuves. Le petit déjeuner et la taxe de séjour sont compris dans les prix : de 53,28 € (pour une single) à 80,84 € (pour une triple). Ascenseur.

4e ARRONDISSEMENT

HÔTEL DE LA PLACE DES VOSGES

12 rue de Birague (4e)
Mº Saint-Paul ou Bastille
Tél. 01 42 72 60 46
Fax . 01 42 72 02 64

Vers la place des Vosges

Pour le plaisir – et pour 140 € –, réservez, même à deux, la 60, mansardée, dite Family (elle peut accueillir jusqu'à quatre personnes). De jolies chambres pour une à trois personnes à partir de 101 €. Très apprécié par les amoureux du Marais, cet hôtel de six étages (ascenseur jusqu'au quatrième) n'a que seize chambres, il faut donc réserver longtemps à l'avance. Cinq d'entre elles ont été récemment rénovées (douche multi-jets, marbre, meubles Louis XIII). Petit déjeuner : 6 €.

HÔTEL DE NICE

42 bis rue de Rivoli (4e)
Mº Hôtel-de-Ville
Tél. 01 42 78 55 29
Fax : 01 42 78 36 07

Balcon sur Saint-Gervais

Au cœur de Paris, un hôtel confortable et joliment aménagé vous réservera les chambres avec balcon qui donnent sur l'église Saint-Gervais. Un service de messagerie vocale directe est disponible dans toutes les chambres. Avec douche ou bain, la single : 65 € ; la double : 100 € ; la triple : 120 €. Petit déjeuner : 6 €. Les tarifs seront révisés en mars 2004.

5ᵉ ARRONDISSEMENT

FAMILIA HÔTEL

11 rue des Écoles (5ᵉ)
M° Cardinal-Lemoine
ou Jussieu
Tél. 01 43 54 55 27
Fax : 01 43 29 61 77
www.hotel-paris-familia.
com

Le charme du Quartier latin

Une mention particulière pour cet hôtel à la décoration raffinée sans jamais être excessive et dont certaines chambres ont vue sur Notre-Dame. La réception a été rénovée ainsi que dix salles de bains et, dans certaines chambres, repeintes avec goût, les salles de bains se parent de marbre, les lits de baldaquins. Pour un prix qui reste modique, avec minibar, télévision satellite, sèche-cheveux et double vitrage, il faut compter, pour une personne, 68 €. Pour deux, de 79 (douche) à 89 € (bains). Les huit chambres avec balcon sont à 99 € et le lit supplémentaire coûte 18 €. Petit déjeuner : 5,50 €. **Remise de 10 % (à partir de la deuxième nuit) avec le guide ou la carte, du 5 janvier au 28 février, du 1ᵉʳ au 31 août et du 20 novembre au 25 décembre.**

HÔTEL DE SUEZ

31 bd Saint-Michel (5ᵉ)
M° Cluny-la-Sorbonne
Tél. 01 53 10 34 00
Fax : 01 40 51 79 44
www.hoteldesuez.fr ;
hoteldesuez@wanadoo.fr

Du nouveau à la Sorbonne

A deux pas de la Sorbonne, voici la bonne adresse par excellence. Depuis plus de vingt-huit ans, Martine accueille chaleureusement les clients de cet hôtel propre et très confortable. Certaines des quarante-neuf chambres ont une petite terrasse sur cour. Toutes ont le câble, Canal + et TPS, un sèche-cheveux, un téléphone, un double vitrage et l'accès Internet (en libre service à l'accueil ou en wifi). Pour une ou deux personnes : de 65 à 110 €. Petit déjeuner servi dans la chambre à la demande. **Carte d'accès Internet de 15 minutes offerte avec le guide ou la carte.**

HÔTEL DES GRANDES ÉCOLES

75 rue du Cardinal-Lemoine
(5ᵉ)
M° Monge ou Cardinal-
Lemoine
Tél. 01 43 26 79 23
Fax : 01 43 25 28 15
www.hotel-grandes-ecoles.
com

Le bonheur dans le jardin

Ce trois étoiles est agrémenté d'un grand jardin dans la cour intérieure. Les chambres offrent tout le confort et le calme d'une ambiance douce. Avec bain ou douche, téléphone et sèche-cheveux, la double coûte de 100 à 125 € ; la triple, de 130 à 145 €. Petit déjeuner : 8 €. Parking : 30 €/24 h.

HÔTEL DU COMMERCE

14 rue de la Montagne-
Sainte-Geneviève (5ᵉ)
M° Maubert-Mutualité
Tél. 01 43 54 89 69
Fax : 01 43 54 76 09
www.4-hotels-in-paris.com

Au cœur de la Mouffe

Un auvent vert en plein cœur de la Mouffe : trente-deux chambres simples, propres, récemment rénovées, à partir de 39 € (avec cabinet de toilette), 49 € (avec douche). Triple à 55 € (toilettes et douche sur le palier). Importantes majorations en pleine saison. La réception est équipée d'un coin cuisine, d'un distributeur de boissons et d'une cabine téléphonique.

HÔTEL MARIGNAN

13 rue du Sommerard (5ᵉ)
Mᵒ Maubert-Mutualité
Tél. 01 43 54 63 81
Fax : 01 43 25 16 69
www.hotel-marignan.com ;
reserv@hotel-marignan.com

Chaleureux et branché Net

En plus des services classiques, cet établissement tout simple met à la disposition de ses clients une lingerie équipée, une cuisine et, au sous-sol, un cybercafé. Les prix, petit déjeuner compris, varient selon la saison (basse ou haute) : avec cabinet de toilette, douche et WC à l'étage, il vous en coûtera de 40 à 45 € pour une single, de 60 à 65 € pour une double, de 95 à 105 € pour une triple et de 110 à 125 € pour quatre personnes.

HÔTEL MINERVE

13 rue des Écoles (5ᵉ)
Mᵒ Maubert-Mutualité
Tél. 01 43 26 26 04
Fax : 01 44 07 01 96
www.hotel-paris-minerve.com

Décroche les étoiles...

Jouxtant le Familia, cet hôtel de charme a gagné sa troisième étoile sans (trop) augmenter ses prix. Bravo ! Au sous-sol, dans une cave au plafond peint (séminaires possibles), on sert le petit déjeuner (7 €). Le propriétaire des lieux tient toujours avec soin et passion cet établissement de cinquante-quatre chambres (dont deux au patio privé). Il vous en coûtera de 79 à 125 € pour une single, de 93 à 125 € pour une double, 115 € pour la suite avec balcon. Lit supplémentaire : 20 €. **Avec le guide ou la carte : remise de 10 % à partir de la deuxième nuit, du 5 janvier au 28 février, du 1ᵉʳ au 31 août et du 20 novembre au 25 décembre.**

HÔTEL PIERRE NICOLE

39 rue Pierre-Nicole (5ᵉ)
RER B, Port-Royal
Tél. 01 43 54 76 86
Fax : 01 43 54 22 45
hotelpierre-nicole@voila.fr

Un deux étoiles coquet

Ce charmant petit hôtel dont toutes les chambres ont été repeintes, dégage calme et propreté. L'ascenseur dessert, sur six étages, les trente-trois chambres coquettement meublées. Douche ou bains, télévision satellite, téléphone, sèche-cheveux, double vitrage et volets roulants : tout est fait pour le repos du voyageur. La chambre simple avec douche : 60 € ; la double : 67 €. Pour deux, avec bain : 70 €. Et le petit déjeuner vous coûtera 6 €. **Premier petit déjeuner offert avec le guide ou la carte.**

PORT-ROYAL HÔTEL

8 bd de Port-Royal (5ᵉ)
Mᵒ Gobelins
Tél. 01 43 31 70 06
Fax . 01 43 31 33 67

Calme et patio fleuri

Des chambres décorées avec goût, un très agréable patio et une jolie salle à manger : le charme de cette adresse n'est plus à prouver. Ascenseur, climatisation au rez-de-chaussée et double vitrage sur rue. Pour une ou deux personnes, la chambre avec lavabo coûte de 37 à 48 € ; avec douche et WC : de 73 à 87 €. Petit déjeuner : 5 €. Parking rue Mouffetard : 15 €/24 h.

6ᵉ ARRONDISSEMENT

HÔTEL DE NESLE

7 rue de Nesle (6ᵉ)
Mᵒ Odéon
Tél. 01 43 54 62 41
Fax : 01 43 54 31 88
www.hoteldenesle.com

Fresque et jardin

Avec sa fresque murale et son grand jardin intérieur, le cadre de cet hôtel proche de l'Odéon est vraiment agréable. Single avec lavabo : 50 € ; avec douche et WC : de 60 à 75 € ; double lavabo : de 75 à 100 € ; double avec douche et WC : 100 €. Si l'on veut un hammam (privé), on réservera la chambre 4 (80 €). Attention, la maison ne sert pas de petit déjeuner (les bistrots ne manquent pas dans le quartier). Téléphoner pour réserver et la veille de l'arrivée pour confirmer.

HÔTEL DU GLOBE   *Ambiance médiévale*

15 rue des Quatre-Vents (6e)
M° Odéon
Tél. 01 43 26 35 50
Fax : 01 46 33 62 69

Hôtel deux étoiles, construit dans la première moitié du XVIIe siècle, il est gardé par une armure au rez-de-chaussée. Les chambres offrent tout le confort moderne (douche ou bain, WC, téléphone, télévision) dans un cadre authentiquement médiéval, pour un prix variant entre 70 et 105 €. Petit déjeuner (9 €) délicieux grâce aux fameuses viennoiseries du boulanger voisin, Mulot.

HÔTEL RÉCAMIER   *Une halte saint-sulpicienne*

3 bis place Saint-Sulpice (6e)
M° Saint-Sulpice
Tél. 01 43 26 04 89
Fax : 01 46 33 27 73

Ce deux étoiles confortable et calme, à deux pas de la rue de Rennes et du carrefour Saint-Germain, donne sur la jolie place Saint-Sulpice. La chambre pour une ou deux personnes, avec lavabo et WC : 90 € ; avec douche ou bain et WC : 105 € ; avec vue sur la place : 120 € ; la triple : 155 €. Petit déjeuner : 5 €. Parking public à proximité.

RÉSIDENCE PENSION LADAGNOUS   *Petit déjeuner au Luxembourg*

78 rue d'Assas (6e)
RER B, Luxembourg
Tél. 01 43 26 79 32
Fax : 01 43 54 60 61
www.pensionladagnous.com

Face au jardin, les 24 chambres de cette pension de famille offrent tout le confort et une situation centrale rive gauche. Dans une structure conviviale et familiale, on ne s'étonnera pas que le petit déjeuner soit compris : de 42 € pour une simple avec douche, à 60 € pour la double avec douche (WC sur le palier). Possibilité de dîner pour 11 €. Certaines chambres communicantes offrent aux familles la possibilité de disposer d'un petit appartement.

7e ARRONDISSEMENT

GRAND HÔTEL LÉVÊQUE   *Rive gauche pittoresque*

29 rue Cler (7e)
M° École-Militaire
Tél. 01 47 05 49 15
Fax : 01 45 50 49 36
www.hotel-leveque.com

Bien situé dans cette rue piétonnière au marché réputé, ce deux étoiles a beaucoup de charme. Toutes les chambres sont climatisées et ont leur coffre-fort, en plus de la télévision, du téléphone (avec numéro privé et prise modem) et sèche-cheveux. Pour deux personnes, avec douche et WC : 84 € ; la twin : 85 à 91 € ; la triple : 114 €. Cinq chambres pour une personne, avec lavabo : 53 €. Petit déjeuner : 7 €. Attention : n'espérez pas trouver de chambre sans avoir réservé ! Taxe de séjour : 0,76 € par personne et par jour.

HÔTEL LE PAVILLON   *La terrasse d'un ancien couvent*

54 rue Saint-Dominique (7e)
M° Invalides
Tél. 01 45 51 42 87

Lorsqu'il fait beau, profitez d'une petite terrasse bien cachée non loin de la tour Eiffel. Toutes les chambres de cet ancien couvent reconverti en deux étoiles ont

Fax : 01 45 51 32 79
patrickpavillon@aol.com

été rénovées. La single, avec douche, WC, téléphone et télévision : 71 € ; la double : 78 € ; la quadruple : 100 €. Petit déjeuner : 6 €.

8ᵉ ARRONDISSEMENT

HÔTEL SÉLECT ÉLYSÉE

7 rue d'Argenson (8ᵉ)
Mᵒ Saint-Augustin
ou Miromesnil
Tél. 01 43 12 89 10
Fax : 01 43 12 89 40

Du nouveau dans le 8ᵉ

Longtemps fermé pour travaux, cet hôtel de cinq
étages avec ascenseur est réouvert depuis peu. Résolument et authentiquement rétro, il a changé de
mains sans perdre au change. Ses vingt-trois chambres sont équipées de salles de bains, de la télévision et du téléphone. Celles donnant sur la rue sont
protégées du bruit par le double vitrage. Accueil
chaleureux. A l'heure où nous écrivons ces lignes,
le prix des chambres n'était pas encore fixé (à titre
indicatif, il fallait compter 65 € pour une ou deux
personnes auparavant). Renseignez-vous.

9ᵉ ARRONDISSEMENT

GÎTES DE FRANCE

59 rue Saint-Lazare (9ᵉ)
Mᵒ Trinité
Tél. 01 49 70 75 75
Minitel :
3615 GITESDEFRANCE
www.gites-de-france.fr
*lundi vendredi : 10 h-
18 h 30 ; samedi : 10 h-
13 h, 14 h-18 h 30*

Aimez-vous camper ?

Le camping en région parisienne (avec ou sans
tente, compter de 3 à 8 € par jour et par personne),
la chambre d'hôte (de 33,50 à 45 € pour deux) ou
le gîte rural, tout est possible grâce aux Gîtes de
France. Les offres sont répertoriées selon le nombre
d'épis (les « étoiles » des Gîtes). Catalogue disponible sur Internet ou sur Minitel. Activités (équitation,
piscine, vélo…) également proposées.

HÔTEL MODIAL EUROPÉEN

21 rue Notre-Dame-
de-Lorette (9ᵉ)
Mᵒ Saint-Georges
Tél. 01 48 78 60 47
Fax : 01 42 81 95 58

Mimi Pinson

Demandez les chambres du sixième étage (avec ascenseur bien sûr) : là-haut, sous les poutres apparentes, les chambres sont spacieuses et le mobilier, élégant. Mais réservez-les à l'avance, elles sont très
demandées. Bien sûr, les chambres des autres étages sont tout à fait accueillantes et équipées (sèche-
cheveux et Canal +). La simple (douche, TV) à partir
de 67 €. La double : 74 €. Le petit déjeuner buffet :
7 €. Parking à proximité (18, 29 €/24 h à partir de
trois jours). Taxe de séjour : 0,76 € par personne et
par jour.

10ᵉ ARRONDISSEMENT

HÔTEL ASTRID ROYAL

14 rue Lucien-Sampaix
(10ᵉ)
Mᵒ Jacques-Bonsergent
Tél. 01 42 08 23 33
Fax : 01 48 03 12 11
www.astridroyalhotel.com

Un chalet à Paris

Chaleur et convivialité, charme et confort. Avec ses
murs lambrissés et sa cave voûtée – où l'on prend
son petit déjeuner – le ton est donné. La maison
n'usurpe pas ses deux étoiles. Toutes les chambres
ont douche et WC, télévision satellite et téléphone.
La chambre single : 55 € ; la double : 60 €. Parking
privé sous l'hôtel (12,19 €/24 h). Taxe de séjour :
0,80 €. **Remise de 5 % avec le guide ou la
carte.**

HÔTEL MODERNE DU TEMPLE   *On est bien chez Vlad*

3 rue d'Aix (10e)
M° Goncourt
Tél. 01 42 08 09 04
Fax : 01 42 41 72 17
www.hotelmodernedu
temple.com

L'hospitalité est au rendez-vous et ce, jusque dans les prix pratiqués. Chambres avec lavabo (la douche, sur le palier, est comprise dans le prix), pour une ou deux personnes : de 24 à 32 € ; avec douche : de 32 à 38 € ; avec douche et WC : de 37 à 44 €. Petit déjeuner : 3,50 €.

HÔTEL VICQ D'AZIR   *Simplicité et prix doux*

21 rue Vicq-d'Azir (10e)
M° Colonel-Fabien
Tél. 01 42 08 06 70
Fax : 01 42 08 06 80
www.hotelvicqazir.com ;
vicqazir@club-internet.fr

A proximité des gares du Nord et de l'Est, non loin du canal Saint-Martin, l'hôtel offre une capacité de soixante-dix chambres, dont une cinquantaine refaites. Pour une ou deux personnes avec lavabo : 20 € (2 € la douche sur le palier) ; avec douche + WC, la single : 32 € ; avec lavabo + WC : 24 €. Petit déjeuner : 4,50 €. Si vous désirez le calme, demandez une chambre sur la cour intérieure.

MARCLAU HÔTEL   *D'une gare à l'autre*

78 rue du Faubourg-
Poissonnière (10e)
M° Poissonnière
Tél. 01 47 70 73 50
Fax : 01 44 83 95 89
Fermé en janvier

A mi-chemin entre les gares du Nord et de l'Est, ce petit hôtel, simple et propre, garantit le calme à ses clients grâce aux doubles vitrages. L'entrée et la salle du petit déjeuner ont été refaites pour une plus grande convivialité. Les chambres avec lavabo sont à 31 € (la single) et 39 € (la double). Sont compris dans ce prix une douche à l'étage et le petit déjeuner. Pour une double avec douche, il vous en coûtera 42 €. WC en plus : 45 €. La triple est à 58 €.

RÉPUBLIQUE HÔTEL   *Le confort du République*

31 rue Albert-Thomas (10e)
M° République
Tél. 01 42 39 19 03
Fax : 01 42 39 22 66
www.republiquehotel.com

Idéal pour les familles de quatre personnes (demander les chambres communicantes du sixième étage, l'ascenseur est étroit, mais il existe), il vous en coûtera 100 €. Toutes les chambres de ce deux étoiles sont confortables : douche ou bain (à partir des doubles), WC, double vitrage, télévision satellite, coffre-fort, climatisation. La single : 61 € ; la double : 71 € ; la triple : 81 €. Lit supplémentaire : 10 €. Petit déjeuner : 6,50 €. **Petit déjeuner offert pour la première nuit, avec le guide ou la carte.**

11e ARRONDISSEMENT

BHA, BUDGET HOTELS AND ACCOMODATIONS   *Un lit pour chacun*

18 bd Jules-Ferry (11e)
M° République
Tél. 01 43 57 37 33
Fax : 01 43 57 38 15
www.bha.fr

Cette centrale de réservations (dommage que le site soit presque entièrement en anglais...) a une capacité de 1 000 lits, même en saison, dans des hôtels parisiens, du basique au deux étoiles. La chambre la moins chère avec douche ou bains, WC, télévision et téléphone (cartes prépayées) : 21 €. On vous proposera également visites, tours, billetterie, etc. Pas d'adhésion, les réservations se font le jour même ou, pour les plus prévoyants, par fax ou en ligne. Bornes Internet.

GARDEN HÔTEL
Près d'un square

1 rue du Général-Blaise
(11ᵉ)
Mᵒ Saint-Ambroise
Tél. 01 47 00 57 93
Fax : 01 47 00 45 29

Le charme de ce deux étoiles est certain, même si toutes les chambres (quarante-deux) ne donnent pas sur le square voisin. Avec douche, WC, télévision et téléphone, la simple (petit déjeuner inclus) est à 58 € ; la double, tout confort : à 63 € ; la triple : à 76 €. Petit déjeuner : 5,50 €. Vos compagnons à quatre pattes sont acceptés.

HÔTEL LYON MULHOUSE
Cosy et confortable

8 bd Beaumarchais (11ᵉ)
Mᵒ Bastille
Tél. 01 47 00 91 50
Fax : 01 47 00 06 31
www.1-hotel-paris.com

Du haut des chambres du sixième étage (avec ascenseur) vous embrasserez Paris, du Panthéon à la tour Eiffel. Construit dans les années folles, ce lieu est très cosy, l'accueil, toujours charmant, et les chambres, confortables (douche ou baignoire, WC, sèche-cheveux, câble et radio, téléphone et prise modem). Toute la literie a été changée récemment. Single : de 55 à 85 € ; double : de 65 à 85 € ; triple : de 90 à 95 € ; quadruple : de 100 à 115 €. Petit déjeuner : 5 €. Réservation en ligne.

12ᵉ ARRONDISSEMENT

CISP MAURICE RAVEL
La porte verte de Paris

6 av. Maurice-Ravel (12ᵉ)
Mᵒ Porte-de-Vincennes
ou Porte-Dorée
Tél. 01 44 75 60 00
Fax : 01 43 44 45 30
www.cisp.asso.fr
*Tous les jours : 6 h 30-
1 h 30. Réservation
groupes : 14 h-17 h*

Sitôt levé, vous êtes prêt pour un jogging au bois de Vincennes. Au retour, vous piquerez une tête dans la piscine. L'adresse est très convoitée : à la belle saison, pensez à réserver à l'avance. A la virgule près, les prix n'ont pas changé et vont de 15,50 à 30 €. Le tout, avec petit déjeuner. Accès Internet : 0,15 € la minute. **Remise de 8 % avec le guide ou la carte.**

HÔTEL DE REIMS
Simple et convivial

26 rue Hector-Malot (12ᵉ)
Mᵒ Gare-de-Lyon
ou Ledru-Rollin
Tél. 01 43 07 46 18
Fax : 01 43 07 56 62

Petit hôtel familial, propre et agréable, dont beaucoup de chambres ont été refaites. Les douches sur le palier ont également été rénovées. Pas de télévision dans les chambres, mais une salle conviviale au rez-de-chaussée. Avec douche et WC, il vous en coûtera 43 € pour une chambre simple, 45 € pour une double. Petit déjeuner : 4 €. Taxe de séjour : 0,46 € par personne.

HÔTEL LYON BERCY
Une halte appréciée

108 rue de Charenton
(12ᵉ)
Mᵒ Gare-de-Lyon
Tél. 01 43 45 09 00
Fax : 01 43 45 03 11
www.accorhotels.com ;
h2798@accor-hotels.com

Une situation enviable à proximité de la gare de Lyon et beaucoup d'originalité dans la décoration sont un plus pour cet hôtel. Équipées de douches ou de baignoire, les chambres sont spacieuses et confortables, joliment décorées. 98 à 108 € selon la saison, la chambre single, à partir de 108 € la double. Petit déjeuner : 10 €.

LUX HÔTEL PICPUS
Confortable à prix doux

74 bd de Picpus (12ᵉ)
Mᵒ Picpus ou RER A, Nation

Situé entre la Nation et le bois de Vincennes, cet hôtel cosy est idéalement situé dans l'est parisien.

Tél. 01 43 43 08 46
Fax : 01 43 43 05 22
www.france-hotel-guide.
com/h75012lux.htm

Chambre simple ou double, avec douche, WC, sè-che-cheveux et télévision : de 47 à 57 € ; la triple : 63 € ; la quadruple : 68 €. Petit déjeuner : 6 €. Ces prix s'entendent taxes incluses. **Jus d'orange offert avec le guide ou la carte.**

NOUVEL HÔTEL   *A l'ombre du néflier*

24 av. du Bel-Air (12ᵉ)
Mº Nation
Tél. 01 43 43 01 81
Fax : 01 43 44 64 13
www.nouvel-hotel-paris.com

Nous vous conseillons la chambre 9 : au rez-de-chaussée sur jardin, c'est un mini-appartement romantique avec ses lits jumeaux et sa salle de bains. Pour les grandes familles, possibilité de rassembler deux chambres communicantes. L'entrée, le hall, la réception et les salles de petit déjeuner ont été récemment rénovés. Pensez à réserver à l'avance. Chambre pour une personne : avec douche, 62 € ; avec bain, compter 68 €. Pour deux : de 69 à 79 €. Le petit déjeuner est à 7 €. Et le parking, gratuit dans les rues adjacentes.

13ᵉ ARRONDISSEMENT

CISP KELLERMANN   *Groupes bienvenus*

17 bd Kellermann (13ᵉ)
Mº Porte-d'Italie
Tél. 01 44 16 37 38
Fax : 01 44 16 37 39
www.cisp.asso.fr
*Tous les jours : 6 h 30-
1 h 30*

Tout près du stade Charlety, une halte originale au milieu d'un parc, avec sa cafétéria déjeuner libre-service où vous prendrez petits déjeuners, déjeuners et dîners. Compter de 15,50 à 30 € (avec le petit déjeuner). Réservations groupes (9 h-12 h, 14 h-17 h 30) au 01 44 75 60 06. **Remise de 8 % avec le guide ou la carte.**

HÔTEL DES ARTS   *Près de la Place d'Italie*

8 rue Coypel (13ᵉ)
Mº Gobelins ou Place-
d'Italie
Tél. 01 47 07 76 32
Fax : 01 43 31 18 09
www.escapade-paris.com
(centrale de réservation,
11 hôtels parisiens)

L'hôtel vous soigne dès le matin, avec deux formules de petit déjeuner (6 €) dans une salle à manger agréable. Les chambres, rénovées et confortable-ment équipées (double vitrage, douche ou bain, WC, téléphone), sont branchées Canal + et satellite. Pour une single ou une double, compter de 49 à 61 €. Toutes les doubles (63 €) et les triples (75 €) donnent sur la cour. Penser à réserver longtemps à l'avance.

HÔTEL NEPTUNE   *Ici, on commence bien la journée !*

15 rue Godefroy (13ᵉ)
Mº Place-d'Italie
Tél. 01 42 16 87 92
Fax : 01 42 16 90 07
hotelneptune@club-internet.fr

Accueil charmant et simplicité riment, ici, avec confort. Les chambres, avec douche et WC, ont le téléphone et la télévision. La chambre simple : de 53 à 57,50 € ; double : 62 € ; triple : 79 €. Ne sau-tez surtout pas le petit déjeuner (5,50 €) avec jus d'orange pressé et journaux. Taxe de séjour : 0,76 €. Accès Internet : 0,30 € la minute. Parking à proximité. Avis aux touristes : vous pourrez réser-ver ici vos places pour le Lido, le Moulin Rouge ou vos escapades diverses.

HÔTEL VERLAINE   *Du côté de la Butte aux Cailles*

51 rue Bobillot (13ᵉ)
Mº Place-d'Italie
Tél. 01 45 89 56 14

Au pied de ce joli quartier, derrière la place d'Italie, le Verlaine est modeste mais bien tenu. Les cham-bres sont équipées de télévision et téléphone. A par-

Fax : 01 45 80 84 04
www.cofrase.com/hotel/
verlaine

tir de 38 € pour une single avec lavabo, jusqu'à 60 € pour une double avec douche et WC. Petit déjeuner : 5 €. Taxe de séjour : 0,76 €. Demandez de préférence l'une des chambres rénovées.

LA MAISON DES CLUBS DE L'UNESCO   *Idéal pour les groupes*

43 rue de la Glacière (13e)
M° Glacière
Tél. 01 43 36 00 63
Fax : 01 45 35 05 96
www.ucrif.asso.fr

Surtout destiné aux groupes de moins de 30 ans, mais ouvert à tous, ce centre de séjour (qui ferme malheureusement ses portes fin décembre) a une capacité d'accueil de cent lits répartis dans cinquante et une chambres de un à quatre lits avec lavabo (draps et couvertures fournis, douche et WC sur le palier). Par nuit et par personne, petit déjeuner inclus, la single coûte de 25 € (tarif groupe à partir de dix personnes) à 28 € (individuel) ; la chambre à deux lits : de 21 à 23 € ; à trois et quatre lits : de 19 à 20 €. Borne Internet : 1 € les 6 minutes. Attention : réserver dix jours à l'avance pour les individuels.

RÉSIDENCE LES GOBELINS   *Ombre et lumière*

9 rue des Gobelins (13e)
M° Gobelins
Tél. 01 47 07 26 90
Fax : 01 43 31 44 05
www.hotelgobelins.com

Une ambiance accueillante règne dans ce petit hôtel deux étoiles de six étages avec ascenseur, joliment décoré de rotin vert. Les chambres les plus agréables donnent sur le patio. Télévision (Canal + et satellite) et téléphone équipent toutes les chambres. La simple, douche ou bain et WC : de 51 à 65 € ; la double, bain et WC : de 68 à 70 €. Petit déjeuner : 6 €. Parking public à proximité (11 €/24 h). **Remise de 10 % avec la carte ou le guide pour deux nuits minimum.**

14e ARRONDISSEMENT

HÔTEL DES BAINS   *Carte blanche aux artistes*

33 rue Delambre (14e)
M° Edgar-Quinet, Vavin
ou Montparnasse
Tél. 01 43 20 85 27
Fax : 01 42 79 82 78
des.bains.hotel@wanadoo.fr

Les chambres sont joliment aménagées. La déco a misé sur les artistes du marché Edgar-Quinet, à deux pas de là. Dans les chambres (mansardées au sixième et dernier étage avec ascenseur) : sèche-cheveux, télévision, téléphone. La chambre grand lit, pour une ou deux personnes : de 71 à 75 € ; la suite pour deux personnes : de 91 à 100 € ; pour quatre personnes : de 112 à 113 €. Petit déjeuner buffet : 7 €. Salons pour une dizaine de personnes. Parking à proximité : 11 €/24 h. **Remise de 10 % le week-end et en juillet-août avec le guide ou la carte.**

HÔTEL DES VOYAGEURS   *Le marché à vos pieds*

22 rue Boulard (14e)
M° Denfert-Rochereau
Tél. 01 43 21 08 20
Fax : 01 43 21 08 21
hotel.des.voyageurs2@
wanadoo.fr

Pour ceux qui aiment se réveiller avec les bruits du marché, voilà une jolie adresse, à deux pas de Daguerre. Le mobilier en bois et métal se détache sur des murs turquoise. La salle du petit déjeuner (5 €) a pour toile de fond un jardin à ciel ouvert. Toutes les chambres ont été refaites (douche, WC, téléphone et télévision satellite et TPS). Deux postes Internet (haut débit) sont mis gratuitement à la disposition des clients. Prix unique : 45 €. Parking proche. **Petit déjeuner gratuit le lundi matin avec le guide ou la carte.**

HÔTEL DU PARC MONTSOURIS   *Joli Montsouris...*

4 rue du Parc-Montsouris
(14ᵉ)
RER B, Cité-Universitaire
ou Mᵒ Porte-d'Orléans
Tél. 01 45 89 09 72
Fax : 01 45 80 92 72
www.hotel-parc-montsouris.
com

Du deuxième au sixième étage, toutes les chambres sur façade (elles viennent d'être rénovées, comme les autres d'ailleurs) ont des balcons donnant sur le sublime parc et, du sixième étage (avec ascenseur), vous verrez tout Paris. Pour les familles ou les groupes d'amis, demander l'« appartement » (deux chambres communicantes pour 94 €). Le grand lit, pour une ou deux personnes, avec douche : 59 € ; le même, avec bain : 68 € ; la twin avec bain : 77 €. Petit déjeuner : 6,50 €. Taxe de séjour : 0,76 €. Animaux acceptés. Prise Internet dans chaque chambre. **Remise de 5 % avec le guide ou la carte.**

15ᵉ ARRONDISSEMENT

HÔTEL AMIRAL   *Vue sur la tour Eiffel*

90 rue de l'Amiral-Roussin
(15ᵉ)
Mᵒ Vaugirard
Tél. 01 48 28 53 89
Fax : 01 45 33 26 94
www.france-hotel-
guide.com/h75015amiral.
htm

Dans ce deux étoiles agréable, le calme est assuré par un double vitrage efficace. Demandez l'une des cinq chambres qui donnent sur la tour Eiffel, vous ne le regretterez pas. Toutes sont équipées de la télévision et du téléphone. Avec cabinet de toilette, pour une personne : 43 € ; pour deux : 45 € ; avec douche et WC : 62 € pour une personne, 69 € pour deux. La twin : 74 €. Petit déjeuner : 6,50 €. **Remise de 10 % du 15 juillet au 31 août avec le guide ou la carte.**

HÔTEL DE L'AVRE   *Charme sur jardin*

21 rue de l'Avre (15ᵉ)
Mᵒ La Motte-Picquet-
Grenelle
Tél. 01 45 75 31 03
Fax : 01 45 75 63 26
www.hoteldelavre.com

Dans ce deux étoiles entièrement rénové dans un style charmant, chaque chambre a son cachet. Le voyageur exigeant aura tout sous la main : la télévision satellite, le sèche-cheveux et, dans le hall, un distributeur de boissons. A proximité, un parking public. Pour la chambre simple : compter de 60 à 70 €. Pour la double : de 70 à 75 €. Sur jardin, la double est à 79 €. Petit déjeuner : 6,50 €.

HÔTEL PASTEUR   *Proche des Salons*

33 rue du Docteur-Roux
(15ᵉ)
Mᵒ Pasteur ou Volontaires
Tél. 01 47 83 53 17
Fax : 01 45 66 62 39
Fermé en août

Dans cet hôtel bien situé, à un quart d'heure à pied de la porte de Versailles, vous pourrez prendre votre petit déjeuner buffet dans un jardin, pour 6 €. Si vous désirez l'appartement pour quatre personnes, comptez 122 €. Bien sûr, chaque chambre offre télévision, téléphone, coffre-fort, mini-bar et sèche-cheveux. La double, avec douche et WC : de 58 à 72 € ; la double avec bain : 72 €. La twin : de 72 à 122 €. **Verre de bienvenue et remise de 10 % le week-end avec le guide ou la carte.**

HÔTEL AU PALAIS DE CHAILLOT
Une rénovation réussie

35 av. Raymond-Poincaré
(16ᵉ)
Mᵒ Trocadéro
Tél. 01 53 70 09 09
Fax : 01 53 70 09 08
www.chaillotel.com

Les prix sont élevés, mais la qualité, le confort et la situation les justifient. Les chambres pastel sont très confortables (douche ou bain, WC, Canal + et satellite, téléphone, sèche-cheveux, coffre individuel, connexion à Internet). La single : 100 € (mais comme les lits ont une largeur de 1,20 m, les « petits formats » pourront y loger en couple) ; la double : 115 € ; la suite « junior » : 135 €. Le petit déjeuner : 8,50 €. Taxe de séjour : 0,05 €.

HÔTEL BOILEAU
Le 16ᵉ comme on l'aime

81 rue Boileau (16ᵉ)
Mᵒ Exelmans
Tél. 01 42 88 83 74
Fax : 01 45 27 62 98
www.hotel-boileau.com

Un salon-bar à la déco très soignée, trente chambres confortables, équipées de douche ou de bain et WC, télévision, téléphone et sèche-cheveux : cette adresse est à retenir. Chambre single : 69 € ; la double : 79-80 € ; la triple : 110 € (les prix incluent la taxe de séjour). Le petit déjeuner vous coûtera 7 € en salle, 8 € au lit.

HÔTEL EXELMANS
Un jardin intérieur

73 rue Boileau (16ᵉ)
Mᵒ Exelmans
Tél. 01 42 24 94 66
Fax : 01 40 50 37 91
www.escapade-paris.com

La plupart des cinquante-trois chambres rénovées de ce deux étoiles donnent sur le jardin intérieur. Toutes sont équipées de douche ou de baignoire, WC, télévision, téléphone, pour des prix inchangés. Simple ou double avec douche et WC extérieurs : 49 € ; single : 60 à 65 € ; double : de 90 à 120 € ; lit supplémentaire : 15 € ; petit déjeuner : 6 €. Parking à proximité. **Remise de 10 % avec le guide ou la carte (la nuit, uniquement !).**

ELDORADO HÔTEL
C'est bien l'Eldorado !

18 rue des Dames (17ᵉ)
Mᵒ Place-Clichy
Tél. 01 45 22 35 21
Fax : 01 43 87 25 97
www.eldorado.cityvox.com

Si vous avez envie d'une suite africaine pour deux ou trois personnes (77 €), nous vous conseillons la chambre nᵒ 2. Dans la 16 ou la 17, vous pourrez installer des transats sur la petite terrasse donnant sur une cour-jardin. Bar à vin-restaurant avec terrasse, l'été. Décidément, la déco « brocante » de cet hôtel séduit. Et les prix restent doux : de 30 € (simple, lavabo, douche sur palier) à 45 € (single avec douche et toilettes) et 60 € (double avec douche). Petit déjeuner : 6 €. Billard. Tarifs dégressifs pour les longues durées. Parkings à proximité : rue Lemercier et rue des Batignolles.

HÔTEL AVENIR JONQUIÈRE
Calme et bon accueil

23 rue de la Jonquière
(17ᵉ)
Mᵒ Guy-Môquet
Tél. 01 46 27 83 41
Fax : 01 46 27 88 08

Les chambres, rénovées, sont confortables et simples. Et la gérante est accueillante. Single avec coin toilette : 28 € ; la double : 34 €. Avec douche, WC et télévision : 43 à 46 €. Avec bain, WC et télévision : de 46 à 49 €. Lit supplémentaire : 9 €. Petit déjeuner : 4 €. Vous pouvez garer votre voiture dans un parking voisin pour 3,04 € la nuit. Petit déjeuner offert aux enfants. **Remise de 10 % avec le guide ou la carte sauf pendant les mois les plus courus.**

HÔTEL PRINCE ALBERT WAGRAM
Un Prince à deux étoiles

28 passage Cardinet (17ᵉ)
Mᵒ Villiers ou Malhesherbes
Tél. 01 47 54 06 00
Fax : 01 47 63 83 12
resapaw@free.fr

Le Jouffroy est mort, vive le Prince Albert Wagram, toujours simple et confortable. La single est à 67 €, la double à 82 € et le petit déjeuner à 6 €. Vos (petits) compagnons sont accueillis (14 € par jour). **Remise de 5 % avec le guide ou la carte.**

RÉSIDENCE MALESHERBES HÔTEL
Studios trois étoiles

129 rue Cardinet (17ᵉ)
Mᵒ Malesherbes
Tél. 01 44 15 85 00
Fax : 01 44 15 85 29
Tous les jours : 7 h-22 h

A proximité du parc Monceau, réservez votre petit nid avec salle de bains et kitchenette tout équipée pour être comme chez vous. Vous pouvez louer à la journée (pour deux et trois : de 87 à 118 €) ou à la semaine (à partir de 570 €) ou au mois. Et pendant que vous visiterez la capitale, on s'occupera du ménage. Petit déjeuner servi au lit si vous voulez (7 €). Et vous pourrez amener votre animal de compagnie (5 € par jour). Accès Minitel, fax, photocopieuse. Parking : 11 €/24 h. **Remise de 5 % avec le guide ou la carte.**

18ᵉ ARRONDISSEMENT

ALCÔVE & AGAPES
Chambres d'hôtes haut de gamme

8 bis rue Coysevox (18ᵉ)
Mᵒ Guy-Môquet
Tél. 01 44 85 06 05 (le matin uniquement)
Fax : 01 44 85 06 14
www.bed-and-breakfast-in-paris.com

La formule repose sur une charte de qualité. Si vous voulez une chambre avec salle d'eau (à partager avec vos hôtes), comptez de 45 à 70 € pour une ou deux personnes, petit déjeuner compris ; avec une salle d'eau privée : de 70 à 110 €. Au-delà, le « charme » (appellation tellement galvaudée qu'elle ne signifie plus grand-chose) de petits appartements meublés (de 110 à 150 €). Vous rêvez de quelques nuits dans un atelier d'artiste ou un hôtel particulier ? Comptez alors entre 125 et 150 € la nuit. Tous ces prix s'entendent pour deux personnes, petit déjeuner compris.

AMARYS HÔTEL SIMART
Simple et confortable

7 rue Simart (18ᵉ)
Mᵒ Marcadet-Poissonniers
Tél. 01 46 06 83 87
Fax : 01 42 58 39 67
www.hotels-en-direct.com

Ce petit hôtel sans ascenseur offre un confort simple et efficace dans ses 47 chambres (douche et WC, télévision et téléphone). Distributeur de boissons chaudes installé au rez-de-chaussée. Chambre simple : 54 € ; double : 69 €. Petit déjeuner : 6 €. Chats et petits chiens acceptés.

COMFORT INN SACRÉ-CŒUR
Sur les pas d'Amélie Poulain

57 rue des Abbesses (18ᵉ)
Mᵒ Abbesses
Tél. 01 42 51 50 00
Fax : 01 42 51 08 68
www.choicehotels.com

Un petit hôtel à proximité du Sacré-Cœur et de la place du Tertre. Les parties communes sont neuves, les chambres, confortables, sont toutes équipées de douche, WC, télévision satellite, Canal + et téléphone. Chambre simple : 65 € (de janvier à mars), 70 € les autres mois. Chambre double : 75 € (de janvier à mars), 80 € les autres mois. On petit-déjeune (7,25 €) dans une jolie cave voûtée. Animaux acceptés. Possibilité de réserver en ligne. **Petit déjeuner offert avec le guide ou la carte.**

ERMITAGE HÔTEL   *Au pied de la Butte*

24 rue Lamarck (18ᵉ)
Mᵒ Lamarck
Tél. 01 42 64 79 22
Fax : 01 42 64 10 33

A deux pas du Sacré-Cœur, cet hôtel est géré avec goût, depuis 35 ans, par les mêmes propriétaires. Chaque chambre a son cachet (et sa salle de bains, mais pas la télévision), le mobilier est soigné et les fresques murales sont l'œuvre d'un peintre montmartrois. Single : 74 € ; double : 84 € ; pour trois : 107 € ; pour quatre : 124 €, petit déjeuner continental et taxes compris. Pas de carte de crédit. Parking : 15 €/24 h.

HÔTEL BONSÉJOUR   *Pour les bonnes jambes*

11 rue Burq (18ᵉ)
Mᵒ Abbesses ou Blanche
Tél. 01 42 54 22 53
Fax : 01 42 54 25 92

Accueil chaleureux et sympathique dans ce petit hôtel de cinq étages (sans ascenseur), simple et propre. Demandez les 23, 33, 43 ou 53 : de votre balcon, vous verrez la maison de Dalida… Les chambres 16, 35, 45 et 51 ont été rénovées. Chambre simple avec lavabo : de 22 à 25 €, avec douche : de 36 à 40 € ; double avec lavabo : de 30 à 32 € ; la triple est à 45 €, avec douche 53 €. Penser à réserver à l'avance. Petit déjeuner : 4 €.

HÔTEL NEW MONTMARTRE   *En route vers le Sacré-Cœur*

7 rue Paul-Albert (18ᵉ)
Mᵒ Château-Rouge
ou Anvers
Tél. 01 46 06 03 03
Fax : 01 46 06 73 28

Cet hôtel confortable a gardé les mêmes prix, petit déjeuner compris. Les chambres au double vitrage, avec douche ou bain et WC, offrent téléphone, satellite et sèche-cheveux. La single est à 68 € ; la double et la twin avec douche, à 78 € ; le lit supplémentaire reste à 19 €. En famille, demandez la triple (99 €) ou la quadruple (115 €). Et si vous avez un animal, on l'accueillera pour 8 € par jour.

HÔTEL SOFIA   *Le jardin de Sofia*

21 rue de Sofia (18ᵉ)
Mᵒ Anvers
Tél. 01 42 64 55 37
Fax : 01 46 06 33 30
sofia.hotel@wanadoo.fr

On y prend le petit déjeuner (3,50 €) lorsqu'il fait beau. La rénovation des chambres se poursuit : téléphone, prise modem et double vitrage, pour assurer calme et repos au voyageur. Avec douche et WC, la single est à 40 € ; la double, à 52 € ; la triple, à 63 €. Parking privé : 15,50 €/24 h. **Petit déjeuner offert avec le guide ou la carte.**

HÔTEL UTRILLO   *Une chambre et un sauna…*

7 rue Aristide-Bruant (18ᵉ)
Mᵒ Abbesses ou Blanche
Tél. 01 42 58 13 44
Fax : 01 42 23 93 88
www.hotel-paris-utrillo.com

Ambiance ocre et équipement fonctionnel (télévision câblée, mini-bar, sèche-cheveux) pour les trente chambres de cet hôtel, à mi-chemin entre la place Blanche et le Sacré-Cœur. Après la balade, une séance de sauna (7 €) relaxera le touriste épuisé. De 58 € pour la simple avec douche, à 85 € pour la triple avec bain. Petit déjeuner : 6,50 €. Depuis les chambres 61 et 63, au sixième étage avec ascenseur, vue sur la tour Eiffel. Parking à proximité.

PACIFIC HÔTEL

Mes chaussons et ma cafetière

77 rue du Ruisseau (18ᵉ)
Mᵒ Jules-Joffrin
Tél. 01 42 62 53 00
Fax : 01 46 06 09 82
Tous les jours : 8 h-21 h

Dans les chambres, micro-ondes et réfrigérateur. Dans les studios, plaques de cuisson et cafetières, télévision satellite et téléphone. Alors, on s'installe. Pour deux, le grand studio est à 346 € (tous les prix s'entendent par semaine), le twin à 365 €. Le petit studio pour deux personnes avec un grand lit : 327 € ; ou des lits jumeaux : 346 €. Le single : 245 €. A la journée, compter de 33 à 58 €. Parking : 10 €/24 h.

STYLE HÔTEL

Arts-Déco à Pigalle

8 rue Ganneron (18ᵉ)
Mᵒ Place-de-Clichy
Tél. 01 45 22 37 59
Fax : 01 45 22 81 03

Pour vivre les folles nuits de Pigalle, cet hôtel au joli décor Arts-Déco est parfait. Choisissez la 200, une quadruple avec bain à 65 €. Pour une ou deux personnes, avec lavabo : 34 €. Pour deux ou trois : 48 €. Quadruple : 65 €. Attention : la maison est parfois fermée les 24 et 25 décembre.

LE VILLAGE HOSTEL

Ambiance jeune et décontractée

20 rue d'Orsel (18ᵉ)
Mᵒ Anvers
Tél. 01 42 64 22 02
Fax : 01 42 64 22 04
www.villagehostel.fr

Une adresse typiquement montmartroise très appréciée des jeunes de tous les pays, pierres de taille, poutres apparentes et terrasse fleurie : avec le Sacré-Cœur en toile de fond, que demander de plus ? Les chambres ont douche et WC. Par personne (en chambre dortoir) et par nuit, petit déjeuner compris, il vous en coûtera : en hiver, 20 € en dortoir, et à partir de 46 € en chambre double ; en été, 21,50 € en dortoir et à partir de 50 € en chambre double. Couche-tard, attention : le couvre-feu est à 2 h du matin !

19ᵉ ARRONDISSEMENT

CRIMÉE HÔTEL

Du nouveau à l'Est

188 rue de Crimée (19ᵉ)
Mᵒ Crimée
Tél. 01 40 36 75 29
Fax : 01 40 36 29 57
www.hotelcrimee.com

Ce deux étoiles a beaucoup d'atouts : il est proche de la Cité des Sciences et du canal Saint-Martin. Le métro Crimée est à 40 mètres, et ses trente et une chambres offrent un confort douillet avec double vitrage, climatisation, douche et WC, téléphone, câble et sèche-cheveux. Compter, pour la single : de 50 à 52 € ; pour la double : de 57 à 60 € ; la triple : 65 € ; la quadruple : 70 €. Petit déjeuner : 6 €. Parking à proximité : 10 €/24 h. **Remise de 5 % les vendredi, samedi et dimanche et en juillet-août, avec le guide ou la carte.**

HÔTEL LE LAUMIÈRE

Un jardin dans l'Est parisien

4 rue Petit (19ᵉ)
Mᵒ Laumière
Tél. 01 42 06 10 77
Fax : 01 42 06 72 50
www.hotel-lelaumiere.com

A deux pas des Buttes Chaumont et de la Cité de la Musique, le Laumière offre un confort simple mais sûr, auquel s'ajoute le charme de son petit jardin où, l'été, on sert le petit déjeuner (6,50 €). Les chambres sont équipées de douches ou bains, téléphone et télévision. Simple ou double, sur rue ou jardin, avec douche ou bain : de 48 à 69 €. Au premier étage, les chambres 14, 16 et 18 ont un petit balcon qui donne sur le jardin et viennent d'être rénovées. Parking : 8 €/24 h. **Remise de 5 % avec le guide ou la carte.**

HÔTEL RHIN ET DANUBE

3 place Rhin-et-Danube
(19ᵉ)
M° Danube
Tél. 01 42 45 10 13
Fax : 01 42 06 88 82

Comme à la maison

Boire un café sur une jolie place tranquille du 19ᵉ arrondissement puis rentrer dans votre chambre, équipée, comme un studio, d'une kitchenette avec frigo et vaisselle, d'une salle de bains, du téléphone, de la télévision satellite et de double vitrage, ça vous tente ? Pour une personne : 46 € ; pour deux : 61 € ; pour trois : 73 €. **Remise de 10 % avec le guide ou la carte.**

LA PERDRIX ROUGE

5 rue Lassus (19ᵉ)
M° Jourdain
Tél. 01 42 06 09 53
Fax : 01 42 06 88 70
www.hotel-perdrixrouge-paris.com

Un village tranquille

A deux pas des Buttes Chaumont, au rythme des cloches de l'église Saint-Jean-Baptiste-de-Belleville, se cache un hôtel paisible. Ses chambres confortables et coquettes, avec mini-bar, téléphone, Canal + et satellite, sèche-cheveux, double vitrage, sont à des prix tout à fait raisonnables : avec douche ou bain, la single est à 55 €, la twin à 69 €, la double à 61 € et la triple à 85 €. Petit déjeuner : 6 €. Parking à proximité : 11,50 €/24 h.

20ᵉ ARRONDISSEMENT

CENTRE D'HÉBERGEMENT LOUIS LUMIÈRE

46 rue Louis-Lumière (20ᵉ)
M° Porte-de-Bagnolet
ou Porte-de-Montreuil
Tél. 01 43 61 24 51
Fax : 01 43 64 13 09
www.paris-les-jeunes.com

Pour jeunes et sportifs

Pratique pour les équipes de sportifs en déplacement dans la capitale, ou pour les groupes scolaires (tarifs étudiés). Aucune réservation anticipée n'est possible pour les individuels auxquels il est conseillé de tenter leur chance la veille pour le lendemain. Par personne et par nuit : 18,50 € (1 et 2 lits), 17 € (3 et 4 lits), 15,50 € (6 et 8 lits) du 1ᵉʳ janvier au 28 février et du 1ᵉʳ novembre au 31 décembre (basse saison). En haute saison, compter 20,50 € (1 et 2 lits), 19 € (3 et 4 lits) et 17,50 € (6 et 8 lits). Prix spéciaux à partir de sept nuits. Tarif groupes (plus de quinze personnes) : 13 € (basse saison) et 15,25 à 17,55 € (haute saison). Cabinet de toilette dans toutes les chambres, sanitaires et douche sur le palier.

EDEN HÔTEL

7 rue Jean-Baptiste-Dumay
(20ᵉ)
M° Pyrénées
Tél. 01 46 36 64 22
Fax : 01 46 36 01 11

Sur les hauteurs de Belleville

L'Eden a rénové une partie de ses chambres dont les prix restent doux. La single, WC et télévision : à partir de 36 € ; la double : 43, 51 et 54 € (avec baignoire) et le lit supplémentaire à 10 €. Petit déjeuner : 4,50 €. Et pour 5 € par jour, votre animal de compagnie sera accepté. **Remise de 5 % le week-end, avec le guide ou la carte.**

HÔTEL L'OISEAU BLEU

24 rue d'Avron (20ᵉ)
M° Buzenval
Tél. 01 43 71 91 30

Non loin du Père-Lachaise

Au rez-de-chaussée de ce deux étoiles convivial, calme et confortable, un bar restaurant tenu par les mêmes gérants vous accueille avec simplicité. Et les

Fax : 01 43 71 95 17

prix n'ont pas bougé : avec bain ou douche, la single est à 35 € ; la double grand lit : 48,80 € ; la twin : 50 €. Petit déjeuner : 4,10 €.

HÔTEL TAMARIS   *Entre le bois et la Nation*

14 rue des Maraîchers (20ᵉ)
Mº Porte-de-Vincennes
Tél. 01 43 72 85 48
Fax : 01 43 56 81 75
www.hotel-tamaris.fr ;
tamaris-hotel@wanadoo.fr

Pour une ou deux personnes, avec cabinet de toilette, douche (2,50 € par chambre) et WC à l'étage, il vous en coûtera 28 € ; la single : de 36 € avec douche à 42 € avec douche et WC ; la double : de 29 à 44 €. Le petit déjeuner : 5 €. Et les (petits) chiens sont acceptés. Atout supplémentaire : le métro est à 100 mètres.

NADAUD HÔTEL   *Ambiance famille à Gambetta*

8 rue de la Bidassoa (20ᵉ)
Mº Gambetta
Tél. 01 46 36 87 79
Fax : 01 46 36 05 41

A deux pas du métro, cet hôtel familial de six étages, bien entretenu est d'un bon rapport qualité-prix. Possibilité d'avoir deux chambres communicantes pour les familles. Toutes les chambres sont équipées de télévision (Canal +), téléphone avec prise modem et sèche-cheveux. Chambre avec cabinet de toilette pour une ou deux personnes : 38 €. Avec douche : 48 €. Lit supplémentaire : 11 €. Petit déjeuner au lit : 5,50 €. Parking à proximité (15,25 €/24 h). Fermé en août.

92 HAUTS-DE-SEINE

RÉSIDENCE AURMAT   *Installez-vous*

106 rue de Paris
92100 BOULOGNE
Mº Boulogne-Jean-Jaurès
Tél. 01 41 10 43 43
Fax : 01 47 12 14 19
www.residence-aurmat.com

Cette résidence est située à proximité du bois de Boulogne. Les studios sont joliment meublés et bien équipés : kitchenette, douche, WC, téléphone, satellite et câble, double vitrage. Pour une ou deux personnes, compter de 288 à 335 € la semaine (au mois de 747 à 853 €). Pour deux, de 335 à 365 € la semaine.

93 SEINE-SAINT-DENIS

HÔTEL MAISON DES CINQ SILENCES   *Un ambassadeur de la culture*

17 bd Jules-Guesdes
93200 SAINT-DENIS
RER D, Saint-Denis
Tél. 01 42 43 12 99

Il faudrait tout un guide pour raconter les projets passionnément culturels du patron de ces lieux. Il organise des circuits : les 5 JS, ou jardins suprêmes ; les 4 MS, ou musées de la sculpture ; le 4 B (bibliothèques) ; les 4 MT (musées technologiques). Au hasard, vous visiterez la Bibliothèque Nationale, le musée Christofle, l'atelier Brancusi ou les jardins de la basilique de Saint-Denis. Nouvelle grille de prix : de 150 € par semaine en petite single à 230 € en grande chambre pour trois personnes (par mois, compter de 420 à 650 €). Attention : liste d'attente ! **Tarif au mois appliqué dès la troisième semaine et deux places offertes pour un musée avec le guide ou la carte.**

94 VAL-DE-MARNE

CHINAGORA HÔTEL   *Un décor exotique*

1 place du Confluent-France-Chine

Dans cette maison très organisée, les chambres sont fonctionnelles et bien équipées, avec vue sur la

94140 ALFORTVILLE
M° École-Vétérinaire-
Maisons-Alfort
Tél. 01 43 53 58 88
Fax : 01 49 77 57 17
www.chinagorahotel.com

Marne ou le jardin. Pour la single : compter 84 € ;
pour la double : 92 € ; la suite est à 165 €. Lit supplémentaire : 15 €. Petit déjeuner : 9 €. Parking
gardé : 6 € par véhicule et par sortie. Et si vous
voulez vous marier ici, la maison accueille 350 personnes (de 2 287 à 3 811 €).

Les auberges de jeunesse

*Accueil chaleureux et convivialité vont de pair avec les trois auberges FUAJ
(Fédération unie des auberges de jeunesse) de Paris. On partage des chambres
de quatre à six lits (sanitaires à l'étage) pour 19,50 € la nuit par personne, petit
déjeuner compris. Et les draps sont fournis. Bar, borne Internet, mini-boutique,
laverie et cuisine à disposition. Inscription annuelle : 10,70 € pour les moins de
26 ans, 15,25 € pour les autres (et 17,40 € pour les étrangers). Consignes
individuelles : 17,40 € par an. Site web : www.fuaj.org.*

11e ARRONDISSEMENT

AUBERGE DE JEUNESSE JULES-FERRY
8 bd Jules-Ferry, 11e • M° République • Tél. 01
43 57 55 60 • Fax : 01 43 14 82 09

20e ARRONDISSEMENT

AUBERGE DE JEUNESSE D'ARTAGNAN
80 rue de Vitruve, 20e • M° Porte-de-Bagnolet
• Tél. 01 40 32 34 56

92 HAUTS-DE-SEINE

AUBERGE DE JEUNESSE LÉO-LAGRANGE
107 rue Martre • 92110 CLICHY • M° Mairie-
de-Clichy • Tél. 01 41 27 26 90
Remise de 10 % avec le guide ou la carte.

93 SEINE-SAINT-DENIS

AUBERGE DE JEUNESSE CITÉ-DES-SCIENCES
1 rue Jean-Baptiste-Clément ou 24 rue des Sept-
Arpents • 93310 LE PRÉ-SAINT-GERVAIS
• M° Hoche • Tél. 01 48 43 24 11

Deux « plus » pour cette auberge : l'accueil des
handicapés, la location de vélos.

Les « autres » auberges

*Dormir, pour un prix défiant toute concurrence, dans des hôtels particuliers du
XVIIe siècle réhabilités, entre la Seine et Saint-Paul, c'est le pari réussi des MIJE
(Maisons internationales de la jeunesse et des étudiants). 437 lits disponibles sur
les trois sites parisiens. Chambres avec douche et lavabo, WC à l'étage. La nuit
et le petit déjeuner, par personne : de 26 € en chambre à quatre lits à 47 € en
chambre individuelle. Draps fournis, mais pas le linge de toilette. Fermé entre
1 h et 7 h du matin. Adhésion annuelle : 2,80 €. Attention : réserver longtemps
à l'avance. Tél. 01 42 74 23 45. Fax 01 40 27 81 64. E-mail : accueil@mije.
com. Web : www.mije.com.*

4e ARRONDISSEMENT

MIJE FAUCONNIER
11 rue du Fauconnier, 4e • M° Pont-Marie

MIJE FOURCY
6 rue de Fourcy, 4e • M° Saint-Paul

Le restaurant « La Table d'Hôte » est ouvert du
lundi au vendredi. Formule à 8,50 €. Menu à
10,50 €.

MIJE MAUBUISSON
12 rue des Barres, 4e • M° Hôtel-de-Ville

Attention, étoiles trompeuses

Pas d'étoile, une étoile, deux étoiles, trois étoiles, quatre étoiles, quatre étoiles luxe : six catégories d'hôtels régies par l'arrêté du 14 février 1986 « fixant les normes et la procédure de classement des hôtels et des résidences de tourisme ». Et l'on se dit que plus il y a d'étoiles, plus l'hôtel est confortable. Cependant...

Il est vrai que la surface des chambres, la propension du personnel à parler des langues étrangères, la superficie du hall et le nombre de chambres avec douche ou salle de bains augmentent avec le nombre d'étoiles. Mais l'hôtel serait-il du confort le plus douillet qu'il n'aura pas droit à trois étoiles si le personnel de réception ne parle pas au moins deux langues. En revanche, un modeste « une étoile » peut très bien être doté de chambres ravissantes avec sèche-cheveux, télévision, mini-bar, table à re-passer et être d'une impeccable propreté sans avoir droit à une étoile supplémentaire si son hall d'entrée n'est pas assez grand. A contrario, nous avons connu des « trois étoiles » dont les chambres aux murs pisseux, à l'éclairage déficient, étaient de surcroît dotées d'une literie en piteux état. Toutes choses qui ne suffisent pas à faire rétrograder l'hôtel en catégorie inférieure. Se méfier, donc : le nombre d'étoiles détermine souvent le prix, pas forcément le confort...

Vous voulez recevoir gratuitement le prochain Paris Pas Cher ? Signalez-nous, par courrier, une bonne adresse qui n'y figure pas ou une erreur qui se serait glissée dans le texte (si, si, ça arrive), avant le 1er février 2004.

Si vous êtes le premier (ou la première) à nous l'avoir signalée, et que nous la retenons, vous recevrez un exemplaire du guide 2005, à paraître en septembre 2004.

**Paris Pas Cher
19 av. Georges-Brassens
94550 Chevilly-Larue**

INFORMATIQUE, INTERNET, BUREAUTIQUE

Que vous soyez Mac (4 % du parc, presque pas de virus, la machine design des éditeurs, des journalistes ou des professionnels de l'image) ou PC (les 96 % restant, avec un choix de logiciels et de périphériques vertigineux), Paris Pas Cher a réuni quelques adresses de bon conseil et vous guide dans vos recherches Internet. En annexe, quelques adresses précieuses pour la téléphonie et le matériel de bureau traditionnel.

¿ QUE CHERCHEZ-VOUS ?

CONSOMMABLES
368 Toner Services (78)

CYBER-CAFÉS
373 Accessnet (1er, 11e)
373 Bagrenaude Café (1er)
373 Cybercafé de Paris (1er)
373 Cyberport (1er)
373 Easy Everything (1er)
373 XS Arena Paris (1er)
376 America Center (2e)
373 C@fé Cari Télémation (2e)
373 Web Croissant (2e, 16e)
373 Cyber Square (3e)
373 @Aron (4e)
373 Cyber Beaubourg (4e)
373 Cyberia (4e)
373 Web 46 (4e)
373 Winy Wip (4e)
373 Actuel Bureautique (5e)
373 Click Side (5e)
373 Connect Café (5e)

373 Cyber-Café Latino (5e)
374 Dot (5e)
374 Internet Cybercafé Net (5e)
374 Le Jardin de l'Internet (5e)
374 Linko (5e)
374 Luxembourg Micro (5e)
374 Tetr@net Saint-Michel (5e)
374 Zetnet (5e)
374 Café Orbital (6e)
374 Le Cyber Cube (6e)
374 CyberNil.com (6e)
374 Station Internet Rive Gauche (6e)
374 Cyber Service Duriez (8e)
374 Cybermétropole (8e)
374 Espace Vivendi (8e)
374 Bistrot Internet (9e)
374 Cybcity (9e)
374 Site Bergère (9e)
374 Zowezo (9e)
374 Cyberkawa (10e)

374 Newage Century (10e)
374 Acidnet (11e)
374 Arcana (11e)
375 Ars Longa (11e)
375 Babylon Café (11e)
375 Cyber Cube (11e, 14e)
375 Cyber T (11e)
375 Giscom (11e)
375 Infogame.net (11e)
375 Ostelen (11e)
375 The Craft (11e)
375 Cyber Picpus (12e)
375 Le Meilleur des Mondes (12e)
375 Net Magic (12e)
375 Le Sputnik (13e)
375 Cyber Business Center (14e)
375 Icare (14e)
375 Coomtel (15e)
375 Cyberbase (15e)
375 Cybercafé Naninet (15e)
375 Cyberg@me Pasteur (15e)
375 Planet Cyber Café (15e)
375 Station Internet Paris-Montparnasse (15e)

¿ QUE CHERCHEZ-VOUS ?

375 Voyage Café (15ᵉ)
375 Cyber Game La Tour (16ᵉ)
375 Webcenter (17ᵉ)
375 Out Of The Time Communication (18ᵉ)
376 Vis à Vis (18ᵉ)
376 Cybertop (19ᵉ)
376 Atlanteam (20ᵉ)
376 Cyber@planète (20ᵉ)

FOURNITURES DE BUREAU
377 Viking Direct (77)

INTERNET
370 *Des promesses toujours pas tenues*
371 *Les commerçants en ligne*
370 *Les Comparateurs de prix*
371 *Les sites d'enchères*

MICRO-INFORMATIQUE D'OCCASION
367 Infibail (2ᵉ)

369 4U Computer (12ᵉ)
369 Charlie 12 (12ᵉ)
369 E-Soph (12ᵉ)
368 Génération Micro (14ᵉ)
368 Degriff'Mac (17ᵉ)
369 *La Mecque de l'informatique*

MICRO-INFORMATIQUE NEUVE
369 4U Computer (12ᵉ)
367 La Boutique Informatique (12ᵉ)
369 Charlie 12 (12ᵉ)
369 E-Soph (12ᵉ)
369 Euromegatec (12ᵉ)
369 Fox Computer (12ᵉ)
369 Golden Gate (12ᵉ)
368 LCD International (12ᵉ, 20ᵉ)
367 Surcouf (12ᵉ, 94)
367 GrosBill Micro (13ᵉ)
368 Génération Micro (14ᵉ)

368 Degriff'Mac (17ᵉ)
368 Micro Globe (18ᵉ)
369 PC Welcome (94)
369 *La Mecque de l'informatique*

MICRO-INFORMATIQUE : DÉPANNAGE
368 Génération Micro (14ᵉ)

MOBILIER DE BUREAU
377 Burocase (92)
377 Simon et Fils (93)

PHOTOCOPIE, TÉLÉCOPIE
376 America Center (2ᵉ)

PILES, BATTERIES
376 1000 et Une Piles (10ᵉ, 11ᵉ, 14ᵉ, 17ᵉ)

TÉLÉPHONIE
376 America Center (2ᵉ)
376 The Phone House (8ᵉ)

L'index des produits recensés dans Paris Pas Cher se trouve en page 627.

INFORMATIQUE

2ᵉ ARRONDISSEMENT

INFIBAIL
Bon plan !

10 rue de Louvois (2ᵉ)
Mᵒ Bourse
Tél. 01 42 86 09 16
Fax : 01 42 86 88 75
www.microdokaz.com
ou www.infibail.fr
*Lundi-vendredi : 9 h-12 h 30,
14 h-17 h 15*

Pour tout achat à prix discount de matériel informatique en retour de location, Infibail est une excellente adresse. Le matériel, de grandes marques, y est testé, vérifié et garanti 3 mois. Ordinateurs portables : à partir de 349 €. Ordinateurs de bureau : à partir de 199 €. Imprimantes : à partir de 50 €. **Remise de 5 % avec le guide ou la carte.**

12ᵉ ARRONDISSEMENT

LA BOUTIQUE INFORMATIQUE
Un lifting informatique

42 allée Vivaldi, par le
185 av. Daumesnil (12ᵉ)
Mᵒ Daumesnil
Tél. 01 43 40 23 24
www.bootique-informa
tique.com
*Lundi-vendredi : 9 h 30-
12 h 30, 14 h-19 h ;
samedi : 9 h 30-12 h 30*

Pour rendre son ordinateur plus performant sans s'en séparer trop longtemps, c'est l'endroit parfait pour faire bichonner sa machine (devis gratuit). Pentium 4 (2,4 Ghz) + disque dur 40 Go + écran 17 pouces + carte vidéo ATI 64 Mo + DVD Rom 16x + carte son + HP 180 W + clavier + souris + modem : 699 €. **Avec le guide ou la carte, un CD de 37 titres vous est offert.**

SURCOUF
High-tech bazar

139 av. Daumesnil (12ᵉ)
Mᵒ Gare-de-Lyon ou Reuilly-
Diderot
Tél. 01 53 33 20 00
Fax : 01 53 33 21 01
www.surcouf.com
Lundi-samedi : 10 h-19 h

Dans ce quartier où il a fait des émules, Surcouf reste fidèle à sa réputation, un bazar informatique rénové de 7 000 m² où se mêlent bonnes affaires diverses (dont la reprise de votre ordinateur jusqu'à 600 €), matériels informatiques d'occasion, espace entreprises, etc. On recense 25 000 références en informatique et 250 vendeurs spécialistes exténués. A noter aussi : un site Internet de vente.

AUTRE ADRESSE
■ Centre Commercial Belle-Épine • 94320 THIAIS • 7 km de la Porte d'Italie • Tél. 01 56 70 37 00 • Lundi et samedi : 10 h-20 h ; mardi-vendredi : 10 h-21 h • Pas de reprise dans cette boutique.

13ᵉ ARRONDISSEMENT

GROSBILL MICRO
Gros Bill mais petits prix

60 bd de l'Hôpital (13ᵉ)
Mᵒ Saint-Marcel ou Gare-
d'Austerlitz
Tél. 01 45 87 06 07
Fax : 01 45 87 54 53
www.grosbill.fr
*Lundi-vendredi : 10 h-20 h ;
nocturnes mercredi
et vendredi jusqu'à 21 h ;
samedi : 9 h 30-19 h*

GrosBill Micro est une adresse incontournable dans le monde des discounteurs parisiens, à coups de déstockage, occasions en tout genre et promotions ininterrompues. En cherchant bien, vous trouverez certainement votre bonheur. Un site consacré au service après-vente : 9 bd Saint-Marcel. Une hotline illimitée. Pièces détachées, logiciels. Configuration PC : aux alentours de 1 500 €. Portable : à partir de 900 €.

GÉNÉRATION MICRO

112 rue Raymond-
Losserand (14e)
M° Plaisance
Tél. 01 43 20 76 91
ou 01 43 21 76 91
Fax : 01 43 21 57 97
www.gen-micro.com
*Mardi-samedi : 10 h-
13 h 30, 14 h 30-18 h 30*

Des occasions garanties

Déstockage et occasion depuis 1994, avec une garantie de 6 mois. On dépanne sur devis et on parle une langue compréhensible même pour les profanes. Pentium III autour de 200 €. Pentium IV à partir de 450 €. Écran 15 ou 17 pouces à partir de 50 €. Les écrans plats commencent à arriver à des prix intéressants. **Remise de 5 à 8 % selon les matériels avec le guide ou la carte.**

DEGRIFF'MAC

115 rue de Saussure (17e)
M° Malesherbes
ou Wagram
Tél. 01 56 33 25 25
Fax : 01 56 33 25 26
www.degriffmac.com
*Lundi-vendredi : 9 h 30-13 h,
14 h-19 h*

Affaires à faire

Une très bonne adresse pour vous équiper convenablement d'un Mac dernier cri. Le but du jeu est d'attraper au vol la belle occasion. Vous y trouverez des machines neuves déstockées et des occasions. Imac G3/233 d'occasion autour de 400 €. Emac G4/700 neuf, graveur à 990 €. Parfois (très rarement) quelques PC.

MICRO GLOBE

150 bd Ney (18e)
M° Porte-de-Saint-Ouen
ou Porte-de-Clignancourt
Tél. 01 44 92 74 74
Fax : 01 42 64 52 01
*Lundi-samedi : 9 h 30-
19 h 30*

Broker de l'informatique

Entre « broker » et marché aux puces, cette boutique renouvelle son stock plusieurs fois par mois. Portable IBM, 700 Mhz, 128/12,4 Go, DVD, écran 14 pouces TFT, Modem 56 K : 949 €. Configurations mêlant pièces neuves et occasions, très complètes : à partir de 790 €, avec un an de garantie pièces et paramétrage. Sélection hebdomadaire disponible par téléphone ou fax.

LCD INTERNATIONAL

199-207 rue des Pyrénées
(20e)
M° Gambetta
Tél. 01 43 15 02 03/04
Fax : 01 43 15 02 06
www.lcdi.fr
*Mardi-samedi : 10 h-13 h,
14 h-19 h*

A vos tournevis !

Si vous êtes un « bidouilleur », vous trouverez tout le nécessaire dans cette boutique pour vous confectionner le PC idoine à des prix très avantageux. Les prix ne cessent de baisser : en mai 2003, disque dur Sergate 120 Go, 7 200 RPM : 195 €. Imprimante couleur bulle d'encre Canon : 195 €.

AUTRE ADRESSE
■ 192 rue de Charenton, 12e • M° Montgallet • Tél. 01 43 43 24 40 • SAV : 01 43 40 35 55 • Fax : 01 43 46 13 17 • Mardi-samedi : 10 h-13 h, 14 h-19 h

TONER SERVICES

10-14 av. du Général-
Leclerc
78230 LE PECQ

Recyclez vos cartouches

Les cartouches d'imprimante sont trop chères ? Un seul moyen d'économiser : le conditionnement. Toner service reprend vos cartouches usagées à

RER A, Saint-Germain-en-Laye
Tél. 01 39 16 34 00
Fax : 01 39 16 34 02
www.toner.fr
Lundi-vendredi : 9 h-18 h

12,20 € et vous livre gratuitement des cartouches rechargées. Pour une HP LaserJet 4 : 64,03 €. Pour une HP 4000 : 89,94 €. Pour une HP 1100 : 56,41 €.

94 VAL-DE-MARNE

PC WELCOME

Tout pour le PC

65 bis av. Paul-Vaillant-Couturier
94250 GENTILLY
RER B, Gentilly
Tél. 01 45 46 19 40
Fax : 01 45 46 09 68
www.pcwelcome.fr
Mardi-vendredi : 9 h 30-12 h 30, 14 h-19 h ;
samedi : 10 h-12 h 30, 14 h-18 h

Intégrateur de solutions PC depuis onze ans, la société de Patrick Benteo vous propose des configurations efficaces et adaptées à vos besoins, à des prix très concurrentiels (à partir de 795 €). Devis gratuit, service technique avantageux, évolution de tous PC. Pentium PIV, 2,4 Ghz, écran 17 pouces : 950 €. AMD Athlon XP 2000+ : 795 €. **Un cadeau (une souris de qualité) avec le guide ou la carte.**

La Mecque de l'informatique

Tous les mordus d'informatique connaissent le quartier Montgallet où ils vont en pèlerinage plusieurs fois par an pour trouver absolument tout pour les PC et à tous les prix. Une flopée de boutiques y fleurissent, mais attention : les prix varient au gré de la concurrence et du marché asiatique. Ne vous fiez pas aux tarifs indiqués en vitrine, ils font souvent référence à des produits qui ne sont déjà plus disponibles, les derniers arrivages étant souvent épuisés le jour-même ! C'est l'endroit idéal pour acheter un PC en pièces détachées, le but du jeu étant d'aller de boutique en boutique pour avoir les meilleurs prix des composants recherchés. Le mieux est encore de consulter le site qui fonctionne comme une véritable base de données, vous permettant de trouver la boutique où vous aurez le meilleur tarif et de connaître l'avis de ses clients. A noter : la plupart des boutiques n'offrent de garantie que si vous faites assembler votre ordinateur sur place. Sinon, vous devrez vous contenter de la garantie constructeur pour chacune des pièces de votre PC. Le site : www.rue-montgallet.com.

12ᵉ ARRONDISSEMENT

4U COMPUTER
40 rue Montgallet, 12ᵉ • Tél. 01 43 46 30 47 • Fax : 01 43 46 30 48 • Lundi-vendredi : 10 h-19 h

CHARLIE 12
120 av. Daumesnil, 12ᵉ • Tél. 01 43 44 45 60 • Fax : 01 43 44 46 79 • www.charlie12.fr • Lundi-samedi : 9 h 30-19 h

Atelier occasions. 203 rue de Charenton, 12ᵉ • Mᵒ Dugommier • Tél. 01 43 44 68 64 • Lundi-samedi : 10 h 30-18 h.

E-SOPH
149 rue de Charenton, 12ᵉ • Tél. 01 53 33 89 90 • www.e-soph.com • Lundi-samedi : 10 h-13 h, 14 h-19 h

Sur le site ou en magasin, matériel neuf, PC et pièces détachées, occasions depuis peu.

EUROMEGATEC
64 av. Daumesnil, 12ᵉ • Tél. 01 43 44 18 38 • Fax : 01 43 44 17 19 • Mardi-samedi : 10 h-19 h

Matériel neuf et dépannage.

FOX COMPUTER
150 rue de Charenton, 12ᵉ • Tél. 01 43 43 37 27 • Fax : 01 43 43 27 77 • www.fox-pc.com • Mardi-samedi : 9 h 30-19 h

Pièces détachées neuves.

GOLDEN GATE
186 rue de Charenton, 12ᵉ • Tél. 01 56 95 08 08 • Fax : 01 56 95 08 00 • www.atimecomputer.com • Lundi-samedi : 10 h-13 h, 14 h-19 h

Pièces détachées, matériel neuf.

INTERNET

Ce mini-guide a été conçu et réalisé entre mai et juin 2003 : il est donc le reflet de l'état de la toile et de ses sites à ce moment-là. Mais sur le Net, tout va très vite : des sites naissent tous les jours, d'autres meurent, d'autres encore changent d'aspect et de performances. Il pourra donc arriver que le lecteur ne retrouve pas exactement ce que nous lui avons décrit dans ces pages. Qu'il ne nous en veuille pas...

Des promesses toujours pas tenues

Méfiance...

Ça n'a guère changé depuis l'an dernier : malgré la publicité dont on nous rebat les oreilles et les promesses qui ne coûtent cher qu'à ceux qui y croient, les temps ne sont pas encore venus où le commerce en ligne – entendez par là, celui qui permet de choisir, de commander, de payer et de se faire livrer par le Net – va bouter hors des sentiers des affaires la distribution traditionnelle. Bien sûr, il a de nombreux avantages : pour peu que le site soit bien fait, on peut longuement comparer, évaluer, réfléchir et, sans se déplacer, acheter l'objet de son choix. Commodité et gain de temps ? Sûrement. Gain d'argent ? Moins sûr. La plupart des sites font aujourd'hui encore, sur ce plan, des promesses qu'ils ne tiennent pas.

... et pourtant

Certains d'entre eux, pourtant, sont sérieusement concurrentiels. Ce sont ceux-là que Paris Pas Cher a répertoriés pour vous. Et puis il y a les sites d'enchères et ceux qui permettent de faire des achats groupés. Ils ne sont pas sans risques, ils ont certains inconvénients majeurs, mais ils permettent effectivement de réaliser de substantielles économies. Il y a enfin les annuaires qui répertorient et détaillent avantages et inconvénients des sites marchands, les groupements d'achats et les comparateurs de prix. De tous ces sites, seuls les meilleurs ont survécu. On peut donc leur faire confiance. Tout en sachant que le commerce offline – entendez par là le marchand qui a pignon sur rue – a encore de beaux jours devant lui : le « e-commerce » est loin d'avoir fait la fulgurante percée qu'on lui promettait.

Les Comparateurs de prix

Ils possèdent un moteur de recherche, le shopbot, dont les agents « intelligents » surfent sur de nombreux sites de vente pour trouver le produit qui vous intéresse au meilleur prix. Encore qu'ils aient tendance à tous se ressembler, certains d'entre eux ont une recherche plus pertinente que d'autres. Les sites qu'ils sélectionnent – et avec lesquels ils ont généralement des accords marchands (seuls Toobo, Travelprice, Leguide se déclarent indépendants) – ne sont pas forcément les moins onéreux. En cherchant bien, on peut souvent trouver le même produit moins cher dans des boutiques « physiques ». Par exemple dans les autres pages de Paris Pas Cher. Par ailleurs, prudents, la plupart d'entre eux déclinent toute responsabilité sur les informations fournies. Ce qui n'est pas très encourageant pour l'internaute...

www.buycentral.fr

Un éventail de produits très complet (de l'informatique aux voyages en passant par les livres, la maison, le jardin, la gastronomie, la mode et la beauté). Les frais de port sont mentionnés.

www.acheter-moins-cher.com

Des dizaines de catégories de produits dont vêtements, beauté, électroménager, vidéo, vêtements. Inconvénient : dans chaque catégorie indique les prix les moins chers, mais ni les marques ni les modèles. Les frais de port ne sont pas mentionnés.

www.tooboo.com

De nombreuses catégories de produits dont in-

formatique, fleurs, vêtements, téléphonie, électroménager, beauté. Moteur de recherche assez rudimentaire.

www.fr.kelkoo.com

Sans doute l'un des plus complets : auto/moto voisine avec électroménager, hi-fi, vidéo, photo, immobilier, informatique, maison, jardin, sports et autres voyages. Les frais de port ne sont pas mentionnés.

www.leguide.com

Est devenu la référence. Le plus grand nombre de visiteurs et la sélection la plus importante. Les sites sont notés et les frais de port mentionnés.

www.comparatel.fr

Qu'il s'agisse du téléphone fixe, mobile ou d'Internet, voici un site qui vous donnera le dernier point sur les tarifs les moins chers, par zone, par pays ou par numéro d'appel. A l'heure où tout évolue si rapidement, c'est un « must ». Un peu lent à charger.

www.123comparez-online.fr

C'est l'annuaire des comparateurs.

www.comparenet.net

Plus fort (et plus utile) que le précédent : le comparateur des comparateurs. Il les radie lorsqu'ils ne sont pas indépendants vis-à-vis des sites marchands.

Les sites d'enchères

Ne croyez pas qu'il n'y ait que des particuliers qui proposent à la vente leur vieux Nikon qu'ils ont remplacé par un appareil numérique ou l'imprimante qu'ils ont en double. Les sites d'enchères regorgent d'offres de professionnels qui voient là l'occasion d'écouler le surplus de leurs stocks ou leurs invendus aux meilleurs prix. Attention : le flou juridique qui entoure ce type de vente en ligne favorise les escroqueries de tout poil, malgré les précautions dont s'entourent, de plus en plus, les sites. D'ailleurs, le principe même des enchères, si l'on n'y est pas parfaitement rodé, amène souvent à acheter des objets bien au-dessus de leur prix. Tel qui croyait faire une affaire s'est gentiment fait « estamper ». Mais en s'entourant d'infiniment de précautions, le jeu en vaut tout de même la chandelle. On privilégiera les sites qui proposent les services d'un tiers de confiance qui est, en général, un organisme indépendant, ceux où il est possible de souscrire une assurance, ceux qui se chargent eux-mêmes de la transaction, ceux enfin, qui permettent aux acheteurs de donner leur appréciation sur les vendeurs (encore qu'il n'y ait pas d'information possible sur les vendeurs qui apparaissent pour la première fois). Et de toute façon, on préférera le paiement contre remboursement. Dernier conseil : on vérifiera avant d'enchérir si le site prend (ou non) une commission sur les ventes.

www.nouvelles-frontieres.fr

Chaque mardi, de 11 h 30 à 13 h 30 et de 16 h 30 à 18 h 30. Nouvelles Frontières met aux enchères ses invendus à -75 % maximum du prix initial. Intéressant. Attention : il arrive que certains voyages partent plus cher que leur prix catalogue. Un comble !

www.ebay.com

Le poids lourd des sites d'enchères (ex-ibazar). Il n'est toujours pas le plus intéressant.

ET ENCORE...

www.onatoo.com – www.aucland.fr – www.yahoo.fr – www.qxl.fr

Les commerçants en ligne

Ils sont (presque) tous répertoriés par les comparateurs de prix. Voici néanmoins quelques sites qui, soit ont échappé à leur vigilance, soit méritent qu'on s'y attarde plus avant.

ALIMENTATION

Six cybermarchés se partagent les faveurs des internautes.

houra.fr

Délais de livraison plus longs que Telemarket, mais la commande est assurée. Délai de livraison : 48 h.

ooshop.com

Frais de port élevés en cas de « petite » com-

mande et suivi un peu succinct. Délai de livraison : 24 h.

c-mescourses.com

Préférer le paiement à la livraison. Cadeau : des bons de réduction et une carte de fidélité. Délai de livraison : 24 h.

telemarket.fr

Des frais de livraison très chers si la commande est inférieure à 75 €. En revanche, les délais de livraison sont très courts (24 h).

auchandirect.fr

Livraison en temps et en heure, mais le conditionnement laisse à désirer. Délai de livraison : 24 h.

G20-livraison.fr

Zones de livraison assez restreintes. Délai de livraison : 24 h.

AUTOMOBILE

www.lacentrale.fr

Ce site plutôt bien fait, reprend les annonces de l'hebdomadaire La Centrale, les agrémente de conseils et donne même parfois des photos couleur de l'engin convoité. Utile : un service gratuit avertit l'internaute par e-mail quand paraît une offre correspondant à ses critères de recherche.

BEAUTÉ

www.fragrancenet.com

Une promesse : la remise de 5 % sur n'importe quel prix de produit de beauté trouvé ailleurs sur le Net. On paie en dollars, les frais de port sont gratuits au-dessus de 60 $, et il faut impérativement comprendre l'anglais.

RESTAURANTS ET SPECTACLES

www.lastminute.com

Sur le thème « plus vous vous y prenez tard, moins c'est cher » Lastminute propose des billets pour des spectacles, des concerts, du théâtre (évidemment pas les plus courus) à prix vraiment intéressants. On trouvera également des billets d'avion, des voyages, des hôtels, des restaurants...

Dixmania.com

Des prix vraiment pas chers en photo, image et son, scanners, imprimantes et caméscopes. On peut aussi s'adresser directement à la boutique 187 rue du Chevaleret, Paris 13e (lundi-vendredi : 9 h-18 h ; samedi : 10 h-18 h).

MATÉRIEL INFORMATIQUE

www.aboutbatteries.com (batteries, bien sûr), www.busiboutique.com, www. cdiscount.com (groupe Casino), www.materiel.net, www.micro discount.com, www.microscop.net, www.pc-look.com.

Le site www.rue-hardware.com fournit des avis de clients sur certains de ces sites. Les problèmes le plus souvent rencontrés : articles soudain indisponibles, erreurs ou retards dans la livraison, mais globalement, ça tourne....

Et encore...

Le net, c'est aussi, pour qui sait y chercher, une prodigieuse source d'informations en tous genres. Et notamment, lorsqu'on est perdu dans ses démarches administratives. Voici quelques sites qu'il est bon d'avoir en mémoire. Au cas où...

www.comedie.com

Si vous cherchez des places de théâtre ou de music-hall à tarifs réduits.

www.regardencoulisses.fr

Des invitations (gratuites, cela va sans dire) pour certains spectacles.

www.webcity.fr

Réductions sur certains spectacles et possibilité de gagner des places gratuites.

www.teldir.com

Annuaires téléphoniques classés par continents et par pays. En anglais.

www.caf.fr

Infos sur les prestations familiales.

www.pratique.fr

Formalités nécessaires à l'établissement de papiers d'identité et de passeport, déclarations de naissance...

www.service-public.fr

Un grand nombre de renseignements pratiques sur les administrations.

www.meteo.fr

Pour connaître le temps qu'il va faire en France et en Europe.

www.xe.com.vcc

Cours des changes.

www.comfm.fr

Annuaires des 990 radios disponibles en direct sur Internet en France et dans le monde.

www.france-diplomatie.fr/voyageurs

Conseils de sécurité, adresses utiles, tableau des conditions sanitaires avant de partir en voyage.

www.musexpo.com

La vie culturelle.

Les cyber-cafés

Ils sont une bonne quarantaine, principalement fréquentés par des jeunes gens nomades et beaucoup de touristes étrangers, qui y viennent lire leur courrier. Ces salons où l'on ne cause pas (à son voisin) se divisent en deux catégories : les bruts de décoffrage, qui proposent une connexion, un point c'est tout ; les accueillants, qui ajoutent la formation et la création de sites Internet, le traitement de texte et la saisie de thèses, la gravure de CD, la PAO, le scan, etc.

1er ARRONDISSEMENT

ACCESSNET
76 rue Rambuteau, 1er • M° Les Halles • Tél. 01 42 36 05 86 • Tous les jours : 12 h-22 h

BAGRENAUDE CAFÉ
30 rue de la Grande-Truanderie, 1er • M° Châtelet-Les Halles • Tél. 01 40 26 27 74 • Lundi-vendredi : 11 h-21 h 45 ; samedi : 14 h-21 h 45
Dix minutes : 1,50 €.

CYBERCAFÉ DE PARIS
15 rue des Halles, 1er • M° Châtelet • Tél. 01 42 21 13 13 • Tous les jours : 7 h-24 h
Connexion : 0,15 € par minute, 7,32 € de l'heure.

CYBERPORT
Grande Galerie, Porte Saint-Eustache, 1er • M° Halles • Tél. 01 44 76 62 00 • Mardi-dimanche : 13 h-21 h
1/2 heure de connexion : 4,57 € (avec 2 heures de consultation à la vidéothèque du Forum des Images).

EASY EVERYTHING
31 bd de Sébastopol, 1er • M° Châtelet • Tél. 01 40 41 09 10 • Tous les jours : 24 h/24
Connexion : 1 €, 15 mn. Pass 24 heures, 5 € ; 15 jours, 20 € ; 1 semaine, 10 €.

XS ARENA PARIS
43 bd Sébastopol, 1er • M° Châtelet • Tél. 01 40 13 02 60 • Tous les jours : 24 h sur 24

2e ARRONDISSEMENT

C@FÉ CARI TÉLÉMATION
72-74 passage de Choiseul, 2e • M° Quatre-Septembre • Tél. 01 47 03 30 12 • Lundi-vendredi : 10 h-20 h ; samedi : 14 h-20 h
Connexion : 0,20 € la minute jusqu'à 30 minutes, 6 € de l'heure, puis 0,10 € la mn.

WEB CROISSANT
19 rue du Croissant, 2e • Tél. 01 45 08 18 84 • Tous les jours : 9 h-23 h

3e ARRONDISSEMENT

CYBER SQUARE
1 place de la République, 3e • M° République • Tél. 01 48 87 82 36 • Lundi-samedi : 10 h-20 h

4e ARRONDISSEMENT

@ARON
3 rue des Ecouffes, 4e • M° Saint-Paul • Tél. 01 42 71 05 07 • Lundi-vendredi : 9 h 30-00 h ; samedi-dimanche : 12 h-00 h

CYBER BEAUBOURG
38 rue Quincampoix, 4e • M° Rambuteau • Tél. 01 42 71 49 80 • Tous les jours : 9 h-22 h

CYBERIA
Centre Georges-Pompidou, 4e • M° Rambuteau • Tél. 01 44 54 53 49 • Tous les jours : 9 h-22 h

WEB 46
46 rue du Roi-de-Sicile, 4e • M° Saint-Paul • Tél. 01 40 27 02 89 • Lundi-vendredi : 9 h 30-00 h ; samedi : 9 h 30-21 h ; dimanche : 13 h 30-00 h

WINY WIP
8 rue Pierre-au-Lard, 4e • M° Hôtel-de-Ville • Tél. 01 42 77 68 11 • Tous les jours : 10 h-22 h

5e ARRONDISSEMENT

ACTUEL BUREAUTIQUE
12-14 rue de Santeuil, 5e • M° Censier-Daubenton • Tél. 01 43 36 56 67 • Lundi-samedi : 9 h-20 h

CLICK SIDE
14 rue Donat, 5e • M° Maubert-Mutualité • Tél. 01 56 81 03 00 • Lundi-vendredi : 11 h-minuit ; samedi-dimanche : 14 h-23 h
Connexion : 10 mn/1,50 € minimum, puis 4,80 €/heure. Abonnement, pass et formules dégressives.

CONNECT CAFÉ
285 rue Saint-Jacques, 5e • RER B, Luxembourg • Tél. 01 43 25 58 05 • Lundi-samedi : 9 h 30-00 h ; dimanche : 14 h-00 h

CYBER-CAFÉ LATINO
13 rue de l'École-Polytechnique, 5e • M° Maubert-Mutualité • Tél. 01 40 51 86 94 • Lundi-samedi : 10 h-22 h

DOT
19 rue Monge, 5ᵉ • Mᵒ Cardinal-Lemoine • Tél. 01 56 24 36 04 • Lundi-samedi : 11 h-2 h ; dimanche : 14 h-2 h

INTERNET CYBERCAFÉ NET
23 rue Saint-Jacques, 5ᵉ • Mᵒ Saint-Jacques • Tél. 01 43 25 04 85

LE JARDIN DE L'INTERNET
79 bd Saint-Michel, 5ᵉ • RER B Luxembourg • Tél. 01 44 07 22 20 • Tous les jours : 9 h-22 h
Connexion : 3 € de l'heure. Café : 1,07 €.

LINKO
6 rue Stanislas, 5ᵉ • Mᵒ Notre-Dame-des-Champs • Tél. 01 44 54 53 49 • Tous les jours : 11 h-2 h

LUXEMBOURG MICRO
83 bd Saint-Michel, 5ᵉ • RER B, Luxembourg • Tél. 01 46 33 27 98 • Lundi-samedi : 9 h-22 h ; dimanche : 14 h-20 h

TETR@NET SAINT-MICHEL
17 rue Soufflot, 5ᵉ • RER B, Luxembourg • Tél. 01 43 54 55 55 • Mardi-samedi : 10 h-2 h ; dimanche-lundi : 14 h-2 h

ZETNET
18 rue de la Bûcherie, 5ᵉ • Mᵒ Saint-Michel • Tél. 01 44 07 20 15 • Lundi-samedi : 10 h-22 h ; dimanche : 12 h-20 h
Connexion de 5 minutes : 0,50 €. Forfait 4 heures : 15 €.

6ᵉ ARRONDISSEMENT

CAFÉ ORBITAL
13 rue de Médicis, 6ᵉ • Mᵒ Odéon • Tél. 01 43 25 76 77 • Tous les jours : 9 h-22 h

LE CYBER CUBE
5 rue Mignon, 6ᵉ • Mᵒ Odéon • Tél. 01 53 10 30 50 • Tous les jours : 10 h-22 h
1 minute de connexion : 0,15 €. 5 heures : 30 €. 10 heures : 40 €.

CYBERNIL.COM
157 bd de Montparnasse, 6ᵉ • Mᵒ Vavin ou Port-Royal • Tél. 01 44 41 02 22 • Tous les jours : 11 h-00 h

STATION INTERNET RIVE GAUCHE
37 rue du Cherche-Midi, 6ᵉ • Mᵒ Sèvres-Babylone • Tél. 01 40 51 17 57 • Tous les jours : 12 h-20 h

8ᵉ ARRONDISSEMENT

CYBER SERVICE DURIEZ
3 rue La Boétie, 8ᵉ • Mᵒ Saint-Augustin • Tél. 01 47 42 91 49

CYBERMÉTROPOLE
Palais de la Découverte, Avenue Franklin-Roosevelt, 8ᵉ • Mᵒ Franklin-Roosevelt • Tél. 01 40 74 81 60 • Mardi-samedi : 9 h 30-18 h ; dimanche : 10 h-19 h
Connexion gratuite (après s'être acquitté du ticket d'entrée : 5,60 €).

ESPACE VIVENDI
6-8 rue de Tilsitt, 8ᵉ • Mᵒ Étoile • Tél. 01 71 71 15 00 • Lundi-vendredi : 9 h-19 h ; samedi : 11 h-19 h
Initiation gratuite à Internet le lundi de 17 h à 19 h, le vendredi de 15 h à 17 h pour les débutants, le mardi et le jeudi de 17 h à 19 h pour les « débrouillés ».

9ᵉ ARRONDISSEMENT

BISTROT INTERNET
Galeries Lafayette, 40 bd Haussmann, 9ᵉ • Mᵒ Havre-Caumartin • Tél. 01 42 82 30 33

CYBCITY
80 rue de Rome, 9ᵉ • Mᵒ Rome • Tél. 01 43 87 33 60 • Lundi-samedi : 10 h-22 h ; dimanche : 12 h-22 h

SITE BERGÈRE
21 rue de Trévise, 9ᵉ • Mᵒ Cadet • Tél. 01 48 24 43 74 • Lundi-vendredi : 12 h-00 h ; samedi-dimanche : 15 h-00 h

ZOWEZO
37 rue Fontaine, 9ᵉ • Mᵒ Blanche • Tél. 01 40 23 00 71

10ᵉ ARRONDISSEMENT

CYBERKAWA
7 rue de la Fidélité, 10ᵉ • Mᵒ Gare-de-l'Est • Tél. 01 47 70 77 46 • Lundi-samedi : 10 h-22 h

NEWAGE CENTURY
8 rue Saint-Martin, 10ᵉ • Mᵒ Châtelet • Tél. 01 42 02 44 05 • Tous les jours : 24 h sur 24

11ᵉ ARRONDISSEMENT

ACCESSNET
37 rue de Lappe, 11ᵉ • Mᵒ Ledru-Rollin • Tél. 01 42 36 05 86 • Tous les jours : 12 h-00 h

ACIDNET
15 rue Daval, 11ᵉ • Mᵒ Bréguet-Sabin • Tél. 01 43 38 32 58 • Lundi-vendredi : 10 h-00 h ; samedi-dimanche : 12 h-00 h

ARCANA
20 passage de la Bonne-Graine, 11ᵉ • Mᵒ Ledru-Rollin • Tél. 01 43 55 46 65 • Lundi-jeudi : 10 h-00 h ; vendredi-samedi : 10 h-9 h ; dimanche : 10 h-00 h

ARS LONGA
94 rue Jean-Pierre-Timbaud, 11ᵉ • Mᵒ Couronnes
• Tél. 01 43 55 47 71 • Lundi-samedi : 12 h-20 h

BABYLON CAFÉ
19 rue Saint-Ambroise, 11ᵉ • Mᵒ Saint-Ambroise
• Tél. 01 40 21 00 44 • Mardi-jeudi : 11 h-22 h ;
vendredi : 11 h-2 h

CYBER CUBE
12 rue Daval, 11ᵉ • Mᵒ Bastille • Tél. 01 49 29
67 67

CYBER T
18 av. Philippe-Auguste, 11ᵉ • Mᵒ Nation • Tél.
01 40 09 18 69 • Tous les jours : 12 h-22 h

GISCOM
140 rue Oberkampf, 11ᵉ • Mᵒ Parmentier • Tél.
01 43 38 13 13

INFOGAME.NET
18 rue Saint-Sébastien, 11ᵉ • Mᵒ Saint-Sébastien-Froissard • Tél. 01 43 55 17 20 • Tous les
jours : 12 h 30-22 h

OSTELEN
12 av. Jean-Aicard, 11ᵉ • Mᵒ Ménilmontant • Tél.
01 49 23 75 80

THE CRAFT
12 rue des Boulets, 11ᵉ • Mᵒ Nation • Tél. 01 43
48 33 98 • Lundi-jeudi : 10 h-2 h ; vendredi-
samedi : 10 h-8 h

12ᵉ ARRONDISSEMENT

CYBER PICPUS
62 bis rue de Picpus, 12ᵉ • Mᵒ Nation • Tél. 01
43 47 53 40 • Lundi-samedi : 10 h-20 h

LE MEILLEUR DES MONDES
4 rue Michel-Chasles, 12ᵉ • Mᵒ Gare-de-Lyon
• Tél. 01 43 46 02 52 • Lundi-vendredi : 9 h-
23 h ; samedi : 9 h-19 h

NET MAGIC
6 rue Dagorno, 12ᵉ • Mᵒ Bel-Air • Tél. 01 40 01
97 27 • Lundi-jeudi : 9 h-21 h ; vendredi : 9 h-
20 h ; samedi : 9 h-21 h

13ᵉ ARRONDISSEMENT

LE SPUTNIK
14 rue de la Butte-aux-Cailles, 13ᵉ • Mᵒ Corvisart
• Tél. 01 45 65 19 82 • Lundi-samedi : 14 h-2 h
du matin ; dimanche : 16 h-minuit
Connexion d'1/4 d'heure : 1 €, 4 € l'heure.

14ᵉ ARRONDISSEMENT

CYBER BUSINESS CENTER
17 bd Saint-Jacques, 14ᵉ • Mᵒ Glacière ou Saint-
Jacques • Tél. 01 40 78 79 45 • Lundi-vendredi :
8 h-20 h
Connexion : 0,30 € la minute. 10 € l'heure.

CYBER CUBE
9 rue d'Odessa, 14ᵉ • Mᵒ Montparnasse • Tél.
01 56 80 08 08 • Tous les jours : 10 h-22 h

ICARE
5 rue Liard, 14ᵉ • RER B, Cité Universitaire • Tél.
01 45 80 52 24

15ᵉ ARRONDISSEMENT

COOMTEL
8 rue Mathurin-Régnier, 15ᵉ • Mᵒ Volontaires
• Tél. 01 53 58 37 12

CYBERBASE
215 rue de Vaugirard, 15ᵉ • Mᵒ Porte-de-Versailles
• Tél. 01 40 56 06 27 • Dimanche-jeudi : 10 h-2 h
du matin ; vendredi-samedi : 10 h-6 h du matin

CYBERCAFÉ NANINET
43 rue Dutot, 15ᵉ • Mᵒ Pasteur • Tél. 01 45 66
55 00 • Dimanche-jeudi : 10 h-00 h ; vendredi :
11 h-19 h

CYBERG@ME PASTEUR
164 rue de Vaugirard, 15ᵉ • Mᵒ Pasteur • Tél.
01 40 56 00 18 • Tous les jours : 24 h sur 24

PLANET CYBER CAFÉ
173 rue de Vaugirard, 15ᵉ • Mᵒ Pasteur • Tél.
01 45 67 71 14 • Lundi-vendredi : 10 h 30-18 h
1 heure de connexion : 5,50 €. Café : 1,20 €.
Coca : 2 €.

**STATION INTERNET
PARIS-MONTPARNASSE**
8-10 bd de Vaugirard, 15ᵉ • Mᵒ Montparnasse
• Tél. 08 00 25 14 14 • Lundi-samedi : 9 h 30-19 h

VOYAGE CAFÉ
2 rue Alleray, 15ᵉ • Mᵒ Vaugirard • Tél. 01 45
33 63 63

16ᵉ ARRONDISSEMENT

CYBER GAME LA TOUR
103 rue de la Tour, 16ᵉ • Mᵒ Passy • Tél. 01 45
03 20 06 • Lundi-samedi : 11 h-2 h ; dimanche :
14 h-00 h

WEB CROISSANT
20 rue Mirabeau, 16ᵉ • Mᵒ Église-d'Auteuil • Tél.
01 45 20 18 06 • Lundi-samedi : 9 h-21 h ;
dimanche : 14 h-21 h

17ᵉ ARRONDISSEMENT

WEBCENTER
118 av. de Clichy, 17ᵉ • Mᵒ Brochart • Tél. 01
53 11 04 01 • Tous les jours : 10 h-22 h

18ᵉ ARRONDISSEMENT

**OUT OF THE TIME
COMMUNICATION**
1-7 rue Caulaincourt, 18ᵉ • Mᵒ Place-Clichy • Tél.
01 44 70 01 54 • Tous les jours : 10 h 30-
19 h 30

VIS À VIS
18 rue Stephenson, 18e • M° Porte-de-la-Chapelle • Tél. 01 42 62 86 36 ou 01 42 62 86 67 • Lundi-vendredi : 9 h-22 h ; samedi : 12 h-22 h

19e ARRONDISSEMENT

CYBERTOP
58 rue de Meaux, 19e • M° Bolivar • Tél. 01 43 72 07 38 • Lundi-samedi : 10 h-3 h

20e ARRONDISSEMENT

ATLANTEAM
49 rue des Pyrénées, 20e • M° Porte-de-Vincennes • Tél. 01 40 09 75 50 • Lundi-samedi : 11 h-1 h ; dimanche : 14 h-1 h

CYBER@PLANÈTE
52 rue des Pyrénées, 20e • M° Porte-de-Vincennes • Tél. 01 43 72 07 38 • Tous les jours : 9 h-20 h

---

→ BUREAUTIQUE, téléphonie

2e ARRONDISSEMENT

AMERICA CENTER

23 bd Poissonnière (2e)
M° Grands-Boulevards
Tél. 01 42 21 49 66
Fax : 01 42 21 12 42
Lundi-samedi : 10 h-19 h 30

Total téléphonie !

Les irréductibles du téléphone fixe apprécieront America Center qui propose une gamme originale de produits et de services. Les aficionados du portable y seront également comblés... en repartant avec une housse offerte. Les internautes trouveront aussi leur compte au cyberespace pour 3,97 € l'heure la connexion Internet (25 postes de travail actuellement). Téléphone simple à partir de 6 €. Sans fil à partir de 30,34 €. Fax à partir de 120 €. **Remise de 10 % avec le guide ou la carte.**

8e ARRONDISSEMENT

THE PHONE HOUSE

37 rue La Boétie (8e)
Tél. 01 53 53 50 05
Fax : 01 53 53 50 06
www.phonehouse.fr
Lundi-samedi : 9 h 30-19 h

Garantie sur les portables

L'une des plus grandes chaînes de téléphonie se distingue essentiellement par sa garantie sur les portables, étendue à 2 ans (on vous prête un appareil en cas de panne) et un service après-vente compétent. Elle offre aussi la garantie du meilleur prix : si, dans les 30 jours, vous trouvez moins cher ailleurs, la différence vous est remboursée. C'est vrai, nous l'avons expérimenté.

AUTRES ADRESSES
■ Trente points de vente à Paris. Adresses sur www.phonehouse.fr ou au 0 825 07 8000 (0,15 €/min).

14e ARRONDISSEMENT

1000 ET UNE PILES

34 rue Delambre (14e)
M° Edgar-Quinet
Tél. 01 43 27 17 18
Fax : 01 43 27 17 21
www.1001piles.com
Mardi-samedi : 10 h-19 h

Votre batterie flanche...

Le spécialiste des piles et batteries en tout genre, mais aussi des accumulateurs, chargeurs, convertisseurs et l'éclairage. On trouve tous les genres de batterie ; on reconditionne même des batteries devenues introuvables. Pratique si la batterie de votre caméscope ou de votre ordinateur vous lâche sans crier gare ! Pour une batterie Nima de portable Compaq Présario série 1200, compter environ 150 €. Les tarifs sont disponibles en magasin uniquement. **Remise de 5 % avec le guide ou la carte (hors promotions).**

AUTRES ADRESSES
- 155 rue du Faubourg-Saint-Denis, 10ᵉ • Mᵒ Gare-du-Nord • Tél. 01 40 35 41 76 • Fax : 01 40 35 03 79 • Lundi-vendredi : 10 h-19 h ; samedi : 9 h 30-12 h 30, 14 h-18 h
- 292 bd Voltaire, 11ᵉ • Mᵒ Nation • Tél. 01 43 56 80 00 • Fax : 01 43 56 80 30 • Lundi et samedi : 9 h 30-12 h 30, 14 h-18 h 30 ; mardi-vendredi : 9 h-19 h
- 8 av. Stéphane-Mallarmé, 17ᵉ • Mᵒ Porte-de-Champerret • Tél. 01 43 80 33 92 • Fax : 01 47 64 04 49 • Lundi-vendredi : 9 h 30-19 h ; samedi : 10 h-12 h 30, 14 h-18 h

77 SEINE-ET-MARNE

VIKING DIRECT

Le drakkar de la bureautique

rue Mercier
ZI Mitry-Compans
77294 MITRY-MORY
Cedex
Tél. 08 00 482 482
Fax : 0 800 255 255
(numéros verts)
www.vikingdirect.fr
Lundi-vendredi : 8 h-21 h ;
samedi : 8 h-17 h

Cette société de vente par correspondance aux professionnels, associations et particuliers livre toutes sortes de produits indispensables au bon fonctionnement de votre bureau, depuis l'indispensable stylo Bic (2,49 € la boîte de vingt) jusqu'aux cartouches pour imprimantes laser (HP Laserjet III à partir de 113,42 €). De plus, elle livre et monte votre mobilier de bureau sur toute la France. A Paris et dans une partie de l'Ile-de-France, commandez avant 11 h pour être livré le jour-même. Sans frais pour toute commande supérieure à 60 €. Un cadeau à chaque nouveau client.

92 HAUTS-DE-SEINE

BUROCASE

Relookez votre bureau

11 rue Edouard-Colonne
92000 NANTERRE
Tél. 01 55 66 92 00
Fax : 01 55 66 92 09
www.burocase.com
Lundi-jeudi : 9 h-12 h, 13 h-
18 h ; vendredi : 9 h-12 h,
13 h-17 h

Cette société installée en 1979, propose du mobilier de bureau neuf, du dégriffé, de l'occasion ou de la location, mais aussi des fins de séries, des retours d'expositions réparés et nettoyés le tout a des prix très attrayants : sièges à roulettes d'occasion : 40 € ; armoires deux battants à partir de 191 €. Burocase n'expose plus son stock : vous devrez commander par téléphone ou par fax, et bientôt sur Internet. Le temps de réaction est tout à fait satisfaisant.

93 SEINE-SAINT-DENIS

SIMON ET FILS

Mobilier déclassé

63 bd Robert-Schuman
93190 LIVRY-GARGAN
RER Sevran-Livry
Tél. 01 43 85 65 00
Fax : 01 43 83 18 80
www.simonburo.com
Lundi-vendredi : 9 h-12 h 30,
14 h-18 h 30 ; samedi :
10 h-13 h

Meubles aux défauts apparents sans gravité ou récupérés dans les grandes entreprises, fins de séries : tout atterrit chez Simon et Fils, qui vous en fera profiter. Exemples : armoires déclassées à partir de 120 € ; rayonnages métalliques à partir de 32 € ; caissons à roulettes à partir de 35 €. **Remise de 10 %, livraison et montage gratuits avec le guide ou la carte.**

JEUNES, ÉTUDIANTS

Qu'est-ce qu'un « jeune » ? C'est le plus souvent un étudiant de moins de 25, 26 ou 27 ans qui tire le diable par la queue pour être autonome, joindre les deux bouts et profiter de la vie. Bons plans, logement, loisirs, voyages... Au-delà de 28 ans, point de salut : il faut vous résigner à faire partie des non-jeunes et vous reporter aux autres chapitres de ce guide. Néanmoins, il ne sera pas totalement inutile de feuilleter ces quelques pages, ni d'aller surfer sur les sites « jeunes » via le portail mis en place par la mairie de Paris : www.portailj.paris.fr.

¿ QUE CHERCHEZ-VOUS ?

AGENCES DE VOYAGES
381 Voyages Wasteels
380 OTU Voyages (4e, 5e, 16e)
382 Totem (11e)
384 On trouve tout au CIDJ

AVION
380 Air France
381 Voyages Wasteels
380 OTU Voyages (4e, 5e, 16e)

BOURSES
385 CROUS

BOURSES DE PROJET
386 Bourse de l'Aventure de la Mairie de Paris
386 Bourse de la Vocation (6e)
386 Bourse Déclics Jeunes de la Fondation de France (8e)
386 Prix DEFI Jeunes (78)

BOURSES DE VOYAGES
386 Bourses de Voyages Zellidja (11e)

CARTES DE RÉDUCTION
388 Les cartes en folie
384 On trouve tout au CIDJ

CENTRALE D'ACHAT
382 Avec (5e)

HÉBERGEMENT
381 Bureau des Voyages de la Jeunesse (1er, 5e)
381 UCRIF Étapes Jeunes (2e)
382 Fédération Unie des Auberges de Jeunesse (FUAJ) (3e)
383 Ligue Française pour les Auberges de Jeunesse (13e)
385 CROUS

JOBS, EMPLOIS, STAGES
387 Kid Services
387 Institut Catholique (6e)
387 Deal Hôtesses (8e)
387 LMCB (15e)
387 Charlestown (16e)
387 Baby-Sitting Services (92)
387 Mahola (92)
387 Otessa - ISS (92)
385 CROUS
385 L'OSE s'occupe de vous
384 On trouve tout au CIDJ

LOGEMENT
383 CLLAJ de Paris (13e)
385 L'OSE s'occupe de vous

MÉTRO, BUS
388 Les cartes en folie

SÉJOURS CULTURELS
380 Connaissance de la France

¿ QUE CHERCHEZ-VOUS ?

382 Union Rempart
(4ᵉ)
383 Garef
Océanographi-
que (14ᵉ)

**SÉJOURS
LINGUISTIQUES**
380 OTU Voyages
(4ᵉ, 5ᵉ, 16ᵉ)

SÉJOURS SPORTIFS
380 Connaissance de
la France
380 OTU Voyages
(4ᵉ, 5ᵉ, 16ᵉ)
382 Union Rempart
(4ᵉ)

382 Totem (11ᵉ)
383 Ligue Française
pour les
Auberges de
Jeunesse (13ᵉ)
381 UCPA (13ᵉ)
384 On trouve tout au
CIDJ

SORTIES
383 Garef
Aérospatial (13ᵉ)
383 Garef
Océanographi-
que (14ᵉ)
385 CROUS
385 L'OSE s'occupe
de vous

384 On trouve tout au
CIDJ

**SOUTIEN SCOLAIRE
ET UNIVERSITAIRE**
385 CROUS

TRAIN
388 Les cartes en folie

VOIR AUSSI
268 « Enfants »
129 « Vêtements
jeune »
133 « Vêtements
enfant »

**L'index des raisons sociales et commerciales
se trouve en page 607.**

**L'index des produits recensés dans Paris Pas Cher
se trouve en page 627.**

AIR FRANCE
Fidélisation des jeunes ?

Tél. 0 820 820 820
Air France Jeunes :
0 825 864 864
Minitel : 3615 ou 3616 AF
www.airfrance.fr
Lundi-dimanche : 6 h 30-
22 h

Air France a beaucoup amélioré son service et ses offres commerciales envers sa clientèle jeune ! L'entreprise propose en effet aux jeunes de moins de 25 ans et aux étudiants de moins de 27 ans une panoplie de tarifs très intéressants, tant sur ses vols intérieurs que sur les vols long- et moyen-courriers. Un Paris-Toulouse ou Paris-Marseille avec la « Navette » en classe Tempo ne coûtera que 47,36 € l'aller simple (billet entièrement modifiable ou remboursable et valable un an). La carte Fréquence Jeunes qui vous permet d'accumuler des miles (pourquoi pas des kilomètres, je vous le demande ?) est désormais gratuite. Un Paris-New York AR est disponible à partir de 441,52 € (voir planche « tarifs jeunes » dans tous les points de vente Air France). Vous disposez d'une assurance assistance incluant le rapatriement gratuit et l'accès 24 h/24 à une ligne spéciale Air France Jeunes (0 825 864 864). Globalement, même si sur l'international Air France est un peu plus chère que ses concurrents, elle reste la compagnie qui offre le service le plus complet pour les jeunes.

CONNAISSANCE DE LA FRANCE
Séjours internationaux... en France

Les séjours « Connaissance de la France » s'adressent aux jeunes Français et étrangers âgés de 18 à 30 ans. Gérés par les services départementaux et régionaux de la Direction de la Jeunesse, ils se déroulent pour la plupart en province et allient sport, culture et découverte du patrimoine local. Les prix sont démocratiques : se renseigner dans les centres régionaux d'information jeunesse ou sur Internet : www.education.gouv.fr/jeunesse/ internatio nal/connaissance.htm (on peut télécharger le calendrier des festivités).

OTU VOYAGES
Le monde est à vous

Central de réservation
(surchargé !)
Tél. 0 820 817 817
www.otu.fr
Lundi-vendredi : 10 h-
18 h 30 ; samedi : 10 h-
17 h

OTU (Organisation pour le Tourisme Universitaire) est définitivement l'agence de voyages des étudiants (réductions sur les vols secs, les séjours, les week-ends et informations en tout genre sur les tarifs jeunes). Pour bénéficier des offres, il suffit d'être étudiant, d'avoir 26 ans ou d'être titulaire de la carte ISIC (voir p. 388). Les tarifs sont très variables et sont disponibles sur le site Internet ou en agence. Attention ! Renseignez-vous bien sur les conditions d'achat de vos billets d'avion : certaines compagnies rechignent à effectuer des modifications sur billets à tarif jeune.

AUTRES ADRESSES
- 119 rue Saint-Martin (en face du Centre Pompidou), 4ᵉ • Mᵒ Rambuteau • Tél. 0 825 004 024 • Lundi-vendredi : 10 h-18 h 30 ; samedi : 10 h-17 h
- 39 av. Georges-Bernanos, 5ᵉ • RER B, Port-Royal • Tél. 0 825 004 027 • Fax : 01 46 33 19 98
- Université Paris-Dauphine, Place du Maréchal-de-Lattre-de-Tassigny, 16ᵉ • Mᵒ Porte-Dauphine • Tél. 0 825 004 062 • Fax : 01 47 55 03 07

UCPA
Séjours sportifs

Central de réservation
par téléphone
Tél. 0 825 820 830
Minitel : 3615 UCPA
www.ucpa.com

UCPA est l'inventeur en France du séjour sportif en formule tout compris (transport, encadrement, matériel, pension complète, assurance...). L'association pratique une politique de prix serrés pour toutes les disciplines sportives et pour toutes les destinations en France et à l'international. Elle propose des formules aux mineurs de 7 à 17 ans (stage de huit jours de surf au Maroc à partir de 699 €, transport compris au départ de Paris). Pour les majeurs, et jusqu'à 39 ans : mille et une façons de pratiquer intensivement les sports de plein air, été comme hiver, dans des cadres choisis. Attention : à l'UCPA, on ne bluffe pas sur son niveau de forme physique ou son niveau de pratique !

AUTRE ADRESSE
■ Agence UCPA, 104 bd Blanqui, 13ᵉ • Mᵒ Glacière • Mardi-samedi : 11 h-17 h 30

VOYAGES WASTEELS
Le supermarché du routard

Tél. 0 825 88 70 11
Fax : 01 44 49 22 69
Minitel : 3615 WASTEELS
www.wasteels.fr
*Lundi-vendredi : 9 h 15-12 h,
13 h-17 h 15*

Avec treize agences à Paris, Wasteels est l'un des plus grands organismes de voyages à tarifs négociés. Vous trouverez de tout à tous les prix : vols secs, train, bateau, bus, location de voitures, mais aussi séjours découvertes, stages de langue ou de sport, raids aventure et jobs à l'étranger. Pour dénicher les meilleurs tarifs, mieux vaut être âgé de moins de 26 ans et titulaire de la carte ISIC (que vous pouvez vous procurer dans les agences pour 10 €), et voyager en basse saison. Un tour sur le site Internet ou un coup de téléphone pour connaître l'agence la plus proche de chez vous.

1ᵉʳ ARRONDISSEMENT

BUREAU DES VOYAGES DE LA JEUNESSE
Dormir dans Paris

20 rue Jean-Jacques-
Rousseau (1ᵉʳ)
Mᵒ Louvre, Palais-Royal
ou Châtelet-Les Halles
Tél. 01 53 00 90 90
Fax : 01 53 00 90 91
www.bvjhotel.com

L'agence de voyages étant fermée cette année, vous ne pourrez bénéficier que de ses centres d'hébergement à Paris, dont l'un est au Louvre (24 € par personne la nuit en chambre de quatre à huit lits + petit déjeuner, et 27 € la double) et l'autre en plein Quartier Latin (25 et 27 € ; petits déjeuners compris). Les deux centres sont ouverts 24 h/24. Réservez le plus tôt possible.

AUTRE ADRESSE
■ 44 rue des Bernardins, 5ᵉ • Mᵒ Maubert-Mutualité • Tél. 01 43 29 34 80

2ᵉ ARRONDISSEMENT

UCRIF ÉTAPES JEUNES
Hébergement à Paris et en province

27 rue de Turbigo (2ᵉ)
Tél. 01 40 26 57 64
Fax : 01 40 26 58 20
www.ucrif.asso.fr

L'UCRIF Étapes Jeunes regroupe cinquante centres internationaux de séjour dans toute la France (quatre à Paris intra-muros). Le guide des lieux est disponible sur demande à l'adresse indiquée. Les réservations se font directement auprès des centres. Compter au minimum 19 € pour une nuit + petit déjeuner dans Paris, 11,50 € pour la même chose en grande banlieue.

FÉDÉRATION UNIE DES AUBERGES DE JEUNESSE (FUAJ)

Vols, séjours et hébergement

9 rue Brantôme (3e)
M° Rambuteau
ou Les Halles
Tél. 01 48 04 70 40
(service Auberge)
Fax : 01 42 77 03 29
www.fuaj.org
*Mardi-vendredi : 10 h-
18 h 30 ; samedi : 10 h-
17 h 30*

La FUAJ, ce sont 170 Auberges de Jeunesse en France (dont quatre dans Paris, voir rubrique « hôtels », p. 363). Si la Fédération a choisi de ne plus s'occuper de transport, c'est qu'elle a fort à faire avec les multiples activités, chantiers, séjours à thèmes proposés par les différentes auberges. La brochure et les guides sont gratuits, la carte d'adhérent coûte 10,70 € aux moins de 26 ans, 15,25 € aux plus de 26 ans et ouvre les portes des 4 200 Auberges de Jeunesse réparties sur la surface du globe. Les tarifs des nuitées vont de 7,35 € à 12,70 € en province, et de 18 à 19 € à Paris (nuit + draps + petit déjeuner).

UNION REMPART

Restauration et archéologie

1 rue des Guillemites (4e)
M° Hôtel-de-Ville
Tél. 01 42 71 96 55
www.rempart.com
Lundi-vendredi : 9 h-18 h

Rempart est un mouvement associatif qui a pour objectif de restaurer et sauvegarder des éléments du patrimoine et de leur redonner vie. Des chantiers sont disponibles dès 13-14 ans, les jeunes sont encadrés par des professionnels ; des activités sportives et culturelles leur sont aussi proposées. A partir de 18 ans, on a accès, en France comme à l'étranger, à des stages de formation (taille de pierre, vitrail, archéologie) moyennant une participation de 7 € par jour. L'association propose depuis peu des stages et chantiers de fin de semaines ou de petites vacances. Pour un stage de deux semaines en Auvergne, compter 83 € la session + une cotisation de 4,57 € + les frais d'inscription et d'assurance. On peut recevoir gratuitement le guide en téléphonant ou on peut le télécharger sur le site Internet.

AVEC

Centrale d'achat pour étudiants et collectivités

52 rue de la Clef (5e)
M° Place-Monge
Tél. 01 43 36 79 79
Fax : 01 43 36 37 71
*Mardi-vendredi : 13 h-19 h ;
jeudi : 21 h ; samedi :
10 h 30-19 h*

Vous trouverez du matériel hi-fi (auditorium) et vidéo, 20 % moins cher que les prix habituels. Caméscope digital JVC 680 €, TV 16/9 Philips : 530 €. Magnétoscope six têtes hi-fi Toshiba : 160 €. Lecteur DVD Sony : 180 €. Minichaîne Sharp : 180 €. De plus, tous les mois, pas moins de trente promotions exceptionnelles ! L'inscription à la centrale coûte 10 €. **Remise de 5 % avec le guide ou la carte, pour nos lecteurs, qui pourront accéder au magasin sans être étudiants.**

TOTEM

Tout schuss

2 rue de la Roquette -
Passage du Cheval-Blanc

Spécialiste des séjours ski pour étudiants, jeunes salariés et pour toute la famille. Une quinzaine de

Cour Février (11ᵉ)
Tél. 0 811 02 02 10
(coût d'un appel local)
Fax : 0 890 02 50 40
www.totemvoyages.com
*Lundi-vendredi : 10 h-
19 h 30 ; permanence
téléphonique le samedi :
10 h-19 h 30*

stations sont disponibles à la carte. Des programmes d'animation toniques et variés sont organisés avec les nombreux partenaires. Tarifs à partir de 150 € la semaine (hébergement sept nuits, forfait remontées mécaniques six jours et linge de lit). **Frais de dossier offerts avec le guide ou la carte.**

13ᵉ ARRONDISSEMENT

CLLAJ DE PARIS
Logements pas cher

21 rue des Malmaisons
(13ᵉ)
Mᵒ Maison-Blanche
Tél. 01 45 84 77 34
Fax : 01 45 84 77 36
Sur rendez-vous

Le Comité Local pour le Logement Autonome des Jeunes a pour vocation de vous aider, si vous avez entre 18 et 30 ans, à trouver un logement qui corresponde à votre budget. Il propose également des tarifs préférentiels pour les assurances, les déménagements et les loisirs.

LIGUE FRANÇAISE POUR LES AUBERGES DE JEUNESSE
Auberges tous azimuts

67 rue Vergniaud
Bât. K (13ᵉ)
Mᵒ Glacière
Tél. 01 44 16 78 78
Fax : 01 44 16 78 80
www.auberges-de-jeunesse.
com
*Lundi-vendredi : 9 h-13 h,
14 h-17 h*

Les Auberges vous logent à Paris (voir p. 363) et en province à des tarifs très attrayants, vous proposent des activités, sportives et culturelles, des randonnées ou autres activités de détente. Adhésion obligatoire : 10,70 € pour les moins de 26 ans, 15,25 € pour les plus de 26 ans, 18 € pour les familles. Groupes : 43 € (à partir de dix personnes). Carte nuitée à 1,50 €.

14ᵉ ARRONDISSEMENT

GAREF OCÉANOGRAPHIQUE
Passion océans

26 allée du Chef-
d'Escadron-de-Guillebon
Dalle Jardin Atlantique
(14ᵉ)
Mᵒ Montparnasse (au
1ᵉʳ étage de l'immeuble,
nᵒ 26)
Tél. 01 40 64 11 99
www.garef.com
*Lundi-vendredi : 9 h-20 h ;
samedi : 14 h-20 h*

Ce club parisien est dédié aux passionnés du monde aquatique, âgés de 8 à 24 ans. Au programme : aquariophilie, plongée sous-marine, biologie marine, cuisine de la mer, réalisation de maquettes de navigation, photo et vidéo sous-marines, sorties de proximité et séjours océanographiques en France et à l'étranger. Le club propose aussi des visites guidées pour groupes scolaires et des stages pour les 8-12 ans pendant les vacances scolaires. Pour participer aux activités le droit d'adhésion est de 230 €.

AUTRE ADRESSE

■ **Garef Aérospatial** • 6 rue Émile-Levassor, 13ᵉ • Mᵒ Porte-d'Ivry • Tél. 01 45 82 11 99 • Pour les passionnés de l'aérospatiale et des nouvelles technologies de 15 à 24 ans. Électronique, informatique, mécanique, sorties de proximité et déplacements techniques en France et à l'étranger. 230 € par an.

On trouve tout au CIDJ

Une librairie, un centre de documentation, un service voyages, une billetterie de spectacles, une agence ANPE, quelqu'un pour vous aider à réaliser vos projets. Avec ceci ? Des gens d'une gentillesse et d'une patience étonnantes : le Centre d'Information et de Documentation pour la Jeunesse vous ouvre ses portes ; sans rendez-vous, des spécialistes vous aideront dans vos recherches, vos projets et vos démarches.

CIDJ

101 quai Branly, 15ᵉ • Mᵒ Bir-Hakeim ou RER C, Champ-de-Mars • Tél. 01 44 49 12 00 • www.cidj.com • Lundi, mercredi, vendredi : 10 h-18 h ; mardi, jeudi : fermeture à 19 h ; samedi : 9 h 30-13 h.

L'AGENCE ANPE

Cette ANPE ne gère pas les dossiers des demandeurs d'emploi mais regroupe des offres d'emploi en Ile-de-France, spécialement orientées vers les jeunes.

Jobs d'été, jobs étudiants, soutien scolaire, métiers du sport et de l'animation, chaque année plus de 30 000 offres sont centralisées ici (CDD ou CDI, à temps partiel ou à temps plein). On peut également demander des conseils d'orientation (métiers, carrières) et participer l'après-midi aux ateliers pratiques (rédaction de CV, de lettres de motivation, entretien d'embauche, aide à la création d'entreprise...).

LE CENTRE DE DOCUMENTATION

Vous cherchez quelque chose : un métier, le prix des trains en Patagonie, la liste des hôtels à moins de 20 € la nuit, des renseignements sur les MST. Tout est là en consultation libre, sous forme de fiches, avec l'aide de spécialistes compétents. Toutes les fiches sont en vente pour quelques centimes d'euro. Il y a également un site Internet où vous trouverez des informations sur la vie pratique des jeunes, des offres de stages conventionnés et des bourses de projet offertes aux jeunes d'Ile-de-France.

CIDJ VOYAGES

Tél. 01 44 49 12 17 • Fax : 01 44 49 12 19 • cidjvoyages@cidj.com • Lundi-vendredi : 10 h-13 h, 14 h-18 h.

« CIDJ Voyages » vend à ses membres des prestations touristiques ciblées jeunes sans limite d'âge. Outre les billets d'autocar, vols charters et tarifs négociés sur des vols réguliers, « CIDJ Voyages » propose des formules week-end bon marché, des programmes linguistiques, des centres de vacances pour enfants et ados, du sur mesure pour les voyages de groupes. Adhésion annuelle : 5 €. Week-end Londres Autocar + 1 nuit + 1 petit déjeuner : 95 € (chambre multiple).

KIOSQUES PARIS JEUNES - MAIRIE DE PARIS

Des informations sur les sorties et les loisirs dans la capitale.

Pour les moins de 26 ans, des invitations (théâtre, café-théâtre, danse...), des offres du type une place pour deux, des tarifs réduits, le tout négocié par le Kiosque. Pour la liste complète des places, il faudra vous déplacer. Premier arrivé, premier servi. Autre kiosque Paris Jeunes à Bastille.

Kiosque Paris Jeunes

Tél. 01 43 06 15 38 • Lundi-vendredi : 10 h-18 h.

Kiosque Paris Jeunes de la Bastille

25 bd Bourdon, 4ᵉ • Mᵒ Bastille • Tél. 01 42 76 22 60 • Lundi-vendredi : 10 h-19 h.

ESPACE JEUNES-INITIATIVES

Les après-midi, un informateur spécialisé vous attend pour vous aider à réaliser n'importe quel projet, depuis sa définition jusqu'à son financement. Ses armes : il a défriché la jungle des bourses d'aide aux projets. Vous trouverez sa sélection p. 386.

SERVICE EURODESK

Vous souhaitez partir travailler ou étudier en Europe ? Une information personnalisée pour vous aider à réaliser votre projet vous sera donnée par mail (eurodesk@cidj.com) ou sur place à l'espace Europe du CIDJ.

CROUS

Le Centre Régional des Œuvres Universitaires et Scolaires de Paris gère beaucoup de choses : bourses d'études, restauration universitaire, logements étudiants, etc. : des brochures et un personnel attentif répondront à vos questions. Voici quelques-uns des services que vous trouverez au centre de l'avenue Georges-Bernanos. Il faut être étudiant à Paris pour en profiter.

CROUS

39 av. Georges-Bernanos, 5ᵉ • RER B, Port-Royal • Tél. 01 40 51 55 55 • 3615 CROUS • www.crous-paris.fr ou www.crous.fr • Lundi-vendredi : 9 h-17 h.

Billetterie spectacles

Tél. 01 40 51 37 01/37 11.

Elle permet aux étudiants de bénéficier de places à tarif réduit pour la plupart des spectacles à l'affiche à Paris (théâtre, concerts, danse, variétés, expositions...). Exemple : l'opération « le CROUS vous offre la moitié de votre billet », et la carte de fidélité donnant droit à une réduction de 5 € sur l'achat du 3ᵉ billet (hors invitations, billets subventionnés).

Vous aurez aussi accès à des galeries, à des orchestres, et au Centre Culturel de l'Abbaye (12 rue de l'Abbaye, 6ᵉ, Mᵒ Saint-Germain-des-Prés, Tél. 01 43 54 30 75) qui propose des ateliers théâtre et danse ainsi que des rencontres littéraires.

Emplois et jobs

Comme au CIDJ, vous trouverez ici une antenne ANPE, avec des annonces orientées vers le public jeune. Si vous avez besoin d'un coup de main, pour garder vos enfants ou même pour vous aider à déménager, n'hésitez pas à faire appel au CROUS (via le 3615 CROUS). Grosse activité de garde d'enfants, classique ou au pair. Également possibilité de donner ou recevoir un soutien scolaire par le biais du CROUS. On y trouve également des offres de stages.

Logement et hébergement

Toutes les propositions de logement du CROUS sont disponibles sur place, sur les panneaux du « Point Logement », ou sur le 3615 CROUS. Il faut s'y prendre longtemps à l'avance.

• **Le service du logement en ville** du CROUS sert d'intermédiaire entre propriétaires et étudiants pour la location de chambres ou studios. Environ 5 000 offres/an.

• **Les quatorze résidences universitaires** sont aussi gérées par le CROUS. Attention : ces logements sont réservés en priorité aux étudiants dont les parents ont des revenus modestes.

• **Les foyers d'étudiants**. Il y en a une centaine sur Paris et sa banlieue dont la liste est disponible au CROUS ou sur Minitel.

Aides

Le CROUS gère enfin un système de bourses, attribuées sur critères sociaux ou universitaires. Une soixantaine d'assistantes sociales sont là pour tenter de résoudre avec vous d'éventuels problèmes.

L'OSE s'occupe de vous

Association totalement indépendante, l'Office des Services Étudiants est né dans la région Rhône-Alpes il y a 20 ans. Les étudiants parisiens y ont accès, entre autres grâce à son site : www.leclubetudiant.com, son serveur minitel : 3615 OSE (annonces logement). On peut également consulter toutes les infos du « Guide OSE » (logement, orientation, vie étudiante) sur www.clubetudiant.net

OSE

11-13 rue Serpente, 6ᵉ • Mᵒ Saint-Michel ou Cluny-La Sorbonne • Tél. 01 55 42 80 80 • Lundi-vendredi : 9 h 30-18 h.

Jobs, emplois

Un service ouvert aux lycéens et étudiants, permettant de trouver un job ou un stage. Les annonces affichées sont en consultation libre (également sur Minitel). Si vous souhaitez que l'OSE expédie votre CV aux entreprises en fonction de leurs besoins, la cotisation vous coûtera jusqu'à 40 € (gratuité pour les titulaires de la carte Multiplus) par an (date à date). Autres services : élaboration de CV, recherche de stages à l'étranger.

Logement étudiant

– L'OSE peut se charger de vous loger dans des logements confortables. Moyennant une cotisation (de 20 à 80 €), vous pourrez accéder à une liste de particuliers acceptant de louer à des étudiants soit une chambre chez l'habitant, soit des studios, F1, F2 ou F3.

– L'OSE dispose de onze résidences (à Paris et en banlieue) où vous trouverez des 18 à 22 m² tout confort (meublés, équipés) à partir de 365 € par mois (aide au logement à déduire : vous pouvez donc compter sur un premier prix net d'environ 200 €).

– Nombreuses annonces de particuliers pour les adhérents.

Loisirs

Les avantages qui suivent sont réservés aux adhérents OSE.

– Places de cinéma UGC à tarif réduit valables tous les jours (5,03 €).

– Des chèques cadeaux (donnant droit de 5 à 15 % de remise) valables à la FNAC, Go Sport, les Galeries Lafayette, ainsi que chez Darty, Décathlon, Celio et au BHV.

– Un service de développement photo à tarifs avantageux.

L'aventure des bourses

Étonnant ! Les bourses destinées à vous encourager dans vos projets de toute nature, les plus fous comme les plus raisonnables, sont innombrables. A tel point que le CIDJ a créé une permanence pour vous aider à vous y retrouver (voir p. 384). Qu'est-ce qu'un projet au fait ? Construire une fusée, créer son entreprise, organiser un raid en Amazonie, monter un spectacle : il s'agit avant tout de réaliser son désir le plus cher et de construire sa vie. Un détail encore, renseignez-vous bien, certaines bourses demandent des frais d'inscription déraisonnables, d'autres peuvent concerner les moins jeunes.

BOURSE DE L'AVENTURE DE LA MAIRIE DE PARIS

Tél. 01 43 47 84 01 (contact : Loïc Agnoseau)
Avoir plus de 18 ans. Objectifs sportifs, culturels, scientifiques, humanitaires ou documentaires ; notion de performance au sens large. Dépôt du dossier de janvier à juin.

6ᵉ ARRONDISSEMENT

BOURSE DE LA VOCATION

Fondation Marcel-Bleustein-Blanchet, 104 rue de Rennes, 6ᵉ • Tél. 01 53 63 25 90 • www.fondationvocation.org

20 bourses annuelles de 7 700 € chacune pour les jeunes européens entre 18 et 30 ans ayant un projet sérieux et une véritable vocation. Dépôt de dossier : 1ᵉʳ janvier - 30 juin. Attribution : décembre.

8ᵉ ARRONDISSEMENT

BOURSE DÉCLICS JEUNES DE LA FONDATION DE FRANCE

40 av. Hoche, 8ᵉ • Tél. 01 44 21 31 80 • Fax : 01 44 21 31 01 • www.fdf.org

Bourses de 7 600 € pour les 18-30 ans qui veulent réaliser leur vocation dans les domaines les plus divers (art, action sociale, recherche, sciences, culture...). Condition sine qua non : avoir déjà fait ses preuves lors d'un premier projet. Contact par courrier ou Internet.

11ᵉ ARRONDISSEMENT

BOURSES DE VOYAGES ZELLIDJA

5 bis cité Popincourt, 11ᵉ • Mº Saint-Ambroise • Tél. 01 40 21 75 32 • www.zellidja.com • Lundi-vendredi : 9 h-12 h, 14 h-18 h

Cette bourse de voyages, jadis directement administrée par l'Académie française, récompense les baroudeurs entre 16 et 20 ans. Pour l'obtenir il suffit de présenter un projet d'étude et un carnet de route sur le pays de son choix (y compris la France), et de partir seul, au moins un mois. Vous pourrez ainsi obtenir une aide comprise entre 600 et 1 000 € ainsi que des conseils avisés et des lettres de recommandation. Si votre expérience a été convaincante, une seconde bourse (1 000 à 1 300 €) financera un autre voyage.

78 YVELINES

PRIX DEFI JEUNES

INJEP, 11 rue Paul-Leplat • 78160 MARLY-LE-ROI • Tél. 01 30 08 83 83 • Fax : 01 39 16 92 25 • www.defijeunes.fr

Concerne tous les domaines de projet pour les 15-28 ans, est organisé par le groupement d'intérêt public Defi jeunes, sous l'égide de la Direction de la Jeunesse (Ministère de l'Éducation nationale). Bourses de 1 500 à 7 500 € (pour les mineurs de moins de 17 ans, 1 500 € maximum).

Les boîtes à jobs

Les entreprises ou associations susceptibles de fournir un job pour une soirée ou une journée sont de plus en plus nombreuses. Un conseil : méfiez-vous, certaines sont à la limite de la légalité et ne se préoccupent que de gagner de l'argent sur votre dos. Ne vous adressez qu'à des organismes sérieux : le CROUS (jobs, baby-sitting et antenne ANPE, p. 385), l'OSE (idem, p. 385), le CIDJ et son antenne ANPE (p. 384) ou l'une des adresses ci-dessous, qui vous demanderont autant de sérieux et de qualités que vous êtes en droit d'en attendre d'elles. Voir aussi « Garde et aide aux devoirs », p. 277. A l'attention des « particuliers-employeurs » : dans la plupart des cas, il est nécessaire d'être équipé de « chèques emploi-service ».

KID SERVICES
Tél. 08 20 00 02 30

Des baby-sitters triés sur le volet, majeurs et étudiants. Lettres de recommandation et extrait de casier judiciaire obligatoire. Précision supplémentaire : c'est un job de nana (allez savoir pourquoi ?).

6ᵉ ARRONDISSEMENT

INSTITUT CATHOLIQUE
Service social, 21 rue d'Assas, 6ᵉ • Mᵒ Rennes-Saint-Placide • Tél. 01 44 39 60 24 • Fax : 01 42 22 13 80 • Lundi-vendredi : 9 h-12 h, 14 h-17 h 30

Ménage, garde d'enfants et aide aux personnes âgées. Il faut être étudiant de moins de 28 ans. 6 € de l'heure. Inscription : 3,50 €. Cotisation : 12,50 € (si l'on est à la « Catho ») ou 15 € une fois le job décroché. La « Catho » sert d'intermédiaire avec l'employeur qui verse 39 € si le contact aboutit. Ensuite à vous de rester dans la place !

8ᵉ ARRONDISSEMENT

DEAL HÔTESSES
201 rue du Faubourg-Saint-Honoré, 8ᵉ • Mᵒ Charles-de-Gaulle-Étoile • Tél. 01 45 63 69 39 • www.adeal.fr • Lundi-jeudi : 9 h-18 h ; vendredi : 9 h-17 h

Agence d'hôtesses recrutant surtout des jeunes filles de 20 à 35 ans de 1,70 m minimum (1,80 m pour les garçons) et maîtrisant bien l'anglais + éventuellement une seconde langue étrangère

15ᵉ ARRONDISSEMENT

LMCB
22 bis rue des Volontaires, 15ᵉ • Tél. 01 44 38 88 88 • Fax : 01 44 38 80 30 • www.lmcb.net • Lundi-vendredi : 9 h-19 h

Emplois d'accueil et d'animation pour des opérations ponctuelles (salons, événements sportifs, animation) ou à long terme (à temps partiel ou complet) pour la gestion d'accueil d'entreprises.

16ᵉ ARRONDISSEMENT

CHARLESTOWN
59 bd Exelmans, 16ᵉ • Mᵒ Exelmans • Tél. 01 40 71 30 70 • www.charlestown.fr • Lundi-vendredi : 9 h-17 h

Agence d'hôtesses. 18-25 ans : pour des missions ponctuelles (hôtes, hôtesses d'accueil, animation). 18-35 ans : accueil en entreprise, postes fixes en CDI (plein temps et mi-temps). Taille minimum pour les filles : 1,70 m ; pour les garçons : 1,80 m. Tarifs selon prestation. Offres d'emplois directement sur Internet.

92 HAUTS-DE-SEINE

BABY-SITTING SERVICES
4 rue Nationale • 92100 BOULOGNE-BILLANCOURT • Mᵒ Boulogne-Pont-de-Saint-Cloud • Tél. 01 46 21 33 16 • Fax : 01 46 21 16 05 • www.babysittingservices.com • Tous les jours : 7 h-22 h

De la simple garde au soutien scolaire, les demoiselles forment le gros du bataillon. Tarifs horaires : 6,30 € de 8 h à 22 h du lundi au samedi ; 7 € de 22 h à 8 h du lundi au samedi, dimanche et jours fériés. Frais de service : 10,90 € par intervention ou 80 € pour 10 interventions. **-5 % sur les forfaits interventions avec le guide ou la carte**.

OTESSA - ISS
98 rue du Château • 92100 BOULOGNE • Mᵒ Boulogne ou Jean-Jaurès • Tél. 01 41 10 22 22 • Lundi-vendredi : 8 h-19 h

Agence d'hôtes et hôtesses. Femme : 1,70 m ; homme : 1,80 m.

MAHOLA
34-38 rue Camille-Pelletan • 92300 LEVALLOIS-PERRET • Mᵒ Anatole-France • Tél. 01 47 56 12 74 • Lundi-jeudi : 9 h-18 h 30 ; vendredi : 9 h-17 h 30

Recherche pour des CDD des hôtesses, des opératrices de saisie (rapides), des caissières et des interprètes. Propose également des emplois en CDI (accueil société/standard). Hôtes (1,80 m), hôtesses (1,70 m) : 18 à 30 ans. Les rémunérations tournent autour de 66 € brut par jour + 10 € net (transport-repas).

Les cartes en folie

LA CARTE ISIC

Pour 10 € (du 1ᵉʳ septembre au 31 décembre de l'année suivante), les collégiens, les lycéens et les étudiants disposeront d'une preuve de leur statut d'étudiant reconnu partout dans le monde (avec les réductions qui s'y rapportent : avion, musées, etc.). La carte ISIC offre aussi une assistance téléphonique à l'étranger 24 h sur 24. Pour connaître les bureaux d'émission de la carte ISIC, rendez-vous sur Internet : www.carteisic. com. L'OTU et Wasteels la distribuent (voir p. 380 et p. 381).

LE TITRE JEUNES IMAGINE « R »

Une Carte Orange à -50 %.

– **Le public** : les 12-26 ans, collégiens, lycéens, étudiants ou apprentis.

– **La vente** : se fait uniquement par correspondance. Les formulaires sont à retirer aux guichets RATP, SNCF, Bus APTR et ADATRIF. Se renseigner au numéro ci-dessus ou sur Minitel.

– **Le coût** : pour deux zones 249,80 € par an, pour les 8 zones 750,20 € par an, avec toutes les combinaisons possibles dans le choix de vos zones. Paiement comptant ou en neuf mensualités par prélèvement automatique. Grâce aux subventions de votre département, accordées à tous ou aux seuls boursiers, le prix de la carte Imagine « R » peut encore s'effondrer dans des proportions redoutables. Renseignez-vous au numéro ci-dessous.

– **La validité** : un an quelle que soit sa date de création (1ᵉʳ septembre pour les scolaires, du 1ᵉʳ septembre au 1ᵉʳ janvier pour les étudiants). Valable sur les mêmes réseaux que la Carte Orange (RATP, SNCF, etc.).

– **Ce qui a changé la vie des jeunes Franciliens** : le week-end et les jours fériés, la carte est « dézonée », barbarisme charmant qui signifie que vous pourrez aller jusqu'en zone 8 voir ce qui s'y passe, pour le même prix.

– **Pour se renseigner** :Tél. 0 891 670 067, 3615 RATP, 3615 SNCF, www.imagine-r.com.

Vous voulez recevoir gratuitement le prochain Paris Pas Cher ? Signalez-nous, par courrier, une bonne adresse qui n'y figure pas ou une erreur qui se serait glissée dans le texte (si, si, ça arrive), avant le 1ᵉʳ février 2004.

Si vous êtes le premier (ou la première) à nous l'avoir signalée, et que nous la retenons, vous recevrez un exemplaire du guide 2005, à paraître en septembre 2004.

**Paris Pas Cher
19 av. Georges-Brassens
94550 Chevilly-Larue**

LINGE DE MAISON

Avis aux non-initiés : le linge de maison comprend tout aussi bien ce qui est suspendu (ou qui traîne ?...) dans la salle de bains – serviettes éponge, peignoirs – que ce qui nous tient chaud dans le lit – draps, couettes, oreillers, couvertures – ou encore ce qui récolte les taches de sauce dans la salle à manger – nappes, serviettes. On y adjoint même les pièces d'étoffe qui n'ont qu'un lointain rapport avec la maison : les draps de plage, par exemple. Toutes les adresses ci-après ont en commun de vendre tous ces articles. Aussi était-il inutile de les différencier à l'aide de notre habituel tableau « Que cherchez-vous ? ». Merci, ami lecteur, de l'avoir compris. Ah ! dernier détail : « Dreyfus » (p. 497) et « Leclerc Vêtements » (p. 113) regorgent de linge de maison.

2e ARRONDISSEMENT

BROUDEHOUX BOISSE
Made in France

2 rue des Petits-Pères (2e)
M° Bourse
Tél. 01 42 60 05 34
Fax : 01 40 20 95 12
*Lundi-vendredi : 11 h-
18 h 30 ; samedi : 14 h 15-
18 h 30*

La maison est associée à la marque Sylvie Thiriez. Du linge de belle qualité fabriqué dans le nord de la France. Éponge en coton peigné 600 g/m^2 (seize coloris) que l'on peut personnaliser pour des cadeaux : 7,50 € la broderie. Nappe damassée sans repassage 100 % coton : 44 € en 180 cm de diamètre. Pyjama enfant à partir de 30 €.

3e ARRONDISSEMENT

MAJOLIQUE
Broderies à l'ancienne

79 rue Vieille-du-Temple
(3e)
M° Saint-Paul ou Hôtel-
de-Ville
Tél. 01 42 78 58 81
*Lundi-samedi : 11 h-18 h ;
dimanche : 14 h-19 h*

Beaux cotons mercerisés, métis ou organdi délicatement brodés par des petits doigts de fées. Une ribambelle de charmants motifs déclinés sur des nappes, sets, draps, serviettes... Porcelaines peintes à la main assorties aux motifs des broderies. C'est l'endroit rêvé pour des cadeaux raffinés ! Set de table : 10 €. Torchon de cuisine : 9 €. Sacs à linge : 14 €. Aumônières : 5 €. Coussinets cœur : 6 €. Couvercles à confitures : 5 €. Accessoires de bébé. Promotions tous les mois sur certains articles. **Remise de 5 % (hors promotions) avec le guide ou la carte.**

AUTRES ADRESSES
■ 41 rue Dauphine, 6e • M° Odéon • Tél. 01 55 42 93 55 • Lundi-vendredi : 11 h-19 h ; samedi : 11 h-18 h
■ 11 bd Haussmann, 9e • M° Richelieu-Drouot ou Opéra • Tél. 01 47 70 51 88

4e ARRONDISSEMENT

TEXAFFAIRES
Du chic à prix discrets

7 rue du Temple (4e)
M° Hôtel-de-Ville
Tél. 01 42 78 21 38

Ici, on a le souci du détail et on rebaptise « excédents de fabrication » ce qu'ailleurs on nomme plus prosaïquement « fins de séries ». Qu'importe ! De

Lundi-samedi : 10 h-19 h

grandes marques de linge de maison sont au rendez-vous ! Sachez que la boutique vaut le coup d'œil...

AUTRES ADRESSES
- 4 rue Guichard, 16ᵉ • Mᵒ La Muette • Tél. 01 42 88 04 97
- Quai des Marques, 395 av. du Général-Leclerc • 95130 FRANCONVILLE • 15 km de la Porte-de-la-Chapelle (A1 + A15), voir p. 398 • Tél. 01 34 15 31 69
- Usine Center, ZI Paris Nord 2 • 95700 ROISSY-CDG • 14 km de la Porte de la Chapelle, voir p. 399 • Tél. 01 48 17 02 53 • Ouvert le dimanche.

6ᵉ ARRONDISSEMENT

CARRÉ BLANC

Du linge dans l'air du temps

33 rue de Sèvres (6ᵉ)
Mᵒ Sèvres-Babylone
Tél. 01 45 48 66 73
ou 0 800 40 45 25
(numéro vert)
Lundi : 12 h-19 h ; mardi-samedi : 10 h-19 h

Des collections, deux fois par an, pour du linge chic et bien présenté. Housse de couette 240 × 220 cm : 69 €. Taie : 14,90 €. Drap de bain éponge 150 × 100 cm : 34,90 €. Beaux torchons brodés : 6,90 €. Charmante ligne de linge de bébé (burnous, bavoirs, serviettes...). 130 boutiques en France : appeler le numéro vert.

AUTRES ADRESSES
- Stand aux Galeries Lafayette, 40 bd Haussmann, 9ᵉ • Tél. 01 49 70 66 43
- 108 av. du Général-Leclerc, 14ᵉ • Mᵒ Alésia • Tél. 01 45 45 12 85
- 72 rue de Passy, 16ᵉ • Mᵒ La Muette • Tél. 01 42 24 90 33
- 111 bis rue de Courcelles, 17ᵉ • Mᵒ Péreire • Tél. 01 42 27 03 25

7ᵉ ARRONDISSEMENT

À VOTRE IDÉE

Brode-moi un mouton

11 rue Amélie (7ᵉ)
Mᵒ Latour-Maubourg
Tél. 01 45 55 55 48
Mardi-samedi : 9 h-14 h, 15 h-19 h

Encore une des rares boutiques à réaliser des broderies à la machine guidée main. Ravissants motifs sur commande ou à choisir dans la collection. Sacs à linge ou trousses de toilette peuvent être personnalisés et brodés à la demande. A votre idée ! Forfait prénom : 15 € (trois jours de délai), lettre brodée de 5 cm : 7,62 €. Housse de coussin en lin : 29,64 €. Parfois, des fins de séries en promotion.

MÉLI-MÉLO DÉCOR

Méli-mélo moelleux

60 rue Saint-Dominique (7ᵉ)
Mᵒ Latour-Maubourg
Tél. 01 45 55 12 19
Fax : 01 45 55 12 19
www.meli-melo.fr
Mardi-vendredi : 10 h 30-19 h ; samedi : 10 h 30-13 h, 15 h-19 h

Des marques prestigieuses dans un moelleux fouillis (Patrick Frey, Serge Lesage, Guy Laroche, Kenzo...). Voilages et rideaux sur mesure (l'atelier est sur place) à partir de 36 € (tergal/lin). 20 à 30 % de réductions sur les tissus d'éditeurs. Drap (240 × 310 cm) grand teint en vingt-cinq couleurs : 20 €. Trois belles serviettes de toilette pour 15 €. **Remise de 10 % sur le linge et de 25 à 30 % sur les tissus d'éditeurs et confection gratuite pour les voilages avec le guide ou la carte (hors promotions).**

RÊVE BLANC

Rêve de classe à prix de rêve

155 rue de Grenelle (7ᵉ)
Mᵒ Latour-Maubourg
Tél. 01 47 05 93 13
Fax : 01 43 27 64 16

Les fins de séries Yves-Saint-Laurent, Kenzo, Yves Delorme sont vendues ici de 30 à 40 % moins cher. Satin damassé Jalla à moins de 40 %. Peignoir Yves-Saint-Laurent : 75 €. Draps deux places à partir de

*Lundi-samedi : 10 h-
19 h 30 ; dimanche :
10 h 30-13 h 30*

45 €. Taies : 20 €. 10 % de réduction sur la nouvelle collection. **Remise de 5 % avec le guide
ou la carte.**

AUTRE ADRESSE
■ 28 rue Daguerre, 14ᵉ • Mº Denfert-Rochereau • Tél. 01 43 27 64 16

10ᵉ ARRONDISSEMENT

LA BOUTIQUE DU DUVET

Tout en douceur

143 av. Parmentier (10ᵉ)
Mº Goncourt
Tél. 01 44 84 77 31
www.boutiqueduduvet.com
*Mardi-vendredi : 11 h-
19 h 30 ; samedi : 10 h 30-
19 h*

Ce fabricant vend directement aux particuliers
couettes et oreillers tout en duvet avec le confort
comme leitmotiv. Couettes de 69 à 618 € (140 ×
200 cm). Oreillers de 26 à 96 € (65 × 65 cm).
Remise de 10 % avec le guide ou la carte.

SOFRATEX

Grands noms pour petits prix

47 rue Lucien-Sampaix
(10ᵉ)
Mº Gare-de-l'Est
Tél. 01 46 07 82 17
Lundi-samedi : 9 h-19 h

Des invendus haut de gamme siglés de noms prestigieux : Ted Lapidus, Yves-Saint-Laurent, Cacharel,
Frette, Balmain. L'accueil est aussi doux que les prix.
Serviettes de douche (70 × 140 cm) : 12,20 €. Serviettes de toilette : 4,57 €. Également des accessoires de maroquinerie (Cerruti, Valentino...). Carrés
de soie signés : 53,36 €. Cravates : 22,87 €. Chemises homme haute couture : à partir de 40 €. **Remise de 15 % avec le guide ou la carte.**

11ᵉ ARRONDISSEMENT

N. VILLARET

La poésie côté Villaret

13 rue Oberkampf (11ᵉ)
Mº Oberkampf ou Filles-
du-Calvaire
Tél. 01 40 21 71 89
Fax : 01 40 21 86 28
*Lundi-vendredi : 10 h-19 h ;
samedi : 14 h-19 h*

Esprit de charme pour ce lieu où l'on se laisse séduire par de belles rééditions de tissus des XVIIᵉ et
XVIIIᵉ siècles, des boutis matelassés à la main, des
housses de couette rebrodées... Choix judicieux
d'objets coordonnés aux tissus de la collection (abat-
jour, carnets, albums). Courtepointes (170 ×
170 cm) de 119 à 265 €. Rideaux en organdi :
86 € le panneau (110 × 300 cm). Nappe imprimée
en organdi (170 × 170 cm) : 100 €. **Remise de
5 % avec le guide ou la carte.**

12ᵉ ARRONDISSEMENT

LE GRAND BLANC

De nos collines vosgiennes

168 rue du Faubourg-Saint-
Antoine (12ᵉ)
Mº Faidherbe-Chaligny
Tél. 01 43 73 31 31
*Lundi : 14 h-19 h ; mardi-
samedi : 10 h-19 h ;
dimanche : 10 h-13 h*

Du beau linge 20 à 30 % moins cher que les tarifs
habituels signés F. Hans Gerardmer. Nappe jacquard carrée 175 × 175 cm : 45 €. Toutes les largeurs de draps-housses à partir de 15,10 € (30 coloris). Belle qualité d'éponge pour les peignoirs, à
partir de 45 €. Torchons métis : 5 €. Housse de
couette (140 × 200 cm) : 39 €. **Remise de 5 %
avec le guide ou la carte.**

AUTRE ADRESSE
■ 288 bd Voltaire, 11ᵉ • Mº Nation • Tél. 01 43 71 48 12 • Mardi-samedi : 10 h-19 h

TOTO
Bravo Toto !

75 av. d'Italie (13ᵉ)
Mᵒ Tolbiac
Tél. 01 44 24 27 94
Lundi-samedi : 10 h-19 h

Le comble du petit prix, c'est Toto. Choix et qualité en prime ! Drap-housse à partir de 5,95 € (90 × 190 cm). Drap de bain (75 × 150 cm) à 7,47 € (six coloris). Serviette éponge 50 × 100 cm (six coloris) : 3,03 €. **Remise de 5 % avec le guide ou la carte (dans certains magasins).**

AUTRES ADRESSES
- 7 place de la Madeleine, 8ᵉ • Mᵒ Madeleine • Tél. 01 42 66 67 69
- 14 rue Duban, 16ᵉ • Mᵒ La Muette • Tél. 01 42 15 19 46
- 1 rue de Passy, 16ᵉ • Mᵒ Passy • Tél. 01 45 20 57 27
- 7 rue Poncelet, 17ᵉ • Mᵒ Ternes • Tél. 01 47 63 86 01
- 5 bd Barbès, 18ᵉ • Mᵒ Barbès-Rochechouart • Tél. 01 42 59 63 33
- 49 bd Barbès, 18ᵉ • Mᵒ Château-Rouge • Tél. 01 42 52 90 53
- 39 rue de Ménilmontant, 20ᵉ • Mᵒ Ménilmontant • Tél. 01 46 36 36 09

BLANCORAMA
Draps et nappes sur mesure

88 rue Lecourbe (15ᵉ)
Mᵒ Volontaires
Tél. 01 47 83 27 07
Mardi-vendredi : 10 h-19 h ;
samedi : 10 h-19 h 30

A vous de choisir la dimension de votre nappe. Damassé de coton : 50 € le mètre en 265 cm de large. Et pour un supplément de 10 à 20 %, des protège-matelas ou des draps-housses sur mesure. Également de nombreuses grandes marques en stock (Kenzo, Delorme...). **Remise de 10 % avec le guide ou la carte (premier achat hors soldes).**

AUTRE ADRESSE
- 12 rue Saint-Placide, 6ᵉ • Mᵒ Sèvres-Babylone • Tél. 01 42 22 90 28 • Lundi : 12 h-19 h ; mardi-samedi : 10 h-19 h

DEGRIFF BLANC
« Degriff » bien griffés

51 et 53 av. de la Motte-Picquet (15ᵉ)
Mᵒ La Motte-Picquet-Grenelle
Tél. 01 43 06 59 20
Lundi-samedi : 10 h-19 h

Designers Guild, Laura Ashley, Souleiado, Sanderson, Dorma... Fins de séries et premier choix de 30 à 50 % moins cher. Housse de couette Designers Guild 220 × 240 cm : 72 €. Taie : 7,47 €. Boutis fait main 230 × 250 cm + deux taies : 121,81 €. Bon choix d'articles pour bébé et en prime un charmant accueil. **Remise de 5 % avec le guide ou la carte.**

HM FRANCE
Nouvelle enseigne

91 rue Saint-Charles (15ᵉ)
Mᵒ Charles-Michels
Tél. 01 45 78 06 98
Lundi-samedi : 10 h 15-14 h,
15 h-19 h

L'enseigne Chiff'Tir a cédé ses magasins à la société HM France, mais la stratégie de vente reste la même ; mention spéciale pour la qualité à prix séduisant. Jalla y écoule son stock d'éponges : serviettes 70 × 140 cm : 12 €. Housse de couette unie (treize coloris) à partir de 30,34 € en 140 × 200 cm. Dessus-de-lit en piqué de coton 45 € (230 × 250 cm).

AUTRE ADRESSE
- Usine Center, Route André-Citroën • 78140 VÉLIZY-VILLACOUBLAY • Accès : voir p. 396 • Tél. 01 30 70 66 20

16ᵉ ARRONDISSEMENT

BOUCHARA

57 rue de Passy (16ᵉ)
Mᵒ La Muette ou Passy
Tél. 01 45 25 74 46
Lundi-samedi : 10 h-19 h

Linge de maison Bouchara

C'est au sous-sol que l'on peut trouver un excellent rayon de linge de maison. Promotions fréquentes. Tapis de bain à partir de 5,50 €. Peignoir à partir de 29,90 €.

AUTRES ADRESSES
- **Eurodif** • 2 rue du Maréchal-Foch • 78000 VERSAILLES • RER C, Versailles-Rive-Gauche • Tél. 01 39 50 18 00
- **Eurodif** • 64 rue de la République • 93200 SAINT-DENIS • Mᵒ Saint-Denis-Basilique • Tél. 01 48 20 82 82

17ᵉ ARRONDISSEMENT

NORD DE PARIS 93

26 rue de Lévis (17ᵉ)
Mᵒ Villiers
Tél. 01 47 63 14 01
Mardi-samedi : 10 h 30-19 h 30 ; dimanche : 10 h 30-13 h

A prix essorés

Pour trouver son bonheur au hasard des fréquents arrivages, mieux vaut passer une fois par mois : fins de séries et second choix arrivent par lots entiers. Nappes en jacquard de grandes marques à prix très petits. Serviette invité : 1,50 €. Peignoir de bain à partir de 12 €. **Remise de 10 % sur les articles de second choix avec le guide ou la carte.**

78 YVELINES

AFFAIRE DE MARQUES

route André-Citroën
78140 Vélizy-Villacoublay
Accès : voir p. 396
Tél. 01 39 46 28 01
Mercredi-vendredi : 11 h-20 h ; samedi-dimanche : 10 h-20 h

Affaire de prix, effet de marques

Arrivages trimestriels de linge Anne de Solène (-30 à -40 %). Ensemble housse de couette + deux taies Paloma Picasso : 83,85 € (240 × 260 cm). Lots comprenant deux draps de bain (70 × 140 cm) + deux serviettes (45 × 100 cm) + deux gants : le tout à 30,49 €.

93 SEINE-SAINT-DENIS

LE COTONNIER

Marque Avenue
8 quai du Châtelier
93450 L'ÎLE-SAINT-DENIS
Mᵒ Mairie-de-Saint-Ouen
+ bus 137 N, voir p. 397
Tél. 01 48 13 04 69
Lundi-vendredi : 11 h-20 h ; samedi : 10 h-20 h

Belles nuits bien griffées

Du beau linge de nuit en coton bien griffé. Fins de séries de grandes marques à moins 40 % ou plus. Souleiado, Designers Guild sont au rendez-vous. Housse de couette Designers Guild 240 × 220 cm : 57 €. Taies d'oreiller assorties : 11 € l'une. Drap Souleiado pour deux personnes : 23 €. Taies d'oreiller coordonnées : 8,50 € l'une. Éponges Hapl'o : 18,95 € (100 × 150 cm). **Remise de 10 % avec le guide ou la carte (hors promotions).**

AUTRES ADRESSES
- Usines Center - Route A.-Citroën • 78140 VÉLIZY-VILLACOUBLAY • 10 km de la Porte de Saint-Cloud (N118), voir p. 396 • Tél. 01 39 46 18 87
- Quai des Marques, 395 av. du Général-Leclerc • 95130 FRANCONVILLE • 15 km de la Porte de la Chapelle (A1 + A15). Voir aussi p. 398 • Tél. 01 34 15 38 04

SOUS-SIGNÉ

A Usines Center
ZI Paris-Nord II
95700 ROISSY-CDG
RER B, Parc-des-Expositions.
Voir aussi p. 399
Tél. 01 48 63 20 14
*Lundi-vendredi : 11 h-19 h ;
samedi-dimanche : 10 h-
20 h*

Sous-signés de grandes signatures

Couturiers et créateurs se sont donné le mot pour rassembler ici les fins de séries de leurs collections et les proposer moins cher (de -30 à -50 %). Des griffes prestigieuses (Kenzo, P. Frey, Yves Delorme, Façonnable). Promotions régulières : peignoir Kenzo (second choix) : 48,02 €. Drap deux personnes (second choix) 25,30 € (240 × 310 cm). Peignoir Yves Delorme à partir de 36,50 € en second choix.

AUTRES ADRESSES
- 4 rue Yves-Toudic, 10ᵉ • Mᵒ République • Tél. 01 42 08 24 82 • Fax : 01 48 02 17 38 • Lundi et samedi : 9 h 30-13 h, 14 h-18 h ; mardi-vendredi : 9 h 30-18 h 30
- Usines Center • 78140 VÉLIZY-VILLACOUBLAY • 10 km de la Porte de Saint-Cloud (N118), voir p. 396 • Tél. 01 39 46 18 15

A **Adresse particulièrement recommandée**

♛ **Adresse haut de gamme : le luxe à prix abordable**

MAGASINS D'USINES

Aux environs proches de Paris, existent cinq entrepôts où de grandes marques françaises déposent leurs surstocks, retours de magasins, fins de séries ou prototypes de l'année qui n'ont rien de l'allure molle et défraîchie du nanar. Vêtements, chaussures, linge de maison, objets de puériculture, vaisselle, etc., y sont vendus en principe de 30 à 70 % moins cher que dans les magasins traditionnels. Mais attention, il y a également des magasins relativement chers qui se sont glissés parmi les autres. Voici les adresses de ces cinq cavernes d'Ali Baba, les explications complètes pour se rendre dans ces endroits lointains… ainsi que leurs magasins les plus intéressants que vous retrouverez en détail dans nos différentes rubriques, aux pages indiquées dans les tableaux.

 ## La Vallée Outlet Shopping Village (77)

3 cours de la Garonne, 77700 SERRIS (Marne-la-Vallée). – De la Porte de Bercy : A4, sortie 12.1, suivre « Marne-la-Vallée : Val-d'Europe », puis « Centre commercial », entrée A. – RER A, station Val-d'Europe-Serris-Montévrain. – Tél. 01 60 42 35 00. – www.lavalleevillage.com. – Lundi-samedi : 10 h 20 h ; dimanche : 11 h-19 h.
Le plus luxueux, le plus beau des magasins d'usines proches de Paris : des vêtements, des chaussures, des sacs et deux boutiques d'art de la table. Des allures de village provincial, des restaurants et, en plus des boutiques décrites dans Paris Pas Cher, quelques points de chute dignes d'intérêt : Nina Ricci, Max Mara, Ventilo, Café Coton, Liberto, Haviland, Christian Lacroix, etc.

¿ QUE CHERCHEZ-VOUS ?

ARTS DE LA TABLE
162 Bodum

LINGERIE
74 Chantelle Stock

SACS
80 Furla Stock
81 Lamarthe Stock
81 Mandarina Duck Stock
81 Samsonite (CNIE Store)

VÊTEMENTS BRANCHÉ
128 Diesel

VÊTEMENTS DE CUIR
70 Maud Frizon Stock

VÊTEMENTS FEMME
93 Anne Fontaine
96 Coat Concept
96 Indies Stock
96 Kenzo

96 Louis Féraud
97 Nina Ricci
100 Ventil Stock

VÊTEMENTS FEMME ET HOMME
112 Gerry
112 Gian Franco Ferré
113 Riverwoods
113 Tommy Hilfiger

Usines Center Vélizy-Villacoublay (78)

Rue André-Citroën, 78140 VÉLIZY-VILLACOUBLAY. – 10 km de la Porte de Saint-Cloud. – De la Porte de Saint-Cloud : N306 + au rond-point du Petit-Clamart : direction « ZA de Villacoublay » + N118, sortie n° 4 « ZA Villacoublay ». – Du Pont de Sèvres : N118, sortie n° 4 « ZA Villacoublay ». – Tél. 01 39 46 45 00. – Mercredi-vendredi : 11 h-20 h ; samedi-dimanche : 10 h-20 h.

¿ QUE CHERCHEZ-VOUS ?

ARTS DE LA TABLE
162 Guy Degrenne
Factory

CADEAUX
237 L'Homme
Moderne

CHAUSSURES
62 Pallio Store
62 Regina

CHEMISES HOMME
122 Lexington

ÉLECTROMÉNAGER
265 CJD Poiret

LINGE DE MAISON
393 Le Cotonnier

392 HM France
393 Affaire de
Marques
394 Sous-Signé

LINGERIE
76 Dim
74 Distribem

LITERIE
410 Dosrama
419 L'Entrepôt de la
Compagnie du Lit

MEUBLES
419 Avantages
Canapés

SACS
82 Bag à Folie

VÊTEMENTS FEMME
101 AG Bis
97 Eiffel
101 GR Stock -
Anonyme de...
97 Modulo
89 Rondissimo
Parmentier
97 Route de la Soie
93 Scalp
98 Sym
99 Suite Sans Fin

VÊTEMENTS HOMME
123 Jerem
124 Stanford

VÊTEMENTS DE SPORT
474 Degrif-Gliss
476 Gex Sports - City
Sport
475 Team 5

Marques Avenue Île-Saint-Denis (93)

8 quai du Châtelier, 93450 L'ÎLE-SAINT-DENIS. – M° Mairie-de-Saint-Ouen + bus 166, arrêt Marcel-Paul. De la Porte Maillot, remonter les quais jusqu'au pont de Saint-Ouen, prendre le pont à gauche, puis tourner au premier feu à droite. – Tél. 01 42 43 70 20. – Lundi-vendredi : 11 h-20 h ; samedi : 10 h-20 h. – www.marquesavenue.com

¿ QUE CHERCHEZ-VOUS ?

CADEAUX
238 Andines

CHAUSSETTES
75 Olympia

CHAUSSURES
62 Manufacture W
62 Regina

CHEMISES HOMME
122 Café Coton Stock

LINGERIE FEMME
76 Dim
74 Distribem

LINGERIE HOMME
123 Éminence

SACS
81 La Maison du Cuir

VÊTEMENTS ENFANT
136 Clayeux Stock
135 Cyrillus Stock

VÊTEMENTS FEMME
98 Etam
98 Gérard Pasquier
99 Mango Outlet
99 Rodier
93 Scalp
102 Stock Caroll
99 Stock Tara Jarmon
99 Suite sans Fin
101 1-2-3 Stock
100 Ventil Stock

VÊTEMENTS FEMME ET HOMME
114 Levi's
116 Rodier

VÊTEMENTS HOMME
123 Bruce Field
121 Carven Stock
123 Charles Le Golf
123 Jerem
123 Stanford

VÊTEMENTS JEUNE
130 Lulu Castagnette

VÊTEMENTS DE SPORT
474 Degrif-Gliss
475 Nike Factory Store
475 Disportex

Quai des Marques Franconville (95)

395 rue du Général-Leclerc, 95138 FRANCONVILLE. – De la Porte Maillot, aller à la Défense, puis A15 direction Cergy-Pontoise, sortie 4. – RER C ou SNCF (Gare du Nord), Franconville-Plessis-Bouchard + 25 minutes à pied. – M° Saint-Denis-Université + bus 261 + 20 minutes à pied. – Tél. 01 34 44 17 17. – Lundi-vendredi : 11 h-20 h ; samedi : 10 h-20 h. – www.quaidesmarques. com

¿ QUE CHERCHEZ-VOUS ?

CHAUSSETTES
75 Olympia

CHAUSSURES
62 Regina

ÉLECTROMÉNAGER
265 CJD Poiret

LINGE DE MAISON
393 Le Cotonnier
390 Texaffaires

LINGERIE FEMME
76 Dim

75 Well

SACS
82 Stock Sequoïa

VÊTEMENTS FEMME
101 AG Bis
101 GR Stock - Anonyme de...
93 Scalp
101 Stock Caroll
99 Stock Tara Jarmon
99 Suite sans Fin
101 1-2-3 Stock
100 Ventil Stock

VÊTEMENTS FEMME ET HOMME
115 Tricomer

VÊTEMENTS HOMME
121 Carven Stock
123 Charles Le Golf
123 Jerem
124 Stanford

VÊTEMENTS JEUNE
131 Morgan
131 Naf Naf
131 Oxbow

VÊTEMENTS DE SPORT
474 Degrif-Gliss
476 Gex Sports - City Sport

Usines Center Paris Nord II (95)

*134 av. de la Plaine, Paris Nord II, BP 70164, 95952 ROISSY-CDG CEDEX.
– RER B, Parc-des-Expositions Villepinte. – 14 km de la Porte de la Chapelle par
l'A1, sortie « ZI Paris Nord 2 ». – Tél. 01 48 63 07 67. – Lundi-vendredi :
11 h-19 h ; samedi-dimanche : 10 h-20 h.*

¿ QUE CHERCHEZ-VOUS ?

ARTS DE LA TABLE
162 Orbrille
163 La Table de la
Reine
163 Villeroy et Boch

LINGE DE MAISON
390 Texaffaires
394 Sous-Signé

LINGERIE
76 Dim

MONTRES
55 New Time

**REVÊTEMENTS SOLS
ET MURS**
222 Heytens

VÊTEMENTS ENFANT
136 Clayeux Stock
136 Jacadi
136 Petit Bateau

VÊTEMENTS FEMME
101 GR Stock -
Anonyme de...
93 Scalp

**VÊTEMENTS FEMME
ET HOMME**
115 Aigle

VÊTEMENTS JEUNE
131 An'ge
132 Stock J

À Troyes aussi...

La région de Troyes est celle qui réunit le plus grand nombre de magasins d'usines de France. Émergent de cette multitude deux centres commerciaux : Marques Avenue et McArthurGlen. Et comme ils sont à quelques encablures de Paris par le train, le car ou la voiture, on a largement le temps de faire l'aller-retour dans la journée en y consacrant plusieurs heures pour ses emplettes.

MARQUES AVENUE
114 bd de Dijon • 10800 SAINT-JULIEN-LES-VILLAS • En voiture : A5, sortie 21. En train : gare de l'Est, aller-retour : 21 € environ (horaires au 03 25 82 80 80) • Info Conso : 08 25 85 86 87 • Lundi : 14 h-19 h ; mardi-vendredi : 10 h-19 h ; samedi : 9 h 30-19 h • www.marquesavenue.com

94 enseignes (250 marques) parmi lesquelles nous avons sélectionné le dessus du panier. Des réductions de 30 % en moyenne, pouvant aller jusqu'à 70 % au moment des déstockages.
Chaussures : Manufacture W ; Salamander.
Linge de maison : Texaffaires ; Olivier Desforges.
Vêtements enfant : Cyrillus ; Lulu Castagnette.
Vêtements femme : Weill ; Bruce Field.
Vêtements homme : Café Coton ; Bruce Field.

MCARTHURGLEN
Voie du Bois • 10150 PONT-SAINTE-MARIE • En voiture : A5, sortie 20. En autocar : navette départ 10 h, place de la Bastille, le samedi (15 €) ; réserver au 03 25 82 82 00. • Tél. 03 25 70 47 10 • Lundi-vendredi : 10 h-19 h ; samedi : 9 h 30-19 h • www.mcarthurglen.fr

120 boutiques réparties en quatre bâtiments. Mêmes réductions qu'à Marques Avenue. Sélection.
Chaussures : Mephisto ; Salamander.
Linge de maison : Jalla.
Vêtements enfant : IKKS ; Lulu Castagnette ; Jacadi ; Catimini Stock ; Petit Bateau.
Vêtements femme : Kookaï ; La City ; Sinequanone.
Vêtements homme : Armani ; Cacharel ; Polo Ralph Lauren.

MEUBLES ET BROCANTE

La grande plaie du magasin de meubles, c'est le délai de livraison. Si le meuble n'est pas immédiatement disponible, on le commande, et on attend. Commence alors, parfois, un pénible parcours du combattant, ponctué de coups de téléphone, de lettres, d'attente et d'énervement. La plupart du temps, ça se termine bien. Les adresses que nous citons – outre la modicité de leurs prix – sont exemptes de ce genre de tracas. En principe...

¿ QUE CHERCHEZ-VOUS ?

BIBLIOTHÈQUES
411 Espace Juliet's (3e, 11e, 17e)
405 Cristal Miroirs, Placards et Miroirs (5e)
416 Meubles et Boiseries (18e)
417 Toutan'Folie (20e)
422 Patrick Wosinski (94)

BROCANTE
404 Lyon's Company (3e)
405 Suzon (3e)
408 L'Alternative (9e)
410 Alasinglinglin (11e)
412 Trolls et Puces et Cie, Belle Lurette (11e)
413 L'Arche de l'Espoir Armée du Salut (13e)
421 Gracieuse Orient (17e, 93)
417 Méli-Mélo Brocante (19e)
418 Emmaüs (78, 91, 93, 94)
419 La Malle Poste (91)

420 Troc 92 (92)
421 Neptune (93)
423 Approche (94)
425 Les brocantes

CANAPÉS
406 Graine d'Intérieur (1er, 6e, 9e, 12e, 77, 78, 92)
411 Espace Juliet's (3e, 11e, 17e)
407 Décoraline (7e, 15e)
408 Galerie Art 3 La Maison des Canapés (7e)
410 Dosrama (11e, 78, 91, 92, 95)
411 Lamy Literie (11e)
411 La Literie du Faubourg (11e)
413 Sfriso-Homeco (12e)
414 La Maison du Convertible (11e, 13e)
415 Daisy Meubles (17e)
416 Meubles et Boiseries (18e)
417 Toutan'Folie (20e)
419 Avantages Canapés (78)
424 Dekko (93)

422 Fly (94)
423 Inter Décor (94)

DÉPÔTS-VENTES
409 Cocagne (9e)
410 Dépôt-Vente du Particulier (11e)
412 Salle des Ventes du Boulevard Richard-Lenoir (11e)
414 Salle des Ventes Alésia (14e)
416 Brocante (18e)
417 Dépôt-vente Flandre (19e)
417 Le Dépôt-Vente de Paris (20e)
420 Dépôt-Vente Charlotte Wayne (92)
420 Troc 92 (92)

DESIGN
406 Graine d'Intérieur (1er, 6e, 9e, 12e, 77, 78, 92)
404 La Corbeille (2e)
416 Galerie Christine Diegoni (18e)

ENCHÈRES
424 Drouot

¿ QUE CHERCHEZ-VOUS ?

FUTONS
415 Objectif Bois - Home Trotter (6e, 17e)

LAQUE CHINOISE
413 Au Décor Laqué (12e)

LITERIE
421 Sauvel (4e, 15e, 93)
407 Maison de la Literie (6e, 11e, 14e, 78, 91, 92, 93, 94, 95)
415 Objectif Bois - Home Trotter (6e, 17e)
410 Dosrama (11e, 78, 91, 92, 95)
411 Lamy Literie (11e)
411 La Literie du Faubourg (11e)
412 Mon Rêve (11e)
419 L'Entrepôt de la Compagnie du Lit (12e, 78, 92)
413 Sfriso-Homeco (12e)
414 La Maison du Convertible (11e, 13e)
415 Daisy Meubles (17e)
417 Toutan'Folie (20e)
420 Allo Matelas (78, 92)
418 Entrepôt Régional de Literie (78)
420 Troc 92 (92)
424 Dekko (93)
422 Fly (94)
423 Inter Décor (94)

MEUBLES ANGLAIS
406 Lawrens et Cie (5e)
407 Le Grenier Anglais (6e)

MEUBLES DE JARDIN
408 Saisons (7e)

MEUBLES DE STYLE
409 Meubles Pascal (10e)
415 Le Cabriolet (15e)
422 Patrick Wosinski (94)

MEUBLES EXOTIQUES
411 Espace Juliet's (3e, 11e, 17e)
405 Entrepôt d'Amours et Passions (4e, 15e)
415 Objectif Bois - Home Trotter (6e, 17e)
407 Décoraline (7e, 15e)
409 La Tibétaine (9e)
410 Conceptua (11e)
413 Au Décor Laqué (12e)
413 Philéas et Robinson (12e)
422 Les Comptoirs de Makassar (93)
421 Salon Marocain (93)

MEUBLES GAIN DE PLACE
405 Espace Loggia (5e, 7e, 20e)
414 La Maison du Convertible (11e)
423 Ikea (78, 91, 94, 95)
424 Cocktail Scandinave (91)
422 Fly (94)

MEUBLES SUR MESURE
405 Cristal Miroirs, Placards et Miroirs (5e)
407 Le Grenier Anglais (6e)

411 Lamy Literie (11e)
413 Au Décor Laqué (12e)
414 Espace Miroirs (14e)
416 Au Gré du Verre (18e)
416 Meubles et Boiseries (18e)

Meubles XVIIIe-XIXe
414 Salle des Ventes Alésia (14e)
417 Méli-Mélo Brocante (19e)
417 Le Dépôt-Vente de Paris (20e)
419 La Malle Poste (91)

MEZZANINES
405 Espace Loggia (5e, 7e, 20e)
424 Cocktail Scandinave (91)

PETITS MEUBLES ET DÉCORATION
404 Maisons du Monde (1er)
166 Mildecor (4e)
423 Ikea (78, 91, 94, 95)
421 Salon Marocain (93)
422 Fly (94)

PLACARDS ET RANGEMENTS
405 Cristal Miroirs, Placards et Miroirs (5e)
408 Galerie Art 3 La Maison des Canapés (7e)
414 Espace Miroirs (14e)

¿ QUE CHERCHEZ-VOUS ?

PUCES
404 Bourse d'Objets de Collection (2ᵉ)
425 Marché d'Aligre (12ᵉ)
425 Les Puces de Vanves (14ᵉ)
425 Les Puces de Montreuil (93)
425 Les Puces de Saint-Ouen (93)

SALLES DES VENTES
409 Les Domaines (9ᵉ)

409 Magasin Domanial d'Aubervilliers (93)

TOUS MEUBLES
406 Graine d'Intérieur (1ᵉʳ, 6ᵉ, 9ᵉ, 12ᵉ, 77, 78, 92)
421 Sauvel (4ᵉ, 15ᵉ, 93)
413 Sfriso-Homeco (12ᵉ)
415 Daisy Meubles (17ᵉ)
415 Régimeubles

Paris-Est (17ᵉ, 18ᵉ)
416 Au Gré du Verre (18ᵉ)
417 Toutan'Folie (20ᵉ)
423 Ikea (78, 91, 94, 95)
424 Cocktail Scandinave (91)
423 L'Inventaire (91, 95)
424 Fradett - Déco Meubles (92)
420 SLDM (92)
416 Régimeubles Espace Godard (95)

A Adresse particulièrement recommandée

♔ **Adresse haut de gamme : le luxe à prix abordable**

MAISONS DU MONDE
Des quatre coins de la planète

Forum des Halles
Porte Berger - Niveau -2
1 rue Pierre-Lescot (1er)
M° Les Halles
Tél. 01 53 40 83 01
Lundi-samedi : 10 h-19 h 30

De Chine, d'Afrique, d'Indonésie, ces meubles aux teintes sombres, aux laques glacées, aux raphias attisent l'imagination. Buffets, armoires, bibliothèques, consoles, tables basses de différentes tailles, assortis de très confortables fauteuils club en cuir (350 €) ou d'une banquette en bois et cuir (299 €) permettront de créer une chaleureuse atmosphère, sans compter le large éventail de vaisselle, linge de maison et bougies parfumées. Une grande girafe (1,50 m) aux yeux tendres mettra un point final au décor (197 €).

BOURSE D'OBJETS DE COLLECTION
A l'ombre du palais...

Place de la Bourse (2e)
M° Bourse
Les derniers jeudi, vendredi du mois : 7 h-19 h

Une fois par mois, ce petit marché en plein Paris fera le bonheur des collectionneurs à l'imagination sans limites (capsules de bouchons de champagne, cartes postales, disques, outils, fèves, pièces, montres, etc.) et des autres, car on y trouve aussi des bibelots de belle qualité. CD collectors à 50 % de la cote ; cendrier publicitaire en bakélite : 12 € ; canif : 8 € ; carte de 24 boutons anciens : 5 € ; broche années 40 en plexiglas : 38 € ; linge ancien, jouets, journaux, appareils photo, métal argenté, livres...

LA CORBEILLE
Mobilier d'architectes et de créateurs

5 passage du Grand-Cerf (2e)
M° Étienne-Marcel
ou Réaumur-Sébastopol
Tél. 01 53 40 78 77
Fax : 01 53 40 85 22
www.pucesdudesign.com
Lundi-vendredi : 13 h-19 h 30 ; samedi : 11 h-19 h 30

Eames, Paulin, Saarinen, Mourgue, tous les plus grands du design des années 50 à nos jours sont présents dans cette boutique située dans l'étonnant Passage du Grand-Cerf. On y trouve aussi de belles créations contemporaines (tableaux, céramiques). Fauteuil « Concorde » Pierre Paulin : 1 140 € ; lampes en métal, années 70 : à partir de 240 € ; grande assiette au décor de « 100drine » : à partir de 22 € ; tasses Arabia : 20 € (café) ou 29 € (thé).

LYON'S COMPANY
Chez l'Oncle Sam

38 rue de Sévigné (3e)
M° Saint-Paul
Tél. 01 42 74 76 60
Mardi-samedi : 11 h 30-19 h

Fans des USA, les propriétaires partent chiner sur place deux fois par an, toutes régions confondues et c'est vraiment l'Amérique profonde que l'on découvre à travers ce mobilier 50 d'origine. Ici pas de réédition ! Ensemble table et quatre chaises en formica en skaï années 60 : 1 300 € ; tabouret bar : 180 €. Beaucoup de luminaires à partir de 100 €. Matériel de cuisine manuel : broyeur, presse-fruits et une collection unique de verre soufflé à la bouche à l'effigie des États : 14 € pièce. **Remise de 10 % avec le guide ou la carte.**

SUZON

Affaires à foison chez Suzon

60 rue Chapon (3ᵉ)
M° Arts-et-Métiers
*Lundi-samedi : 14 h 30-
18 h 30*

Pour Suzon pas question de s'arrêter, elle aime trop ses clients ! Malgré son âge (plus de 80 ans !), elle continue de chiner fauteuils, tables de salle à manger, chaises, glaces, lampadaires des années 50, 60, 70, vendus en l'état. Et comme les prix sont bas, le stock tourne vite ! Confortable fauteuil en velours beige, cadre acajou, style hall d'hôtel années 30, bon état : 65 € ; buffet année 25, haut vitré, en chêne : 140 € ; lot de trois chaises Louis-Philippe : 95 € ; table bistrot, pied en fonte, dessus bois : 50 €. **Remise de 10 % avec le guide ou la carte.**

4ᵉ ARRONDISSEMENT

ENTREPÔT D'AMOURS ET PASSIONS

Du monde entier

30 rue du Temple (4ᵉ)
M° Hôtel-de-Ville
Tél. 01 44 54 07 87
*Lundi-samedi : 11 h-20 h ;
dimanche : 15 h-20 h*

Située au fond de la cour, cette grande boutique aménagée en modules donne l'impression de pénétrer dans une maison amie. Harmonieusement disposés, meubles, bibelots, verrerie (venus d'Indonésie, Turquie, Égypte, Espagne) reflètent bien le goût des voyages dont le propriétaire est un fervent. Chaque visite donne lieu à de nouvelles découvertes car le stock tourne vite. Bergère à oreilles en cuir vieilli, assise en plume : 990 € ; chandeliers en cristal : 35 € la paire ; miroir rocaille : 100 € ; vase photophore : 20 € ; verres à thé dorés à l'or fin : 24 € les six ; grand tapis indien genre « savonnerie » : 750 € (300 × 200 cm) ; lampe Tifany : à partir de 75 €... **Remise de 5 % avec le guide ou la carte.**

AUTRE ADRESSE
■ 90 rue du Commerce, 15ᵉ • M° Commerce • Tél. 01 58 45 13 50 • Mardi-samedi : 10 h 30-19 h
• Uniquement bibelots et objets décoratifs.

5ᵉ ARRONDISSEMENT

CRISTAL MIROIRS, PLACARDS ET MIROIRS

Sur mesure pour du hors norme

52 rue Monge (5ᵉ)
M° Monge
Tél. 01 46 33 60 09
Fax : 01 46 33 76 06
*Mardi-samedi : 10 h-13 h,
14 h-19 h*

Ici, vous pouvez être sûr que votre potentiel de rangement sera rentabilisé ! Recoins, dessous d'escalier, pièces biscornues : sur devis gratuit, Cristal Miroirs a toujours un agencement à proposer. Réalisées à partir de matériaux tels que placage bois, teinté vernis, médium laqué, verre laqué ou dépoli, claustras japonais, etc., toutes les installations bénéficient d'une qualité de pose rigoureuse. Exemple type : placard à deux portes coulissantes, 250 × 120 cm (profondeur 60 cm) en frêne blanc, profil laqué blanc, six étagères, une séparation, deux tringles : à partir de 865,38 €, hors pose. **Remise de 20 % avec le guide ou la carte.**

ESPACE LOGGIA

Spécialistes de l'espace

30 bd Saint-Germain (5ᵉ)
M° Maubert-Mutualité
Tél. 01 46 34 69 74

Plus encore qu'en surface, ici on réfléchit en volume. Venez avec les mesures de votre pièce et vous serez étonné de toutes les solutions « gains de place » que

www.espace-loggia.com
Mardi-samedi : 11 h-19 h

les conseillers d'Espace Loggia sauront vous proposer : lit-rangement, mezzanine, plateau mobile, bricks, etc. Et toute une gamme d'étagères modulables, conçues en fonction de leur utilisation (CD, hi-fi, télé, etc.). Escalier-rangement, quatre tiroirs et cinq niches (bois brut) : à partir de 630 € ; étagère spéciale livres de poche (profondeur : 11,50 cm) pouvant contenir jusqu'à 500 livres : 249 €. **Avec le guide ou la carte, remise de 10 % sur toute la gamme d'étagères en pin et médium naturel brut.**

AUTRES ADRESSES
■ 92 rue du Bac, 7ᵉ • Mᵒ Rue-du-Bac ou Sèvres-Babylone • Tél. 01 45 44 44 49 • Lundi-samedi : 11 h-19 h
■ 253 rue des Pyrénées, 20ᵉ • Mᵒ Gambetta • Tél. 01 40 33 91 90 • Mardi-vendredi : 10 h 30-14 h, 15 h-19 h 30 ; samedi : 11 h-19 h

---

LAWRENS ET CIE   *Du pin rupin*

12 rue Lagrange (5ᵉ)
Mᵒ Maubert-Mutualité
Tél. 01 43 26 04 29
Fax : 01 40 46 05 91
www.lawrens.fr
Lundi-samedi : 9 h 30-19 h

Dans une atmosphère de maison de famille avec juste ce qu'il faut d'accent british, des meubles en pin ou peints, anciens ou copies d'ancien, vendus aménagés et patinés selon vos goûts. La nouveauté cette année : les meubles laqués. Commode ancienne, trois tiroirs : 950 € ; table ronde, 110 cm de diamètre, deux allonges : 750 € ; lampe en bois cérusé sculpté : 75 € abat-jour compris. Tapis, objets décoratifs, verrerie. Livraison assurée dans le monde entier. **Remise de 5 % avec le guide ou la carte.**

6ᵉ ARRONDISSEMENT

GRAINE D'INTÉRIEUR   *Jeunes pousses à l'imagination prolifique*

41 rue Saint-Placide (6ᵉ)
Mᵒ Sèvres-Babylone
Tél. 01 42 22 31 32
www.grainedinterieur.com
Lundi-samedi : 10 h-19 h

La graine ne cesse de germer et désormais huit boutiques s'épanouissent, dont une spécialement réservée aux juniors (premier âge à 16 ans). Outre des meubles classiques, une collection pensée par de jeunes créateurs à l'imagination sans limite, où chaque meuble est une pièce unique. Canapé d'angle en look et tissu, 276 × 199 cm : 1 600 € ; meuble cœur orange, violet, anis, rouge, rose : 399 € ; rideau à nœuds en voile de coton, 110 × 240 cm, 20 coloris : 22 € ; lampes : à partir de 45 € ; vases, cadres, bougies… De quoi décorer son intérieur en toute gaieté sans se ruiner.

AUTRES ADRESSES
■ 99 rue Rambuteau, 1ᵉʳ • Mᵒ Les Halles • Tél. 01 55 80 78 28 • Lundi-samedi : 10 h-19 h ; dimanche : 14 h-19 h
■ Galeries Lafayette, 5ᵉ étage - bd Haussmann, 9ᵉ • Mᵒ Havre-Caumartin • Tél. 01 44 63 06 46 • Lundi-samedi : 9 h 30-19 h 30 ; nocturne le jeudi jusqu'à 21 h
■ 90 rue du Faubourg-Saint-Antoine, 12ᵉ • Mᵒ Ledru-Rollin • Tél. 01 43 41 21 21 • Lundi-samedi : 10 h-19 h ; dimanche : 14 h-19 h
■ Centre Commercial Carré Sénart • 77127 LIEUSAINT • Tél. 01 64 13 74 60 • Lundi-samedi : 10 h-20 h
■ Centre Commercial Parly II • 78150 LE CHESNAY • Tél. 01 39 23 00 50 • Lundi-vendredi : 10 h-21 h ; samedi : 10 h-20 h
■ 155 bd Jean-Jaurès • 92100 BOULOGNE • Mᵒ Marcel-Sembat • Tél. 01 46 04 22 22 • Lundi-samedi : 10 h-19 h • Déco junior.
■ 98 bd Jean-Jaurès • 92100 BOULOGNE • Mᵒ Marcel-Sembat • Tél. 01 41 31 96 00 • Lundi-samedi : 10 h-19 h

LE GRENIER ANGLAIS

73 rue du Cherche-Midi
(6ᵉ)
Mᵒ Saint-Placide
Tél. 01 45 48 75 70
Fax : 01 42 22 40 41
Mardi-samedi : 11 h-19 h

Chez Sherlock Holmes

Qu'ils soient fabriqués en France ou en Angleterre, ces meubles en if, acajou ou pin naturel, sont dans le plus pur style anglais. Nouveauté de l'année, des meubles assortis pour ordinateurs, TV, hi-fi, vidéo, fabriqués à vos mesures sans supplément de prix. Semainier « bateau » en merisier, 125 × 56 × 41 cm : 980 €. Vitrine deux portes (if ou acajou), 210 × 100 × 40 cm : 1 700 €. Chevet deux tiroirs, 50 × 46 × 39 cm : 430 €. Le fameux canapé Chesterfield, soixante-quinze coloris disponibles, trois places : 3 500 €. Livraison gratuite sur Paris. **Remise de 7 % avec le guide ou la carte, au moment de la commande.**

MAISON DE LA LITERIE

17 rue de Sèvres (6ᵉ)
Mᵒ Sèvres-Babylone
Tél. 01 42 22 10 01
Lundi-samedi : 10 h-19 h

Plus de 150 magasins dans toute la France

Sa puissance d'achat permet à cette enseigne de proposer matelas, sommiers de toutes marques ainsi qu'une collection haute technologie (Impulse, Eclipse, Viscomed), à des prix très compétitifs. Matelas Tréca, Imperial Air Spring (140 × 190 cm) : 1 230 €. Sommier Omega Spring (140 × 190 cm) : 495 €. Également : gamme complète de canapés (convertibles, clic-clac), chambres, armoires de rangement et accessoires. Des conseillers sont là pour répondre à vos besoins spécifiques et, grâce au contrat Sérénité, vous bénéficierez d'avantages non négligeables (période de réflexion, remboursement de la différence, financement sur mesure...). Livraison dans toute la France. **Remise de 5 à 25 % (hors promotions) et en cadeau, le « Guide pratique du lit », avec le guide ou la carte.**

AUTRES ADRESSES
- Toutes les adresses en France au 0 800 102 911 (numéro vert).
- 38 bd Richard-Lenoir, 11ᵉ • Mᵒ Bastille ou Bréguet-Sabin • Tél. 01 47 00 09 89
- 108 av. du Maine, 14ᵉ • Mᵒ Gaîté • Tél. 01 43 20 28 58
- 106 rue de la Paroisse • 78000 VERSAILLES • Tél. 01 30 21 40 60
- 564 route des 40-Sous (près du centre Art de Vivre) • 78630 ORGEVAL • Tél. 01 39 08 00 28
- Centre Commercial X % Massy 2, route de Briis • 91300 MASSY-PALAISEAU • Tél. 01 69 30 98 29
- ZI de la Croix-Blanche, 1 rue des Hirondelles • 91700 SAINTE-GENEVIÈVE-DES-BOIS • Tél. 01 69 46 46 43
- 251 bis rue Jean-Jaurès • 92100 BOULOGNE • Tél. 01 46 10 43 70
- 137 av. Galliéni • 93140 BONDY • Tél. 01 48 47 36 94
- ZAC de la Garenne, Rue Laennec - Forum 1 • 93250 VILLEMOMBLE • Tél. 01 49 35 94 66
- 61 av. Aristide-Briand • 94110 ARCUEIL • Tél. 01 49 85 04 54
- Forum de l'Habitat, Centre Commercial de Pince-Vent • 94430 CHENNEVIÈRES • Tél. 01 45 93 19 32
- Bd du 8-Mai-1945 • 95220 HERBLAY • Tél. 01 34 50 23 62
- 22 rue de la Belle-Étoile • 95500 GONESSE PARIS NORD 2 • Tél. 01 48 63 04 49

7ᵉ ARRONDISSEMENT

DÉCORALINE

11 av. de La Bourdonnais
(7ᵉ)
Mᵒ École-Militaire

Spécialiste du canapé déhoussable, fixe ou convertible

Plus de 40 modèles exclusifs réalisables dans 5 000 tissus sélectionnés parmi les plus grands éditeurs, avec fauteuils, poufs et rideaux prêts à poser

Tél. 01 45 56 16 33
Fax : 01 45 56 16 36
www.decoraline.fr
Mardi-samedi : 10 h-19 h ;
dimanche : 14 h-19 h

coordonnés. On peut aussi fournir son propre tissu. Canapé David 132 × 75 cm (profondeur 72 cm), convertible : 297 € ; canapé Angelo, entièrement déhoussable, recouvert d'un tissu Boussac : 1 100 € en fixe ; banquette Alizé, lit de 140 ou 160 × 200 cm, avec ou sans accoudoir, déhoussable, convertible sans manipulation de coussins : 1 733 €. Luminaires (à partir de 40 €), petit mobilier en acajou, teck et bambou complètent le décor de cette maison sérieuse. **Remise de 10 % avec le guide ou la carte, hors soldes et promotions.**

AUTRE ADRESSE
■ 163 rue de Vaugirard, 15ᵉ • Mᵒ Pasteur • Tél. 01 40 65 05 82 • Mardi-samedi : 10 h-12 h 30, 13 h 30-19 h

GALERIE ART 3
LA MAISON DES CANAPÉS

Dormir dans les bras de Carlotta

3 av. de Suffren (7ᵉ)
Mᵒ Bir-Hakeim
Tél. 01 45 67 09 43
Fax : 01 43 06 30 44
www.art3.fr
Lundi : 14 h-19 h ; mardi-samedi : 10 h-19 h

Dans une atmosphère chaleureuse et raffinée, un large éventail de canapés fixes ou convertibles. Particulièrement intéressant et nouveau, le canapé-lit « Carlotta », recouvert d'un tissu microfibre (176 × 92 cm, couchage : 140 × 194 cm), d'une ouverture facile grâce à un système de glissement de l'assise : 1 445 € ; sa chauffeuse assortie (couchage : 75 × 194 cm) : 790 €. Au premier étage, en vente exclusive, la collection de réédition de meubles Leleu, des astucieuses armoires de rangements, des bibliothèques modulables et sur les murs des expositions de tableaux tournantes. L'atelier de tapisserie attenant permet de commander tentures murales et rideaux. Location de meubles et tableaux. **Remise de 7 % avec le guide ou la carte, hors soldes et promotions.**

SAISONS

Meubles d'été, jardins d'hiver

25 rue de Varenne (7ᵉ)
Mᵒ Rue-du-Bac ou Sèvres-Babylone
Tél. 01 45 49 38 20
www.saisons-deco.com
Mardi-samedi : 10 h 30-19 h ; lundi : 14 h-19 h

Pour aménager jardins à la campagne, terrasses et balcons à Paris : chaises et tables pliantes en métal anodisé disponibles dans dix coloris : 53 et 142 €. Grand choix de bacs en zinc de toutes les tailles et de toutes les formes : à partir de 20 €. Parasols de 2 à 4 m : à partir de 150 €. Transats, et toujours, le grand classique, la table à allonges en teck « Mougins », 160 ou 210 × 90 cm : 755 € ; avec ses chaises pliantes assorties : 95 €. Banc, arceau de roseraie, tonnelle... Nombreuses poteries de grandes dimensions. **Petit cadeau avec le guide ou la carte.**

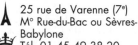 **9ᵉ** ARRONDISSEMENT

L'ALTERNATIVE

Patines et trompe-l'œil

21 rue Condorcet (9ᵉ)
Mᵒ Anvers
Tél. 06 11 27 23 45
ou 01 42 19 93 72
www.antiquesdeco.com

Laurent Boulloche est passé maître dans l'art de la patine, du cérusé, du faux-marbre et autres trompe-l'œil. Il chine, rénove et métamorphose ses trouvailles. Le vendredi et le samedi, il propose à sa clientèle des pièces de mobilier uniques. Ensemble de six

Vendredi-samedi : 14 h 30-19 h

chaises, style Louis XV, assises paillées : 500 €. Bibliothèque patinée gris, 110 × 220 × 35 cm, deux portes en bas, étagères en haut : 650 €. Tables tous styles à partir de 687 €. **Remise de 10 % avec le guide ou la carte.**

COCAGNE
Dépôt-vente et galerie

37 bis rue Rodier (9e)
M° Anvers
Tél. 01 44 53 98 30
Lundi-vendredi : 10 h 30-14 h, 15 h-19 h 30

Ce dépôt-vente, par goût et par nécessité, s'est spécialisé dans les petits meubles, les bibelots, la vaisselle et le linge de maison. Canapé d'époque victorienne, recouvert de coton capitonné, piétement et accoudoirs en acajou : 450 €. Petit secrétaire XIXe en noyer avec abattant et haut vitré : 400 €. Draps en lin (240 × 325 cm) : 45 €. Verres anciens : à partir de 15 €. Par ailleurs, chaque saison est inaugurée par un vernissage de jeunes peintres contemporains. **Remise de 10 % avec le guide ou la carte, si le lecteur/chineur est sympa !**

LES DOMAINES
Au nom de la loi

17 rue Scribe (9e)
M° Opéra
Tél. 01 44 94 78 00
www.dnid.org
Lundi-vendredi : 8 h 45-17 h 15

Les Domaines ont pour mission de vendre, avec publicité et concurrence, les biens de l'État. En conséquence, ils organisent en France, toute l'année, des ventes aux enchères publiques ouvertes à tous. En consultant le bulletin officiel édité deux fois par mois, disponible sur place (1,52 € le numéro ou 29 € par abonnement), vous serez étonné de l'ampleur du choix. Immobilier, bijoux, hi-fi, ameublement, matériel professionnel, voitures de fonction, et la liste n'est pas exhaustive !

AUTRE ADRESSE

■ **Magasin Domanial d'Aubervilliers** • 87 bd Félix-Faure • 93300 AUBERVILLIERS • M° Aubervilliers-Pantin-Quatre-Chemins • Tél. 01 49 37 92 15 • Ventes variées, du mobilier aux chaussures ou aux sacs.

LA TIBÉTAINE
Art et antiquités

49 rue Saint-Georges (9e)
M° Saint-Georges
Tél. 01 42 81 06 95
www.latibetaine.fr
Lundi-samedi : 11 h-19 h

Pour mieux mettre en valeur les meubles anciens (XIXe, restaurés) qu'il importe de Chine, du Japon, du Tibet, et faire de la place au secteur archéologie qu'il développe de plus en plus (dynastie Han, Wei, Ming), cet importateur a doublé sa surface d'exposition et la boutique ouvre désormais ses vitrines de chaque côté du porche. Meubles et objets y sont vendus avec certificats. Bureau mandarin en provenance de Shanghai : 800 €. Collection de bouddhas de Birmanie en laque colorée ou bois polychrome : à partir de 600 €. Cavalier en terre cuite, époque Tang, 70 cm : 1 500 €. Plusieurs fois par an, expositions de céramiques et œuvres de jeunes peintres contemporains. **Remise jusqu'à 10 % avec le guide ou la carte, et thé à volonté.**

10e ARRONDISSEMENT

MEUBLES PASCAL
Un air de bonne famille

180 rue Lafayette (10e)
M° Louis-Blanc

Fabriqués à partir de bois fruitiers anciens, ces meubles, garantis à vie, ont tout du meuble de famille.

Tél. 01 40 35 75 66
ou 01 40 37 76 23
Fax : 01 40 35 28 30
www.meubles-pascal.fr
Mardi-samedi : 10 h-19 h

A qualité égale, les prix sont 20 et 30 % moins chers qu'ailleurs. On comprend que ces commerçants aient eu la bonne idée de les proposer en liste de mariage ! Bibliothèque deux portes Louis-Philippe en merisier massif : 1 335 €. Bonnetière rustique : 790 €. Table à volet avec allonges assorties, chaises paillées main, bureau plat Directoire. Livraison et SAV assurés par les ébénistes maison. **Remise de 5 % avec le guide ou la carte.**

11ᵉ ARRONDISSEMENT

ALASINGLINLIN   *Brocante de charme*

14 rue Ternaux
1 rue du Marché-Popincourt
(11ᵉ)
Mᵒ Parmentier
ou Oberkampf
Tél. 01 43 38 45 54
*Mardi-vendredi : 11 h-13 h,
14 h 30-19 h 30 ; samedi-
dimanche : 14 h-19 h*

La nouvelle propriétaire de cette boutique fait preuve de goûts éclectiques. Vous trouverez aussi bien du mobilier des années 50 ou 60 (table en formica + quatre chaises : 180 € ; buffet deux corps : 273 €), que des meubles de ferme, de l'Arts-Déco, de l'industriel ou des objets design (lampes Guzzini, fauteuil Pollock...). Nombreux luminaires, de la lampe de chevet à la lampe d'architecte (15 à 100 €), vaisselle, tableaux et bibelots. **Remise de 10 % avec le guide ou la carte.**

CONCEPTUA   *D'Inde et du Maroc*

9 rue de la Roquette (11ᵉ)
Mᵒ Bastille
Tél. 01 43 38 68 87
www.conceptua.com
*Lundi-vendredi : 10 h-
19 h 30 ; samedi : 10 h-
20 h ; dimanche et jours
fériés : 14 h-19 h 30*

Chaque saison, cet importateur a à cœur de présenter une nouvelle collection de meubles et d'objets décoratifs, en provenance d'Inde et du Maroc. Cette année, des coloris lumineux : orange safran, violine, bleu turquoise, se déclinent sous toutes les formes (lampes, bougeoirs, vaisselle, tentures, housses de coussins...), auxquels s'assortissent canapés et rideaux. Canapé deux places, accoudoirs cuir, assise recouverte de tissu kilim : 999 €. Rideaux, double système d'accrochage, longueur réglable, en soie ou organdi : à partir de 20 €. Une mention spéciale pour les meubles vénitiens en velours et fer forgé. 2 autres adresses à Saint-Ouen et Maisons-Alfort (contacter d'abord ce magasin).

DÉPÔT-VENTE DU PARTICULIER   *Affaires en vue*

19 rue Richard-Lenoir (11ᵉ)
Mᵒ Voltaire
Tél. 01 40 09 11 50
Fax : 01 40 09 12 04
Tous les jours : 10 h-19 h

Du mobilier ancien, de style et contemporain, des canapés, des meubles de cuisine années 40 ou 50, des bibelots, des tableaux, de la verrerie, des livres, des lustres, des objets populaires (tire-bouchon, bassine émaillée, etc. : à partir de 2 €). Salon en cuir (canapé trois places, convertible avec deux gros fauteuils) : 850 €. Grande armoire en bois blanc peint : 80 €. Suspension Muller : 230 €. Débarras de tous locaux : prix sur devis. **Avec le guide ou la carte, possibilité (avec encouragement) de marchandage.**

DOSRAMA   *Bien dormir...*

105 av. de la République
(11ᵉ)
Mᵒ Père-Lachaise
Tél. 01 49 23 03 70

La plupart des grandes marques (Tréca, Dunlopillo, Simmons, André Renault...), une gamme exclusive de literie utilisant les dernières technologies, un très large choix de canapés convertibles, avec tout ce

Lundi : 14 h-19 h ; mardi-samedi : 10 h-19 h

qui est nécessaire pour faire de beaux rêves (oreillers, couettes, mobilier de chambre). Les vendeurs sont toujours de bon conseil et, le cas échéant, vous pourrez bénéficier d'un financement sur mesure. Livraison, montage et installation dans toute la France. **Avec le guide ou la carte, remise de 5 à 25 % selon les articles (hors promotions) et Guide pratique du lit offert.**

AUTRES ADRESSES
- Usine Center • 78140 VÉLIZY-VILLACOUBLAY • Accès : voir p. 396 • Tél. 01 34 65 38 37
- Route des 40-Sous • 78630 ORGEVAL • Tél. 01 39 75 60 03 • Spécialisé dans la décoration intérieure.
- 143 av. du Général-de-Gaulle • 91170 VIRY-CHÂTILLON • Tél. 01 69 05 07 91
- 2 rue des Bas-Rogers • 92800 PUTEAUX • Tél. 01 41 38 08 25
- Centre Commercial Art de Vivre, 1 rue des Bas-Noyers • 95610 ÉRAGNY • Tél. 01 34 64 24 06

ESPACE JULIET'S

Meubles d'Inde et d'Onésie

61 rue du Faubourg-Saint-Antoine (11e)
M° Ledru-Rollin
Tél. 01 44 68 91 92
Mardi-samedi : 11 h-19 h 30 ; lundi : 14 h-19 h 30 ; dimanche : 15 h-19 h 30

En teck, en palissandre, patinés cirés ou cérusés, un grand choix de meubles d'inspiration indienne et orientale, parmi lesquels des bibliothèques de toutes dimensions (à partir de 385 €) et des meubles pour télé et hi-fi (colonne CD à partir de 115 €). Particulièrement remarqués, une table ronde, piétement fer forgé, dessus bois, 120 cm de diamètre : 399 € avec ses chaises assorties (75 €) ; un confortable canapé d'angle entièrement déhoussable, disponible en plusieurs coloris : 1 250 €. Grand rayon de vaisselle, faïences, couverts, verrerie (verre coloré genre Biot : 7 €), bougeoirs, bougies et senteurs. Paiement en 3 fois sans frais. Livraison Paris et banlieue sous 48 heures : 40 €. **Remise de 10 % hors promotions, avec le guide ou la carte.**

AUTRES ADRESSES
- 74 rue de Turbigo, 3e • M° République • Tél. 01 42 74 36 33 • Mardi-samedi : 11 h-19 h 30 ; lundi : 14 h-19 h 30
- 21 rue Ruhmkorff, 17e • M° Porte-Maillot • Tél. 01 45 74 14 81 • Mardi-samedi : 11 h-19 h 30 ; lundi : 14 h-19 h 30

LAMY LITERIE

Les bons comptes font les bons Lamy

3 rue du Commandant-Lamy (11e)
M° Bastille ou Voltaire
Tél. 01 47 00 73 55
www.lamyliterie.fr
Lundi-jeudi : 9 h 30-19 h 30 ; vendredi : 9 h 30-16 h ; dimanche : 10 h-12 h 30, 15 h-19 h

Une marque maison : Lamyrêve, mais aussi Simmons, Duvuvier, Mérinos, Épéda…, à des prix qui peuvent aller jusqu'à 40 % de moins qu'ailleurs ! Clic-clac et BZ de 80 à 160 cm de large dans de nombreux tissus : à partir de 398 €. Matelas antistatiques ou à mémoire : 590 € en 140 cm de large. Possibilités de sur mesure. Draps, housses de couette, taies d'oreiller, 100 % coton, toutes tailles, garantis 1 000 lavages en machine à laver ! **Avec le guide ou la carte : parking remboursé et livraison gratuite.**

LA LITERIE DU FAUBOURG

Bons coucheurs

10 rue Faidherbe (11e)
M° Faidherbe-Chaligny

Spécialistes de la vente de banquettes-lits et de matelas de toutes tailles en direct d'usine, les deux frè-

Tél. 01 40 09 07 00
Fax : 01 40 09 71 70
www.laliteriedufaubourg.
com
Lundi-samedi : 10 h-19 h

res Salvan, pour mieux vous conseiller et vous faire profiter du meilleur rapport qualité-prix, vous demanderont d'abord de définir votre budget. Tous les modèles proposés sont en stock et peuvent être livrés en 24 heures. Clic-clac ou BZ, garanti 5 ans : à partir de 350 €. Premier prix matelas à ressorts : 70 € (90 × 190 cm) et 130 € (140 × 190 cm). **Avec le guide ou la carte : cadeau de 2 oreillers pour l'achat d'un ensemble matelas-sommier (140 × 190 cm).**

MON RÊVE
Fabricant et tailleur de mousse de qualité

3 rue de Charonne (11ᵉ)
Mᵒ Ledru-Rollin
Tél. 01 46 28 17 72
Fax : 01 43 46 84 85
www.bultex-monreve.com
*Lundi-vendredi : 8 h-12 h 30,
13 h 30-17 h 30 ; samedi :
9 h-12 h*

La mousse Bultex est ici découpée aux dimensions qui vous conviennent, dans un délai d'une semaine. Mon Rêve propose des matelas de toutes tailles, galettes de chaises, couettes économiques ou luxueuses, oreillers, coussins, et tissus d'ameublement de grands éditeurs. Literie complète 140 × 190 cm, garantie 5 ans avec sommier en lattes : 415 €. Matelas de standing 140 × 190 cm, épaisseur 18 cm : 370 €. Literie spéciale jeune couple 140 × 190 cm : 310 €. Literie spéciale universitaire et collectivités 90 × 190 cm : 210 €.

SALLE DES VENTES DU BOULEVARD RICHARD-LENOIR
Meubles et bibelots tous styles

116-118 bd Richard-Lenoir
(11ᵉ)
Mᵒ Oberkampf
Tél. 01 49 23 41 42
*Lundi et dimanche : 14 h-
19 h ; mardi-samedi : 9 h-
19 h*

Des meubles, des bibelots, de la vaisselle, des lustres pour tous les goûts et à tous les prix. Pendule Napoléon III en marbre noir avec jolie marqueterie de marbres de couleur sur la base et les côtés : 230 €. Salon style Louis XVI (début XXe), bois naturel, garni d'un tissu à décor floral, bon état (un canapé, deux fauteuils, deux chaises) : 1 400 €. Service de table en porcelaine, années 40, décor stylisé rouge (88 pièces) : 200 €. Tapis de toutes tailles : à partir de 150 €. **Remise de 5 % avec le guide ou la carte.**

TROLLS ET PUCES ET CIE, BELLE LURETTE
Amitié sans frontière

1 et 5 rue du Marché-
Popincourt (11ᵉ)
Mᵒ Parmentier
ou Oberkampf
Tél. 01 43 14 60 00
(Trolls et Puces)
01 43 38 67 39
(Belle Lurette)
*Mardi-vendredi : 11 h-13 h,
14 h 30-19 h ; samedi-
dimanche : 14 h-19 h*

Deux boutiques mitoyennes, deux propriétaires et amis, ni une ni deux, on abat la cloison ! Résultat : une grande brocante pleine de charme où il fait bon chiner. Nous avons remarqué un choix intéressant de meubles de métier (caisse, comptoir, meuble de dentiste en métal laqué et verre dépoli, idéaux pour faire des meubles de cuisine) à partir de 250 €. Mais il y a aussi des meubles de jardin, de la vaisselle, de la verrerie, des accessoires de salle de bains en porcelaine blanche, des cadres, des lampes de bureau (à partir de 30 €). Charmante coiffeuse années 50 avec miroir : 280 €. A noter : un atelier de restauration de tableaux attenant. **Remise de 10 % avec le guide ou la carte.**

AU DÉCOR LAQUÉ

Pièces uniques

22 rue Saint-Nicolas (12ᵉ)
Mᵒ Ledru-Rollin
Tél. 01 43 47 32 99
*Lundi-samedi : 10 h-12 h,
15 h-19 h*

Un atelier-galerie où la tradition ancestrale de la laque chinoise renaît sous les doigts de Wong Liying pour un équilibre parfait de l'espace, de la couleur et de la matière. L'artiste à la main d'or exécute sur le meuble qu'on lui commande (à vos mesures si nécessaire) un décor traditionnel de toutes dynasties à choisir sur son press-book (armoire deux portes de 1,80 m : environ 2 100 € ; délai de livraison : environ un mois). A noter la possibilité de faire réaliser en toutes dimensions de somptueuses tables basses dans les couleurs les plus exceptionnelles de la laque (à partir de 430 €). Aux murs, des toiles du peintre Lin Fa, son mari, élève de Chapelain-Midy, voisinent parfois avec celles de Zao Wou Ki. **Remise de 10 % avec le guide ou la carte.**

PHILÉAS ET ROBINSON

Un chineur en Indonésie

77 av. Ledru-Rollin (12ᵉ)
Mᵒ Ledru-Rollin
Tél. 01 43 41 13 43
Fax : 01 43 41 72 44
*Mardi-vendredi : 11 h-14 h,
15 h-19 h ; samedi :
10 h 30-19 h*

Comme il parle indonésien, cet importateur se rend lui-même sur place plusieurs fois par an. Là, il chine d'authentiques meubles coloniaux des années 20, pièces originales et meubles anciens que vous pourrez apprécier tout à loisir dans le vaste sous-sol de sa boutique. Parmi ses récentes découvertes, des meubles d'échoppes, bas plein bois, haut vitré (122 × 46 × 200 cm : 1 800 €), des commodes teck et bambou, 6 tiroirs (670 €) et toujours un grand choix de tables à rallonges et tables basses (modèle Dôme à partir de 415 €). Objets décoratifs. Possibilité de paiement en plusieurs fois. Livraison Paris et banlieue.

SFRISO-HOMECO

Mobilier, literie et canapés

20 rue du Charolais
(au fond de la cour) (12ᵉ)
Mᵒ Dugommier
Tél. 01 46 28 95 24
www.sfriso.fr
*Lundi-samedi : 10 h-19 h ;
dimanche : 14 h-18 h*

Sur deux niveaux, grand choix de canapés (Duvuvier, Steiner, Swann), de literie (Tréca, Dunlopillo, Swissflex) et de meubles rustiques et contemporains de belle fabrication française. Matelas 100 % latex, face été/ hiver, 140 × 190 cm : 365 €. Canapé convertible, bon couchage : 780 €. Canapé cuir ou alcantara : 1 200 €, fauteuil Voltaire traditionnel : 325 €, belle bibliothèque en merisier 3 portes, style Louis-Philippe : 2 135 €. Service de tapisserie sur place. Crédit gratuit de 3 à 6 mois à partir de 760 € d'achat. Livraison gratuite dans toute la France. Parking. **Remise de 5 à 10 % sur certaines marques de literie ou de canapés avec le guide ou la carte.**

L'ARCHE DE L'ESPOIR ARMÉE DU SALUT

Soyez solidaire en faisant des affaires

12 rue Cantagrel (13ᵉ)
Mᵒ Bibliothèque-François-Mitterrand
Tél. 01 53 61 82 47

Afin d'aider à leur réinsertion, l'Armée du Salut emploie des personnes en difficulté pour gérer ce magasin de 1 000 m² où l'on trouve aussi bien de la literie, du mobilier, des canapés neufs, que de l'oc-

Fax : 01 45 85 26 91
*Mardi-samedi : 10 h-13 h,
14 h 30-18 h*

casion (électroménager, meubles, livres, disques et petite brocante), à très bon prix. Canapé deux places neuf en microfibre bleue façon daim : 590 €. Table de salle à manger neuve en pin massif avec chaises assorties : 118 € (38 € la chaise). Buffet de cuisine deux corps, années 50 : 60 €. Table Henri II à allonges : 400 €. Suspension chrome 1930 avec une vasque centrale et 6 coupelles en pâte de verre rose : 80 €. Important rayon de vêtements d'occasion.

LA MAISON DU CONVERTIBLE
Conversions à bon prix

30 av. des Gobelins (13ᵉ)
Mᵒ Gobelins
Tél. 01 47 07 04 13
www.lamaisonduconver
tible.com
*Lundi-samedi : 10 h-19 h ;
dimanche : 14 h-19 h*

Un grand choix de marques (Coulon, Diva, Steiner, Sofalux, Pelletey...), de modèles, de mécanismes et de revêtements (tissu et cuir), à des prix compétitifs. Banquettes-lits recouvertes de tissus très actuels : à partir de 549 €. Canapé Phœnix, 190 cm (couchage 140 × 200 cm), entièrement déhoussable : 1 520 €. Canapé Andalousia, cuir noir et chrome, ligne très contemporaine : 3 448 €. Grandes facilités de paiement.

AUTRE ADRESSE
■ 37 av. de la République, 11ᵉ • Mᵒ Parmentier • Tél. 01 43 57 46 35 • Lundi-samedi : 10 h-19 h ; dimanche : 14 h-19 h • Armoires-lits.

14ᵉ ARRONDISSEMENT

ESPACE MIROIRS
Miroir, mon beau miroir...

25 av. Jean-Moulin (14ᵉ)
Mᵒ Alésia
Tél. 01 45 45 04 04
Fax : 01 45 45 09 41
www.placards-miroirs.com
*Lundi-samedi : 10 h-13 h,
14 h-19 h*

Ce spécialiste de l'agencement sur mesure déborde d'imagination et de possibilités. Pour vous en convaincre, connectez-vous sur son site web et si vous ne voyez pas ce que vous cherchez, posez-lui quand même la question. Les réalisations (placards, cloisons coulissantes, dressing-rooms) sont proposées en miroirs, verre laqué, aux couleurs des différentes essences de bois (chêne, merisier, palissandre) ou laquées (coloris à la demande). Comptez 1 150 €, hors taxes, hors pose, pour un placard à portes coulissantes ou ouvrantes (200 × 250 cm) entièrement aménagé à l'intérieur. Pose sur devis. Miroirs à la découpe. **Remise de 20 % sur les fournitures avec le guide ou la carte.**

SALLE DES VENTES ALÉSIA
Meubles et objets

123 rue d'Alésia (14ᵉ)
Mᵒ Alésia
Tél. 01 45 45 54 54
Fax : 01 45 45 54 52
Lundi-samedi : 10 h-19 h

Une grande boutique où toutes les époques se côtoient, avec à l'entrée des vitrines pleines de bibelots et d'argenterie. En général, les prix sont ceux du marché, mais comme c'est du dépôt-vente, il n'est pas défendu de marchander... Gravures et aquarelles, à partir de 40 €. Lampe de bureau en chrome : 100 €. Meuble-bar 1930 de belle qualité : 576 €. Fauteuil paillé provençal début XIXᵉ : 410 €. Piano droit bon état : 1 000 €. Armoires, buffets deux corps, et beaucoup de tableaux accrochés un peu partout. Au fond, une salle réservée aux tapis d'Orient neufs à des prix très attrayants.

LE CABRIOLET

Du Louis XIII au Louis-Philippe

243 bis rue de Vaugirard
(15ᵉ)
Mᵒ Vaugirard
Tél. 01 47 83 24 05
Mardi-samedi : 14 h 30-
19 h 30

Des copies d'ancien en bois fruitier ou laqués « anti-quaire », qui ne feront pas pâle figure auprès de leurs cousins d'époque. Fauteuil médaillon Louis XVI : 455 €. Bergère Louis XV : 800 €. Fauteuil Restauration : 494 €. Lit de repos, Louis XV, conver-tible 2 personnes : 2 800 €. Le tout, recouvert de velours, mais on peut aussi apporter son tissu. Ré-fection de sièges à l'ancienne : compter 1 à 2 mois et 252 € pour un cabriolet.

DAISY MEUBLES

Un coup de fil qui peut rapporter gros

15 rue Guy-Môquet (17ᵉ)
Mᵒ Brochant
Tél. 01 42 28 27 02
ou 01 42 28 65 44
Lundi-vendredi : 10 h 30-
19 h. Le dimanche sur
demande

Quelle que soit votre envie, literie, canapés, salons, chambres d'enfants, rangements, meubles d'ap-point, téléphonez avant de vous déplacer, avec la référence de ce que vous souhaitez acquérir, vous serez étonné ! Depuis 1972, Daisy assure 30 à 40 % de remise, y compris sur les tissus d'éditeurs. Il n'y a pas d'exposition et on consulte les catalogues sur place ; conseils avisés et accueil chaleureux. Pos-sibilités de crédit gratuit sur 9 mois. Délais tenus, livraison dans toute la France ; SAV assuré.

OBJECTIF BOIS - HOME TROTTER

Voyage et évasion

77 rue Legendre (17ᵉ)
Mᵒ Rome
Tél. 01 42 29 03 61
Fax : 01 42 63 91 02
Lundi : 14 h-19 h ; mardi-
vendredi : 10 h-13 h, 14 h-
19 h ; samedi : 10 h-19 h

Cette année cette enseigne propose, en un même lieu, un tour du monde au cœur de la maison. Trois collections (Country, Zen, Colonial) déclinent un nouvel art de vivre à travers meubles, textiles, ac-cessoires, vaisselle et produits culinaires exotiques. Commode Country quatre tiroirs (84 × 62 × 40 cm) : 654 €. Table module Zen en pin naturel (70 × 70 × 30 cm) : 142 €. Cloisons japonaises à partir de 183 €. Futons à partir de 253 €. Grainetier colonial (150 × 84 × 40 cm) : 534 €. **Remise de 5 % avec le guide ou la carte uniquement sur les meubles et les futons.**

AUTRE ADRESSE
■ 81-83 rue du-Cherche-Midi, 6ᵉ • Mᵒ Vaneau • Tél. 01 42 22 23 93 • Mardi-samedi : 10 h-19 h

RÉGIMEUBLES PARIS-EST

Se meubler à bon prix

53 rue Bayen (17ᵉ)
Mᵒ Porte-de-Champeret
Tél. 01 58 05 32 00
Fax : 01 40 68 91 97
www.regimeubles.com
Mardi-samedi : 10 h-
19 h 30 (cuisine, salle
de bains sur rendez-vous)

Regroupés en centrale d'achat, ce qui permet d'ob-tenir de meilleures conditions auprès des fournis-seurs, ces magasins sont en principe réservés aux comités d'entreprise. Les halls d'exposition donnent un large aperçu du mobilier classique et contempo-rain proposé : salon, chambre, literie, cuisine, salle de bains, canapés... Sans compter les catalogues, consultables sur place, qui comportent plus de 10 000 références. Aimablement, Régimeubles met ses compétences à la disposition de nos lecteurs. Livraison et installation gratuites Paris et banlieue

(40 km, installation cuisine en sus). **Avec le guide ou la carte, et selon les articles, remise de 20 à 30 % sur le « tarif conseillé fournisseur ».**

AUTRES ADRESSES
- 129 bd Ney, 18ᵉ • Mᵒ Porte-de-Saint-Ouen • Tél. 01 42 28 35 14 • Meubles, salons, literies.
- **Régimeubles Espace Godard** • N370 • 95500 GONESSE • 20 km de la Porte de la Chapelle (A1) • Tél. 01 34 53 98 68 • Ouvert le dimanche

18ᵉ ARRONDISSEMENT

AU GRÉ DU VERRE
Le palais des glaces

189 rue d'Aubervilliers
voie B, porte 22 (18ᵉ)
Mᵒ Crimée
Tél. 01 42 09 33 39
Fax : 01 42 09 33 59
www.augreduverre.com
Lundi-vendredi : 8 h-12 h, 13 h-18 h

Ces deux miroitiers-créateurs travaillent régulièrement pour architectes et décorateurs d'intérieur. Teinté, argenté, sablé, sculpté, le verre n'a aucun secret pour eux. Grâce à un procédé d'assemblage par ultraviolet, ils réalisent sur mesure armoires, consoles, bibliothèques, tables, meubles télé, étagères de salles de bains, plaques signalétiques, etc. Prix en fonction du projet et de l'épaisseur du verre. Devis gratuit. **Remise de 10 % avec le guide ou la carte.**

BROCANTE
Ici, l'on pêche...

75 rue Damrémont (18ᵉ)
Mᵒ Jules-Joffrin
Tél. 01 42 62 45 25
Lundi-samedi : 9 h-12 h 30, 14 h-19 h

Au gré des arrivages, chacun devrait pouvoir trouver là son bonheur. Miroir Henri II, glace biseautée, cadre bois très ouvragé : 150 €. Lot de six chaises assises en tissu bon état : 50 €. Armoire deux portes en noyer Louis-Philippe : 750 €. Vaisselle, verrerie (carafe cristal : 12 €), bibelots (bougeoir porcelaine : 22 €), cartes postales (non triées : 0,50 €), disques 33 et 45 tours (à partir de 1,50 €) complètent le tableau. **Remise de 10 % ou livraison gratuite avec le guide ou la carte.**

GALERIE CHRISTINE DIEGONI
Avant-garde

47 ter rue d'Orsel (18ᵉ)
Mᵒ Pigalle
Tél. 01 42 64 69 48
Mardi-samedi : 14 h-19 h

Chez cette galeriste au goût sûr, pas de rééditions. Élégamment présentés dans un cadre clair et spacieux, céramiques et objets de collection voisinent avec des meubles signés des noms les plus connus du design des années 50. Table de Georges Nelson (le découvreur de Charles Eames), dessin de 1956 : 750 €. Bureau : 3 000 €. Luminaires italiens à partir de 450 €. Chaise Charles Eames en fibre de verre : 61 €. Quelques bijoux de créateurs contemporains.

MEUBLES ET BOISERIES
Boiseries à l'ancienne

53 rue d'Orsel (18ᵉ)
Mᵒ Pigalle ou Abbesses
Tél. 01 42 04 49 32
ou 05 45 37 46 76
Fax : 01 42 52 56 32
www.meubles-et-boiseries.com
Mardi-samedi : 10 h 30-12 h 30, 13 h 30-19 h ; surtout sur rendez-vous

Le plus souvent dans son atelier de Charente où il réalise, sur mesure, boiseries et bibliothèques, chevillées à l'ancienne, en chêne ciré, Christophe Lemaire partage sa boutique avec une charmante créatrice de mode, qui vous renseignera en son absence. Pour vous faire une idée : bibliothèque 225 × 100 × 30 cm : 1 450 € (3 450 € en 225 × 160 × 30 cm), corniches, étagères et pose comprises. A assortir au décor, un canapé deux places, modèle inspiré du XVIIIᵉ, piétement en noyer : 1 800 €. **Remise de 5 % avec le guide ou la carte.**

DÉPÔT-VENTE FLANDRE

Du neuf et du vieux

63 quai de la Seine (19ᵉ)
Mº Riquet ou Crimée
Tél. 01 40 35 47 25
ou 01 40 35 40 29
Fax : 01 40 35 37 12
Mardi-dimanche : 10 h-19 h

Stock en provenance des particuliers qui peuvent soit accepter un achat immédiat, soit mettre en dépôt. On trouve de tout : des livres, de l'électroménager, des meubles plus ou moins anciens, à vous de saisir la bonne affaire ! Six chaises style anglais en acajou : 180 €. Meuble living en merisier comprenant un bar, des étagères et des placards : 450 €. Étagères, fabrication indonésienne, 200 × 100 × 35 cm : 300 €. Lustre douze branches en demi-cristal, fabrication artisanale : 600 €. Estimations gratuites.

MÉLI-MÉLO BROCANTE

Une brocante raffinée

34 rue Bouret (19ᵉ)
Mº Bolivar
Tél. 01 42 02 68 63
*Mardi, jeudi, vendredi,
samedi : 10 h 30-13 h,
16 h-19 h 30*

Tout ici est choisi, restauré et présenté avec goût. Petits meubles XIXᵉ d'époque ou de style, objets de vitrine, verrerie, argenterie, vaisselle, tableaux et aquarelles ainsi qu'une intéressante sélection d'objets décoratifs insolites, toutes époques, tous styles. Service de verres à pied : 8 € pièce, 70 € les neuf. Service de vingt-quatre couverts en métal argenté (douze fourchettes, douze cuillères) : 180 €. Étagère murale Napoléon III en acajou (deux plateaux) : 80 €. Nombreux pieds de lampe à partir de 50 €. **Remise de 10 % avec le guide ou la carte.**

LE DÉPÔT-VENTE DE PARIS

De la vraie brocante sur 3 000 m²

81 rue de Lagny (20ᵉ)
Mº Porte-de-Vincennes
Tél. 01 43 72 13 91
Fax : 01 43 71 45 43
www.occas.info
Lundi-samedi : 10 h-19 h

Le plus grand dépôt-vente de France où le neuf, l'occasion, le style et l'époque (XIXᵉ et XVIIIᵉ) se marient. Quoi que l'on cherche, difficile de repartir sans rien acheter tant le choix est vaste ! Bibelots et tableaux à tous les prix, confortable fauteuil club en cuir : 600 €. Secrétaire noyer à abattant, époque Empire : 1 800 €. Argenterie et couverts en métal argenté : à partir de 1,50 € pièce. Joli mobilier de fond en bois fruitier, neuf, de fabrication française (tables, chaises, bibliothèques). Il est permis (et conseillé) de marchander.

TOUTAN'FOLIE

Objectif : gain de place

26 rue de Ménilmontant (20ᵉ)
Mº Ménilmontant
Tél. 01 46 36 16 94
Fax : 01 46 36 91 01
Lundi-samedi : 9 h-19 h

Tout est ici prévu pour rentabiliser l'espace, et si vous ne trouvez pas votre bonheur sur place parmi les modèles en exposition, consultez le catalogue, tout est en stock. Banquettes-lits, armoires, matelas polyréthane (140 × 190 cm), meubles de living à retour, à partir de 136 €. Commode quatre tiroirs : 53 €. Bibliothèque (175 × 60 × 25 cm) : 30 €. Canapé à partir de 182 € et plusieurs modèles de mezzanines. A noter : une nouvelle gamme de meubles en teck et bambou (chaises, buffets, tables basses...). Quatre mois de crédit gratuit à partir de

200 € d'achat. Livraison sous 48 heures garantie. **Remise de 5 % hors promotions sur les produits haut de gamme avec le guide ou la carte.**

AUTRES ADRESSES
- 5 rue de Ménilmontant, 20ᵉ • Mᵒ Ménilmontant • Tél. 01 46 36 56 47 • Tables, chaises, séjour, luminaires.
- 45 rue de Ménilmontant, 20ᵉ • Tél. 01 40 33 01 58 • Meubles coloniaux et canapés à la carte.

---

78 YVELINES

ENTREPÔT RÉGIONAL DE LITERIE   *Spécialistes en matelas et sommiers*

1 bis rue d'Orgeval
78300 BETHEMONT
par POISSY
25 km de la Porte d'Auteuil
(A13)
Tél. 01 39 75 47 85
Fax : 01 39 75 39 30
www.erl.fr (plan d'accès)
*Lundi, mercredi-dimanche :
15 h-19 h*

De grandes marques – Dunlopillo, Tréca, Simmons, Épéda, Bultex, Pirelli – et pas des « contretypes » fabriqués pour la grande distribution. Ces « lignes spécialistes », comme disent les experts de la ronflette, sont vendues à des prix qui rendent la sieste quasiment obligatoire. Tréca « Imperial Air Spring » : 1 107 €. Matelas Dunlopillo Oxford : 745 €. Matelas Simmons Fascination 160 × 200 cm : 1 489 €. Disponibilité immédiate (400 articles en stock toutes dimensions). Livraison en région parisienne et en province.

AUTRE ADRESSE
- 1 rue de l'Ouest • 78711 MANTES-LA-VILLE • Tél. 01 34 77 99 10

EMMAÜS   *Se faire plaisir*

7 île de la Loge
Le port Marly
78380 BOUGIVAL
RER A, Saint-Germain-
en-Laye + Bus 258
Tél. 01 39 69 12 41
Fax : 01 30 82 75 87
www.emmaus-bougival.com
*Lundi, mardi, jeudi,
vendredi : 14 h-17 h 30 ;
mercredi : 9 h 30-11 h 45,
14 h-17 h 30 ; samedi :
10 h-17 h 30*

Depuis 1954, les Compagnons d'Emmaüs sont entrés dans la légende et les dépôts se sont multipliés dans toute la France. Près de Paris, Bougival, Neuilly-sur-Marne, Neuilly-Plaisance et Charenton sont les endroits où l'on trouve le plus de brocante. Vous pouvez consulter le site Internet de Bougival pour connaître le calendrier des ventes à thèmes (bibelots, beaux objets, tableaux, mercerie, bijoux, montres, timbres, cartes postales...).

AUTRES ADRESSES
- Route de Sandrancourt, Dennemont • 78520 LIMAY • 60 km de la Porte d'Auteuil (A13) • Tél. 01 30 92 05 31 • Fax : 01 30 92 24 33 • Lundi, mercredi et vendredi : 14 h-17 h 30 ; samedi : 10 h-12 h, 14 h-17 h 30 ; le premier dimanche du mois : 14 h-17 h 30
- 15 bis rue de Chilly • 91160 LONGJUMEAU • 15 km de la Porte d'Orléans (A6) • Tél. 01 60 49 13 60 • Fax : 01 60 49 13 62 • Mardi, mercredi, jeudi, vendredi : 14 h-17 h ; samedi : 10 h-12 h, 14 h-17 h ; premier dimanche du mois : 14 h-17 h
- 15 bd Louis-Armand • 93330 NEUILLY-SUR-MARNE • RER A, Neuilly-Plaisance + bus 127 (Louis-Armand) • Tél. 01 43 00 05 52 • Fax : 01 43 00 31 19 • Mardi, jeudi, vendredi : 14 h 30-17 h 30 ; mercredi, samedi : 9 h 30-12 h 30, 14 h 30-17 h 30
- 38 av. Paul-Doumer • 93360 NEUILLY-PLAISANCE • RER A, Neuilly-Plaisance • Tél. 01 43 00 14 10 • Fax : 01 43 00 09 47 • Lundi, mardi, mercredi, vendredi : 14 h-17 h ; samedi : 9 h-12 h, 14 h-17 h
- 23 rue Denis-Papin • 94200 IVRY-SUR-SEINE • RER C, Ivry • Tél. 01 49 60 83 83 • Mardi-vendredi : 13 h 30-17 h 30 ; samedi : 9 h 30-17 h 30 • Meubles.

■ 2 bis av. de la Liberté • 94220 CHARENTON-LE-PONT • M° Liberté • Tél. 01 48 93 25 33
• Fax : 01 48 93 45 97 • Mardi-samedi : 10 h-12 h, 14 h 30-17 h 30 • Électroménager, vaisselle, bibelots.

■ 41 av. Lefèvre • 94420 LE PLESSIS-TRÉVISE • 15 km de la Porte de Bercy (A4) • Tél. 01 45 76 10 79 • Fax : 01 45 76 64 94 • Mardi, mercredi, jeudi : 13 h 30-17 h 30 ; samedi : 9 h-12 h, 13 h 30-17 h 30

AVANTAGES CANAPÉS

Du haut de gamme pas cher

Usines Center
Route André-Citroën
78140 VÉLIZY-
VILLACOUBLAY
Accès : voir p. 396
Tél. 01 39 46 55 62
*Mercredi-vendredi : 11 h-
20 h : samedi-dimanche :
10 h-20 h*

Classiques ou sophistiqués, des canapés en cuir ou en tissu, 100 % déhoussables ou déshabillables, entre 1 000 et 2 000 €, auxquels s'ajoute, cette année, une sélection de meubles anciens en provenance d'Inde ou de Mongolie chinoise. Chaque pièce est unique. Bahut, deux portes, deux tiroirs : 1 000 €. Coffre à partir de 200 €. Possibilité de paiement en plusieurs fois.

L'ENTREPÔT DE LA COMPAGNIE DU LIT

Plus de 1 600 modèles en stock

Usines Center
Route André-Citroën
78140 VÉLIZY-
VILLACOUBLAY
Accès : voir p. 396
Tél. 01 39 46 27 07
www.lacompagniedulit.fr
*Mercredi-vendredi : 11 h-
20 h ; samedi-dimanche :
10 h-20 h*

Venez les découvrir sur le site Internet de la Compagnie. Toute l'année, Bultex, Tréca, Dunlopillo, Nid d'Or, Épéda, Simmons, Mérinos, Pirelli, vous coûteront de 25 à 40 % moins cher que les prix publics conseillés. Grand choix de lits électriques. **Avec le guide ou la carte, 5 % supplémentaires dans tous les magasins.**

AUTRES ADRESSES

■ 133 av. Daumesnil, 12e • M° Gare-de-Lyon ou Nation • Tél. 01 46 28 88 19 • Mardi-samedi : 10 h-19 h ; lundi : 14 h 30-19 h

■ 42 bd Saint-Antoine • 78000 VERSAILLES • Tél. 01 39 66 27 07 • Mardi-samedi : 10 h-19 h

■ Centre Commercial « Art de vivre » • 78630 ORGEVAL • Tél. 01 39 75 83 47 • Tous les jours : 10 h-20 h ; excepté mardi : 10 h-19 h

■ 57 bd Jean-Jaurès • 92100 BOULOGNE • M° Jean-Jaurès • Tél. 01 46 03 48 75 • Mardi-samedi : 10 h 30-13 h, 14 h-19 h

■ Place de la Mairie • 92800 PUTEAUX • Tél. 01 47 76 30 07 • Mardi-samedi : 10 h-13 h, 14 h-19 h

---

91 ESSONNE

LA MALLE POSTE

On a envie de se la faire, la malle...

2 bis av. Maréchal-Leclerc
91160 LONGJUMEAU
15 km de la Porte
d'Orléans (A6)
Tél. 01 64 48 65 09
*Mardi-samedi : 9 h 30-
12 h 30, 15 h-19 h*

... avec tout ce qu'il y a dedans et derrière (grande réserve). D'ailleurs l'adresse est bien connue des professionnels. Les meubles XIXe de belle qualité côtoient bibelots, linge ancien, gravures, glaces, vaisselle et faïence de collection (le propriétaire est expert en la matière). Service en métal argenté 1930 de chez Boulanger (plateau, théière, cafetière, sucrier, pot à lait) : 500 €. Coiffeuse début du siècle dernier, style Louis XVI en marqueterie : 300 €. Suspension fer forgé et verre pressé, signée Muller : 360 €. Table à abattant Louis-Philippe : 450 €. **Remise de 10 % avec le guide ou la carte.**

DÉPÔT-VENTE CHARLOTTE WAYNE

4 rue de Bois-Colombes
92270 BOIS-COLOMBES
Par la Porte d'Asnières :
1,5 km dans l'axe du Pont
de Levallois
Tél. 01 47 85 31 04
Mercredi-samedi : 15 h-
19 h 30 ; dimanche :
15 h 30-19 h 30

Du dépôt, mais pas n'importe quoi !

Des coups de cœur en provenance exclusive de particuliers : Charlotte Wayne ne prend que ce qu'elle aime ! Meubles anciens, objets décoratifs, vaisselle, verrerie, tableaux. Table guéridon XIXe, dessus marqueté : 150 €. Service Limoges (40 pièces), début XXe : 120 €. Pendule 1930 avec ses deux cassolettes en marbre moucheté jaune et noir : 80 €. Très important rayon de livres : à partir de 1,50 €. **5 % de remise sur tout achat et un livre offert avec le guide ou la carte.**

ALLO MATELAS

251 bis bd Jean-Jaurès
92100 BOULOGNE-
BILLANCOURT
M° Marcel-Sembat
Tél. 01 46 10 40 60
Fax : 01 46 10 43 71
Lundi-samedi : 10 h-12 h 30,
13 h 30-19 h

Literie en stock

Vous avez deux solutions : soit vous téléphonez pour commander matelas et sommiers qui vous seront livrés, sous 24 heures, si les produits sont en stock, soit vous venez choisir sur place, dans ces magasins nouvellement rénovés et agrandis, banquettes et armoires-lits, matelas et sommiers parmi les nombreuses marques proposées (André Renault, Tréca, Simmons, Ducal, Diva France, Bultex…). Dans les deux cas, les livreurs maison vous débarrasseront de votre vieux matelas. Matelas Dunlopillo « Oriane » (140 × 190 cm) : 319 €. Ensemble Tréca « Celina » (140 × 190 cm) : 820 €. Banquette-lit, couchage 130 cm : 493 €. **Remise de 5 à 20 % selon les articles avec le guide ou la carte.**

AUTRE ADRESSE
■ 106 rue de la Paroisse • 78000 VERSAILLES • SNCF (Saint-Lazare), Versailles-Rive-Droite • Tél. 01 30 21 40 60 • Fax : 01 30 21 84 84 • Mardi-samedi : 10 h-13 h, 14 h-19 h

SLDM

24 rue du Général-Roguet
92110 CLICHY
M° Mairie-de-Clichy
Tél. 01 47 39 46 65
ou 01 47 39 26 81
www.sldm.fr
Lundi-vendredi : 10 h-13 h,
14 h-19 h 30 ; samedi :
10 h-19 h 30

Une centrale d'achat ouverte à tous

Cette centrale, autrefois réservée aux fonctionnaires, mutualistes et membres des collectivités, bénéficie de tarifs préférentiels auprès de plus de 400 fabricants. Elle en fait profiter ses clients parmi lesquels les lecteurs de Paris Pas Cher. Sur le site web, ouvert récemment, vous pourrez naviguer parmi les cuisines, meubles de salle de bains, literie, salons et mobilier de tous styles ainsi qu'un large choix de canapés en tissu ou en cuir, déshabillables, déhoussables et/ou convertibles, proposés à 15, 20, voire 35 % en dessous des tarifs généralement pratiqués. Canapés deux places en cuir : à partir de 1 220 €. Convertible en tissu : à partir de 1 145 €. Ensemble sommier matelas, deux places indépendantes, 70 × 190 cm chacune, relaxation électrique : 1 600 €. **Remise de 7 % (hors promotions) avec le guide ou la carte.**

TROC 92

225 rue d'Aulnay
92350 LE PLESSIS-
ROBINSON

Affaires dans tous les domaines

Ici, on peut tout vendre, soit en achat immédiat, soit en dépôt-vente (excepté le samedi après-midi et le dimanche), sachant que le principe veut qu'un objet

RER B, Robinson
Tél. 01 43 50 51 51
Mardi-samedi : 10 h-13 h,
15 h-19 h ; dimanche :
15 h-19 h

invendu au bout d'un mois baisse de 20 % et ainsi de suite... On comprend qu'il y ait des affaires au rendez-vous ! Meubles, électroménager, hi-fi, bibelots, brocante, outillage, etc. Un rayon de matelas neufs à prix discount (140 × 190 cm : à partir de 145 €). Possibilité d'enlèvement et de livraison. **En cadeau, 5 % du montant de l'achat en livres ou en disques ; possibilité de paiement en 4 fois sans frais.**

93   SEINE-SAINT-DENIS

SAUVEL   *Discount de meubles*

203 av. du Président-
Wilson
93210 LA PLAINE-
SAINT-DENIS
RER B, La Plaine-Voyageurs
Tél. 01 48 09 09 20
Mardi-vendredi : 10 h-19 h ;
samedi : 9 h 30-18 h 30

Du discount depuis plus d'un demi-siècle. Dans le vaste hall d'exposition (1 500 m²), la plupart des plus grandes marques de meubles, canapés convertibles, salons, literie, appareils électroménagers, cuisines et salles de bains équipées sont présentées à des prix qui..., à des prix que... Une adresse à visiter avant de prendre une décision. **Remise de 25 à 30 % et livraison gratuite avec le guide ou la carte.**

AUTRES ADRESSES
- 26 rue de Rivoli, 4ᵉ • Mᵒ Saint-Paul • Tél. 01 48 87 50 44
- 42 rue Lecourbe, 15ᵉ • Mᵒ Sèvres-Lecourbe • Tél. 01 47 83 77 08

GRACIEUSE ORIENT   *Parfum d'Orient*

69 rue Robespierre
93100 MONTREUIL-
SOUS-BOIS
Mᵒ Robespierre
Tél. 01 48 58 39 29
Fax · 01 48 58 39 55
www.gracieuse.com
Lundi-vendredi : 9 h-
18 h 30 ; samedi : 10 h-
18 h

Un entrepôt de 1 500 m² plein à craquer de meubles (armoires, consoles, buffets, lit à opium, tables...) et objets (coussins, bijoux, tentures, boîtes à épices...), en provenance d'Inde, de l'Himalaya afghan, de Chine et du Tibet, avec souvent des pièces exceptionnelles. La marchandise arrive par containers, trois à quatre fois par mois. Armoire de mariage laquée rouge (180 × 110 × 50 cm) : 1 330 €. Table d'écolier avec tiroir (30 × 50 × 40 cm) : 199 €. Table basse Sind à tirettes : 125 €. Buffet bas, trois tiroirs, deux portes : 1 170 €. Pot chinois en terre vernissée verte : 69 €. **Remise de 20 % à partir de 150 € d'achat, avec le guide ou la carte.**

AUTRE ADRESSE
- 76 av. des Ternes, 17ᵉ • Mᵒ Ternes • Tél. 01 40 68 03 04 • 200 m² d'exposition.

NEPTUNE   *De tout un peu*

32 et 36 bd Paul-Vaillant-
Couturier
93100 MONTREUIL-
SOUS-BOIS
Mᵒ Mairie-de-Montreuil
Tél. 01 48 51 54 62

Une association de réinsertion où l'on réalise de bonnes affaires dans la bonne humeur. Au 32, on pioche dans la vaisselle, le linge, les bibelots ; au 36, on choisit parmi les meubles, les livres, et l'électroménager. Prix modiques à découvrir sur place. – Mardi-samedi : 9 h-12 h, 14 h-18 h ; dimanche : 14 h-18 h.

SALON MAROCAIN   *Changement de décor*

188 rue de Paris
93100 MONTREUIL-
SOUS-BOIS
Mᵒ Robespierre
Tél. 01 48 58 25 34

De Fès, de Meknès ou de Marrakech, des tissus aux poufs, en passant par les paravents, les verres à thé, les lanternes en fer forgé, les appliques, les plats à tagine en terre vernissée, classiques ou décorés, les babouches, les djellabas... Tout est là pour vous

Fax : 01 42 87 14 36
Tous les jours : 9 h-12 h 30,
13 h 30-19 h (sauf le mardi)

inviter au dépaysement. Table zellige, pied fer forgé, 1 mètre de diamètre : 200 €. Appliques murales en peau de chèvre : 11,50 €. Poufs de différentes tailles : à partir de 15 €. Bougeoirs : 5 €. **Selon les articles, remise de 10 à 15 % avec le guide ou la carte.**

LES COMPTOIRS DE MAKASSAR

Plus Célèbes que Pondichéry et Yanaon

59 route de Noisy
93230 ROMAINVILLE
M° Raymond-Queneau
Tél. 01 48 44 00 05
Fax : 01 48 44 80 07
Lundi-vendredi : 9 h-
18 h 30 ; samedi : 10 h-
18 h

Cet importateur grossiste, en principe réservé aux professionnels, accueille avec plaisir les lecteurs de Paris Pas Cher. Dans ce grand entrepôt de 4 000 m², vous trouverez objets décoratifs, armoires, tables, consoles, fauteuils de style colonial, coffres, en provenance de Chine, d'Inde et d'Indonésie. Armoire acajou, deux portes grillagées, corniche en chapeau de gendarme (180 × 93 × 38 cm) : 320 €. Console coloniale (90 × 30 × 80 cm) : 150 €. Coffres en laque, peints décorés ou en cuir : à partir de 200 €. **Remise de 20 % avec le guide ou la carte.**

94 VAL-DE-MARNE

FLY

Meubles « jeune »

N6 Carrefour Pompadour
94000 CRÉTEIL
7 km de la Porte de Bercy
(A4 + N6)
Tél. 01 45 13 29 00
Fax : 01 49 80 41 27
www.flymeubles.com
Lundi-vendredi et dimanche :
10 h-12 h 30, 14 h-
19 h 30 ; samedi : 10 h-
19 h 30

Un paradis pour les jeunes qui s'installent. Ce concurrent français d'Ikea propose à prix légers des meubles bien pensés qui rentabilisent l'espace. Parmi les articles phares, la banquette-lit Camille, mécanisme clic-clac, couchage 130 × 190 cm, matelas 15 cm, couette ouatinée, trois coloris au choix : 249 € ; la table basse Diana, dessus verre, piétement bois, qu'un astucieux système de plateaux coulissants permet de transformer en table de salle à manger (80 × 80 cm fermée ; 80 × 160 cm ouverte) : 442 €. Le canapé d'angle Jade (quatre à cinq places) : 795 €. Couettes, coussins, lampes, vaisselle, rideaux... Un bémol : les délais de livraison ne sont pas toujours respectés (quand les meubles n'arrivent pas cassés...).

■ 130 magasins en France. Adresses au 08 92 68 99 68 (0,34 €/min) ou sur le site web.

PATRICK WOSINSKI

Madame est servie !

12 av. Gounod
94340 JOINVILLE-LE-PONT
6 km de la Porte de Bercy
(A4)
Tél. 01 48 83 48 11
Fax : 01 48 83 48 22
Sur rendez-vous, uniquement
le samedi : 15 h-18 h

Ancien élève de l'école Boulle, Patrick Wosinski s'est spécialisé dans la fabrication de tables de salle à manger de style dignes de fréquenter enfilades et argentiers des meilleures époques. Table ronde en merisier Louis XVI, Directoire ou Louis-Philippe, 120 cm de diamètre, 3 rallonges de service : 885 € ; la même en acajou : 915 €. Compter 20 € de plus pour la version en demi-lune. Chaise barrette paillée : 122 €. Non fabriquées, mais choisies par ses soins, de très jolies bibliothèques (Louis-Philippe en merisier, 3 portes hautes, 3 portes basses, 183 × 222 × 52 cm : 2 600 €). **Livraison Paris/banlieue gratuite avec le guide ou la carte.**

APPROCHE

70 bis rue Viollet-le-Duc
94210 LA VARENNE-
SAINT-HILAIRE
RER A, Champigny-
sur-Marne
Tél. 01 48 83 13 67
www.association-approche.
com.fr
*Lundi-vendredi : 14 h 30-
18 h 30*

Pour chineurs avertis

Ouverte à tous, cette association a pour but à la fois d'aider à la réinsertion de gens en grande difficulté et de permettre aux familles nécessiteuses de se meubler pour pas cher. Six à huit personnes employées à l'année débarrassent les caves, vident les greniers des environs, retapent ce qui est récupérable, et vendent literie, linge ancien, vaisselle, livres, disques, luminaires, etc. Table rectangulaire avec deux allonges : 45 €. Chaise : 7 €. Armoire deux portes coulissantes : 150 €. Petit bahut : 76 €. Table de cuisine : 16 €. Pour se faire une idée, consulter le site Internet.

INTER DÉCOR

6-8 rue Henri-Luisette
94800 VILLEJUIF
M° Villejuif-Louis-Aragon
Tél. 01 46 77 82 00
Fax : 01 46 77 81 82
*Lundi-samedi : 10 h-12 h,
14 h-19 h*

Canapés contemporains, anglais, rustiques et classiques

Distributeur de grandes marques telles que Casa Nova, Brionform, Satis, Swann, ce grossiste, spécialisé dans la vente de canapés en cuir pleine fleur et Alcantara, propose tous les styles du Chesterfield à l'avant-garde, ainsi qu'une large gamme de literie (Sealy, Tréca, Bultex, Simmons…). Canapé trois places Alcantara : 1 520 €. Canapé trois places, cuir pleine fleur vachette ou buffle : 1 760 €. Livraison gratuite dans toute la France. **Remise de 10 % avec le guide ou la carte.**

95 VAL-D'OISE

L'INVENTAIRE

7 rue Fernand-Léger
95480 PIERRELAYE
20 km de la Porte
de la Chapelle (A1 + A15
+ N14, patte d'oie
d'Herblay)
Tél. 01 39 31 18 87
Fax : 01 39 31 18 81
*Mardi-dimanche : 10 h-
19 h ; lundi : 14 h-19 h*

Déstockages et retours d'expos

Du mobilier, des salons, de la literie, auxquels s'ajoute la production de petits fabricants français, espagnols ou portugais de qualité. Salon cuir (canapé trois places et deux fauteuils) : 1 510 €. Armoire deux portes style Louis-Philippe, aulne massif : 798 €. Ensemble électrique 160 × 200 cm (deux sommiers + deux matelas 100 % latex, 80 cm de large) : 992 €. Nouvel arrivage toutes les semaines. **Avec le guide ou la carte, livraison gratuite à partir de 1 525 € d'achat (50 km) ou réglement en 4 fois, sans frais.**

AUTRE ADRESSE
■ ZAC de la Croix-Blanche • 91700 SAINTE-GENEVIÈVE-DES-BOIS • Tél. 01 60 16 69 36 • Tous les jours : 10 h-19 h

IKEA

Zone Industrielle Paris
Nord II
176 av. de la Plaine-
de-France - BP 50123
95950 ROISSY-CDG
14 km de la Porte
de la Chapelle (A1)
Tél. 0825 095 825

Créativité, imagination, sens pratique, à prix doux

Le roi (suédois) du meuble « jeune ». Cuisines, salles de bains, séjours, bureaux, chambres de parents et d'enfants, celliers, dressing-room, linge de maison, tapis, objets décoratifs, rien n'est oublié, tout est pensé ! Dans tous les magasins, un coin des bonnes affaires constamment renouvelées, meubles, canapés, lampes, vaisselle des bons et mauvais jours au prix diminué de 20 à 60 %. Le montage des meubles

Fax : 01 48 63 72 89
www.ikea.fr
Lundi-vendredi : 10 h-20 h ;
samedi : 9 h-20 h ;
dimanche : 10 h-20 h ;
jeudi : nocturne jusqu'à 22 h

livrés en kit est relativement aisé, mais les notices semblent parfois traduites du kurde par un pigiste bantou.

AUTRES ADRESSES
- 202 rue Henri-Barbusse • 78370 PLAISIR • 25 km de la Porte d'Auteuil (A13 + A12 + N12) • Tél. 0825 078 825 • Fax : 01 30 79 21 27 • Lundi-vendredi : 10 h-20 h ; samedi : 9 h-20 h ; dimanche : 10 h-20 h ; jeudi et vendredi nocturne jusqu'à 22 h
- ZI Le Clos aux Pois • 91028 ÉVRY CEDEX • 20 km de la Porte d'Orléans (A6) • Tél. 0825 091 825 • Fax : 01 69 11 16 50 • Lundi-vendredi : 10 h-20 h ; samedi : 9 h-20 h ; dimanche : 10 h-20 h ; jeudi nocturne jusqu'à 22 h
- Centre commercial des Armoiries, 33-35 rue Jean-Jaurès • 94354 VILLIERS-SUR-MARNE • 10 km de la Porte de Bercy (A4) • Tél. 0825 094 825 • Fax : 01 49 41 40 45 • Lundi-vendredi : 10 h-20 h ; samedi : 9 h-20 h ; dimanche : 10 h-20 h ; nocturne le jeudi jusqu'à 22 h

Quelques autres adresses

Trouvailles de dernière minute, bons plans susurrés par nos lecteurs, ou découvertes qui méritent une mention sans long développement, voici encore, en vrac, quelques adresses de bon conseil.

91 ESSONNE

COCKTAIL SCANDINAVE
4 rue du Docteur-Morère • 91120 PALAISEAU • RER B, Palaiseau • Tél. 01 60 14 43 44 • Mardi-samedi : 10 h-12 h 30, 14 h-19 h 30 ; dimanche : 10 h-12 h 30, 14 h 30-19 h
Mobilier gain de place en pin et mezzanines.

92 HAUTS-DE-SEINE

FRADETT - DÉCO MEUBLES
64 av. Raymond-Croland • 92350 LE PLESSIS-ROBINSON • RER B, Robinson • Tél. 01 47 02 15 66 • Mardi-samedi : 10 h 30-20 h ; dimanche-lundi sur RV

Tout l'ameublement. **Avec le guide ou la carte : remise de 25 % et plus, selon promotion, sur le tarif fabricant.**

93 SEINE-SAINT-DENIS

DEKKO
254 bd de la Boissière • 93100 MONTREUIL • M° Mairie-de-Montreuil • Tél. 01 48 54 61 61 • www.bondodo.com • Mardi-samedi : 9 h-19 h 30 ; dimanche-lundi : 10 h-18 h
Vente en entrepôt de literie et salons convertibles haut de gamme à prix discount. **Livraison gratuite en Île-de-France avec le guide ou la carte.**

Drouot

Attention ! Depuis la loi du 10 juillet 2000 réformant les ventes publiques aux enchères, il convient de distinguer deux types de ventes soumises à des régimes juridiques différents : les ventes volontaires issues de la libre décision d'une personne et les ventes judiciaires, prescrites par la loi ou par décision de justice. Dans une vente volontaire, le prix de vente comprend le prix d'adjudication, augmenté des frais fixés librement par les sociétés de ventes volontaires (entre 10 et 20 % selon les sociétés) ; dans une vente judiciaire, le prix de vente comprend le prix d'adjudication, augmenté des frais légaux, d'un montant de 10,764 %. Renseignez-vous bien avant pour savoir à quel type de vente vous allez participer. Pour vous préparer, visitez l'exposition la veille (de 11 h à 18 h) ou le matin (de 11 h à 12 h) muni de la Gazette Drouot (3 € le numéro) ou consultez les sites : www.gazette-drouot.com ou www.loeildesencheres.com. Meubles, objets d'art, livres, bijoux, fourrures, bibelots, sont vendus dans le 9ᵉ arrondissement, le quotidien à Drouot-Nord, le prestigieux à Drouot-Montaigne.

Pour mieux vous familiariser avec les œuvres d'art et acquérir un œil d'expert, vous pouvez suivre les cours dispensés par Drouot Formation (programme complet des cycles sur le site www.drouot.fr et renseignements au 01 48 00 20 52).

8ᵉ ARRONDISSEMENT

DROUOT MONTAIGNE
15 av. Montaigne, 8ᵉ • Mᵒ Alma-Marceau • Tél. 01 48 00 20 80 • Lundi-vendredi : 9 h 30-13 h, 14 h-18 h

9ᵉ ARRONDISSEMENT

RICHELIEU DROUOT
9 rue Drouot, 9ᵉ • Mᵒ Richelieu-Drouot • Tél. 01 48 00 20 20 • Programme des ventes au 01 48 00 20 17 • Fax : 01 48 00 20 33 • Lundi-samedi : 11 h-18 h

18ᵉ ARRONDISSEMENT

DROUOT NORD
64 rue Doudeauville, 18ᵉ • Mᵒ Marcadet-Poissonniers ou Château-Rouge • Tél. 01 48 00 20 99 • Lundi-vendredi : 8 h 45-12 h 30

Les Puces

Mais si, on peut encore y faire des affaires. A condition de connaître les prix, de ne pas confondre « style » et « d'époque », d'être patient, de savoir marchander, et de se lever tôt : c'est en effet au petit matin blême, alors que les camions déballent leur marchandise qu'il faut acheter, avant que les marchands n'aient raflé le nectar. De bonnes occasions, aussi, à l'heure du remballage.

12ᵉ ARRONDISSEMENT

MARCHÉ D'ALIGRE
Place d'Aligre, 12ᵉ • Mᵒ Ledru-Rollin et Faidherbe-Chaligny • www.marchedaligre.free. fr • Mardi-vendredi : 9 h-12 h 30 ; samedi et dimanche : 9 h-13 h
Contiguës au marché : des objets hétéroclites qu'il faut sérieusement trier pour trouver ce qu'on cherche.

14ᵉ ARRONDISSEMENT

LES PUCES DE VANVES
Entre les portes de Vanves et Didot, Av. Georges-Lafenestre et Marc-Saugnier, 14ᵉ • Mᵒ Porte-de-Vanves • Samedi et dimanche : 7 h-19 h
Peu de meubles, mais beaucoup d'objets, bibelots, tableaux, chaussures, outils… Elles gardent la faveur des branchés.

93 SEINE-SAINT-DENIS

LES PUCES DE MONTREUIL
93100 MONTREUIL-SOUS-BOIS • Mᵒ Porte-de-Montreuil • Samedi-lundi : 8 h-18 h
De la fripe et des montagnes de chiffons. Quelques brocs intéressants.

LES PUCES DE SAINT-OUEN
De la porte de Saint-Ouen à la porte de Clignancourt • 93400 SAINT-OUEN • Mᵒ Porte-de-Clignancourt ou Porte-de-Saint-Ouen • www.lespuces.com • Samedi-lundi : 9 h- 18 h
15 kilomètres de parcours, 2 000 boutiques. Marché Vernaison : le plus authentique. Marché Biron : le plus chic. Marché Serpette : le plus éclectique. Marché Malassis : le plus « charme ». Marché Dauphine : le plus varié. Marché Paul-Bert : le plus « déco ». Marché Jules-Vallès : le plus broc.

Les brocantes

Pour s'informer des dates des ventes, salons, foires, brocantes et vide-greniers, on peut consulter le supplément week-end du Journal du Dimanche, Le Parisien Dimanche, le Figaroscope (supplément du mercredi) ainsi que les revues spécialisées comme : Le Collectionneur, Antiquités-Brocantes, Aladin. On peut aussi se renseigner auprès des mairies. On peut enfin consulter www.brocantemag.com, où l'on trouvera l'agenda des brocantes, vide-greniers et salons d'antiquaires dans toute la France. Une rubrique « Annonces » permet de découvrir l'oiseau rare ou de pratiquer des échanges.

MUSIQUE, LIVRES

De la musique avant toute chose ! Oui, mais laquelle ? Et à quel prix ? La technique progresse à bonds de géant, les tarifs valsent, et entre les CD et les DVD, on ne sait plus à quel bémol se vouer. Pour vous, les mélomanes (techno comprise...), mais aussi pour vous bibliophiles, Paris Pas Cher a dégotté quelques endroits où la musique et la lecture élèvent l'âme sans vider le portefeuille.

¿ QUE CHERCHEZ-VOUS ?

ACCORDEURS DE PIANOS
428 Christian Campet
434 Les Accordeurs Artisans Aveugles (14e)
434 Pianos Balleron (16e)
434 Pianoforte (94)

BANDES DESSINÉES
428 Parallèles (1er)
435 Culture (4e)
430 Boulinier (6e)
432 Librairie Puce (19e)
432 Bédisc Achat-Vente (20e)

CASSETTES VIDÉO ET DVD
429 CD Choc (2e, 3e, 4e, 5e, 14e)
429 Extended (4e)
431 Exodisc (18e)
432 Bédisc Achat-Vente (20e)

CD
428 Monster Melodies (1er)
430 O'CD (1er, 4e, 5e)
428 Parallèles (1er)

429 CD Choc (2e, 3e, 4e, 5e, 14e)
435 Libria (2e)
429 Crocojazz (5e)
430 Jazz Ensuite (5e)
430 Paris Jazz Corner (5e)
430 Boulinier (6e)
430 La Chaumière à musique (6e)
431 Plus de bruit ! (9e)
431 Disco Puces (11e)
431 Exodisc (18e)
432 Bédisc Achat-Vente (20e)
432 Disc' Inter (20e)

CD D'OCCASION
430 O'CD (1er, 4e, 5e)
428 Parallèles (1er)
429 CD Choc (2e, 3e, 4e, 5e, 14e)
429 Extended (4e)
429 Crocojazz (5e)
430 Jazz Ensuite (5e)
430 Jussieu Classique (5e)
430 Jussieu Jazz (5e)
430 Jussieu Music Hip Hop (5e)
430 Jussieu Music World (5e)

429 Jussieu Musique (5e)
430 Paris Jazz Corner (5e)
430 Boulinier (6e)
430 La Chaumière à musique (6e)
431 Master of Rock (17e)
432 Bédisc Achat-Vente (20e)

DUPLICATION
434 Copie Conforme (13e)

GUITARES
433 California Music (9e)
433 Effect Center (9e)
433 Lead Guitars (9e)
433 Major Pigalle (9e)
433 Oldies Guitares (9e)
434 Centre Chopin (20e)
434 Arpèges (94)

INSTRUMENTS À LOUER
433 Aloca Lutherie (8e)
433 Musikentrock (8e)

¿ QUE CHERCHEZ-VOUS ?

INSTRUMENTS DIVERS
432 Paul Beuscher (4ᵉ)
433 Aloca Lutherie (8ᵉ)
433 Musikentrock (8ᵉ)
433 La Boîte aux Rythmes (9ᵉ)
433 Major Pigalle (9ᵉ)
433 Magenta Music (10ᵉ)
434 Woodwind and Brasswind (19ᵉ)
434 Arpèges (94)

LIVRES
428 Priceminister
428 Parallèles (1ᵉʳ)
435 Libria (2ᵉ)
435 Culture (4ᵉ)
435 Librairie MR (5ᵉ)
435 Le Petit Zodiaque (5ᵉ)
430 Boulinier (6ᵉ)
435 Tea & Tattered Pages (6ᵉ)
432 Librairie Puce (19ᵉ)
435 Livres et librairies

PARTITIONS
432 La Librairie Musicale de Paris (3ᵉ)
432 Paul Beuscher (4ᵉ)
433 Oscar Music, librairie musicale (9ᵉ)
433 Magenta Music (10ᵉ)
431 Disco Puces (11ᵉ)
434 Maestro (19ᵉ)

PIANOS
432 Paul Beuscher (4ᵉ)
433 International Pianos (8ᵉ)
433 Musikentrock (8ᵉ)
434 Pianos Balleron (16ᵉ)
434 Centre Chopin (20ᵉ)
434 Piano Center (92)
434 Pianoforte (94)

RÉPARATION D'INSTRUMENTS
433 Aloca Lutherie (8ᵉ)

STUDIOS
433 Studio Bleu (10ᵉ)
434 Liberty Rock Studio (20ᵉ)

VINYLES
428 Club News (1ᵉʳ)
428 Monster Melodies (1ᵉʳ)
429 Écoute ce Disque (4ᵉ)
429 Crocojazz (5ᵉ)
430 Jazz Ensuite (5ᵉ)
430 Paris Jazz Corner (5ᵉ)
430 Boulinier (6ᵉ)
431 Plus de bruit ! (9ᵉ)
431 Disco Puces (11ᵉ)
431 Master of Rock (17ᵉ)
431 Exodisc (18ᵉ)
432 Bédisc Achat-Vente (20ᵉ)
432 Disc' Inter (20ᵉ)

VOIR AUSSI
190 « Bars, boîtes »
482 « Théâtre, danse »

A Adresse particulièrement recommandée

♛ Adresse haut de gamme : le luxe à prix abordable

CHRISTIAN CAMPET
De la salle Pleyel au particulier

Tél. 01 30 30 21 24
Sur rendez-vous

Accordeur depuis 1975, ancien sous-traitant de la salle Pleyel, Christian Campet offre toutes les garanties de sérieux et de compétence. Et comme en plus il n'est pas cher... Accord à partir de 90 €. **Remise de 10 % avec le guide ou la carte.**

PRICEMINISTER
Sur le Net

www.priceminister.com

Acheter (ou vendre) un livre à moitié prix. C'est ce que propose ce site qui met en contact internautes vendeurs et acheteurs. Le choix est vaste, les transactions sécurisées, les vendeurs notés par les acheteurs. Fonctionne également pour la musique, les téléphones, l'informatique et les téléviseurs.

1er ARRONDISSEMENT

CLUB NEWS
Vinyles de DJ

37 rue Saint-Honoré (1er)
M° Châtelet
Tél. 01 40 13 99 70
Fax : 01 40 13 98 40
www.clubnewsparis.com

Attention Affaires ! Si vous êtes fana de House, de Garage ou de Techno, cette adresse est faite pour vous. Ce magasin, spécialisé dans le vinyle d'importation et les petits labels français indépendants, ne fait que ça, mais le fait avec cœur : en tout, plus de 10 000 disques, français, américains ou européens à prix vraiment intéressants. On peut écouter tous les vinyles avant de les acheter. Vinyles : de 10 à 12 €. **Remise de 5 % avec le guide ou la carte.**

MONSTER MELODIES
Rock et pop

9 rue des Déchargeurs (1er)
M° Châtelet-les-Halles
Tél. 01 40 28 09 39
Fax : 01 42 33 25 72
www.monstermelodies.com
Lundi-samedi : 11 h-19 h

Au centre de Paris, ce magasin propose sur deux étages un choix « monstrueux » de CD (au rez-de-chaussée) et de vinyles (au premier étage). Au rayon CD d'occasion, beaucoup de hard, mais pas que ça ; par exemple, pour certains artistes, on peut consulter une liste de CD collectors et autres articles introuvables avant de les commander. CD entre 3 et 13 €. En haut, un choix phénoménal de vinyles « pour connaisseurs » (à partir de 1,50 €).

PARALLÈLES
CD en services de presse

47 rue Saint-Honoré (1er)
M° Châtelet
Tél. 01 42 33 62 70
Fax : 01 42 21 49 63
Lundi-samedi : 10 h-19 h

C'est l'un des endroits où les journalistes de la presse musicale viennent vendre leurs « services de presse » : alors, pour peu que l'on ait de la chance, on trouvera le CD que l'on cherche à tout petit prix. CD de 2 à 10 €. Import : 12 €. Invendus : 2 à 4 €. Vinyles : 2 à 3 € (maxi) et 3,5 et 7 € (albums). Bac collectors : 7 à 12 €. Également des livres (Parallèles fut, jadis, la librairie de l'ultra-gauche parisienne et l'est vaguement encore...) et de la BD, ainsi que des livres anglais sur la musique rock et ses dérivés. **Remise de 5 % avec le guide ou la carte sur les livres, disques et CD.**

4e ARRONDISSEMENT

ÉCOUTE CE DISQUE

12 rue Simon-le-Franc (4e)
M° Rambuteau
Tél. 01 42 72 13 50
Fax : 01 40 27 89 60
Mardi-samedi : 11 h 30-
19 h

Salut les copains

Le temple du yéyé de la grande époque, où se côtoient Johnny, Sylvie, Dick, Schmoll et Sheila, avec ou sans Ringo. On achète, on vend, on échange. 45 tours : à partir de 4 €. 33 tours : à partir de 12 €. CD album nouveauté : 15 € (simple) ou 21 € (double).

EXTENDED

42 rue Quincampoix (4e)
M° Châtelet-Les Halles
ou Rambuteau
Tél. 01 44 61 05 05
Mardi-samedi : 12 h-
19 h 30

CD et DVD d'occase

L'occase sous toutes ses formes, achat ou vente, CD (tous genres, sauf classique), DVD (films et concerts). Le choix est vaste : plus de 15 000 références dans lesquelles piocher. CD : de 5 à 12 € (vente) et de 3 à 7 € (achat). DVD : à partir de 7 € (vente) et de 5 € (achat). Également nouveautés CD et DVD neufs. **Remise de 10 % sur CD, DVD d'occasion, avec le guide ou la carte.**

5e ARRONDISSEMENT

CD CHOC

15 rue Soufflot (5e)
RER B, Luxembourg
Tél. 01 56 24 46 47
Lundi-samedi : 11 h-
20 h 30 ; dimanche : 14 h-
20 h

Choix de CD de choix

Une des meilleures adresses généralistes du quartier. Shop CD vous propose plus de 10 000 références dans tous les styles, occasions et neufs. Tous les CD sont écoutables avant de les acheter. Également de nombreuses cassettes vidéo d'occasion et plus de 6 000 DVD dans chaque magasin. Également des jeux vidéo. CD occasion : de 4,50 à 13 €. Nouveautés : de 15 à 17 €. DVD : de 9 à 24 € (occasion) ; de 14 à 30 € (neuf). **Remise de 10 % sur l'occasion + carte de fidélité offerte, avec le guide ou la carte.**

AUTRES ADRESSES
- 21 bd Montmartre, 2e • M° Grands-Boulevards • Tél. 01 42 61 31 25 • Lundi-samedi : 11 h-20 h 30 ; dimanche : 14 h-20 h
- 7 rue aux Ours, 3e • M° Étienne-Marcel • Tél. 01 56 24 46 47 • Lundi-samedi : 12 h-20 h ; dimanche : 14 h-20 h
- 25 rue du Renard, 4e • M° Rambuteau • Tél. 01 44 78 00 07 • Lundi-samedi : 11 h-20 h 30 ; dimanche : 14 h-20 h
- 96 bd du Montparnasse, 14e • Téléphone en cours d'attribution

CROCOJAZZ

64 rue de la Montagne-Sainte-Geneviève (5e)
M° Maubert-Mutualité
Tél. 01 46 34 78 38
Mardi-samedi : 11 h-13 h,
14 h-19 h

Croco swingue

Ce sang-mêlé a l'âme qui swingue : il en pince pour le jazz, tout le jazz, et le blues. CD neufs : de 14 à 18 €. CD seconde main : à partir de 3 € (trois CD pour 18 €). Rééditions américaines (vinyles 180 g) : à partir de 15 €. Écoute possible pour tout ce qui est « ouvert ». Dépôt de magazines : Soul Bag, Blues Magazine, Cri du Coyote.

JUSSIEU MUSIQUE

19 rue Linné (5e)
M° Jussieu
Tél. 01 43 31 14 18
www.jussieumusic.com
(vente en ligne)

Carré d'As

Ce magasin se décline en cinq adresses, chacune spécialisée dans un domaine. Jussieu Musique : rock, pop, variétés françaises et internationales, hard, electronica, DVD. Jussieu Music Hip Hop : rap, R'n'B, hip hop, trip hop, techno, house,

Lundi-samedi : 11 h-19 h 30

drum'n'bass. Jussieu Music World : world music, reggae, ragga, ambient, country. Jussieu Jazz : jazz contemporain, free jazz, crooners. Jussieu Classique : à votre avis... C'est l'un des excellents magasins de la capitale, où l'on trouve des CD d'occasion (de 7,90 à 10,90 €) ou neufs (à partir de 12,50 €) en très grande quantité. **Remise de 5 % avec le guide ou la carte.**

AUTRES ADRESSES
- **Jussieu Classique** • 16 rue Linné, 5ᵉ • Mᵒ Jussieu • Tél. 01 47 07 60 45
- **Jussieu Jazz** • 5 rue Guy-de-la-Brosse, 5ᵉ • Mᵒ Jussieu • Tél. 01 43 36 32 54
- **Jussieu Music Hip Hop** • 17 rue Guy-de-la-Brosse, 5ᵉ • Mᵒ Jussieu • Tél. 01 43 37 57 02
- **Jussieu Music World** • 20 rue Linné, 5ᵉ • Mᵒ Jussieu • Tél. 01 43 37 88 68

O'CD   *Achat, vente, échange*

26 rue des Écoles (5ᵉ)
Mᵒ Maubert-Mutualité
Tél. 01 43 25 23 27
www.ocd.net
Mardi-samedi : 11 h-20 h ;
dimanche : 15 h-19 h ;
lundi : 13 h-20 h

Tous les styles en CD et en DVD. CD de 2 à 13 €. Vente : valeur du marché ou échange : deux CD contre un ; un DVD contre un (+ quelques euros selon le film). Et le tout en dégustant un café ou un thé, les écouteurs sur les oreilles. **Les deux premiers tampons de la carte de fidélité offerts avec le guide ou la carte.**

AUTRES ADRESSES
- 24 rue Pierre-Lescot, 1ᵉʳ • Mᵒ Châtelet-Les Halles • Tél. 01 42 33 58 50
- 12 rue Saint-Antoine, 4ᵉ • Mᵒ Bastille • Tél. 01 42 72 04 28

PARIS JAZZ CORNER   *Rien que du jazz, mais tout le jazz*

5 rue de Navarre (5ᵉ)
Mᵒ Monge
Tél. 01 43 36 78 92
ou 01 43 37 61 80
Fax : 01 43 37 40 05
www.parisjazzcorner.com
Lundi-samedi : 12 h-20 h

Le magasin des connaisseurs... Beaucoup de choix et toutes les tendances. Que ce soit dans la grande boutique ou dans la succursale, au nᵒ 7, baptisée Jazz Ensuite, plus spécialisée dans le blues, la soul, le New Orleans, le jazz vocal et la musique latine, on peut écouter avant d'acheter. Collection complète de Jazz Magazine et de Jazz Hot. CD : à partir de 3 €. Vinyles : à partir de 7 €. Carte de fidélité. **Remise de 5 % avec le guide ou la carte.**

AUTRE ADRESSE
- **Jazz Ensuite** • 7 rue de Navarre, 5ᵉ • Tél. 01 43 37 61 86

6ᵉ ARRONDISSEMENT

BOULINIER   *Musique en tous genres*

20 bd Saint-Michel (6ᵉ)
Mᵒ Saint-Michel ou Cluny
Tél. 01 43 26 90 57
Fax : 01 43 26 20 85
www.boulinier.com
Lundi-jeudi : 9 h-23 h ;
vendredi-samedi : 9 h-24 h ;
dimanche : 14 h-24 h

C'est un supermarché de CD, de vinyles, de BD et de livres d'occasion. On y trouve de tout et parfois à prix vraiment cassés, le tout sur trois étages en plein cœur du quartier latin. CD à partir de 1,52 €, vidéo à partir de 2,50 €, DVD à partir de 6,10 €, vinyles à partir de 0,76 €, BD à partir de 0,76 €, livres à partir de 0,46 €.

LA CHAUMIÈRE À MUSIQUE   *15 000 titres classiques en stock*

5 rue de Vaugirard (6ᵉ)
Mᵒ Odéon
Tél. 01 43 54 07 25

15 000 CD classiques en stock ! On y trouve forcément son compte, neuf ou d'occasion (garantis). On peut également y vendre ses CD (de 1,50 à 6 €).

*Lundi-vendredi : 11 h-20 h ;
samedi : 10 h-20 h ;
dimanche et jours fériés :
14 h-20 h*

Le magasin propose un service de recherche de références épuisées et des envois de listings personnalisés de vente par correspondance. CD de 2 à 12 €. Keith Jarrett à la Scala : 12 €. Savall (Marie Marais) : 10 €. Beethoven (les 5 concertos par Brendel et Rattle) : 34 €. Nouveau : un rayon jazz. **Remise de 15 % avec le guide ou la carte sur le premier achat.**

9e ARRONDISSEMENT

PLUS DE BRUIT !

*35 rue de la Rochefoucauld
(9e)
M° Pigalle ou Saint-
Georges
Tél. 01 49 70 08 70
Mardi-samedi : 11 h-19 h*

Vinyles et CD rock

Petite boutique de quartier qui a ses habitués. On y trouve beaucoup de vinyles, des CD et quelques revues. Tous les styles y sont représentés, mais le patron a une petite préférence pour le rock, et ça se voit : beaucoup de disques des Beatles, des Stones, des Who que vous ne trouverez nulle part ailleurs. CD : 11 €. Vinyles : de 6 à 20 €. DVD musicaux : 15 €. **Remise de 10 % sur les vinyles avec le guide ou la carte.**

11e ARRONDISSEMENT

DISCO PUCES

*102 bd Beaumarchais (11e)
M° Sébastien-Froissart
Tél. 01 43 57 88 55
www.disco-puces.com
Mardi-samedi : 11 h-19 h*

Vinyles tous terrains

Ne jetez pas vos vinyles, achetez-en : d'abord c'est très tendance et en plus il paraît que le son est meilleur… une fois qu'on a enlevé les craquements. Des CD neufs tous styles à prix attrayants (à partir de 7,50 €), mais surtout des vinyles des années 50 à 80, variété, rock, pop et jazz et fonds sonores, à partir de 5 € l'album et de 3 € le 45 tours.

17e ARRONDISSEMENT

MASTER OF ROCK

*7 rue de la Jonquière (17e)
M° Guy-Môquet
Tél. 01 42 63 08 88
http ://masterofrock.free.fr
Mardi-samedi : 12 h-
19 h 30*

Hard et compagnie

Toutes les tendances du hard sont représentées dans cette minuscule boutique bourrée à craquer de CD d'occase vraiment pas chers, de 6 à 13,50 €. Et si vos CD sont encore écoutables, on risque même de vous les reprendre (surtout Metal, Thrash, Death, Black, Progressif) de 3 à 7,50 €. En prime, toute la « bimbeloterie » métal : tee-shirts, vidéos, pin's, pendentifs, etc. DVD de 12 à 16,50 €. **Remise de 5 % (10 % à partir de 150 € d'achat) avec le guide ou la carte.**

18e ARRONDISSEMENT

EXODISC

*70 rue du Mont-Cenis (18e)
M° Jules-Joffrin
Tél. 01 42 23 39 40
Mardi-samedi : 12 h-20 h*

Musiques diverses

Toutes les musiques sauf le classique. Quelques pressages anglais, américains et japonais, des vidéos musicales de concerts et des baquets de soldes. Vinyles en solde : de 0,76 à 3,81 € ; CD en solde : de 3 à 7 € ; CD neufs : de 9 à 16 € ; vidéos musicales : de 12 à 21 €.

LIBRAIRIE PUCE   *SF et blues*

30 rue Bouret (19ᵉ)
Mᵒ Bolivar
Tél. 01 42 40 70 21

Sur fond de blues ou de rock, on peut passer des heures à trouver son bonheur dans cette librairie de quartier bourrée du sol au plafond de bouquins neufs ou d'occasion. Série noire : 5 €. SF (Présence du futur : 6 € ; Ailleurs et demain : 10 €). Collection rouge et or : 5 €. BD : 5 €. Livres de poche : à partir de 2 €. Et si une question vous vient, posez-la au patron : c'est une mine !

BÉDISC ACHAT-VENTE   *15 000 titres*

4 rue des Grands-Champs (20ᵉ)
Mᵒ Nation ou Avron
Tél. 01 40 09 04 05
Fax : 01 43 56 77 94
Lundi-vendredi : 12 h 30-19 h ; samedi : 10 h-19 h

Versons un pleur : Madonna a disparu. Mais les 15 000 titres de CD restent (jazz, blues, reggae, hard, rock, funk, salsa, etc.) bradés jusqu'à 50 % du prix du neuf. Quant aux vinyles, plutôt du genre collectors, ils démarrent à 3 €. Avec en prime, 3 000 BD en rayon. CD d'occasion : de 1,50 à 14 €. 700 DVD à partir de 9 €. **Remise de 10 % avec le guide ou la carte, lors du premier achat, puis carte de fidélité.**

DISC' INTER   *World Music*

2 rue Rasselins (20ᵉ)
Mᵒ Porte-de-Montreuil
Tél. 01 43 73 63 48
Mardi-samedi : 10 h-19 h

Pour les amoureux de la world music, tous les rythmes antillais, africains, latino, haïtiens. CD : de 14 à 19 €. CD d'occasion : 4 €. LP d'occasion : 3 à 4 €.

Instruments, partitions et studios

A Paris, les magasins de musique ne manquent pas et il est parfois difficile, pour un débutant, de débusquer celui qui… celui que… Les guitaristes et batteurs iront flâner à Pigalle, les violonistes rue du Rome : c'est là qu'il y a profusion de petites boutiques de toutes sortes dans chacun des domaines, toutes se valant plus ou moins. N'hésitez pas à en visiter plusieurs avant de faire votre choix. Voici une petite liste d'adresses qui nous paraissent plus intéressantes que les autres, de celles où l'on ne risque pas de vous refiler une guitare classique pour jouer du Jimi Hendrix. Pour la bonne bouche, quelques boutiques de partitions et de studios de répétition.

LA LIBRAIRIE MUSICALE DE PARIS

68 bis rue Réaumur, 3ᵉ • Mᵒ Réaumur-Sébastopol • Tél. 01 40 29 18 18 (classique) ; 01 40 29 18 00 (variétés) • Fax : 01 42 72 77 80 • www.paul-beuscher.com • Mardi-samedi : 10 h 15-19 h

Tout ce qu'il faut pour jouer une fois qu'on a son instrument, dans tous les styles. Méthode pour tous instruments en CD : 17 €. **Remise de 10 % sur les partitions et de 5 % sur les livres avec le guide ou la carte.**

PAUL BEUSCHER

23-29 bd Beaumarchais, 4ᵉ • Mᵒ Bastille • Tél. 01 44 54 36 00 • www.paul-beuscher.com • Lundi : 14 h-19 h ; mardi-samedi : 10 h 15-19 h

Toutes les facettes de la musique. Il y a de tout, à tous les prix. Nouvel espace librairie musicale et espace enfants : tous les instruments d'initiation musicale. **Remise de 10 % (hors promotions) avec le guide ou la carte.** AUTRE ADRESSE. 66 av. de la Motte-Picquet, 15ᵉ, Mᵒ La

Motte-Picquet, Tél. 01 47 34 84 70, mardi-samedi : 10 h 15-19 h.

8e ARRONDISSEMENT

ALOCA LUTHERIE
58 rue de Rome, 8e • M° Europe ou Rome • Tél. 01 42 93 73 56 • www.romeinstruments.com • Mardi-samedi : 9 h 30-12 h 30, 13 h 30-18 h 30

Locations et vente d'instruments à cordes à partir de 14 € par mois. A deux pas de là, au 54, « Rome Instruments » vend et répare les instruments à cordes (guitares, mandolines, yukulélés). Promos (en juin 2003) : guitare d'étude Walden : 140 €. Guitare classique Fernandez : 210 €. **Remise de 10 % sur les instruments neufs et les accessoires avec le guide ou la carte**.

INTERNATIONAL PIANOS
48 rue de Rome, 8e • M° Europe • Tél. 01 42 93 75 78 • Lundi-samedi : 10 h-19 h ; dimanche : 14 h-17 h

Pas mal de choix de pianos neufs (à partir de 2 400 €) et d'occasion (à partir de 1 000 €). Piano Yamaha U1 d'occasion : à partir de 3 000 €. Location de studio de travail sur piano à queue : 10 €/h. **Remise de 10 à 30 % avec le guide ou la carte**. AUTRE ADRESSE. 60 rue de Paris (93130 NOISY-LE-SEC), Tél. 01 48 43 44 24.

MUSIKENTROCK
8 rue de Constantinople, 8e • M° Europe • Tél. 01 42 93 56 57 • http ://musikentrock.free.fr • Lundi : 15 h-19 h 30 ; mardi-samedi : 10 h-13 h, 14 h 30-19 h

Tous les instruments en dépôt-vente ou en rachat direct. Piano d'étude récent (occasion) : à partir de 1 350 €. Saxo alto Yamaha : 760 €. Clarinette Buffet E13 : 760 €. Trompette en Si bémol : à partir de 250 €. **Remise de 3 % avec le guide ou la carte**.

9e ARRONDISSEMENT

LA BOÎTE AUX RYTHMES
8 rue Lallier et 29 rue Henri-Monnier, 9e • Tél. 01 48 78 48 16 ou 01 45 26 52 10 • www.la boiteauxrythmes.com

Deux adresses pleines de rythmes. La première s'occupe des batteries, la deuxième des percussions. L'accueil est sympathique, les prix aussi... **Remise de 10 % avec le guide ou la carte**.

CALIFORNIA MUSIC
2, 4, 9 et 11 rue de Douai, 9e • M° Pigalle • Tél. 01 48 74 58 02 • www.californiamusic.fr (occasions seulement) • Mardi-samedi : 10 h-13 h, 14 h-19 h

Un des grands noms du quartier Pigalle, puisqu'il concerne quatre magasins tous dans la même rue. Acoustique, électrique, basse et gauchers (comme Mc Cartney...) : on y trouvera exclusivement des guitares. **Cadeau (jeu de cordes, câble) avec le guide ou la carte**.

EFFECT CENTER
7 rue de Douai, 9e • M° Pigalle • Tél. 01 49 95 98 00 • www.effectcenter.com • Mardi-samedi : 10 h-19 h

Le plus grand choix d'effets en tous genres : Wha-Wha, Chorus, Planger...

LEAD GUITARS
75 rue Jean-Baptiste-Pigalle, 9e • M° Pigalle • Tél. 01 42 81 46 01 • Fax : 01 42 81 46 03 • www.leadguitars.fr • Mardi-samedi : 10 h-13 h, 14 h-19 h

Dépôt-vente de guitares très intéressant. On y trouve de tout, à tous les prix. Fender Stratocaster USA standard occasion : 850 €. Gibson Leo Paul Studio occasion : 900 €. Ampli guitare Marshall VS 100 R occasion : 300 €. Nouveau : un site Internet axé sur l'occasion. **Jeu de cordes offert pour tout achat avec le guide ou la carte**.

MAJOR PIGALLE
3-5 rue Duperré, 9e • M° Pigalle • Tél. 01 48 74 75 24 • www.major-pigalle.com • Mardi-samedi : 10 h-13 h ; 14 h-19 h

Cette boutique propose des harmonicas, des guitares et des saxophones. Neuf et occasion.

OLDIES GUITARES
31 rue Victor-Massé, 9e • M° Pigalle • Tél. 01 42 80 93 66

Des guitares magnifiques, et parfois chères... mais c'est justifié.

OSCAR MUSIC, LIBRAIRIE MUSICALE
19 rue de Douai, 9e • M° Pigalle • Tél. 01 48 74 84 54 • www.oscarmusic.com • Mardi-samedi : 10 h-19 h

Partitions, vidéos pédagogiques, méthodes... pour tous instruments. **Remise de 10 % (sauf vidéos pédagogiques) avec le guide ou la carte**.

10e ARRONDISSEMENT

MAGENTA MUSIC
50 bd Magenta, 10e • M° Gare-de-l'Est ou République • Tél. 01 53 19 04 84 • Mardi-samedi : 11 h-19 h

Petite boutique sympathique qui vend des instruments et des partitions (classiques) pas chères. Guitare classique à partir de 105 €. Revendeur Yamaha, Gibson, Fender et Takamine. **Remise de 10 % sur les partitions et les instruments avec le guide ou la carte**.

STUDIO BLEU
7-9 rue des Petites-Écuries, 10e • M° Château-d'Eau • Tél. 01 45 23 16 03 • www.studiobleu.com • Tous les jours : 10 h-24 h

Studio très sympa pour répéter ou même enregistrer. De 5 à 23 € l'heure. Également location d'instruments et de backline. **Remise de 10 % avec le guide ou la carte.**

13e ARRONDISSEMENT

COPIE CONFORME
47 rue du Château-des-Rentiers, 13e • M° Porte-d'Ivry • Tél. 01 45 85 02 20

Bonne adresse pour faire dupliquer ses démos au meilleur tarif : 100 CD à partir de 200 € (HT). 200 K7 : 210 € (HT).

14e ARRONDISSEMENT

LES ACCORDEURS ARTISANS AVEUGLES
5 rue Louis-Morard, 14e • M° Alésia • Tél. 01 45 43 54 80 • Lundi-vendredi : 18 h-20 h

Ils ont l'oreille de Mozart et ne prennent que 80 € pour accorder votre piano (sur Paris). **Remise de 10 % avec le guide ou la carte.**

16e ARRONDISSEMENT

PIANOS BALLERON
14-16 rue Jean-Bologne, 16e • M° Passy-La Muette • Tél. 01 46 47 93 12 • Fax : 01 40 50 11 07 • www.pianos.fr • Lundi-vendredi : 10 h-19 h ; samedi : sur rendez-vous

Réparation, accordage (80 €), vente de pianos restaurés. **Remise de 10 % sur les accords avec le guide ou la carte.**

19e ARRONDISSEMENT

MAESTRO
9 av. du Nouveau-Conservatoire, 19e • M° Porte-de-Pantin • Tél. 01 42 49 08 08 • www.maestromusique.fr • Lundi-samedi : 8 h 30-19 h

Partitions, accessoires livres... classiques. **Remise de 10 % avec le guide ou la carte.**

WOODWIND AND BRASSWIND
11-15 av. du Nouveau-Conservatoire, 19e • M° Porte-de-Pantin • Tél. 0 800 95 96 63 • Fax : 01 42 01 24 45 • www.woodbrass.com • Lundi : 14 h-20 h ; mardi-vendredi : 11 h-20 h ; samedi : 10 h-19 h

Tous les instruments à vent classiques et jazz, en neuf ou en occasion. Un choix énorme.

20e ARRONDISSEMENT

CENTRE CHOPIN
175 rue des Pyrénées, 20e • M° Gambetta • Tél. 01 43 58 05 45 • www.centre-chopin.com • Mardi-samedi : 10 h-19 h

Dépôt-vente de 200 à 250 pianos d'occasion garantis 5 ans (Steinway, Yamaha, Petrof, Pleyel, Kawai). Également accordage et réparations, ainsi que vente de guitares. AUTRE ADRESSE. 6/10 rue des Quatre-Cheminées, 92100 BOULOGNE, Tél. 01 46 10 44 77.

LIBERTY ROCK STUDIO
8 rue des Rasselins, 20e • M° Porte-de-Montreuil • Tél. 01 43 70 93 44 ou 01 43 70 54 14 • www.libertyrock.com • Tous les jours : 11 h-2 h

Studio de répétition et d'enregistrement de 11 à 19 € l'heure. **Première heure gratuite (minimum 3 heures) sur la première séance avec le guide ou la carte.** Également des concerts tous les 15 jours : 5 €.

92 HAUTS-DE-SEINE

PIANO CENTER
71 rue de l'Aigle • 92250 LA GARENNE-CO-LOMBES-LA DÉFENSE • Tél. 01 42 42 26 30 • Fax : 01 47 86 26 29 • www.pianocenter.fr

L'inventeur du piano silencieux, mais il en vend aussi des classiques... Pianos à partir de 1 500 €. Invitation gratuite, sur simple demande, pour le Salon du Piano. **Remise de 15 à 20 % (selon les marques) plus siège de piano offert avec le guide ou la carte.**

94 VAL-DE-MARNE

ARPÈGES
41 Grande Rue Charles-de-Gaulle • 94130 NO-GENT-SUR-MARNE • RER A, Nogent-sur-Marne • Tél. 01 48 73 54 25 • Mardi-samedi : 10 h 30-12 h 30, 15 h 30-19 h

Énorme choix de guitares, amplis et quelques batteries dans cette petite boutique banlieusarde. Le patron prétend que son magasin est le moins cher de France. A vous de le vérifier...

PIANOFORTE
5 rue Jeanne-d'Arc • 94160 SAINT-MANDÉ • Tél. 01 43 65 13 34 • www.pianoforte-france.com • Sur rendez-vous

Accords, restauration, vente et location de pianos (Yamaha, Seiler, Petrof). Service concert Steinway. **Remise de 10 % sur les prix affichés avec le guide ou la carte.**

Livres et librairies

2e ARRONDISSEMENT

LIBRIA
76 passage Choiseul, 2e • M° 4-Septembre ou
Opéra • Tél. 01 42 97 51 98/99 • Fax : 01 47
03 41 73 • www.libria.fr • Lundi-samedi : 10 h-
19 h

Grand choix de livres neufs et d'occasion, on y
trouve beaucoup de livres de photos, d'arts, de
mode... Également de nombreuses vidéos et des
CD. DVD neufs : à partir de 10 €. Livres neufs à
moitié prix. Recherche de livres épuisés. Possibilité de commander sur Internet.

4e ARRONDISSEMENT

CULTURE
17 bis rue Pavée, 4e • M° Saint-Paul • Tél. 01 48
87 78 17 • Tous les jours : 10 h-19 h 30

Boutique gigantesque, construite sur un sol
pavé : le temple de la culture. 3 étages, tous les
styles, des affiches, des cartes postales, des BD...
et le tout à prix cassés, jusqu'à -50 % (et plus
parfois...) et, comme promis, « ouvert demain »
toute l'année (sauf le 1er mai...). AUTRES ADRES-
SES. Équipement de la Pensée, 7 bd Bonne-Nouvelle, 2e, M° Bonne-Nouvelle, Tél. 01 42 33 69
27, lundi-samedi : 9 h-19 h 30, dimanche :
10 h-19 h 30. Plus petite que sa grande sœur,
mais autant de charme. – Mona Lisait, 9 rue
Saint-Martin, 4e, M° Châtelet, 39 rue Jussieu, 5e,
M° Jussieu. Boutiques spécialisées dans les livres
grands formats : art, photographie...

5e ARRONDISSEMENT

LIBRAIRIE MR
4 rue des Écoles, 5e • M° Jussieu ou Cardinal-
Lemoine • Tél. 01 43 54 00 41 • www.mapage.
noos.fr/librairie.mr • Lundi-samedi : 10 h-19 h,
nocturne le jeudi jusqu'à 20 h

Librairie sur deux étages où l'on trouve « tous les
livres à prix d'occasion » (excepté les livres scolaires et techniques). Réduction de 40 à 60 %
sur les prix publics.

LE PETIT ZODIAQUE
34 rue des Écoles, 5e • M° Maubert-Mutualité
• Tél. 01 43 26 97 65 • Lundi-vendredi : 10 h-
19 h ; samedi : 13 h-19 h

Un grand choix de livres d'occasion (le plus souvent récents) vendus à prix cassés (jusqu'à
-40 %). L'accueil est adorable.

6e ARRONDISSEMENT

TEA & TATTERED PAGES
24 rue Mayet, 6e • M° Duroc • Tél. 01 40 65 94
35 • Lundi-samedi : 11 h-19 h ; dimanche : 12 h-
18 h

Livres anglais à partir de 2 € (la plupart des romans sont à 5,50 € et les livres pour enfants de
2,50 à 4 €). On peut également les emprunter.
Salon de thé (cinq tables) : grande variété de
thés, bagels et gâteaux anglo-américains.

**Pour obtenir la carte Paris Pas Cher 2004,
reportez-vous à la fin de l'ouvrage,
remplissez le questionnaire
et renvoyez-le à l'adresse suivante :**

**Paris Pas Cher
19 av. Georges-Brassens
94550 Chevilly-Larue**

OPTIQUE, SANTÉ

T'as de beaux yeux, tu sais. Mais pour les garder dans leur splendeur virginale, mieux vaut consulter les opticiens que nous avons sélectionnés. Pendant que vous y êtes, soignez-vous également.

¿ QUE CHERCHEZ-VOUS ?

ACOUSTIQUE
437 FMP Centre d'Acoustique (5e, 78)
441 Audioson (14e, 95)

ÉCOLE D'OPTIQUE
441 Institut Supérieur d'Optique (15e)
442 Lycée Technique d'Optométrie (91)

INSTRUMENTS D'OPTIQUE
440 Optique Sellier Fils (10e)

MATÉRIEL MÉDICAL
440 Inter Praticiens (12e)

MÉNOPAUSE, ANDROLOGIE
437 Centre de

Traitement de la Ménopause et de l'Andropause (5e)

OPTIQUE
438 Visualis Optique Jourdan (1er, 6e, 8e)
437 Optique Clavel (4e)
437 Optique Juge (4e)
437 Latin Optique (5e)
438 Luxembourg Optique (5e)
439 Paris Optical (5e)
439 Europe Vision (8e)
438 Difop Optique (9e)
439 Isambert (9e)
439 Transparence Optique (9e)
439 Médicavision (10e)
440 Optique Sellier Fils (10e)

440 La Générale d'Optique (11e)
441 Tati Optic (13e, 14e, 17e, 18e, 19e, 20e, 92)
438 Clairoptic (14e)
439 Aquavision (19e)
442 L'Optique Carrefour (77, 78, 91, 92, 93, 94)
441 Centrale d'Achat d'Optique Pierre Leman (78)
442 Millenium Optic (92)
443 *Quelques conseils à l'œil*

VACCINATION
440 Centres de Vaccination (13e)

VOIR AUSSI
328 « Gratuit - Santé »

OPTIQUE CLAVEL

66 rue Saint-Antoine (4ᵉ)
Mº Saint-Paul ou Bastille
Tél. 01 42 72 66 80
Fax : 01 42 72 42 69
*Lundi : 14 h-19 h ; mardi-
vendredi : 9 h 30-19 h 30 ;
samedi : 10 h-19 h*

Vos yeux dans de bonnes mains

Ce très sérieux opticien propose un grand choix de montures de grande marque, en corne véritable ou encore de créateur. Forfait solaire (de mars à septembre) : 51.83 € pour des unifocaux, 149.40 € pour des progressifs. Lentilles « Focus Dailies » : 24,50 € la boîte de trente ; « Acuvue 2 » : 28 € la boîte de six. Un large choix de montures solaires à partir de 30 €. En septembre et octobre les enfants auront droit à un forfait verres unifocaux durcis à 50 €. **Réduction de 20 % sur les montures optiques, les verres et les montures solaires (sauf Vuarnet et Rayban) avec le guide ou la carte.**

OPTIQUE JUGE

46 rue des Archives (4ᵉ)
Mº Rambuteau
Tél. 01 48 87 79 54
Fax : 01 48 87 18 30
*Lundi-vendredi : 9 h-19 h ;
samedi : 9 h-12 h 30,
13 h 30-19 h*

Les Juge vous ont à l'œil

Une petite myopie s'annonce ? Pas grave, avec une paire de verres organiques à partir de 19 € le verre et la monture la moins chère à partir de 61 €. Verres progressifs Esiilor Panamic organiques durcis à partir de 138 €. Un grand choix de montures de grande marque : Chanel, Gucci, Mikli, Starck, Jullien, Charmant, etc. Mais aussi les montures Harry Potter pour les enfants. **Remise de 10 % avec le guide ou la carte.**

CENTRE DE TRAITEMENT DE LA MÉNOPAUSE ET DE L'ANDROPAUSE

24 rue Saint-Victor (5ᵉ)
Mº Maubert-Mutualité
Tél. 01 40 46 10 49
www.fmp.fr

Rester jeune grâce aux hormones de substitution, c'est ce qu'on peut espérer après une batterie d'examens sérieux dans ce centre. Prendre rendez-vous.
– Lundi-jeudi : 8 h 30-19 h ; vendredi : 8 h 30-17 h.

FMP CENTRE D'ACOUSTIQUE

18 rue Monge (5ᵉ)
Mº Maubert-Mutualité
ou Cardinal-Lemoine
Tél. 01 40 46 11 39
www.fmp.fr
Lundi-vendredi : 9 h-19 h

Appareils auditifs

Ce centre propose, après examen audiologique, un choix important d'appareils auditifs 20 à 30 % moins chers. FMP assure le service après-vente et les mutualistes y bénéficient du tiers payant.

AUTRES ADRESSES

■ 34 av. de la République • 78200 MANTES-LA-JOLIE • Tél. 01 34 77 45 45 • Du mardi au samedi, sur rendez-vous exclusivement.
■ 6 rue René-Brulay • 78300 SARTROUVILLE • Tél. 01 39 15 89 60 • Mardi et samedi sur rendez-vous exclusivement.

LATIN OPTIQUE

31 bd Saint-Michel (5ᵉ)
Mº Cluny-la-Sorbone
Tèl. 01 43 54 74 83
Mardi-samedi : 10 h-19 h

Montures artisanales

C'est le seul magasin à Paris qui propose des montures artisanales. Vous pourrez donc choisir la forme ainsi que la couleur de votre monture pour seulement 105 € (s'il s'agit de montures en acétate exclusivement). Vous pourrez aussi acheter une monture Mikli, Armani, Calvin Klein, Gucci, Face à Face,

Prada, Chanel ou encore une solaire Ray-Ban à prix réduit. Pour les étudiants : forfait à 45 € montures + verres. Lentilles et produits lentilles à prix réduits. **De 10 à 20 % de réduction avec le guide ou la carte (hors forfaits et promotions).**

LUXEMBOURG OPTIQUE

51 bd Saint-Michel (5ᵉ)
Mᵒ Cluny-la-Sorbone ou
RER B, Luxembourg
Tél. 01 43 54 24 07
Lundi : 14 h-19 h ; mardi-samedi : 10 h-19 h

Vision branchée

Accueil charmant à cent mètres de la Sorbonne où cette petite boutique propose des lunettes de grandes marques à petits prix : Armani à partir de 65 €, Oko by Oko à partir de 60 €, Ralph Lauren à partir de 99 €, Gucci solaire à partir de 99 €. Une gamme importante de montures optiques à la mode à seulement 38 €. Vous pourrez aussi vous offrir une monture en titane à partir de 90 €. Possibilité de tiers payant ou de paiement en trois fois sans frais. **Avec le guide ou la carte : remise de 45 % sur les montures (sauf prix nets) et verres optiques, de 25 % sur les solaires et les lentilles (prix discount sur les produits pour les lentilles et les lentilles jetables), et cadeau de bienvenue.**

AUTRE ADRESSE
■ **Clairoptic** • 63 av. du Général-Leclerc, 14ᵉ • Mᵒ Alésia • Tél. 01 43 22 79 79 • Mardi-samedi : 10 h-13 h, 14 h-19 h

8ᵉ ARRONDISSEMENT

VISUALIS OPTIQUE JOURDAN

9 rue du Chevalier-Saint-Georges (8ᵉ)
Mᵒ Madeleine
Tél. 01 42 60 27 10
Lundi-samedi : 10 h-19 h

Fréquenté par le gratin de la mode... et pas cher du tout

A deux pas de la Madeleine, cet opticien propose des montures de grandes marques de prêt-à-porter qu'il cède à prix réduit de 30 % (Prada, Starck, Chanel, Mikli, Céline, etc.). Pour tout achat de monture, des verres traités super anti-reflet durci (+/-4 Cyl 2) sont offerts (dans ce cas il n'y a pas de réduction sur la monture). Possibilité de paiement en trois fois sans frais ou après remboursement mutuelle. Déplacement à domicile gratuit. Tiers payant pour toutes les mutuelles. **Ces conditions particulières sont réservées à nos lecteurs (avec le guide ou la carte).**

AUTRES ADRESSES
■ 175 rue Saint-Honoré, 1ᵉʳ • Mᵒ Palais-Royal-Musée-du-Louvre ou Pyramides • Tél. 01 42 60 60 44 • Lundi-samedi : 10 h-19 h
■ 22 rue Saint-André-des-Arts, 6ᵉ • Mᵒ Saint-Michel • Tél. 01 40 51 84 85 • Lundi-samedi : 10 h-19 h

9ᵉ ARRONDISSEMENT

DIFOP OPTIQUE

60 rue Lafayette (9ᵉ)
Mᵒ Cadet
Tél. 01 47 70 41 50
Lundi-vendredi : 10 h-19 h ; samedi : 10 h-13 h, 14 h 30-18 h 30

Beau et pas cher

A cinq minutes des Galeries Lafayette, Difop Optique dévoile de distinguées montures, aux griffes de grands couturiers (Versace, Gucci, Chanel, Mugler, Mikli, etc.). Elles sont vendues sans tapage à petits prix (montures pour vision de loin ou de près à partir de 45 €. Verres progressifs à partir de 90 €) après avoir été adaptées avec précision à l'œil et au nez des demandeurs. Possibilité de tiers payant. En cas d'urgence, on peut avoir ses lunettes dans la journée. **Avec le guide ou la carte, remise de**

45 % (sauf prix net) sur montures optiques et verres. Remises de 25 % sur lunettes solaires et lentilles non « jetables ». Prix discount sur lentilles jetables et produits pour lentilles. Forfaits CMU acceptés. Cadeau de bienvenue à nos lecteurs.

AUTRES ADRESSES
- **Paris Optical** • 5 quai Saint-Michel, 5ᵉ • Mᵒ Saint-Michel • Tél. 01 43 26 22 93 • Lundi : 14 h 30-19 h ; mardi-samedi : 9 h 30-19 h
- **Europe Vision** • 27 rue d'Amsterdam, 8ᵉ • Mᵒ Liège • Tél. 01 44 53 03 33 • Lundi-vendredi : 10 h-19 h ; samedi : 10 h-13 h, 14 h-18 h

ISAMBERT

Jolies montures de tous styles

93 rue Saint-Lazare (9ᵉ)
Mᵒ Trinité
Tél. 01 48 74 11 36
Lundi-samedi : 10 h-19 h

Dans un joli magasin, des montures originales de créateurs à prix réduit. Promotions tournantes sur les lentilles jetables et produits d'entretien. Mais aussi tout type de loupe et des jumelles à partir de 15 €. **Avec le guide ou la carte : remise de 30 % sur les montures et verres optiques et 20 % sur les solaires.**

TRANSPARENCE OPTIQUE

Montures dégriffées

20 rue des Martyrs (9ᵉ)
Mᵒ Notre-Dame-de-Lorette
Tél. 01 40 16 95 98
Lundi : 12 h-19 h ; mardi-samedi : 9 h 30-19 h

Cet élégant magasin d'optique pratique des prix dégriffés (tiers payant avec les mutuelles) sur des montures signées Armani, Essilor, etc. Deux verres pour des lunettes d'enfant valent 28 €. Pour des lunettes d'adultes comptez 44 €. Et, lorsque le temps sera venu d'adopter des verres progressifs, ils vous seront facturés 134 €. **Avec le guide ou la carte, remise de 40 % sur les montures optiques (-20 % sur les montures créateurs « en tiroirs »), -40 % sur les verres optiques (sauf les forfaits), -20 % sur les lentilles de contact, -25 % sur les lunettes de soleil.**

10ᵉ ARRONDISSEMENT

MÉDICAVISION

Contactologue, produits pas chers, belles montures

6 rue Saint-Vincent-de-Paul (10ᵉ)
Mᵒ Gare-du-Nord
ou Poissonnière
Tél. 01 48 74 64 59
Lundi-jeudi : 10 h-18 h 30 ; vendredi : 10 h-16 h 30

Les Rolls des lentilles sont fabriquées ici par un contactologue fort d'une expérience de 30 ans. Il adapte et vend ses lentilles progressives sur mesure. Il est la providence de nous autres taupes ne supportant pas les lentilles jetables car il peut exécuter les lentilles souples ou rigides sur mesure dans son atelier au prix le plus bas sur le marché. Les lentilles industrielles et les produits d'entretien sont vendus à des prix très compétitifs : multifonction, 7 € le flacon de 380 ml, pack 6 mois lentilles + produit 61 €, oxydant avec comprimés 10 €, oxydant avec disque 10 € le flacon. **Remise minimum de 20 % aux lecteurs sur montures et verres en fonction des produits et sur présentation du guide ou de la carte. Lentille Progress à 380 € pour les lecteurs au lieu de 534 €.**

AUTRE ADRESSE
- **Aquavision** • 92 av. de Flandre, 19ᵉ • Mᵒ Crimée • Tél. 01 46 07 80 03 • Lundi : 14 h 30-19 h ; mardi-samedi : 10 h-13 h 30, 14 h-19 h • Propose des montures de grands couturiers : Prada, Versace, Gucci, etc.

OPTIQUE SELLIER FILS

39 rue de Dunkerque (10ᵉ)
Mᵒ Gare-du-Nord
Tél. 01 45 26 78 55
www.optiquesellier.com
*Mardi-vendredi : 9 h 30-
13 h, 14 h-19 h ; samedi :
10 h-13 h, 14 h-18 h*

Optique et astronomie

Si l'on rencontre ici des lunettes et des verres de contact à prix tout à fait abordables (montures non griffées à partir de 30 €, lunettes enfants Winnie l'ourson à 75 €, lentilles de couleur à 22 €, paire de verres progressifs à partir de 150 €), il y a aussi une part importante d'instuments d'optique : jumelles, longues-vues, téléscopes, microscopes, loupes, lunettes à infra-rouge... aux prix les plus bas (lunette astronomique Paralux 5078, 60-800, à 158 €, jumelles 8 × 21 Eagle à 29 €). Passionné d'astronomie, M. Sellier donne de précieux conseils aux amateurs. **Remise de 10 % sur instruments d'optique et météo avec le guide ou la carte (5 à 10 % pour les marques Meade, Zeiss, Swarovski, Nikon et Leica). Remise de 15 % sur montures et verres de lunettes.**

11ᵉ ARRONDISSEMENT

LA GÉNÉRALE D'OPTIQUE

90 av. Ledru-Rollin
ou 109 rue du Faubourg-
Saint-Antoine (11ᵉ)
Mᵒ Ledru-Rollin
Tél. 01 43 38 83 09
ou 0 825 34 9000
(adresses des autres
magasins, nombreux
à Paris)
Lundi-samedi : 10 h-19 h 30

Travail sérieux à petit prix

Pour les tout juste miros, les verres + monture sont à partir de 59 €. Les plus atteints ajouteront 60 € afin d'avoir des verres amincis. Les options sont à petit prix : traitement durci (protège des rayures) : 25 € ; durci + anti-reflet : 65 € ; progressifs first : 125 € ; progressifs Précisia (dernière génération) : 185 €. Au moment de notre passage, une solaire (avec ou sans verres correcteurs) était offerte pour un équipement optique acheté. Le contrat d'adaptation aux verres progressifs est gratuit.

12ᵉ ARRONDISSEMENT

INTER PRATICIENS

27 rue de Picpus (12ᵉ)
Mᵒ Nation
Tél. 01 43 43 32 14
*Lundi-vendredi : 9 h 30-
12 h 30, 14 h-18 h 30*

Matériel médical et d'incontinence

Ce magasin dirigé par un charmant kiné permettra une hospitalisation à domicile confortable et pas chère. Les prix sont de 10 à 30 % plus bas qu'ailleurs sur le matériel. Très large gamme de protections pour incontinents de très bonne qualité à prix enfin abordable.

13ᵉ ARRONDISSEMENT

CENTRES DE VACCINATION

13 rue Charles-Bertheau
Consultation Voyageurs
(13ᵉ)
Mᵒ Maison-Blanche
Tél. 01 44 97 86 80
(liste des centres)
01 45 82 50 00

Vaccinations gratuites

On se fera piquer au vif dans dix centres de vaccination parisiens. Toutes les vaccinations obligatoires sont gratuites. Les voyageurs devront payer et s'adresser à la Consultation Voyageurs (adresse ci-contre) qui les protégera contre la fièvre jaune, les hépatites A et B, la rage, la méningite A + C, la typhoïde, etc. Bon voyage... – Sur rendez-vous pour les vaccins obligatoires. Sans rendez-vous le mardi après-midi et le mercredi toute la journée pour les voyageurs.

14e ARRONDISSEMENT

AUDIOSON
Audioprothèse pas chère

12 av. Jean-Moulin (14e)
M° Alésia
Tél. 01 40 44 55 32
*Lundi-vendredi : 10 h 30-
12 h 30, 14 h-18 h 30 ;
samedi sur rendez-vous*

Ce nouveau magasin a pour vocation d'être le moins cher de Paris et de la région parisienne. La qualité est au rendez-vous, car le matériel d'audioprothèse doit être homologué par la Sécurité sociale. Vous pourrez choisir parmi toutes les marques du marché. Les clients ont droit à quinze jours d'essai et à un mois pour être satisfaits ou remboursés. Possibilité de déplacement à domicile sur Paris intra-muros. Appareils numériques à partir de 1 100 €. 4,88 € les six piles. **8 % de réduction supplémentaire avec le guide ou la carte.**

AUTRE ADRESSE
- 7 rue Cristino-Garcia • 95600 EAUBONNE • Tél. 01 39 59 06 63 • Mardi-samedi : 9 h 30-12 h 30, 14 h-18 h 30

15e ARRONDISSEMENT

INSTITUT SUPÉRIEUR D'OPTIQUE
Aux mains des élèves

45 rue de Lourmel (15e)
M° Dupleix ou Emile-Zola
Tél. 01 53 95 29 29
Sur rendez-vous uniquement

Sous la surveillance de leur professeur, un groupe de quatre élèves au maximum s'occupera avec soin de vos yeux. Il faudra être patient, mais cela vaut le coup car le magasin propose de très belles montures à presque 50 % moins cher qu'ailleurs. Possibilité de CMU (couverture médicale universelle).

17e ARRONDISSEMENT

TATI OPTIC
Les lunettes les moins chères

5 place Tristan-Bernard
(17e)
M° Ternes
Tél. 01 58 05 05 61
0 800 55 10 10
(liste des magasins)
tati-optic.fr
Lundi-samedi : 10 h-19 h

Chez Tati, on habille les corps pour presque rien, et les yeux presque à l'œil : montures à la mode à partir de 10 €. Forfait montures + verres enfant à partir de 59,90 €. Forfait adulte : 99,90 €. Avec des verres progressifs : 149,90 €. **Un étui à lunettes offert avec le guide ou la carte.**

AUTRES ADRESSES
- Centre Commercial Italie 2, 30 av. d'Italie, 13e • M° Place-d'Italie • Tél. 01 53 80 46 35
- Centre Commercial Gaîté, 80 av. du Maine, 14e • M° Gaîté • Tél. 01 56 80 10 45
- 76 av. de Clichy, 17e • M° Brochant • Tél. 01 53 04 09 65
- 11 rue Belhomme, 18e • M° Barbès-Rochechouart • Tél. 01 55 79 95 00
- 133 av. de Flandre, 19e • M° Crimée • Tél. 01 40 05 13 12
- 200 rue des Pyrénées, 20e • M° Gambetta • Tél. 01 44 62 60 41
- 30 bd Jean-Jaurès • 92100 BOULOGNE-BILLANCOURT • M° Boulogne-Jean Jaurès • Tel. 01 55 60 14 70

78 YVELINES

CENTRALE D'ACHAT D'OPTIQUE PIERRE LEMAN
Petits prix

8 bis rue du 11-Novembre
78300 POISSY
RER A, Poissy
Tél. 01 30 74 18 66
Fax : 01 30 65 30 49
*Mardi-samedi : 10 h-13 h,
14 h 30-19 h*

L'accueil est aimable et les prix réduits. Les équipements sont vendus à prix forfaitaires économiques (monture + verres). Comptez 60 à 125 € pour les enfants. Les forfaits adultes commencent à partir de 76 € et les forfaits progressifs à partir de 176 € ! De quoi voir la vie en rose. **La carte Molto (10 % de remise sur les forfaits, une seconde**

paire offerte pour l'achat d'un premier équipement et un an de prolongation des garanties) est offerte avec le guide ou la carte.

AUTRE ADRESSE
- 19 av. du Général-de-Gaulle • 78600 MAISONS-LAFFITE • RER A, Maisons-Laffitte • Tél. 01 34 93 47 07 • Mardi-samedi : 10 h-13 h, 14 h 30-19 h 30

91	ESSONNE

LYCÉE TECHNIQUE D'OPTOMÉTRIE   *Sans TVA*

134 route de Chartres
91440 BURES-
SUR-YVETTES
25 km de la Porte
d'Orléans (A6 + A10)
Tél. 01 64 86 12 18
Sur rendez-vous uniquement

Dans ce magasin intégré à l'école, vous confierez vos yeux aux élèves sous le regard attentif de leurs professeurs. Les montures proposées sont de marque et vous ne payerez pas la TVA. On pourra aussi vous proposer un examen de vue optométrique gratuit. Prévoir 1 h 30 pour le choix de la monture, des verres et l'examen de vue.

92	HAUTS-DE-SEINE

MILLENIUM OPTIC   *Très bon rapport qualité-prix*

223 bd Jean-Jaurès
92100 BOULOGNE
M° Marcel-Sembat
Tél. 01 46 08 13 13
*Mardi-samedi : 10 h-12 h ;
14 h-19 h et sur rendez-vous
du lundi au samedi : 8 h-
21 h*

Dans ce magasin le client bénéficie de deux options au choix en fonction de ce qui est le plus avantageux pour lui. Soit il bénéficie de 50 % de réduction sur son équipement (monture + verres), soit, pour une paire de lunettes achetée, on lui offre une deuxième paire à un prix équivalent à la première à choisir dans tout le magasin. La paire offerte peut être destinée à son conjoint ou à un ami. Réduction de 25 % sur les lentilles. **Tous ces avantages sont offerts aux lecteurs avec le guide ou la carte.**

94	VAL-DE-MARNE

L'OPTIQUE CARREFOUR   *En grande surface*

Centre Commercial Pince-
Vent
Route de Provins
94490 ORMESSON
Tél. 01 49 62 26 83
www.stores.carrefour.com
*Lundi-samedi : 9 h 30-
20 h 30*

Le grand de la distribution s'est lancé dans l'optique et les petits prix sont au rendez-vous. Montures à partir de 39 €. Vous pourrez vous offrir une monture en titane à partir de 90 €. En plus des produits Carrefour, vous trouverez des marques aussi prestigieuses que Armani, Façonnable, Oliver by Valentino, Christian Dior, Gucci, etc. Les verres sont de qualité puisqu'il s'agit de American Optical et de Essilor. Une paire de verres organiques à partir de 49 €. Pour les plus âgés, les progressifs commencent à partir de 149 € la paire. Attention : les Optique Carrefour n'existent que dans les magasins que nous indiquons.

AUTRES ADRESSES
- Route de Paris, RN 7 • 77190 VILLIERS-EN-BIÈRE • Tél. 01 64 37 00 66 • Lundi-vendredi : 9 h 30-21 h ; samedi : 9 h-20 h 30
- Route de Paris, RN 4 • 77340 PONTAULT-COMBAULT • Tél. 01 64 43 86 86 • Lundi-vendredi : 9 h 30-21 h ; samedi : 9 h-20 h 30
- Centre Commercial Carrefour, Route de Paris - RN 3 • 77410 CLAYE-SOUILLY • Tél. 01 60 26 17 17 • Lundi-vendredi : 9 h 30-21 h ; samedi : 9 h-20 h 30
- Centre Commercial Carrefour, Avenue des Pyramides • 77420 CHAMPS-SUR-MARNE • Tél. 01 60 05 03 49 • Lundi-samedi : 9 h-20 h ; dimanche : 9 h-12 h 30
- Centre Commercial Bel-Air • 78120 RAMBOUILLET • Tél. 01 30 41 11 00 • Lundi-samedi : 9 h-21 h

- Centre Commercial Carrefour-Montesson, 280 avenue Gabriel-Péri • 78360 MONTESSON • Tél. 01 30 86 97 25 • Lundi-vendredi : 9 h-20 h 30 ; samedi : 9 h-20 h
- Centre Commercial du Plateau • 78500 SARTROUVILLE • Tél. 01 39 15 60 60 • Lundi-samedi : 9 h-21 h
- Centre Commercial Agora-Évry 2 • 91000 ÉVRY • Tél. 01 60 77 28 11 • Lundi-vendredi : 10 h-20 h ; samedi : 9 h-20 h
- Centre Commercial Carrefour, 180 RN 7 • 91200 ATHIS-MONS • Tél. 01 60 48 02 04 • Lundi-samedi : 9 h-20 h
- Centre Commercial Carrefour • 91620 LA VILLE-DU-BOIS • Tél. 01 69 80 01 20 • Lundi-samedi : 9 h-20 h
- Centre Commercial Carrefour-Villabe, Route de Villoison • 91813 CORBEIL • Tél. 01 69 11 00 60 • Lundi-vendredi : 9 h-21 h ; samedi : 9 h-20 h
- Centre Commercial Carrefour, 21 rue Louis-Calmel • 92230 GENNEVILLIERS • Tél. 01 40 85 15 15 • Lundi-samedi : 9 h-20 h
- Centre Commercial Beausevran, Route des Petits-Ponts • 93270 SEVRAN • Tél. 01 43 85 16 16 • Lundi-vendredi : 9 h 30-20 h
- Centre Commercial Avenir, 188 rue Stalingrad - RN 186 • 93700 DRANCY • Tél. 01 48 37 90 90 • Lundi-vendredi : 10 h-21 h ; samedi : 9 h 30-21 h

Quelques conseils à l'œil

Pour vous aider à vous y retrouver dans la jungle des opticiens, voici quelques conseils utiles. Avant tout, sachez que la loi oblige les opticiens à vous faire gratuitement un devis détaillé avant tout achat. A bon entendeur...

Choisir ses lunettes

Dans un premier temps, choisissez la monture. Attention ! Ce choix dépend de vos goûts mais aussi de votre morphologie (écartement des pupilles et des tempes...) et de votre défaut visuel. Ce point est souvent oublié par le consommateur ! Le rôle de l'opticien sera donc de vous orienter vers les montures les mieux adaptées à votre cas.

Dans un deuxième temps, choisissez vos verres. Il existe trois matériaux : l'organique, le minéral et le polycarbonate. L'organique est obligatoire pour les enfants et très conseillé aux personnes qui ont tendance à s'asseoir sur leurs lunettes. Le minéral est nettement moins résistant aux chocs, ne convient pas à certains types de montures (percées et nylons), mais se raye beaucoup moins que l'organique. Le polycarbonate est très résistant (il est utilisé dans l'aérospatiale) mais ne convient pas à tous les cas.

A cela s'ajoutent les traitements : durci ou anti-reflet. Le durci est indispensable sur les verres organiques car il protège des rayures. L'anti-reflet fait parfois monter très vite le prix de vos lunettes. Il apporte un gain esthétique – il permet à vos interlocuteurs de mieux voir vos yeux –, mais aussi un gain de confort visuel, surtout pour les personnes qui travaillent longtemps devant un ordinateur. Pour les forts défauts visuels, il est indispensable. Il est déconseillé aux enfants car il a besoin d'être entretenu avec rigueur.

Miros ou fashion victimes ?

Pour les très miros il est conseillé, voire indispensable, de choisir l'option « verre aminci » pour ne pas donner l'impression d'avoir des « culs de bouteille » devant les yeux.

Nos chers presbytes auront le choix entre plusieurs générations de verres. Les verres de dernière génération sont nettement plus confortables et conseillés aux personnes ayant des difficultés à s'adapter aux verres progressifs. Si les verres de première génération sont moins confortables, certaines personnes s'en accommodent très bien : ils sont souvent beaucoup moins chers. Pour une solaire avec verres progressifs, ils sont largement suffisants : on a moins d'activités en vacance, au soleil, que le reste de l'année.

La tendance est aux montures discrètes, ou aux montures plastiques de toutes les couleurs. Le piercing dans le verre est aussi d'actualité. Les solaires appelées « masque », avec des verres à teinte dégradée ou miroités, se voient partout.

Les lunettes sont d'abord fonctionnelles, mais elles sont devenues un accessoire de mode. En espérant que vous y voyiez plus clair, bon shopping !

SERVICES

Les cours de l'huile de coude sont très fluctuants par les temps qui courent. L'euro n'a rien arrangé. Aussi ce chapitre essaie-t-il d'estimer les services à leur plus juste prix.

¿ QUE CHERCHEZ-VOUS ?

 ## A DOMICILE

AIDE MÉNAGÈRE, BABY-SITTING, GARDE DE PERSONNES ÂGÉES
449 Aide aux Mères de Famille (7e)
450 Archipel (9e)
450 Novemploi (11e)
450 Secours Emploi (11e)
450 AIDA - FOSAD (14e)
450 Famille et Cité (14e)
450 Ozanam Services (15e)
450 Coup d'Main (17e)
450 Emploi Daubigny (17e)
450 Ménage Service (19e)
450 Ardeur (92)
277 « Garde et aide aux devoirs »

DÉPANNAGE
448 *Dépannage : attention aux arnaques !*

DÉPANNAGE-ÉLECTRICITÉ
448 ASE Technologie
448 Audiger Talandier

DÉPANNAGE-PLOMBERIE
448 Alain Dory
449 Atelier des Compagnons
449 Aux Artisans Compagnons Parisiens
448 Établissements Delamare
448 Roger Eder
448 Serviconfor

DÉPANNAGE-SERRURERIE
449 Abaval
448 ASC
448 BSC
449 Serrurerie des Buttes-Chaumont
448 Silvera Bernard

NETTOYAGE
450 Delarue Turcat (7e)
450 Lutino (9e)
451 Vitrissimo (14e)
451 Détache et Nettoie (16e)
451 Gavo (16e)
451 À la maison propre (92)

PEINTRES
449 Claude Genini

TRAVAUX DIVERS
449 Abaca
448 Alain Dory
448 ASE Technologie
449 Atelier des Compagnons
448 Audiger Talandier
449 Aux Artisans Compagnons Parisiens
449 Baumann et Malgrange
449 Claude Genini
449 Cotradécor
448 *Dépannage : attention aux arnaques !*

¿ QUE CHERCHEZ-VOUS ?

 ## ARTISANS, réparations

ARGENTERIE
451 EPPE (3ᵉ)
452 Arzat (6ᵉ)
455 Argenterie
Service (92)

COUTELLERIE
452 Coutellerie
Chastel (8ᵉ)

DIVERS
453 AnaNock (12ᵉ)
454 Les Cordistes
Savoyards (12ᵉ)
454 Pièces Uniques
(15ᵉ)
455 Bernard Collard
(91)

**GRAVEURS-
IMPRIMEURS**
456 ITG (2ᵉ)
456 Guy Vigoureux
(10ᵉ)

REMPAILLEURS
454 L'Artisan
Rempailleur (14ᵉ)
454 Le Chaisier (17ᵉ)
455 Dupuis Sièges
(78)
456 Institut Le Val
Mandé (94)

RÉPARATIONS CUIR
452 L'Épée de Cuir
(5ᵉ)
452 Accroc Cuir (11ᵉ)

**RÉPARATIONS
DE PARAPLUIES**
456 Pep's (3ᵉ)

**RÉPARATIONS
ÉLECTROMÉNAGER**
452 Aspi Clinic (8ᵉ)
262 Showroom 2001
(9ᵉ)
453 A-DEM (12ᵉ)
456 Clinic Petit
Électroménager
(12ᵉ)
262 Sirvam (12ᵉ)
455 Patrifab (17ᵉ)

RÉPARATIONS HI-FI
455 Patrifab (17ᵉ)

**RÉPARATIONS
POUSSETTES**
271 Caron Laveille

RÉPARATIONS STYLOS
452 Mora (6ᵉ)

RÉPARATIONS TAPIS
454 Atelier Shahram
(15ᵉ)

**RÉPARATIONS
TÉLÉVISION**
455 Patrifab (17ᵉ)

**RESTAURATEURS
DE MEUBLES**
454 Philippe Gainerie
(12ᵉ)
415 Le Cabriolet (15ᵉ)
456 DL Décoration
(17ᵉ)

**RESTAURATEURS
D'OBJETS D'ART**
451 Daniel Barnola
(3ᵉ)
452 Arzat (6ᵉ)
453 Atelier de
Restauration de
Céramiques (11ᵉ)
453 AnaNock (12ᵉ)
453 Atelier du Temps
Passé (12ᵉ)
456 Atelier Souchet
(17ᵉ)
455 De l'Arbre à Soi
(17ᵉ)
456 Atelier du Chien
de Faïence (20ᵉ)
455 Aux Mains de
Bronze (78)

TAPISSIERS
453 Hervé Massard
(11ᵉ)
455 Dupuis Sièges
(78)

VITRES
451 Aux Ateliers
Vitréclair (1ᵉʳ)

¿ QUE CHERCHEZ-VOUS ?

 DÉMÉNAGEMENT, débarras

**AIDE AU
DÉMÉNAGEMENT**
460 HF Plastiques
(11ᵉ)
458 La Boutique du
déménagement
(14ᵉ)
459 Rouffignac (93)
460 *Un calendrier de
déménagement*

DÉBARRAS
457 Paris Infos Mairie
457 Paris Infos
Service (13ᵉ, 15ᵉ,
18ᵉ, 20ᵉ)

457 SOS Débarras
Gauthier

DÉMÉNAGEURS
460 Oudinot Services
(7ᵉ)
458 Transport
Économique (11ᵉ)
461 Déménagements
H-Gauvin (13ᵉ)
459 Torrens (15ᵉ, 91)
458 Déménagements
Boussenot (17ᵉ,
92)
461 Alain Lagache
(91)

459 Demeco-Chenue
(À la Croix de
Lorraine) (92)
459 Art
Déménagements
(93)
460 Déménagements
Pissonnier (94)
459 Déménagements
Vermorel (94)

**PETITS
DÉMÉNAGEMENTS**
458 Transport
Économique (11ᵉ)
458 Météor Courses
(12ᵉ)
460 Sernam (18ᵉ)

**Vous voulez recevoir gratuitement
le prochain Paris Pas Cher ? Signalez-nous,
par courrier, une bonne adresse qui n'y figure pas
ou une erreur qui se serait glissée dans le texte (si, si, ça arrive),
avant le 1ᵉʳ février 2004.**

**Si vous êtes le premier (ou la première) à nous l'avoir signalée,
et que nous la retenons,
vous recevrez un exemplaire du guide 2005,
à paraître en septembre 2004.**

**Paris Pas Cher
19 av. Georges-Brassens
94550 Chevilly-Larue**

¿ QUE CHERCHEZ-VOUS ?

 ## LOCATION

APPAREILS PHOTO
461 Abdon (11ᵉ)

MOTOS, SCOOTERS
462 Auto Moto
Contact Location
(17ᵉ)

OUTILLAGE
461 RS Location
d'Outillage (11ᵉ,
15ᵉ, 18ᵉ, 19ᵉ,
20ᵉ, 94)
462 GK Louer (15ᵉ)

**VÉHICULES
UTILITAIRES**
462 Lou-Eco (95)

VOITURES
461 ADA (8ᵉ)

462 Auto Moto
Contact Location
(17ᵉ)

462 Grande-Armée
automobile (17ᵉ)

462 Lou-Eco (95)

 ## DIVERS

COURSIER
463 LUNGTA

**FORMATION
INFORMATIQUE**
463 Zely Multiservices

PHOTOCOPIES
463 Adom'Club
464 Copy House
463 Copy Time
464 COREP
463 Script Laser
463 Spirale
463 Zely Multiservices

POMPES FUNÈBRES
464 L'Autre Rive
464 Eurobsèques
464 Pompes funèbres
Bertrand

PRESSINGS
464 Clean Discount
464 Harmony
Pressing

**RENSEIGNEMENTS
DIVERS**
465 FEPEM,
Fédération
Régionale des
Particuliers
Employeurs (1ᵉʳ)
465 UFCS (3ᵉ)
465 CCA (9ᵉ)
466 Justice Plus (15ᵉ)
466 AFUB (20ᵉ)
466 CGL,
Confédération
Générale du
Logement (20ᵉ)

466 Maison de la
Médiation (20ᵉ)
465 Divorcé(e)s de
France
466 Ligue des Droits
des Assurés (61)

**SECRÉTARIAT,
COMPTABILITÉ**
463 Zely Multiservices

SÉCURITÉ
465 Aux Forges de
l'Est
464 Protag

TROC
465 Banco'Direct
465 Cash Express
465 Le Sel de Paris

A DOMICILE

Dépannage : attention aux arnaques !

Porte qui claque lorsqu'on est à l'extérieur (et la clé à l'intérieur), siphon bouché qu'on n'arrive pas à démonter, four qui tombe brusquement en panne : que faire quand on n'a pas le génie de la bricole ? Chercher dans l'annuaire ? Aussi aléatoire que de faire appel à l'une de ces officines dont les pubs encombrent nos boîtes aux lettres. Il y en a sûrement d'honnêtes parmi elles, mais comment savoir ? En l'occurrence, rien ne vaut le bouche à oreille : votre voisin ou votre boulanger a sûrement de bonnes adresses à vous susurrer. On pourra également téléphoner à l'une des adresses qui suivent. Elles ont fait leurs preuves et la plupart ont signé une charte avec des associations de consommateurs et des syndicats professionnels en respectant des engagements de qualité, de prix et une garantie d'un mois. Mais n'espérez pas vous en tirer pour quelques sous. Plombiers, électriciens ou serruriers prennent aujourd'hui plus cher qu'un médecin pour venir vous voir. Vous ne vous en tirerez pas à moins de 38 € l'heure de main-d'œuvre, auxquels il faut ajouter entre 15 et 45 € de forfait-déplacement. Et n'oubliez pas : si la TVA est à 5,5 % pour tout ce qui concerne la réparation, l'entretien et les transformations, elle est toujours à 19,60 % pour la construction, les travaux ménagers et l'entretien de nos jardins.

LES PLOMBIERS

SERVICONFOR
7 rue Lacepède, 5e • M° Monge • Tél. 01 45 35 11 11

ÉTABLISSEMENTS DELAMARE
108 bis rue du Cherche-Midi, 6e • M° Vanneau • Tél. 01 45 48 52 49 • Fax : 01 45 48 01 80
Également couverture.

ALAIN DORY
2 rue Lallier, 9e • M° Anvers • Tél. 01 42 80 51 18
Dépannage plomberie et chauffage. Installe également les salles de bains, les cuisines, le chauffage central au gaz, fait le carrelage et la petite maçonnerie. Déplacement : 16, 30 ou 40 € (selon le secteur). Main-d'œuvre : 40 € l'heure.

ROGER EDER
49 rue des Vinaigriers, 10e • M° Jacques-Bonsergent • Tél. 01 42 09 69 18
Également chauffage, couverture et maçonnerie.

LES ÉLECTRICIENS

AUDIGER TALANDIER
5 rue du Marché-Saint-Honoré, 1er • M° Pyramides • Tél. 01 42 61 04 15 • www.audigertalandier.com
Il se penchera également sur vos problèmes de chauffage et d'alarme. Tarif horaire : 43 € (TVA 5,50 % ou 19,60 % non incluses). Atelier : 5 impasse des Peupliers, 94110 Arcueil. Tél. 01 45 47 02 12. **Réduction de 10 % sur les achats en magasin avec le guide ou la carte.**

ASE TECHNOLOGIE
1 rue Jules-Bourdais, 17e • M° Porte-de-Champerret • Tél. 01 47 66 93 93 • www.asetechnologie.com
Électricien maître-artisan. **Remise de 10 % sur les poses d'alarmes avec le guide ou la carte.**

LES SERRURIERS

SILVERA BERNARD
9 rue des Moulins, 1er • M° Pyramides • Tél. 01 42 96 82 32 ou 06 09 46 10 66 • Fax : 01 42 96 82 33
Se dit le meilleur ouvreur de coffres-forts de France. Possible. En tout cas, il ouvre rapidement les portes fermées à clé. Serrures sept points : 381,12 € (TTC). Clés de 3 à 90 €. Verrous de 15 à 121,96 €. **Remise de 10 % avec le guide ou la carte et clés supplémentaires et porte-clés.**

BSC
17 rue de Belzunce, 10e • M° Gare-du-Nord • Tél. 01 42 81 96 19
Blindage de portes, grilles de fenêtres, plaques auto, gravures. Ouverture de porte : 53 €, déplacement compris. Clés plates : 3 €. Gravure BAL une ligne : 6,50 €. **Remise de 10 % avec le guide ou la carte.**

ASC
46 bd Aristide-Briand • 92400 COURBEVOIE • Tél. 01 47 68 91 10 • Fax : 01 43 33 20 14
Ouverture de porte : de 70 à 100 €. **Remise de 5 % avec le guide ou la carte sur les blindages.**

SERRURERIE
DES BUTTES-CHAUMONT
2 rue des Chaufourniers, 19ᵉ • Mᵒ Colonel-Fabien • Tél. 01 42 02 15 67 • Fax : 01 42 02 90 36 • www.serruriebc.com • Lundi-vendredi : 9 h-13 h, 14 h-19 h

Et si l'on veut des serrures trois points ou cinq points, un blindage, des fenêtres PVC, un double vitrage, des volets, des persiennes, les Serruriers des Buttes-Chaumont répondent présents, sans arnaque et sans gonfler les prix. En cas d'urgence, ils interviennent dans l'heure... Ouverture de porte : 80 € (jour), 100 € (nuit). **Remise de 10 % avec le guide ou la carte sur les tarifs hors taxe.**

ABAVAL
3 rue André-Pontier • 94130 NOGENT-SUR-MARNE • RER A, Nogent-sur-Marne • Tél. 01 48 76 55 56 • www.abaval.fr • Lundi-jeudi : 9 h-12 h 30, 14 h 30-17 h 30 ; vendredi : 9 h-12 h 30 (permanence téléphonique le reste du temps)

Blindage de portes et remplacement de serrures toutes marques. Spécialiste du volet roulant. Main-d'œuvre de pose : 35,40 € (TTC). Déplacement : 19,06 € (TTC). **Remise de 10 % avec le guide ou la carte.**

LES GÉNÉRALISTES

BAUMANN ET MALGRANGE
37 rue de la Clef, 5ᵉ • Mᵒ Censier-Daubenton • Tél. 01 45 35 01 45 • Fax : 01 45 35 20 17 • www.baumann&malgrange.com

Rénovation immobilière.

AUX ARTISANS COMPAGNONS
PARISIENS
39 quai de Valmy, 10ᵉ • Mᵒ Jacques-Bonsergent

• Tél. 01 42 40 88 15 • Fax : 01 42 40 88 25
• Lundi-samedi : 9 h-19 h

Plomberie, carrelage et peinture. Tarif horaire : 41 €. Déplacement : 24 €. **Devis et déplacements gratuits avec le guide ou la carte.**

ABACA
99 bd de Charonne, 11ᵉ • Mᵒ Alexandre-Dumas • Tél. 01 55 25 67 67 • Fax : 01 42 08 57 50 • www.artisan-depanneur.com • Tous les jours : 7 h-24 h

Serrurerie, plomberie, chauffage, électricité. Un peu cher, d'après un lecteur.

COTRADÉCOR
26 rue de la Voûte, 12ᵉ • Mᵒ Porte-de-Vincennes • Tél. 01 43 44 03 71 • Fax : 01 43 42 47 29 • Lundi-vendredi : 8 h-18 h 30

Électricité, plomberie, carrelage, maçonnerie, menuiserie et peinture. Tarif horaire : 40 €. Déplacement : de 19 à 35 €. **Remise de 5 % avec le guide ou la carte.**

ATELIER DES COMPAGNONS
121 rue Manin, 19ᵉ • Mᵒ Ourcq • Tél. 01 40 03 04 05 • Fax : 01 40 03 06 15 • Lundi-samedi : 8 h 30-19 h

Plomberie. Déplacement Paris : 23 € HT. Tarif horaire : 37 € HT. Fait également le chauffage et l'électricité. **Devis et déplacement gratuits avec le guide ou la carte.**

CLAUDE GENINI
38 quai des Carrières • 94220 CHARENTON • Mᵒ Charenton-Écoles • Tél. 01 43 76 92 68 • Lundi-vendredi : 9 h-18 h 30

Revêtements, peinture d'intérieur. Déplacement : 30 €. Dégâts des eaux : 70 €. Devis : 80 € (avance sur facture). **Remise de 5 % avec le guide ou la carte.**

Ménage, repassage, bricolage, etc.

Qu'il s'agisse d'aide ménagère, d'assistance aux personnes âgées, de gardes d'enfants, d'aide aux handicapés, de soutien scolaire, de bricolage, de jardinage, voire de déménagement, il y a à Paris et en banlieue de nombreuses associations dont certaines emploient des chômeurs de longue durée, qui peuvent vous venir en aide. Le bureau d'aide sociale de la mairie de votre arrondissement vous fournira une liste d'adresses et vous pourrez également vous y procurer la brochure « Les emplois familiaux » qui recense toutes les associations agréées, à l'exclusion des entreprises d'insertion et des entreprises privées. Celles dont les noms suivent (et dont la plupart, d'ailleurs, sont des associations agréées) méritent toute votre confiance. Les tarifs oscillent entre 10 et 18 € de l'heure (toutes charges comprises, facture à l'appui), mais il y a, dans la plupart des cas, possibilité de prise en charge par la Sécurité sociale, les mutuelles et l'aide sociale. En outre, ces aides donnent droit à une déduction fiscale de 50 % jusqu'à un plafond de 3 380 €.

7ᵉ ARRONDISSEMENT

AIDE AUX MÈRES DE FAMILLE
12 rue Chomel, 7ᵉ • Mᵒ Sèvres-Babylone • Tél.

01 45 48 46 00 • Fax : 01 45 44 54 29 • Lundi-vendredi : 9 h-18 h ; samedi : 9 h-12 h

Aide à domicile, garde de nuit, garde de week-end. Environ 10 € l'heure.

9e ARRONDISSEMENT

ARCHIPEL
26 bd Poissonnière, 9e • M° Grands-Boulevards • Tél. 01 42 46 29 96 • Fax : 01 42 46 94 45
Aide à domicile pour personnes âgées ou dépendantes. E-mail : archidom@aol.com.

11e ARRONDISSEMENT

NOVEMPLOI
59 rue de la Fontaine-au-Roi, 11e • M° Parmentier ou Goncourt • Tél. 01 49 23 84 85
Ménage, repassage, manutention, mise sous pli, peinture, petit bricolage. A partir de 13 € l'heure.

SECOURS EMPLOI
38 rue Godefroy-Cavaignac, 11e • M° Voltaire • Tél. 01 55 25 54 30
Tarif suivant le travail : 11,20 € (ménage) ; 12,30 € (manutention) ; 14 € (peinture ou secrétariat).

14e ARRONDISSEMENT

AIDA - FOSAD
92 bis bd du Montparnasse, 14e • M° Montparnasse • Tél. 01 42 18 16 40 • Fax : 01 42 18 16 45 • Lundi-vendredi : 9 h-12 h
Tarifs horaires. Ménage : 11,70 € ; bricolage : 13,70 € ; vitres : 13,70 €.

FAMILLE ET CITÉ
5 rue Morère, 14e • M° Porte-d'Orléans • Tél. 01 45 39 34 46 • Fax : 01 45 41 73 79 • www.famille-et-cite-asso.fr
Aide à domicile pour les tâches ménagères et pour s'occuper des enfants.

15e ARRONDISSEMENT

OZANAM SERVICES
153 rue de la Croix-Nivert, 15e • M° Félix-Faure • Tél. 01 55 76 98 99 • Fax : 01 55 76 97 59

• Lundi-jeudi : 9 h-12 h 30, 13 h-17 h ; vendredi : 9 h-12 h 30, 13 h 30-17 h
Peinture, petite électricité, aide au déménagement et ménage et repassage. A partir de 13,50 € l'heure.

17e ARRONDISSEMENT

COUP D'MAIN
70 rue Berzélius, 17e • M° Brochant • Tél. 01 46 27 61 00 • Fax : 01 46 27 61 19
Ménage et repassage, peinture, carrelage, dépannage électricité, plomberie, menuiserie, déménagement, saisie informatique et bricolage. De 13 à 19,90 €. AUTRE ADRESSE. 3 rue Tandou, 19e, M° Laumière, Tél. 01 42 08 05 00.

EMPLOI DAUBIGNY
28 rue Daubigny, 17e • M° Wagram • Tél. 01 47 64 47 00
Tarif suivant le travail : 11,20 € (ménage, repassage, vitres), 12,30 € (manutention, travaux de bureau, lessivage) ; 14 € (secrétariat, peinture, bricolage, service de table).

19e ARRONDISSEMENT

MÉNAGE SERVICE
14 rue de Nantes, 19e • M° Crimée • Tél. 01 42 09 99 99 • Fax : 01 42 09 55 35 • www.menageservice.com • Lundi-vendredi : 9 h-12 h 30, 13 h 30-17 h
Ménage, repassage, accompagnement d'enfants. De 13,32 à 13,84 € l'heure.

92 HAUTS-DE-SEINE

ARDEUR
105 rue Thiers • 92100 BOULOGNE • M° Marcel-Sembat • Tél. 01 41 41 02 22
Organisme de réinsertion. Bricolage : 15,20 € l'heure. AUTRES ADRESSES. 3 rue de la Gare, LEVALLOIS-PERRET (92), Tél. 01 47 37 44 00. – 125 av. Achille-Peretti, NEUILLY (92), Tél. 01 47 47 95 10.

Nettoyage and Co

Lorsqu'il s'agit de faire nettoyer ses rideaux, ses tapis, ses canapés, voire ses carreaux, difficile d'en faire un petit paquet et d'amener tout ça chez un spécialiste. C'est plus généralement le spécialiste qui vient à vous. En voici quelques-uns de bon conseil.

7e ARRONDISSEMENT

DELARUE TURCAT
94 rue du Bac, 7e • M° Rue-du-Bac • Tél. 01 45 48 56 74 • Fax : 01 45 48 02 42
Nettoyage de tapis d'Orient. **Remise de 5 % avec le guide ou la carte**.

9e ARRONDISSEMENT

LUTINO
66 rue Rodier, 9e • M° Anvers • Tél. 01 48 78 46 29 • www.lutino.fr
De nombreux services à domicile dont le nettoyage des vitres (33 € en moyenne pour un ap-

partement de 80 m²) et le lessivage de cuisine, de salle de bains, d'huisseries (75 € en moyenne pour une cuisine de 10 m²). **Remise de 10 % avec le guide ou la carte.**

14ᵉ ARRONDISSEMENT

VITRISSIMO
12 rue Édouard-Jacques, 14ᵉ • Mᵒ Pernety • Tél. 01 40 47 50 99 • Fax : 01 40 47 50 69 • www.vitrissimo.com • Lundi-vendredi : 9 h-18 h

Nettoyage de vitres : 22 € l'heure. Également ménage et repassage à domicile : 15 € l'heure. Devis gratuit. **Remise de 10 % avec le guide ou la carte sur le nettoyage de vitres.**

16ᵉ ARRONDISSEMENT

DÉTACHE ET NETTOIE
56 rue du Docteur-Blanche, 16ᵉ • Mᵒ Jasmin • Tél. 01 46 47 75 71 • Fax : 01 46 47 75 21 • www.detachenettoie.com

Nettoyage de moquettes : 6,86 € le m². Canapé deux places : 131,56 €. Rideaux simples : 8,37 € le m². **Remise de 10 % avec le guide ou la carte.**

GAVO
84 rue Michel-Ange, 16ᵉ • Mᵒ Michel-Ange-Molitor • Tél. 01 47 43 11 43 • Fax : 01 47 43 07 68

Devis et déplacement gratuits. Doubles rideaux : 10 € le m² (HT) ; voilages : 4 € le m² (HT) ; stores bateaux : 8,50 € le m² (HT) ; stores marquises : 11,50 € le m² (HT). **Remise de 5 % avec le guide ou la carte.**

92 HAUTS-DE-SEINE

À LA MAISON PROPRE
3 rue Marie-Levasseur • 92500 RUEIL-MALMAISON • 9 km de la Porte Maillot • Tél. 01 30 65 35 38 ou 06 62 81 35 38 • Fax : 01 30 65 35 38

Devis et déplacement gratuits en banlieue ouest et Paris ouest. Canapé deux places : environ 137 €. Fauteuil club : 85 €. Moquette : 6,90 € le m². Tenture murale : 9,15 € le m². Traitement anti-bactérien et anti-acarien des matelas : de 45 à 76 € l'unité. **Remise de 8 % avec le guide ou la carte.**

→ ARTISANS, réparations

1ᵉʳ ARRONDISSEMENT

AUX ATELIERS VITRÉCLAIR
Un carreau de cassé...

5 rue Turbigo (1ᵉʳ)
Mᵒ Étienne-Marcel
Tél. 01 42 36 20 75
Fax : 01 40 95 70 08
www.vitreclair.com
24 h sur 24, 365 jours par an

AUTRE ADRESSE

Devis gratuit. Déplacement dans Paris, dépannage de nuit. 400 × 870 mm : 111 € ; 500 × 2 000 mm : 184 € ; 680 × 2 200 mm : 282 €, fourni, posé et déplacement inclus. **Cadeau à nos lecteurs : un (véritable) couteau suisse.**

■ **Vitréclair** • 36 rue R.-Marcheron • 92170 VANVES • Mᵒ Plateau-de-Vanves • Tél. 01 46 44 46 44 • Fax : 01 40 95 70 08 • Ateliers.

3ᵉ ARRONDISSEMENT

DANIEL BARNOLA
Ébène pour cafetières

25 rue Michel-Le-Comte (atelier dans la cour) (3ᵉ)
Mᵒ Rambuteau
Tél. 01 42 72 77 41
Mardi-vendredi : 9 h-12 h, 14 h-16 h

Le dernier tabletier d'art de Paris. (Précision : un tabletier reproduit à la main des poignées de bois d'ébène et autres bois précieux pour théière, cafetière, etc.). Poignée simple en ébène à partir de 60 €. **Tarif fabricant avec le guide ou la carte.**

EPPE
Doré sur tranche

5 rue Chapon (3ᵉ)
Mᵒ Arts-et-Métiers
ou Rambuteau

Ici, l'on vous réargentera tous vos articles en métal ou dorure, de la cuillère à café jusqu'au plateau. Les prix varient selon la taille de l'objet à réargenter.

Tél. 01 48 87 78 65

Compter 7,60 € pour une petite cuillère ou un manche de couteau. – Fermé du vendredi 12 h au lundi 13 h 30 ; reste de la semaine : 7 h 30-12 h, 13 h 30-18 h.

5e ARRONDISSEMENT

L'ÉPÉE DE CUIR
Sacs et bagages

6 rue de l'Épée-de-bois (5e)
M° Censier-Daubenton
Tél. 01 43 37 61 61
Fax : 01 43 37 61 62
Mardi-samedi : 9 h 30-12 h 30, 14 h-19 h

Au sauvetage des bagages en détresse. Pièces d'origine pour bagages Kipling, Texier, Gérard Henon, Le Tanneur, Delsey, Samsonite, Supérior, Gyl, Bon Voyage, Carlton. Changement de poignée sur sac ou cartable : de 13 à 19 €. Ajout d'une bandoulière sur un sac : de 17 à 25 €. Bracelets-montres : de 6 à 30 €. Délai d'exécution : 24 à 48 heures. **Cadeau avec le guide ou la carte : un stylo ou un briquet.**

6e ARRONDISSEMENT

ARZAT
Réargenture

6 rue Saint-Placide (6e)
M° Saint-Placide
Tél. 01 42 84 20 66
www.arzat.com
Mardi-samedi : 10 h-19 h ; lundi : 14 h-19 h

On y trouve de l'argenterie très bon marché, mais on y va surtout pour faire soigner son argenterie malade, sous les auspices de Marie Garabédian. Restauration : 11 € par fourchette ou cuillère, 10 € par lame de couteau. **Remise de 10 % (et parfois plus) avec le guide ou la carte.**

MORA
Stylos cassés

7 rue de Tournon (6e)
M° Odéon
Tél. 01 43 54 99 19

Toutes réparations de tous les stylos, qu'ils fuient ou que leur plume soit cassée. Prix sur devis. – Lundi-vendredi : 9 h-18 h ; samedi : 13 h-18 h.

8e ARRONDISSEMENT

ASPI CLINIC
Clinique électroménagère

43 rue du Colisée (8e)
M° Saint-Philippe-du-Roule
Tél. 01 43 59 88 99
Fax : 01 45 62 39 22
www.aspi-clinic.com
Lundi-vendredi : 10 h-14 h, 15 h-18 h

Réparations de petits appareils d'électroménager. Vente de pièces détachées et d'accessoires de la cafetière électrique au pèse-bébé, en passant par le fer à repasser ou l'appareil à fondue. De quoi sauver tous les cadeaux de Belle-Maman.

COUTELLERIE CHASTEL
Pour vos couteaux

190 bd Haussman (8e)
M° Saint-Philippe-du-Roule
Tél. et fax 01 45 63 20 59
Lundi : 11 h-18 h 30 ; mardi-vendredi : 10 h-18 h 30

Remise en état des couteaux en ivoire, ébène ou nacre. Chromage de lames. Vente de couteaux. Douze lames chromées : 107 €. Douze lames remplacées : 165 €. **Remise de 5 % sur la coutellerie avec le guide ou la carte.**

11e ARRONDISSEMENT

ACCROC CUIR
Retouches cuir

35 rue de Cotte (11e)
M° Ledru-Rollin
Tél. 01 43 41 95 94
Fax : 01 43 41 02 31
www.accroc-cuir.fr

M. Jean répare vêtements de cuir (et de nylon) de motards (il est retoucheur des marques Cardy, Japauto, Dainesse) et vêtements de cuir « civils ». Il nettoie et recolore aussi les canapés de cuir, répare les gants, met en place les protections coudes, ge-

Lundi-vendredi : 9 h-19 h ;
samedi : 10 h-16 h

noux et épaules, change les doublures, pose gratuitement les pressions. 25 € environ l'accroc. **Remise de 5 à 10 % (selon la prestation) avec le guide ou la carte.**

ATELIER DE RESTAURATION DE CÉRAMIQUES

Reconstituer les vases cassés

173 rue du Faubourg-Saint-
Antoine (11ᵉ)
Mᵒ Faidherbe-Chaligny
Tél. 01 43 42 39 46
atel-rest-ceram@easynet.fr

Restauration de céramiques : faïence, porcelaine, terre cuite, grès, poupées. Céramiques cassées, incomplètes. Également des cours de restauration. Prix sur devis. – Lundi-vendredi : 10 h-18 h, sur rendez-vous.

HERVÉ MASSARD

Artisan tapissier

26 rue de Charonne
dans le passage Lhomme
(11ᵉ)
Mᵒ Ledru-Rollin
Tél. 01 48 05 70 47
ou 06 74 88 32 47
Sur rendez-vous

Les plus grands antiquaires parisiens y font refaire leurs sièges. Hervé Massard travaille avec crins, ressorts, sangles et virtuosité. Retapissage d'un fauteuil Voltaire (hors tissu et galons) à partir de 228 € ; médaillon de fauteuil Louis XVI à partir de 200 €. Curiosité des lieux, des carcasses de sièges, lits et meubles vendus à prix d'usine aux amateurs tapissiers qui souhaitent exercer leurs talents à domicile. Déplacement et devis gratuits. **Remise de 10 % avec le guide ou la carte.**

12ᵉ ARRONDISSEMENT

A-DEM

Électroménager

227 rue Charenton (12ᵉ)
Mᵒ Dugommier
Tél. 01 43 44 56 96
ou 06 12 19 34 36
Fax : 01 43 07 19 15
*Mardi-samedi : 10 h-13 h,
14 h 30-18 h*

Réparation, pièces détachées d'électroménager et conseils gratuits. Forfait banlieue : 53,37 € ; forfait Paris : 47,27 €. Main-d'œuvre : 30 € l'heure. Thermostat frigo : 21,65 €. Machine à laver : à partir de 122 €. **Avec le guide ou la carte : remise de 10 % sur les pièces détachées.**

ANANOCK

Créations et transformations

45 rue Crozatier (12ᵉ)
Mᵒ Reuilly
Tél. 01 43 43 07 33
Mardi-samedi : 14 h-20 h

Qu'il s'agisse de créations sur commande ou de restauration, les mosaïstes, les sculpteurs, les peintres et le créateur de luminaires d'AnaNock sont prêts à examiner toutes vos demandes. Ils proposent également des objets décoratifs divers dans leur boutique. Luminaires : de 300 à 1 500 €. Également restauration d'appartements.

ATELIER DU TEMPS PASSÉ

Redonner vie aux tableaux

5 av. Daumesnil (Viaduc
des Arts) (12ᵉ)
Mᵒ Bastille ou Gare-de-Lyon
Tél. 01 43 07 72 26
www.aaatp.org
*Lundi-vendredi : 10 h-
18 h sur rendez-vous
de préférence ; samedi :
14 h-18 h*

On leur apporte tableaux, peintures de chevalet et objets polychromes, statuettes, paravents, boîtes. Annette Douay et Alix Dumielle diagnostiquent et devisent (gratuitement) puis restaurent. Rentoilage et doublage : à partir de 610 € le m². Cours de restauration de tableaux, de dessin, de copies, histoire de l'art, et physique-chimie appliquée à la restauration.

LES CORDISTES SAVOYARDS
Alpinistes du bâtiment

36 av. de Saint-Mandé
(12ᵉ)
Mᵒ Nation
Tél. 01 46 28 44 45
Fax : 01 49 28 07 03
www.cordistes.com
*Lundi-vendredi : 7 h 30-12 h,
14 h 30-18 h 30*

Ce n'est pas une chorale, mais des montagnards aériens qui s'encordent et procèdent, sans échafaudage, à « un entretien économique des façades ». Ces artistes qui travaillent sans filet sont maçons, couvreurs ou plombiers-zingueurs. Avec des grâces de premiers de cordée, ils « délierrent » un mur, débouchent un tuyau, refont une gouttière, installent une protection antipigeon. Tarifs en fonction du travail. Murs fissurés à consolider : 533 € pour 5 mètres réparés. Remplacement de 20 mètres de descentes pluviales (gouttières verticales) : 1 677 €.

PHILIPPE GAINERIE
Restauration cuirs et tissus

A 63 et 63 bis av. Ledru-
Rollin (12ᵉ)
Mᵒ Ledru-Rollin
Tél. 01 43 43 93 73
Fax : 01 43 43 40 11
*Lundi-vendredi : 9 h 30-
18 h 30*

On se penche ici sur tout objet ou tout meuble, contemporain ou ancien, en cuir ou en tissu (vieux livres, garnitures de bureaux, tables à jeux, fauteuils…). Sous-main : à partir de 84 €. Boîte cartonnier : à partir de 65,55 €. Gainage en cuir patiné, sur mesure, d'un abattant de bureau ancien (60 × 40 cm) : 109 €. **Remise de 10 % avec le guide ou la carte.**

14ᵉ ARRONDISSEMENT

L'ARTISAN REMPAILLEUR
Le dernier des rempailleurs

85 rue Daguerre (14ᵉ)
Mᵒ Denfert-Rochereau
Tél. 01 43 35 41 76
ou 01 43 35 39 00
Fax : 01 43 35 41 76
*Lundi-samedi : 9 h-12 h,
14 h-19 h*

Paris ne recèle plus qu'une poignée de rempailleurs. Celui-ci répare les cannages, le rotin et la corde. Vente de cannage et de paille, de chaises et de fauteuils anciens. Paillage d'une pièce : de 38 € (paillage moderne) à 76 € (ancien). Cannage : de 27 € (moderne) à 76 € (ancien). Compter 7 € de plus pour le cannage renforcé. **Remise de 10 % sur la vente avec le guide ou la carte.**

AUTRE ADRESSE
■ **Le Chaisier** • 10 rue Davy, 17ᵉ • Mᵒ Guy-Môquet ou La Fourche • Tél. 01 42 63 66 82

15ᵉ ARRONDISSEMENT

ATELIER SHAHRAM
Tapis accidentés

36 rue du Laos (15ᵉ)
Mᵒ La Motte-Picquet-
Grenelle ou Cambronne
Tél. 01 45 67 46 67
Lundi-samedi : 9 h-19 h

Sharam Alizadeh répare en douceur les tapis aux franges et aux lisières accidentées (22,87 € le mètre linéaire) et nettoie tous les autres (13,72 € le m²). Quelques tapis chiraz, baktian et kilims à vendre. **Remise de 10 % avec le guide ou la carte (vente, réparation ou nettoyage).**

PIÈCES UNIQUES
Peinture sur lampes, panneaux ou boîtes

10 rue Bouchut (15ᵉ)
Mᵒ Ségur ou Sèvres-
Lecourbe
Tél. et fax 01 47 83 76 56
ou 06 72 99 88 99

De charmantes jeunes personnes redonnent des couleurs à quelques accessoires de notre quotidien, en peignant des assiettes, des pieds de lampe, des plateaux, des services à thé, des boîtes… Et quand le paysage ambiant est décidément trop triste, elles

www.antiquesdeco.com
Lundi-vendredi : 9 h 30-19 h

osent le trompe-l'œil. Paravent : à partir de 380 €. Panneau toile peinte : à partir de 230 €. Abat-jour brodé ou peint à la main : à partir de 53 €. Pied de lampe patiné : à partir de 45 €. **Remise de 10 % avec le guide ou la carte.**

17e ARRONDISSEMENT

DE L'ARBRE À SOI

24 rue Lécluse (17e)
M° Place-de-Clichy
Tél. 01 42 94 70 44
Mardi-samedi : 14 h 30-19 h

Tourneur sur bois

Vous avez une chaise cassée, une commode qui boite : on vous refera la pièce sur un tour à bois pour un minimum de 20 € l'heure. On y trouvera également divers objets d'artisanat en bois qui feront de jolis cadeaux.

PATRIFAB

104 rue des Dames (17e)
M° Villiers ou Rome
Tél. 01 45 22 52 41
Fax : 01 45 22 31 82
Lundi-vendredi : 10 h-20 h

Électroménager, hi-fi, vidéo, téléphone

Réparateur d'appareils électroménagers, de hi-fi, télé, téléphonie et vidéo en 24 heures. Accessoires d'aspirateurs de toutes marques. Devis gratuit. Également distributeur Itinéris-SFR, Bouygues, Canal +, Canal Satellite, TPS, Noos. Réparations garanties un an. **Remise de 15 % avec le guide ou la carte.**

78 YVELINES

AUX MAINS DE BRONZE

13 rue des Ormeteaux
78570 ANDRESY
32 km de la Porte Maillot
(A14)
Tél. 01 39 74 96 64
Sur rendez-vous

Des mains d'or

Lampes, bougeoirs, lustres, statues, régules et bronzes divers retrouveront leur lustre d'antan, seront réparés, complétés, reconstitués, électrifiés, nettoyés par les mains d'or de ces artisans diplômés de l'école Boulle. Devis gratuit.

DUPUIS SIÈGES

11 chemin des Églantines
Route de Pontoise
78740 VAUX-SUR-SEINE
35 km de la Porte Maillot
(N13 + D186 + D190)
Tél. 01 30 91 41 90

Cannage et tapisserie

Cannage et rempaillage naturels et manuels, avec patine à l'ancienne. Tapisserie. Tapisserie d'un fauteuil Voltaire : 275 €. Cannage d'une chaise : à partir de 53 € (paille 61 €). Livraison gratuite en région parisienne à partir de 300 €.

91 ESSONNE

BERNARD COLLARD

5 av. Parmentier
91130 RIS-ORANGIS
20 km de la Porte
d'Orléans (A6 + N7)
Tél. 01 69 06 57 36
Sur rendez-vous

Soigner les couteaux malades

Ce maître-artisan qui soigne les couteaux, change leur manche, leur lame, leur âme qu'il polit à nouveau, restaure également tous les objets qui comportent de l'ivoire, de la nacre, de l'écaille et de la corne, ainsi que les objets et panneaux d'Extrême-Orient sur devis. **Remise de 5 % avec le guide ou la carte.**

92 HAUTS-DE-SEINE

ARGENTERIE SERVICE

78 bd du Maréchal-Joffre
92340 BOURG-LA-REINE

Tout pour le couvert

Réargenture, dorure, étamage, chromage, brunissage, laitonnage, nickelage, affûtage et répara-

RER B, Bourg-la-Reine
Tél. 01 41 13 69 15
www.metonet.com
*Mardi-samedi : 9 h 30-12 h,
14 h 30-19 h*

tions : c'est le grand complet à prix d'ami. Réargenture d'une cuillère : 16 €. Brunissage de douze cuillères de table : 27 €. Orfèvrerie à prix sympa. **Remise de 10 % avec le guide ou la carte sur le brunissage.**

94	VAL-DE-MARNE

INSTITUT LE VAL MANDÉ

7 rue Mongenot
94160 SAINT-MANDÉ
M° Saint-Mandé-Tourelle
Tél. 01 49 57 70 33
Fax : 01 49 57 70 88
www.institut-le-val-mande.fr

Des aveugles cannent et paillent

Ces artisans aveugles rempaillent et cannent les chaises à la main, selon des méthodes traditionnelles. Travail très soigné. Compter de 67 à 90 € pour le cannage du siège d'une chaise et de 71,50 à 94,50 € pour le paillage. Recollage de chaise : de 7 à 10,50 €. – Lundi-jeudi : 9 h-11 h 30, 13 h-16 h 30 ; vendredi : 9 h-11 h 30, 13 h-15 h.

Quelques autres adresses

Trouvailles de dernière minute, bons plans susurrés par nos lecteurs ou découvertes qui méritent une mention sans long développement, voici encore, en vrac, quelques autres adresses de bon conseil.

2ᵉ	ARRONDISSEMENT

ITG
31 bd de Bonne-Nouvelle, 2ᵉ • Tél. 01 42 36 42 41 • Fax : 01 42 36 34 70 • Lundi-vendredi : 9 h-18 h

Cartes de visite, faire-part, invitations. Impression relief, gaufrage, or ou argent relief. Faire-part de mariage ou de naissance. Cent cartes de visite en impression noire sur bristol 320 g : 32 €.

3ᵉ	ARRONDISSEMENT

PEP'S
223 rue Saint-Martin, 3ᵉ • M° Réaumur-Sébastopol • Tél. 01 42 78 11 67 • Lundi : 9 h-19 h ; mardi-vendredi : 13 h 30-18 h 30

Réparation de parapluies et parasols, restauration d'ombrelles anciennes.

10ᵉ	ARRONDISSEMENT

GUY VIGOUREUX
23 passage Dubail, 10ᵉ • M° Gare-de-l'Est • Tél. 01 42 09 66 08 • Fax : 01 40 37 31 06 • guy-vigoureux@free.fr

Graveur-imprimeur chez lequel on pourra notamment faire faire des cartes de visite gravées (de 105 à 160 €). Têtes de lettres gravées de 135 à 250 € (suivant la quantité).

12ᵉ	ARRONDISSEMENT

CLINIC PETIT ÉLECTROMÉNAGER
32 rue Louis-Braille, 12ᵉ • M° Bel-Air • Tél. 01 43 45 20 60

Comme son nom l'indique. Devis : 20 € sur le gros matériel, 10 € sur le petit. **Remise de 10 à 15 % avec le guide ou la carte sur les réparations et les pièces**.

17ᵉ	ARRONDISSEMENT

ATELIER SOUCHET
18 rue Biot, 17ᵉ • M° Place-Clichy • Tél. 01 45 22 53 47 • Mardi-vendredi : 12 h-18 h 30 (sur RV)

Restauration de faïences, porcelaines, biscuits, terres cuites, émaux. Recommandé par la manufacture de Sèvres. Prix très abordables (sur devis).

DL DÉCORATION
133 bd Péreire, 17ᵉ • M° Péreire • Tél. 01 42 27 17 68

Réfection de sièges. Également vente de sièges de style.

20ᵉ	ARRONDISSEMENT

ATELIER DU CHIEN DE FAÏENCE
4 rue de la Réunion, 20ᵉ • M° Maraîchers ou Buzenval • Tél. 01 43 70 79 90

Restauration de céramiques et décor de céramiques neuves.

DÉMÉNAGEMENT, débarras

Deuxième cause de dépression en France (mais oui…), le déménagement demande une rigoureuse organisation. Les plus débrouillards (ou les plus inconscients) loueront un véhicule utilitaire et feront appel aux biceps de leurs amis. Concevable si l'on n'a qu'un lit pliant, une table et deux chaises. Mais dès que le volume s'accroît, il vaut mieux faire appel à un déménageur. Et c'est là, parfois, que les ennuis commencent. Il y a, dans la profession, il faut bien l'avouer, un certain nombre de déménageurs plus ou moins honnêtes qui sévissent toujours et dont certains de nos lecteurs ont fait les frais (devis non respectés, meubles cassés, délais non tenus, vandalisme, etc.). On prendra donc la précaution, tout d'abord de s'adresser à la Chambre Syndicale du Déménagement et des Garde-Meubles, 73, rue Jean-Lolive, 93100 Montreuil, tél. 0 800 010 020, pour obtenir la liste des entreprises qu'elle regroupe. En cas de litige, c'est à elle que l'on s'adressera après le déménagement. Deuxième précaution : s'assurer que l'entreprise choisie est certifiée par l'AFNOR (marque NF Service). Troisième précaution : on lira attentivement les termes du contrat que l'on signe et, en cas de dommage constaté après le déménagement, on émettra, tout de suite, des réserves écrites. Autre recommandation : demandez toujours un devis écrit, et réclamez la remise accordée aux lecteurs de Paris Pas Cher après lecture du devis seulement (afin d'éviter toute « fausse remise »). En cas de problème, faites intervenir la Chambre Syndicale. Dernier conseil : ne choisissez ni les vacances scolaires, ni les fins de trimestre, ni les mois de juin ou décembre pour déménager : ce sont les périodes où les déménageurs acceptent parfois trop de travail et sont « surbookés ». C'est alors le client qui en pâtit. Pour être chouchoutés, choisissez plutôt les milieux de mois, les milieux de trimestre ou les mois de février, mai et novembre (hors vacances scolaires). Sur ce, bon déménagement…

PARIS INFOS MAIRIE
Débarras ou déchetterie

Tél. 08 2000 75 75
www.paris.fr

Sommier éventré, poste radio hors d'âge ou moquette à jeter : Paris Infos Mairie vous mettra en relation avec le service de la propreté de votre arrondissement qui vous en débarrassera. Mais pour un volume plus important (supérieur à 3 m³), ou si l'on est vraiment pressé, on peut déposer les objets encombrants à l'une des déchetteries ci-après. Précision : on peut déposer partout batteries et huiles de vidange. Mais seules les déchetteries du 13e et du 20e « accueillent » les peintures et les solvants.

AUTRES ADRESSES
- **Paris Infos Service** • Poterne des Peupliers - 8 rue Jacques-Destrée, (sous la bretelle de sortie du périphérique extérieur), 13e • M° Porte d'Italie • Tél. 01 46 63 38 59 • Tous les jours : 9 h 30-19 h (sauf 25 décembre, 1er janvier, 1er mai)
- **Paris Infos Service** • Quai d'Issy - Sous l'échangeur du quai d'Issy, du périphérique, voie AD 15, 15e • M° Place-Balard ou RER C, Bd-Victor • Tél. 01 45 57 27 35 • Tous les jours : 9 h 30-19 h (sauf 25 décembre, 1er janvier, 1er mai)
- **Paris Infos Service** • Porte de la Chapelle, 17-25 av. de la Porte de la Chapelle, 18e • M° Porte-de-la-Chapelle • Tél. 01 40 37 15 90 • Tous les jours : 9 h 30-19 h (sauf 25 décembre, 1er janvier, 1er mai)
- **Paris Infos Service** • Porte des Lilas, Rue des Frères-Flavien, 20e • M° Porte-des-Lilas • Tél. 01 43 61 57 36 • Tous les jours : 7 h 30-12 h, 12 h 30-19 h 30

SOS DÉBARRAS GAUTHIER
Vider caves et greniers

Tél. 01 48 78 55 78
Fax : 01 49 70 05 89

Des gravats et vieilleries, faisons table rase. Mais avec l'aide musclée de cette entreprise spécialisée

Lundi-vendredi : 9 h-12 h, 14 h-17 h

qui débarrassera pour nous caves et greniers. Une opération de nettoyage par le vide qui peut être effectuée dans la journée. Divers : 22 € le m³. Gravats et charbon : 76,22 € le m³, en rez-de-chaussée ; 22 € de plus le m³ par étage. Frigo ou gazinière : 92 €.

11e ARRONDISSEMENT

TRANSPORT ÉCONOMIQUE

207 rue du Faubourg-Saint-Antoine (11e)
M° Faidherbe-Chaligny
Tél. 01 43 64 17 17
Fax : 01 43 56 00 22
www.demenagement-paris.com
Lundi-vendredi : 9 h-19 h

Du piano à l'hôtel particulier

La direction déménage à la carte ses clients, du piano tout seul (sa spécialité) à la maison entière. Crédit possible. Une demi-journée avec deux déménageurs : environ 305 €. Une journée avec deux déménageurs : entre 535 et 610 € selon la saison. Un piano, tout seul, monté à trois ou quatre étages sans ascenseur : 150 € environ. **Remise de 10 % avec le guide ou la carte.**

12e ARRONDISSEMENT

MÉTÉOR COURSES

174 rue de Charenton (12e)
M° Dugommier
Tél. 01 43 46 70 59
Tous les jours : 24 h/24

Colis, électroménager, petits meubles

Vous déménage dans Paris (dans la petite couronne ou encore un peu plus loin) des colis ou de l'électroménager, voire des meubles en petite quantité, à des tarifs très abordables. Un colis au-dessous de 80 kg (manipulable par une personne) : 27,44 €. Manipulable par deux personnes : compter 45,73 à 54,88 €.

14e ARRONDISSEMENT

LA BOUTIQUE DU DÉMÉNAGEMENT

10 rue d'Alésia (14e)
M° Alésia
Tél. 01 40 47 09 10
Fax : 01 40 47 66 83
www.boutique-demenagement.com

Cartons et sangles

Ce n'est pas tout de se passer des services d'un déménageur. Encore faut-il avoir le matériel nécessaire, carton, scotch, bullpack et autres sangles pour arrimer, protéger, emballer sa vaisselle, son mobilier et le souvenir de Plage-les-Pins. Carton : 1,85 €. Rouleau adhésif : 2,30 €. Bullpack : 6,86 € les 4 mètres. – Lundi-vendredi : 9 h 30-13 h, 14 h-18 h 30 ; samedi : 9 h-13 h.

17e ARRONDISSEMENT

DÉMÉNAGEMENTS BOUSSENOT

45 rue Ampère (17e)
M° Wagram
Tél. 01 46 22 07 60
ou 01 42 27 14 75
Fax : 01 48 88 96 29
www.boussenot.com
Lundi-vendredi : 8 h 30-12 h 30, 13 h 30-18 h

Ça déménage sur Internet

Du déménagement au garde-meubles, en passant par la location de personnel et de camion avec chauffeur, la maison Boussenot offre depuis 40 ans des prestations sans (mauvaise) surprise. Intéressant : la possibilité d'obtenir par Internet un devis et des conseils pour bien déménager. Location d'un camion de 20 m³ avec deux déménageurs : 525 € la journée, 350 € la demi-journée. Garde-meubles : 47,84 € par mois le conteneur de 8 m³ ; 2,39 € le carton ; adhésifs : 3 € (pour vingt-cinq cartons). **Remise de 5 % (hors assurance et hors forfait) avec le guide ou la carte.**

AUTRE ADRESSE
■ 9 rue de l'Église • 92100 BOULOGNE • Tél. 01 46 04 17 07 • Fax : 01 46 04 09 99 • Lundi-vendredi : 8 h 30-19 h 30 ; samedi : sur rendez-vous

91 ESSONNE

TORRENS
Nos lecteurs l'aiment

14-16 rue de La Closerie
91100 VILLABÉ
30 km de la Porte
d'Orléans (A6)
Tél. 01 69 11 29 00
Fax : 01 69 11 29 09
www.demtorrens.com

AUTRE ADRESSE

Plébiscité par nos lecteurs (sauf l'un d'entre eux dont le devis, inférieur de 70 % à ceux des autres déménageurs, lui a paru « suspect » !). Des prix, donc, vraiment bas pour un service que l'on reconnaît de qualité. – Lundi-samedi : 9 h-12 h, 14 h-18 h.

■ 88 bd Lefèvre, 15ᵉ • Mᵒ Porte-de-Versailles • Tél. 01 40 43 17 18 • Lundi-samedi : 10 h-17 h

92 HAUTS-DE-SEINE

DEMECO-CHENUE (À LA CROIX DE LORRAINE)
Un bon déménageur

12 rue Vaniton
92110 CLICHY
Mᵒ Mairie-de-Clichy
Tél. 01 42 67 30 62
Fax : 01 40 87 05 42

Plus de vente de cartons : Demeco-Chenue s'est recentré sur le déménagement « pur et dur ». Sur devis uniquement. – Lundi-vendredi : 7 h 30-12 h, 14 h-19 h.

93 SEINE-SAINT-DENIS

ROUFFIGNAC
Cartons d'occasion

94-96 av. Gambetta
93170 BAGNOLET
Mᵒ Gallieni
Tél. 01 49 93 08 68
Fax : 01 48 97 08 06
www.rouffignac.com
Lundi-vendredi : 9 h-12 h, 13 h-17 h

Il fallait y penser : Rouffignac revend aux particuliers des emballages d'occasion (mais en parfait état, n'ayant servi qu'une fois) à des prix évidemment plus intéressants que le neuf. Qu'on en juge plutôt : un carton de déménagement de 58 × 38 × 37 cm (pour 40 kg) vaut 0,90 € et le modèle pour 20 kilos 0,73 €. Également cartons à verres, de penderie, housses matelas... **Remise de 10 % avec le guide ou la carte.**

ART DÉMÉNAGEMENTS
Déménagement sans problème

19 rue Ambroise-Croizat
93400 SAINT-OUEN
Mᵒ Mairie-de-Saint-Ouen
Tél. 01 40 11 42 42
Lundi-samedi : 9 h-19 h 30

Chaudement recommandé par plusieurs lecteurs. Les devis sont respectés. **Remise de 5 % avec le guide ou la carte jusqu'à 15 m³ et de 10 % au-delà.**

94 VAL-DE-MARNE

DÉMÉNAGEMENTS VERMOREL
Sérieux et compétence

24 rue Guy-Môquet
94700 MAISONS-ALFORT
Mᵒ Maisons-Alfort-Stade
Tél. 01 43 76 29 16
Fax : 01 43 53 30 95
www.demenagements-ver morel.fr
Lundi-vendredi : 9 h-12 h 30, 14 h-19 h ; samedi : 9 h-12 h 30

Cette entreprise créée en 1962, membre de la Chambre syndicale, permet à ses clients de payer en trois fois sans frais, tout en offrant d'incontestables garanties de sérieux et de compétence : liaisons régulières vers la province et la CEE, monte-meubles thermiques et électriques, garde-meubles chauffés en conteneurs individuels plombés à Saint-Maur-des-Fossés et à Limeil-Brévannes. **Remise de 10 % avec le guide ou la carte (hors assurance).**

Quelques autres adresses

Trouvailles de dernière minute, bons plans susurrés par nos lecteurs, ou décou-
vertes qui méritent une mention sans long développement, voici encore, en vrac,
quelques adresses de bon conseil.

7ᵉ ARRONDISSEMENT

OUDINOT SERVICES
22 rue Oudinot, 7ᵉ • Mᵒ Duroc • Tél. 01 47 34
95 02

11ᵉ ARRONDISSEMENT

HF PLASTIQUES
27-29 bd Jules-Ferry, 11ᵉ • Mᵒ République • Tél.
01 49 29 48 00 • www.hfplastiques.fr • Lundi-
vendredi : 8 h-18 h
Cartons et fournitures diverses ven-
dus au prix de gros avec le guide ou la
carte.

18ᵉ ARRONDISSEMENT

SERNAM
61 rue de la Chapelle, 18ᵉ • Mᵒ Porte-de-La-Chapelle • Tél. 01 40 38 55 00 • www.sernam.fr
Pratique et pas cher pour expédier (ou recevoir)
de très gros colis. Trois cartons de 120 kg de
Montpellier à Paris : 70 €. Pour toute information,
mieux vaut téléphoner. Le site Internet est illisible.

94 VAL-DE-MARNE

DÉMÉNAGEMENTS PISSONNIER
32-34 rue de la Fédération • 94700 MAISONS-
ALFORT • Mᵒ Juliottes • Tél. 01 42 07 17 02
Devis gratuit à domicile. **Remise de 10 % avec**
le guide ou la carte sur les déména-
gements en France, de 5 % à l'étranger.

Un calendrier de déménagement

LE PLUS TÔT POSSIBLE
– Inscription des enfants dans les établissements
scolaires.

DEUX MOIS AVANT
Fixer précisément la date du déménagement
(hors « pointes » si possible).

UN MOIS AVANT
Prévenir les institutions suivantes : Caisse de Sé-
curité Sociale ; Centre des Impôts, Banque,
Caisse d'Épargne, Compagnie d'Assurances,
Caisse de Retraite.

TROIS SEMAINES AVANT
Écrire au service de la Voirie de la Mairie pour
réserver un emplacement pour le camion le jour
du déménagement.

QUINZE JOURS AVANT
– Prévenir la Poste, remplir les dossiers de réex-
pédition. Prévenir les Télécom.

– Prendre rendez-vous avec les artisans chargés
du démontage : électricité, menuiserie, plomberie, rideaux, etc.

– Prendre rendez-vous avec les entreprises de
débarras.

HUIT JOURS AVANT
– Dans un logement collectif, prévenir les voisins
du blocage de l'ascenseur.

– Établir un plan de déménagement et repérer
les meubles.

LE JOUR MÊME
– Faire une visite de routine des placards, cagi-
bis, greniers, caves, recoins divers.

– Vérifier la fermeture des compteurs.

– Vérifier l'état des biens déplacés avant de si-
gner la lettre de voiture de déménagement.

UN MOIS APRÈS
Faire modifier les papiers dont la délivrance ré-
clame une attestation de domicile.

À surveiller

Amis lecteurs, vous nous embarrassez. Certains d'entre vous (les plus nombreux)
trouvent les déménageurs ci-après « formidables ». D'autres émettent des réserves
(« trop chers » ou « pas très sérieux »). Comme Paris Pas Cher ne peut déména-

ger trente-six fois pour les tester tous, nous leur avons fait part de vos réserves et leur gardons pour l'instant notre confiance. Sans doute auront-ils à cœur de la mériter.

13e ARRONDISSEMENT

DÉMÉNAGEMENTS H-GAUVIN

7 rue Vulpian, 13e • M° Corvisart ou Glacière • Tél. 01 45 87 33 82 • www.demenagement gauvin.com • Lundi-vendredi : 8 h 30-18 h 30

Garde-meubles possible en « self-stockage » : 45,44 €/mois pour 8 m³. Assurance : 2,99 € pour 1 000 € déclarés. Frais d'entrée : 11,96 € + 20,33 € par conteneur. Tarifs dégressifs au-delà de 2 conteneurs et à partir de 6 mois. AUTRE ADRESSE. 19 av. Pierre-Semard, 94200 IVRY-SUR-SEINE, M° Pierre-Curie, Tél. 01 46 71 27 36.

91 ESSONNE

ALAIN LAGACHE

3 rue Ambroise-Croizat, ZI des Ciroliers • 91700 FLEURY-MÉROGIS • 22 km de la Porte d'Orléans (A6) • Tél. 01 60 16 55 55 ou 0 800 055 060 (numéro vert) • www.demenagements-lagache.fr • Lundi-vendredi : 9 h-12 h 30, 14 h-18 h ; samedi : 9 h-16 h

Certains lecteurs le trouvent un peu cher. D'autres s'en félicitent. Devis gratuit sur rendez-vous. Garde-meubles. Container 9 m³ : 35,52 € par mois. Assurance : 3,83 € par mois pour 1 525 € de valeur. AUTRE ADRESSE. 24 rue Daniel-Stern, 15e, M° Dupleix, Tél. 01 40 58 17 81. **Remise de 10 % avec le guide ou la carte**.

LOCATION

8e ARRONDISSEMENT

ADA   *Prix attrayants*

72 rue de Rome (8e)
M° Rome
Tél. 0 825 169 169
(central réservation)
Minitel : 3615 ADA
www.ada-location.com

Des prix très attrayants même si, parfois, les contrats sont un peu obscurs. Une soixantaine d'agences à Paris-Banlieue : liste sur le site Internet. A la gare de Lyon ou dans les aéroports, un forfait week-end (deux jours, 500 kilomètres) : 99 € en catégorie deux. – Lundi-vendredi : 8 h-18 h 30 ; samedi : 9 h-12 h, 15 h 30-18 h.

11e ARRONDISSEMENT

ABDON   *Leica, Canon ou Nikon*

6 bd Beaumarchais (11e)
M° Bastille
Tél. 01 47 00 66 77
Fax : 01 43 55 87 41
www.abdon-location.com
Mardi-samedi : 9 h 30-12 h 30, 13 h 30-18 h 30

Du 8 mm au 1 000 mm, Leica, Canon, Nikon, tout est ici à louer, objectifs, boîtiers, moteurs, flash ou caméra vidéo. A noter, le forfait week-end, du vendredi au mardi, facturé deux jours. Une pièce d'identité, une quittance EDF et un chèque de caution sont exigés. Leica M6 : 57,93 €. Nikon F90X : 27,44 €. Objectifs Canon 24 mm/2,8 EF : 16,46 €. Zoom 100-300 mm : 20,72 €. Caméscope VHS-C : 29,42 €. **Remise de 5 % avec le guide ou la carte.**

RS LOCATION D'OUTILLAGE   *Location d'outils à prix d'ami*

95 rue de Charonne (11e)
M° Charonne
Tél. 01 43 71 45 35
www.rslocation.fr
Lundi-vendredi : 8 h-12 h, 14 h-18 h ; samedi : 8 h 30-12 h, 14 h-17 h

6 adresses où l'on trouvera son bonheur pour, impromptu, décoller son papier peint, raboter un parquet ou poncer ses murs. Prix tout à fait intéressants. Agrafeuse électrique : 10 €/24 h. Décolleuse de papier peint à gaz : 8 €/ 24 h ; électrique : 9 €. Cireuse de parquet : 16 €/24 h. **Remise de 10 % avec le guide ou la carte.**

AUTRES ADRESSES
- 16 rue P.-Barruel, 15ᵉ • Mᵒ Vaugirard • Tél. 01 40 45 70 50
- 56 av. de Saint-Ouen, 18ᵉ • Mᵒ Guy-Môquet • Tél. 01 46 27 91 31
- 19 av. Simon-Bolivar, 19ᵉ • Mᵒ Pyrénées • Tél. 01 42 06 89 22
- 98 rue des Orteaux, 20ᵉ • Mᵒ Porte-de-Montreuil • Tél. 01 44 93 59 96
- 5 rue Moïse • 94200 IVRY-SUR-SEINE • Mᵒ Mairie-d'Ivry + bus 125 • Tél. 01 49 60 67 00
  • Lundi-vendredi : 7 h 30-12 h, 14 h-18 h

15ᵉ ARRONDISSEMENT

GK LOUER

Yaka louer...

206 rue de la Croix-Nivert
(15ᵉ)
Mᵒ Porte-de-Versailles
Tél. 01 40 60 75 79
Fax : 01 40 60 75 19

Plutôt moins cher que les grandes enseignes du même créneau. Ponçeuse de parquet : 17,94 €/24 h. Shampouineuse : 15,55 €/24 h. Scie sauteuse : 10,77 €/24 h. – Lundi-vendredi : 7 h 30-12 h, 13 h 30-18 h 30 ; samedi : 8 h-12 h, 13 h 30-18 h. **Remise de 10 % avec le guide ou la carte.**

17ᵉ ARRONDISSEMENT

AUTO MOTO CONTACT LOCATION

Loue scooters, autos, motos, camions

259 bd Pereire (17ᵉ)
Mᵒ Porte-Maillot
Tél. 01 56 68 05 05
Fax : 01 56 68 05 04
www.auto-moto-location.
com
Lundi-vendredi : 9 h 15-12 h 30, 14 h-18 h 30 ; samedi : 9 h 30-12 h, 15 h 30-18 h

Accueil souriant, souci du service et prix tout doux : cette agence de location de motos, scooters, voitures et camions sait comment satisfaire ses clients. Renault Twingo : 30,50 € par jour avec 100 kilomètres. Week-end, avec 800 kilomètres : 89 €. Scooter 50 cm³ : 29 € par jour, kilométrage illimité. **Remise de 5 % avec le guide ou la carte (sauf tarifs catégorie 1).**

GRANDE-ARMÉE AUTOMOBILE

Rouler sans se faire rouler

38 av. de la Grande-Armée
(17ᵉ)
Mᵒ Charles-de-Gaulle-Étoile
Tél. 01 58 05 11 11

Des prix tout doux chez ce loueur de voitures : 30 € l'Opel Corsa (un jour et 100 km). Et pour deux semaines et 2 100 km, on paiera 300 €. – Lundi-vendredi : 9 h-12 h, 14 h-19 h.

95 VAL-D'OISE

LOU-ECO

Location tourisme et utilitaire

68 rue de Paris
95400 VILLIERS-LE-BEL
15 km de la Porte
de la Chapelle
(A1 + N1 + N16)
Tél. 01 39 94 95 96
www.loueco.fr

Des tarifs très intéressants chez ce loueur qui n'est, malheureusement, pas tout près, si vous habitez le centre de Paris. Plus spécialisé dans l'utilitaire de 4 à 22 m³. 8 m³, deux jours, avec 1 000 km : 209,76 €. 22 m³ (500 km) : 152 €. Des promotions toute l'année. – Lundi-vendredi : 8 h 30-12 h 15, 14 h-18 h 50 ; samedi : 8 h 30-11 h 30, 16 h 30-18 h. **Remise de 5 % avec le guide ou la carte sur les forfaits 500 km, en semaine.**

À éviter : Rentacar

Vous les avez vues partout, dans Paris, les camionnettes Rentacar arborer fière-ment cette promesse « 29,99 € TTC par jour ».

Et en consultant les tout petits caractères dessous, vous avez, si vous avez une bonne vue, réussi à lire : « Hors kilomètres parcourus, assurances franchise accident et vol réduites et hors assistance. Applicable du lundi 9 h au vendredi 18 h ».

Légal, me direz-vous. Sans doute. Il reste qu'à l'usage, ça revient beaucoup plus cher. Ce ne serait là que broutilles si tous les franchisés se comportaient scrupuleusement. Ce n'est pas le cas de l'un d'entre eux auquel votre serviteur a eu affaire, dont les pratiques frisent l'illégalité et sont en tout cas nettement anticommerciales. Mis au courant, le siège s'est déclaré « impuissant ». Rentacar devrait mieux surveiller les enseignes qui portent son nom. Et cela suffit à inciter nos lecteurs à éviter cette enseigne.

DIVERS

COURSES

LUNGTA
Tél. 01 44 70 90 70 • www.lungta-course.fr
Lungta, c'est le cheval du vent en tibétain. Il vous est entièrement dévoué, ami lecteur. D'un coup d'aile (ou de mob...) il vous ramènera votre portable oublié, récupérera le Nounours de Judith ou ira chercher les clés que votre co-locataire a emportées. Premier service de courses pour particulier, pas cher avec ça : 10 € la course (3 heures maxi), 25 € (1 heure maxi) et pour les urgences extrêmes 40 € (1/2 heure maxi). Abonnement 60 € pour dix courses. Par téléphone ou par Internet. Merci qui ?

PHOTOCOPIES

SCRIPT LASER
5/7 rue Bernard-de-Clairvaux, 3ᵉ • Mᵒ Rambuteau • Tél. 01 40 29 93 76 • www.scriptlaser.com • Lundi-samedi : 9 h 30-19 h 30

Copies noir et blanc à 0,05 € (dégressif jusqu'à 0,02 €). Copies couleur à 0,45 € (dégressif jusqu'à 0,14 €). Reliures, travaux à façons, traitement de texte, CV, cartes de visite. Tirage d'affiches Scanners. Papier couleur (tracts) sans supplément. AUTRES ADRESSES. 31 rue de la Pépinière, 8ᵉ, Mᵒ Saint-Augustin, Tél. 01 44 69 01 02. – 3 rue du Grenier-Saint-Lazare, 3ᵉ, Mᵒ Rambuteau, Tél. 01 40 29 09 02.

SPIRALE
53 rue de Montmorency, 3ᵉ • Mᵒ Arts-et-Métiers • Tél. 01 42 78 51 61 • Lundi-jeudi : 10 h-19 h ; vendredi : 10 h-12 h, 16 h-19 h ; samedi : 10 h-18 h

M. Akra est l'un des « photocopieurs » les moins chers de Paris. A4 noir et blanc : 0,035 € (à partir de 30 copies). Photocopie couleur : 0,35 € (tarif dégressif jusqu'à 0,13 € pour 10 000 copies). **Remise de 10 % avec le guide ou la carte.**

COPY TIME
20 rue Censier, 5ᵉ • Mᵒ Censier-Daubenton • Tél. 01 47 07 34 52 • Lundi-vendredi : 9 h-19 h 30 ; samedi : 10 h-19 h

En compétition pour le titre de la photocopie la moins chère de Paris : en libre-service, la copie noir et blanc vaut de 0,019 à 0,045 €. Reliure : dégressif jusqu'à 0,75 €. Copie couleur : dégressif jusqu'à 0,20 €. **Un stylo « Copy Time » offert avec le guide ou la carte.**
AUTRES ADRESSES. 38 rue Daubenton, 5ᵉ, Mᵒ Censier-Daubenton, Tél. 01 47 07 05 66, dans cette boutique de la rue Daubenton, impression d'après CD : 0,07 € en noir et blanc, 1 € en couleur. 54 € l'abonnement 30 h Internet. – 4 rue Charles-Moureu, 13ᵉ, Mᵒ Tolbiac, Tél. 01 45 83 24 00.

ZELY MULTISERVICES
5 rue du Pasteur-Wagner, angle 12 bis rue Amelot, 11ᵉ • Mᵒ Bréguet-Sabin • Tél. 01 40 21 07 37 • Fax : 01 40 21 94 87 • Lundi-samedi : 9 h-13 h, 14 h-19 h

Une petite entreprise qui offre une grande diversité de services, prestations secrétariat, formations, accès Internet, photocopies et bien d'autres. Pour le secrétariat : rapports : 5,50 € la page, 350 € les 100 pages. Comptabilité gestion à l'heure : 55 €. Les formations Word et Excel sont à 50 € l'heure. CV sur mesure : 15,30 €.

ADOM'CLUB
22 rue de Picpus, 12ᵉ • Mᵒ Nation • Tél. 01 43 43 53 17 • Fax : 01 43 43 65 14 • Lundi-vendredi : 10 h-19 h

Libre-service de la papeterie, des fournitures de bureau, de consommables informatiques et de la reprographie. Un des premiers ateliers de reprographie équipé de photocopieurs numériques. Photocopie A4 noir et blanc : 0,06 € (dégressif jusqu'à 0,02 €). Copie couleur à partir de 0,38 €. Ramette de 500 feuilles, A4, Blanc 80 g : à partir de 4,11 €. Stylo V5 Pilot : 1,52 €. Reliures et travaux à façon. **Avec le guide ou la carte : remise de 5 % à la première visite.**

COREP

89 rue de Tolbiac, 13ᵉ • Mᵒ Tolbiac • Tél. 01 53 82 99 50 • Lundi-vendredi : 9 h-19 h ; samedi : 9 h-12 h 30, 14 h-18 h

Ce n'est pas le moins cher de tous les établissements de reprographie et copie service, mais il devient très compétitif pour les grandes quantités : A4 noir et blanc : 0,025 € (pour plus de 5 000 copies). A4 couleur : 0,22 € (plus de 5 000 copies). AUTRES ADRESSES. 16 ter rue Censier, 5ᵉ, Mᵒ Censier-Daubenton, Tél. 01 45 35 46 20. – 11 rue Victor-Cousin, 5ᵉ, Mᵒ Luxembourg, Tél. 01 40 46 03 66. – 27 rue Jussieu, 5ᵉ, Mᵒ Jussieu, Tél. 01 56 24 02 01. – 8 rue Brantôme, 3ᵉ, Mᵒ Rambuteau, Tél. 01 42 72 15 27.

COPY HOUSE

104 rue de Sèvres, 15ᵉ • Mᵒ Sèvres-Lecourbe ou Duroc • Tél. 01 47 34 80 96 • Fax : 01 40 65 99 33 • www.copyhouse.fr • Lundi-vendredi : 9 h-19 h

Ce n'est pas la moins chère des boutiques pour la photocopie à l'unité, mais elle est extrêmement compétitive pour les tirages et reliures de thèse. Copies couleur, 50 à 100 exemplaires : 0,51 € la copie. Copies noir et blanc : tarifs négociables suivant quantités. Thèses 50 pages en 15 exemplaires, reliure comprise : 60 €. Réception des travaux via Internet. **Remise de 5 % à partir de 120 € avec le guide ou la carte.**

EUROBSÈQUES

241 rue de Tolbiac, 13ᵉ • Mᵒ Glacière • Tél. 01 45 65 91 27

Don Marc Oberti affirme qu'Eurobsèques est la première et seule entreprise funéraire en France à fournir tous les personnels, les cercueils et les véhicules à prix coûtant. Cela doit être vrai si l'on en croit ses tarifs : inhumation à partir de 529 € (concession de cinq ans) et crémation à partir de 1 190 €.

L'AUTRE RIVE

5 rue du Faubourg-Saint-Jacques, 14ᵉ • RER B, Palais-Royal ou Mᵒ Saint-Jacques • Tél. 01 46 34 45 26 • www.autrerive.fr • Lundi-samedi : 8 h 30-12 h, 13 h 30-19 h ; dimanche et jours fériés : 10 h 45-16 h

Hommage personnalisé au défunt : possibilité de décorer le cercueil, de le porter avec des amis… ou d'envoyer les cendres dans l'espace (6 860,21 €). Obsèques à partir de 1 290 € (crémation) et 1 890 € (inhumation). 40 modèles de cercueils équipés à partir de 270 €. Urnes à partir de 14 €. **Avec le guide ou la carte,**

corbeille de pétales de roses offerte + 50 faire-part + guide démarches après obsèques.

POMPES FUNÈBRES BERTRAND

95 av. Émile-Zola, 15ᵉ • Mᵒ Charles-Michels • Tél. 01 45 77 01 90 • Fax : 01 45 77 68 06

Une entreprise de pompes funèbres qui ne profite pas de la douleur des parents pour saler la note. Compter de 1 753,16 € (crémation) à 2 591 € (enterrement). **25 premiers faire-part, inscriptions sur les gerbes de fleurs et sur les plaques granit offertes avec le guide ou la carte.** AUTRES ADRESSES. 83 rue de la Convention, 15ᵉ, Mᵒ Boucicaut, Tél. 01 45 75 56 46. – 86 rue Claude-Bernard, 5ᵉ, Mᵒ Censier-Daubenton, Tél. 01 42 17 04 00. – 50, rue Jenner, 13ᵉ, Mᵒ Campo-Formio, Tél. 01 44 24 10 60. Nᵒ vert : 0 800 332 664.

HARMONY PRESSING

19 rue Claude-Bernard, 5ᵉ • Mᵒ Censier-Daubenton • Tél. 01 43 36 51 52 • Lundi-samedi : 8 h-19 h 30

La chemise lavée, repassée : 1,85 €. Qui dit mieux ? Tapis : 9 € le m² (10,25 € à domicile). Plusieurs adresses à Paris.

CLEAN DISCOUNT

206 bd Voltaire, 11ᵉ • Mᵒ Charonne ou Boulets-de-Montreuil • Tél. 01 43 48 33 32 • Lundi-vendredi : 8 h 30-19 h 30 ; samedi : 9 h-19 h

Comme les 4 autres boutiques du même nom, celle-ci pratique des tarifs imbattables : 3 €, prix unique pour le nettoyage à sec des vêtements. Également nettoyage de couettes (9,15 €), de housses de canapés (14,65 €), de cuir (à partir de 30 €). **Un vêtement nettoyé gratuitement avec le guide ou la carte.** AUTRES ADRESSES. 72 av. du Général-Michel-Bizot, 12ᵉ, Mᵒ Michel-Bizot, Tél. 01 43 40 93 93. – 206 rue de Belleville, 20ᵉ, Mᵒ Place-des-Fêtes, Tél. 01 43 49 10 13. – 34 rue de Pelleport, 20ᵉ, Mᵒ Pelleport, Tél. 01 40 31 06 88. – 46 rue de Vouillé, 15ᵉ, Mᵒ Plaisance, Tél. 01 45 33 39 41.

PROTAG

175 rue de Javel, 15ᵉ • Mᵒ Félix-Faure • Tél. 01 45 32 75 50 • Fax : 01 45 32 09 44 • www.protag.fr • Lundi-vendredi : 9 h-12 h 15, 14 h-18 h 30 ; samedi : 9 h-12 h

Cette maison met à notre disposition une large gamme de protections mécaniques et électroniques : serrures, blindages de portes, cornières acier, grilles, rideaux métalliques, sas de sécurité, alarmes, centrales… Service de dépannage qui fonctionne tous les jours. Blindage de porte : à partir de 253 €. Serrure trois points agréée : à partir de 495 €. Alarme sans fil : à partir de 1 450 €. Également volets, fenêtres et stores. **Remise de 10 % avec le guide ou la carte.**

AUX FORGES DE L'EST

40 rue d'Avron, 20e • M° Avron ou Buzenval
• Tél. 01 43 73 20 69 • Fax : 01 43 73 74 76
• Mardi-samedi : 8 h 15-12 h 15, 14 h-18 h 45

Celui qui craint, dès qu'il a le dos tourné, de se faire rapter son canapé, son magnétoscope, sa collection de timbres ou sa petite femme, trouvera forcément dans ces 3 000 m² de matériel de quincaillerie des serrures, des verrous ou des blindages à la taille de ses angoisses. Serrures à partir de 52,05 €.

TROC

BANCO'DIRECT

37 bd Voltaire, 11e • M° Oberkampf • Tél. 01 48 05 25 42 • www.banco-direct.com • Mardi-samedi : 10 h-19 h ; lundi : 14 h-19 h

Banco paye cash tout objet dans les domaines suivants : TV-vidéo, hi-fi, informatique, et revend (avec une marge) à qui veut. Les affaires varient selon les jours. AUTRE ADRESSE. 26-28 av. Aristide-Briand, 93320 LES PAVILLONS-SOUS-BOIS, RN3, Tél. 01 48 02 22 22.

CASH EXPRESS

15-17 av. Simon-Bolivar, 19e • M° Pyrénées • Tél. 01 44 84 70 00 • www.cash-bolivar.com • Lundi : 14 h-19 h 30 ; mardi-vendredi : 10 h 30-12 h 30, 14 h-19 h 30 ; samedi : 10 h 30-19 h 30

A changé de nom, mais pas de formule : on y achète et vend de tout (hormis les objets encombrants), de la bijouterie au téléphone portable, de la télé à l'ordinateur. Cette formule présente tous les avantages et tous les inconvénients du genre. A la vente, on ne retirera pas grand-chose. On peut se contenter d'acheter... Matériel garanti trois mois (au moins) mais aucun remboursement : vous vous contenterez d'un « avoir sur le magasin » en cas de défaillance de votre achat. CD à partir de 1 €, K7 vidéos à partir de 2 €, DVD à partir de 5 €. AUTRES ADRESSES. 23 rue Beaubourg, 3e, M° Rambuteau, Tél. 01 44 61 94 94. – 23 bd des Batignolles, 8e, M° Rome, Tél. 01 44 69 83 83. – 46 bd de Strasbourg, 10e, M° Château-d'Eau, Tél. 01 42 02 88 88. – 51 bis rue de la Roquette, 11e, M° Bastille, Tél. 01 48 06 04 03. – Cinq adresses en banlieue. **Remise de 10 % avec le guide ou la carte**.

LE SEL DE PARIS

75 rue de Lagny, 20e • M° Porte-de-Vincennes • Tél. 01 40 24 18 13 • www.solidaire.org

Une autre forme de troc : Le SEL (Système d'Échange Local) permet d'acquérir biens ou services sans argent tout en raffermissant les liens d'une société où l'on a de plus en plus besoin de se serrer les coudes. En pratique, voici comment ça se passe : on peut échanger ce qu'on sait faire contre ce dont on a besoin ou envie, en fixant avec son partenaire le prix des marchandises ou des services offerts, grâce à une monnaie fictive, le « piaf » (unité : environ 0,15 €). La charte du SEL de Paris précise la nature des échanges possibles : « Il ne peut s'agir que d'une entraide mutuelle, d'un coup de main bénévole, non répétitif, de faible importance et de courte durée. » En revanche, les professionnels qui entrent dans le système doivent déclarer les revenus obtenus par cette filière, évaluer le montant de la transaction et s'acquitter de la TVA. Le SEL se développe en banlieue. On obtiendra ses adresses extra-parisiennes au café de la Flèche d'Or. www.artotal.com/lafleche.

Renseignements, aide

DIVORCÉ(E)S DE FRANCE

BP 380, 75625 Paris Cedex 13 • Tél. 01 45 86 29 61 ou 01 45 85 60 00 • www.ddf.asso.fr

Pour divorcer moins cher et avec le moins de tracas possible, Divorcé(e)s de France, animé par des bénévoles, sélectionne des avocats et vous aide dans vos démarches. Cotisation : 83 € par an.

1er ARRONDISSEMENT

FEPEM, FÉDÉRATION RÉGIONALE DES PARTICULIERS EMPLOYEURS

10 rue du Mont-Thabor, 1er • M° Tuileries • Tél. 01 42 60 46 77 • Lundi-vendredi : 9 h-18 h

Conseils administratifs et juridiques, contrats, salaires pour employés à domicile : ménage, garde d'enfants, personnes âgées, jardinage. Adhésion annuelle : 122 €. Guide pratique du particulier employeur : 16,72 € par courrier ou 13,72 € sur place. **Remise de 10 % avec le guide ou la carte**.

3e ARRONDISSEMENT

UFCS

6 rue Béranger, 3e • M° République • Tél. 01 44 54 50 54 • www.ufcs.org • Lundi-jeudi : 9 h-18 h ; vendredi : 9 h-17 h

Défense des consommateurs, droits des femmes, insertion sociale et professionnelle. Permanences consommation, logement, chirurgie esthétique. Adhésion annuelle : 32 €.

9e ARRONDISSEMENT

CCA

54 rue de Châteaudun, 9e • M° Notre-Dame-de-Lorette • Tél. 01 55 07 41 41

Très utile si vous avez des démêlés avec votre

assureur : rattachée au ministère des Finances, la CCA vérifie que la compagnie respecte le code des assurances, la réglementation des bonus/malus, les règles de tarification, etc.

15ᵉ ARRONDISSEMENT

JUSTICE PLUS
11 rue d'Arsonval, 15ᵉ • Mº Pasteur • Tél. 01 45 38 58 40 • Permanence les lundi, mardi et vendredi : 13 h 30-17 h 30

Depuis plus de 20 ans, Justice Plus vient en aide aux justiciables en difficulté et les assiste dans le cadre de leurs procédures judiciaires. Cotisation annuelle : 153 €. Forfait de gestion pour un dossier : 458 €.

20ᵉ ARRONDISSEMENT

AFUB
5 place Auguste-Métivier, 20ᵉ • Mº Châtelet • Tél. 01 43 66 33 37 ou 01 43 66 34 55 (renseignements) • www.afub.org • Sur rendez-vous

L'Association Française des Usagers des Banques informe et défend les usagers en cas de conflit avec une banque ou un organisme de crédit. Adhésion : 29,73 € par an (8,38 € pour les chômeurs longue durée et les RMistes). Consultation gratuite : Maisons de Justice (6 rue Bardinet, Paris 14ᵉ, Mº Plaisance et 15-17 rue Buisson-Saint-Louis, 10ᵉ, Mº Belleville) et dans toutes les délégations régionales (01 43 66 34 55).

CGL, CONFÉDÉRATION GÉNÉRALE DU LOGEMENT
6-8 villa Gagliardini, 20ᵉ • Mº Porte-des-Lilas • Tél. 01 40 31 90 22 • Fax : 01 40 31 92 74

Locataires, propriétaires et accédants à la propriété, vous obtiendrez ici par courrier ou sur rendez-vous tout renseignement éclairé concernant les problèmes de logement. La CGL interviendra pour vous en cas de litige. Brochures : 8,84 €. Guide : 1,22 €. Abonnement : 45,73 €. AUTRE ADRESSE : 14 rue Frédéric-Lemaître, 75020 Paris. Tél. 01 43 66 49 11.

MAISON DE LA MÉDIATION
10 rue de Noisy-le-Sec, 20ᵉ • Mº Saint-Fargeau • Tél. 01 40 30 98 10 • Lundi-mardi, jeudi-vendredi : 14 h-18 h ; mercredi : 9 h 30-12 h, 14 h-18 h (rendez-vous conseillé)

Tous les litiges, privés ou professionnels, sont pris en compte par des bénévoles préalablement formés. Le premier entretien est gratuit, mais l'intervention tarifée : 15 € de frais de dossier et 61 € la séance de médiation (1 h 30).

61 ORNE

LIGUE DES DROITS DES ASSURÉS
5 bât. Guynemer • 61300 L'AIGLE • Tél. 02 33 24 30 50 • Fax : 02 33 34 45 07

En cas de litige avec votre assurance, la Ligue intervient directement, et avec beaucoup d'efficacité. Tout se passe par correspondance. Adhésion : 30,49 €. Intervention : 68,61 €.

L'index des raisons sociales et commerciales se trouve en page 607.

L'index des produits recensés dans Paris Pas Cher se trouve en page 627.

SPORTS : PRATIQUE, VÊTEMENTS ET MATÉRIEL

Paris est plein d'occasions de courir, de volleyer, de glisser, de chevaucher, de lifter, de crawler. Bref de se trémousser pour faire fondre sa graisse tout en prenant son pied. Florilège...

¿ QUE CHERCHEZ-VOUS ?

ARTS MARTIAUX (MAGASINS)
469 Judogi (3e)

ARTS MARTIAUX (PRATIQUE)
469 Académie d'Arts Martiaux de la Montagne (5e)

AVIRON (PRATIQUE)
473 Base Nautique de la Villette (19e)

BATEAU (MAGASINS)
474 Discount Marine (92)

CHAUSSURES
476 Gex Sports-City Sport (78, 95)
475 Team 5 (78, 91, 94)
475 Nike Factory Store (93)

DANSE (MAGASINS)
471 Côté Danse Stock Danse (9e)

DANSE (PRATIQUE)
469 Cours de danse Jean-Marie Manque (1er)
471 Centre International de Danse Jazz (9e)
471 Studio Harmonic (11e)

473 Dancenter (17e)

ÉQUITATION (MAGASINS)
481 Kineton (16e)
481 Cheval Paradis (78, 95)

ÉQUITATION (PRATIQUE)
481 Centre Équestre - Poney Club Bayard UCPA (12e)
481 Centre hippique de Maisons-Laffitte UCPA (78)
481 Centre hippique de la Courneuve UCPA (93)

GOLF (MAGASINS)
477 Golf en Stock (17e)
477 Surplus du Golf (17e)

GOLF (PRATIQUE)
477 Golf de Guerville (78)
477 Golf de Saint-Quentin (78)
477 Golf de Villennes (78)
477 Golf de Chevry (91)
477 Golf de Saint-Aubin (91)

477 Golf de Villeray (91)
477 Golf de Marolles-en-Brie (94)
477 Golf du Tremblay UCPA (94)
477 Golf de Montgriffon (95)
477 Golf de Saint-Ouen-l'Aumône (95)

GYM (MAGASINS)
475 Disportex (93)

GYM (PRATIQUE)
478 Sport Nature
470 Club Quartier Latin (5e)
472 Anthony's Studio (12e)
473 Capital Sport (15e)
478 ACSP (16e)

JOGGING (PRATIQUE)
478 ACSP (16e)

LOCATION DE MATÉRIEL
470 Exerceo Location (8e, 91, 95)

NATATION (PRATIQUE)
479 Piscines : dans le grand bain

¿ QUE CHERCHEZ-VOUS ?

PATIN À GLACE (PRATIQUE)
480 Patinoire Sonja-Henie (12e)

PLANCHE À VOILE (MAGASINS)
474 Quai 34 (92, 94)

ROLLER (MAGASINS)
480 Roller Nomades (4e)
480 Vertical Line (16e)
476 Hawaii (94)

ROLLER (PRATIQUE)
479 Roller et compagnie

SKATE BOARD (MAGASINS)
474 Quai 34 (92, 94)

SKI (MAGASINS)
469 La Haute Route (4e)
469 Pari Montagne (4e)

472 Dorotennis Stock (14e)
474 Centrale des Vêtements de ski (92)

SURF (MAGASINS)
476 Hawaii (94)

TENNIS (MAGASINS)
472 Dorotennis Stock (14e)

TENNIS (PRATIQUE)
478 Les courts de tennis municipaux

TOUS SPORTS (MAGASINS)
470 Au Vieux Campeur (5e)

TOUS SPORTS (PRATIQUE)
470 Association Sportive de la Préfecture de Police (5e)

471 Association des Personnels Sportifs des Administrations Parisiennes (11e)
472 La Camillienne (12e)
472 L'Union Sportive Métropolitaine des Transports (12e)
473 Championnet Sport (18e)
476 À l'ADAC et dans les Centres d'animation
478 Le Guide du Sport à Paris
478 Les Parcs interdépartementaux des sports

VÊTEMENTS
474 Degrif-Gliss (78, 93, 95)
476 Gex Sports-City Sport (78, 95)
475 Team 5 (78, 91, 94)
475 Nike Factory Store (93)

VOIR AUSSI
179 « Balades »
330 « Gratuit - Sport »

A Adresse particulièrement recommandée

👑 Adresse haut de gamme : le luxe à prix abordable

1er ARRONDISSEMENT

COURS DE DANSE JEAN-MARIE MANQUE

Salle Saint-Exupéry
35 rue Saint-Roch (1er)
M° Pyramides ou Tuileries
Tél. 03 87 75 62 46
*Samedi : 15 h-18 h 30 ;
dimanche : 10 h-13 h, 15 h-
17 h 30*

Rock, valse, tango, samba, salsa...

Un week-end par mois, Jean-Marie Manque, professeur à Metz, organise à Paris des stages de danse de société. Selon la date, le stage s'adresse aux débutants ou aux non-débutants (deux niveaux), réunis en petits groupes. En 9 heures de cours (67 € pour une personne de 117 € pour un couple), on apprend à virevolter sur la piste et on se fait plaisir. Dates des stages sur simple appel. **Cadeau avec le guide ou la carte.**

3e ARRONDISSEMENT

JUDOGI

103 bd Beaumarchais (3e)
M° Saint-Sébastien-Froissart
Tél. 01 42 72 95 59
Fax : 01 42 72 94 99
Lundi-samedi : 9 h 30-19 h

Kimonos, tatamis, etc.

Tout pour tous les arts martiaux, même les plus rares (vêtements, sacs de frappe, protections, armes). Fournisseur officiel des Championnats du monde, Judogi n'a plus rien à prouver. Pour autant, les prix n'ont pas grimpé (kimono de karaté enfant : 14 € ; ceinture piquée : 7,25 € ; kimono traditionnel de kung fu adulte : 36 €). On trouve aussi ces chaussures de taekwondo si tendance (Adidas : 79 €). Un rayon librairie-vidéo bien fourni. Catalogue gratuit. **Remise de 5 % avec le guide ou la carte.**

4e ARRONDISSEMENT

LA HAUTE ROUTE

33 bd Henri-IV (4e)
M° Bastille ou Sully-Morland
Tél. 01 42 72 38 43
Fax : 01 42 72 77 05
www.lahauteroute.com
Été, mardi-samedi : 10 h-13 h, 14 h-19 h. Hiver, lundi : 14 h-19 h ; mardi-samedi : 10 h-13 h, 14 h-19 h

Matériel de montagne haut de gamme à louer

Magasin de location spécialisé dans la montagne, la Haute Route peut vous équiper si vous partez pour un week-end de ski (39,10 €), une semaine de surf (117,20 € avec bottes), dix jours de randonnée (skis de raid : 125 € ; pack sécurité : 78,90 €). Uniquement du haut de gamme. En été aussi, vous trouverez de quoi aller souffrir sur les sommets : crampons, piolets, baudriers, sacs à dos et vêtements ad hoc. Vente d'occasion et promotions fréquentes sur les articles en vente (gants, doudounes). **Carte de fidélité et 10 % sur les ventes avec le guide ou la carte.**

AUTRE ADRESSE
■ **Pari Montagne** • 2 rue Jacques-Cœur, 4e • M° Bastille • Tél. 01 42 78 18 01 • Atelier de réparations

5e ARRONDISSEMENT

ACADÉMIE D'ARTS MARTIAUX DE LA MONTAGNE

34 rue de la Montagne-Sainte-Geneviève (5e)
M° Cardinal-Lemoine
ou Maubert-Mutualité
Tél. 01 43 25 57 42
www.pascal-plee.com
*Lundi-vendredi : 9 h-22 h ;
samedi : 9 h-21 h*

Arts martiaux à la carte

Depuis 1953, le club a remporté trente-deux championnats de France, d'Europe et du monde. Pour autant, les ceintures jaunes n'y sont pas pris pour des bleus (cotisation annuelle à partir de 191 € pour un enfant et 206 € pour un ado). Berceau du karaté en France, le Dojo s'est ouvert au kung-fu, au taï-chi et au qigong. L'atmosphère est conviviale, on paie au cours (un ticket : 8 € ou 65 € les dix) ou à l'année (pour un adulte, de 229 € par an pour un cours par semaine à 442 € pour trois cours). Tarifs étudiants. **Remise de 5 % avec le guide ou la carte.**

ASSOCIATION SPORTIVE DE LA PRÉFECTURE DE POLICE
La police fait du sport

4 rue de la Montagne-
Sainte-Geneviève (5e)
Mo Maubert-Mutualité
Tél. 01 42 34 54 00
Fax : 01 42 34 54 05
www.aspp.asso.fr
*Lundi-vendredi : 9 h-12 h 30,
14 h-17 h 30*

Faire de l'aïkibudo ou du judo, de l'escrime, du ju-jitsu ou de la culture physique avec les gardiens de la paix, c'est possible ! L'ASPP est ouverte aux civils, moyennant 8 € de frais d'inscription et une cotisation de 56 à 187 € selon votre âge et le sport choisi. Hors les murs, l'association propose également de l'aviron, de la planche à voile, de la boxe et de l'athlétisme.

AU VIEUX CAMPEUR
Soixante ans de métier

48 rue des Écoles (5e)
Mo Cluny-La Sorbonne
Tél. 01 53 10 48 48
www.au-vieux-campeur.fr
*Lundi-mardi-jeudi-vendredi :
11 h-19 h 30 ; mercredi :
11 h-21 h ; samedi : 10 h-
19 h 30*

Le Vieux Campeur a essaimé dans le Quartier latin : aujourd'hui une vingtaine de magasins spécialisés (escalade, plongée, ski, vélo, optique de sport...). Équipements et accessoires pour tout type d'excursions sportives : en mer, en montagne ou à l'étranger. Choix et qualité priment. Chercher les « coins des affaires » : braderies saisonnières sur des grandes marques (Eider, Millet pour la neige...). Premiers prix souvent intéressants. Catalogue fourni et commenté, sur demande.

CLUB QUARTIER LATIN
Bon vieux club

19 rue de Pontoise (5e)
Mo Maubert-Mutualité
Tél. 01 55 42 77 88
www.clubquartierlatin.com
*Lundi-vendredi : 9 h-24 h ;
samedi-dimanche : 9 h 30-
19 h*

Si l'abonnement donne accès aux salles de musculation et à la totalité des cours collectifs (stretching, step, gym cardio, pump, abdos-fessiers de 9 h à 22 h), il permet également de piquer une tête, de jour comme de nuit, dans la piscine classée monument historique. Sans compter les cours d'aquagym, de salsa et de taï-chi. Formule fitness, un an : 567 € pour un adulte et 469 € pour un étudiant. On peut choisir de payer au cours (un cours : 12 à 15 €), au mois ou au trimestre.

8e ARRONDISSEMENT

EXERCEO LOCATION
Skis, vélos, rollers à louer

Décathlon des 3-Quartiers
23 bd de la Madeleine (8e)
Mo Madeleine
Tél. 01 55 35 97 55
*Lundi-vendredi : 10 h-20 h ;
samedi : 9 h 30-20 h*

Seulement dans quatre magasins Décathlon en Ile-de-France avec chacun ses spécialités. Pour essayer avant d'acheter. Modèles récents à louer le week-end (trois jours) ou la semaine (neuf jours). Équipement de ski adulte : à partir de 54,99 € la semaine. Rollers : 8 € la demi-journée et 12,99 € la journée (à partir de la veille 17 h). GPS : 24,99 € le week-end. A la Madeleine, on ne loue pas de vélo, mais on loue des appareils photo numériques (à partir de 14,99 € la journée et 59,99 € la semaine). Pour consulter les tarifs sur le Net : www.decathlon.fr, puis « Services », puis « Location ». Voir aussi « Guide des services » dans tous les magasins.

AUTRES ADRESSES
- Décathlon Brétigny, 18 rue Léon-Blum • 91220 BRÉTIGNY-SUR-ORGE • Tél. 01 60 85 27 71 • Hiver : ski. Été : VTT - rollers - matériel de plongée.
- Décathlon Herblay, 12 mail des Copistes • 95222 HERBLAY • Tél. 01 34 50 10 37 • Hiver : ski. Été : VTT - rollers - matériel de plongée.
- Décathlon Osny, Rue du Petit-Albi • 95520 OSNY • Tél. 01 34 35 15 80 • Ski seulement.

9e ARRONDISSEMENT

CENTRE INTERNATIONAL DE DANSE JAZZ
Eh bien, dansez maintenant !

54 A rue de Clichy (9e)
M° Place-de-Clichy
Tél. 01 53 32 75 00
Fax : 01 53 32 77 01
www.centre-rick-odum.com
Lundi-vendredi : 10 h 30-22 h ; samedi : 10 h 30-20 h

On y danse selon son goût. Jazz et classique, salsa et samba, danse orientale et africaine, break et funk, mais aussi flamenco, claquettes et hip-hop. Ambiance internationale et sympathique. Des stages pour les accros, du stretching pour les courbaturés, du yoga pour les stressés, des cours d'éveil pour les enfants. 12 € le cours (1 h 30) ou système d'abonnements : dix cours pour 98 €, trente cours pour 266 €, cinquante cours pour 412 €.

CÔTÉ DANSE STOCK DANSE
Paradis des ballerines

24 rue de Châteaudun (9e)
M° Notre-Dame-de-Lorette
Tél. 01 53 32 84 86
Mardi-samedi : 10 h 30-14 h, 15 h-18 h 50

Tout simplement le stock Repetto (fabriqué en France). Il y en a pour toutes les danses, à 50 % en dessous des prix boutique : jupettes de classique, académiques pour la contemporaine, pantalons de jazz, et combishorts de gym. Foule de matières, de coupes et de couleurs : de quoi faire la coquette à la barre. En vrac dans des bacs à 3, 7 ou 15 € : des brassières, des surculottes, des justaucorps enfants. Chaussons de 7 à 30 €. Qualité irréprochable et accueil sympathique. **Remise de 10 % sur tous les articles non dégriffés avec le guide ou la carte.**

11e ARRONDISSEMENT

ASSOCIATION DES PERSONNELS SPORTIFS DES ADMINISTRATIONS PARISIENNES
Cols blancs et blouses blanches en survêtement

12 cour Debille (11e)
M° Voltaire
Tél. 01 43 79 69 87
Fax : 01 43 79 17 97
www.apsap-vp.org
Lundi-vendredi : 8 h 45-17 h 30

Les 40 activités sportives de l'association, disséminées dans tout Paris, sont ouvertes à tous, pour un coût modeste (adhésion + cotisation senior : 89 € pour les fonctionnaires ; 126 € pour les autres ; supplément de 12 à 275 € par an selon le sport). On a ainsi accès aux nombreux club-houses, ainsi qu'à des cours de gymnastique, d'athlétisme, de natation, d'arts martiaux ou de tir à l'arc. Pour les moins casse-cou : billard et pétanque. Nombreux sports de plein air aux portes de Paris.

STUDIO HARMONIC
Danses du monde

5 passage des Taillandiers (11e)
M° Bastille ou Ledru-Rollin
Tél. 01 48 07 13 39
Fax : 01 49 23 40 43

Débutant ou confirmé, on y apprend la salsa cubaine, la samba brésilienne, les claquettes irlandaises et la danse d'Égypte. Il y a plus sportif (capoeira, hip-hop, acrobaties), plus traditionnel (danse classique et moderne, barres au sol) et plus social (tango,

www.studioharmonic.fr

rock et danses de salon). Stages et « master class » en permanence : les sept studios voient défiler les professeurs prestigieux. Inscription et adhésion : 32 €. Un cours : 13 € ; dix cours : 102 € ; cinquante cours : 420 €.

12e ARRONDISSEMENT

ANTHONY'S STUDIO

Tous en forme !

16 rue Louis-Braille (12e)
M° Bel-Air ou Michel-Bizot
Tél. 01 43 43 67 67
Fax : 01 43 43 02 14
www.clubdegym.com
*Lundi et jeudi : 9 h-23 h ;
mardi et vendredi : 9 h-
21 h 30 ; mercredi : 10 h-
21 h 30 ; samedi : 9 h-
18 h 30 ; dimanche : 9 h-
13 h 30*

Un club chaleureux aux installations spacieuses. Dès l'inscription, on vous propose un programme personnalisé avec un suivi mensuel par des professeurs diplômés. Cours collectifs à volonté. Une vingtaine d'activités proposées : gym, step, aérobic, abdo-fessiers, musculation, mais aussi salsa, capoeira, danse orientale... Accès aux sauna et solarium. Tarifs couples. (Forfait danse : 390 € par an.) **Avec le guide ou la carte : 310 € par an pour les étudiants et 460 € pour les salariés.**

LA CAMILLIENNE

Foot et compagnie

12 rue des Meuniers (12e)
M° Porte-de-Charenton
Tél. 01 43 07 55 61
Fax : 01 43 07 28 51
*Lundi-vendredi : 17 h-19 h ;
mercredi : 14 h-18 h ;
samedi : 15 h-17 h ;
dimanche : 11 h-12 h*

1 200 adhérents qui pratiquent le foot (138 € l'année), la natation (83 €), la danse moderne (182 €), le tennis (212 €), le tennis de table, le judo et le viet vodao (325 €). Les petits peuvent découvrir l'expression corporelle dès 4 ans. Centre de loisirs pour les 8-13 ans le mercredi (446 € l'année avec le repas de midi). Des nouveautés : taï chi, yoga (215 € par an) et gymnastique (170 € par an). Certains cours ont lieu au stade Léo-Lagrange ou à la piscine de Reuilly.

L'UNION SPORTIVE MÉTROPOLITAINE DES TRANSPORTS

Pour tous les goûts

54 quai de la Rapée (12e)
M° Bercy
Tél. 01 40 48 74 23
Fax : 01 40 48 73 99

Pas besoin de savoir conduire un bus ou un métro pour venir nager, plonger, courir, grimper, ramer, pédaler ou boxer à l'USMT. Une trentaine de disciplines sportives sont réparties sur neuf sites. Outre les sports collectifs courants, le club propose du hockey sur gazon ou de la pelote basque. Une idée des tarifs : 107,30 € pour une année de foot, de basket, de hand, de volley, de squash, de rugby ou d'athlétisme, 216,90 € pour le tennis ou le judo.

14e ARRONDISSEMENT

DOROTENNIS STOCK

Aux sportives élégantes

74 rue d'Alésia (14e)
M° Alésia
Tél. 01 45 42 40 68
Fax : 01 45 42 12 73
*Lundi : 14 h-19 h ; mardi-
vendredi : 10 h 15-19 h ;
samedi : 10 h-19 h*

Dorotennis habille les sportives (tennis, ski, natation) des pieds à la tête depuis maintenant 30 ans. Au stock, les vêtements sont à 40 % et 50 % en dessous des prix boutiques (jean stretch, maillot de bain, sweat coton : 32 €). Sans compter la braderie du premier étage : un rayon à 5 € (jupes droites en toile et petits tops pas vilains), des doudounes à 30 €, des coupe-vent à 49 €. Un rayon enfants, et une ribambelle d'accessoires nécessaires (visières, paréos).

15ᵉ ARRONDISSEMENT

CAPITAL SPORT

15 bis rue Blomet (15ᵉ)
Mᵒ Volontaires
Tél. 01 53 69 06 63
www.capitalsport.asso.fr

Coach personnel

Pour être sûr de tenir les bonnes résolutions : un professeur diplômé vient faire son cours jusque dans votre salon (Paris et proche banlieue). Renforcement musculaire ou stretching, abdos, gym douce ou relaxation : il vous fait travailler sans temps mort selon vos besoins. L'heure coûte 50 € (assurance individuelle comprise) pour une personne, mais à trois ou quatre (maximum), l'affaire devient intéressante (+ 8 € par personne supplémentaire). **Remise de 10 % avec le guide ou la carte.**

17ᵉ ARRONDISSEMENT

DANCENTER

6 impasse de Lévis
niveau 20 - rue de Lévis
(17ᵉ)
Mᵒ Villiers
Tél. 01 43 80 90 23
Fax : 01 44 40 24 29
www.dancenter.fr
*Lundi-jeudi : 15 h-22 h ;
vendredi : 15 h-20 h ;
samedi : 12 h-18 h*

Ici, on danse à deux

Les cours, ouverts aux adultes et aux enfants, ont lieu impasse de Lévis (adhésion : 45 € ; forfait dix cours : 117 € ; vingt cours : 214 € ; quarante cours : 397 €). Les « soirées d'entraînement » tous niveaux sont organisées au Club Med gym de la place d'Italie (14 rue Vandrezane, 13ᵉ) de 22 h à 1 h 30 : rock le vendredi, salsa le samedi. L'entrée (12 €) donne droit à un cours et une boisson. Ambiance chaleureuse. Stages (35 €) et voyages de danse toute l'année. **CD offert avec le guide ou la carte.**

18ᵉ ARRONDISSEMENT

CHAMPIONNET SPORT

14-16 rue Georgette-Agutte
(18ᵉ)
Mᵒ Guy-Môquet
Tél. 01 42 29 09 27 -
Ligne directe :
01 42 29 84 80
Fax : 01 44 85 91 79
www.championnet-sports.
org
*Lundi-vendredi : 9 h-12 h,
14 h-18 h*

De 7 à 77 ans

13 000 heures de cours annuelles et vingt-quatre sections sportives pour couvrir tous les âges et toutes les envies de bouger : de l'éveil des 3-6 ans à la gymnastique « forme et détente » des plus de 65 ans. Au choix : taekwondo ou athlétisme, escrime ou natation. Il y en a aussi pour les amateurs de sports collectifs et de disciplines artistiques (danse, hip-hop, GRS). Jusqu'au plus haut niveau. Tarifs par téléphone, de 100 € pour un an de football senior à 400 € pour un an de tennis adulte en salle (athlétisme : 112 € ; fitness : 305 €).

19ᵉ ARRONDISSEMENT

BASE NAUTIQUE DE LA VILLETTE

15-17 quai de la Loire
(19ᵉ)
Mᵒ Jaurès
Tél. 01 42 40 29 90
(mercredi et samedi)

Aviron et canoë-kayak gratuits

Ramer en ville n'est plus une galère… Des moniteurs diplômés d'État règnent sur le bassin (600 × 65 m), entre la place de la Bataille-de-Stalingrad et le pont de Crimée. Pour l'aviron, réserver une semaine à l'avance. Pour ramer gratuitement pendant 45 minutes, deux conditions : habiter Paris (une quittance de loyer vous sera demandée) et savoir nager ! – Mercredi : 9 h-12 h, 14 h-17 h (pour enfants avec autorisation parentale et brevet 50 m) ; samedi : 9 h-12 h, 14 h-17 h (pour adultes).

78 YVELINES

DEGRIF-GLISS   *Fous de fun*

Usines Center
Route Citroën
78140 VÉLIZY-
VILLACOUBLAY
Accès : voir p. 396
Tél. 01 39 46 53 99
Mercredi-vendredi : 11 h-
20 h ; samedi-dimanche :
10 h-20 h

La boutique de démarque Quicksilver propose des modèles récents (fins de séries, deuxième choix) à -40 %. Pour habiller ados et adultes fans de glisse été comme hiver. Le coton sous toutes ses formes : short de surf en toile (34 €), tee-shirt (19 €), sweat large (24 €), pull en maille (42 €). Sans oublier l'incontournable bob (13 €). Pour les filles, petits tops colorés (16 €), shorts de bain (31 €) et jupes taille basse (25 à 40 €) autant qu'on en veut.

AUTRES ADRESSES
- Marques Avenue, 8 quai Le Châtelier • 93450 ÎLE-SAINT-DENIS • Accès : voir p. 397 • Tél. 01 42 43 33 74
- Quai des Marques, Magasin E21 (2ᵉ étage) • 95130 FRANCONVILLE • Accès : voir p. 398 • Tél. 01 34 14 13 93

92 HAUTS-DE-SEINE

CENTRALE DES VÊTEMENTS DE SKI   *Vêtements de ski et de tennis*

17 av. du Général-Leclerc
92100 BOULOGNE-
BILLANCOURT
Mᵒ Marcel-Sembat
Tél. 01 46 08 20 03
Mardi-samedi : 9 h 30-
12 h 30, 14 h-19 h

A la Centrale, les prix descendent tout schuss. D'octobre à avril, -20 à - 50 % sur les références du ski (Nevika, Lafuma, Lutha), mais aussi sur les blousons Nike ou Adidas. Hommes, femmes et enfants à partir de 6 mois pourront narguer le vent des cimes : fuseau velours FusEurop à partir de 45 €, anorak Killy à partir de 155 €, combinaison enfant à partir de 38 €. L'été, les rayons se remplissent de maillots de bain Arena, de jupettes et de baskets de grandes marques à prix discount.

AUTRES ADRESSES
- 181 av. Jean-Jaurès • 92140 CLAMART • 5 km du Quai d'Issy. SNCF (Montparnasse), Clamart • Tél. 01 46 45 67 95
- 169 bis av. d'Argenteuil • 92600 ASNIÈRES • Mᵒ Gabriel-Péri-Asnières-Gennevilliers • Tél. 01 47 90 26 33

DISCOUNT MARINE   *Promos à bâbord*

12 rue Liot
92106 BOULOGNE-
BILLANCOURT Cedex
Tél. 01 46 20 42 42
Fax : 01 46 20 06 48
www.discount-marine.com
Mardi-vendredi : 9 h 30-
18 h 30 ; samedi : 9 h 30-
13 h, 14 h-18 h 30

Tout l'équipement pour une virée en mer, des gilets de sauvetage (Norwest : 35 €) aux sondeurs (Cuda 168 : 259 €), VHF (à partir de 109 €) et lecteurs de carte. Jusqu'au moindre taquet coinceur. Accessoires de pêche. Stock énorme pour un petit magasin, 5 à 30 % moins cher qu'ailleurs. Catalogue gratuit (plus de 2 700 références) et prix constamment remis à jour sur Internet.

QUAI 34   *Sports de glisse*

36 rue Raymond-
Marcheron
92170 VANVES
Mᵒ Malakoff-Plateau-
de-Vanves
Tél. 01 46 42 32 27
Fax : 01 46 44 70 29

Au fond d'une arrière-cour, l'antre coloré des glisseurs de tout poil : sur neige, sur eau ou sur bitume. Pas de rollers, trop communs, mais plus de 200 modèles de snowboards et 40 modèles de planches à voile. Sans compter les wake boards, fly surfs, et autres skates (Girl, Blind, Powells...). Le surf-shop propose des rabais de 30 % sur les modèles de

*Mardi-samedi : 10 h-
12 h 30, 14 h-19 h*

l'année précédente et des promotions permanentes sur les fins de séries (grandes marques). Soldes à la mi-février. **Remise de 10 % avec le guide ou la carte (hors soldes et exceptions).**

AUTRES ADRESSES
- 42 bd National • 92250 LA GARENNE-COLOMBES • 5 km de la Porte de Champeret • Tél. 01 47 82 90 60 • Mardi-samedi : 9 h 30-12 h 30, 14 h-19 h
- 9 quai de l'Artois • 94170 LE PERREUX-SUR-MARNE • 7 km de la Porte de Vincennes (N34) • Tél. 01 48 72 56 52 • Mardi-samedi : 9 h 30-12 h 30, 14 h-19 h

---

93 SEINE-SAINT-DENIS

NIKE FACTORY STORE

Stock Nike

Marques Avenue
8 quai Le Châtelier
93450 ILE-SAINT-DENIS
Accès : voir p. 397
Tél. 01 55 87 05 25
*Lundi-vendredi : 11 h-20 h ;
samedi : 10 h-20 h*

Un immense stock où se brade l'athlétique virgule de la gloire. Fins de séries, surstocks, invendus des saisons précédentes. Les hommes trouveront de quoi se chausser pour courir aux alentours de 50 €. Le jogging femme avoisine les 70 € et les tee-shirts enfant coûtent 10 €. Le beau ballon de foot blanc n'est jamais à plus de 12 €. Des promotions permanentes (renouvellement hebdomadaire) sur les articles femme et enfant. Exemple : chaussures running enfant à 29 € au lieu de 69 €.

DISPORTEX

Musculation et fitness

14-18 rue Francis-
de-Pressensé
93210 SAINT-DENIS-
LA-PLAINE
RER B, La Plaine-Stade-
de-France
Tél. 01 49 46 22 22
Fax : 01 49 46 22 23
www.disportex.fr
(pour le matériel
professionnel)
*Lundi-vendredi : 10 h-
12 h 30, 14 h 30-17 h 30*

Disportex équipe les salles et les clubs de gym (appareils de musculation et de cardio-training), sans pour autant oublier les biscoteaux des particuliers. Entre autres engins de torture, on s'offrira un vélo pour 176 €, un rameur pour 195 € ou un stepper pour 195 €. Les bancs sont à 38 € et les premières presses à 294 €. Le service après-vente est sérieux (5 ans de garantie sur les marques Care et Striale) et les conseils judicieux. **Remise de 10 % sur les marques Striale, Care et Home Fitness Schwinn avec le guide ou la carte.**

---

94 VAL-DE-MARNE

TEAM 5

Stock de vêtements

11 rue de la Vanne
Silic 407
94260 FRESNES
RER B, La Croix de Berny
Tél. 01 49 84 01 13

Dans une halle spacieuse, chaque marque (y compris Puma, Umbro, Columbia et Lévis) est exposée sur son stand. En vertu d'un accord avec Adidas, toute la gamme est représentée à -10 ou à -20 %. Des promotions sur les nouveaux modèles. Déstockage permanent des fins de séries (-50 % sur des chaussures Nike, Reebok, Adidas). – Lundi : 14 h-19 h ; mardi, jeudi, vendredi : 10 h-12 h 30, 14 h-19 h ; mercredi, samedi, dimanche : 10 h-19 h.

AUTRES ADRESSES
- Usine Center • 78140 VÉLIZY-VILLACOUBLAY • Accès : voir p. 396 • Tél. 01 39 46 43 10 • Mercredi-vendredi : 11 h-20 h ; samedi-dimanche : 10 h-20 h
- Centre commercial, Voie de Briis • 91300 MASSY • 15 km de la Porte d'Orléans (A6 + N188) • Tél. 01 60 11 27 87 • Mercredi-vendredi : 10 h 30-20 h ; samedi-dimanche : 10 h-20 h

HAWAII

Glisse, glissons, glissez

69 av. Danielle-Casanova
94200 IVRY
M° Mairie-d'Ivry
ou RER C, Ivry
Tél. 01 46 72 07 10
Fax : 01 46 58 95 32
www.hawaiisurf.com
*Mardi-vendredi : 10 h-13 h,
14 h-19 h ; samedi : 10 h-19 h*

Snowboards, bodyboards, long boards, rollers et leurs cousins : la surface du magasin permet d'exposer toute la famille des engins de glisse (neuf et occasion). Quads (basket + platine garantie à vie + roulement) : 139 €. Bodyboard Sniper locked : 98 €. Snowboard : à partir de 220 €. -30 % sur le matériel de la saison précédente. Location de rollers intéressante : 4 € la journée, 11 € le week-end de trois jours (vendredi soir-mardi matin), protections comprises. **Remise de 10 % avec le guide ou la carte (sauf promotions, packs et occasions).**

95 VAL-D'OISE

GEX SPORTS-CITY SPORT

Vêtements et chaussures déstockés

Magasin E01 (1er étage) -
Quai des marques
95130 FRANCONVILLE
Accès : voir p. 398
Tél. 01 30 72 01 17
Fax : 01 34 44 02 88
*Lundi-vendredi : 11 h-20 h ;
samedi : 10 h-20 h*

AUTRE ADRESSE

Les grands noms du sport à -40 % : Nike, Adidas, Reebok, Ellesse, Lotto, Umbro, Le Coq Sportif et Diesel. De quoi rhabiller et rechausser enfants (à partir de 6 mois) et adultes. Pour les ados : un rayon « skater » (Es, Sens) de -20 à -30 %. Et des promotions fréquentes : Nike Presto ou Cortez à 39 € ; pantalon Puma à 16 €. Bon accueil.

■ Usines Center, Route Citroën • 78140 VÉLIZY-VILLACOUBLAY • Accès : voir p. 396 • Tél. 01 30 70 69 83

À l'ADAC et dans les Centres d'animation

La liste des activités proposées par les quarante-trois Centres d'animation (tél. 08 2000 75 75 ou www.sport.paris.fr ou 3615 PARIS puis SPO, puis Centres d'animation) est pléthorique. Tous les sports de ballon, d'adresse, d'eau, d'air, de contact, y sont. Parmi les moins courants : acrobatie, break dance, cerf-volant, plongée, parachutisme ou moto verte... Prix modérés : de 61 à 122 € par trimestre. Adhésion : environ 15 €

l'année (remboursable avec la carte Paris Famille). L'ADAC (tél. 01 44 61 87 87, www.adac paris.com ou 3615 PARIS puis SPO, puis Ateliers d'expression) propose de son côté quelques disciplines plus artistiques (danse, Tai-chi, gym harmonique, Qui-Cong, yoga). Inscriptions en juin (adhésion : 16 € ; cotisation pour un cours par semaine : 252 € l'an pour un adulte et 126 € pour un enfant).

Golf

Finie l'aristocratie du golf. La fédération encourage vivement les non-initiés à venir fouler le vert gazon. Elle a créé en collaboration avec le réseau des Nouveaux Golfs de France un « parcours compact » de neuf trous à Saint-Ouen-l'Aumône : 8 € en semaine, 13 € le week-end (+ location de club : 1,50 €) avec une heure d'initiation gratuite le samedi et le dimanche. Forfait découverte valable un mois : 80 € (cours, parcours, prêt du matériel inclus). On peut aussi faire ses premiers puts au golf du Tremblay de l'UCPA : parcours neuf trous, 8 € en semaine et 12 € le week-end. Seau de trente-quatre balles : 2,50 €. Location d'un club à partir de 2 €. Le golf de Saint-Quentin propose une initiation gratuite (dimanche de 15 h à 18 h) : tout est fourni, mais il faut réserver longtemps à l'avance. De plus en plus de golfs proposent des initiations totalement gratuites : attention ensuite au prix des forfaits et abonnements.

17e ARRONDISSEMENT

GOLF EN STOCK
206 bd Péreire, 17e • M° Porte-Maillot • Tél. 01 45 74 00 05 • Fax : 01 45 74 03 58 • www.golf enstock.com • Mardi-samedi : 10 h-19 h

Occasions et promotions (-20 à -80 %) sur des produits haut de gamme récents. Pour les débutants, fers neufs à partir de 15 €. Gants à partir de 7 €, chaussures de 18 €, chariots de 40 € et bois de bonne qualité de 30 €. Demi-séries : à partir de 150 €. Pour les pros, série Callaway huit fers graphite : 400 €. Vendeurs sympathiques et compétents. Vente sur le Net. **Cadeau avec le guide ou la carte.**

SURPLUS DU GOLF
56 bd Berthier, 17e • M° Porte-de-Clichy • Tél. 01 42 67 66 27 • Fax : 01 42 67 65 93 • Mardi-samedi : 10 h-19 h 30 ; lundi : 14 h 30-19 h 30

Fréquenter les greens sans se ruiner, c'est possible : chaussures à partir de 15 €, chariot manuel à 39 €, série graphite à partir de 249 €. Pour les golfeurs sachant golfer : la série Mac Gregor graphite homme de neuf fers « DXHP » est à 489 €. **Cadeau avec le guide ou la carte.**

78 YVELINES

GOLF DE SAINT-QUENTIN
D912 Trappes, Base de loisirs • 78190 TRAPPES • 25 km de la Porte d'Auteuil (A13 + A12 + N10) • Tél. 01 30 50 86 40 • www.bluegreen.com

Package fin de journée : voiture, parcours, balles : 31 € en semaine.

GOLF DE VILLENNES
78670 VILLENNES-SUR-SEINE • 30 km de la Porte Maillot (A13 ou A14) • Tél. 01 39 08 18 18 • Fax : 01 39 75 88 07 • 8 h-20 h

3 heures de cours golf découverte gratuit le dimanche (s'inscrire 15 jours avant). **Green Fee à 26 € en semaine avec le guide ou la carte.**

GOLF DE GUERVILLE
La Plagne • 78930 GUERVILLE • De Paris, par A13 (dir. Rouen), sortie Mantes-la-Jolie/Guerville • Tél. 01 30 92 45 45

Initiation gratuite (matériel fourni).

91 ESSONNE

GOLF DE CHEVRY
Chevry • 91190 GIF-SUR-YVETTE • 25 km de la Porte de Saint-Cloud (N118 + N306) • Tél. 01 60 12 40 33

Initiation gratuite le week-end (dates, réservation, horaires par téléphone).

GOLF DE SAINT-AUBIN
91190 SAINT-AUBIN • 30 km de la Porte de Saint-Cloud (N118 - sortie Saclay) • Tél. 01 69 41 25 19

Initiation gratuite le dimanche : 9 h-12 h. Réservation par téléphone.

GOLF DE VILLERAY
91280 SAINT-PIERRE-DU-PERRAY • 35 km de la Porte d'Orléans (A6 + N448) • Tél. 01 60 75 17 47

Initiation gratuite certains dimanches (dates par téléphone).

94 VAL-DE-MARNE

GOLF DE MAROLLES-EN-BRIE
Marolles-en-Brie • 94440 MAIL-DE-LA-JUSTICE • Suivre la direction Troyes (par A4, A86 puis N19) • Tél. 01 45 95 18 18

GOLF DU TREMBLAY UCPA
33 av. Jack-Gourevitch • 94500 CHAMPIGNY-SUR-MARNE • 10 km de la Porte de Bercy (A4) • Tél. 01 48 83 36 00

Prix serrés sur les forfaits : 10 heures de cours : 120 € ; onze jetons (balles) : 20 €.

95 VAL-D'OISE

GOLF DE MONTGRIFFON
D 909 • 95270 LUZARCHES • 30 km de la Porte de la Chapelle (A1 + N16) • Tél. 01 34 68 10 10 • Fax : 01 34 68 04 10 • www.golfhotel paris.com • Tous les jours : 8 h-18 h (20 h l'été)
-10 % sur le Green Fee plein tarif avec le guide ou la carte.

GOLF DE SAINT-OUEN-L'AUMÔNE
Allée de l'Abbaye-de-Maubuisson • 95310 SAINT-OUEN-L'AUMÔNE • 35 km de la Porte Maillot (A86 + A15) • Tél. 01 34 40 07 87 • Fax : 01 34 40 07 67

Gym en plein air

Pas besoin de Paris Pas Cher pour se rendre dans l'une de ces usines à muscles où, dans une odeur d'embrocation, vous vous sculpterez la silhouette de Schwarzenegger sur de coûteux appareils. Notez seulement que les clubs franchisés, qui ne communiquent jamais leurs tarifs par téléphone (!), peuvent consentir, moyennant discussion, de sérieux rabais (-30 %, deux ans pour le prix d'un, etc.) sur les tarifs qu'ils annoncent en premier chef. Étudiants, professeurs, n'hésitez pas à poser vos conditions ! Pour le pas cher, on se référera utilement une fois de plus au Guide du Sport à Paris (voir ci-après). Par ailleurs, si vous cherchez des endroits où l'accueil est bon enfant, l'air pur, et le coût dérisoire, voici deux adresses.

SPORT NATURE
Tél. 08 2000 75 75 • www.sport.paris.fr (« Animations »)
Pour faire gratuitement de la gym dans 13 parcs et jardins parisiens (le dimanche matin : 9 h-12 h). Encadrement par des moniteurs de la ville de Paris.

16e ARRONDISSEMENT

ACSP
Stade de la Muette, 60 bd Lannes, 16e • Mo Rue-

de-la-Pompe ou RER C, Henri-Martin, ou PC1, Porte de la Muette • Tél. 01 45 04 98 96
Bol d'air du week-end. Rendez-vous au 60 bd Lannes à 10 heures tapantes les samedis et dimanches matin pour 2 heures de gym et de jogging (ou de marche) dans le bois de Boulogne (échauffement + abdos + jogging tous niveaux). Le cours est encadré par un moniteur spécialisé. Adhésion annuelle : 75 € (pour une inscription à partir d'avril : 40 €). Pas d'interruption pendant les vacances. Séance d'essai gratuite.

Le Guide du Sport à Paris

Plus de 60 disciplines, 366 équipements municipaux, 2 000 associations et clubs : le guide « Parisports » (guide du sport à Paris) recense toutes les installations sportives de la capitale. Des bébés nageurs au PSG. Très pratique quoique un peu touffu, il est édité par la mairie de Paris. On le trouve à l'Hôtel de Ville, dans les mairies d'arrondissement et les kiosques Jeunes. On peut se le faire envoyer (gratuitement) en téléphonant à Paris Info : 08 2000 75 75 (lundi-vendredi : 8 h-19 h ; samedi : 9 h-12 h 30). Renseignements sur Internet : www.sport.paris.fr.

Les courts de tennis municipaux

Pour aller taquiner la petite balle jaune, rien de plus économique que les quarante-quatre centres municipaux. Au jardin du Luxembourg, on peut même exhiber son service foudroyant devant un public de curieux. Pour louer un court : se procurer la « Carte Paris Tennis », gratuite, dans l'un des centres ou dans une mairie d'arrondissement (se munir de deux photos et une photocopie des papiers d'identité), composer ensuite le 3615 PARIS sur Minitel, puis « RTEN ». On peut réserver de sept jours à une heure avant de jouer.

Tarifs pour une heure : 11,40 € sur court couvert, et 5,75 € sur court découvert. L'abonnement de 10 heures : de 45,70 € (courts découverts) à 91,40 € (courts couverts). Tarifs réduits avant 11 h en semaine : 3,20 € l'heure sur court découvert et 6,10 € l'heure sur court couvert. Murs d'entraînement gratuits. Réductions pour les moins de 26 ans, gratuité pour les demandeurs d'emploi et bénéficiaires du RMI. Horaires d'ouverture du lundi au samedi : 7 h-21 h ; le dimanche : 7 h-18 h.

Les Parcs interdépartementaux des sports

De l'espace, de la verdure parsemée d'aires de pique-nique, des équipements sportifs variés (pistes de roller, parcours santé, stands de tir à l'arc, piscines découvertes, terrains de bicross) : tout pour oublier en un rien de temps le périph aux heures de pointe. A Choisy-le-Roi, la base nautique propose même une initiation gratuite à la voile. Attention, une bonne partie des équipements sportifs de ces six parcs sont monopolisés par des clubs. Mieux vaut se reporter aux numéros de téléphone suivants pour s'informer des conditions d'inscription dans les différentes activités.

92 HAUTS-DE-SEINE

PARC D'ANTONY
148 bis av. du Général-de-Gaulle • 92160 ANTONY • 7 km de la Porte d'Orléans (N20) - RER B, Croix-de-Berny • Tél. 01 43 50 39 35 (tennis), 01 46 60 75 30 (piscine découverte) • Fax : 01 46 83 84 86

Tennis : 6,70 €/heure. Piscine de plein air (1er juin-mi-septembre) : 4,60 € l'entrée.

PARC DE PUTEAUX
Île de Puteaux • 92800 PUTEAUX • Mo Pont-de-Neuilly + bus 144 • Tél. 01 41 38 34 00 ou 01 41 38 34 12 (tennis) • Fax : 01 41 38 34 18
Tennis : 6,70 € l'heure. Piscine de plein air. Practice du golf : libre service.

93 SEINE-SAINT-DENIS

94 VAL-DE-MARNE

PARC DE BOBIGNY
40 à 102 av. de la Division-Leclerc • 93000 BOBIGNY • M° Fort-d'Aubervilliers • Tél. 01 41 64 01 69 • Fax : 01 48 30 75 99

Tennis : 5 € l'heure. Abonnement 10 heures pleines : 30,50 € ; 10 heures creuses : 18,30 €.

PARC DE LA COURNEUVE
51 av. Roger-Salengro • 93120 LA COURNEUVE • M° Saint-Denis-Basilique (+ marche !) • Tél. 01 49 71 30 20 (tennis) • Tous les jours : 8 h-22 h

Tennis : 5 € l'heure. Abonnement 10 heures pleines : 30,50 €. 10 heures creuses : 18,30 €. 10 heures éclairées : 41,20 €. Carte individuelle : 4,55 €.

PARC DE CHOISY-LE-ROI
Plaine Sud, Chemin des Bœufs • 94000 CRÉTEIL • 10 km de la Porte de Bercy (A4 + N6). Carrefour Pompadour. RER D, Villeneuve Paris • Tél. 01 48 53 85 77 (tennis). 01 48 52 56 31 (sports nautiques)

Nombreuses activités nautiques sur le plan d'eau.

PARC DU TREMBLAY
11 bd des Alliés • 94500 CHAMPIGNY-SUR-MARNE • 10 km de la Porte de Bercy (A4) • Tél. 01 48 81 11 22 • Fax : 01 48 82 47 13

Tennis : 5,80 € l'heure en journée. 6,80 € le soir (cours éclairé). Prévoir l'appoint.

Piscines : dans le grand bain

Pour aller piquer une tête dans l'une des trente-cinq piscines parisiennes, il faut habiter le bon quartier (pas de bassin dans les 2ᵉ, 3ᵉ, 7ᵉ et 8ᵉ arrondissements contre sept piscines dans le 15ᵉ). Les adresses et les différentes activités sont recensées dans le Guide du Sport à Paris (3615 PARIS ou Paris Info Mairie 08 2000 75 75) : on fait de l'aquagym un peu partout, de la plongée dans le 11ᵉ, de la natation synchronisée dans le 4ᵉ ou encore du water-polo dans le 20ᵉ. Dans les piscines municipales, la baignade coûte

1,35 € (tarif réduit) ou 2,40 € (plein tarif). Le carnet de 10 tickets : 11,40 € ou 19,80 €. Pour les nageurs plus réguliers, l'abonnement trimestriel : 14,90 € ou 29,80 €. Gratuit pour les titulaires de la carte Paris Famille (sauf piscines « concédées »). Attention : l'entrée est plus chère dans les piscines municipales « concédées », comme l'Aquaboulevard (15ᵉ), ou la piscine Pontoise (5ᵉ). Des leçons individuelles (11,40 €) ou collectives (4,90 €) sont proposées dans tous ces lieux.

Roller et compagnie

C'est à la fois un sport et un transport : avec le roller, n'importe qui peut prendre son pied... Il existe plusieurs façons de le pratiquer et plusieurs équipements correspondants : la rando ou la balade (dite aussi fitness ou loisir) ; le « stunt » ou « l'agressive » (c'est le patin en ville) ; la course ; l'artistique.

L'ÉQUIPEMENT

Les rollers

C'est avant tout une paire de chaussures. Et pour trouver chaussure à son pied, il vaut mieux l'essayer pendant quelques heures. Cherchez à louer avant d'acheter. Il existe des patins à peu près polyvalents. Ce sont ceux-là qu'il faut prendre. Préférer les patins d'occasion de grandes marques aux neufs bas de gamme. Important : changer les roues assez souvent. Pour la ville, prendre des roues pas très dures et assez grandes. Pour le « stunt », des roues plus dures.

Les protections

Il faut tout particulièrement se protéger les poignets (ce sont eux qui cassent en premier) avec des protège-poignets, puis songer, dans l'ordre, aux coudières, genouillères et casque.

OÙ S'ENTRAÎNER ?

Les adresses parisiennes fourmillent dans le guide Parisports. En banlieue, quand les patins vous démangent, faites un tour au skatepark de Plaisir : 665, route de la Boissière. Accès gratuit. Infos auprès de France Roller, tél. 01 30 81 92 32, www.france-roller.com.

LES RANDONNÉES

Les randos sont gratuites, mais mieux vaut adhérer à l'association organisatrice pour bénéficier d'une assurance.

Tous les vendredis

Pari Roller organise la « Friday Night Fever » au départ de la place Raoul-Dautry, devant la gare Montparnasse (rassemblement 22 h). Déconseillé aux débutants. En moyenne 12 000 participants « sachant freiner » profitent du cortège de la police et d'une assurance pour 9 € par trimestre (rando gratuite mais adhésion recommandée 14 € par an). Infos complètes sur le site www.pari-roller.com.

Tous les dimanches

La « Rando des boulots » est une création de Rollers et Coquillages (23-25 rue J.-J.-Rousseau, 1er). La balade dure 3 heures environ (20 à 30 km avec encadrement policier). Tous niveaux : ambiance bon enfant. Départ du magasin Roller Nomades (37 bd Bourdon, 4e, près de Bastille) vers 14 h 30. Gratuit (adhésion annuelle + assurance : 27 € ; tarif enfant et étudiant). L'association propose des sorties découvertes sur 8 roues pour les adhérents (randos en forêt, week-end en province). Informations au 01 44 54 94 42 ou www.rollers-coquillages.org.

Roller Squad Institut (7 rue Jean-Giono, 13e, tél. 01 56 61 99 61 - www. rsi.asso.fr) propose aux débutants une balade au départ des Invalides : rendez-vous à 15 h. La rando « kids », elle, part à 14 h 30. Également des randos pour confirmés (en semaine) et une foule de cours de fitness, street, fitness on dance (le cours découverte : 14 €, le cours adhérent : 11 €). Assurance à la journée : 2 €.

Capital Sport (www.capitalsport.asso.fr, 15 bis rue Blomet, 15e, tél. 01 53 69 06 63) organise des rando-cours (débutants le samedi, confirmés le dimanche). Un éducateur sportif pour huit personnes. Un cours : 14 € ; dix cours : 115 €.

LES MAGASINS

Voici deux bonnes adresses où vous équiper et une idée si vous voulez passer à autre chose que le roller sur bitume.

4e ARRONDISSEMENT

ROLLER NOMADES

37 bd Bourdon, 4e • M° Bastille • Tél. 01 44 54 07 44 • Mardi-vendredi : 11 h-13 h, 14 h-19 h ; samedi-dimanche : 10 h-19 h

Grandes marques à prix intéressants (garantie un an). Promotions sur les rollers de la saison

précédente. Patins à partir de 110 €. Gamme Salomon de 200 à 330 €. Technika Twister et Free Ride : 245 €. Siège de l'association Roller Club de France qui propose des cours de roller (cinq niveaux différents) avec des professeurs diplômés d'État tous les jours de la semaine. Vendeurs experts et enthousiastes qui connaissent patins et bitume parisien sur le bout des roulettes.

12e ARRONDISSEMENT

PATINOIRE SONJA-HENIE

Palais Omnisport de Paris-Bercy, 8 bd de Bercy, 12e • M° Bercy. Entrée porte nord côté jardin • Tél. 01 40 02 60 60 • Mercredi : 15 h-18 h ; vendredi : 21 h 30-0 h 30 ; samedi : 15 h-18 h, 21 h 30-0 h 30 ; dimanche : 10 h-12 h, 15 h-18 h

Avis à ceux qui décidément préfèrent les lames et la glace : la patinoire du Palais Omnisport vient d'ouvrir ses portes au public. Pour venir guincher la nuit (vendredi et samedi soir) là où les pros s'entraînent le jour, il faut débourser 9 € (tarif réduit) ou 15 €. Mais pour les glissades diurnes (mercredi, samedi, dimanche) c'est seulement 3 ou 4 €.

16e ARRONDISSEMENT

VERTICAL LINE

60 bis av. Raymond-Poincaré, 16e • M° Victor-Hugo ou Trocadéro • www.vertical-line.com • Tous les jours : 10 h-19 h 30 (vendredi jusqu'à 22 h)

Rando, Street, vitesse, vous trouverez nécessairement roller à votre pied parmi les 180 modèles proposés... Tout ce qui roule est là : skates, longboards, trottinettes. Et les accessoires qui vont avec. Système de dépôt-vente, location, réparation. Partenaire du Roller Squad Institut, le magasin organise deux randonnées hebdomadaires (dimanche 15 h : débutants ; vendredi 22 h : experts). **Sur présentation du guide ou de la carte, remise d'un « passeport » donnant droit à des avantages pendant deux ans (remise de -10 %, cadeaux, voyages offerts...).**

À cheval !

Les clubs UCPA sont aux petits soins pour les débutants. Les cours du soir (18 h 30-22 h 30) permettent d'éviter les reprises du week-end, traditionnellement assez chargées. Entièrement rénovés, le club-house et le poney-club du centre Bayard rayonnent d'un charme quasi provençal. A Maisons-Laffitte, cartes spéciales vacances, sorties en forêt et nombreux stages. En sus, trois adresses où s'équiper à prix raisonnable.

12ᵉ ARRONDISSEMENT

CENTRE ÉQUESTRE - PONEY CLUB BAYARD UCPA

Avenue du Polygone, 12ᵉ • Mᵒ Château-de-Vincennes • Tél. 01 43 65 46 87 • Fax : 01 43 65 85 94

Poney : 144,75 € le trimestre. Cheval : 218,35 € le trimestre.

16ᵉ ARRONDISSEMENT

KINETON

6-10 rue Mirabeau, 16ᵉ • Mᵒ Mirabeau • Tél. 01 40 50 60 93 • Fax : 01 40 50 70 24 • Mardi-samedi : 10 h-13 h 30, 14 h 15-19 h

Produits de qualité et conseils de pros. De quoi chevaucher élégamment : boots (46 €) ou bottes en cuir sur mesure (montée Goodyear : 266 €). Pantalons à partir de 32 €, culottes à fond doublé peau (Euroriding) à partir de 73 €. Chemisiers et vestes de compétition : 23 et 58 €. Bombes : 44 €. Gants (Sprenger) : 20 €. Parka trois en un, coutures soudées : 95 €. **Remise de 10 % (sauf selles) avec le guide ou la carte**.

78 YVELINES

CENTRE HIPPIQUE DE MAISONS-LAFFITTE UCPA

42 av. Lekain • 78600 MAISONS-LAFFITTE • RER A, direction Poissy ou Cergy, arrêt Maisons-Laffitte • Tél. 01 39 62 09 12 • Tous les jours : 9 h-12 h 30, 14 h-20 h

La séance : de 12,96 à 18,60 € avec forfait.

CHEVAL PARADIS

9 Ancien-Chemin-de-Paris • 78790 SEPTEUIL • Entrée : route de Versailles • Tél. 01 30 93 43 93 • Fax : 01 30 93 81 39 • www.cheval-paradis.fr • Tous les jours : 9 h-12 h 30, 14 h-19 h

Grossiste et détaillant, créateur et importateur, neuf et occasion : le stock est souvent renouvelé. Toutes les gammes pour tous les prix. Selle mixte équipée avec tapis (bridon + licol + longe) : 151 € (arçon garanti 2 ans). Selle rando tout équipée (grand confort) : 595 €.

93 SEINE-SAINT-DENIS

CENTRE HIPPIQUE DE LA COURNEUVE UCPA

av. Roger-Salengro • 93120 LA COURNEUVE • Tél. 01 48 38 62 63

Horse ball, voltige, poney, équitation traditionnelle : forfaits trimestriels (treize à seize séances). Par exemple, forfait quatorze leçons pour l'équitation à 217 € (cheval) ou 147 € (poney). Prix variant en fonction de la longueur des trimestres.

95 VAL-D'OISE

CHEVAL PARADIS

4 rue Georges-Duhamel • 95300 HÉROUVILLE • 50 km de la Porte de la Chapelle • Tél. 01 34 66 59 94 • www.cheval-paradis.fr

Mêmes tarifs qu'à Septeuil.

Vous voulez recevoir gratuitement le prochain Paris Pas Cher ? Signalez-nous, par courrier, une bonne adresse qui n'y figure pas ou une erreur qui se serait glissée dans le texte (si, si, ça arrive), avant le 1ᵉʳ février 2004.

Si vous êtes le premier (ou la première) à nous l'avoir signalée, et que nous la retenons, vous recevrez un exemplaire du guide 2005, à paraître en septembre 2004.

**Paris Pas Cher
19 av. Georges-Brassens
94550 Chevilly-Larue**

THÉÂTRE, DANSE

Paris est aussi ville lumière grâce aux feux de la rampe. Du boulevard à l'avant-garde, du café-théâtre à l'improvisation, tout ce qui brille n'est – heureusement – pas d'or : il y a des nourritures intellectuelles qui savent rester digestes pour nos portefeuilles.

¿ QUE CHERCHEZ-VOUS ?

CAFÉ-THÉÂTRE
484 Mélo d'Amélie (2e)
485 Point Virgule (4e)
485 Le Lucernaire (6e)
490 Le Limonaire (9e)
490 Le Moloko (9e)
490 La Patache (10e)
486 Akteon Théâtre (11e)
490 L'Arambar (11e)
490 Théâtre du Tambour Royal (11e)
490 La Guinguette Pirate (13e)
490 Café d'Edgard (14e)
490 Théâtre de Dix Heures (18e)
491 Théâtre Clavel (19e)

CONTES
486 Mandapa (13e)

DANSE
484 Les Déchargeurs (1er)
485 Centre National de la Danse (4e)
486 Théâtre de la Bastille (11e)
486 Mandapa (13e)
487 Théâtre de la Cité Internationale (14e)

487 Studio Le Regard du Cygne (20e)
488 Théâtre de Bobigny - MC 93 (93)
488 Maison des Arts et de la Culture de Créteil (94)

MUSIQUE
484 Les Déchargeurs (1er)
484 Théâtre Molière - Maison de la Poésie (3e)
485 Point Virgule (4e)
490 Théâtre du Tambour Royal (11e)
490 La Guinguette Pirate (13e)
487 Théâtre de la Cité Internationale (14e)
490 Théâtre de Dix Heures (18e)
491 Théâtre Clavel (19e)
487 Studio Le Regard du Cygne (20e)
491 Le Bouquin Affamé (92)
487 Théâtre de l'Échangeur (93)
488 Maison des Arts et de la Culture de Créteil (94)

POÉSIE
484 Les Déchargeurs (1er)
484 Théâtre Molière - Maison de la Poésie (3e)
485 Le Lucernaire (6e)

RÉDUCTIONS
488 Les Associations de Spectateurs
488 Avant-Premières des Théâtres Privés
489 Soirées Privilège
489 Théâtre du Châtelet (1er)
489 Kiosque de la Madeleine (8e)
489 La Terrasse (12e)
489 Kiosque Montparnasse (15e)
488 Acte Un (17e)
488 Starter Plus (20e)
490 *Petites scènes à tarifs réduits*

SPECTACLES POUR ENFANTS
484 Mélo d'Amélie (2e)
485 Point Virgule (4e)
485 Le Lucernaire (6e)
490 Théâtre de la Mainate (10e)

¿ QUE CHERCHEZ-VOUS ?

486 Akteon Théâtre
(11e)
490 La Guinguette
Pirate (13e)
491 Théâtre Clavel
(19e)

THÉÂTRE CLASSIQUE
484 Comédie
Française (1er)
484 Les Déchargeurs
(1er)
484 Studio Théâtre
(1er)
484 Théâtre Molière -
Maison de la
Poésie (3e)
485 La Huchette (5e)
485 Le Lucernaire
(6e)
485 Vieux Colombier
(6e)
486 Akteon Théâtre
(11e)
486 Théâtre Artistic
Athévains (11e)
486 Comédie
Italienne (14e)
487 Théâtre de la
Cité

Internationale
(14e)
487 Odéon Théâtre
de l'Europe (17e)
487 Théâtre des
Amandiers (92)

THÉÂTRE
CONTEMPORAIN
484 Les Déchargeurs
(1er)
484 Studio Théâtre
(1er)
484 Théâtre Molière -
Maison de la
Poésie (3e)
485 La Huchette (5e)
485 Le Lucernaire (6e)
485 Vieux Colombier
(6e)
490 Théâtre Trévise
(9e)
486 Akteon Théâtre
(11e)
486 Théâtre Artistic
Athévains (11e)
486 Théâtre de la
Bastille (11e)
490 La Guinguette
Pirate (13e)

486 Mandapa (13e)
490 Guichet
Montparnasse
(14e)
487 Théâtre de la
Cité
Internationale
(14e)
487 Odéon Théâtre
de l'Europe (17e)
490 Le Funambule
(18e)
491 Théâtre Clavel
(19e)
487 Théâtre des
Amandiers (92)
488 Théâtre de
Bobigny - MC 93
(93)
487 Théâtre de
l'Échangeur (93)
488 Maison des Arts
et de la Culture
de Créteil (94)

VOIR AUSSI
250 « Culture »
314 « Gratuit - Centre
culturel »

**Pour obtenir la carte Paris Pas Cher 2004,
reportez-vous à la fin de l'ouvrage,
remplissez le questionnaire
et renvoyez-le à l'adresse suivante :**

**Paris Pas Cher
19 av. Georges-Brassens
94550 Chevilly-Larue**

COMÉDIE FRANÇAISE

2 rue de Richelieu (1er)
M° Palais-Royal-Musée-
du-Louvre ou Pyramide
Tél. 01 44 58 15 15
www.comedie-francaise.fr
Location, tous les jours :
11 h-18 h 30

Passage obligé pour les classiques

Notre premier théâtre national donne en alternance dans sa salle historique Richelieu des pièces de Molière mais aussi de Hugo ou Feydeau. Il présente d'autres classiques et des pièces plus modernes, dans ses deux autres salles, le Studio-Théâtre et le Vieux-Colombier. Places de 11 à 30 €. En dernière minute : 10 € pour les moins de 27 ans. Et toujours le fameux poulailler à 4,50 €, pour tous. Un passe-port de 30 € (adultes) et de 15 € (moins de 27 ans) donne droit à des réductions de 20 % pour l'achat de deux billets, sur tous les spectacles des trois salles pendant toute la saison.

LES DÉCHARGEURS

3 rue des Déchargeurs (1er)
M° Châtelet-Les Halles
Tél. 01 42 36 00 02
Mardi-vendredi : à partir
de 17 h 30 ; samedi :
à partir de 18 h

Un lieu éclectique

Un lieu unique à Paris pour la variété de sa programmation : théâtre, danse, poésie, café-théâtre. De nombreux artistes sont venus clamer ici leurs premiers vers, dans un lieu à l'atmosphère surannée mais très conviviale : salon, bar, deux salles, dont une voûtée en sous-sol. Dépaysement et surprises garanties ! Les tarifs varient selon les spectacles (en général, le plein tarif est à 15 €). **Tarif réduit : 10 € avec le guide ou la carte.**

STUDIO THÉÂTRE

Carrousel du Louvre
99 rue de Rivoli (1er)
M° Palais-Royal-Musée-
du-Louvre
Tél. 01 44 58 98 58
www.comedie-francaise.fr

La vitrine moderne de la Comédie-Française

Les comédiens du « Français » viennent jouer ici des pièces courtes. Les places sont vendues le jour même, 1 h avant la représentation. A textes courts, tarifs rabotés et diamants au prix du strass. Plein tarif : 13 €. Tarif réduit : 11 € -27 ans : 7,50 €. Au même endroit, dans le salon littéraire, deux fois par mois, un mercredi à 12 h 30 et un lundi à 18 h 30, un comédien lit un texte de son choix. Plein tarif : 6 €. Tarif réduit : 4,50 € ; -27 ans : 3 €.

MÉLO D'AMÉLIE

4 rue Marie-Stuart (2e)
M° Étienne-Marcel
Tél. 01 40 26 11 11
Mardi-samedi : 14 h-20 h
(locations)

Le Petit Théâtre du rire

De nombreuses pièces comiques à succès programmées dans les grandes salles sont nées dans ce lieu. Atmosphère très détendue autour du bar, où sont exposées les affiches de ce beau tableau de chasse. Plein tarif : 16 €. Tarif réduit : 11 €. Spectacles pour enfants : 8 €. **Tarif réduit avec le guide ou la carte sauf le samedi.**

THÉÂTRE MOLIÈRE - MAISON DE LA POÉSIE

Passage Molière
157 rue Saint-Martin (3e)
M° Rambuteau
Tél. 01 44 54 53 00

Le Refuge des Poètes

Un endroit unique à Paris pour amateurs de poésie. Ce théâtre entièrement rénové est situé à deux pas de Beaubourg dans une rue piétonne pleine de charme. Au programme, théâtre poétique (places :

Fax : 01 42 71 11 02
www.maisondelapoesie-
moliere.com
Mardi-samedi : 14 h-18 h

22 € ; TR : 14 €), lectures (places : 5 €) et récitals de poésie (places : 14 € ; TR : 10 €) dans la petite salle. **Tarif réduit avec le guide ou la carte.**

4ᵉ ARRONDISSEMENT

CENTRE NATIONAL DE LA DANSE

Lieu de promotion de la danse contemporaine

9 rue Geoffroy-l'Asnier (4ᵉ)
M° Saint-Paul ou Pont-Marie
Tél. 01 42 74 06 44
www.cnd.fr
Lundi-vendredi : 14 h-19 h

Un lieu au plus près de l'actualité chorégraphique contemporaine : performances nationales et internationales, projections, conférences, semaines thématiques autour d'artistes étrangers (danses africaines et orientales). Tarifs variables pour les spectacles hors-les-murs. Au Studio, avec abonnement : 6 € (plein tarif) et 5 € (tarif réduit) au lieu de 9 € (plein tarif) et 8 € (tarif réduit). **Avec le guide : 8 € la place au Studio, et une invitation pour un autre spectacle proposé au CND.**

POINT VIRGULE

L'antre du café-théâtre

7 rue Sainte-Croix-
de-la-Bretonnerie (4ᵉ)
M° Hôtel-de-Ville
Tél. 01 42 78 67 03
www.point-virgule.fr

On ne présente plus ce pionnier du café-théâtre qui a su rajeunir sa programmation et l'élargir : solos, pièces humoristiques, chansons à textes, spectacles pour enfants (7,50 €). Plein tarif : 15 €. Tarif réduit : 12 €. Deux spectacles : 24 € ; trois spectacles : 27 €. Avec un festival à ne pas rater, en septembre, réunissant une soixantaine d'artistes. **Tarif réduit, sauf le samedi, avec le guide ou la carte.**

5ᵉ ARRONDISSEMENT

LA HUCHETTE

Le nid de Ionesco

23 rue de la Huchette (5ᵉ)
M° Saint-Michel
Tél. 01 43 26 38 99
Lundi-samedi : 17 h-21 h (locations)

Sur scène depuis plus de 40 ans, « La Cantatrice chauve » (19 h) et « La leçon » (20 h) de Ionesco ont vaincu le temps. A 21 h, quelques nouvelles créations osent les défier. 16 € une pièce ; 25 € les deux. Moins de 25 ans : 12,50 €.

6ᵉ ARRONDISSEMENT

LE LUCERNAIRE

Le seul multiplex théâtral de Paris

53 rue Notre-Dame-
des-Champs (6ᵉ)
M° Vavin
Tél. 01 45 44 57 34
Fax : 01 45 44 86 92
www.lucernaire.fr
*Lundi-vendredi : 10 h-
12 h 30, 13 h 30-18 h ;
samedi : 13 h 30-18 h*

Il se passe toujours quelque chose au Lucernaire, de nuit comme de jour. Lovés sous les arches d'un immeuble du Luxembourg, ses deux salles, son restaurant artistique, son bouquiniste et sa galerie de photos nous plongent dans un plan dans les « Enfants du Paradis ». Avec six spectacles par soir (!) en tous genres, c'est aussi la cour des miracles. Plein tarif : 22 €. **Tarif réduit : 12 ou 14,50 € avec le guide ou la carte.**

VIEUX COLOMBIER

La salle intime de la Comédie-Française

21 rue du Vieux-Colombier
(6ᵉ)
M° Saint-Sulpice
Tél. 01 44 39 87 00/01

La Comédie-Française donne dans cette deuxième salle des spectacles plus intimes, ou permettant une relation plus rapprochée : classiques et modernes. Plus des lectures (plein tarif : 8 € ; TR : 6 €) le samedi

www.comedie-francaise.fr
*Mardi : 11 h-18 h ;
mercredi-samedi : 11 h-
19 h ; dimanche et lundi :
13 h-18 h*

après-midi. Places : 26 €. Tarifs réduits : 19 €. Jeunes de moins de 27 ans : 13 ou 10 € 45 mn avant la représentation.

AKTEON THÉÂTRE

Ouvert à l'art contemporain

11 rue du Général-Blaise
(11ᵉ)
Mᵒ Saint-Ambroise
Tél. 01 43 38 74 62
www.akteon.fr

Une programmation variée et intelligente fait de ce lieu l'un des laboratoires du théâtre contemporain. L'accueil comme les prix sont doux. Adulte : 16 et 10 €, enfant : 7 €. Arrivez un peu en avance ou sinon gare aux places situées derrière le pilier de la salle ! Abonnement sept spectacles adulte : 49 €. Abonnement dix spectacles enfant : 50 €. **Tarif réduit avec le guide ou la carte.**

THÉÂTRE ARTISTIC ATHÉVAINS

Un théâtre immédiatement accessible

45 bis rue Richard-Lenoir
(11ᵉ)
Mᵒ Voltaire
Tél. 01 43 56 38 32
Fax : 01 43 56 08 97
*Location, lundi-samedi :
11 h-21 h*

Des auteurs contemporains qui savent jouer de la plume sans tomber dans l'élitisme. Ou la révélation de pièces oubliées. Des inédits (documentaires, expositions, lectures, soirées poésies) accompagnent les pièces. Une programmation excitante. Plein tarif : 25 €. Tarif réduit : 14 €. Moins de 26 ans : 10 €. -50 % pour les premiers jours du spectacle. **Avec le guide ou la carte, à partir de la seizième représentation : 18,60 € au lieu de 25 € et pendant la période « Soyez les premiers aux premières », un cadeau : l'affiche du spectacle.**

THÉÂTRE DE LA BASTILLE

Spectacles de théâtre et de danse à l'avant-garde

76 rue de la Roquette (11ᵉ)
Mᵒ Bastille
Tél. 01 43 57 42 14
Fax : 01 47 00 97 87
Lundi-samedi : 11 h-19 h

Sur scène, des talents inattendus transgressent les formes conventionnelles. C'est le royaume du jeune théâtre et de la nouvelle chorégraphie. Plein tarif : 19 €. TR : 12,50 €. Abonnement trois spectacles : 33 €. Abonnement cinq spectacles : 46,50 €. Laissez-passer : 110 €.

MANDAPA

Le théâtre du monde

6 rue Wurtz (13ᵉ)
Mᵒ Glacière
Tél. 01 45 89 01 60
*Locations et renseignements :
11h-19 h*

Toutes les cultures du monde ont rendez-vous sur la scène. Concerts de musiques traditionnelles, récitals, danse, cycles de conteurs. Place d'honneur à l'Inde. Ce théâtre propose aussi des cours de danse indienne. Plein tarif : 12 €. Tarif enfant (moins de 16 ans) : 6 €. **Tarif réduit (9 €) avec le guide ou la carte.**

COMÉDIE ITALIENNE

Rires et splendeur vénitiens

17-19 rue de la Gaîté (14ᵉ)
Mᵒ Edgar-Quinet,
Montparnasse, Gaîté

Des costumes aussi extravagants qu'un carnaval de Venise, une atmosphère très guillerette, nous sommes ici dans le temple de la commedia dell'arte,

Tél. 01 43 21 22 22
*Lundi-samedi : 12 h-
19 h 30 ; dimanche : 12 h-
15 h (locations)*

dirigé avec vigueur par Attilio Maggiuli. Unique en Europe, hors Italie, siamo ! Plein tarif : 30 €. Étudiants de moins de 26 ans : 25 €. Moins de 15 ans : 20 €. **Tarif réduit à nos lecteurs le mardi.**

THÉÂTRE DE LA CITÉ INTERNATIONALE   *Théâtre et danse inventifs*

21 bd Jourdan (14ᵉ)
RER B, Cité-Universitaire
Tél. 01 43 13 50 50
(réservation)
www.theatredelacite.ciup.fr
Lundi-samedi : 14 h-19 h

Le Théâtre de la Cité Internationale accueille les formes les plus inventives du spectacle vivant. Des spectacles très jeunes d'inspiration, et une ambiance chaleureuse au bar. Un forum idéal quand on aime le théâtre et la danse. Places : 18 €. TR : 12,50 ou 9,50 €. Le lundi tarif unique : 9,50 €. **Tarif réduit à nos lecteurs avec le guide ou la carte.**

17ᵉ ARRONDISSEMENT

ODÉON THÉÂTRE DE L'EUROPE   *Une salle vraiment européenne*

8 bd Berthier (17ᵉ)
Mᵒ Porte-de-Clichy
Tél. 01 44 85 40 40
www.theatre-odeon.fr
*Lundi-samedi : 11 h-
19 h par téléphone*

Pendant les travaux de rénovation, l'Odéon Théâtre de l'Europe assure une programmation (réduite) aux Ateliers Berthier jusqu'à l'automne 2004. Vente des billets 1 h 30 avant le début du spectacle sur place ou par téléphone. Plein tarif : 26 € ; tarif réduit : 20 € ; cartes J : 5 € ; carte complice : 19 € ; tarif jour J. pour les -30 ans et étudiants : 13 €.

20ᵉ ARRONDISSEMENT

STUDIO LE REGARD DU CYGNE   *A l'avant-garde de la danse*

210 rue de Belleville (20ᵉ)
Mᵒ Place-des-Fêtes
Tél. 01 43 58 55 93
www.redcygne.free.fr
*Lundi-vendredi : 10 h-
16 h 30*

La directrice artistique Amy Swanson aime les danseurs qui osent se lancer dans des projets un peu risqués. Elle accueille aussi beaucoup de musique classique. Un carrefour audacieux à Paris. Tarif : de 5 à 14 €.

92 HAUTS-DE-SEINE

THÉÂTRE DES AMANDIERS   *L'avant-garde et le répertoire*

7 av. Pablo-Picasso
92000 NANTERRE
RER A, Nanterre-Préfecture
+ navette gratuite
Tél. 01 46 14 70 00
Mardi-samedi : 12 h-19 h

Théâtre d'avant-garde et pièces du répertoire font ici bon ménage. Sous la direction de Jean-Louis Martinelli. Plein tarif : 24 €. Tarifs réduits : de 8 à 14 €. **Tarif réduit avec le guide ou la carte.**

93 SEINE-SAINT-DENIS

THÉÂTRE DE L'ÉCHANGEUR   *Théâtre parallèle*

59 av. du Général-
de-Gaulle
93170 BAGNOLET
Mᵒ Galliéni
Tél. 01 43 62 71 20
www.echangeur.org
*Lundi-samedi : 14 h-20 h
(locations)*

Des créations qui sortent de l'ordinaire : du théâtre qui souvent se marie avec le rock ou les arts plastiques dans une confrontation audacieuse. Jusqu'à 10 € la place, selon les spectacles. Un abonnement « échangiste » (7 € pour l'année) met la place à 7 €. **Tarif réduit avec le guide ou la carte.**

THÉÂTRE DE BOBIGNY - MC 93   *Création de théâtre et musique*

Maison de la Culture
1 bd Lénine
93000 BOBIGNY
M° Bobigny-Pablo-Picasso
Tél. 01 41 60 72 72
Fax : 01 41 60 72 61
www.mc93.com
Lundi-samedi : 11 h-19 h

De novembre à mai, le lieu de création des grands rendez-vous internationaux, en théâtre comme en musique, avec des artistes venus du monde entier. Nombreuses réductions avec plusieurs systèmes d'abonnement ; 52 € pour quatre spectacles. **Tarif réduit avec le guide ou la carte.**

94 VAL-DE-MARNE

MAISON DES ARTS ET DE LA CULTURE DE CRÉTEIL   *Théâtre et danse*

Place Salvador-Allende
94000 CRÉTEIL
M° Créteil-Préfecture
Tél. 01 45 13 19 19
www.maccreteil.com
Mardi-vendredi : 11 h-18 h 30 ; samedi : 11 h-18 h

Panorama international des arts de la scène, la Maison des Arts et de la Culture de Créteil allie théâtre, danse, humour et musique, de Angelin Preljocaj, Blanca Li et Lambert Wilson à Valérie Lemercier. Plein tarif : 18 € ; tarif réduit : 7 ou 14 €. **Avec le guide ou la carte : 14 € (sauf humour et variétés).**

LES RÉDUCTIONS

Outre les réductions consenties à nos lecteurs, il y a un certain nombre d'adresses, de sites Internet, de services Minitel, ou simplement de bons plans à connaître pour s'offrir des spectacles à prix réduits. Liste non exhaustive...

LES ASSOCIATIONS DE SPECTATEURS   *A plusieurs, c'est moins cher*

Des associations de spectateurs permettent d'aller au théâtre à des tarifs réduits, mais elles n'ont de sens que pour ceux qui veulent y aller régulièrement en partageant leur passion avec d'autres spectateurs. Ce sont des regroupements d'amateurs, auxquels il faut adhérer en payant une cotisation ; leurs membres reçoivent un bulletin régulièrement et leurs responsables entretiennent un dialogue régulier avec les adhérents. Nous vous en indiquons deux.

AUTRES ADRESSES
- **Acte Un** • 8 av. Gourgaud, 17ᵉ • Tél. 01 40 53 92 41 • Fax : 01 40 53 92 41
- **Starter Plus** • 19 rue des Balkans, 20ᵉ • Tél. 01 43 72 17 00 • Fax : 01 43 72 17 05
  • www.tatouvu.com • Aussi un magazine « tatouvu.mag ». Recrute sur parrainage.

AVANT-PREMIÈRES DES THÉÂTRES PRIVÉS   *Théâtre à demi-tarif*

www.theatresprives.com

La Bruyère, les Bouffes Parisiens, le Théâtre du Palais-Royal et... tous les théâtres « privés » offrent des places à demi-tarif pendant la première et parfois la deuxième semaine de l'exploitation d'une nouvelle pièce. Avis aux amateurs de plâtres comme de bonnes surprises. Se précipiter lorsqu'on voit les affiches d'un nouveau spectacle ou regarder la liste des « Premiers aux premières » soit dans les journaux de programme chaque mercredi, soit sur le site Internet.

SOIRÉES PRIVILÈGE

Renseignements
et réservation :
01 44 71 86 82
www.soireesprivilege.com
Lundi-vendredi : 8 h-18 h

Théâtre et dîner à prix réduit

Douze restaurants (Le Procope, l'Appart, l'Arbuci, l'Alsace, la Fermette Marbeuf, Chez Jenny, le Grand Café, Au Pied de Cochon, Charlot, le Petit Zinc, la Lorraine et la Taverne), associés à une cinquantaine de salles de spectacles, ont pris une roborative initiative destinée à mettre du baume dans les cœurs et de la joie dans les âmes, tout en allégeant les déficits domestiques grâce à une audacieuse refonte de l'arithmétique : théâtre (places de 1re catégorie) et restaurant à partir de 48 € tous les soirs.

1er ARRONDISSEMENT

THÉÂTRE DU CHÂTELET

Place du Châtelet (1er)
M° Châtelet
Tél. 01 42 56 90 10
Le dimanche à 11 h

Concerts du dimanche matin

Une aubaine, ces concerts pros du dimanche matin ! Des prix très abordables (tarif normal : 20 € ; TR : 10 €) et des abonnements défiant toute concurrence (160 € les dix concerts ; TR : 80 €). Venir bien avant 11 h...

8e ARRONDISSEMENT

KIOSQUE DE LA MADELEINE

15 place de la Madeleine
(8e)
M° Madeleine
Mardi-samedi : 12 h 30-19 h 45 ; dimanche : 12 h 30-15 h 45

Places à moitié prix

Ce kiosque, comme celui de Montparnasse, vend à moitié prix pour le soir même les places restées libres des théâtres privés et publics de Paris et de sa banlieue (et prélève 3 € de commission par place). Attention : queue souvent conséquente. Pour un spectacle convoité, foncez faire le pied de grue dès l'ouverture. Le Kiosque est impossible à joindre par téléphone ou par courrier, ce qui risque de poser des problèmes si, par exemple, la représentation est annulée et qu'on veuille se faire rembourser.

AUTRE ADRESSE
■ **Kiosque Montparnasse** • Parvis de la Gare Montparnasse, 15e • M° Montparnasse-Bienvenüe • Mardi-samedi : 12 h 30-19 h 45 ; dimanche : 12 h 30-15 h 45

12e ARRONDISSEMENT

LA TERRASSE

Bouche à Oreille
4 av. de Corbera (12e)
M° Reuilly-Diderot
Tél. 01 53 02 06 60
Fax : 01 43 44 07 08
www.journal-laterrasse.com
Lundi-vendredi : 10 h-12 h, 14 h-18 h (prendre rendez-vous)

« Une place achetée, une place offerte »

« La Terrasse » est un mensuel gratuit sur le spectacle vivant. On peut s'y abonner (45 €) et bénéficier ainsi de son partenariat avec de nombreux théâtres, qui permet d'obtenir deux places pour le prix d'une grâce au club « Bouche à Oreille ». Bulletin d'inscription dans le journal. **Une seconde carte offerte avec le guide ou la carte.**

Petites scènes à tarifs réduits

Sur ces planches, du théâtre, des scènes ouvertes, beaucoup de spectacles musicaux et des spectacles pour enfants. Et des tarifs qui grossissent ou s'amenuisent selon les spectacles donnés. Mais qui diminuent la plupart du temps lorsqu'on présente le guide ou la carte.

9e ARRONDISSEMENT

LE LIMONAIRE
18 cité Bergère, 9e • M° Grands-Boulevards • Tél. 01 45 23 33 33 • Spectacles, mardi-samedi : 22 h ; dimanche : 19 h

Un adorable resto-théâtre à l'ambiance rétro, consacré à la chanson. Entrée libre !

LE MOLOKO
26 rue Fontaine, 9e • M° Blanche ou Pigalle • Tél. 01 48 74 50 26 • www.moloko.com

Un café-théâtre sympathique à prix doux. Tarif réduit à 7 €. **Une place offerte avec une place achetée (13 €) avec le guide ou la carte.**

THÉÂTRE TRÉVISE
14 rue de Trévise, 9e • M° Cadet ou Grands-Boulevards • Tél. 01 45 23 35 45 • www.theatre-trevise.com

Tous les dimanches, à 20 h 30, scène ouverte à de nouveaux talents (8 €). **Tarif réduit (15 €) pour les spectacles en semaine avec le guide ou la carte.**

10e ARRONDISSEMENT

LA PATACHE
60 rue de Laucry, 10e • M° Jacques-Bonsergent • Tél. 01 42 08 14 35

Un pionnier du bar-théâtre. Pas de réductions : l'entrée est libre !

THÉÂTRE DE LA MAINATE
36 rue Bichat, 10e • M° Goncourt ou République • Tél. 01 42 08 83 33 • Fax : 01 42 39 17 17

Spectacles pour enfants : 8,50 € (puis 6,50 €) pour nos lecteurs.

11e ARRONDISSEMENT

L'ARAMBAR
7 rue de la Folie-Méricourt, 11e • M° Oberkampf ou Saint-Ambroise • Tél. 01 48 05 57 79 • Tous les jours : 15 h-2 h

Une autre référence du bar-théâtre. Entrée libre. **Formule croc + boisson à 5,50 € sur présentation du guide.**

THÉÂTRE DU TAMBOUR ROYAL
94 rue du Faubourg-du-Temple, 11e • M° Goncourt ou Belleville • Tél. 01 48 06 72 34

Opéra, opérettes, théâtre. **Tarifs réduits avec le guide ou la carte : pour l'opéra, 16 € au lieu de 20 €. Pour le théâtre, 12 € au lieu de 16 €.**

13e ARRONDISSEMENT

LA GUINGUETTE PIRATE
Port de la Gare (au pied de la BNF), 13e • M° Bibliothèque-François-Mitterrand ou Quai-de-la-Gare • Tél. 01 43 49 68 68 • www.guinguette pirate.com • Mardi-dimanche : 20 h-2 h

Une jonque chinoise très animée : musique, spectacles pour enfants, projections. Avec un resto en cale et un bar sur le pont. **Une place offerte pour une achetée du mardi au jeudi avec le guide ou la carte.**

14e ARRONDISSEMENT

CAFÉ D'EDGARD
58 bd Edgard-Quinet, 14e • M° Montparnasse ou Edgard-Quinet • Tél. 01 42 79 97 97 • Lundi-samedi : 14 h 30-19 h 30

Une référence dans le milieu du café-théâtre. Plein tarif : 14 €. Tarif réduit : 10 € (sauf samedi), lundi : 10 €.

GUICHET MONTPARNASSE
15 rue du Maine, 14e • M° Montparnasse ou Gaîté • Tél. 01 43 27 88 61 • Locations de 14 h à 19 h au lundi au samedi

Un premier tremplin pour des spectacles de qualité. Plein tarif : 17 €. **Tarif réduit à 12 € avec le guide ou la carte.**

18e ARRONDISSEMENT

LE FUNAMBULE
53 rue des Saules, 18e • M° Lamarck-Caulaincourt • Tél. 01 42 23 88 83 • Adultes, mardi-samedi : 21 h ; enfants, mercredi et vacances : 10 h 30 ou 14 h

Théâtre contemporain. Place : 20 €. **Réduction de 30 % avec le guide ou la carte (16 €) sauf le samedi.**

THÉÂTRE DE DIX HEURES
36 bd de Clichy, 18e • M° Pigalle • Tél. 01 46 06 10 17 • www.dix-heures.net • Location du mardi au samedi de 14 à 19 h

Variétés. Grands et débutants du one-man show. Tarif : 21 €. **Tarif réduit : 15 € avec le guide ou la carte, du mardi au vendredi.**

19ᵉ ARRONDISSEMENT

THÉÂTRE CLAVEL
3 rue Clavel, 19ᵉ • Mº Pyrénées • Tél. 01 42 38 22 58 • Fax : 01 42 38 11 35 • Lundi-samedi : 15 h-20 h

Théâtre, chanson, « one man shows », spectacles enfants. Tarif : de 10 à 15 € (6 € spectacles enfants et 4 € pour groupe de + 10 personnes). **Une place offerte à nos lecteurs qui viennent à deux**.

92 HAUTS-DE-SEINE

LE BOUQUIN AFFAMÉ
6 rue Dagobert • 92110 CLICHY • Mº Mairie-de-Clichy • Tél. 01 47 31 34 23 • Mardi-samedi : 12 h-15 h, 19 h-23 h (fermé le mercredi soir)

Une bibliothèque-théâtre très animée : cafés littéraires, pièces, lectures, musique. **1 place achetée, 1 place offerte avec le guide ou la carte**.

Pour obtenir la carte Paris Pas Cher 2004, reportez-vous à la fin de l'ouvrage, remplissez le questionnaire et renvoyez-le à l'adresse suivante :

Paris Pas Cher
19 av. Georges-Brassens
94550 Chevilly-Larue

TISSUS, MERCERIE

C'est ici de tissus d'ameublement que l'on parlera essentiellement. Avec tout ce qu'il faut pour les poser. Mais également de mercerie, de laine, d'ouvrages pour dames et même de cours.

¿ QUE CHERCHEZ-VOUS ?

CONFECTION DE RIDEAUX
494 Biggie Best (1er)
497 Arc en Ciel Déco (2e, 18e)
495 Ile Saint-Louis Décoration (4e)
495 Toiles de Mayenne (6e, 7e, 9e, 16e, 17e, 78, 92)
496 Artirec Tissus (11e)
166 Conceptua (11e)
497 Aux Sacrés Coupons (18e)
497 Boîte à Rideaux (18e)
497 Du côté de chez vous (18e)
497 Maïssa (18e)
498 Orsel Garden (18e)
499 Bineau Boutik's (92)
499 Bineau Moket's (92)
499 Bineau Mural's (92)

LAINES, FILS
494 La Droguerie (1er)
494 Cat'Laine (2e)
495 Entrée des Fournisseurs (3e)
499 Ets Amelle Diffusions (3e)
495 Pierre Huguet et Cie (3e)

MACHINES À COUDRE
499 Box Import (13e)

MERCERIE
494 La Droguerie (1er)
494 Fil 2000 (2e)
495 Entrée des Fournisseurs (3e)
496 De Gilles (11e)
498 Sotemo (18e)
498 Toto (18e)
498 Madame Coupons (20e)

OUVRAGES POUR DAMES ET COURS
499 Tout à Loisirs (4e)
500 Le Rouvray (5e)
500 Célimène Pompon (6e)
500 Singer donne des cours (11e, 17e, 92, 93)
500 Le Bonheur des Dames (12e)
500 Mercerie Mariette (16e)
500 Le Cœur à l'Ouvrage (78)
500 Bouts de Tissus (92)

PLASTIQUE
495 Plastiques (6e)

TISSUS D'AMEUBLEMENT
494 Biggie Best (1er)

497 Arc en Ciel Déco (2e, 18e)
495 Ile Saint-Louis Décoration (4e)
495 Toiles de Mayenne (6e, 7e, 9e, 16e, 17e, 78, 92)
496 Artirec Tissus (11e)
496 De Gilles (11e)
497 Aux Sacrés Coupons (18e)
497 Boîte à Rideaux (18e)
497 Dreyfus Déballage du Marché Saint-Pierre (18e)
497 Du côté de chez vous (18e)
497 Maïssa (18e)
498 Orsel Garden (18e)
498 Toto (18e)
499 Bineau Boutik's (92)
499 Bineau Moket's (92)
499 Bineau Mural's (92)

TISSUS DE CONFECTION
497 Arc en Ciel Déco (2e, 18e)
494 Pétillault (2e)
495 Entrée des Fournisseurs (3e)

¿ QUE CHERCHEZ-VOUS ?

88 Saree Palace
   (10ᵉ)
496 De Gilles (11ᵉ)
496 Les Tissus Sitbon
   (11ᵉ)
496 Sevilla (16ᵉ)
497 Madame
   Coupons (17ᵉ)

497 Aux Sacrés
   Coupons (18ᵉ)
497 Boîte à Rideaux
   (18ᵉ)
497 Dreyfus Déballage
   du Marché
   Saint-Pierre (18ᵉ)
498 Paris Tissus (18ᵉ)

498 Tissus du
   Sacré-Cœur (18ᵉ)
498 Toto (18ᵉ)
498 Madame
   Coupons (20ᵉ)
206 « Bricolage,
   décoration -
   Tissus muraux »

Å Adresse particulièrement recommandée

👑 Adresse haut de gamme : le luxe à prix abordable

BIGGIE BEST
So British

9-11 rue des Lavandières-
Sainte-Opportune (1ᵉʳ)
Mᵒ Châtelet
Tél. 01 40 41 03 13
Fax : 01 40 41 03 23
www.biggiebestparis.fr
Lundi : 14 h-19 h ; mardi-samedi : 10 h 30-19 h

Depuis 10 ans bientôt, cette boutique nous fait voyager de l'autre côté de la Manche. Très cosy, les 400 références de tissus (papiers peints et frises coordonnées) s'harmonisent délicatement à une belle collection de mobilier anglais en pin massif. Un grand choix également de meubles anciens. Cotonnade fleurie : 20 € le mètre. Papier peint assorti : 18 € le rouleau. Frise : 13 €. Petit confiturier ancien à partir de 230 €. Commode ancienne : 750 €. Bonnetière : 850 €. Également une gamme de cadeaux déco, lampes, plateaux, accessoires de bureau.

LA DROGUERIE
Des idées par milliers

9-11 rue du Jour (1ᵉʳ)
Mᵒ Châtelet-Les Halles
Tél. 01 45 08 93 27
Fax : 01 42 36 30 80
Lundi : 14 h-18 h 45 ; mardi-samedi : 10 h 30-18 h 45

Des perles, des strass et des boutons il y en a. Des rubans, des plumes et des fils, il y en a aussi. Heureusement, il y a l'attente ! Ça nous laisse le temps d'imaginer tous les beaux bijoux que l'on voit en rêve et que l'on pourra fabriquer... Également fils à tricoter. Fiches tricot. Kits layette : à partir de 15 €. Kits à bijoux : 7 à 20 €. Perles de rocaille : 1,20 € la louche. Ruban fantaisie : 0,30 à 15 € le mètre. Conseils astucieux.

CAT'LAINE
Tricoti... Tricota

19 rue Saint-Marc (2ᵉ)
Mᵒ Bourse
Tél. 01 42 96 00 69
Lundi : 12 h-14 h, 14 h 30-18 h 15 ; mardi-vendredi : 10 h-14 h, 14 h 30-18 h 15 ; samedi : 12 h-17 h

Charmante boutique tapissée de pulls que l'on peut reproduire grâce à des fiches tricot. Nombreux fils fantaisie Lurex : 2,20 €. Fils bouclettes : 2,90 €. Pure laine layette lavable en machine : 3,30 €. Des ouvrages et des nouveautés tous les 15 jours. **Remise de 5 % avec le guide ou la carte à partir de 46 € d'achats.**

FIL 2000
Fan de couture

65 rue Réaumur (2ᵉ)
Mᵒ Réaumur-Sébastopol
Tél. 01 42 36 48 80
Fax : 01 42 36 19 57
Lundi-vendredi : 9 h-19 h ; samedi : 9 h-14 h

A peine plus grand qu'une boîte à couture, c'est le bonheur assuré pour les apprentis stylistes et couturiers confirmés. Profusion de dentelles, rubans tressés et galons. Doublure acétate et polyester : 2,30 €. Doublure satin : 3,80 €. Biais coton : 0,15 €. Dentelles : à partir de 0,30 €. Fils polyester (915 m) : 0,80 € (plus de 600 coloris). **Remise de 15 % à partir de 46 € d'achat avec le guide ou la carte.**

PÉTILLAULT
Haute couture, toujours

2 rue de La Paix (accès par l'immeuble, 2ᵉ étage) (2ᵉ)
Mᵒ Opéra
Tél. 01 42 61 58 45
Fax : 01 49 27 95 35

De beaux métrages, de belles matières et aussi des étoffes anciennes de toute beauté. En permanence des coupons fins de séries et toujours le crêpe de laine à 38,27 € le mètre (une vingtaine de coloris). Beaux piqués de coton : à partir de 38 € le mètre.

*Lundi-jeudi : 9 h-13 h 30,
14 h 30-17 h ; vendredi :
9 h-13 h 30, 14 h 30-18 h*

Polyester à 20 € le mètre. Coupons (60 cm à 4 m) :
10 à 54 €. Laine Rowan : à partir de 4,20 €. Ne
prend pas la carte bleue. **Remise de 10 % avec
le guide ou la carte (sur collection en cours).**

3ᵉ ARRONDISSEMENT

ENTRÉE DES FOURNISSEURS

8 rue des Francs-Bourgeois
(sur cour) (3ᵉ)
Mᵒ Saint-Paul
Tél. 01 48 87 58 98
www.entreedesfournisseurs.
com
*Lundi : 14 h 30-19 h ; mardi-
vendredi : 10 h 30-19 h ;
samedi : 11 h-19 h*

Dessine-moi un bouton

Cette mercerie à l'ancienne cache la plus grande
collection de boutons de tout Paris : nacre, bois,
corne... De précieux conseils et tout le matériel pour
réaliser des accessoires dans l'air du temps. En
exclusivité : passementerie en organza rebrodée
de délicats motifs traditionnels coréens à partir
de 3,60 €. Boutons (5 000 modèles) : à partir de
0,50 €. Popeline coton (18 coloris) : 13 € le mètre.
Nouveau : lin (couleurs en exclusivité) : 19,50 € le
mètre. **Remise de 5 % avec le guide ou la
carte.**

PIERRE HUGUET ET CIE

36 rue Réaumur (3ᵉ)
Mᵒ Arts-et-Métiers
Tél. 01 42 72 25 89
*Lundi-vendredi : 10 h-
18 h 30 ; samedi : 14 h-
17 h 30*

A en perdre « à laine »

De père en fils, on vend la laine au poids et au
détail. Prix à mailles serrées. Mohair : 64,80 € le
kilo. Laine de pays : 24,40 € le kilo. Tweed :
33,54 € le kilo. Fil d'Écosse : 49,55 € le kilo.

4ᵉ ARRONDISSEMENT

ILE SAINT-LOUIS DÉCORATION

51 rue Saint-Louis-en-l'Ile
(4ᵉ)
Mᵒ Pont-Marie ou Saint-Paul
Tél. 01 43 29 86 62
ou 01 43 54 30 38
Fax : 01 40 46 81 61
Mardi-samedi : 10 h-18 h

L'île aux remises

N'hésitez pas à passer le porche, vous serez reçu
avec beaucoup de gentillesse. Bien conseiller le
client : ici, c'est la devise ! Tous les grands éditeurs
de tissus d'ameublement : Kenzo, Lelièvre, Frey, Ru-
belli, Nobilis, Canovas. Luminaires, canapés (Char-
pentier, Poltrona Frau). A savourer à prix allégés !

6ᵉ ARRONDISSEMENT

PLASTIQUES

103 rue de Rennes (6ᵉ)
Mᵒ Rennes
Tél. 01 45 48 75 88
Fax : 01 42 84 14 42
*Lundi-vendredi : 10 h 15-
19 h ; samedi : 10 h 15-
19 h 30*

Plastique chic

Un coup d'éponge et c'est propre : c'est du plastique,
mais pas toc ! Deux boutiques, l'une pour les accessoires amusants, l'autre pour les nappes, sets de table, tissus au mètre. Grand choix à partir de 7 € le
mètre en 140, 160 ou 180 cm de large. Coton enduit
à partir de 23 €. Nappe ronde (160 cm de diamètre)
unie ou imprimée : 57 €. Amusants tabliers : 13 €.
Torchons : 6,20 €. Et, pour un délai d'une semaine,
nappes sur mesure.

TOILES DE MAYENNE

9 rue de Mézières (6ᵉ)
Mᵒ Saint-Sulpice
Tél. 01 45 48 70 77
www.toiles-de-mayenne.
com

Une histoire de famille

Connue pour son incontournable tissu bâchette
(25 coloris), l'usine familiale a su se diversifier :
500 références de tissus de choix. Tissu chevron
100 % coton : 26 € le mètre. Tissus bâchette 100 %
coton : 18,70 €. Viscose et soie dans des coloris

Lundi : 14 h-18 h 30 ; mardi-samedi : 10 h-18 h 30

très nature (mousse, sable, lagon...) : 39,50 € le mètre. Rideaux sur mesure au prix du prêt-à-poser. Canapés déhoussables : à partir de 486 € (+ tissu).

AUTRES ADRESSES

- 36 av. Bosquet, 7e • Mº École-Militaire • Tél. 01 45 55 40 50
- Le Printemps, 64 bd Haussmann, 9e • Mº Havre-Caumartin • Tél. 01 42 82 60 00
- 83-85 av. Paul-Doumer, 16e • Mº La Muette • Tél. 01 42 88 32 33
- 6 rue Meissonier, 17e • Mº Wagram • Tél. 01 47 63 96 26
- 33 rue Carnot • 78000 VERSAILLES • Tél. 01 39 50 44 40
- 2 bis rue Jadot • 78100 SAINT-GERMAIN-EN-LAYE • RER A, Saint-Germain-en-Laye • Tél. 01 34 51 26 23
- 86 bd de la République • 92100 BOULOGNE-BILLANCOURT • Tél. 01 46 20 07 48
- 112 av. Achille-Peretti • 92200 NEUILLY-SUR-SEINE • Tél. 01 47 22 94 48

11e ARRONDISSEMENT

ARTIREC TISSUS
Tissus d'éditeurs second choix

8-10 impasse Saint-Sébastien (11e)
Mº Richard-Lenoir
Tél. 01 43 55 66 50
Fax : 01 43 40 25 05
Mardi-samedi : 9 h 30-13 h, 14 h-18 h 30

Dans une impasse provinciale, un entrepôt où l'offre de tissus d'ameublement est étonnante. Tissus d'éditeurs fins de séries à prix serrés. Tringles, embrasses. Tissus muraux sur mousse : 6,10 € en 260 cm de large. Isolant thermique et phonique en 5 mm : 3,81 € ; en 10 mm : 5,35 €. Voilage plein jour : 9,15 € le mètre en 300 cm de large. **Remise de 5 % avec le guide ou la carte.**

DE GILLES
Une saga de tissus

156 rue de la Roquette (11e)
Mº Voltaire ou Léon-Blum
Tél. 01 43 72 27 43
Fax : 01 43 79 03 26
Lundi-vendredi : 10 h-12 h, 14 h-19 h

Une braderie bien étoffée sur 500 m² en deux niveaux. Avec pour conseillère Catherine Goldman, une encyclopédiste en tissus. Arrivage permanent de tissus dégriffés. Grand choix de tissus « techniques ». Coton huilé : 22,87 €. Jeans : 10,67 € en grande largeur. Lin : à partir de 15 € le mètre. Grand choix de jersey de laine et jersey coton/élasthanne : à partir de 10 € le mètre. **Remise de 5 % avec le guide ou la carte à partir de 20 € d'achats.**

LES TISSUS SITBON
Le détail à prix de gros

69-71 av. de la République (11e)
Mº Saint-Maur
Tél. 01 43 38 35 45
Fax : 01 43 55 66 30
www.fresit@chello.fr
Lundi-samedi : 10 h-18 h 30

Fournisseur de grands revendeurs, François Sitbon propose aux particuliers ses 12 000 tissus à prix tissés serrés. Une modeste mise de fonds (à partir de 7,62 €) et on repart avec suffisamment de tissu pour se faire un pantalon ou une robe. Cachemire à partir de 15 € le mètre. Lin ou soie unis à partir de 7,62 € le mètre. Coupons pour costume homme (300 × 150 cm) : 22,87 €. **Remise (variable) + coupons cadeaux + doublures offertes avec le guide ou la carte.**

16e ARRONDISSEMENT

SEVILLA
Tissus de grande lignée

38 rue de l'Annonciation (16e)
Mº La Muette
Tél. 01 42 88 11 13

Selon les arrivages (tous les 15 jours) on tombe sur les collections de Givenchy, Hermès... ourlées d'un joli rabais (-30 à -50 %). Mousseline de soie imprimée : 22,87 € le mètre. Lin italien : 21,34 € le

*Mardi : 9 h-12 h 45 ;
mercredi-samedi : 9 h-
12 h 45, 15 h-18 h 45*

mètre. Dentelles haute couture : 38,11 € le mètre.
Tissu pailleté : 22,87 € le mètre. Coton pour chemise homme Givenchy : à partir de 12,20 € le
mètre.

17ᵉ ARRONDISSEMENT

MADAME COUPONS

*71 rue de Levis (17ᵉ)
Mº Villiers ou Malesherbes
Tél. 01 43 80 30 46
Mardi-samedi : 9 h 30-19 h*

Le choix de la qualité

Du haut de gamme à petits prix. Une multitude de
belles étoffes. Dentelles perlées : 39 €. Organza
de soie rebrodée : 28 € le mètre. Lin brodé : 23 €
le mètre. Soie imprimée : à partir de 28 € le mètre.
Draperie en super 100 : à partir de 20 € le mètre.
Laine et cachemire : 23 € le mètre. Accueil sympathique.

18ᵉ ARRONDISSEMENT

AUX SACRÉS COUPONS

*4 bis rue d'Orsel (18ᵉ)
Mº Anvers
Tél. 01 42 64 69 96
Fax : 01 42 76 96 08
Lundi-samedi : 9 h 30-19 h*

Déco trompe-l'œil

Votre intérieur change en un clin d'œil avec les as-
tuces d'Arc en Ciel Déco. Des panneaux de soie et
chanvre mélangés dans des teintes naturelles ou tendance (parme, fuchsia, rose) peuvent séparer un salon, habiller un paravent ou décorer un mur. 100 %
soie Shantung : 15,09 € le mètre. Panneaux de soie
et chanvre (280 × 150 cm) : 106,71 €. Également
coupons pour la confection à partir de 9,15 € les
3 mètres. **Remise de 5 % avec le guide ou la
carte.**

AUTRES ADRESSES
- **Arc en Ciel Déco** • 33 rue Réaumur, 2ᵉ • Mº Arts-et-Métiers • Tél. 01 42 76 96 06
- **Arc en Ciel Déco** • 7 rue Seveste, 18ᵉ • Mº Anvers • Tél. 01 42 64 69 96
- **Boîte à Rideaux** • 10 rue du Steinkerque, 18ᵉ • Mº Anvers • Tél. 01 42 62 56 58

DREYFUS DÉBALLAGE DU MARCHÉ SAINT-PIERRE

Sacré Dreyfus

*2 rue Charles-Nodier (18ᵉ)
Mº Barbès-Rochechouart
Tél. 01 46 06 92 25
Fax : 01 42 64 18 88
Lundi : 13 h 30-18 h 30
(sauf en février, août,
septembre) ; mardi-samedi :
10 h-18 h 30*

Presque aussi visité que son voisin le Sacré-Cœur :
c'est le marché Saint-Pierre ! De la fine batiste à la
toile à matelas, jusqu'à la toile à peindre pour artistes : un vrai déballage sur cinq niveaux. Le choix
est immense et le débit également. Si bien qu'il est
impossible de donner des prix, les tissus n'étant jamais les mêmes d'une semaine à l'autre. Une assurance, cependant : difficile de trouver moins cher
ailleurs. Plein de boutiques de tissus dans les rues
adjacentes.

MAÏSSA

Dans l'air du temps

*3 rue Charles-Nodier (18ᵉ)
Mº Anvers
Tél. 01 42 62 33 27
Fax : 01 55 79 06 29
Lundi : 13 h-18 h 45 ; mardi-
samedi : 10 h-18 h 45*

Une large sélection de produits déco. Très tendance.
Belle gamme de taffetas 100 % acétate : 9,50 € en
147 cm de large (75 coloris). Organza de soie et
métal : 12 € le mètre en 140 cm de large. Brocard
viscose/coton à partir de 36 € le mètre. **Remise
de 5 % sur certains produits avec le guide
ou la carte.**

AUTRE ADRESSE
- **Du côté de chez vous** • 11 rue d'Orsel, 18ᵉ • Mº Barbès-Rochechouart • Tél. 01 55 79 06
29 • Lundi : 13 h-18 h 45 ; mardi-samedi : 10 h-18 h 45

ORSEL GARDEN   *Belle sélection !*

26 rue d'Orsel (18ᵉ)
Mᵒ Anvers
Tél. 01 42 23 69 85
Fax : 01 46 06 44 74
Lundi-samedi : 10 h-19 h

Tissus d'ameublement de grands éditeurs à prix particulièrement doux (jusqu'à 70 % de réduction). Jacquards, soies, damassés, taffetas... sont bradés à partir de 24 € le mètre. A savourer, des couleurs toutes en nuances : rose de Murano, vert céladon, gorge-de-pigeon... **Remise de 10 % avec le guide ou la carte (hors confection).**

PARIS TISSUS   *Vive la mariée !*

15 rue de Steinkerque (18ᵉ)
Mᵒ Anvers
Tél. 01 46 06 58 96
Fax : 01 42 54 33 51
Lundi : 10 h 30-19 h ; mardi-samedi : 9 h-19 h

Un grand choix de tissus haut de gamme. Dentelles et soieries pour la mariée et ses invités. Dentelles de Calais : 38 € le mètre. Organza brodé : de 51 à 120 € le mètre. Soie imprimée : 15 € le mètre. Laine style « Chanel » : de 26,50 à 48 € le mètre. Draperie Dormeuil. Laine et cachemire : 38 € le mètre. Grand choix de lin à partir de 12 € le mètre (une trentaine de couleurs). **Remise de 5 % avec le guide ou la carte.**

SOTEMO   *Fantaisie, fins de séries*

1 rue Charles-Nodier (18ᵉ)
Mᵒ Anvers
Tél. 01 42 54 96 34
Lundi : 14 h-18 h ; mardi-vendredi : 9 h 30-18 h ; samedi : 10 h-18 h

Décorateurs et stylistes s'y approvisionnent en passementerie, câble, embrasse, galon... Selon arrivage et toujours à prix au ras des ourlets. Élastique rond : à partir de 0,15 € le mètre. Petit cordon : à partir de 0,15 € le mètre.

TISSUS DU SACRÉ-CŒUR   *Paillettes and Co*

13 rue Steinkerque (18ᵉ)
Mᵒ Anvers
Tél. 01 42 64 86 78
Fax : 01 42 64 92 02
Lundi-samedi : 9 h 30-18 h 30

Tout pour le déguisement : c'est carnaval tous les jours. Tulle (70 coloris) à partir de 1,50 € le mètre. Paillettes : 5 € le mètre. Tissus imitation « peaux de bête » : 11 € le mètre. Voile (40 coloris) : 4,60 € le mètre en grande largeur. Soie sauvage : 18,15 € le mètre en une multitude de couleurs. Taffetas en promo : 9,15 € le mètre. Également, un bon rayon de tissus de décoration. **Remise de 15 % avec le guide ou la carte.**

TOTO   *Le bonheur est chez Toto*

49 bd Barbès (18ᵉ)
Mᵒ Marcadet-Poissonniers
Tél. 01 42 52 90 53
Fax : 01 42 52 72 18
Lundi-samedi : 10 h-19 h

Sur six niveaux, le plus grand des magasins Toto. Choix invraisemblable, chiffons en tous genres à prix toujours écrabouillés. Coupons à partir de 4,57 € le kilo. Au sous-sol, tissus à bas prix : 1,52 € le mètre. Étonnants Wax africains : 50 € les 6 yards (5,48 m). Grand rayon mercerie. Onze adresses à Paris (6ᵉ, 8ᵉ, 13ᵉ, 15ᵉ, 16ᵉ, 17ᵉ, 18ᵉ, 20ᵉ) et cinq en banlieue. **Remise de 5 % avec le guide ou la carte.**

20ᵉ ARRONDISSEMENT

MADAME COUPONS   *L'autre Madame Coupons*

18 rue des Gâtines (20ᵉ)
Mᵒ Gambetta
Tél. 01 46 36 57 98

Attention, ne pas confondre. L'adresse est bonne, mais la maison, malgré une raison sociale identique, n'est pas la même que celle de la rue de Levis.

*Mardi-vendredi : 9 h-12 h 30, 15 h-19 h ;
samedi : 9 h 30-12 h 30*

On y trouve de beaux métrages de chez Dior, Abraham ou G. Rech. Soie naturelle : 8,29 € le mètre en 115 cm de large. Pure laine : 16,77 € le mètre en 150 cm de large. Coton : 7,62 € le mètre en 150 cm de large. **Remise de 10 % avec le guide ou la carte à partir de 15,24 € d'achats.**

92 HAUTS-DE-SEINE

BINEAU MURAL'S

12 bd Bineau
92300 LEVALLOIS-PERRET
M° Porte-de-Champerret
ou Louise-Michel
Tél. 01 47 57 16 00
Fax : 01 47 59 00 05
www.bineau.net
Lundi-samedi : 10 h-19 h

Ça c'est Bineau !

Des voilages aux rideaux, des tissus d'éditeurs, des tissus maison en exclusivité en passant par les canapés déhoussables, les tapis, les moquettes ou encore les parquets et même une nouvelle ligne de meubles en exclusivité : c'est l'univers Bineau. 700 m² d'exposition entièrement voués à la décoration de votre maison. Confection de rideaux à partir de 7,62 €. Confection de store à partir de 99 €. Tissu faux uni à partir de 5,95 € en 280 cm de large. Moquette à partir de 7,47 € le m². Et le service voiturier, c'est tous les jours ! **Remise de 5 % avec le guide ou la carte.**

AUTRES ADRESSES
■ **Bineau Boutik's** • 11 bd Bineau • 92300 LEVALLOIS-PERRET • M° Porte-de-Champerret ou Louise-Michel • Tél. 01 47 57 57 76 • Mardi-samedi : 10 h-19 h • Canapés, meubles et objets déco.
■ **Bineau Moket's** • 10 bd Bineau • 92300 LEVALLOIS-PERRET • M° Porte-de-Champerret ou Louise-Michel • Tél. 01 47 57 19 19 • Lundi-samedi : 10 h-19 h • Très belle boutique, vaste choix de moquettes et parquets, pose à la demande.

Quelques autres adresses

Trouvailles de dernière minute, bons plans susurrés par nos lecteurs ou découvertes qui ne nécessitent pas un long développement, voici encore, en vrac, quelques adresses de bon conseil.

3ᵉ ARRONDISSEMENT

ETS AMELLE DIFFUSIONS
86 rue des Gravilliers, 3ᵉ • M° Arts-et-Métiers • Tél. 01 42 78 45 95 • Fax : 01 42 78 16 87 • Mardi-vendredi : 9 h-12 h, 13 h-17 h 30

Un grossiste en laines à tricoter et de la mercerie, du linge à broder, des ouvrages au point de croix dont les prix sont tout à fait intéressants. Coton à crocheter à partir de 1,30 € les 100 grammes. Fil DMC : 0,91 €. **Cadeau avec le guide ou la carte.**

13ᵉ ARRONDISSEMENT

BOX IMPORT
98 rue du Moulin-des-Prés, 13ᵉ • M° Tolbiac • Tél. 01 45 88 42 35 • www.bop.fr • Lundi-samedi : 9 h 30-13 h, 14 h-18 h

Vente de machines à coudre et de surjeteuses-raseuses à prix fabricant. Garantie 10 ans et reprise des anciennes machines. Surjeteuse Juki 644 D : 650 € 20 % sur la marque Bernina Occasions garanties 1 an à partir de 100 €. Service après-vente toutes marques. **20 % de remise avec le guide ou la carte.**

Ouvrages pour dames et cours

4ᵉ ARRONDISSEMENT

TOUT À LOISIRS
50 rue des Archives, 4ᵉ • M° Rambuteau • Tél. 01 48 87 08 87 • Fax : 01 48 87 08 88 • touta loisirs@noos.fr • Lundi-samedi : 10 h 30-19 h

Fanfreluches et perles pour fabriquer bijoux et accessoires. Perles de rocaille : 10 € les douze tubes. Kits de 4 à 50 €. Paillettes : 1,15 € la dose. Plumes : 4 € les 10 plumes ou 0,25 € pièce. **Remise de 10 % avec le guide ou la carte.**

5e ARRONDISSEMENT

LE ROUVRAY

3 rue de la Bûcherie, 5e • M° Saint-Michel • Tél.
01 43 25 00 45 • Fax : 01 43 25 51 61
• www.lerouvray.com • Mardi-samedi : 10 h-
18 h 30

Pour les amoureux du patchwork. Cours pour débutantes ou confirmées : trois demi-journées : 77 € pour 2 heures et demie. Cours intensifs le week-end : 92 € (boutis provençal, Trapunto). Tissus-mercerie. Kilts anciens.

6e ARRONDISSEMENT

CÉLIMÈNE POMPON

41 rue du Cherche-Midi, 6e • M° Sèvres-Baby-lone • Tél. 01 45 44 53 95 • Fax : 01 45 44 56 11 • www.celimene-pompon.com • Lundi-samedi : 10 h-19 h

Fournitures pour brodeuses averties ou débutantes. Créations de kits broderie en exclusivité pour la boutique (38 € en moyenne). De bons conseils. **Remise de 5 % avec le guide ou la carte à partir de 46 € d'achats.**

12e ARRONDISSEMENT

LE BONHEUR DES DAMES

17 av. Daumesnil, 12e • M° Gare-de-Lyon • Tél. 01 43 42 06 27 • Fax : 01 43 42 06 44 • www.bonheurdesdames.com • Mardi-samedi : 10 h 30-19 h

Un des plus beaux magasins d'ouvrages de Paris. Abécédaires à partir de 15 €. Kits à partir de 6 €.

16e ARRONDISSEMENT

MERCERIE MARIETTE

15 rue des Belles-Feuilles, 16e • M° Victor-Hugo • Tél. 01 45 53 02 61 • Mardi-samedi : 10 h-18 h 30

Kits broderie : à partir de 15 €. Tissus pour patchwork : 15 € le mètre. Grand choix de boutons. Nouveau : laines Pingouin. Boutons d'or.

78 YVELINES

LE CŒUR À L'OUVRAGE

43 rue de la Paroisse • 78000 VERSAILLES • SNCF (Saint-Lazare), Versailles-Rive-Droite • Tél. 01 30 21 80 74 • Fax : 01 39 20 92 77 • Mardi-vendredi : 10 h-12 h 30, 14 h-19 h ; samedi : 10 h-12 h 30, 14 h-18 h 30

Plus de 400 kits originaux : de 15 à 76 €. Point de croix. Tapisserie. Robes de baptême à partir de 135 €. Cours de broderie : 20 € les 2 heures (vendredi ou samedi). **Remise de 5 % avec le guide ou la carte (sauf pour les cours).**

92 HAUTS-DE-SEINE

BOUTS DE TISSUS

22 bd du Maréchal-Joffre • 92500 RUEIL-MAL-MAISON • Tél. 01 47 08 38 07 • Lundi : 15 h-19 h ; mardi-samedi : 10 h-13 h, 14 h 30-19 h (fermé pendant les vacances scolaires)

Modèles de patchworks américains, tissus vendus prédécoupés, toiles de lin et livres techniques. Cours de patchworks toute l'année. Stages pour techniques spéciales sur un ou deux jours. Nouveau : cours de cartonnage.

Singer donne des cours

Cours de couture dans les magasins Singer dont les adresses suivent. On y acquiert de bonnes bases. On en repart avec un ou des vêtements réalisés. (Apporter son tissu, son patron ou son projet, fil, mètre). Cours : 16 € les 2 heures ; 12 heures : 90 €.

11e ARRONDISSEMENT

125 bd Voltaire, 11e • M° Saint-Ambroise ou Charonne • Tél. 01 43 79 05 17

17e ARRONDISSEMENT

68 av. des Ternes, 17e • M° Ternes • Tél. 01 43 80 51 34

92 HAUTS-DE-SEINE

83 route de la Reine • 92100 BOULOGNE • Tél. 01 46 05 70 62

10 place de l'Hôtel-de-Ville • 92600 ASNIÈRES • Tél. 01 47 93 05 63

93 SEINE-SAINT-DENIS

CC Arcades • 93160 NOISY-LE-GRAND • Tél. 01 45 92 25 65

VOYAGES

C'est sur Internet que ça se joue. Plus besoin de courir les agences pour savoir où, quand, comment, et à quel prix passer un week-end à Venise, trouver un aller-retour pour Tombouctou ou faire une croisière en Égypte. Il suffit de composer www sur son clavier... et de comparer. Gain de temps, gain d'argent. Les compagnies aériennes et les voyagistes ont été les premiers à se ruer sur le Web. Tout ce qui compte s'y trouve aujourd'hui (voir aussi notre chapitre Internet). A vous de jouer...

¿ QUE CHERCHEZ-VOUS ?

À LA CARTE
502 Donatello (2e)
503 Maison des Amériques, Delta Vacations (5e)
503 Directours (8e)

AUTO-STOP
504 Allostop Provoya (9e)

CHANGE
505 Change du Claridge (8e)
505 APS (9e)
505 CPCB (9e)
505 FCO (9e)

COVOITURAGE
504 Allostop Provoya (9e)

CROISIÈRES
503 Nouvelles Frontières (15e)

ÉCHANGES D'APPARTEMENTS ET DE MAISONS
504 France USA Contacts (FUSAC)
504 Homelink
504 Intervac (11e)

504 Échanges Bovilé (84)

HÉBERGEMENT
505 MBO Visa Service (95)

HÔTELS
504 Hotels.com

NAVETTE ORLY-ROISSY
505 Airport Connection (7e)

SÉJOURS ET CIRCUITS
502 Cedok France (2e)
502 Donatello (2e)
502 Marsans International (2e)
502 Voyageurs du Monde (2e)
503 Maison des Amériques, Delta Vacations (5e)
503 Accor Vacances (7e)
503 Directours (8e)
503 Havanatour (9e)
503 Marmara Voyages (9e)
503 Nouvelles Frontières (15e)

503 Quelques autres voyagistes... sur le Net

VISAS
505 MBO Visa Service (95)

VOLS SECS
502 Easy Jet
502 Virgin Express
502 Forum Voyages (1er)
503 Maison des Amériques, Delta Vacations (5e)
503 Directours (8e)
503 Safar Tours (8e)
503 Nouvelles Frontières (15e)
502 Ryan Air (60)
503 Quelques autres voyagistes... sur le Net

VOYAGES EN AUTOCAR
502 Eurolines (5e)

VOIR AUSSI
370 « Internet »
342 « Hôtels »
378 « Jeunes, étudiants »

LES COMPAGNIES aériennes

EASY JET
Tél. 0 825 08 25 08 (N° Indigo) • www.easyjet.com

En passant par Londres... Si l'on n'est pas à cheval sur les dates et les horaires, on peut trouver des vols à des prix carrément « hallucinants » : Paris-Londres Luton (aller-retour) : 22 €. Paris-Genève (aller-retour) : 25 €. A ces prix-là, évidemment, la taxe d'aéroport n'est pas comprise...

VIRGIN EXPRESS
Tél. 08 00 52 85 29 • www.virgin.com

Branson ne pouvait évidemment pas rester à l'écart des voyages en avion à moindre prix. Pour l'instant, Bordeaux et Nice sont les seules villes françaises reliées à seize autres villes européennes. Bordeaux-Bruxelles (A.-R.) : 74 €.

60 | OISE

RYAN AIR
Aéroport de Beauvais • 60000 BEAUVAIS • Tél. 03 44 11 41 41 • www.ryanair.com

Un Irlandais qui nous offre sans doute le record du prix du kilomètre en avion. Beauvais-Milan à 15 €. Mais avec des restrictions, évidemment : il faut voyager du mardi au jeudi, et réserver 14 jours à l'avance. Mais les autres prix, pour être moins « canon », sont toujours très intéressants. Pour rejoindre les autres capitales européennes, il faudra passer par Londres-Stansted.

VOYAGISTES et agences

1er | ARRONDISSEMENT

FORUM VOYAGES
11 av. de l'Opéra (1er) • M° Pyramides • Tél. 01 42 61 20 20 • www.forum-voyages.com • Lundi : 14 h-19 h ; mardi-samedi : 10 h-19 h (neuf agences)

1 500 destinations en vols réguliers et quotidiens discountés, essentiellement en direction des États-Unis et de l'Asie. Séjours, circuits et croisières.

2e | ARRONDISSEMENT

CEDOK FRANCE
32 av. de l'Opéra (2e) • M° Opéra • Tél. 01 44 94 87 50 • Fax : 01 49 24 99 46 • www.cedok.com • Lundi-vendredi : 10 h-13 h, 14 h-18 h

Les charmes de Prague, et aussi de la Hongrie, de la Pologne, de la Croatie et de la Russie. Découverte de Prague (quatre jours) : à partir de 560 €. **Remise de 5 % avec le guide ou la carte.**

DONATELLO
10 rue Daunou (2e) • M° Opéra • Tél. 01 44 58 30 81 • Fax : 01 42 60 32 14 • www.donatello.fr • Lundi-vendredi : 9 h-19 h ; samedi : 9 h-18 h

Ce spécialiste des voyages à la carte et du sur mesure est essentiellement présent en Italie, mais aussi en Espagne, au Portugal, à Malte et en Europe centrale, en Afrique du Sud, voire au Kenya, aux Seychelles et en Tanzanie. Week-end « coup de cœur » à Venise (jeudi-dimanche) en chambre double et petit déjeuner (hôtel deux étoiles) : à partir de 479 €.

MARSANS INTERNATIONAL
49 av. de l'Opéra (2e) • M° Opéra • Tél. 01 53 24 34 00 • Fax : 01 53 24 34 69 • www.marsans.fr

Partout (ou presque) où l'on parle espagnol ou portugais, « Marsans » est présent. Et particulièrement à Cuba et Saint-Domingue, mais aussi en Espagne, en République Dominicaine, au Brésil, au Portugal. Santiago et La Havane (8 jours) : à partir de 877 €. Brésil (9 jours) : à partir de 1 241 €.

VOYAGEURS DU MONDE
55 rue Sainte-Anne (2e) • M° Quatre-Septembre • Tél. 01 42 86 16 00 • www.vdm.com • Lundi-samedi : 10 h-19 h

Ici, le conseil est roi. 1 800 m² consacrés au voyage, avec des vendeurs-globe-trotters qui sauront vous orienter utilement. Et comme les prix sont compétitifs... A la carte ou tout compris, toutes les formules, toutes les destinations vous sont proposées.

5e | ARRONDISSEMENT

EUROLINES
55 rue Saint-Jacques (5e) • M° Saint-Jacques • Tél. 01 43 54 11 99 • Fax : 01 43 54 80 58 • www.eurolines.fr • Lundi-vendredi : 9 h 30-18 h 30 ; samedi : 10 h-18 h

Voyager en car ultramoderne vers 1 500 destinations en Europe : voilà le programme proposé par « Eurolines » à ceux qui souhaitent voyager sans se ruiner. Paris-Londres, aller-retour : à partir de 42 €. Paris-Amsterdam, aller-retour : à partir de 39 €. Également des formules car + hébergement (vingt destinations) : Paris-Prague + deux nuits : à partir de 120 €. AUTRE ADRESSE. Gare routière de Paris-Gallieni, 28 av. du Général-de-Gaulle (sous le Centre Auchan), 93541 BAGNOLET, M° Gallieni, Tél. 0 892 89 90 91.

MAISON DES AMÉRIQUES, DELTA VACATIONS
46 rue Sainte-Anne (5e) • M° Quatre-Septembre • Tél. 01 42 86 16 61 • Fax : 01 42 77 50 60 • www.maisonameriques.com • Lundi-jeudi : 9 h-19 h ; vendredi-samedi : 9 h-18 h

Ce spécialiste du voyage sur mesure qui a fusionné avec Comptoir des Voyages opère sur l'ensemble des États-Unis, du Canada et de l'Amérique du Sud. AUTRE ADRESSE. 344 rue Saint-Jacques, Paris 5e, Tél. 01 53 10 21 70. **Remise de 5 % avec le guide ou la carte sur les prestations terrestres (hôtel, voiture...).**

7e ARRONDISSEMENT

ACCOR VACANCES
40 av. Bosquet (7e) • M° École-Militaire • Tél. 01 44 11 11 50 • Fax : 01 44 11 11 51 • www.accorvacances.com

Spécialiste de l'Afrique (Kenya, Sénégal) sous la marque « Africatours », de l'Amérique latine (Antilles, Mexique) sous la marque « Américatours-El Condor » et de l'Asie (Thaïlande, Indonésie) sous la marque « Asie Tours ». Des prix d'accroche très câlins.

8e ARRONDISSEMENT

DIRECTOURS
90 av. Champ-Élysées (8e) • M° George-V • Tél. 01 45 62 62 62 • Fax : 01 40 74 07 01 • www.directours.com

Plus particulièrement spécialisé dans les forfaits individuels à la carte à destination des États-Unis, mais également de séjours et circuits en Grèce, aux Caraïbes, aux Antilles, au Maroc, à Chypre, à Malte, à Oman, à Dubaï et en Australie. **Location de voiture : surclassement**

gratuit dans la catégorie supérieure avec le guide ou la carte.

SAFAR TOURS
21 bd des Batignolles (8e) • M° Rome ou Place-de-Clichy • Tél. 01 44 70 62 62 • Fax : 01 44 70 62 60 • Lundi-samedi : 8 h-20 h

Le Maroc, rien que le Maroc, mais tout le Maroc. Avec des prix imbattables. Paris-Agadir (AR) à partir de 215 €. Paris-Casablanca à partir de 215 €. Également des tarifs intéressants sur les prestations hôtelières et les locations de voiture sur place.

9e ARRONDISSEMENT

HAVANATOUR
16 rue Drouot (9e) • M° Richelieu-Drouot • Tél. 01 48 01 44 55 • www.havanatour.fr • Lundi-vendredi : 9 h 30-18 h 30

Exclusivement voué aux délices (barbues ou non) de l'île qui nargue les États-Unis. Comprenez Cuba. Vol sec : 599 € (hors taxes d'aéroport). Voyages à la carte ou tout compris. **Remise de 3 % avec le guide ou la carte.**

MARMARA VOYAGES
81 rue Saint-Lazare (9e) • M° Saint-Lazare • Tél. 01 44 63 64 00 • Fax : 01 40 23 01 43 • www.marmara.com

Le spécialiste incontesté de la Turquie. Hôtels, circuits, pensions de charme, croisières, toutes les formules sont passées au crible. Izmir (sept jours) : à partir de 200 €.

15e ARRONDISSEMENT

NOUVELLES FRONTIÈRES
87 bd de Grenelle (15e) • M° La Motte-Picquet-Grenelle • Tél. 0 803 333 333 • www.nouvelles-frontieres.com • 9 h-19 h ou 8 h 30-20 h 30 selon les agences (une vingtaine dans Paris)

Précurseur des vols secs discountés, agitateur tous azimuts du monde du voyage il y a 20 ans, Nouvelles Frontières s'est aujourd'hui assagi, mais reste très compétitif.

Quelques autres voyagistes... sur le Net

www.abcplanet.com

www.anyway.com

www.bdv.fr

www.promovacances.com

www.travelprice.com

www.voyages-sncf.com

www.republictours.com

www.look-voyages.com

www.kuoni.fr

www.jettours.com

www.havasvoyages.fr

www.govoyages.com

www.odyssea.net

HÔTELS

A consulter également, notre chapitre Hôtels (p. 342). Surtout consacré à Paris, il fournit cependant quelques pistes pour le voyageur.

HOTELS.COM
Tél. 00 800 3099 3099 (Numéro Vert)
• www.hotels.com

Réductions dans les hôtels, du deux au cinq étoiles, allant jusqu'à 70 % du prix affiché, dans 8 000 hôtels répartis dans 350 villes à travers le monde. Il suffit pour cela de composer le numéro vert ou de passer par le site Internet. Attention : il y a évidemment moins de choix (et des réductions moins importantes) en haute saison...

AUTO-STOP

9ᵉ ARRONDISSEMENT

ALLOSTOP PROVOYA
8 rue Rochambeau (9ᵉ) • Mᵒ Cadet ou Poissonnière • Tél. 01 53 20 42 42 (appels Paris) et 01 53 20 42 43 (appels province) • Fax : 01 53 20 42 44 • www.allostop.net • Lundi-vendredi : 10 h-13 h, 14 h-18 h 30 ; samedi : 10 h-13 h, 14 h-17 h

Allostop réunit le voyageur sans auto et l'automobiliste solo, qui iront ensemble dans la même direction. Le voyageur avec bagages paie une cotisation (variable selon la distance) puis participe aux frais d'essence. Abonnement : 36 € pour huit trajets. Participation aux frais : 24 € (Paris-Berlin) ; 13 € (Paris-Rennes). Également covoiturage (tél. 01 53 20 42 45). **Avec le guide ou la carte : remise de 25 % sur l'inscription pour un trajet.**

ÉCHANGES d'appartements et de maisons

FRANCE USA CONTACTS (FUSAC)
www.fusac.fr
En cas de désir pressant d'échappée américaine, prière de se rapporter aux petites annonces de cette revue bimensuelle dont l'une des rubriques porte sur l'échange de particulier à particulier ou de consulter le site.

HOMELINK
www.homelink.org
Contre 85 € de cotisation, vous aurez droit à une inscription sur le site d'annonces où vous pourrez puiser des adresses dans tous les pays du monde pour faire des échanges d'appartements pour les vacances. 16 000 personnes échangent ainsi chaque année leur maison ou leur appartement.

11ᵉ ARRONDISSEMENT

INTERVAC
230 bd Voltaire (11ᵉ) • Mᵒ Boulets-Montreuil • Tél. 01 43 70 21 22 • Fax : 01 43 70 73 35 • www.intervac.com (international) ou www.intervac.fr (national) • Lundi-vendredi : 10 h-12 h, 14 h-18 h ; vendredi : fermeture à 16 h 30
Dans le catalogue de cette organisation ou sur le Net, on peut consulter les annonces passées, mais aussi publier sa propre annonce pour échanger son appartement. Adhésion : de 65 à 95 €.

84 VAUCLUSE

ÉCHANGES BOVILÉ
321 av. Sadi-Carnot • 84500 BOLLÈNE • Tél. 04 90 30 15 15 • www.bovile.com • Lundi-samedi : 8 h-20 h
La charmante Madame Boyer effectue toutes les recherches auprès de ses correspondants étrangers et vous rembourse même votre avance (70 €) si elle ne trouve pas la villa de vos rêves contre votre deux pièces-cuisine. Spécialisé dans le Québec et l'Écosse, mais aussi les Pays-Bas, la Suisse, l'Australie, la Nouvelle-Zélande, l'Italie, l'Angleterre et les États-Unis. On ne paye que si l'échange se fait. Échange en France : 225 €. Échange à l'étranger : 245 €.

DIVERS

7e ARRONDISSEMENT

AIRPORT CONNECTION
16 rue de l'Exposition (7e) • M° École-Militaire
• Tél. 01 44 18 36 02 • Fax : 01 45 55 85 19
• www.airport-connection.com

Moins cher que le taxi (tout dépend de votre trajet), plus pratique que le bus : des minibus (partagés avec d'autres clients) viennent vous prendre à l'aéroport (Orly ou Roissy) et vous emmènent à domicile (ou l'inverse). Il vous en coûtera 24 € si vous êtes seul et 16 € (par personne) à partir de deux personnes. Évidemment, il faut réserver à l'avance... **Remise de 15 % avec le guide ou la carte.**

95 VAL-D'OISE

MBO VISA SERVICE
15 rue des Pas-Perdus • 95000 CERGY-PON-TOISE • Tél. 01 34 25 44 02 • Fax : 01 34 25 44 45 • www.tch-voyages.com • Lundi-vendredi : 9 h-18 h

MBO simplifie le parcours du combattant de l'obtention du visa : les formalités se résolvent désormais par un simple coup de fil (et par la signature d'un chèque, il est vrai). Délais et frais variables (de 24 heures à 10 jours et de 0 à 106,71 €). Et la société prend de 28 à 77 € suivant les cas de figure. Elle procure également des chambres chez l'habitant dans quarante pays. **Remise de 5 % avec le guide ou la carte sur le logement chez l'habitant.**

 # CHANGE

Ci-après quatre officines où les taux de change sont particulièrement avantageux. Ni commission ni charge (c'est rare...) et accueil professionnel.

8e ARRONDISSEMENT

CHANGE DU CLARIDGE
Galerie du Claridge (FNAC), 74 Champs-Élysées (8e) • M° Franklin-Roosevelt • Tél. 01 45 63 99 28 ou 01 45 63 99 52 • Lundi-samedi : 10 h-18 h 45
Prix préférentiels avec le guide ou la carte.

9e ARRONDISSEMENT

APS
6 rue du Faubourg-Montmartre (9e) • M° Grands-Boulevards • Tél. 01 47 70 40 90

Conditions particulières pour sommes importantes. AUTRE ADRESSE. 233 bd Pereire, Paris, 17e, M° Rue-Montmartre, Tél. 01 45 72 42 62. **Des « efforts particuliers » consentis avec le guide ou la carte.**

CPCB
33 rue du Faubourg-Montmartre (9e) • M° Rue-Montmartre • Tél. 01 47 70 42 04

FCO
19 rue du Faubourg-Montmartre (9e) • M° Grands-Boulevards • Tél. 01 47 70 02 59 • www.fco.change.free.fr • Lundi-samedi : 8 h 30-20 h

Devises, travellers, pièces et lingots d'or, cartes téléphoniques. **Petite réduction avec le guide ou la carte.**

A Adresse particulièrement recommandée

♛ Adresse haut de gamme : le luxe à prix abordable

Restaurant particulièrement recommandé.

**Restaurant dont l'addition peut paraître élevée,
mais où le rapport qualité-prix est excellent :
à réserver pour les grandes occasions.
Le luxe à prix abordable.**

**Restaurant qui a pris ses habitudes dans nos pages
et que nous recommandons depuis plusieurs années :
un classique, un indémodable, un immanquable, quoi...**

**Restaurant dont la qualité des mets
est particulièrement soignée,
dont la cuisine est inventive.
Mérite le qualificatif de gastronomique.**

Une bonne nouvelle pour tous les lecteurs gourmets ou gourmands : à l'heure où nous mettons sous presse, il est fortement question que la TVA sur la restauration passe à 5,5 %. Ce qui devrait signifier, en toute logique, que les prix des restaurants que nous répertorions seront révisés à la baisse. Et que, par voie de conséquence, dès l'an prochain, nous devrions avoir une rubrique « Restaurants à moins de 8 € ».

¿ QUE CHERCHEZ-VOUS ?

→ RESTAURANTS à moins de 9 €

CRÊPERIES
523 Page 35 (3ᵉ)
524 Crêperie Belliloise (5ᵉ)
525 La Crêperie des Canettes (6ᵉ)
530 La Petite Crêperie (13ᵉ)
534 Crép'uscule (18ᵉ)

CUISINE AMÉRICAINE
522 Deli Kate (2ᵉ)

CUISINE ANGLAISE
529 Patati Patata (11ᵉ)

CUISINE ASIATIQUE
521 Veng Hour (1ᵉʳ)
522 Matsusushi (2ᵉ)
531 Le Délice (3ᵉ)
523 Ta Tong (3ᵉ)
531 Asia Gourmet (4ᵉ, 5ᵉ, 9ᵉ, 15ᵉ)
523 Au Canard Laqué (4ᵉ)
524 Foyer du Vietnam (5ᵉ)
524 Hung Yen (5ᵉ)
524 Koo-A (5ᵉ)
525 Villa Tang (5ᵉ)
525 Kim San (6ᵉ)
526 Les Saveurs de l'Asie (6ᵉ)
526 Sushi House (6ᵉ)
526 Yokorama (6ᵉ)
527 Matsusaka (9ᵉ)
529 Phu Ket (11ᵉ)
530 Li Yuan (12ᵉ)
531 Sandwicherie Thien Heng (13ᵉ)
532 Asie Délices (17ᵉ)
533 Muoy Ly (17ᵉ)
534 Ueno (17ᵉ)
534 La Maison Thaïe (18ᵉ)
535 Saveurs d'Asie (18ᵉ)
536 Cok Ming (19ᵉ)
536 Jardin d'Or (20ᵉ)
536 Rouleau de Printemps (20ᵉ)

CUISINE D'AFRIQUE DU NORD
526 La Rose de Tunis (6ᵉ)

528 La Bonne Franquette (11ᵉ)
529 Chez Momo - Le Renaissance (12ᵉ)
532 Le 178 (17ᵉ)

CUISINE DU BON DIEU
527 Foyer de la Madeleine (8ᵉ)
529 CAT Bastille (11ᵉ)
533 Le Café des Petits Frères (17ᵉ)

CUISINE INDIENNE
532 Le Jardin de Shah Jahan (6ᵉ)
525 Kamala (6ᵉ)
526 Restaurant indien Mahima (6ᵉ)
527 Imalayas (10ᵉ)
531 Le Palais de Shah Jahan (15ᵉ)
532 Aapna Ronak (17ᵉ)
532 Shah Jahan (17ᵉ)
534 Esvaran (18ᵉ)

CUISINE IRAKIENNE
522 Aigre Doux (3ᵉ)

¿ QUE CHERCHEZ-VOUS ?

CUISINE ITALIENNE
525 Bar Three (6e)
533 Premiata
Drogheria di
Meglio (17e)

CUISINE JUIVE
522 Chez Léon et
Francine (3e)

**CUISINE LATINO-
AMÉRICAINE**
524 Machu Picchu
(5e)

CUISINE LIBANAISE
528 La Princesse (10e)
531 Alkaram (15e)

CUISINE NÉPALAISE
532 Sagar Matha
(15e)

**CUISINE
PAKISTANAISE**
524 Sabraj (5e)
532 Le Jardin de Shah
Jahan (6e)
531 Le Palais de Shah
Jahan (15e)
532 Shah Jahan (17e)

**CUISINE
PÉRUVIENNE**
522 Pachamanca (3e)

**CUISINE
TRADITIONNELLE**
521 Le Café Baltard
(1er)
522 Chez Danie (2e)
522 Le Tambour (2e)
523 Le Petit Gavroche
(4e)
524 Le Reflet (5e)
525 Collation (6e)
527 Le Toulouse (7e)
527 Bouillon Chartier
(9e)

528 La Petite Porte
(10e)
528 Restaurant de
Bourgogne (10e)
528 La Bonne
Franquette (11e)
529 Patati Patata
(11e)
530 91e Planète (13e)
530 Saint-Cyrille (13e)
531 Aux Produits du
Sud-Ouest (14e)
533 Bistro
d'Aujourd'hui
(17e)
534 Bistrot aux
Chiffons (18e)
535 Le Petit Ney (18e)
535 Sensas Grill (18e)
536 La Chouette & Co
(19e)

CUISINE TURQUE
529 Le Caravansérail
(11e)
535 Ugur (18e)

**CUISINE
VÉGÉTARIENNE**
526 Les Saveurs de
l'Asie (6e)

**CUISINE
VIETNAMIENNE**
530 Pho Bida Saïgon
(13e)

DÎNER-SPECTACLE
535 Le Petit Ney (18e)
536 La Chouette & Co
(19e)

**RESTAURANT
CULTUREL**
535 Le Petit Ney (18e)

**RESTAURANTS À
SOUPES**
528 Le Bar à soupes
(1er, 11e)

**RESTAURANTS
AVEC TERRASSE**
521 Veng Hour (1er)
523 Boulangerie
Cafétéria Reglait
(5e)
528 La Bonne
Franquette (11e)
532 Le 178 (17e)

**RESTAURANTS
BRANCHÉS**
534 Bistrot aux
Chiffons (18e)

SUR LE POUCE
537 La Ferme Opéra
(1er)
521 Flam's (1er)
537 Lunch Time Fax
(1er)
521 Nils (1er)
522 Deli Kate (2e)
537 L'As du Fallafel
(4e)
537 Café Martini (4e)
537 La Voie Lactée
(5e)
537 Cosi (6e)
525 Kim San (6e)
526 Pâtisserie
Viennoise (6e)
526 La Rose de Tunis
(6e)
526 Sushi House (6e)
527 Real Mc Coy (7e)
537 Hand Made (8e,
11e)
528 Kum Po (10e)
528 La Petite Porte
(10e)
529 Les Bouchées
Doubles (11e)

¿ QUE CHERCHEZ-VOUS ?

537 La Galoche
d'Aurillac (11ᵉ)
530 91ᵉ Planète (13ᵉ)
531 Sandwicherie
Thien Heng (13ᵉ)

531 Aux Produits du
Sud-Ouest (14ᵉ)
537 Legrand (14ᵉ)
537 Buffalo Bouffe
(15ᵉ)

533 Le Café des Petits
Frères (17ᵉ)
535 Sensas Grill
(18ᵉ)
535 Sindbad (18ᵉ)

À   **Restaurant particulièrement recommandé.**

♔   **Restaurant dont l'addition peut paraître élevée,
mais où le rapport qualité-prix est excellent :
à réserver pour les grandes occasions.
Le luxe à prix abordable.**

∏   **Restaurant qui a pris ses habitudes dans nos pages
et que nous recommandons depuis plusieurs années :
un classique, un indémodable, un immanquable, quoi...**

✕   **Restaurant dont la qualité des mets
est particulièrement soignée,
dont la cuisine est inventive.
Mérite le qualificatif de gastronomique.**

¿ QUE CHERCHEZ-VOUS ?

→ ## RESTAURANTS de 9 à 13 €

BARS À BIÈRE
538 Au Trappiste (1er)

BONNES CAVES
539 Chez Laurent (2e)
547 Le Petit Bergson (8e)
553 Le 14 Juillet (14e)
554 Au Passé Retrouvé (15e)
555 Tropic Beaugrenelle (15e)
556 Palette de Courbet (16e)
560 La Boulangerie (20e)

CRÊPERIES
544 La Crêpe rit du Clown (6e)
546 Objectif Crêpes (8e)

CUISINE AMÉRICAINE
558 West Side Cafe (17e)

CUISINE ASIATIQUE
539 Yasube (1er)
541 Le Moï (2e)
541 Oïshi (2e)
544 Saïgon Latin (5e)
545 Kiotori (6e)
546 Le Mandarin (8e)
549 Chinatown Belleville (10e)
551 Bangkok Thaïland (13e)
552 Mei Kwai Lou (13e)
552 Orchidée Villa (13e)
553 Tien Hiang (13e)
560 Takichi (20e)

CUISINE D'AFRIQUE DU NORD
542 La Rose des Sables (3e)
544 Salammbô (5e)
549 Mont Saint-Michel (10e)
557 La Grande Bleue (17e)

CUISINE INDIENNE
540 Le Jardin de l'Inde (2e)
547 Anarkali Sarangui (9e)
548 Le New Balal (9e)
549 Pooja (10e)

CUISINE INDONÉSIENNE
545 Indonésia (6e)

CUISINE ITALIENNE
539 Bella Venezia (2e)
540 Little Italy (2e, 4e)
546 Del Papa (8e, 16e)
548 Trattoria l'Oca Nera (9e)
550 Pizza San Maikël (11e)
540 Rebuzzi (15e)
559 Renato (18e)
560 Via Curti (20e)

CUISINE KURDE
540 Le Dilan (2e)

CUISINE LIBANAISE
543 Aux Délices du Liban (5e)
554 Al Aricha (15e)
556 Chez Charbel (16e)

556 Palette de Courbet (16e)

CUISINE MAURICIENNE
555 Tropic Beaugrenelle (15e)

CUISINE MEXICAINE
553 Papagallo (13e)

CUISINE PAKISTANAISE
548 Le New Balal (9e)

CUISINE POLONAISE
539 Restaurant Polonais Concorde (1er)

CUISINE PORTUGAISE
542 Le Petit Troquet (3e)

CUISINE ROUMAINE
550 L'Athanor (12e)

CUISINE RUSSE
550 Kazaki (11e)
555 La Cantine russe, Conservatoire Serge-Rachmaninov (16e)

CUISINE SUÉDOISE
544 Gustavia (6e)

CUISINE TIBÉTAINE
544 Tashi Delek (5e)

CUISINE TRADITIONNELLE
538 Au Trappiste (1er)
538 Chez Stella (1er)

¿ QUE CHERCHEZ-VOUS ?

538 L'Entrecôte (1er)
538 La Fresque (1er)
539 Le Palet (1er)
539 La Bourse ou la Vie (2e)
539 Chez Laurent (2e)
540 Le Dénicheur (2e)
540 Le Mimosa (2e)
541 Le Bistrot Gourmand (3e)
541 Le Bouchon des Archives (3e)
541 L'Orange Café (3e)
542 La Taverne République (3e)
542 Au Jambon de Bayonne (4e)
542 Coupe-Gorge (4e)
543 Le Temps des Cerises (4e)
543 Le Bistrot 30 (5e)
543 Le Port du Salut (5e)
195 Le Reflet (5e)
545 Le petit Vatel (6e)
545 Polidor (6e)
545 L'Abbaye (7e)
545 Cafétéria du Musée Rodin (7e)
546 Chez Germaine (7e)
549 Chez Papa (8e, 10e, 14e, 15e)
546 L'Entrecôte de Paris (8e)
547 Le Petit Bergson (8e)
547 Au P'tit Creux du Faubourg (9e)
547 Chez Mademoiselle Jeanne (9e)
547 Le Gourmet (9e)
548 Le Petit Poulbot (9e)
548 La Chandelle Verte (10e)
549 Lipaya (10e)

549 Mont Saint-Michel (10e)
539 Le Palet La Fayette (10e)
539 Le Petit Palet (10e)
550 L'Aubergeade (12e)
551 L'Ébauchoir (12e)
551 L'Encrier (12e)
551 La Table du Marquis (12e)
551 L'Avant-goût (13e)
552 La Chaumine Normande (13e)
552 Chez Gladines (13e)
552 Les Décors (13e)
552 L'Espérance (13e)
553 Papagallo (13e)
553 Le 14 Juillet (14e)
553 Au Rendez-vous des Camionneurs (Chez Claude et Monique) (14e)
554 Au Métro (15e)
554 Au Passé Retrouvé (15e)
554 Aux Artistes (15e)
554 Le Bargue (15e)
555 Le Bistrot d'André (15e)
555 Chez François (15e)
555 La Bretagne à Passy (16e)
556 Chez Teuf (17e)
557 L'Escapade (17e)
557 L'Étoile Verte (17e)
558 Le Nova (17e)
558 Le Petit Villiers (17e)
200 Trois Pièces Cuisine (17e)
558 La Chope de la Mairie (18e)
559 L'Étoile de Montmartre (18e)

559 Nezbullon (18e)
559 No Problemo (18e)
559 Bar Fleuri (19e)
559 Chez Valentin (19e)
560 La Boulangerie (20e)
560 Le Saint-Blaise (20e)
560 Le Vieux Belleville (20e)

CUISINE TURQUE
544 La Voie Lactée (5e)
550 Sizin (11e)
556 Aux Îles des Princes (17e)
558 SEÇ (17e)

CUISINE VÉGÉTARIENNE
538 La Fresque (1er)
542 Aquarius (4e)
543 Le Grenier de Notre-Dame (5e)
553 Tien Hiang (13e)
553 L'Aquarius (14e)
557 Joy in Food (17e)

DÎNER-SPECTACLE
560 Le Vieux Belleville (20e)

LIEUX MAGIQUES
545 Cafétéria du Musée Rodin (7e)

POISSONS, FRUITS DE MER
543 Le Temps des Cerises (4e)
544 Saïgon Latin (5e)
544 Salammbô (5e)
544 Gustavia (6e)
550 L'Athanor (12e)
553 Papagallo (13e)

¿ QUE CHERCHEZ-VOUS ?

RESTAURANTS AVEC TERRASSE
538 L'Entrecôte (1er)
541 Le Bistrot Gourmand (3e)
544 Saïgon Latin (5e)
547 Anarkali Sarangui (9e)
550 Pizza San Maikël (11e)
552 Les Décors (13e)
553 Au Rendez-vous des Camionneurs (Chez Claude et Monique) (14e)

RESTAURANTS BRANCHÉS
540 Little Italy (2e, 4e)
541 Le Bouchon des Archives (3e)
543 Le Petit Picard (4e)

SUR LE POUCE
541 Au Duc de Montmorency (3e)
544 La Voie Lactée (5e)
548 La Jolie Vie (9e)
554 Fromages Rouges (14e)
556 L'Escapade (17e)
558 West Side Cafe (17e)

 Restaurant particulièrement recommandé.

Restaurant dont l'addition peut paraître élevée, mais où le rapport qualité-prix est excellent : à réserver pour les grandes occasions. Le luxe à prix abordable.

 Restaurant qui a pris ses habitudes dans nos pages et que nous recommandons depuis plusieurs années : un classique, un indémodable, un immanquable, quoi...

 Restaurant dont la qualité des mets est particulièrement soignée, dont la cuisine est inventive. Mérite le qualificatif de gastronomique.

¿ QUE CHERCHEZ-VOUS ?

→ RESTAURANTS de 13 à 20 €

BARS À BIÈRE
569 L'Envol (5ᵉ)
572 Au Général Lafayette (9ᵉ)

BONNES CAVES
561 Chez Nous, le Stado (1ᵉʳ)
562 La Robe et le Palais (1ᵉʳ)
563 Le Gavroche (2ᵉ)
564 Auberge Nicolas-Flamel (3ᵉ)
566 Le Coude Fou (4ᵉ)
567 Les Fous d'en Face (4ᵉ)
567 La Tartine (4ᵉ)
571 La Tour de Pierre (6ᵉ)
572 Au Général Lafayette (9ᵉ)
572 La Pause Terroir (9ᵉ)
573 Le Réveil du Xᵉ (10ᵉ)
574 La Vigne Saint-Laurent (10ᵉ)
575 Jacques Mélac (11ᵉ)
576 Le Baron Bouge (12ᵉ)
577 Lolo et les Lauréats (12ᵉ)
580 Les Dix Vins (15ᵉ)
580 Musée du vin (16ᵉ)
581 Au Bon Coin (17ᵉ)
581 La Fabrique de Bouchons (17ᵉ)
582 Au Bon Coin (18ᵉ)

583 Aux Négociants (18ᵉ)
586 Chez Lasseron (20ᵉ)

CUISINE AFRICAINE
575 Mandingue (11ᵉ)
582 La Gazelle (17ᵉ)
583 Darou Khoudoss (18ᵉ)
585 Restaurant Franco-Africain (18ᵉ)

CUISINE AMÉRICAINE
568 The Lizard Lounge (4ᵉ)
572 Coffee Saint-Germain (7ᵉ)

CUISINE ASIATIQUE
561 Baan Thaï (1ᵉʳ)
563 Ogoura (2ᵉ)
568 Chieng Maï (5ᵉ)
570 Guenmaï (6ᵉ)
576 Wok Restaurant (11ᵉ)
577 Impérial Choisy (13ᵉ)
577 Xinh Xinh (13ᵉ)

CUISINE AUTRICHIENNE
581 Le Chocolat Viennois (17ᵉ)

CUISINE CRÉOLE
569 La Ferme Sainte-Geneviève (5ᵉ)
571 La Table d'Érica (6ᵉ)

573 La Caravelle (10ᵉ)
586 Spécialités antillaises (20ᵉ)

CUISINE D'AFRIQUE DU NORD
561 Le Comptoir Paris-Marrakech (1ᵉʳ)
564 Chez Omar (3ᵉ)
570 Chez les Filles (6ᵉ)
574 La Bonne Franquette (11ᵉ)
579 La Baraka (15ᵉ)
581 Alhen (17ᵉ)

CUISINE ESPAGNOLE
576 La Feria (12ᵉ)

CUISINE ÉTHIOPIENNE
582 Ménélik (17ᵉ)

CUISINE INDIENNE
579 Bombay Café (15ᵉ, 19ᵉ)

CUISINE ITALIENNE
561 Café Bennett (1ᵉʳ)
562 Pasta Papa (1ᵉʳ, 2ᵉ)
570 Pizza Milano (6ᵉ)
572 Caffé Toscano (7ᵉ)
582 La Maffiosa (9ᵉ, 17ᵉ)
573 La Caravelle (10ᵉ)
577 Nieli (13ᵉ)

CUISINE JUIVE
566 Chez Marianne (4ᵉ)

¿ QUE CHERCHEZ-VOUS ?

CUISINE LIBANAISE
568 Comptoir
Méditerranée (5e)
580 El Bacha (15e)
585 L'Oriental (19e)

CUISINE MEXICAINE
567 La Perla (4e)
572 Los Mexicanos
(9e)
575 Taco Loco (11e)
585 Ay Caramba !
(19e)

CUISINE POLONAISE
585 Restaurant
Polonais
Mazurka (18e)

CUISINE PORTUGAISE
584 O Por Do Sol
(18e)
586 Le Torreense
(20e)

CUISINE QUÉBÉCOISE
569 L'Envol (5e)

CUISINE TRADITIONNELLE
561 Le Béarn (1er)
566 Café Very (1er)
561 Chez Nous, le
Stado (1er)
562 Le Louchébem
(1er)
562 Restaurant
Toupary, La
Samaritaine (1er)
562 La Robe et le
Palais (1er)
562 Le Saulnier (1er)
563 Véro-Dodat (1er)
565 Chez Clément
(2e, 4e, 6e, 8e,
14e, 15e, 17e)

563 Le Gavroche (2e)
563 L'Homo Sapiens
(2e)
564 Le Petit Vendôme
(2e)
571 La Rôtisserie
Monsigny (2e)
564 Auberge
Nicolas-Flamel
(3e)
564 Chez Jenny (3e)
564 Chez Nénesse
(3e)
565 Madame Sans
Gêne (3e)
565 La Mule du Pape
(3e)
565 L'Auberge de
Jarente (4e)
565 La Baracane (4e)
566 La Chope des
Compagnons (4e)
566 Le Coude Fou
(4e)
566 Dame Tartine (4e,
12e)
567 L'Ébouillanté (4e)
567 Les Fous d'en
Face (4e)
567 Le Marché (4e)
567 La Tartine (4e)
568 Alexandre (5e)
568 Au Vieux Moulin
(5e)
569 La Ferme
Sainte-Geneviève
(5e)
569 La Truffière (5e)
569 Bouillon Racine
(6e)
570 L'Heure
Gourmande (6e)
571 La Rôtisserie d'en
face (6e, 17e)
571 La Tour de Pierre
(6e)
571 Au Babylone (7e)
571 Au Pied de Fouet
(7e)

572 L'Auberge du
Clou (9e)
572 La Pause Terroir
(9e)
573 La Terrasse Flo
(9e)
573 Au Béret Basque
(10e)
573 Poêle Deux
Carottes (10e)
573 Le Réveil du Xe
(10e)
574 La Vigne
Saint-Laurent
(10e)
574 À la Flanquette
(11e)
574 Antiqui-Thé (11e)
574 L'Estaminet (11e)
575 Folie's Café (11e)
575 Jacques Mélac
(11e)
565 Monsieur Sans
Gêne (11e)
575 Pause Café
Bastille (11e)
575 Les Uns et les
Autres, Chez
Driss (11e)
576 L'Alchimiste (12e)
576 Le Baron Bouge
(12e)
577 Lolo et les
Lauréats (12e)
577 Chez
Charles-Victor
(14e)
578 Chez Jules (14e)
578 La Chope (14e)
578 Picrocole (14e)
578 Le Plomb du
Cantal (14e)
578 L'Agape (15e)
579 Baribal (15e)
579 Blue Buoï Café
(15e)
579 Le Café du
Commerce (15e)
580 Les Dix Vins (15e)

500 RESTAURANTS
500 RESTAURANTS
500 RESTAURANTS

¿ QUE CHERCHEZ-VOUS ?

580 Café du Musée d'Art Moderne (16e)
580 Musée du vin (16e)
580 Le Petit Rétro (16e)
581 Au Bon Coin (17e)
581 Café d'Angel (17e)
581 La Fabrique de Bouchons (17e)
582 Au Bon Coin (18e)
583 Aux Négociants (18e)
583 Les Copains d'abord (18e)
583 Illios (18e)
583 Le Maquis (18e)
584 Le Petit Caboulot (18e)
584 Le Relais Gascon (18e)
584 Le Restaurant (18e)
585 L'Heure Bleue (19e)
586 Chez Lasseron (20e)
586 La Mère Lachaise (20e)

CUISINE VÉGÉTARIENNE
563 La Victoire Suprême du Cœur (1er)
570 Le Paradis du Fruit (6e)
578 Dietetic Shop (14e)
585 L'Heure Bleue (19e)

DÎNER-SPECTACLE
569 L'Arbuci (6e)
572 Los Mexicanos (9e)

575 Les Uns et les Autres, Chez Driss (11e)

LIEUX MAGIQUES
562 Restaurant Toupary, La Samaritaine (1er)
569 Bouillon Racine (6e)
573 La Terrasse Flo (9e)
574 Antiqui-Thé (11e)
580 Musée du vin (16e)

POISSONS, FRUITS DE MER
570 La Langousterie (6e)

RESTAURANTS AVEC TERRASSE
561 Baan Thaï (1er)
561 Le Béarn (1er)
566 Café Very (1er)
561 Le Comptoir Paris-Marrakech (1er)
562 Le Louchébem (1er)
562 Pasta Papa (1er)
565 Chez Clément (2e, 4e, 6e, 8e, 14e, 15e, 17e)
564 Chez Jenny (3e)
565 L'Auberge de Jarente (4e)
566 Chez Marianne (4e)
566 Dame Tartine (4e, 12e)
567 L'Ébouillanté (4e)
567 Les Fous d'en Face (4e)
567 Le Marché (4e)
568 Alexandre (5e)

570 Guenmaï (6e)
570 L'Heure Gourmande (6e)
572 Au Général Lafayette (9e)
574 La Bonne Franquette (11e)
575 Jacques Mélac (11e)
577 Lolo et les Lauréats (12e)
577 Chez Charles-Victor (14e)
578 La Chope (14e)
578 Dietetic Shop (14e)
580 Café du Musée d'Art Moderne (16e)
581 Alhen (17e)
581 Le Bistrot des Dames (17e)
586 Le Rendez-vous des Quais (19e)
586 La Mère Lachaise (20e)

RESTAURANTS BRANCHÉS
561 Café Bennett (1er)
561 Le Comptoir Paris-Marrakech (1er)
566 Chez Marianne (4e)
567 La Perla (4e)
574 Antiqui-Thé (11e)
574 L'Estaminet (11e)
575 Pause Café Bastille (11e)
575 Taco Loco (11e)
576 L'Alchimiste (12e)
578 Picrocole (14e)
580 Café du Musée d'Art Moderne (16e)

¿ QUE CHERCHEZ-VOUS ?

581 Le Bistrot des
Dames (17ᵉ)

581 La Fabrique de
Bouchons (17ᵉ)

584 Olympic Café
(18ᵉ)

584 Le Petit Caboulot
(18ᵉ)

586 Le Rendez-vous
des Quais (19ᵉ)

SUR LE POUCE
567 Le Loir Dans la
Théière (4ᵉ)

567 La Tartine (4ᵉ)

573 Le Vin Vignon
(9ᵉ)

575 Folie's Café
(11ᵉ)

581 Au Bon Coin
(17ᵉ)

582 Au Bon Coin
(18ᵉ)

Å   **Restaurant particulièrement recommandé.**

♔   **Restaurant dont l'addition peut paraître élevée,
mais où le rapport qualité-prix est excellent :
à réserver pour les grandes occasions.
Le luxe à prix abordable.**

∩   **Restaurant qui a pris ses habitudes dans nos pages
et que nous recommandons depuis plusieurs années :
un classique, un indémodable, un immanquable, quoi...**

✗   **Restaurant dont la qualité des mets
est particulièrement soignée,
dont la cuisine est inventive.
Mérite le qualificatif de gastronomique.**

¿ QUE CHERCHEZ-VOUS ?

→ **RESTAURANTS de 20 à 28 €**

BONNES CAVES
587 La Cloche des Halles (1er)
588 Juvéniles (1er)
588 Au Bourguignon du Marais (4e)
592 La Maison de l'Aubrac (8e)
592 La Clairière (9e)
593 L'Aiguière (11e)
595 Villa Toscane (15e)
596 Le Kiosque (16e)
599 Le Bistrot des Capucins (20e)

BONNES CAVES (À EAUX)
587 Colette (1er)

CUISINE AFRICAINE
593 La Tontine d'Or (11e)

CUISINE ASIATIQUE
587 Holly Sushi (1er)
595 Mer de Chine (13e)

CUISINE AUTRICHIENNE
598 Le Stübli (17e)

CUISINE D'AFRIQUE DU NORD
589 Au Pied de Chameau (4e)
590 Salon de Thé et Restaurant de la Mosquée de Paris (5e)
594 L'Escale de Marrakech (12e)

CUISINE ESPAGNOLE
593 La Plancha (11e)

CUISINE ITALIENNE
595 Villa Toscane (15e)
596 Ital Restaurante (16e)

CUISINE LIBANAISE
596 Noura (6e, 8e, 16e)
596 Pavillon Noura (8e)

CUISINE TRADITIONNELLE
587 Chez Clovis (1er)
587 La Cloche des Halles (1er)
587 Colette (1er)
587 L'Enclos Saint-Honoré (1er)
588 Juvéniles (1er)
588 Lescure (1er)
588 Le Diable Rouge (2e)
588 Le Taxi Jaune (3e)
588 Au Bourguignon du Marais (4e)
589 L'Excuse (4e)
589 Les Sept Lézards (4e)
589 Le Berthoud (5e)
597 Le Bistrot Côté Mer (5e)
590 Perraudin (5e)
590 Le Petit Zinc (6e)
590 Le Procope (6e)
591 Ze Kitchen Galerie (6e)
591 Altitude 95 (7e)

591 Granterroirs (8e)
592 La Maison de l'Aubrac (8e)
592 Mezzo de Bistro Romain (8e)
592 Le 48 Condorcet (9e)
592 L'Alsaco (9e)
592 La Clairière (9e)
593 La Taverne (9e)
593 L'Aiguière (11e)
593 Chardenoux (11e)
594 La Potinière du Lac (12e)
594 Chez Paul (13e)
595 L'Olivier (13e)
595 La Bonne Table (14e)
595 Le Beaujolais d'Auteuil (16e)
596 Le Kiosque (16e)
597 Le Totem (16e)
597 Le Bistrot d'à Côté (8e, 17e)
597 Canard (17e)
597 Institut Vatel (17e)
598 La Tête de Goinfre (17e)
598 La Cave du Cochon (18e)
598 Le Perroquet Vert (18e)
598 École Supérieure des Charcutiers-Traiteurs (19e)
599 Le Bistrot des Capucins (20e)
597 La Boutarde (92)

CUISINE TURQUE
594 Cappadoce (12e)
594 Le Janissaire (12e)

¿ QUE CHERCHEZ-VOUS ?

CUISINE VÉGÉTARIENNE
590 Les Quatre et Une Saveurs (5ᵉ)
594 Cappadoce (12ᵉ)

DÎNERS-SPECTACLES
591 Le Club des Poètes (7ᵉ)
595 L'Olivier (13ᵉ)

LIEUX MAGIQUES
590 Salon de Thé et Restaurant de la Mosquée de Paris (5ᵉ)
590 Le Procope (6ᵉ)
591 Altitude 95 (7ᵉ)
597 Le Totem (16ᵉ)

POISSONS, FRUITS DE MER
597 Le Bistrot Côté Mer (5ᵉ)
590 Le Petit Zinc (6ᵉ)
591 Ze Kitchen Galerie (6ᵉ)
592 Charlot (9ᵉ)
593 La Taverne (9ᵉ)
595 La Bonne Table (14ᵉ)
598 Sterne (17ᵉ)

RESTAURANTS AVEC TERRASSE
587 Chez Clovis (1ᵉʳ)
588 Lescure (1ᵉʳ)
588 Au Bourguignon du Marais (4ᵉ)
596 Noura (6ᵉ)
590 Le Petit Zinc (6ᵉ)

596 Pavillon Noura (8ᵉ)
594 La Potinière du Lac (12ᵉ)
594 Chez Paul (13ᵉ)
595 Le Beaujolais d'Auteuil (16ᵉ)
597 Le Totem (16ᵉ)
597 Le Bistrot d'à Côté (17ᵉ)
598 Sterne (17ᵉ)
598 La Tête de Goinfre (17ᵉ)
598 La Cave du Cochon (18ᵉ)

RESTAURANTS BRANCHÉS
587 Colette (1ᵉʳ)
588 Le Taxi Jaune (3ᵉ)
589 Café Beaubourg (4ᵉ)
596 Le Kiosque (16ᵉ)

A   Restaurant particulièrement recommandé.

♔   Restaurant dont l'addition peut paraître élevée, mais où le rapport qualité-prix est excellent : à réserver pour les grandes occasions. Le luxe à prix abordable.

⌂   Restaurant qui a pris ses habitudes dans nos pages et que nous recommandons depuis plusieurs années : un classique, un indémodable, un immanquable, quoi...

✗   Restaurant dont la qualité des mets est particulièrement soignée, dont la cuisine est inventive. Mérite le qualificatif de gastronomique.

¿ QUE CHERCHEZ-VOUS ?

→ **RESTAURANTS à plus de 28 €**

BONNE CAVE
600 Tante Louise (8ᵉ)

CUISINE TRADITIONNELLE
599 Carré des Feuillants (1ᵉʳ)
599 Le Grand Vefour (1ᵉʳ)

599 Tante Marguerite (7ᵉ)
600 L'Alsace (8ᵉ)
600 L'Appart (8ᵉ)
600 Tante Louise (8ᵉ)
600 Le Train Bleu (12ᵉ)
601 La Grande Cascade (16ᵉ)
601 La Table de Lucullus (17ᵉ)

POISSONS, FRUITS DE MER
600 Grand Café Capucines (9ᵉ)

RESTAURANT AVEC TERRASSE
600 L'Alsace (8ᵉ)

RESTAURANTS BRANCHÉS
600 L'Appart (8ᵉ)

**Vous voulez recevoir gratuitement
le prochain Paris Pas Cher ? Signalez-nous,
par courrier, une bonne adresse qui n'y figure pas
ou une erreur qui se serait glissée dans le texte (si, si, ça arrive),
avant le 1ᵉʳ février 2004.**

**Si vous êtes le premier (ou la première) à nous l'avoir signalée,
et que nous la retenons,
vous recevrez un exemplaire du guide 2005,
à paraître en septembre 2004.**

**Paris Pas Cher
19 av. Georges-Brassens
94550 Chevilly-Larue**

RESTAURANTS de banlieue

BONNES CAVES
602 Maison Trévier (92)

CRÊPERIES
601 Pancake Square (92)
605 Crêperie Sucrée-Salée (94)

CUISINE AFRICAINE
604 Rios dos Camaros (93)

CUISINE CRÉOLE
602 La Perle des Antilles (92)

CUISINE D'AFRIQUE DU NORD
604 Au Der des Ders (93)
604 La Mamounia (93)

CUISINE ESPAGNOLE
604 El Toro (93)

CUISINE GRECQUE
603 Nuits d'Athènes (92)

CUISINE ITALIENNE
602 Pasta Amore e Fantazia (92)
602 La Romantica (92)
605 Pizzeria Rio Verde (94)

CUISINE PORTUGAISE
604 El Toro (93)

CUISINE TRADITIONNELLE
601 Chez Clément (78, 92)
603 La Catounière (92)
603 L'Express (92)
603 Le Fruit Défendu (92)
603 Le Jardin Clos (92)
602 Maison Trévier (92)
602 Le Victor-Hugo (92)

604 À la Fontaine (93)
604 Au Der des Ders (93)
604 Au Royal Pantin (93)
605 Le Wagon Restaurant (93)
605 Les Associés (94)

DÎNER-SPECTACLE
602 Pasta Amore e Fantazia (92)

POISSONS, FRUITS DE MER
601 Chez Clément (78, 92)

RESTAURANTS AVEC TERRASSE OU JARDIN
601 Chez Clément (78, 92)
603 L'Express (92)
603 Le Fruit Défendu (92)
603 Le Jardin Clos (92)
601 Pancake Square (92)
604 À la Fontaine (93)

RESTAURANTS à moins de 9 €

Les catégories de prix reposent sur des critères bien précis. Nous avons pris en compte le menu le moins cher comportant une entrée, un plat et un fromage ou un dessert, boisson non comprise. A défaut de menu, c'est le prix moyen à la carte qui intervient. Ainsi, pour un restaurant classé dans ce chapitre, est-on sûr de faire un repas complet à moins de 9 €. Dans ce même restaurant, il peut cependant y avoir une formule à 6 ou 8 € comportant simplement un plat et un dessert. Il peut également y avoir d'autres menus à plus de 9 €. Et le prix moyen à la carte peut, lui aussi, être plus élevé.

1ᵉʳ ARRONDISSEMENT

LE CAFÉ BALTARD
Paris rétro

11 rue Saint-Denis (1ᵉʳ)
M° Châtelet
Tél. 01 42 33 74 03
Lundi-samedi : 11 h-23 h

Un de ces endroits rares où l'on essaie de capter les effluves d'un Paris disparu. Les petits étudiants y côtoient les dames mûres, les touristes voisinent avec les piliers de comptoir. Et tout ce joli monde déjeune pour 9 € (entrée ou dessert + plat) ou vient se presser au concert du samedi soir en sous-sol. Sympa.

FLAM'S
Comme en Alsace ?

62 rue des Lombards (1ᵉʳ)
M° Châtelet
Tél. 01 42 21 10 30
www.flams.fr
*Lundi-vendredi : 12 h-14 h,
19 h-24 h ; week-end :
en continu*

Évidemment, ça ne vaut pas les vraies flammekueche du nord de l'Alsace. Mais la crème fraîche est abondante, les petits oignons fondants et quand on en a assez des burgers et autres étouffantes pizzas... Le dessert consiste en une tarte sucrée (pas mal). L'ensemble n'est pas cher : deux menus à 7,90 € au déjeuner, 11,90 et 16,90 € le soir. Et la première flammekueche est à 5,40 €. **Kir offert avec le guide ou la carte.**

NILS
Sandwiches scandinaves

36 rue Montorgueil (1ᵉʳ)
M° Étienne-Marcel
Tél. 01 42 33 04 34
www.nils.fr
Tous les jours : 10 h 30-22 h

Du renne entre deux tranches de pain lapon (4,60 €), du saumon mariné flirtant avec un concombre suédois dans une galette polaire (4,60 €), un roulé lapon au gravlax (4,30 €)... A ces félicités, s'ajoutent des assiettes composées : ne pas manquer celle où séjournent saumon mariné maison, crevettes de la mer du Nord, œufs, harengs en sauce et marinés accompagnés de pain au cumin, salade de pommes de terre suédoise et sauce à l'aneth (10,70 €), un délice ! Mais on peut aussi se contenter des sandwiches à partir de 2,90 €.

VENG HOUR
Chinois en terrasse

11 rue de la Cossonnerie
(1ᵉʳ)
M° Rambuteau
Tél. 01 40 39 93 97
*Lundi-samedi : 11 h 30-
20 h 30*

Un self avec une terrasse et l'air conditionné, c'est rare. Et encore plus de manger tout à fait correctement pour des queues de cerises. Au menu à 5,20 €, un plat chaud (Bo-Bun ou poulet aux crevettes et nouilles). Également de la vente à emporter. Parking Centre Pompidou.

AUTRE ADRESSE

■ Forum des Halles, niveau 0, 1 passage de Mondétour, 1ᵉʳ • M° Rambuteau ou Halles • Tél. 01 45 08 92 63

2e ARRONDISSEMENT

CHEZ DANIE   *Plats de bonne femme*

5 rue de Louvois (2e)
M° Bourse ou Quatre-
Septembre
Tél. 01 42 96 64 05
*Lundi-vendredi : 11 h 30-
15 h*

On s'y bouscule un peu, mais ça vaut le coup : les plats de bonne femme de Danie sont appétissants et bien servis. Et surtout, ils ne sont guère ruineux. Pour 7,70 €, on a droit à un plat plus entrée ou dessert, et la « totale » vaut 8,25 €.

DELI KATE   *Vous avez dit bagel ?*

67 rue d'Argoud (2e)
M° Bourse ou Sentier
Tél. 01 40 26 69 69
*Lundi-vendredi : 10 h-19 h ;
samedi : 11 h-19 h*

Une petite croque où l'on se régale, debout ou perché sur de hauts tabourets, de quelques spécialités US qui tranchent (heureusement) sur les traditionnelles macdonalderies. Et notamment le bagel cream cheese à 3,30 € et le bagel and box à 4,20 €. Pour calmer vite (et bien) de petites faims pour de petits porte-monnaie.

MATSUSUSHI   *Un Japonais à Paris*

18 rue de Turbigo (2e)
M° Étienne-Marcel
Tél. 01 40 26 35 06
*Tous les jours sauf dimanche
midi : 12 h-14 h 30,
19 h 30-23 h 30*

A manger sur place ou à emporter (on peut également se faire livrer), tous les classiques du « Japonais-à-Paris » : sashimi, sushi, maki, mais aussi tempura, chirashi et temaki. Le tout à des prix tranchés au sabre de samouraï : menus brochettes de 7 à 14,50 €, menus poissons crus de 9,50 à 20,50 €. **Café offert avec le guide ou la carte.**

LE TAMBOUR   *Ambiance « vieux Paris »*

41 rue Montmartre (2e)
M° Sentier
Tél. 01 42 33 06 90
Tous les jours : 24 h sur 24

Les clients se bousculent : la cuisine française et traditionnelle est faite maison et bien servie. La formule la plus intéressante est à 10 €, le midi. Malgré la course effrénée des serveurs, l'ambiance est agréable et il suffit que le patron vous ait vu deux ou trois fois pour vous considérer comme un habitué.

3e ARRONDISSEMENT

AIGRE DOUX   *Irakien à mini-prix*

59 rue des Gravilliers (3e)
M° Arts-et-Métiers
Tél. 01 42 71 44 54
*Lundi-vendredi : 12 h-
14 h 30, 19 h 30-23 h ;
samedi : 19 h 30-23 h ;
fermé en août*

Toutes les délices de Bagdad (et quelques autres, bien françaises) pour quelques roupies. Avec en prime les commentaires de M. Jafar, cuistot-historien à qui rien de ce qui concerne la mythologie irakienne n'est étranger. Menu à 6 € à midi (hors-d'œuvre, plat, dessert) et « festin » à 12 € le soir. Parking Saint-Martin et Beaubourg. **Thé irakien offert avec le guide ou la carte (le soir).**

CHEZ LÉON ET FRANCINE   *D'Europe centrale*

24 rue du Poitou (3e)
M° Saint-Sébastien-Froissart
Tous les jours : 10 h-18 h 30

Un delikatessen où les nourritures kasher d'Europe centrale sont à l'honneur : pickels, gâteau au fromage ou strüdel. Plats de 6 à 8 €. Pour nostalgiques des städtele.

PACHAMANCA   *Cuisine et vins du Pérou*

2 impasse Berthaud (3e)
M° Rambuteau

Le décor est péruvien, les vins aussi et la cuisine également. Surprise : c'est très bon ! L'aji de gallina

Tél. 01 48 87 88 22
Mardi-dimanche : 12 h-23 h

(poulet, fromage, pommes de terre) vaut le détour (10 €), mais on pourra se contenter du menu à 10 € (du mardi au vendredi midi). Le soir et le week-end, menu à 17 €. La salle est petite et il y a du monde.

PAGE 35
Crêpes et thé

4 rue du Parc-Royal (3e)
M° Saint-Paul
Tél. 01 44 54 35 35
*Lundi-jeudi : 11 h-15 h,
18 h-23 h ; vendredi-
samedi : 11 h-23 h ;
dimanche : 11 h-20 h*

C'est presque en famille qu'on se nourrira ici de galettes de sarrasin de 5 à 9 € et de crêpes de 2,60 à 9 €. L'endroit est également charmant si l'on est amateur de « five-o-clock tea ». Formules à 10,50 et 16 €. **Kir maison offert avec le guide ou la carte.**

TA TONG
Chinois pléthorique

74 rue des Gravilliers (3e)
M° Arts-et-Métiers
Tél. 01 48 87 27 13
*Tous les jours : 11 h-
14 h 30, 19 h-23 h*

Moins cher, tu vas à Pékin : pour 6,60 €, un apéritif maison (avec des chips), une entrée (salade, soupe ou rouleau de printemps), un plat (porc au curry, porc aigre-doux), un bol de riz, un dessert et un quart de rouge, rosé ou un thé. Et le sourire en prime ! Évidemment, on ne vous garantit pas qu'il n'y a pas de meilleurs chinois à Paris.

4e ARRONDISSEMENT

AU CANARD LAQUÉ
Un menu à 6 €

5 rue Rambuteau (4e)
M° Rambuteau
Tél. 01 42 78 22 42
Lundi-samedi : 12 h-23 h

Bien sûr, le cadre ne casse pas trois pattes à un canard, même laqué. Bien sûr, la cuisine ne vaut pas celle que l'on servait jadis à la cour de l'empereur K'ang-Hi. Mais que valent ces (menues) réserves lorsque l'on peut se goberger d'un menu complet à 6,10 € (le suivant est à 7,50 €) ? D'ailleurs, le poulet aux champignons noirs est fort bon. Et si l'on veut varier les plaisirs on mangera vapeur (15 pièces à 9,60 €) ou thaï (menu à 11,50 €). Tous servis avec le sourire. Pour les jours de fête, commander la veille le véritable canard laqué « comme à Pékin ».

LE PETIT GAVROCHE
Petit bistrot, petits prix

15 rue Sainte-Croix-
de-la-Bretonnerie (4e)
M° Hôtel-de-Ville
Tél. 01 48 87 74 26
*Lundi-vendredi ; 8 h-2 h ;
samedi : 17 h-2 h*

Un tout petit bistrot biscornu, fréquenté par des habitués ravis qui communient au coude à coude pour savourer une goûteuse cuisine traditionnelle pas chère du tout. Menu à 8 € (midi), 9 € (le soir). Saumon à l'estragon : 8 €. Escalope normande : 7,50 €. Parking Baudoyer.

5e ARRONDISSEMENT

BOULANGERIE CAFÉTÉRIA REGLAIT
Tout maison

38 rue des Écoles (5e)
M° Maubert
Tél. 01 43 54 91 01
Lundi-samedi : 7 h 30-21 h

En terrasse, face au Collège de France, on dégustera d'excellents paninis à 3,70 € ou le plat du jour à 7,50 €. Tout est fait maison (y compris les pâtisseries à 2 et 2,15 €) et bien fait. Une aubaine dans le quartier.

CRÊPERIE BELLILOISE

11 rue des Boulangers (5ᵉ)
Mᵒ Cardinal-Lemoine
Tél. 01 43 25 57 24
*Lundi-vendredi : 12 h-15 h,
19 h-23 h ; samedi : 19 h-
23 h*

Belle-Ile en terre

Le décor annonce la couleur : bouées, scaphan-
driers et « bretonneries » diverses. Les plats suivent :
crêpes aux coquilles Saint-Jacques ou aux crustacés.
Menu (midi) : 8,50 €. A la carte, compter 15 €. La
maison ne fait plus de fondue.

FOYER DU VIETNAM

80 rue Monge (5ᵉ)
Mᵒ Place-Monge
Tél. 01 45 35 32 54
*Lundi-samedi : 12 h-15 h,
19 h-22 h 30*

Modeste viet

Le rose de la façade n'est peut-être pas heureux
(celui des murs de la salle non plus), mais on ou-
bliera ces fautes de goût en se concentrant sur le
Canh Kho Qua et le Canh Bap, tout à fait savoureux.
Mais le plus étonnant reste la modicité des prix :
menu à 8,20 €, 7 € pour les étudiants, plats à partir
de 6 €. Et un menu enfant à 4 € !

HUNG YEN

265 rue Saint-Jacques (5ᵉ)
Mᵒ Luxembourg
Tél. 01 43 25 39 69
*Lundi-samedi : 12 h-14 h 30,
19 h-22 h 30*

Viet sans chichis

Tout à côté de l'église du Val-de-Grâce, derrière une
façade qui ne paie pas de mine, un étonnant petit
restaurant vietnamien sans chichis où, pour 8 €, on
a droit à un menu complet : entrée (nems, soupe ou
rouleau de printemps), plat (porc ou poulet aux légumes, bœuf au curry, porc au caramel) et dessert.
L'adresse est bonne, courez-y.

KOO-A

214 rue Saint-Jacques (5ᵉ)
RER B, Luxembourg
Tél. 01 43 54 57 72
*Lundi-samedi : 12 h-15 h,
19 h-23 h*

La Chine copieuse

Les étudiants du coin, qui savent repérer les adresses
pas chères, en ont fait une de leurs cantines. Ils ont
raison : le menu à 7,90 € cale son homme tout en
séduisant ses papilles. Autre menu à 8,50 €. Parking rue Soufflot. **Nougatines de la maison offertes avec le guide ou la carte.**

MACHU PICCHU

9 rue Royer-Collard (5ᵉ)
RER B, Luxembourg
Tél. 01 43 26 13 13
*Lundi-vendredi : 12 h-14 h,
19 h 30-23 h ; samedi :
19 h 40-23 h*

Lima au cœur de Paris

Avis aux amateurs : la cuisine péruvienne est plutôt
épicée. Mais goûteuse (une petite réserve sur les
desserts). Poutres apparentes et murs en pierres.
Agréable menu à 8 €. Cuisse de canard au riz,
coriandre, petits pois, poivrons rouges : 9,91 €. Plat
du jour : 5,90 €. Ne prend pas les cartes de crédit.
Parking rue Soufflot.

LE REFLET

6 rue Champollion (5ᵉ)
Mᵒ Cluny-La Sorbonne
Tél. 01 43 29 97 27
Tous les jours : 10 h-2 h

A l'ombre des sunlights

Dans la rue dévolue aux cinémas d'étudiants, ce
Reflet (dans un œil d'or ?) ne pouvait faire autrement
que se déguiser en studio (de cinéma évidemment).
L'autre attrait de la maison, c'est sa spécialité :
l'(énorme) pomme de terre farcie au jambon et au
fromage (6 €). Et pour 10 €, on aura droit au plat
du jour avec un verre de vin.

SABRAJ

175 rue Saint-Jacques (5ᵉ)
Mᵒ Cluny ou La Sorbonne
Tél. 01 43 26 70 03

Poulet tandoori

Pierres et poutres d'origine ont été dissimulées sous
des tentures. Ça fait moins médiéval et plus indien
(pardon, pakistanais !). La cuisine ne fait guère la

Tous les jours : 12 h-14 h 30, 19 h-23 h 30

différence entre les frères ennemis, qui nous propose du poulet tandoori et du lassi. Menu (déjeuner) de 7 à 14 €.

VILLA TANG   *Délices chinoises*

18 rue Mouffetard (5ᵉ)
Mᵒ Place-Monge
Tél. 01 43 37 21 21
Tous les jours : 12 h-14 h 30, 18 h 30-23 h

Le décor est banal, l'accueil aimable et chinois, mais la nourriture (chinoise et thaï) incomparablement supérieure à celle de nombreux chinois bien plus huppés. Les crevettes à la mangue fraîche (7,90 €) sont délicieuses, et le poulet au citron (5,80 €) exquis. Les menus (dix au total) s'échelonnent entre 6 et 19,90 €. **Cocktail maison offert avec le guide ou la carte.**

6ᵉ ARRONDISSEMENT

BAR THREE   *Discothèque-pizzas*

3 rue de l'Ancienne-Comédie (6ᵉ)
Mᵒ Odéon
Tél. 01 43 25 78 01
Tous les jours : 11 h 30-24 h

Le restaurant s'est voué à la confection des pizzas (pizza à partir de 4,70 €), agrémentées de tartiflettes (7,50 €) ou de pâtes (6,50 €). Et du mercredi soir au dimanche soir, on pousse les tables et on fait bar-discothèque dans un décor tout neuf. Parking École-de-médecine.

COLLATION   *Déjeuner aux chandelles*

17 rue Grégoire-de-Tours (6ᵉ)
Mᵒ Odéon
Tél. 01 46 33 50 45
Lundi-samedi : 12 h-15 h, 18 h-1 h

Charmante petite auberge (poutres apparentes, bougies) où l'on grignote agréablement pour quelques queues de cerises (formule midi à 8 €, ou plat du jour à 6 €). Pour un peu plus cher, on aura droit à de succulentes spécialités (aiguillette de canard au miel, pommes rissolées à 13 €, fondues savoyarde ou bourguignonne), ou à un menu à 15,50 €. Possibilité de louer la salle pour des banquets. **Kir offert avec le guide ou la carte.**

LA CRÊPERIE DES CANETTES   *J'aime la galette...*

10 rue des Canettes (6ᵉ)
Mᵒ Mabillon ou Odéon
Tél. 01 43 26 27 65
www.pancakesquare.com
Lundi : 12 h-16 h ; mardi-vendredi : 12 h-16 h, 19 h-23 h ; samedi : 12 h-18 h, 19 h-23 h

Les crêpes sont toujours excellentes. On chuchote même qu'elles n'ont pas d'égales dans le quartier. Idem pour les prix : de 2,50 à 7,50 € pour les galettes de sarrasin, de 2,50 à 6 € pour les crêpes de froment. Menu Bisquine : 9 €. La bolée de cidre : 2,50 €. Air conditionné. Parking Saint-Sulpice.

KAMALA   *Délices indiens*

13 rue Monsieur-le-Prince (6ᵉ)
Mᵒ Odéon
Tél. 01 40 51 73 27
Tous les jours : 12 h-14 h 30, 19 h-23 h

Un havre de paix et de senteurs au cœur du quartier étudiant. Déco fine et travaillée (porte en cuivre et métal argenté, bois sculpté). Atmosphère douce et parfumée comme les menus à 8 € (le midi : chicken tandori, nem, salade), 9 € (Maïta, chicken tandori ou au curry) et 15 € recommandé par les gastronomes : agneau shaslik, nem, riz basmati.

KIM SAN   *Service laqué*

71 rue Monsieur-le-Prince (6ᵉ)

Façade bleu marine et formules propres, ce traiteur asiatique propose un bel éventail. Menus de 4,42 €

M° Odéon ou Luxembourg
Tél. 01 46 33 02 88
Tous les jours : 11 h-22 h

(riz nature et viande en sauce) à 5,33 € (canard laqué ou crevettes piquantes éperonnées de riz au jasmin). Idéal comme coupe-faim avant le ciné.

PÂTISSERIE VIENNOISE   *Restaurateur-pâtissier*

8 rue de l'École-
de-Médecine (6ᵉ)
M° Odéon
Tél. 01 43 26 60 48
Fax : 01 43 26 60 48
Lundi-vendredi : 9 h-19 h

De Vienne, mais aussi de Budapest, les pâtisseries terminent dignement un repas léger à base de tourtes ou de gratins (formule tarte salée + boisson : 6 €). Formule gratin + boisson : 7,50 €. Plat (pâtes fraîches maison échalotes et lardons, ou au saumon : 6,40 €). Vente à emporter. Parking Odéon. **Café offert avec le guide ou la carte.**

RESTAURANT INDIEN MAHIMA   *Du nord de l'Inde*

18 rue Mayet (6ᵉ)
M° Duroc
Tél. 01 45 66 51 57
*Tous les jours : 12 h-
14 h 30, 19 h-23 h*

Tandoori et curry en droite ligne du nord de l'Inde. C'est bon, c'est généreux et c'est servi avec un certain raffinement. Et si l'on veut emporter un plat, on aura une remise de 10 %. Menu express (midi) : 7,50 €. Autres menus : 10,50 et 15,50 €. **Apéritif offert avec le guide ou la carte.**

LA ROSE DE TUNIS   *Douceurs tunisiennes*

24 rue Saint-André-des-Arts
(6ᵉ)
M° Saint-Michel
Tél. 01 43 54 98 37
*Tous les jours : 12 h-2 h
du matin*

Dents sensibles, fuyez cette adresse ! La devanture de friandises multicolores de cette rose des sables attise fièvreusement le regard : briques aux amandes, gâteaux au miel ou aux dattes, cornes de gazelles, le tout fait maison et à 1,50 € pièce. Couscous copieux de 5 à 6,60 € et thé à la menthe pour 1 €.

LES SAVEURS DE L'ASIE   *Avec le sourire*

70 rue Mazarine (6ᵉ)
M° Odéon
Tél. 01 40 46 88 33
Lundi-samedi : 11 h 30-23 h

C'est très certainement l'un des chinois les moins chers : pour 4,90 €, vous aurez droit à un plat « saveur » (porc aigre-doux, calamars au curry, canard salé) et à une portion de riz ou de nouilles. Et à 7,30 € (boisson comprise) c'est carrément le menu gastronomique, toujours servi avec le sourire. Quant aux végétariens, ils ne sont pas oubliés (menu à 4,90 € aussi). Parking Mazarine.

SUSHI HOUSE   *Repère asiatique*

50 rue Dauphine (6ᵉ)
M° Odéon
Tél. 01 43 25 54 85
*Tous les jours : 12 h-15 h,
19 h-23 h 15*

L'adresse est squattée le midi par les étudiants des Beaux-Arts et pour cause : pas moins de dix formules à moins de 10 € ! Accueil et décoration impeccables. Le midi, menus de 6,40 à 7,70 € (soupe, crudités, quatre brochettes, riz). Midi et soir, menus de 8,40 à 11,60 € (soupe, crudités, huit sushis ou sashimis). Qu'on se le dise ! (Pas trop, tout de même...)

YOKORAMA   *Tokyo Rapido*

58 rue Monsieur-le-Prince
(6ᵉ)
M° Odéon
Tél. 01 43 54 44 66
*Tous les jours : 12 h-
14 h 30, 19 h-23 h 30*

Le meilleur rapport qualité/prix de la rue des Japonais du quartier Latin. Déco propre et soignée, ambiance dépaysante malgré un accueil pressé. Dix menus de 5,70 € (soupe, salade, riz, brochettes) à 16,70 €. Visez, si possible, les tables du fond, moins stressantes. Carte de fidélité.

REAL MC COY   *US Bagels*

194 rue de Grenelle (7ᵉ)
Mº École-Militaire
Tél. 01 45 56 98 92
Tous les jours : 10 h-20 h

Tout près de l'université américaine, un endroit minuscule où se pressent les étudiants US pour retrouver le goût des bagels « comme à la maison ». Bagels à partir de 3 €. Menu (bagel + boisson + cookies). On peut également y faire son épicerie (américaine).

LE TOULOUSE   *Toulouse-sur-Seine*

86 rue Saint-Dominique (7ᵉ)
Mº Invalides
Tél. 01 45 56 04 31
Fax : 01 45 55 28 82
*Mardi-samedi : 12 h-15 h,
19 h-23 h*

L'accent y est rocailleux à souhait et le cassoulet au
confit d'oie (9,50 €) aurait les faveurs de Nougaro.
Menu (midi) avec plat du jour plus vin à 6 €. De
savoureuses conserveries artisanales en provenance
de Beaumont-de-Lomagne à emporter.

FOYER DE LA MADELEINE   *Restaurant associatif*

Sous-sol de l'église de la
Madeleine (8ᵉ)
Mº Madeleine
Tél. 01 47 42 39 84
*Lundi-vendredi : 11 h 45-
14 h (du 1ᵉʳ septembre
au 20 juillet)*

Voici un quart de siècle que ce lieu préservé fonctionne sur le mode associatif. On peut donc y déjeuner à midi sous de vastes voûtes de pierres centenaires, en partageant des tables de deux ou de
six, pour des prix toujours aussi bas et servi par
d'exquises dames bénévoles. Entrée, plat, fromage
ou dessert : 6,86 €. Carte annuelle de membre du
foyer : 1,52 €. Parking Madeleine.

BOUILLON CHARTIER   *Traverse les siècles*

7 rue du Faubourg-
Montmartre (9ᵉ)
Mº Grands-Boulevards
Tél. 01 47 70 86 29
*Tous les jours : 11 h 30-
15 h, 18 h-22 h*

Chartier est inscrit à l'inventaire des Monuments historiques et ses serveurs mériteraient de l'être. Ce
n'est pas de la haute gastronomie, mais ça tient au
corps, avec simplicité et qualité. Entrées à partir de
1,60 €, plats à partir de 6 €. Une institution.

MATSUSAKA   *Nippon sans flonflons*

16 rue Montyon (9ᵉ)
Mº Grands-Boulevards
Tél. 01 48 00 94 64
*Tous les jours sauf samedi
et dimanche midi : 12 h-
14 h 30, 19 h-23 h 30*

La cuisine est aussi japonaise que le cadre. Trois
menus à 7,05 et 8 € aussi copieux que dépaysants :
soupe, salade de chou blanc et carottes, deux brochettes de poulet et deux autres de poisson, cuites
sur du charbon de bois, accompagnées d'un grand
bol de riz blanc. Menu poisson cru : 9,50 €. Parking rue Chauchat. **Cocktail maison, ou jus
d'orange, ou café offert avec le guide ou la
carte (le midi).**

IMALAYAS   *Sans H, s'il vous plaît*

9 rue Jacques-Louvel-Tessier
(10ᵉ)
Mº Goncourt

La déco est sobre pour un restaurant indien, mais la
cuisine est toujours riche en saveurs. Et si les prix
sont modiques, les assiettes sont copieuses. Belle

Tél. 01 42 06 91 89
*Lundi-samedi : 11 h30-
14 h 30, 19 h-22 h*

collection de tandooris. Menus à 6 €, 7,50 € (le midi), 10,50 € et 13,50 €. Un menu à 17,50 € le soir.

KUM PO
Dépannage chinois

37 rue de Saint-Quentin
(10ᵉ)
Mᵒ Gare-du-Nord
Tél. 01 48 74 88 98
Tous les jours : 11 h 30-22 h

Située en face de la gare du Nord, la halte est envisageable pour un repas rapide. Une formule, comprenant une viande au choix avec du riz canto-nais, servie à midi seulement, vaut 5 €. On pourra lui préférer des plats à emporter (poulet au curry, bœuf aux oignons ; prix aux 100 grammes : de 1,60 à 4,42 € pour les crevettes). Dessert : de 0,70 à 1,38 €. Boisson à partir de 1,52 €.

LA PETITE PORTE
Petite porte et grandes assiettes

20 bd Saint-Martin (10ᵉ)
Mᵒ Strasbourg-Saint-Denis
Tél. 01 40 18 56 31
*Tous les jours : 9 h-2 h
du matin*

Plus bistro que resto. Il suffit cependant de la pousser (la porte) pour s'atteler au bar ou s'asseoir à table où l'on vous servira des tartines, des assiettes de salades (géantes) et même quelques plats bienvenus à prix riquiqui (de 5 à 7,50 €), dans un cadre gen-timent vieillot, et au coude à coude serré avec une clientèle bon enfant.

LA PRINCESSE
La mezza du chef

128 rue du Faubourg-
Saint-Martin (10ᵉ)
Mᵒ Gare-de-l'Est
Tél. 01 42 05 72 87
Fax : 01 42 09 93 89
Tous les jours : 12 h-23 h

Un libanais bon (ce qui n'est pas rare) et bon marché (ce qui l'est plus). Le premier menu, tout à fait cor-rect, est à 8,50 €. Pour quelques euros de plus (12 en tout) on aura droit à la mezza (assortiment d'une dizaine de variétés chaudes et froides, toutes fort goûteuses). **Remise de 15 % sur les prix à la carte, avec le guide ou la carte.**

RESTAURANT DE BOURGOGNE
Bœuf bourguignon et coq au vin

26 rue des Vinaigriers (10ᵉ)
Mᵒ Jacques-Bonsergent
Tél. 01 46 07 07 91
*Lundi-vendredi : 12 h-
14 h 30, 19 h-22 h 30 ;
samedi : téléphoner*

Nappes et rideaux à carreaux rouges à deux pas du canal Saint-Martin, cuisine à base de bœuf bour-guignon, de blanquette de veau et de coq au vin, petits vins savamment choisis : pas de doute, « Big Sweet Maurice » sait recevoir. Menus à 8,50, 9 et 11 € (midi), 10, 10,50 et 11,50 € (soir).

11ᵉ ARRONDISSEMENT

LE BAR À SOUPES
A la bonne soupe

33 rue de Charonne (11ᵉ)
Mᵒ Bastille
Tél. 01 43 57 53 79
www.lebarasoupes.com
*Lundi-samedi : 12 h-15 h,
18 h 30-23 h*

Soupes, consommés, potages ou veloutés : appelez-les comme vous voulez, ils (ou elles) sont tous (toutes) là, épaisses ou liquides, chaudes ou froides, du Nord et du Sud, de 4,50 à 5,50 €. On peut même les emporter (de 3 à 5 €). Chaque jour, on a le choix entre six variétés différentes et on peut s'en gaver dans la formule à 8,80 €. Pour ceux qui n'en ont jamais soupé...

AUTRE ADRESSE
■ 5 rue Hérold, 1ᵉʳ • Mᵒ Bourse • Tél. 01 45 08 49 84 • Lundi-vendredi : 12 h-20 h

LA BONNE FRANQUETTE
Steak ou couscous ?

151 rue de la Roquette
(11ᵉ)

Franco-orientale la cuisine, calme l'ambiance, agréable le service et bienvenue la terrasse en été

Mº Voltaire
Tél. 01 43 48 85 88
*Lundi-samedi : 12 h-14 h 30,
19 h 15-22 h*

qui vient compléter une salle agrandie. Au menu à midi : 9,90 €, par exemple, du saumon au chèvre frais, un sauté de bœuf et une crème caramel. Les couscous vont de 9 à 12 €. Tajines de 9 à 10 €. Expositions fréquentes (photos, peintures). **Thé à la menthe offert avec le guide ou la carte.**

LES BOUCHÉES DOUBLES   *Casse-croûte*

92 rue Saint-Maur (11ª)
Mº Parmentier
Tél. 01 43 38 00 64
Tous les jours : 11 h-16 h

Si les bouchées sont doubles, l'attente, aux heures de petite faim, l'est également. C'est dire si l'endroit est couru. Ici le fast-food s'appelle casse-croûte et il est bon. On choisit sa viande, ses sauces, son fromage et trois crudités : emballez, c'est pesé. A partir de 4 € le sandwich.

LE CARAVANSÉRAIL   *Istanbul sur Seine*

2 bis rue Neuve-Popincourt
(11ª)
Mº Parmentier
Tél. 01 43 38 64 55
*Mardi-dimanche : 12 h-
15 h, 19 h-23 h*

On se bouscule dans la bonne humeur dans la toute petite salle de Mme Bacharach pour déguster le plat du jour (turc) à 6,40 € et les grillades au charbon de bois (de 6,70 à 11,40 €). Menu à 8,40 € (le midi et en semaine uniquement). **Thé offert avec le guide ou la carte.**

CAT BASTILLE   *Aide aux travailleurs*

29 rue du Faubourg-
Saint-Antoine (11ª)
Mº Bastille
Tél. 01 53 17 13 50
*Lundi-vendredi : 12 h-
13 h 45*

De plus en plus coquet (piano, verrière, tables d'hôtes), ce restaurant aux nourritures simples et bonnes, est tenu par des travailleurs handicapés par des problèmes psychologiques en réinsertion. Entrée + plat du jour ou plat du jour + dessert : 8 €. A la carte : de 1,60 à 8 €. Pichet de vin de 25 cl : 2,20 €. Et beaucoup d'autres choses encore, renseignez-vous. Un record pour le quartier. Parking Bastille.

PATATI PATATA   *Comme son nom l'indique*

51 rue de Lappe (11ª)
Mº Bastille ou Ledru-Rollin
Tél. 01 48 05 94 90
www.patati-patata.com
*Lundi-samedi : 11 h 30-
15 h 30, 18 h-2 h*

Au menu : Mme Parmentier, cuite au four, est accommodée de plusieurs façons, comme à Londres. Peau bien grillée, fromage fondu à point : c'est goûteux en diable. Selon les goûts, de 4,40 à 5,50 €. Menu de 6,50 à 6,80 €. Ambiance fast-food améliorée. Parking de l'Opéra tout proche.

PHU KET   *Rêve de Chine*

140-142 rue Oberkampf
(11ª)
Mº Ménilmontant
Tél. 01 43 55 22 11
*Mardi-vendredi : 12 h-15 h,
19 h-23 h ; samedi : fermé
à midi ; lundi : fermé le soir*

Des menus à 7,37 et 10,37 €, boisson comprise, servis sans parcimonie, que demander de plus ? De jolies saveurs et, en parcourant la carte, aussi copieuse que le contenu des assiettes, vous tomberez sur cette phrase : « L'art de nos chefs est à la disposition de votre goût, vous souhaite bon appétit et de beaux rêves. » (sic) Rien que pour ça...

12ª ARRONDISSEMENT

CHEZ MOMO - LE RENAISSANCE   *De l'escalope au couscous*

105 rue de Charenton
(12ª)
Mº Gare-de-Lyon

A 9 € (vin compris), Momo vous servira un menu tout ce qu'il y a de plus français (œuf mayo, escalope, dessert). Pour les « maroquineries » on rajou-

Tél. 01 43 45 36 25
Lundi-samedi : 12 h-23 h

tera quelques euros : couscous royal et méchoui à 11 €. Tout cela est servi en abondance et l'accueil est chaleureux.

LI YUAN
Chine sans chichi

17 rue d'Austerlitz (12ᵉ)
Mᵒ Gare-de-Lyon
Tél. 01 43 43 99 27
Tous les jours : 11 h 30-14 h 30, 19 h-23 h

Le décor, très années 50, n'est pas folichon, mais la modicité du prix des menus réjouit l'orientaliste : on peut manger français pour 6,80 € (carottes râpées, steak frites, dessert et vin), ou chinois pour 7,50 € (hors-d'œuvre, plat, légumes, dessert). C'est copieux et frais. Très bon accueil. Parking en face du restaurant le soir. **Et si l'on est à dix (ou plus) et si l'on déjeune pour plus de 16 € (par personne...), le patron vous consentira une réduction de 10 % avec le guide ou la carte.**

13ᵉ ARRONDISSEMENT

91ᵉ PLANÈTE
Tout est « maison »

91 rue Broca (13ᵉ)
Mᵒ Gobelins
Tél. 01 43 37 80 81
Tous les jours : 8 h-18 h

Grosse clientèle d'étudiants. Dans un décor de glisse d'hiver et d'été, quelques spécialités bienvenues et surtout peu onéreuses : salade composée à 4,20 € et excellents paninis à 3,20 €. Précision : tout, jusqu'au pain de campagne, est fait maison. Parking boulevard Arago. **Café offert avec le guide ou la carte.**

LA PETITE CRÊPERIE
Bretonnerie

68 rue Albert (13ᵉ)
Mᵒ Bibliothèque-François-Mitterrand
Tél. 01 45 84 02 01
Lundi-samedi : 11 h 30-22 h

Les patrons sont souriants, le cadre est pimpant, les galettes sont bonnes, et l'on n'y écornera pas ses économies. Menu à 7 € (galette + crêpe). A la carte, galettes et crêpes de 2,50 à 8 €.

PHO BIDA SAÏGON
Spécialités vietnamiennes savoureuses et bien servies

44 av. d'Ivry
Centre des Olympiades (13ᵉ)
Mᵒ Porte-d'Ivry
Tél. 01 45 84 04 85
Tous les jours : 10 h-22 h

En plein quartier chinois, un resto populaire. Des posters aux murs en guise de décoration. Pas de menu. Soupes tonkinoises : 6,50 et 7 €. Plats de riz au porc, poulet, bœuf, poisson en portions si copieuses qu'elles tiennent lieu de repas : 6,50 €. En dessert, par exemple, des gélatines de plantes au lait de coco : 3,10 €. Thé au jasmin : théière : 1,50 € ; jus de prunes salées : 2,30 € ; bière chinoise : 3,10 €.

SAINT-CYRILLE
De la crêpe à l'andouillette

35 bd Blanqui (13ᵉ)
Mᵒ Corvisart
Tél. 01 45 81 46 90
Lundi-samedi : 12 h-15 h, 19 h-23 h

Cette ancienne crêperie a largement débordé sur sa vocation initiale pour offrir une solide cuisine traditionnelle où l'on peut retrouver l'andouillette dijonnaise ou le filet de poisson au coulis de tomate dans le menu à 8,40 € (entrée, plat, dessert ou fromage). Autres menus à 10,10 et à 15,10 €. Et pour ceux qui ne peuvent s'en passer, galettes de 5,80 à 7,20 € et crêpes de 2,30 à 5,65 €. **Apéritif offert avec le guide ou la carte.**

SANDWICHERIE THIEN HENG — *Sandwiches en chaîne*

50 av. d'Ivry (13ᵉ)
Mº Porte-d'Ivry
Tél. 01 45 82 92 95
Tous les jours : 8 h-19 h

Une amusante et bien utile adresse asiatique située à côté du célèbre supermarché Tang. Amusante parce que vous y verrez la stricte application de l'organisation scientifique du travail chère à Taylor. Ici les ouvrières spécialisées travaillent en ligne, sous vos yeux, avec une belle ardeur à la tâche. Les sandwiches sortent en bout de chaîne, délicieux, copieux, de toutes sortes, très équilibrés parce que servis avec beaucoup de légumes. Il y en a pour tous les goûts : le « Spécial maison » (2 €), le bœuf citronnelle ou boulettes de porc (2,50 €), le « Super plus bœuf » (3,10 €). Mâchons enfants !

14ᵉ ARRONDISSEMENT

AUX PRODUITS DU SUD-OUEST — *Foie gras and Co*

21-23 rue d'Odessa (14ᵉ)
Mº Montparnasse
ou Edgard-Quinet
Tél. 01 43 20 34 07
Mardi-samedi : 12 h-15 h, 19 h-23 h

Un repère pour rugbymen adeptes de troisième mi-temps. Écharpes de supporters, accents gascons, et une palette de spécialités très « Sud-Ouest ». Le midi, menu avec plat du jour et vin à 6 €. Prix serrés à la carte : salmis de palombe (10,50 €), foie gras et terrines (3 à 11 €), cassoulets au confit d'oie (9,50 €) provenant de l'épicerie attenante où l'on pourra se fournir en charcuteries et conserves artisanales.

15ᵉ ARRONDISSEMENT

ALKARAM — *Liban tout doux*

15 rue Ferdinand-Fabre (15ᵉ)
Mº Convention
Tél. 01 45 33 00 00
Lundi-samedi : 12 h-15 h, 19 h-23 h

Un libanais qui tranche sur les autres. Non pas tant par ses plats que par la modicité de ses prix : le plat du jour (chawarma, chiche taouk ou kafta) ne vaut que 7 € accompagné d'un café ou d'un thé à la menthe. Pour des faims plus sérieuses, on choisira les menus à 8 € (kafta), 9 € (chiche taouk, chawarma), 11 ou 14 €. Le soir, premier menu à 11 €. **Arak offert avec le guide ou la carte.**

ASIA GOURMET — *Cantine asiatique*

91 rue Cambronne (15ᵉ)
Mº Cambronne
ou Vaugirard
Tél. 01 42 73 02 07
Tous les jours : 10 h-23 h

Nourriture chinoise et japonaise basique servie avec le sourire et qui ne grèvera pas les budgets serrés : plat du jour à 5,80 €, sushis à 5,50 €, 6,60 € ou 8,30 €. Pour ce prix-là, on bénéficie même de l'air conditionné. Parking rue de l'Essai. Service traiteur (boîte de nougat offerte à partir de 15,50 € d'achat). **Café ou thé offert avec le guide ou la carte, ainsi que la boisson.**

AUTRES ADRESSES
- **Le Délice** • 11 passage Vendôme, 3ᵉ • Mº République • Tél. 01 42 72 89 87
- 81 rue Saint-Antoine, 4ᵉ • Mº Bastille • Tél. 01 42 76 05 10
- 86 bd Saint-Germain, 5ᵉ • Mº Cluny-La Sorbonne • Tél. 01 44 07 06 88
- 96 rue de Provence, 9ᵉ • Mº Chaussée-d'Antin • Tél. 01 42 80 16 08

LE PALAIS DE SHAH JAHAN — *Spécialités indiennes et pakistanaises*

16 rue des Quatre-Frères-Peignot (15ᵉ)
Mº Charles-Michels

Un menu très complet pour 8,50 € le midi avec cocktail et papadum offerts. Une cuisine du Punjab classique joliment présentée mais sans surprise. On no-

Tél. 01 45 78 21 07
*Tous les jours : 12 h -
14 h 30, 19 h-23 h 30*

tera l'intéressante sélection de pains indiens spéciaux ainsi qu'un très bon thé maison à la cardamome. Un regret : lors de notre passage le service était loin d'être à la hauteur. Menus à 20 et 23,50 €. Compter 29 € à la carte.

AUTRES ADRESSES
■ **Le Jardin de Shah Jahan** • 179 rue de Vaugirard, 6ᵉ • Mᵒ Pasteur • Tél. 01 47 34 09 62
■ **Shah Jahan** • 4 rue Gauthey, 17ᵉ • Mᵒ Brochant • Tél. 01 42 63 44 06

SAGAR MATHA   *Spécialités népalaises et tibétaines*

2 rue François-Mouthon
(15ᵉ)
Mᵒ Convention
ou Boucicault
Tél./fax : 01 45 30 53 63
www.francenepal.com
*Mardi-samedi : 12 h-
14 h 30, 19 h-23 h ;
dimanche-lundi : 19 h-23 h*

Premier restaurant népalais de France, le Sagar Matha vous accueille par des chants traditionnels. À cette douceur musicale répond la ferveur des épices, qui déclinent en trois menus à 15 € les spécialités népalaises, tibétaines et indiennes, dont le traditionnel Dalbath. Le lassi onctueux à souhait, la bière indienne et le sourire tibétain de l'hôtesse vous offrent quelques-uns des plus beaux parfums de la cuisine népalo-tibétaine. Menu à 9 € (midi) et 15 € (le soir). **Cocktail maison offert avec le guide ou la carte.**

17ᵉ ARRONDISSEMENT

LE 178   *Couscous poisson*

178 av. de Clichy (17ᵉ)
Mᵒ Porte-de-Clichy
Tél. 01 40 25 08 27
Lundi-samedi : 9 h-22 h

Le périphérique se rapproche et l'avenue de Clichy devient triste… Réfugiez-vous dans la salle proprette de ce « fast-food » oriental pour y déguster un étonnant couscous poisson le vendredi (de 8 à 11,50 €). Les autres jours, la cuisine tunisienne de l'endroit ne vous décevra pas : elle est nettement au-dessus de ce que l'on peut attendre d'un fast-food. Couscous : de 6 à 11 €. « Macarouni » avec viande : de 5,20 à 6 €. Gâteaux orientaux : 1,10 €. Tous les plats sont aussi à emporter. Terrasse aux beaux jours.

AAPNA RONAK   *Cuisine gudjaratee*

18 rue Lemercier (17ᵉ)
Mᵒ La Fourche
Tél. 01 42 94 24 24
*Lundi-dimanche : 12 h-15 h,
19 h 30-24 h ; fermé
mercredi midi*

Pour 9 €, à midi, on a droit au curry de légumes, de dal ou de poulet au riz basmati et à un dessert. Plat à emporter avec une salade gudjaratee (du nord-est de l'Inde) offerte. Parking (assez cher) au 51 de la même rue. Le soir, menus à 18 et 22 € (entrée, pain indien, plat et dessert). **Apéritif (sans alcool) offert, le soir, avec le guide ou la carte pour deux personnes.**

ASIE DÉLICES   *A toutes les sauces*

41 rue des Batignolles
(17ᵉ)
Mᵒ Rome
Tél. 01 43 87 66 90
Lundi-samedi : 11 h-22 h

Une petite dame vietnamienne, charmante et travailleuse en diable, anime cette table discrète. Il ne s'agit pourtant pas d'un restaurant-traiteur asiatique comme les autres. Les plats en sauce y sont au-dessus du lot : bœuf saté (1,90 € les 100 g), porc caramel (1,83 € les 100 g), poulet citronnelle (1,83 € les 100 g). Le crabe farci est également un must. Pour 7 €, trois raviolis crevette, une portion de riz à l'œuf, un crabe farci et une boule coco. C'est parfait, merci !

BISTRO D'AUJOURD'HUI

95 av. Niel (17ᵉ)
Mᵒ Pereire
Tél. 01 48 88 97 97
*Lundi-vendredi : 12 h-
13 h ou 13 h 30 à 14 h 30*

A la bonne heure

Salade tomates-œuf dur et choucroute du pêcheur beurre blanc pour 9 € si l'on déjeune dans la « zone malin » (12 h-13 h, 13 h 30-14 h 30), pour 11 € hors zone. Autre menu à 20 €. Décor d'auberge campagnarde, nourriture soignée et pas chère.

LE CAFÉ DES PETITS FRÈRES

47 rue des Batignolles (17ᵉ)
Mᵒ Rome
Tél. 01 42 93 25 80
*Mardi-vendredi : 8 h-
12 h 30, 14 h-19 h*

Frères humains...

Un café tenu par des bénévoles de l'association des Petits Frères des Pauvres. Un lieu pour tous. Un cadre agréable, sans misérabilisme, où celui qui reçoit donne aussi un peu : 0,45 € le café ; 0,75 € le jus de fruits ; une formule petit déjeuner (jus d'orange, café ou chocolat, croissant) à 1,50 € et quelques plats simples à prix de pauvre. Pas d'alcool, mais la cigarette est autorisée. L'ambiance est chaleureuse. Des animations musicales sont organisées tous les 15 jours.

MUOY LY

86 rue Lemercier (17ᵉ)
Mᵒ Brochant
Tél. 01 46 27 23 38
Lundi-samedi : 11 h-22 h

L'Asie à l'aise

« Les enfants, ça vous dirait un chinois ? » – « Ouais ! Chouette papa. » Le restaurant idéal pour sortir les morpions. On est certain qu'ils s'y amuseront (les baguettes, c'est ludique). En réalité, la table n'est pas chinoise. Elle couvre tout l'extrême-Orient. Le cuisinier est bosseur, souriant, éclectique. Sa cuisine fait du bien et ne coûte rien. Nos préférences vont aux soupes : de nouilles au ragoût de bœuf, au saté (porc, crevette ou bœuf), japonaise (6,10 €). L'attente n'est jamais trop longue. Les plats nous séduisent moins. Retenons cependant ces originales aubergines farcies au poisson (1,55 €/ 100 g). Ajouter 1,10 € pour le thé et 0,80 € la « perle coco ».

PREMIATA DROGHERIA DI MEGLIO

90 rue Legendre (17ᵉ)
Mᵒ La Fourche ou Brochant
Tél. 01 53 31 02 00
*Lundi-samedi : 10 h 30-16 h,
17 h-20 h*

Mamma Miam !

Le restaurant-traiteur-épicerie ouvert dans la rue Legendre par la famille di Meglio, a fait un bambino dans la rue Truffaut, à deux pas de là. Un dénominateur commun aux deux adresses : la cuisine italienne à déguster dans un cadre enchanteur. Ici, c'est service minimum et plaisir maxi. On met soi-même ses couverts et on se sert. Rue Legendre, une grande table permet de déjeuner en commun avec des inconnus(es). Les antipasti, la pasta et les salami sont bien sûr à l'honneur : polenta au gorgonzola : 7 € ; lasagnes de légumes : 6,90 €. Les vins italiens sont servis au compteur (1,50 € le petit verre). **Un petit cadeau offert sur présentation du guide ou de la carte à condition d'avoir préalablement mangé sur place.**

AUTRE ADRESSE
■ 39 rue Truffaut, 17ᵉ • Mᵒ La Fourche ou Brochant • Tél. 01 43 87 21 17 • Mardi-samedi : 10 h-18 h

UENO

On se fait du sushi

186 rue Legendre (17ᵉ)
Mᵒ Guy-Môquet
Tél. 01 46 27 83 88
*Lundi-samedi : 12 h-14 h 30,
19 h-23 h*

Rien de tel que de bons « sushi » pour oublier ses petits soucis de ligne et de formes. Ce restaurant japonais mérite de sortir de l'anonymat. Les grandes pièces classiques (sushi, sashimi, yakitori...) y sont très correctement jouées. Tout est bon et frais. Le service est sympathique et rapide. Le cadre est soigné et les prix modiques. Les gens du quartier ne s'y sont pas trompés. Ils sont toujours nombreux à venir y tricoter avec des baguettes. Menus de base à midi (soupe, salade, bol de riz et 5 brochettes) à 7,20 €.

18ᵉ ARRONDISSEMENT

BISTROT AUX CHIFFONS

Manger et chiner

90 rue Marcadet (18ᵉ)
Mᵒ Marcadet-Poissonniers
ou Jules-Joffrin
Tél. 01 42 55 25 04
*Lundi-samedi : 10 h-2 h
du matin*

Les patrons Pierre et Gérard n'ont pas oublié d'être accueillants et ont fait en quelques mois de ce bar-restaurant un rendez-vous chaleureux. Le décor de la salle, spacieuse, est à vendre, il s'agit de meubles et d'objets déposés là par un ami brocanteur. La cuisine, à base de produits du terroir, est agréable, et le pain du boulanger voisin délicieux. Pour le plat du jour comptez 7 €, 8,5 € pour la formule déjeuner et environ 12 € à la carte.

CRÉP'USCULE

Mange-disque

91 rue Lamarck (18ᵉ)
Mᵒ Lamarck-Caulaincourt
Tél. 01 42 64 29 20
*Lundi soir-samedi : 12 h-
14 h 30, 19 h-22 h 30*

Les fans de galettes et de crêpes ont cette adresse en tête. Un bel éventail de galettes de sarrasin : de la basique mais nourrissante « œuf-jambon » (4,30 €) à celle, plus typée, à l'andouille (5,20 €). Pour finir par un moment gourmand avec de fameuses crêpes de froment au sucre (2,30 €), ou au citron (3,40 €). Les incorrigibles choisiront une crêpe au chocolat noir glacé (5,70 €). Il ne manque rien ? Le cidre bien sûr. Le bio fermier n'est pas donné (8 €/75 cl) mais à quatre, la bouteille revient meilleur marché qu'une bolée par tête (2,30 €/18 cl).

ESVARAN

Divin tandoori

86 rue Philippe-de-Girard
(18ᵉ)
Mᵒ Marx-Dormoy
Tél. 01 40 05 19 71

Accueil chaleureux, service exceptionnel, cuisine raffinée et le tout pour un prix dérisoire (7,50 € le menu de midi en semaine). L'Esvaran est tenu depuis plus de 10 ans par les mêmes propriétaires et ne désemplit pas. La renommée de la maison repose sur ses délicieux currys. Menu à 13,50 €. A la carte, compter de 8,40 à 13,50 € le plat ; menu dégustation : 22,60 €. Au 91 de la même rue, vente à emporter.

LA MAISON THAÏE

Une cuisine thaïe originale

2 rue de l'Évangile (18ᵉ)
Mᵒ Marx-Dormoy
Tél. 06 11 45 58 94
*Lundi-samedi : 12 h-20 h
(fermé jours fériés et
deuxième quinzaine d'août)*

M. Louv, qui tient ce petit restaurant, cuisine avant tout pour le quartier. A deux pas du marché de l'Olive, où il achète quotidiennement ses légumes, il vous propose des recettes inattendues à des prix imbattables. Les plats garnis sont, sur place comme à emporter, à 4 €, avec notamment d'excellents currys de poulet au potiron ou au concombre amer. Des plats végétariens sont souvent proposés, le thé est à volonté et, parmi les desserts (1,50 €), vous aurez peut-être la chance de goûter un délicieux manioc confit au lait de coco.

LE PETIT NEY
Café-restaurant culturel

10 av. de la Porte-
Montmartre (18e)
M° Porte-de-Clignancourt
Tél. 01 42 62 00 00
Fax : 01 42 62 12 41
*Mardi-samedi : 10 h-19 h ;
10 h-24 h les jours
de spectacle (fermé en août)*

Le café littéraire le Petit Ney vous propose bien plus que sa cuisine familiale. Ce lieu convivial a une programmation étonnante : théâtre, littérature, poésie et musique des quatre coins du globe. Si l'on ajoute aux nombreux spectacles, lectures et expositions, un atelier de stylisme, un journal de quartier, un temps ludothèque et des cours d'arabe, on comprendra que la maison soit en train de s'agrandir. Le plat du jour est à 5,40 €, la formule « un spectacle et un plat » à 10 € (vendredi et samedi soir). Un plat, un dessert, un café : comptez 7,65 €. **Café ou thé offert avec le guide ou la carte.**

SAVEURS D'ASIE
Soins du ventre

68 rue Lamarck (18e)
M° Lamarck-Caulaincourt
Tél. 01 42 64 68 08
*Lundi : 19 h-21 h 30 ; mardi-samedi : 13 h-15 h 30,
19 h-21 h 30*

Le credo de ce restaurant vietnamien tout simple tient en trois mots : « Fraîcheur, nutrition, santé ». Les « phò », ces bouillons savoureux et complets, sont particulièrement réussis. Pour 5,35 € à peine, cette thérapie du ventre est donnée ! Le « bo bun », agrémenté de nems, offre les mêmes avantages pour un prix itou. On peut aussi s'essayer à l'assiette de légumes sautés (2,30 €) et au poulet citronnelle (3,70 €) sans regret. L'accueil est amical pour ne pas dire bidonnant.

SENSAS GRILL
De la chaleur

156 rue Damrémont (18e)
M° Jules-Joffrin
Tél. 01 42 57 41 57
Lundi-samedi : 12 h-21 h 30

Pour 6 € au choix, une assiette garnie d'ailes de poulet, une double côte d'agneau ou des brochettes de gigot de dinde... Frites et légumes en garniture. Ajoutez 1 € pour le café. En prime, l'hôte-cuisinier est un sacré boute-en-train. Et le sens de l'humour, ça n'a pas de prix.

SINDBAD
Kebab gastronomique

14 av. de Saint-Ouen (18e)
M° La Fourche
Tél. 01 42 93 91 68
Horaires fantaisistes : ouvert midi et soir, sauf quand c'est fermé...

Dans ce quartier qui regorge de sandwiches grecs ou turcs plus ou moins appétissants, voici le meilleur d'entre eux, le seul à mériter le nom de restaurant (malgré sa déco minimaliste en aluminium et carrelage blanc). Chez ce couple d'Égyptiens, la viande est parfumée et de qualité, le pain frais, les sauces maison. Le sandwich dit grec est abondant (3,50 €), les assiettes (grecques, brochettes, boulettes, etc. : 5,70 €) et leurs salades orientales constituent un repas plus que complet. Sourire et gentillesse en prime.

UGUR
Comme à la maison... turque

16 rue Ganneron (18e)
M° Place-de-Clichy
Tél. 01 45 22 87 76
Tous les jours : 12 h 30-22 h/2 h du matin (selon la clientèle)

Papier tue-mouches au plafond, quatre tables rondes, des verres à moutarde au-dessus de la cuisine-bar, le pain fait par la femme du patron : on est invité dans la salle à manger d'un particulier plus que dans un restaurant. La télé, en sourdine, diffuse les infos de France 2 : on est chez oncle Ugur ! Une assiette à 6 € (aubergine farcie, moussaka, collier d'agneau), voire à 5,50 € (salad payshanne, sic !) et vous avez mangé à votre faim. Café ou thé turc : 1 €. Quart de vin (turc ou rhodanien) : 2 €. Ici, pas de frites, pas d'odeur !

19e ARRONDISSEMENT

LA CHOUETTE & CO
Copains d'abord

113 rue de Crimée (19e)
M° Laumière
Tél. 01 42 45 60 15
*Lundi-vendredi : 12 h-14 h,
19 h 30-23 h 30 ; samedi :
19 h 30-23 h 30*

On y va moins pour sa cuisine (traditionnelle et végétarienne) que pour l'ambiance. Pourtant le menu à 8,80 € est appétissant et les plats (saumon, magret, chili) de 6,30 à 9,50 € tout à fait corrects. Menu végétarien à 9 €. Mais le style « copains d'abord » emporte l'adhésion : expos de peinture et de photos régulières et, le samedi soir, chanson française, blues, reggae ou jazz.

COK MING
A vos baguettes !

39 rue de Belleville (19e)
M° Belleville ou Pyrénées
Tél. 01 42 08 75 92
www.cokming.fr
*Tous les jours : 11 h 30-
1 h 30*

Décor chinois et poissons rouges dans l'aquarium : pas de surprise côté décor. Mais dans l'assiette, c'est très bien. Succulentes cuisses de grenouilles à la sauce piquante (8,50 €) auxquelles on pourra préférer les raviolis frits aux crevettes (4,50 €). Menu midi : 7,50 € (sauf week-end et jours fériés). Autres menus à 11 et 13,50 €. Parking facile (sauf mardi et dimanche midi). **Cocktail maison offert avec le guide ou la carte.**

20e ARRONDISSEMENT

JARDIN D'OR
Fondue thaïlandaise

81 rue des Pyrénées (20e)
M° Maraîchers
Tél. 01 44 64 93 20
*Tous les jours : 12 h-
14 h 30, 19 h-23 h*

Des chinois souriants, des nouilles thaï, des travers de porc, une fondue thaïlandaise et des cailles sautées au basilic (miam...) qui se dégustent dans un décor pas asiatique pour deux ronds. L'adresse est bonne. Menus à 7, 9 et 11 € (midi). Menus à 12 et 14 € (soir). Fondue thaïlandaise : 34 € (pour deux). Air conditionné. **Digestif (mei kwei lu) offert avec le guide ou la carte.**

ROULEAU DE PRINTEMPS
*Une bonne cantine thaï vraiment
pas chère*

42 rue de Tourtille (20e)
M° Belleville
Tél. 01 46 36 98 95
*Lundi-mardi, jeudi-dimanche :
11 h 30-15 h 30, 19 h-23 h*

Petite cantine sans chichis fréquentée par des étudiants et des habitués venus ici avaler des nourritures typiques : poisson ou poulet cuit dans une feuille de bananier (5 €) ; en dessert, un flan doré reposant au creux de... d'une feuille de bananier, bien sûr. On pourra leur préférer des classiques comme les samoussas (pâtés de poulet au curry : 1,50 € ; les nems : 3,20 €), la délectable soupe nouille raviolis aux crevettes (5 €) ou encore les raviolis pékinois grillés à 2,90 €. A la carte, un choix important de plats végétariens (triangle : 1,50 €, boulette : 3 €). **Un dessert offert avec le guide (la carte n'est pas acceptée...).**

Petites croques

Les sandwiches les plus originaux, les plus goûteux de la capitale se trouvent (entre autres) dans les boutiques dont les noms suivent. Ce ne sont pas forcément les moins chers, mais quand la grave décision d'absorber une petite œuvre d'art entre deux tranches de bon pain est prise, on peut faire un petit effort.

1er ARRONDISSEMENT

LA FERME OPÉRA
55-57 rue Saint-Roch, 1er • M° Tuileries • Tél. 01 40 20 12 12 • Tous les jours : 8 h-20 h (samedi, fermeture à 19 h)

Croque bio (en provenance de fermes autour de Paris) sur tables de bois. Salades légères : de 2 à 6 €. Sandwiches à partir de 2 €. Qualité et fraîcheur.

LUNCH TIME FAX
255 rue Saint-Honoré, 1er • M° Concorde • Tél. 01 42 60 80 40 • Fax : 01 42 60 82 72 • Lundi-vendredi : 12 h-15 h

Enlevez, c'est pesé : ici, on ne reste pas des heures à table. Dans un décor de bord de mer, d'excellents sandwiches froids ou chauds, des salades et quelques desserts bienvenus satisferont ceux qui n'ont qu'une demi-heure pour déjeuner. De 4 à 6,30 € pour les sandwiches et de 4,70 à 9,50 € pour les salades. Également service traiteur.

4e ARRONDISSEMENT

L'AS DU FALLAFEL
34 rue des Rosiers, 4e • M° Saint-Paul • Tél. 01 48 87 63 60 • Lundi-dimanche : 11 h-24 h ; fermé à 18 h le vendredi ; fermé le samedi

Le fallafel branché du Marais. Excellent fallafel à 3,50 €.

CAFÉ MARTINI
11 rue du Pas-de-la-Mule, 4e • M° Chemin-Vert • Tél. 01 42 77 05 04 • Tous les jours : 8 h 30-2 h

Paninis à partir de 3 €. Plat chaud à 8 €. Chocolat chaud : 2,60 €.

5e ARRONDISSEMENT

LA VOIE LACTÉE
3 rue des Écoles, 5e • M° Cardinal-Lemoine • Tél. 01 46 34 02 35 • Lundi-samedi : 11 h-23 h 30

Chawarma et kebab à 4,30 €. Grillades de 6,50 à 7,50 €.

6e ARRONDISSEMENT

COSI
54 rue de Seine, 6e • M° Odéon • Tél. 01 46 33 35 36

Cosi : des pains-chaussons fourrés de poulet tandoori, rosbif, fromage, saumon, légumes grillés ou salades arrosés d'huile d'olive, et parfumés au basilic ou à la ciboulette. Délicieux. De 4 € à 10 €.

8e ARRONDISSEMENT

HAND MADE
19 rue Jean-Mermoz, 8e • M° Franklin-D.-Roosevelt • Tél. 01 45 62 50 05 • Lundi-vendredi : 12 h-15 h

Sandwich haute-couture : pain céréalier sur table d'hôte, boisson versée dans des verres soufflés à la bouche. Il vous en coûtera de 3 à 4,70 €. Nouveauté : le Kedgeree Chadolock (riz, œufs, champignons, oignons, betterave) à 4,90 €. Au moment où nous mettons sous presse, un nouveau Hand Made est en train de s'ouvrir rue des Archives (en face du BHV). **Café offert avec le guide ou la carte.**

11e ARRONDISSEMENT

LA GALOCHE D'AURILLAC
41 rue de Lappe, 11e • M° Bastille • Tél. 01 47 00 77 15 • Mardi-samedi : 9 h 30-1 h

Peut-être les meilleurs sandwiches de la capitale. Le sandwich pain d'Aurillac et jambon d'Auvergne fermier est délicieux (5,40 €). Plus classique : au pâté, bleu d'Auvergne ou cantal : 3,90 €.

HAND MADE
17 rue Fontaine-au-Roi, 11e • M° République • Tél. 01 43 57 71 26 • Lundi-vendredi : 8 h-17 h

14e ARRONDISSEMENT

LEGRAND
7 rue Mouton-Duvernet, 14e • M° Mouton-Duvernet • Tél. 01 45 39 45 78 • Jeudi-lundi : 7 h 30-20 h

Spécialiste de la « blédorette », sandwich craquant à la terrine, ou au pâté (5 €).

15e ARRONDISSEMENT

BUFFALO BOUFFE
65 av. Félix-Faure, 15e • M° Boucicaut • Tél. 01 44 26 03 03

Sandwich baguette-jambon-crudités : 3,10 €. Paninis de 3,20 à 4,60 €. Sandwich « Grand Central » (dinde, bacon, tomate, cheddar, salade, sauce russe) : 5,20 €.

RESTAURANTS de 9 à 13 €

Les catégories de prix reposent sur des critères bien précis. Nous avons pris en compte le menu le moins cher comportant une entrée, un plat et un fromage ou un dessert, boisson non comprise. A défaut de menu, c'est le prix moyen à la carte qui intervient. Ainsi, pour un restaurant classé dans la catégorie de 9 à 13 €, est-on sûr de faire un repas complet à moins de 13 €. Dans ce même restaurant, il peut cependant y avoir une formule à 8 ou à 13 € comportant simplement un plat et un dessert. Il peut également y avoir d'autres menus à plus de 13 €. Et le prix moyen à la carte peut, lui aussi, être plus élevé.

1er ARRONDISSEMENT

AU TRAPPISTE

Patron, une mousse !

4 rue Saint-Denis (1er)
M° Châtelet
Tél. 01 42 33 08 50
Tous les jours : 8 h-2 h 30

L'enseigne et l'impressionnante collection de pots à bière annoncent la couleur : on vient ici pour se payer une mousse qui échappe au moule traditionnel des breuvages sans caractère qui déferlent sur les zincs parisiens. Et pour les accompagner, on choisira parmi les nombreuses saucisses (Francfort, Munich, Toulouse, Montbeliard ou Rookswert) à 8,50 €, des moules (8,50 €), une choucroute (12,50 €) ou le menu à 11 € à midi, à 12 € le soir. **Kir offert avec le guide ou la carte.**

CHEZ STELLA

Bistro sympa

3 rue Thérèse (1er)
M° Pyramides
Tél. 01 42 96 22 15
*Lundi-vendredi : 12 h-14 h,
19 h 30-22 h*

La salle est refaite, mais la cuisine sait toujours se tenir. Excellentes salades composées Formule à 10,40 €. Menu à 11 €. L'accueil est sympathique. Parking Pyramides.

L'ENTRECÔTE

Fondue bourguignonne

38 rue Saint-Denis (1er)
M° Châtelet
Tél. 01 40 28 95 30
Fax : 01 40 39 08 03
*Tous les jours : 11 h 30-2 h
du matin*

Cernée par les pizzerias et les fast-food, l'Entrecôte propose, courageusement, une cuisine française traditionnelle. Ce très agréable restaurant possède une belle et vaste terrasse d'où l'on peut contempler la fontaine des Innocents. Menus (midi et soir) à partir de 13,50 €. A partir de 22 h, fondue bourguignonne à volonté.

LA FRESQUE

Pour carnivores ou végétariens

100 rue Rambuteau (1er)
M° Étienne-Marcel
ou Les Halles
Tél. 01 42 33 17 56
*Lundi-samedi : 12 h-15 h,
19 h-minuit ; dimanche :
19 h-minuit*

Au milieu des fresques, sur des tables de bois, dans l'une ou l'autre salle, on mange, en se bousculant un peu, un menu carné ou végétarien à 12 €, des salades (de 6 à 7 €), voire du magret de canard au miel d'épices (11,90 €). Le soir, compter 20 € à la carte. Parking Les Halles.

LE PALET
Cuisine originale

8 rue de Beaujolais (1er)
M° Palais-Royal
Tél. 01 42 60 99 59
*Lundi-vendredi : 12 h-14 h,
19 h-23 h ; samedi : 19 h-
23 h*

On déjeunera au rez-de-chaussée avec vue sur le jardin du Palais-Royal, mais l'on dînera en sous-sol, dans les salles voûtées. La cuisine est souvent originale, parfois surprenante (moules au curry, raie gratinée au camembert...) et les desserts sont énormes. Menus à 12 et 17 €. Pas de carte. Parking Bourse. **Kir offert avec le guide ou la carte.**

AUTRES ADRESSES
- **Le Palet La Fayette** • 89 rue d'Hauteville, 10e • M° Poissonnière • Tél. 01 48 24 20 22
- **Le Petit Palet** • 96 rue d'Hauteville (en face du Palet La Fayette), 10e • M° Poissonnière • Paninis à 3,50 €, salades à 4 €, plats du jour à 5 € à consommer sur place (14 places) ou à emporter.

RESTAURANT POLONAIS CONCORDE
Comme à Varsovie

Place Maurice-Barrès
(entrée à gauche
de l'église) (1er)
M° Concorde
Tél. 01 42 60 43 33
Fax : 01 55 35 32 27
*Mardi-samedi : 12 h-15 h,
19 h-22 h ; dimanche :
12 h-22 h*

Dans la crypte ronde et voûtée du XVIIe siècle, la gastronomie polonaise est toujours à la fête et l'accueil toujours aussi exquis (et encore plus quand on parle polonais). Menu Poznan à 9,60 €. Menu Cracovie à 12,90 €. Menu Varsovie à 14,90 €. La saucisse à l'oignon est à 7 €, la roulade de bœuf farcie à 11,50 €. Gâteau au fromage à la mode de Cracovie : 3,60 €. Plats à emporter (-10 %). Parking Madeleine, Concorde ou Vendôme.

YASUBE
Quiétude japonaise

9 rue Sainte-Anne (1er)
M° Pyramides
Tél. 01 47 03 96 37
*Lundi-samedi : 12 h-14 h 30,
19 h-22 h 30*

Le meilleur rapport qualité/prix de la rue des restaurants japonais de l'Opéra. Les menus de 10 à 15 € sont ici explicites, la présentation soignée et la carte des vins pondérée. A la carte, huîtres panées à 12,20 €, saumon grillé à 10 €. Menus midi : de 10 à 15,50 €. Menus soir : de 12,50 à 17 €. Accueil et déco chaleureux.

2e ARRONDISSEMENT

BELLA VENEZIA
La bella pizza

8 rue du Ventadour (2e)
M° Pyramides
Tél. 01 42 60 02 15
*Lundi-samedi : 12 h-14 h 30,
18 h 30-22 h*

Une pizzeria classique, à ceci près que les pizzas y sont aussi bonnes que copieuses (à partir de 6,50 €). Les pâtes maison (8 €) sont tout aussi réussies. Une bonne (petite) adresse.

LA BOURSE OU LA VIE
Table d'hôtes

12 rue Vivienne (2e)
M° Bourse
Tél. 01 42 60 08 83
Lundi-samedi : 12 h-15 h

On oublie son régime : la crème accompagne ici souvent les plats, qu'il s'agisse de saucisse-coco ou de viandes diverses. La table d'hôtes permet de côtoyer, de coudoyer et de bavarder, l'espace d'un déjeuner, avec de parfaits inconnus qui deviennent des convives agréables. Entrées : 7,50 €. Plats de 9,50 à 14,50 €.

CHEZ LAURENT
Cuisine de marché

3 rue Saint-Augustin (2e)
M° Quatre-Septembre
Tél. 01 42 97 48 09

Une cuisine de marché simple et rigoureuse accompagnée de bons vins de propriétaire. Voilà qui nous satisfera pour le menu à 12 € (plat + entrée ou des-

Lundi : 12 h-15 h ; mardi-vendredi : 12 h-15 h, 19-h-23 h ; samedi : 19 h-23 h

sert), servi à midi (lentilles ou asperges, filet de sandre ou parmentier de joue de bœuf, tarte maison ou crème à l'ancienne). Autres menus à 15 et 20 € (le soir).

LE DÉNICHEUR   *L'assiette se mange et s'achète*

4 rue Tiquetonne (2ᵉ)
M° Etienne-Marcel
Tél. 01 42 21 31 01
Tous les jours : 12 h-15 h 30, 19 h-0 h
(fermé lundi)

Brocante des années 50 dans la salle. On peut acheter les petits objets décoratifs qui ornent la maison. Aux fourneaux, un cuisinier talentueux qui présente des additions modestes. Formule à 8 ou 9,50 € (quiche au saumon et légumes, servie avec une salade et gâteau au miel et aux noix). Autres formules à 11,50 et 15 € le soir.

LE DILAN   *Du Kurdistan*

11/19 rue Mandar (2ᵉ)
M° Sentier
Tél. 01 40 26 82 04
Lundi-samedi : 12 h-15 h, 19 h-23 h

Tarama, feuilles de vigne, grillades : la cuisine kurde ne se distingue guère de ses voisines turque et grecque. Aux murs, des photos qui racontent l'histoire (tragique) du pays. Dans les assiettes, une cuisine simple, pas chère (menus à partir de 10 €) et qui sent la Méditerranée (pourtant peu kurde).

LE JARDIN DE L'INDE   *L'Inde raffinée*

10 rue Tiquetonne (2ᵉ)
M° Étienne-Marcel
Tél. 01 40 26 28 67
www.lejardindelinde.free.fr
Tous les jours : 12 h-15 h, 19 h-0 h

Le personnel est stylé et courtois, et la cuisine, du nord de l'Inde, d'un extrême raffinement. On s'étonne même de si bien manger pour un prix aussi modique : de 9 à 12 € les menus de midi, aux formules à 16 et 20 € le soir. C'est copieux et bon. On reviendra ! **Cocktail maison offert avec le guide ou la carte.**

LITTLE ITALY   *L'Italie authentique*

92 rue Montorgueil (2ᵉ)
M° Sentier
Tél. 01 42 36 36 25
Lundi-vendredi et dimanche : 12 h-15 h, 19 h 30-23 h ; samedi : 12 h-16 h, 19 h 30-23 h

Un impressionnant choix de pâtes, authentiques et étonnantes, à savourer dans un agréable décor où se presse, à midi, une clientèle passablement tendance. A découvrir : les linguini Emiliana (pâtes aux épinards). Compter 12 à 15 € sans le vin mais avec le café. Pâtes, décor raffiné, jeunes gens à la mode : un vrai « centro » du nord de l'Italie. Parking Bourse.

AUTRES ADRESSES
- 13 rue Rambuteau, 4ᵉ • Tél. 01 42 74 32 46
- **Rebuzzi** • 131 rue Saint-Charles, 15ᵉ • Tél. 01 45 75 99 99

LE MIMOSA   *A midi seulement*

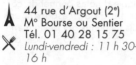

44 rue d'Argout (2ᵉ)
M° Bourse ou Sentier
Tél. 01 40 28 15 75
Lundi-vendredi : 11 h 30-16 h

On s'y bouscule, et pour cause(s) : c'est tout petit (vingt-quatre places en se tassant bien), et c'est bon. Les assiettes sont toujours copieuses et souvent inventives, avec quelques saveurs parfois surprenantes. Plat du jour : 10 €. Formule : 12 €. Les vins viennent de chez Legrand, gage de qualité. Pour être sûr d'y trouver une place, il n'y a que deux solutions : venir à midi tapant ou à partir de 14 heures : c'est l'heure où les étudiants et les profs du CFJ tout proche retournent en cours.

LE MOÏ   *Honnête vietnamien*

5 rue Daunou (2e)
M° Opéra
Tél. 01 47 03 92 05
*Lundi-samedi : 12 h-14 h30,
18 h-23 h*

« Moï » signifie « sauvage » en vietnamien. Rien de moins sauvage pourtant, que ce restaurant de bambou et de bois où le menu vapeur (entrée + plat) est à 10 € (autres menus à 11 et 16 €). Le poulet au gingembre (8,80 €) et le bo-bui (brochette de bœuf grillée à la citronnelle) sont de bonne composition. Parking place Vendôme.

OÏSHI   *Levant élevé*

106 rue Richelieu (2e)
M° Richelieu-Drouot
Tél. 01 42 96 45 94
*Tous les jours : 12 h-
14 h 30, 19 h-23 h 30*

Un japonais qui joue la qualité supérieure à des prix raisonnables, le tout servi dans un cadre vaste et agréable sur deux niveaux. La cuisine est tout ce qu'il y a de nippon. Elle se décline en trois spécialités : sushi, sashimi, maki, yakitoni (brochettes) et les autres plats typiques du pays comme cette salade froide aux fruits de mer. A la carte, une multitude de « Formules express » pour le déjeuner (de 9,90 à 26,90 €). Mention spéciale pour les « tempuras », des beignets aux crevettes, patates douces et légumes avec leur sauce relevée aux zestes d'orange.

3e ARRONDISSEMENT

AU DUC DE MONTMORENCY   *Cuisine fine et petits plats*

46 rue de Montmorency
(3e)
M° Rambuteau ou Arts-
et-Métiers
Tél. 01 42 72 18 10
Tous les jours : 8 h 30-21 h

Ancien cuisinier pour de grandes tables, Laurent Delcros a repris une épicerie fine pour en faire sa tour de Babel. Ici, tout est bon et fait maison : tartines Poilane (5,40 €), salades servies au poids (12 €/kg), tous les jours quatre plats tournants (6 €) servis avec des recettes astucieuses. Vin au verre (Bourgueil, Languedoc) à 1,60 €. Un endroit convivial et sans superflu.

LE BISTROT GOURMAND   *Cuisine de bistrot*

1 rue Dupuis (3e)
M° Temple et République
Tél. 01 42 74 64 95
Lundi-samedi : 10 h-23 h 30

Une cuisine bourgeoise que viennent déguster à midi quelques journalistes de Libération. Menus à 11,60 et 13,50 € (midi). Formule à 15 € et menu à 19,50 € (soir). Spécialité de ce gourmand : le filet mignon Duguesclin. Poisson du jour midi et soir. Une terrasse très agréable l'été.

LE BOUCHON DES ARCHIVES   *La cuisine de France*

75 rue des Archives (3e)
M° Hôtel-de-Ville ou Temple
Tél. 01 42 74 26 22
*Lundi-vendredi : 12 h-15 h,
20 h-23 h ; samedi : 20 h-
23 h (sur réservation)*

Dans ce restaurant aux murs de pierres nues, le confit de canard (maison) aux pommes sarladaises fond dans la bouche et la poêlée de crevettes anisées ou le glacé de pain d'épices à la vanille sont très demandés. Formules midi à 12,50 et 14,50 €. Formules soir à 15,50 et 19,50 €. Accueil souriant de France. Un bon rapport qualité-prix. **Kir offert avec le guide ou la carte.**

L'ORANGE CAFÉ   *Pour une petite faim*

10 rue des Haudriettes (3e)
M° Rambuteau
Tél. 01 40 25 96 82
*Lundi-vendredi : 11 h 30-
14 h 30*

Une formule à 11 € que s'arrachent les habitués. C'est dire qu'il sera difficile de trouver une place à moins d'arriver tôt. Cuisine simple, sans esbroufe, sans réelle surprise. Plats du jour à 7 €.

LE PETIT TROQUET   *Le bistrot portugais*

55 rue de Bretagne (3ᵉ)
Mᵒ Temple ou Filles-
du-Calvaire
Tél. 01 42 77 25 23
ou 01 42 78 34 10
Lundi-samedi : 12 h-15 h

Juste en face de la mairie du 3ᵉ arrondissement, c'est une table à retenir pour les affamés aux papilles délicates. Cuisine familiale et copieuse. Menu complet avec plat du jour (midi uniquement) : 11 €. Les produits sont frais, l'accueil agréable et, pour quelques euros de plus, vous pourrez déguster des spécialités portugaises.

LA ROSE DES SABLES   *Couscous sucré*

105 rue Vieille-du-Temple
(3ᵉ)
Mᵒ Filles-du-Calvaire
Tél. 01 42 71 28 20
*Lundi-samedi : 11 h 30-15 h,
19 h 30-23 h (fermé samedi
midi)*

Une digne représentation de la gastronomie marocaine dans un cadre très agréable et une ambiance très relaxante. On s'attardera tout spécialement sur le tajine Mqualit (poulet olives, citron confit) ou le couscous fassi (agneau, pois chiches, oignons, raisins, sucre). Menu à 13 € à midi (entrée, plat, dessert). Couscous : de 15 à 20,50 €. Air conditionné.

LA TAVERNE RÉPUBLIQUE   *Choucroute et bière*

5 place de la République
(3ᵉ)
Mᵒ République
Tél. 01 42 78 50 86
www.tavernerepublique.
com
Tous les jours : 8 h-20 h

Sur la peu attrayante place de la République, un lieu où étancher sa soif (200 variétés de bières) dans un décor passablement délirant de sorcières, de pirates et d'éléphants roses, mais aussi pour grignoter quelques spécialités bien venues, genre moules frites (9 €) ou choucroutes. Menus à 9 et 10,55 €. Terrasse animée... et passante.

4ᵉ ARRONDISSEMENT

AQUARIUS   *Chic et bio*

54 rue Sainte-Croix-
de-la-Bretonnerie (4ᵉ)
Mᵒ Hôtel-de-Ville
Tél. 01 48 87 48 71
Lundi-samedi : 12 h-22 h 15

Un style campagnard affirmé. Une cuisine végétarienne peu assaisonnée, chacun complète selon ses goûts. Un grand choix de vins bios (de 3,35 à 4,27 € le verre). La formule (correcte) à 10,65 €, servie jusqu'à 14 h, offre pas mal de choix. Deux choix de galettes orientales ou de blé. Menu midi et soir : 15,40 €. Parking Beaubourg ou Hôtel-de-Ville.

AU JAMBON DE BAYONNE   *Terroir en saveur*

6 rue de la Tacherie (4ᵉ)
Mᵒ Hôtel-de-Ville
Tél. 01 42 78 45 45
*Lundi-vendredi : 11 h 30-
22 h*

Le décor n'est pas folichon, les banquettes ont connu des meilleurs jours, mais dans l'assiette, les plats valent qu'on s'y intéresse. Une cuisine sans chichis, mais goûteuse, à base de plats du terroir. Plats du jour de 8,50 à 13 € et menus à 10,20, 12,50 et 19 €.

COUPE-GORGE   *Entre deux courses*

2 rue de la Coutellerie (4ᵉ)
Mᵒ Hôtel-de-Ville
Tél. 01 48 04 79 24
*Mardi-vendredi : 12 h-14 h,
19 h-24 h ; samedi et lundi :
19 h-24 h*

A deux pas de l'Hôtel-de-Ville, ce restaurant-bar à la déco typiquement début du siècle parisien, présente une expo photo temporaire chaque mois. A midi, les formules présentent un bon rapport qualité-prix : 10 € (entrée ou dessert + plat), 12 € (entrée + plat + dessert), et 14,50 € (le soir). La carte est originale. Testez le chèvre aux cacahuètes.

LE PETIT PICARD

Bouffe mode

42 rue Sainte-Croix-
de-la-Bretonnerie (4e)
M° Hôtel-de-Ville
Tél. 01 42 78 54 03
*Mardi-vendredi : 12 h-
13 h 45, 20 h-23 h 30 ;
samedi : 20 h-24 h ;
dimanche : 20 h-23 h*

L'une des bonnes adresses du Marais. Menus à 10,50 (midi uniquement), 14,50 ou 21 €. Une clientèle mode s'y régale de confits de canard, d'escalopes de saumon frais à l'oseille ou de flamiche aux poireaux. L'accueil est agréable et les chaises confortables. Parking Hôtel-de-Ville.

LE TEMPS DES CERISES

Bons poissons

31 rue de la Cerisaie (4e)
M° Bastille ou Sully-
Morland
Tél. 01 42 72 08 63
*Lundi-vendredi : 11 h 30-
14 h 30 (bar : 7 h 30-20 h)*

Les mânes de Jean-Baptiste Clément planent sur cette ancienne intendance du couvent des Célestins, bruyante, chaleureuse où l'on déguste de succulents poissons (11,60 €) ou du tripoux du Rouergue (10,50 €). Menu à 12,50 €. Le service est empressé et le patron sympa. Parking rue Saint-Antoine.

5e ARRONDISSEMENT

AUX DÉLICES DU LIBAN

Saveurs phéniciennes

3 rue de l'Estrapade (5e)
M° Cardinal-Lemoine
ou Monge
Tél. 01 44 07 29 99
*Tous les jours : 12 h-15 h,
19 h-23 h (fermé les mardi
et mercredi à midi)*

Une aire de repos sur les cimes des cèdres, à deux pas de l'agitation de la Mouffe. Grand ventilo au plafond, photos de temples, sabres arabes, nappes vertes et blanches. Le décor est planté pour un assortiment de taboulé, homos falafel et brochettes ou poulet farci à l'orientale pour 15 € avec pâtisserie ou glace libanaise. Menu à 10,50 € le midi ; thé à la menthe : 2 €

LE BISTROT 30

Cuisine de tradition

32 rue Saint-Séverin (5e)
M° Saint-Michel
Tél. 01 43 29 31 31
Fax : 01 43 26 61 49
Tous les jours : 12 h-1 h

Ici, on décline la tradition sous toutes ses formes : cadre bistro, nappes à carreaux, poutres au plafond et bœuf bourguignon. Les carnivores se précipitent sur le magret de canard. Les « poissivores » apprécieront le saumon béarnaise. Menus à 10 et 15 €. Air conditionné. Parking Saint-Michel, Lagrange et bd Saint-Germain. **Kir offert avec le guide ou la carte.**

LE GRENIER DE NOTRE-DAME

Herbe, légumes et lierre

18 rue de la Bûcherie (5e)
M° Saint-Michel
Tél. 01 43 29 98 29
www.legrenierdenotre
dame.com
*Tous les jours : 12 h-
14 h 30, 19 h-23 h*

Le ton est donné dès l'entrée : ici, point de carnivores, la verdure est reine. Nappes décorées de légumes, lierre grimpant dégoulinant des fenêtres donnent sur une ruelle coincée entre Notre-Dame et Saint-Julien. Menu à 12,05 € comprenant une entrée (mousse végétale, tofu frais aux algues...), un plat (polenta, moussaka de lentilles...) et un dessert. Ambiance campagnarde garantie.

LE PORT DU SALUT

Sur les pas de Coluche

163 bis rue Saint-Jacques
(5e)
RER B, Luxembourg
Tél. 01 46 33 63 21
Fax : 01 46 33 08 69

La cave voûtée qui vit passer naguère (ou jadis) Coluche, Bobby Lapointe et quelques autres illustres disparus n'est accessible que sur réservation, mais au rez-de-chaussée et à l'étage, on déjeune désormais pour 11,80 € le midi (entrée + plat + dessert).

Mardi-samedi : 12 h-15 h, 18 h 30-23 h 30

C'est simple et bon, les touristes y côtoient les étudiants et les employés du quartier. Service rapide et souriant.

SAÏGON LATIN

Poissons thaï

35 rue des Écoles (5ᵉ)
Mᵒ Maubert-Mutualité
Tél. 01 43 26 38 69
*Mardi-samedi : 12 h-
14 h 30, 19 h-23 h 30 ;
dimanche : 12 h-14 h 30*

Bonnes spécialités viets (surtout les poissons) dans un agréable décor d'objets en bois, de chandeliers, de dorures. Menus midi à 9,50 et 11 €. Menus soir : 14 et 16 €. Terrasse l'été. Parking Lagrange. **Cocktail offert avec le guide ou la carte.**

SALAMMBÔ

Couscous ou tajine

2 et 4 rue Boutebrie (5ᵉ)
Mᵒ Cluny ou Saint-Michel
Tél. 01 46 34 28 76
Fax : 01 40 46 94 18
*Tous les jours : 11 h 30-
14 h 45, 18 h-23 h 45*

Pour se gaver de couscous jusque derrière les babines, on viendra déguster celui de Mme Zouhir. Au poisson (daurade), il vous en coûtera 10 €. Formule à 9,15 €, menu à 12,05 €. Parking rue Galande.

TASHI DELEK

Des mets de lama

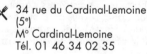

4 rue des Fossés-Saint-Jacques (5ᵉ)
RER B, Luxembourg
Tél. 01 43 26 55 55
www.tibetplanet.com
*Lundi-samedi : 12 h-14 h 30,
19 h-23 h*

On la devinait originale, on la découvre très fine : servie dans un décor zen, cette cuisine tibétaine ravit les palais, du chabale (6,10 €) au tashi delek (3,70 €) en passant par le tsèl balé (6,10 €). Menu (midi) : 8,40 €. Grand choix de plats végétariens dont le « Druchur Lhama », bol d'orge bio servi avec des légumes variés, poêlés, à la sauce au fromage de chèvre. Parking Soufflot. **Café ou apéritif offert avec le guide ou la carte.**

LA VOIE LACTÉE

Spécialités de la Corne d'or

34 rue du Cardinal-Lemoine (5ᵉ)
Mᵒ Cardinal-Lemoine
Tél. 01 46 34 02 35

Le nec plus ultra de l'authentique en matière de cuisine ottomane. L'endroit est régulièrement fréquenté par des Turcs. Formule midi : 9,50 €. Menu : 12 €. Menus soir : 14 et 17 €. – Lundi-samedi : 12 h-14 h 30, 19 h-23 h (23 h 30 le week-end).

6ᵉ ARRONDISSEMENT

LA CRÊPE RIT DU CLOWN

La Bretagne à prix détendus

6 rue des Canettes (6ᵉ)
Mᵒ Mabillon ou Saint-Germain-des-Prés
Tél. 01 46 34 01 02
www.lacreperitduclown.com
Lundi-samedi : 12 h-23 h

Une crêperie sobre mais avec des prix serrés. Menus à 10 € comprenant une galette de sarazin, une crêpe et une bolée de cidre. Salades bien garnies de 3,60 à 10 €. Pour les gourmets, galettes à l'andouille de Guéménée (7,60 €), au saumon (8 €) ou au chèvre frais (7 €). Un petit air de Bretagne, brut de pomme.

GUSTAVIA

Stockholm, côté cuisine

26-28 rue des Grands-Augustins (6ᵉ)
Mᵒ Odéon ou Saint-Michel

Les serveurs ont l'accent suédois, la cuisine aussi : le saumon mariné rivalise avec le hareng scandinave. Quant au renne fumé, il faut l'essayer. For-

Tél. 01 40 46 86 70
*Mardi-samedi : 12 h-14 h,
19 h-21 h 30*

mule midi : 12,20 € ; soir : 14,50 €. Plat du jour :
11 €. Un restaurant lumineux à découvrir. Parking
rue Mazarine.

INDONÉSIA   *Nasi-goreng d'abord*

12 rue de Vaugirard (6ᵉ)
Mº Odéon
Tél. 01 43 25 70 22
*Lundi-vendredi : 12 h-
14 h 30, 19 h-22 h 30 ;
samedi : 19 h-23 h*

L'ancêtre des restaurants indonésiens de Paris. Le
nasi-goreng (13,90 €) est appréciable et le rijstaffel
(à partir de 19 €) est à découvrir. Formule midi de
9 à 12,50 € (du lundi au vendredi). Accueil adorable. Parking Odéon. **Apéritif ou café offert
avec le guide ou la carte.**

KIOTORI   *Sashimis et sushis*

61 rue Monsieur-le-Prince
(6ᵉ)
RER B, Luxembourg
Tél. 01 43 54 48 44
Tous les jours : 12 h-24 h

C'est bruyant, les tables sont serrées les unes contre
les autres, mais reconnaissons à ce japonais le double avantage d'une grande variété de brochettes,
sashimis et autres sushis et de prix très accessibles.
Menus de 5,70 à 12,50 € (soupe, crudités, riz et
de 4 à 8 brochettes). Air conditionné. Parking rue
Soufflot.

LE PETIT VATEL   *Un coup de neuf*

5 rue Lobineau (6ᵉ)
Mº Mabillon
Tél. 01 43 54 28 49
*Mardi-samedi : 12 h-
14 h 30, 19 h-22 h 30*

On arrosera la formule à 11 € (plats mijotés à découvrir) avec quelques vins de propriété bienvenus.
Et on s'initiera à la création maison, le pamboli (tartine grillée, huile d'olive, purée de tomates fraîches
épicée, serrano espagnol et fromage de montagne
+ salade verte). Avertissement aux nicotinomanes :
ici on ne fume pas.

POLIDOR   *Une cuisine qui tient au corps*

41 rue Monsieur-le-Prince
(6ᵉ)
RER B, Luxembourg
Tél. 01 43 26 95 34
*Lundi-samedi : 12 h-14 h 30,
19 h-0 h 30 ; dimanche :
12 h-14 h 30, 19 h-23 h*

Si l'on s'en tient aux menus (9 et 18 €) on reste assez
largement dans l'enveloppe pour une nourriture de
ménage aux portions généreuses comme les formes
de la patronne. Il s'agit, nous dit-on, du plus ancien
restaurant de Paris, mais le décor ne dit absolument
rien de cette antiquité. Ambiance à la Prévert, sans
fioritures. Parking rue de l'École-de-Médecine. **Kir
offert avec le guide ou la carte.**

7ᵉ ARRONDISSEMENT

L'ABBAYE   *Simple et rapide*

35 rue de Grenelle (7ᵉ)
Mº Rue-du-Bac
Tél. 01 45 48 39 30
*Lundi-samedi : 7 h-23 h
(brasserie le midi seulement,
de 12 h à 15 h)*

C'est simple, c'est rapide, ce n'est pas trop cher.
Salade du pays : 8,90 €. Formule à 10,50 €, ou
menu complet : 12,50 €. Plats du jour : 8,40 €. Accueil très chaleureux. Truffade (le soir) sur réservation (minimum dix personnes). Un samedi par mois,
soirée mexicaine. Parking boulevard Raspail.

CAFÉTÉRIA DU MUSÉE RODIN   *Musée, château, cafétéria*

Rue de Varenne (7ᵉ)
Mº Varenne
Tél. 01 45 50 42 34
Fax : 01 45 51 17 52

C'est plus qu'un musée : c'est un petit château avec
son parc peuplé de mystères et, dans ce parc, une
cafétéria rénovée qui garde un peu des magies de
l'endroit. Ce n'est pas de la gastronomie, mais ce

*Mardi-dimanche : 10 h-
16 h 30 d'octobre à mars ;
10 h-18 h d'avril
à septembre*

qu'on y mange, à prix d'artiste pauvre, est trans-
cendé par la splendeur du décor. Trois formules :
sandwich (8,40 €), assiette (9,90 €) ou ardoise
(12,20 €). Thé « Mariage Frères » : 3,10 €. Parking
Invalides.

CHEZ GERMAINE   *Presque la province*

30 rue Pierre-Leroux (7ᵉ)
Mᵒ Vaneau
Tél. 01 42 73 28 34
*Lundi-vendredi : 12 h-
14 h 30, 19 h-21 h 30 ;
samedi : 12 h-14 h 30*

Les prix restent d'une incroyable sagesse pour le
quartier. Pierre mijote, Colette reçoit, on est en famille et ça sent la province. Généreux (et bon) menu
à 12 € sauf le samedi. Travers de porc aux lentilles :
8 €. Andouillette à la crème de moutarde : 8 €. Parking Sèvres-Babylone.

8ᵉ ARRONDISSEMENT

DEL PAPA   *La pizza de papa*

233 bis rue du Faubourg-
Saint-Honoré (8ᵉ)
Mᵒ Ternes
Tél. 01 47 63 30 98
*Lundi-samedi : 12 h-15 h,
19 h-22 h 30*

Dans un environnement voué au luxe, Del Papa
porte haut le flambeau de la pizza (à partir de 8 €).
Au point que l'on s'y bouscule et qu'il vaut mieux
réserver. Bonne viande également. Menu à 15 €.

AUTRE ADRESSE

■ 135 av. de Malakoff, 16ᵉ • Mᵒ Porte-Maillot • Tél. 01 45 00 36 73

L'ENTRECÔTE DE PARIS   *Classique*

29 rue de Marignan (8ᵉ)
Mᵒ Franklin-Roosevelt
Tél. 01 42 25 28 60
*Tous les jours : 11 h 30-1 h
du matin*

La viande est bonne, cuite à la convenance des
convives. Au menu à 14,90 €, les frites légères et
moelleuses reposent sur un chauffe-plat. Le menu express à 9,90 € (déjeuner) offre une entrée du marché (salade variée) et un demi-coquelet tendre cuit
dans une sauce un peu sucrée, arômatisée au thym,
très bon. On notera la rapidité et l'amabilité du service avec une mention décernée à Loïc, jeune serveur au premier étage, dont la prévenance est sans
faille. A la carte, environ 22 €.

LE MANDARIN   *Chin Chine !*

1 rue de Berri
(angle 100 - Champs-
Élysées) (8ᵉ)
Mᵒ George-V
Tél. 01 43 59 48 48
*Tous les jours : 12 h-
14 h 30 ; 19 h-23 h 30*

Dehors, les Champs-Élysées. Dedans, une vaste et
belle maison des provinces reculées d'une Chine
opulente, au temps d'« Épouses et Concubines » :
laques rouge profond, ors, calligraphies, lanternes
en papier, balustrades, fins treillages et vastes jar-
res. La cuisine est très soignée, le service diligent et
le petit menu de midi décline les classiques du genre
nems, poulet aux oignons, porc aigre doux, kum-
quats (entrée + plat + riz + dessert). Coût modique :
12 €. Le soir menu à 19 € (à partir de deux personnes) et à 21 € (vapeur). A la carte, compter de 22 à
30 €.

OBJECTIF CRÊPES   *Crêpes et images*

10 rue de Constantinople
(8ᵉ)
Mᵒ Europe
Tél. 01 40 08 00 17

Ancien photographe de presse, le patron expose
ses photos par thèmes. Lors de notre passage, il
avait sorti de ses cartons des paysages et des portraits magnifiques, en noir et blanc. Ça, c'est pour

www.objectifcrepes.com
*Lundi-vendredi : 12 h-15 h,
19 h-23 h*

l'objectif. Pour les crêpes, menu (déjeuner) à 11 €
avec une galette garnie + une crêpe dessert + une
bolée de cidre ou un café. A la carte, compter 9 €
pour une galette accompagnée de salade.

LE PETIT BERGSON   *Roboratif*

10 place Henri-Bergson (8e)
M° Saint-Augustin
Tél. 01 45 22 63 25
Fax : 01 42 77 49 36
www.petitbergson.online.fr
*Lundi-vendredi : 11 h 30-
15 h*

Cette ancienne « tarterie » est devenue un agréable
restaurant traditionnel où l'on se nourrit (bien) de
petits plats roboratifs, de quiches, de plats du jour
et de salades composées, accompagnés d'agréables vins au verre ou à la bouteille. Menus de 11 à
14 €. Le cadre est agréable. Parking Bergson. **Digestif (et porte-clef) offerts avec le guide ou
la carte.**

9e   ARRONDISSEMENT

ANARKALI SARANGUI   *Terrasse indienne*

4 place Gustave-Toudouze
(9e)
M° Saint-Georges
Tél. 01 48 78 39 84
*Lundi : 19 h-24 h ; mardi-
dimanche : 12 h-14 h 30,
19 h-23 h 30*

Quelques tables en terrasse sur une charmante petite
place, une cuisine indienne de bonne facture : ce
restaurant ne manque pas de séduction. D'autant
que ses prix restent corrects : menus à 8,90 et
11,90 € (midi). Le soir, menu à 22 €. Samedi et
dimanche midi, brunch indien à 15 €. Parking Saint-
Georges, rue Clauzel. **Apéritif offert avec le
guide ou la carte.**

AU P'TIT CREUX DU FAUBOURG   *Comme à la maison*

66 rue du Faubourg-
Montmartre (9e)
M° Notre-Dame-de-Lorette
Tél. 01 48 78 20 57
*Lundi-samedi : 11 h-16 h
(déjeuner seulement)*

Bistrot sans épate, tout en longueur, où se pressent
de jeunes cadres. Le patron les rassasie à des prix
de famille (menus à 8, 9 et 10,50 €), auxquels les
gros appétits ajouteront un dessert et les soiffards
un verre de plus. Disons que, à la carte, pour 12 à
14 €, les estomacs solides n'auront plus rien à demander.

CHEZ MADEMOISELLE JEANNE   *Formi, formi, formica*

2 rue du Cardinal-Mercier
(9e)
M° Trinité ou Place-Clichy
Tél. 01 48 74 43 18
Lundi-samedi : 7 h 30-21 h

Pour les nostalgiques des sixties. Ici la lumière des
néons dérape sur les tables en formica comme une
Dauphine sur une plaque de verglas. Ambiance de
famille. Mademoiselle Jeanne est aussi élégante que
son café qui brille du sol au plafond. C'est pourtant
un ancien bistrot de bougnat très typique. La patronne ne bastonne vraiment pas sur les consommations. Elle nous propose une formule plat-vin-café
(11,45 €), histoire de déguster une andouillette-
pommes sautées, dans un cadre authentique.

LE GOURMET   *Desserts maison*

19 rue de Bruxelles (9e)
M° Place-de-Clichy
Tél. 01 48 74 53 42
*Lundi-vendredi : 11 h 30-
14 h ; 18 h 30-20 h 15
(fermé le vendredi soir)*

Avec sa formule complète à 10 € (entrée + plat +
garniture + dessert), ce bon petit restaurant familial
ne vous décevra pas. Le plat du jour est toujours à
la hauteur et les desserts faits maison (yaourts,
flancs, îles flottantes, brownies, etc.). Pour 2 € de
plus, la boisson est comprise. Le soir, la salle est
envahie par les élèves de l'école de théâtre voisine.

Quant aux auteurs et aux journalistes pigistes, ils pourront se consoler ici, après être passés à l'AGESSA : c'est la porte à côté.

LA JOLIE VIE   *Salades dans un hammam*

56 bis rue de Clichy (9e)
Mo Place-de-Clichy
Tél. 01 53 20 04 04
*Lundi-mardi : 10 h-19 h ;
mercredi-samedi : 10 h-22 h*

Du hammam, il ne reste que le bassin bleu devant lequel sont dressées des tables. Dans cette atmosphère ex-aquatique, on déjeunera, en se détendant, d'une terrine ou d'une tarte salée avec salade verte (7,90 €). Formule midi à 11,50 € incluant tarte salée + dessert + thé, vin ou café (13,70 € avec une entrée). Le soir, formule à 16 €. Salle non fumeurs bien isolée.

LE NEW BALAL   *Délicieuses nourritures pakistanaises et indiennes*

25 rue Taitbout (9e)
Mo Chaussée-d'Antin
Tél. 01 42 46 53 67
*Tous les jours : 12 h-
14 h 30, 19 h-24 h*

« Restaurant pakistanais et indien, spécialités tandoori » : sous cette nomination banale se cache un endroit qui frôle le luxe, belle salle rehaussée de tableaux bouddhiques, beaux volumes, belle vaisselle et des menus aussi originaux que pas chers : menu (au déjeuner) à partir de 11 €, comprenant poulet curry, viande hachée aux petits pois, kulfi (glace pakistanaise), auxquels on conseille d'ajouter, pour la soif, une grande carafe de « lassi », yaourt liquide aux parfums divers (à la mangue, mmh !). Également menus à 16 et 20 € (midi et soir).

LE PETIT POULBOT   *Comme chez maman*

15 rue Trévise (9e)
Mo Grands-Boulevards
Tél. 01 44 83 03 35
*Lundi-vendredi : 12 h-14 h,
19 h-23 h*

Plusieurs salles agréables, en face du Conservatoire d'art dramatique. Du soin, de l'attention, de la recherche. Les hôtes semblent avoir ici une réelle affection pour leurs clients. Dans cette maison, très au-dessus de la moyenne, on se sent également très au-dessus de ses moyens. Formules midi et soir : de 11 à 14 €.

TRATTORIA L'OCA NERA   *O Sole mio*

35 rue Bergère (9e)
Mo Grands-Boulevards
Tél. 01 42 46 22 47
Fax : 01 44 83 06 17
*Tous les jours : 11 h 30-
15 h, 18 h 30-23 h*

L'Italie dans la salle (murs rustiques couverts de toiles) et sur la table (antipasti, tortelloni, boccocini et tutti quanti). C'est simple, c'est bon et c'est copieux. Foie de veau vénitien à 13 €. Formule à 12,05 €. **Kir vin blanc offert avec le guide ou la carte.**

10e ARRONDISSEMENT

LA CHANDELLE VERTE   *Ça sent si bon la France*

40 rue d'Enghien (10e)
Mo Bonne-Nouvelle
Tél. 01 47 70 25 44
*Lundi-vendredi : 12 h-
14 h 30*

Des affiches du Père Ubu dans tous ses états. En cuisine, on décervelle les petits oignons, ou les champignons pour donner aux plats une « hénaurme » teinte de gastronomie française. Exemple : filet de saumon au coulis de tomate et crème à la pulpe de vanille et romarin sont au menu à 12 € (plat + dessert ou entrée). Menus complets à 13 et 14 €. Venir tôt ou retenir : l'endroit est bondé. **En cadeau, une carte postale à l'effigie du père Ubu avec le guide ou la carte.**

CHEZ PAPA

206 rue Lafayette (10ᵉ)
Mᵒ Louis-Blanc
Tél. 01 42 09 53 87
Tous les jours : 8 h-1 h

Pour sa « Boyarde »...

Dans un saladier se mêlent trois salades vertes, du fromage (cantal, roquefort), des pommes de terre sautées, deux œufs à la poêle et du jambon de pays. Cette succulence a pour nom « Boyarde complète », coûte 7,20 €, et est l'un des plats vedettes de l'établissement où l'on fait souvent la queue pour avoir une table. Formules à midi uniquement : 9,15 € (sauf dimanche et jours fériés). Omelette aux pleurottes : 9 €. Magret aux poireaux : 14,80 €. Foie gras poêlé au pain d'épice : 14,05 €.

AUTRES ADRESSES
- 29 rue de l'Arcade, 8ᵉ • Mᵒ Madeleine • Tél. 01 42 65 43 68
- 6 rue Gassendi, 14ᵉ • Mᵒ Denfert-Rochereau • Tél. 01 43 22 41 19
- 101 rue de la Croix-Nivert, 15ᵉ • Mᵒ Cambronne • Tél. 01 48 28 31 88

CHINATOWN BELLEVILLE

27-29 rue du Buisson-Saint-Louis (10ᵉ)
Mᵒ Belleville
Tél. 01 42 39 34 18
ou 01 42 38 19 28
Fax : 01 42 39 48 88
Tous les jours : 12 h-15 h, 19 h-2 h

Avec ou sans karaoké

Dans cet immense paquebot chinois (380 places) on choisira l'une ou l'autre salle selon que l'on est indisposé ou ravi par le karaoké. Les amateurs de chansonnette approximative apprendront qu'il y a là 9 000 titres disponibles. Les autres déjeuneront correctement (et chinois bien entendu) à prix d'ami : menus de 9 à 9,50 € à midi et de 17 à 31 € le soir (cantonais, thaïlandais, vietnamien ou vapeur).

LIPAYA

118 bd Magenta (10ᵉ)
Mᵒ Gare-du-Nord
Tél. 01 48 78 37 36
Lundi-samedi : 12 h-15 h, 19 h-23 h

Tradition et modernité

Déco minimaliste (et « moderne »), mais cuisine qui n'hésite pas à faire de l'œil à la tradition, avec quelques pointes d'innovation : filet de rouget, ravioles au basilic, sauté de crevettes aux pleurotes. Et pour ceux qui aiment : pavé d'autruche. Formule à 11 € le midi (entrée + plat + café) et 16 € le soir.

MONT SAINT-MICHEL

8 rue Lucien-Sampaix (10ᵉ)
Mᵒ Jacques-Bonsergent
Tél. 01 42 08 57 83
Tous les jours : 12 h-15 h, 19 h-23 h

Entre Caen et Alger

Entre couscous et escalope normande, le Mont Saint-Michel hésite. L'essentiel est qu'il n'y ait pas de mauvaise surprise et tout le monde sera content. Menus de 9 à 19,90 € (midi), de 12 à 19,90 € (soir). Air conditionné. Parking gare de l'Est. **Kir offert avec le guide ou la carte.**

POOJA

91 passage Brady (10ᵉ)
Mᵒ Château-d'Eau
ou Strasbourg-Saint-Denis
Tél. 01 48 24 00 83
Mardi-dimanche : 12 h-14 h 30, 19 h-23 h

Cuisine indienne (du Penjab) soignée

Le passage Brady, c'est l'Inde à Paris. Pooja, depuis 30 ans, y mitonne de délicieux samosas, des byriani de légumes traditionnels, un poulet tikka à se lécher les doigts, et une glace pistache et mangue particulièrement bonne. Des tables en terrasse permettent d'observer un va-et-vient exotique. Menu végétarien : 7,50 €. Menu traditionnel : 12 € (les deux à midi). Le soir, menus à 16,50, 21 et 26 €. A la carte, environ 25 €.

11ᵉ ARRONDISSEMENT

KAZAKI
Bortsch ? Da !

108 rue Amelot (11ᵉ)
M° Filles-du-Calvaire
Tél. 01 48 07 13 90
Fax : 01 48 07 15 16
www.membres.lycos.fr/
kazaki
*Mardi-vendredi : 12 h-
14 h 30, 19 h 30-0 h 30 ;
samedi-dimanche : 19 h 30-
0 h 30*

Si vous rêvez Russie, balalaïkas, caviar et goulasch, alors vous allez être servis : les saveurs de l'est de l'Oural sont ici au rendez-vous dans un cadre approprié. Les pirojkis côtoient les blinis qui voisinent avec le bortsch lequel n'est pas loin du bœuf Strogonoff. Assiette Kazaki aux cinq mini-vodkas : 22,60 €. Formule déjeuner : 9 et 10 €. Pour une grosse faim, on se rabattra plutôt sur le menu à 22,50 €. Vente à emporter. **Un verre de vodka maison offert avec le guide ou la carte.**

PIZZA SAN MAIKËL
Trattoria franco-italienne

13 rue de la Pierre-Levée
(11ᵉ)
M° République ou Goncourt
Tél. 01 43 57 34 63
*Lundi-samedi : 12 h-
14 h 30, 19 h-22 h 30*

Le décor ne paie pas de mine, mais la nourriture est bonne et copieuse. Et puis l'accueil de Samuel et la terrasse valent bien le déplacement dans cette trattoria franco-italienne. Menus de 9 à 11,50 €. **Un kir offert avec le guide ou la carte.**

SIZIN
Vers la Corne d'Or

36 rue du Faubourg-
du-Temple (11ᵉ)
M° République
Tél. 01 48 06 54 03
www.sizin-restaurant.com
*Lundi-samedi : 12 h-15 h,
19 h-23 h 30 ; dimanche :
19 h-0 h*

La Turquie en majesté : les pizzas comme à Istanbul côtoient les böreks et les mezze. La Corne d'Or n'est pas très loin, même si on est très vite ramené à la réalité locale par l'éléphant d'en face : celui du Palais des Glaces. Menu à 9,90 € à midi en semaine : c'est lui qu'on choisira. **Thé ou café turc offert avec le guide ou la carte.**

12ᵉ ARRONDISSEMENT

L'ATHANOR
Honneur au poisson

A
4 rue Crozatier (12ᵉ)
M° Reuilly-Diderot
Tél. 01 43 44 49 15
Fax : 01 43 44 47 95
*Lundi-samedi : 12 h-
14 h 30 ; mardi et samedi :
ouvert le soir, 19 h-minuit*

Un petit coin de Roumanie au cœur du 12ᵉ arrondissement : tout concourt au dépaysement, depuis le cadre (tapis, tentures et meubles chinés aux puces) et les plats typiques jusqu'à l'accent chantant de la patronne. Dans l'assiette, le poisson d'eau douce est à l'honneur (marmite aux cinq poissons, quenelles d'esturgeon au coulis de caviar, gratin d'écrevisses à la brousse fraîche, terrine de carpe aux épices). Formule déjeuner : 12 €. Menu surprise : 15 €. Menu « sauvagement roumain » : 23 €. Vodka aux paillettes d'or : 6 €. Parking rue de Rambouillet. **Verre offert avec le guide ou la carte.**

L'AUBERGEADE
Tradition française

A
17 rue de Chaligny (12ᵉ)
M° Reuilly-Diderot
Tél. 01 43 44 33 36
Fax : 01 44 75 30 68
*Tous les jours : 12 h-14 h,
19 h-22 h 30*

On s'y sent bien : poutres apparentes, murs jaunes ; sur le trottoir, une petite terrasse encadrée de beaux arbustes. Entre gens du quartier, on y vient déjeuner ou dîner de bons plats assaisonnés d'une pointe de fantaisie. La cuisine soignée ménage de bonnes surprises. Au menu déjeuner à 10,55 € (entrée, plat etdessert) : filet de sardines au basilic, brochettes d'agneau au lard servies avec des légumes, dont un excellent chou braisé, salade d'oranges au Grand Marnier. Menu dîner : 16,50 et 21,50 €. **Apéritif offert avec le guide ou la carte.**

L'ÉBAUCHOIR

43-45 rue de Cîteaux (12ᵉ)
Mº Faidherbe-Chaligny
Tél. 01 43 42 49 31
*Mardi-samedi : 12 h-
14 h 30, 20 h-23 h*

Cuisine raffinée

L'un des meilleurs restaurants du quartier. Et l'un des plus courus évidemment. Le « petit » menu à 13 € est déjà d'un étonnant raffinement. Autre menu à 17 €. Le soir, les prix font la culbute : il faut alors compter 25 € au minimum.

L'ENCRIER

55 rue Traversière (12ᵉ)
Mº Ledru-Rollin
Tél. 01 44 68 08 16
*Lundi-samedi : 12 h-14 h 15,
17 h 15-23 h (fermé samedi
midi)*

Un généreux Français

Poutres apparentes, chaises paillées. Dès l'entrée, le patron sourit. Premier menu de midi à 11 € : salade de cœurs de canards confits, duo de poissons en sauce à la mangue, fromage ou dessert. Si la salade s'étiole un peu, les cœurs de canards sont abondants et raisonnablement goûteux. De même pour les filets de poissons en sauce (originale, légère, rose et blanche), qu'enjolive un riz aux couleurs variées. Je renonce aux sucreries (tartes, profiteroles...) pour une généreuse assiette de trois fromages agrémentés de salade verte. Le patron sourit toujours : cet homme est mon dessert. Café : 1,80 €. Le soir, formules à 15, 16 et 19 €.

LA TABLE DU MARQUIS

3 rue Beccaria (12ᵉ)
Mº Reuilly-Diderot
Tél. 01 43 41 56 77
*Mardi-samedi : 12 h-14 h,
19 h 30-22 h*

Marquis gourmet

Le chef qui a connu, en d'autres lieux, les étoiles du Michelin, nous propose, dans une belle salle où l'on ne se bouscule pas, de la joue de cochon ou du filet de perche dans deux menus à 12,50 et 15,50 € le midi. Le soir, on change de gamme et ça devient carrément gastronomique. Et plus cher aussi (compter 22 €), mais toujours excellent.

13ᵉ ARRONDISSEMENT

L'AVANT-GOÛT

26 rue Bobillot (13ᵉ)
Mº Place-d'Italie
Tél. 01 53 80 24 00
*Mardi-vendredi : 12 h-14 h,
19 h 30-23 h*

En venant de chez Guy Savoy

Christophe Beaufront, ex de chez Guy Savoy, est aux fourneaux. Ce qui donne, selon les saisons, un paradisiaque pot-au-feu de cochon aux épices, une dorade rôtie à l'arête, purée au romarin, un bon petit caviar de champignons. Ou encore au petit menu de midi : un simple gigot flageolets qui restitue des saveurs oubliées. A midi, menu du marché à 11 €, verre de vin et café compris. Menu-carte (une bonne formule) à 26 €. Plat : 14 €. Toujours bondé, n'oubliez pas de réserver pour venir en soirée.

BANGKOK THAÏLAND

35 bd Auguste-Blanqui
(13ᵉ)
Mº Corvisart
Tél. 01 45 80 76 59

Sagesse et plats thaï

Les murs de cet amusant petit restaurant exhortent à la sagesse avec des sentences qu'il convient de méditer entre les plats car on est également là pour manger. Simple, mais très authentique. Spécialités

Fax : 01 45 80 99 37
*Mardi-samedi : 12 h-
14 h 30, 19 h-23 h*

autour de 7,50 €. Menu à midi : 10 € (bœuf basilic,
porc aux épices thaï). Menu soir : 19 €. **Café offert avec le guide ou la carte.**

LA CHAUMINE NORMANDE   *L'escalope réhabilitée*

22 rue du Moulin-des-Prés
(13ᵉ)
Mº Place-d'Italie
Tél. 01 45 80 79 23
*Lundi : 18 h 45-22 h 15 ;
mardi-samedi : 11 h 45-
14 h 15, 19 h-22 h 15*

Une enseigne vouée à la réhabilitation de la (vraie)
escalope normande. Menus (normands et du Sud-
Ouest) de 9 à 22 €. Pichet de cidre : 3,80 €. Pour
les grandes occasions (ou les grosses faims) : menu
gourmand à 32 €, apéritif et vin compris. Parking
Italie 2.

CHEZ GLADINES   *Les copains d'abord*

30 rue des Cinq-Diamants
(13ᵉ)
Mº Place-d'Italie
Tél. 01 45 80 70 10
*Tous les jours : 9 h-2 h
(restaurant : 12 h-15 h,
19 h-0 h en semaine,
et 12 h-15 h 30, 19 h-
0 h 30 le week-end)*

Totale réussite que ce bistrot-cantine très « copains
du quartier ». Certainement une des meilleures
adresses de la Butte-aux-Cailles. Ça ne désemplit
pas le, le week-end, on risque d'attendre pour avoir
une place. Spécialités basques ou du Sud-Ouest.
Piperade : 7 €. Chipiron à la biscaïna : 10 €.
Menu : 10 € (midi). Pas de carte bleue (hélas...).
Parking Italie 2.

LES DÉCORS   *Vive les morilles*

18 rue Vulpian (13ᵉ)
Mº Glacière
Tél. 01 45 87 37 00
Fax : 01 55 43 83 25
*Lundi : 12 h-14 h 30 ; mardi-
samedi : 12 h-14 h 30,
19 h 30-22 h 30*

Morilles, truffes et foie gras parsèment pas mal de
plats de cet agréable bistrot au décor minimaliste
(d'où le nom de l'enseigne ?), doté d'une agréable
terrasse et d'une vraie salle non-fumeurs. A essayer :
le papet à la vaudoise, une spécialité suisse. Menus
de 9,80 à 24,50 €. **Café offert avec le guide
ou la carte.**

L'ESPÉRANCE   *Un bistrot de campagne*

9 rue de l'Espérance (13ᵉ)
Mº Corvisart
Tél. 01 45 80 22 55
*Tous les jours : 11 h 45-
14 h 30, 19 h-23 h*

Dans une rue montant à la Butte-aux-Cailles, l'hôtel
Espérance tient resto ouvert au rez-de-chaussée. Des
nourritures simples, servies sans chichi, avec un
grand sourire, et dont les caractéristiques sont : c'est
bon, c'est abondant. Exemple : museau vinaigrette
reposant sur une salade presque entière, faux-filet
grillé (excellent) et frites, tarte maison meringuée au
citron, un carafon de vin : 9,60 €. Bondé à midi.
Kir offert avec le guide ou la carte.

MEI KWAI LOU   *Chinois reposant*

1 rue du Moulinet (13ᵉ)
Mº Tolbiac ou Place-d'Italie
Tél. 01 45 80 09 95
*Lundi-samedi : 12 h-14 h 30,
19 h-22 h 30*

Un havre de paix où la cuisine cantonaise et les
« dim sum » (cuisine vapeur) sont à l'honneur. Plateau repas : 5,90 €. Assortiment de rôtisserie pour
deux personnes : 18 €. Assortiment de quatre hors-
d'œuvre : 8,60 €. Parking Italie 2. **Remise de
10 % avec le guide ou la carte ou cocktail
maison offert.**

ORCHIDÉE VILLA   *Chinois en cube*

44-46 av. de Choisy (13ᵉ)
Mº Porte-de-Choisy

Sur une dalle de béton, un cube sans grâce. Tout
s'éclaire dès que l'on rentre. Le cadre est charmant

Tél. 01 45 82 18 81
ou 01 45 82 19 09
*Lundi-vendredi : 12 h-
14 h 30, 19 h-23 h 30 ;
samedi : 12 h-15 h 30,
19 h-23 h 30*

et dans les assiettes (formule buffet à volonté) mets chinois et vietnamiens se bousculent avec bonheur. Formule à 9 € le midi (en semaine) et 11,43 € le week-end et le soir.

PAPAGALLO   *Du soleil dans l'assiette*

25 rue des Cinq-Diamants
(13°)
M° Corvisart ou Place-
d'Italie
Tél. 01 45 80 53 20
ou 01 45 88 66 02
*Tous les jours : 18 h 30-2 h
du matin*

La cuisine du soleil : une pincée de Provence (sardines et poissons grillés), un zeste d'Espagne (tapas), un rien de Mexique (guacamole, chili) et le vent des îles (colombo). Moyennant quoi, on garde le sourire en piochant dans l'assiette, et même en payant l'addition (menu à 10 €). Parking boulevard Blanqui.

TIEN HIANG   *Spécial alter-mondialistes*

20-22 rue Nationale (13°)
M° Porte-d'Ivry
Tél. 01 45 82 99 54
*Mercredi-lundi : 11 h 30-
22 h*

Un Chinois végétarien et non-fumeur, c'est rare. Qui garantit que son soja est sans OGM ce l'est également. Tofu à la sauce piquante : 4,12 €. Rouleau impérial : 2,60 €. Gluten sauté aux légumes : 5,35 €. Mais les « carnivores » ne sont pas oubliés : bœuf à base de protéine de soja texturée, à la sauce saté : 4,90 €. Menus à 9 et 9,50 €. Déconseillé aux carnivores tendance bœuf…

14° ARRONDISSEMENT

LE 14 JUILLET   *Bons petits vins*

99 rue Didot (14°)
M° Plaisance
Tél. 01 40 44 91 19
*Tous les jours : 12 h-15 h,
19 h-23 h*

« Noces et banquets » annonce plaisamment la devanture. En fait de banquet, on se régalera (en saison) d'un civet de sanglier et, à tout moment, du steak d'espadon au gingembre, qu'on arrosera d'un vin tiré de l'excellente cave, axée sur les vins du Sud-Ouest ou des Côtes-du-Rhône. Menu à 10,52 € le midi. Climatisation.

L'AQUARIUS   *Végétarien*

40 rue de Gergovie (14°)
M° Plaisance ou Pernety
*Lundi-samedi : 12 h-14 h 15,
19 h-22 h 30*

Les délices végétariennes de ce restaurant se nomment lasagnes aux pleurottes, quenelles au pistou, rôti aux noix et aux champignons, ou jus de légumes frais. Menu à 11 € (midi), 15 € (soir) et plats du jour de 7,50 à 11,50 €. **Apéritif maison offert avec le guide ou la carte.**

AU RENDEZ-VOUS DES CAMIONNEURS   *Tradition oblige*
(CHEZ CLAUDE ET MONIQUE)

34 rue des Plantes (14°)
M° Alésia ou Pernety
Tél. 01 45 40 43 36
*Lundi-vendredi, sauf jours
de fêtes : 12 h-14 h 30 ;
19 h 30-21 h 30*

Pas plus de camionneurs que d'eau soluble, mais quelques ravissants exemplaires de l'agence de mannequins Elite voisine. Une nourriture qui tient au corps (tendron de veau bonne femme à 8,80 €, pot-au-feu à 9 €, gigot de sept heures à 9,50 €) à déguster au choix dans la salle ou sur la terrasse, aussi petites l'une que l'autre. Menu : 12,50 €. Parking avenue du Maine.

FROMAGES ROUGES

8 rue Delambre (14ᵉ)
M° Vavin
Tél. 01 42 79 00 40
*Mardi-samedi : 9 h-12 h,
14 h-19 h ; dimanche :
8 h 30-13 h 30*

Assiette de fromages

Mon premier est une tomme d'Abondance, mon deuxième un banon de Provence, mon troisième un chaource de Champagne, mon quatrième un Maroilles de Thiérache. Et mon tout : une assiette de sept fromages à goûter, différents selon les saisons et qui vont du plus faible en goût au plus fort. L'assiette coûte 12 €. En voilà une bonne leçon.

15ᵉ ARRONDISSEMENT

AL ARICHA

161 rue de Vaugirard (15ᵉ)
M° Pasteur ou Falguière
Tél. 01 44 49 98 97
Tous les jours : 7 h-23 h

Spécialités libanaises

Un petit restaurant agréable, au décor (récemment changé) ocre et bordeaux soigné et dont la sélection de mezzés est bien choisie. Des mises en bouches succulentes sont offertes, puis le patron vous proposera le menu (11,50 €) afin de goûter davantage de spécialités. Les brochettes sont subtilement épicées. En dessert, la crème légère à la fleur d'oranger et écrasée de pistache est délicieuse et le thé à la menthe servi en théière. Plat du jour à 7,90 €. 4 € par mezzé à la carte.

AU MÉTRO

18 bd Pasteur (15ᵉ)
M° Pasteur
Tél. 01 47 34 21 24
*Lundi-samedi : 6 h-2 h
du matin*

Portions de rugbymen

Les rugbymen ont de l'appétit, c'est bien connu. Et comme ils constituent le fond de clientèle de l'endroit, les portions sont conséquentes. Et comme en outre, elles sont bonnes, on ne boudera pas son plaisir en s'attaquant au foie gras, au cassoulet, au confit de canard ou au gâteau basque. Formule à 14 €, menu à 21 €.

AU PASSÉ RETROUVÉ

13 rue Mademoiselle (15ᵉ)
M° Commerce
Tél. 01 42 50 35 29
*Lundi-vendredi : 12 h-14 h,
20 h-22 h ; samedi : 20 h-
22 h*

Spécialités du Sud-Ouest, Lot et Dauphiné

On vient en client, on revient en ami pour cette cuisine de terroir revisitée chaque jour suivant l'humeur du chef. Splendides spécialités maison : mousse de chèvre, ravioles au basilic, magret de canard au miel, chou farci braisé, tresse aux trois viandes grillées et somptueux mille feuilles de pain d'épices glacé. Très belle cave. Chaque mois un vin de propriété est à l'honneur. Une vraie cuisine de chef à prix de cantine chic à midi. Menus : 12 et 15 €. Compter de 35 à 40 € à la carte. Autre surprise : carte et menus sont en alexandrins !

AUX ARTISTES

63 rue Falguière (15ᵉ)
M° Pasteur
Tél. 01 43 22 05 39
*Lundi-vendredi : 12 h-
14 h 30, 19 h 30-24 h ;
samedi : 19 h 30-24 h*

Bœuf strogonoff

Le patron a de l'imagination : son « rêve de jeune fille » (un dessert) est à découvrir. Et les murs ont du talent : les peintres du quartier viennent régulièrement y exposer. Pour le reste, c'est-à-dire l'essentiel, on goûtera au bœuf strogonoff ou bourguignon accompagnés d'un honnête Côtes-du-Rhône à 6,10 €. Formule (midi) à 9,20 €. Menu à 12,50 €.

LE BARGUE

4 rue Bargue (15ᵉ)
M° Volontaires

Cuisine de famille

Pas facile à trouver, mais la recherche se mérite : agréable cuisine familiale, sans chichi et à prix tout

Tél. 01 47 34 00 96
Lundi-vendredi : 7 h 30-22 h

doux. Les grillades (9,50 €) et le couscous (de 9 à 13 €) sont les deux mamelles de la maison. Menus à 10 et 13 €. **Apéritif ou café offert avec le guide ou la carte.**

LE BISTROT D'ANDRÉ
La cuisine de mamie

232 rue Saint-Charles (15ᵉ)
Mº Balard
Tél. 01 45 57 89 14
Fax : 01 45 57 97 15
*Lundi-samedi : 12 h-14 h 45,
19 h 45-22 h 30*

Un îlot de nostalgie (et de bonne cuisine) dans un environnement « bétonnier » (et de repas vite et mal faits). Décor brasserie, cuisine (et prix) de grand-maman. On se sent bien chez André (Citroën...). Menu midi (du lundi au vendredi) : 12 €. Confit de canard, pommes sautées : 12 €. Tripous de l'Aveyron et pommes vapeur : 11 €. Menu enfant : 7 €. Parking André-Citroën (évidemment...) rue Leblanc. **Apéritif maison offert avec le guide ou la carte.**

CHEZ FRANÇOIS
Appétissantes assiettes

106 rue Saint-Charles (15ᵉ)
Mº Charles-Michels
Tél. 01 45 77 51 03
*Lundi-samedi : 12 h-15 h,
19 h-22 h*

L'ivresse, ici, vaut mieux que le flacon. Entendez par là que le contenu de l'assiette est plus appétissant que le décor. Pour 13 €, vous aurez droit à la formule complète (entrée + plat + fromage + dessert+ boisson au choix). Également menus à 18,50 et 21 € : la mousse de foie de canard précède le filet de bœuf aux girolles auquel succède le soufflé glacé au Grand Marnier. Climatisation l'été. **Kir maison offert avec le guide ou la carte à partir de 13,50 €.**

TROPIC BEAUGRENELLE
Spécialités de l'Ile Maurice

8 rue Beaugrenelle (15ᵉ)
Mº Charles-Michels
Tél. 01 45 75 09 76
*Lundi-samedi : 12 h-15 h,
19 h 30-23 h*

Une excellente adresse où la maîtresse des lieux, tout sourire, vous reçoit en invité. Tout, ici, est fait maison : buffet d'entrées (aux menus midi : 12 ou 16 €), assiette végétarienne, assaisonnements et pâtisseries (exquises) sont servis selon vos goûts et désirs. Rougailles et currys, surtout au poisson et crevettes, sont sublimes. Très beau menu mauricien à 20 € avec accras et apéritif. Magnifique carte de portos de propriété.

16ᵉ ARRONDISSEMENT

LA BRETAGNE À PASSY
Où est la Bretagne ?

13 rue Duban (16ᵉ)
Mº La Muette
Tél. 01 46 47 74 97
Lundi-samedi : 8 h-15 h 30

Une clientèle d'habitués se bouscule pour venir goûter au couscous le vendredi et le samedi. Les autres jours, elle se rabat sur des plats plus traditionnels tels la paëlla. Où est la Bretagne là-dedans, je vous le demande ? Menu à 11 €. Plat du jour autour de 8,50 €.

LA CANTINE RUSSE, CONSERVATOIRE SERGE-RACHMANINOV
Musique et gastronomie

26 av. de New-York (16ᵉ)
Mº Alma-Marceau
Tél. 01 47 20 65 17

La célèbre cantine propose toujours sa formule à 12 € (plat du jour + dessert + café) et un menu à 19 €. Bortsch Pirojki : 7,20 €. Pojarski : 10 €.

Fax : 01 47 20 08 06
*Lundi-samedi : 12 h-14 h,
20 h-22 h (fermé le lundi
de mai à septembre)*

Vatrouchka : 6,10 €. Air conditionné. Parking rue de la Manutention. **Vodka offerte avec le guide ou la carte.**

CHEZ CHARBEL

Spécialités libanaises

165 av. de Versailles (16ᵉ)
Mᵒ Exelmans
Tél. 01 45 25 57 58
*Lundi-samedi : 12 h-14 h,
19 h-22 h 30*

Une brasserie. Un menu très copieusement servi, avec des attentions (pain gardé au chaud). Les classiques (faits tout de suite sur place) déclinés : caviar d'aubergine, houmous, moussaka... Aubergines à la viande, poulet au citron-coriandre-pignons-cardamome, kafti... Au menu déjeuner à partir de 11,50 € : un verre de vin, deux petites entrées, plat du jour, dessert. Plat du jour à midi : 9,91 €. Le soir, menu à partir de 19 €. A la carte : environ 20 à 22 €.

PALETTE DE COURBET

Toutes les couleurs du Liban

14 rue Gustave-Courbet
(16ᵉ)
Mᵒ Victor-Hugo
Tél. 01 47 27 45 32
www.palettedecourbet.com
*Lundi-samedi : 12 h-14 h 30,
19 h-22 h 45 (fermé samedi
midi)*

Sur la palette de Courbet s'étalent toutes les couleurs du Liban. Aux traditionnels mezzés s'ajoutent les spécialités maison de brochettes, kibbé et surtout le chawarma, émincé de viande aux sept épices douces. L'atayef, crêpettes à la crème, pistaches et fleurs d'oranger, est sublime. Remarquable carte de boissons libanaises : Arak, Jellab (apéritif au sirop de date), bières et vins de propriété dont un superbe Kefraya et nectar de Kefraya. Menus à 9,50 ou 12,50 € (midi). 22 € à la carte. Mezzé (assortiment de dix hors-d'œuvre froids et chauds) : 18 € par personne. Traiteur.

17ᵉ ARRONDISSEMENT

AUX ÎLES DES PRINCES

Börek et baklavas

96 rue de Saussure (17ᵉ)
Mᵒ Villiers ou Wagram
Tél. 01 40 54 01 03
*Lundi-samedi : 12 h-14 h 30,
19 h-23 h*

Le contraste est saisissant entre le décor des lieux, pierres apparentes, lumières tamisées, toiles contemporaines et le contenu des assiettes, tout à fait turc : le börek y côtoit le baklava, le mea tabagi et le muammara arrosés d'un vin turc un peu épais mais pas mauvais. Menu : 11,50 € (midi) ou 15 € (soir). Menu gastronomique : 22,50 €. **Apéritif offert avec le guide ou la carte.**

CHEZ TEUF

Salades jazzy

117 rue des Dames (17ᵉ)
Mᵒ Villiers
Tél. 01 43 87 63 08
*Lundi-vendredi : 12 h-
14 h 30, 19 h-23 h ;
samedi-dimanche : 19 h-
23 h*

Dans une ambiance jazzy, les salades trônent, omniprésentes (ou presque) sur les tables. On pourra les accompagner d'une garbure, d'un cassoulet ou d'un magret. Des colombages au rez-de-chaussée et des voûtes à la cave. C'est petit, familial et sympa. Pour 9 et 10 €, on aura droit, le midi (week-end exclus), à deux menus comprenant une entrée, un plat et un café.

L'ESCAPADE

L'Océan séant

48 rue de la Jonquière
(17ᵉ)
Mᵒ Guy-Môquet

Du bleu aux murs, des images marines, des flotteurs de verre... On devine chez les patrons de ce restaurant comme une aspiration maritime. Normal pour

Tél. 01 42 29 12 64
*Mardi-samedi : 12 h-14 h,
19 h 30-23 h (hiver) ; tous
les jours en été*

des Rochelais d'origine qui nous accueillent avec des fruits de mer, bulots et autres huîtres qu'on arrosera d'un verre de vin charentais comme ce rafraîchissant Plantis des Vallées (2,60 €). La terre ferme n'est pas absente. Témoins, ces escargots farcis au beurre persillé (6,50 €) ou ce rôti de veau farci et ses pommes tambour (8,40 €). Formules du jour (midi et soir) à 8,50 et 11 € (menu complet). Une cuisine toute simple à prix attrayants.

L'ESCAPADE   *Un bon bistrot français*

36 bd des Batignolles (17ᵉ)
Mᵒ Place-de-Clichy ou Rome
Tél. 01 45 22 51 77
*Lundi-samedi : 12 h-14 h 30,
19 h-22 h 30*

Un cadre cosy, murs couverts de bois, cuivres et tableaux. Le service, rapide, est accueillant. On peut, cependant, préférer se servir seul avec la formule buffet de hors-d'œuvres à volonté + dessert et café (9,90 € et à midi seulement). A moins qu'on ne préfère une simple grosse salade à 7,50 € ou le menu « Escapade » à 12 €.

L'ÉTOILE VERTE   *Esperanto et pas cher*

13 rue Brey (17ᵉ)
Mᵒ Charles-de-Gaulle-Étoile
Tél. 01 43 80 69 34
Fax : 01 43 80 05 69
www.etoile-verte.fr
*Tous les jours : 11 h 30-
15 h, 18 h 30-23 h*

Ce restaurant, créé en 1951, fut le point de rencontre des charmants utopistes pratiquant l'Esperanto et dont le symbole était une étoile verte. La générosité n'a pas quitté les lieux et se manifeste dans la modicité du prix du copieux menu (servi à midi) : 11,50 € (une exception dans ce quartier inabordable) et dans le sourire qui l'accompagne. Autres menus, carrément gastronomiques, à 18 et 25 €. Air conditionné. Parking avenue Mac-Mahon et avenue Wagram. **Kir offert avec le guide ou la carte.**

LA GRANDE BLEUE   *Kabyle et œcuménique*

4 rue Lantiez (17ᵉ)
Mᵒ Guy-Môquet
ou Brochant
Tél. 01 42 28 04 26
*Lundi-vendredi : 12 h-
14 h 30, 19 h 30-22 h 30 ;
samedi : 19 h-22 h*

Kamounia, méchouia, chokba en entrées ; tagines variés, crêpes berbères et couscous de bonne tenue (dont un couscous d'orge rare à Paris et un couscous boulettes de viande à la coriandre et à la menthe). De la peinture au mur (réalisée par Hamid, le patron himself !), des débats artistiques avec les clients et de la gentillesse en salle. Soirées à thèmes « zodiaque ». Menu à 9,50 € (midi). Le soir, compter 15 €. Couscous d'orge : de 9,45 à 13,72 €. **Remise de 10 % avec le guide ou la carte.**

JOY IN FOOD   *Rave partie*

2 rue Truffaut (17ᵉ)
Mᵒ Place-de-Clichy ou Rome
Tél. 01 43 87 96 79
*Lundi-vendredi : 12 h-
14 h 30*

Raves, légumineuses, cucurbitacées... toutes se plient aux volontés de Naéma, chef et patronne de ce restaurant végétarien. Ici tout est frais, tout est sain. Les légumes bios osent d'audacieuses combinaisons. Naéma sait marier comme personne les épices. Le menu plat-dessert (11 €) permet d'aller du mélange épeautre-boulgour-riz-légumes vers la tarte pommes-raisin-cannelle-dates. Autre menu à 14 €. Possibilité d'ouvrir le soir pour les groupes à partir de 15 personnes. **Une boisson offerte avec le guide ou la carte.**

LE NOVA   *Chez grand'maman*

82 av. de Clichy (17e)
M° La Fourche
Tél. 01 45 22 78 91
Lundi-samedi : 7 h-23 h

Le bourguignon, le pot-au-feu, le confit de canard ressemblent très exactement aux plats que nous mitonnait grand'mère. La viande rouge y est excellente, les desserts maison et le cadre agréable. Menus à 8,30 et 10,50 €. **Café offert avec le guide ou la carte.**

LE PETIT VILLIERS   *A la bonne franquette*

75 av. de Villiers (17e)
M° Wagram
Tél. 01 48 88 96 59
*Tous les jours : 12 h-
14 h 30, 19 h-23 h*

Un petit air de famille au cœur du quartier des affaires de la Plaine Monceau. Nappes à petits carreaux rouges, chaises en paille, terrasse sur l'avenue. Menus très étudiés à 10,60 € (terrine de lotte au poivre vert très réussie), 12 € (vacherin avec coulis de framboise), 16,50 € et plats du jour appréciables : rognons de veau sauce moutarde, dos de saumon à l'huile d'olive.

SEÇ   *Du côté d'Ankara*

18 rue Jouffroy-d'Abbans
(17e)
M° Wagram
Tél. 01 42 67 68 65
*Lundi-samedi : 12 h-15 h,
19 h-23 h ; dimanche :
19 h-23 h*

La cuisine turque, vous connaissez ? Tomates écrasées à l'ail, brochettes de poulet, mezzes, agneau grillé au yaourt : de quoi satisfaire d'honnêtes faims surtout lorsque le menu de midi est à 10 ou 13 €. Le pain est fait maison et le sourire du patron est en prime. Le soir, compter de 18 à 21 €. Et goûter, si on en a le temps, à l'imam Bayildi (traduction : l'imam s'est évanoui de bonheur devant la succulence du mets). **Apéritif offert avec le guide ou la carte.**

WEST SIDE CAFE   *Sa majesté le bagel*

34 rue Saint-Ferdinand
(17e)
M° Porte-Maillot
ou Argentine
Tél. 01 40 68 75 05
Fax : 01 44 09 91 04
www.westsidekitchen.com
*Lundi-samedi : 11 h 30-
15 h 30*

Le sandwich considéré comme une œuvre d'art : du bagel (le petit pain rond avec son trou) au westsider (pain aux oignons) en passant par le basic, le special et le melt, ils témoignent tous d'une certaine recherche. Ici, fast food rime (pour une fois...) avec good food. Sans doute les meilleurs bagels de Paris. Bien sûr, ce n'est pas donné. Mais de 9 € le menu « basic » (sandwich, cookie et boisson) à 12,80 € le menu « westsider » (sandwich chaud, boisson, cookie), il y a beaucoup de choix. Également des salades composées de 8 à 10 €. En face, au 37, le « westside kitchen », boutique de produits à emporter. Livraison gratuite, à partir de 12,20 €, dans le 8e, le 16e, le 17e et à Neuilly. Parking rue Brunel.

18e ARRONDISSEMENT

LA CHOPE DE LA MAIRIE   *Tope là*

88 rue Ordener (18e)
M° Jules-Joffrin
Tél. 01 46 06 46 14
*Lundi-samedi : 12 h-15 h,
19 h-minuit ; dimanche :
12 h-15 h*

Bonne petite cantine familiale où se côtoient dans l'assiette foie gras sur toast, confit de canard, escargots et côte de bœuf sauce foie gras. Formule à 12,10 €, menu à 14,50 € et plat du jour à 8,30 € le midi. Les habitués sont légion car l'adresse est connue dans le quartier. Et pour cause...

L'ÉTOILE DE MONTMARTRE

26 rue Duhesme (18ᵉ)
Mᵒ Lamarck-Caulaincourt
Tél. 01 46 06 11 65
Tous les jours (sauf mardi) :
12 h-14 h 15

L'accessible Étoile

Voilà des lustres que cet astre guide les gens du quartier. Un bistrot-resto centenaire tenu par des Napolitains souriants et consciencieux. La cuisine est irréprochable dans sa catégorie qu'il s'agisse des entrées en libre-service, du bœuf bourguignon, de l'andouillette et son gratin d'épinards ou de la tarte aux poires ou du riz au lait. Les prix sont loin d'être astronomiques. Compter 6,50 € pour le plat du jour seul ; 10 € pour la formule entrée-plat-dessert ou fromage. Ajoutez 1,50 € pour un quart de rouge et 1,40 € pour un café. Bravo !

NEZBULLON

20 rue La Vieuville (18ᵉ)
Mᵒ Abbesses
Tél. 01 53 41 00 21
Fax : 01 53 41 03 10
www.nezbullon.com
Lundi-samedi : 12 h-14 h,
19 h-22 h 30

Tartiflette et cocktail Aquarium

Pascal a abandonné les tours de cartes pour ne se consacrer qu'à ses fourneaux. Sa tartiflette à 7,50 € est toujours aussi appréciée tout comme le cocktail Aquarium (9 € pour trois ou quatre personnes) où nagent des poissons en bonbons. Formule à 11 € (plat + dessert).

NO PROBLEMO

21 rue André-del-Sarte
(18ᵉ)
Mᵒ Anvers ou Château-Rouge
Tél. 01 42 54 39 38
Tous les jours : 11 h-2 h
du matin (fermé le dimanche
d'octobre à janvier)

Au pied des escaliers

Une denrée rare : un restaurant au pied des escaliers de la Butte qui n'est pas un piège à touristes. On y mange une sympathique cuisine de bistrot (plat du jour de 12 à 14 €, tartare à 15 et 17 €) dans un cadre tout à fait agréable. Formules à 11 et 13 €. **Café offert avec le guide ou la carte.**

RENATO

117 rue Ordener (18ᵉ)
Mᵒ Jules-Joffrin
Tél. 01 42 64 71 92
Lundi-samedi : 5 h 30-2 h
du matin

Un Calabrais bien parisien

Ce café-restaurant de quartier propose un menu (entrée, plat, dessert) à 9,90 €. Le plat direct est à 7,60 €. La cuisine familiale trahit parfois les origines du patron Renato. Les entrées sont à volonté avec poivrons marinés, tomates sèches et mozzarella, les plats accompagnés de légumes frais ou de frites maison. Le café est excellent et l'on pourra déguster une grappa en guise de digestif.

19ᵉ ARRONDISSEMENT

BAR FLEURI

1 rue du Plateau (19ᵉ)
Mᵒ Buttes-Chaumont
ou Jourdain
Tél. 01 42 08 13 38
Lundi-samedi : 6 h 30-21 h

Merci mamy

Un chaleureux petit troquet de quartier où la faïence aux murs date du début de siècle dernier. La cuisine est (à peine) plus moderne : une cuisine de grand-mère comme on les aime et dont les prix tournent autour de 10 €. **Café offert avec le guide ou la carte.**

CHEZ VALENTIN

64 rue Rébeval (19ᵉ)
Mᵒ Belleville
Tél. 01 42 08 12 34

D'Argentine et d'ailleurs

Ce Valentin là n'a rien de désossé. On y déguste de la cuisine franco-argentine (chimichuri, pedrito, quesadillas) aux sons d'une musique argentine, elle

Lundi-vendredi : 12 h-15 h, 20 h-23 h ; samedi : 20 h-23 h

aussi, qui n'endommage pas les tympans. Le midi : menus à 11,40 ou 13,70 €. Le soir on mange à la carte.

20e ARRONDISSEMENT

LA BOULANGERIE
La tradition à Ménilmontant

15 rue des Panoyaux (20e)
M° Ménilmontant
Tél. 01 43 58 45 45
www.restaulaboulangerie. com
Lundi-vendredi, et dimanche : 12 h-14 h, 19 h 30-23 h (jusqu'à 24 h le vendredi et le dimanche) ; samedi : 19 h 30-24 h

Décor à l'ancienne genre murs à fleurs et boiseries, un agréable penchant pour la tradition : on mange bien à partir de 11 € (le midi), avec une formule entrée + plat ou plat + dessert, une cuisine classique relevée d'originalité. Ex : cuisse de pintade au sirop d'érable et menthe. Le soir, menu à l'ardoise à 18 €. Compter 23 € à la carte. Bons vins à 3 € le verre, 14 € la bouteille. Brunch le dimanche à 14 € (8,50 € pour les moins de 8 ans). **Apéritif ou digestif maison offert le soir avec le guide ou la carte.**

LE SAINT-BLAISE
Pour les gros appétits

58 rue Saint-Blaise (20e)
M° Porte-de-Montreuil
Tél. 01 43 70 85 57
Lundi-samedi : midi seulement (12 h-16 h)

Café-bar-loto-brasserie... Le décor, anonyme, est corrigé par la gentillesse du patron. En cuisine, Gargantua sert les portions à la louche. Ce n'est pas gastronomique mais on repart l'estomac plein jusqu'au lendemain matin. Menu à 8,40 € avec entrée, plat (délicieux faux-filet avec frites), énorme mousse au chocolat maison.

TAKICHI
Tokyo sur Cher

7 rue du Cher (20e)
M° Gambetta
Tél. 01 47 97 03 96
Lundi-samedi : 12 h-14 h 30, 19 h-23 h

Un Japonais qui ne se pousse pas du col, où l'on retrouve l'habituelle litanie yakitori (10 €), sashimi ou sushi (18 €), parfaits ambassadeurs de la gastronomie du Soleil Levant. Menus à 11, 23 et 39 € (pour deux personnes). Une bonne adresse de quartier.

VIA CURTI
Naples dans le 20e

79 rue de la Plaine (20e)
M° Maraîchers
Tél. 01 43 73 22 78
www.viacurti.com
Lundi-vendredi : 7 h 30-23 h ; samedi : 19 h-22 h 30

Le soleil est entré dans la trattoria à travers le store turquoise. A l'intérieur, des photos de Toto, le grand comique napolitain, une clientèle italienne jeune et du jazz susurré. A la carte, des spécialités de poisson. Thon grillé à l'huile parfumée au café ou friture de seiche : 13,50 € ; pâtes aux langoustines : 12,50 €. Plus modeste, un excellent menu à midi à 10 € avec entrée, plat, dessert (exemple : mortadelle, penne à la Bolognaise, gâteau de chocolat maison). Delicioso !

LE VIEUX BELLEVILLE
Sauté de veau et musette

12 rue des Envierges (20e)
M° Pyrénées
Tél. 01 44 62 92 66
Lundi-vendredi : 10 h 30-15 h ; jeudi-samedi : 18 h-2 h du matin

Joseph au fourneau fricote une cuisine « à maman » traditionnelle et sans chichis. Le midi, les clients ont droit au menu avec une terrine de hareng à volonté, du sauté de veau ou, le vendredi, le poisson du marché, frais comme un Jésus. Soirées musicales le jeudi (Riton la Manivelle à l'orgue de Barbarie), le vendredi et le samedi (soirée musette). Menus de 10 à 10,80 € (midi). Le soir, compter 20 à 25 € à la carte (sans la boisson).

➔ RESTAURANTS de 13 à 20 €

Les catégories de prix reposent sur des critères bien précis. Nous avons pris en compte le menu le moins cher comportant une entrée, un plat et un fromage ou un dessert, boisson non comprise. A défaut de menu, c'est le prix moyen à la carte qui intervient. Ainsi, pour un restaurant classé dans la catégorie de 13 à 20 €, est-on sûr de faire un repas complet à moins de 20 €. Dans ce même restaurant, il peut cependant y avoir une formule à 11 ou à 12 € comportant simplement un plat et un dessert. Il peut également y avoir d'autres menus à plus de 20 €. Et le prix moyen à la carte peut, lui aussi, être plus élevé.

1ᵉʳ ARRONDISSEMENT

BAAN THAÏ   *Bangkok-sur-Seine*

13-15 rue de la Ferronnerie (1ᵉʳ)
Mº Châtelet-Les Halles
Tél. 01 42 33 85 25
Lundi-samedi : 12 h-14 h 30, 19 h-23 h

L'un des meilleurs thaïlandais de Paris. Service charmant dans la belle salle voûtée, meublée avec goût, ou l'été sur la terrasse. Sa-tey mon (brochettes de porc grillé, sauce satey) : 8,50 €. Ho-mok pla (poisson au curry cuit à la vapeur dans une feuille de bananier) : 9 €. Menu classique : 15,50 € ; menu gourmand au fruits de mer : 25,50 €. Buffet à volonté : 11 € (midi), 15,50 € (soir). Parking 43 bd de Sébastopol.

LE BÉARN   *Cuisine du terroir*

2 place Sainte-Opportune (1ᵉʳ)
Mº Châtelet
Tél. 01 42 36 93 35
Lundi-samedi : 8 h-22 h

On se bouscule gentiment dans ce bouchon que prolonge une petite terrasse, très agréable l'été, pour déguster une solide cuisine de tradition du Lyonnais ou du Béarn. Plats du jour de 7,35 à 8,85 €. Pas de menu. Parking Forum. **Café ou apéritif offert avec le guide ou la carte.**

CAFÉ BENNETT   *Branché italien*

40 place du Marché-Saint-Honoré (1ᵉʳ)
Mº Tuileries
Tél. 01 42 86 04 24
Tous les jours : 12 h-15 h, 19 h-23 h 30

Deux petites salles très encombrées à midi, un brin de terrasse au soleil sur la place bien calme et cette atmosphère de vie facile qui émane des lieux à la mode. Pour ne pas dégarnir son porte-monnaie, on choisira les excellentes assiettes garnies (à l'épinard avec œufs durs : 10 € ; à l'italienne avec copa, jambon de parme, parmesan, et penne, un délice : 13 €). A midi : menus à 14 et 17 €. Menu du soir (entrée + plat + dessert + un quart de vin) : 15,24 €.

CHEZ NOUS, LE STADO   *Rugby et confit de canard*

150 rue Saint-Honoré (1ᵉʳ)
Mº Palais-Royal
Tél. 01 42 60 29 75
www.stado.com
Tous les jours : 12 h-14 h, 18 h-23 h

Photos de stars et de rugbymen sur les murs et cuisine du Sud-Ouest dans les assiettes : poulet basquaise, confit de canard, cassoulet maison au confit de canard avec haricots tarbais à 14 €. Menu à 11 € (midi), 15,20 et 23 € le soir. Bonne cave. Parking du Louvre. **Kir offert avec le guide ou la carte.**

LE COMPTOIR PARIS-MARRAKECH   *Tajines confort*

37 rue Berger (1ᵉʳ)
Mº Les Halles
Tél. 01 40 26 26 66

Des poufs, des canapés, des fauteuils, des tapis, des odalisques : le décor est planté, nous sommes résolument au Maroc. Dans les assiettes, on a droit aux

Tous les jours : 12 h-17 h, 19 h-2 h

inévitables tajines et couscous, d'ailleurs fort bons (formule déjeuner à 14 €). Compter 30 € à la carte. Mais le plus agréable, c'est de s'y prélasser l'après-midi en terrasse en dégustant un thé à la menthe et des pignons.

LE LOUCHÉBEM   *Pour carnivores*

31 rue Berger (1er)
M° Châtelet-Les Halles
Tél. 01 42 33 12 99
Fax : 01 40 28 45 50
www.le-louchebem.fr
Lundi-samedi : 12 h-14 h 30, 19 h-23 h 30

Les carnivores se régaleront d'une viande goûteuse (entrecôte à 16,90 €), d'une queue de filet de bœuf (19,90 €) ou d'un pied de porc (11,90 €), à moins qu'ils ne se rabattent sur le menu à 13,90 € servi jusqu'à 21 h. Agréable terrasse avec vue sur le jardin des Halles. Parking Forum-Sud. **Apéritif offert avec le guide ou la carte.**

PASTA PAPA   *Pizza sur mesure*

94 rue Saint-Denis (1er)
M° Étienne-Marcel
Tél. 01 42 33 50 68
Tous les jours : 12 h-15 h, 19 h-0 h 30

Un très agréable restaurant (terrasse fleurie, grande mezzanine) où l'on composera soi-même sa pizza avec les ingrédients que l'on voudra (à partir de 6 €). Pour ceux qui n'aiment pas, les spécialités italiennes sont légion. Menu (midi) à partir de 8 €, le soir à 14,50 €.

AUTRES ADRESSES
- 15 bd Montmartre, 2e • M° Grands-Boulevards • Tél. 01 40 26 30 08
- 6 rue Daunou, 2e • M° Opéra • Tél. 01 42 60 51 06

RESTAURANT TOUPARY, LA SAMARITAINE   *Samar-sur-Paris*

2 quai du Louvre (1er)
M° Pont-Neuf
Tél. 01 40 41 29 29
Lundi-samedi : jusqu'à 23 h 30

On voit tout, de la Samaritaine : Saint-Paul à babord et la Concorde à tribord. Beaubourg sous des cieux plombés et Montmartre dans une trouée bleue. Une encablure plus bas, au dixième étage, pause goûter, sur la terrasse en plein air, pour s'offrir Paris en panoramique et du chocolat sur une gaufre chaude. Déjeuner : formules à 13,20 € (un plat + un verre de vin), 19,50 € (entrée ou dessert + plat + un verre de vin) et menu à 27,50 €. **Kir vin blanc offert avec le guide ou la carte.**

LA ROBE ET LE PALAIS   *Bacchus d'abord*

13 rue des Lavandières-Sainte-Opportune (1er)
M° Châtelet
Tél. 01 45 08 07 41
Lundi-samedi : 12 h-14 h 30, 19 h 30-23 h

Au verre, au compteur ou à la bouteille, le vin de propriétaire est roi : 300 références de toutes régions, voire exotiques. Le restaurant suit le mouvement grâce à une cuisine de saison sans chichi. Formule à 13,50 € et menu à 16,50 € le midi uniquement. A la carte compter 30 €. Vente de vins à emporter. **Café offert avec le guide ou la carte.**

LE SAULNIER   *Pour Texans affamés*

2 ter quai de la Mégisserie (1er)
M° Châtelet
Tél. 01 42 36 32 44
Lundi-mardi et jeudi-dimanche : 11 h 30-14 h 30, 19 h 30-23 h

L'endroit ne paie pas particulièrement de mine et rien ne laisse présager, de l'extérieur, l'excellente surprise qui nous attend à l'intérieur. La fondue bourguignonne (15 €), les moules marinières (11 €) ou le plat du jour (8 €) ravissent nos papilles. Et pour les « touristes », « l'assiette du Texan » (steak haché, bacon, frites, œuf, salade) à 10,50 € calme bien des faims.

VÉRO-DODAT   *Au calme*

19 galerie Véro-Dodat (1er)
M° Louvre ou Palais-Royal
Tél. 01 45 08 92 06
*Mardi-samedi : 12 h-14 h,
19 h-21 h 30*

Dans l'un des plus séduisants (et des plus anciens) passages de Paris – il date de 1826 – cet agréable bistrot nous offre, loin du tumulte et du bruit, et sur deux étages, une agréable cuisine maison à prix mesurés. Formule (entrée ou dessert + plat) : 13,50 €. Menu à 15,50 €. Spécialités de la maison : tarte tiède aux champignons, filet de perche de mer aux fruits secs, compote de rhubarbe et glace rhum-raisins. Parking Bourse. **Kir vin blanc offert avec le guide ou la carte.**

LA VICTOIRE SUPRÊME DU CŒUR   *Végétarien et non-fumeur*

41 rue des Bourdonnais
(1er)
M° Châtelet
Tél. 01 40 41 93 95
www.vscSur.com
*Lundi-vendredi : 11 h 45-
14 h 15, 19 h-22 h ;
samedi : 12 h-15 h, 19 h-
22 h*

La salle, de style paquebot, les plats maison (tous végétariens) et la formule à 10,80 € (midi) et 19 € (soir) : autant d'atouts pour cette « victoire ». On goûtera aux spécialités : rôti de champignons sauce mûre ou à l'escalope végétale, tous deux à 10,50 €. Parking Forum des Halles sud. **Tchaï (thé indien) offert avec le guide ou la carte.**

2e   ARRONDISSEMENT

LE GAVROCHE   *Beaujolais et bons petits plats*

19 rue Saint-Marc (2e)
M° Richelieu-Drouot
ou Bourse
Tél. 01 42 96 89 70
*Lundi-vendredi : 7 h-2 h ;
samedi : 8 h-2 h*

Non-buveurs s'abstenir. Ici, le Beaujolais est à l'honneur et il s'accompagne d'une andouillette (11,30 €) ou d'une bavette aux échalotes (10,50 €). Plat du jour à 13 €. Baba au rhum : 7 €. L'accueil est chaleureux et le décor (nappes à carreaux, affiches, poutres) avenant. Parking Bourse ou Richelieu-Drouot. **Une « fleur » à nos lecteurs, avec le guide ou la carte.**

L'HOMO SAPIENS   *Dans la cave*

29 rue Tiquetonne (2e)
M° Étienne-Marcel
Tél. 01 40 26 94 85
*Mardi-samedi : 19 h 30-
23 h*

C'est dans la cave que l'on se précipitera pour déguster au coude-à-coude un savoureux boudin noir aux pommes dans l'agréable formule à 10,50, ou au menu à 13 €. Le soir, on se pousse légèrement du col et le menu grimpe à 25 € (foie gras maison, filet de canard sauce cassis). **Kir royal offert avec le guide ou la carte.**

OGOURA   *Le Japon dans tous ses états*

20 rue de la Michodière
(2e)
M° Opéra
Tél. 01 47 42 77 79
*Lundi-samedi : 12 h-14 h 30,
19 h-22 h 30 ; dimanche :
19 h-22 h 30*

Outre les sempiternels sushis et yakitoris, on trouvera ici des mets tout aussi japonais, mais peut-être moins galvaudés et plus recherchés. Tel le tempura (légumes frits) ou le shabu shabu (la fondue chinoise). Il nous en coûtera 10 ou 12,20 € le midi pour le menu, 12,30 ou 15,30 € le soir. Les California Rolls sont à 6,20 €. Quant au menu brochettes + sushi, il « culmine » à 18,30 ou 23 €, sachant que les menus sont toujours accompagnés de salade, soupe miso, riz nature et légumes salés. Également des plats à emporter (de 6,90 à 7,70 €). Parking Opéra.

LE PETIT VENDÔME

8 rue des Capucines (2ᵉ)
Mᵒ Opéra ou Madeleine
Tél. 01 42 61 05 88
Lundi-samedi : 11 h 30-16 h

Agapes bousculées

Attention, on s'y bouscule ! Si on réussit à atteindre le comptoir, on se commandera un sandwich au fromage ou aux charcuteries, toutes excellentes (de 3,55 à 5,35 €). Et si on arrive à accaparer une table (à midi, seulement), on se régalera de civet de porc ou de tripoux, solides plats du jour de 11 à 15 €.

3ᵉ ARRONDISSEMENT

AUBERGE NICOLAS-FLAMEL

51 rue de Montmorency (3ᵉ)
Mᵒ Rambuteau
Tél. 01 42 71 77 78
www.nicolasflamel.paris
bistro.net
Tous les jours : jusqu'à 23 h ; fermé samedi midi et dimanche

Une alchimie de qualité

Dans la plus ancienne maison de Paris (1407), le cadre (exceptionnel) est moyenâgeux, les poutres sont d'origine, mais la cuisine résolument actuelle. Un talentueux cuistot-alchimiste concocte de savantes saveurs qui n'ont rien de diabolique et les vins (achetés à Drouot, 150 références), suivent le mouvement. Suggestion de midi : 12 €. Gigot de 7 heures au Jurançon : 17 €. Gratin d'avocat à la crème de Roquefort : 8 €. Parkings Beaubourg, Saint-Martin, Saint-Denis. **Kir royal fraises des bois offert avec le guide ou la carte.**

CHEZ JENNY

39 bd du Temple (3ᵉ)
Mᵒ République ou Filles-du-Calvaire
Tél. 01 44 54 39 00
Fax : 01 44 54 39 09
www.chez-jenny.com
Tous les jours : 11 h 30-minuit en semaine, jusqu'à 1 h le week-end

Toute l'Alsace

Que l'on choisisse l'une des salles traditionnelles agrémentées de marqueteries de Spindler ou le très agréable patio intérieur (réservation recommandée), on mangera alsacien : choucroute (à partir de 15 €) ou jarret de porc. A moins qu'on ne préfère se rabattre sur les menus à 16,80 ou à 23,60 €. Cuisine résolument de tradition sans une once (heureusement...) de modernité. Voiturier le soir, du mardi au samedi. A la même adresse le « Café Jenny » reconstitue l'atmosphère des winstub et propose des plats simples, mais toujours connotés « Alsace » pour un ticket moyen de 10 €.

CHEZ NÉNESSE

17 rue de Saintonge (3ᵉ)
Mᵒ Filles-du-Calvaire ou République
Tél. 01 42 78 46 49
Fax : 01 42 78 45 51
Lundi-vendredi : 12 h-14 h 30, 20 h-22 h 30

Autour du poêle

Une clientèle d'habitués se presse, le midi autour du poêle à mazout pour s'offrir une bonne cuisine française (cassolette d'escargots aux trompettes, lotte en papillote à la tomate fraîche, rognon de veau à l'échalote confite) qui ne ruinera personne. Menu à 10 et à 15 € le midi uniquement. Le soir, c'est plus élaboré – et plus cher (compter de 30 à 35 € à la carte). **Une coupe de champagne offerte avec le guide ou la carte.**

CHEZ OMAR

47 rue de Bretagne (3ᵉ)
Mᵒ Filles-du-Calvaire
Tél. 01 42 72 36 26
Tous les jours (sauf dimanche midi) : 12 h-14 h ; 19 h-22 h 30

Pour son couscous

Le couscous y est vraiment « comme là-bas », et il tient ses promesses. C'est le principal attrait de ces lieux très « vieux bistrot » où on a presque les coudes dans l'assiette du voisin et où l'on prend facilement part aux conversations des tables voisines. Couscous de 15 à 24 €. Prix moyen à la carte : 17 €.

MADAME SANS GÊNE

19 rue de Picardie (3e)
M° Arts-et-Métiers
Tél. 01 42 71 31 71
www.sansgene.fr
*Mardi dimanche : 11 h 30-
14 h, 19 h 30-0 h*

Cuisine généreuse et vin à volonté

Les bons vivants ont ici le choix entre les menus à 19 et 23 € ou le menu « duo » à partager à deux (58 €). Les plats allient quantité et qualité, qu'il s'agisse du foie gras maison, du tartare de bœuf, du feuilleté de Saint-Jacques à la crème de basilic ou du magret de canard poivre vert. On apprécie les garnitures proposées, avec une mention spéciale pour la purée de brocolis et le gratin dauphinois maison, l'ambiance joviale du lieu et le vin (cru du Beaujolais) servi à volonté.

AUTRE ADRESSE
■ **Monsieur Sans Gêne** • 122 rue Oberkampf, 11e • M° Parmentier • Tél. 01 47 00 70 11

LA MULE DU PAPE

8 rue du Pas-de-la-Mule (3e)
M° Bastille ou Saint-Paul
Tél. 01 42 74 55 80
www.la-mule-du-pape.com
*Lundi : 11 h 30-16 h ;
mercredi-vendredi : 11 h 30-
16 h, 19 h-23 h ; samedi :
11 h 30-23 h 30 ;
dimanche : 11 h 30-19 h*

La garrigue à Paris

Sur de petites tables fleuries, la cuisine fleure bon la garrigue. Tarte chaude aux tomates confites et au basilic : 9 €. Grenadin de porc à la confiture d'oignons : 13,50 €. Et seize manières de faire les œufs de la brouillade normale (6 €) à celle aux truffes (10,50 €). Parking Saint-Antoine. **Apéritif maison offert avec le guide ou la carte (pour deux personnes).**

| 4e | ARRONDISSEMENT |

L'AUBERGE DE JARENTE

7-9 rue de Jarente (4e)
M° Saint-Paul
Tél. 01 42 77 49 35
Fax : 01 42 77 49 35
*Mardi-samedi : 12 h-
14 h 30, 19 h 30-22 h 30*

Les chipirons de Charriton

Philippe Charriton ne change pas. Sa cuisine (basque, comme lui) non plus. Les cuisses de grenouilles (7,50 €) y voisinent avec le confit de canard aux pleurotes (12,50 €) et le hachua de veau au piment d'Espelette (13 €). Formule (midi) : 12 € (vin compris). Menus à 18, 20 et 28,75 €. Air conditionné. Parking place Baudoyer. **Kir basque offert avec le guide ou la carte.**

LA BARACANE

38 rue des Tournelles (4e)
M° Chemin-Vert ou Bastille
Tél. 01 42 71 43 33
*Lundi-vendredi : 12 h-
14 h 15, 19 h-minuit ;
samedi : 19 h-minuit*

Cuisine du Sud-Ouest

Le Baracane est fils de l'Oulette (dans le 12e arrondissement), alimenté en fine cuisine du Sud-Ouest. A recommander tout particulièrement : le confit de canard aux pommes persillées à 15 €. Formules à midi : 9,50 € (plat + café + vin) et 14 € (entrée ou dessert + plat + vin). Menu à 25 € et menu carte à 35 €. Parking rue Saint-Antoine. **Un pétillant de muscat de Saint-Sardos offert avec le guide ou la carte.**

CHEZ CLÉMENT

21 bd Beaumarchais (4e)
M° Bastille
Tél. 01 40 29 17 00
Fax : 01 40 29 17 09
www.chezclement.com
Tous les jours : 12 h-1 h

L'assiette vaut le décor

Du salon Ninon de Lenclos à la salle des Fables de La Fontaine en passant par le salon des Lingères, on peut déjeuner dans le décor de son choix, à l'intérieur ou sur la terrasse. Du goût sur les murs et du goût dans les assiettes avec des incursions réussies vers les saveurs exotiques. Menus à 15,90 et 20,50 €. Compter 28 € à la carte. **Kir et amuse-bouche offerts à nos lecteurs.**

AUTRES ADRESSES
- 17 bd des Capucines, 2ᵉ • Mᵒ Opéra • Tél. 01 53 43 82 00 • Fax : 01 53 43 82 09
- 9 place Saint-André-des-Arts, 6ᵉ • Mᵒ et RER Saint-Michel • Tél. 01 56 81 32 00 • Fax : 01 56 81 32 09
- 123 av. des Champs-Élysées, 8ᵉ • Mᵒ Charles-de-Gaulle-Étoile • Tél. 01 40 73 87 00 • Fax : 01 40 73 87 09
- 19 rue Marbeuf, 8ᵉ • Mᵒ Franklin-Roosevelt • Tél. 01 53 23 90 00 • Fax : 01 53 23 90 09
- 106 bd du Montparnasse, 14ᵉ • Mᵒ Vavin ou Montparnasse-Bienvenüe • Tél. 01 44 10 54 00 • Fax : 01 44 10 54 09
- 407 rue de Vaugirard, 15ᵉ • Mᵒ Porte-de-Versailles • Tél. 01 53 68 94 00 • Fax : 01 53 68 94 09
- 99 bd Gouvion-Saint-Cyr, 17ᵉ • Mᵒ Maillot • Tél. 01 45 72 93 00 • Fax : 01 45 72 93 09
- 47 av. de Wagram, 17ᵉ • Mᵒ Ternes • Tél. 01 53 81 97 00 • Fax : 01 53 81 97 09

CHEZ MARIANNE
Marianne sait recevoir

2 rue des Hospitalières-Saint-Gervais (4ᵉ)
Mᵒ Saint-Paul
Tél. 01 42 72 18 86
Tous les jours : 12 h-0 h

Serveuses glamour, clientèle branchée et nourriture (excellente) d'Europe centrale ou du Moyen-Orient à emporter ou à consommer sur place. Avec en prime une terrasse l'été. Assiette Marianne : de 10 à 13 €. Pâtisseries orientales ou d'Europe centrale : de 3 à 7 €. Vodka : 4 €. Fellafel : 5,50 € (végétarien), 8 € (à la viande). Parking place Baudoyer.

LA CHOPE DES COMPAGNONS
Ambiance provinciale et petits plats

86 quai de l'Hôtel-de-Ville (4ᵉ)
Mᵒ Pont-Marie
Tél. 01 42 77 59 49
Lundi-samedi : 8 h-22 h

Une adresse hors du temps, face à l'île Saint-Louis. Marie-Ange Tavernier y sert toujours ses nombreux habitués dans une ambiance très provinciale, fait la bise aux bons clients et engagera avec vous la conversation avec la même gentillesse. Plat du jour comme à la maison : 10 €. Tous les (excellents) Beaujolais : de 2,30 à 2,50 € les 12 cl. Parking Pont-Marie. Carte bleue (enfin) acceptée. **Kir à la châtaigne offert avec le guide ou la carte.**

LE COUDE FOU
Carte inventive

12 rue du Bourg-Tibourg (4ᵉ)
Mᵒ Hôtel-de-Ville
Tél. 01 42 77 15 16
Tous les jours : 12 h-14 h 45, 19 h 30-24 h

Les bons petits vins de terroir sont moins laborieux que l'énoncé de l'enseigne. Et sur la carte, souvent inventive se côtoient la terrine de canard aux figues (7,50 €), la poêlée de foie de canard au vinaigre balsamique (8,50 €) et le filet de daurade aux épices (15 €). A midi, menus à 16 et 19 € (deux verres de vin compris). Le soir, compter 23 €. **Café offert avec le guide ou la carte.**

DAME TARTINE
L'œil sur Niki

2 rue Brisemiche (4ᵉ)
Mᵒ Hôtel-de-Ville
Tél. 01 47 03 94 84
Fax : 01 42 77 32 22
Tous les jours : 12 h-22 h 30

La carte a changé, mais pas la formule, ni la vue sur la fontaine de Niki de Saint-Phalle que l'on a depuis la terrasse qui fait son charme. Croque-monsieur dame Tartine (Comté et jambon blanc, crème poivre vert) : 8,50 €. Poulet à la cannelle et aux amandes : 8,90 €. Gâteau chaud aux pêches, coulis de fraises : 6 €. Parking Beaubourg.

AUTRES ADRESSES
- **Café Very** • Jardin des Tuileries, 1ᵉʳ • Mᵒ Tuileries • Tél. 01 47 03 94 84 • Tarifs plus élevés que dans les autres Dame Tartine.
- 59 rue de Lyon, 12ᵉ • Mᵒ Bastille • Tél. 01 44 68 96 95 • Fax : 01 44 68 95 50

L'ÉBOUILLANTÉ

6 rue des Barres (4e)
M° Hôtel-de-Ville ou Saint-
Paul ou Pont-Marie
Tél. 01 42 71 09 69
Mardi-dimanche : 12 h-22 h

Pour ses bricks

Une rue piétonne (et médiévale), une très agréable terrasse (hélas, prise d'assaut) et des bricks comme s'il en pleuvait : trois raisons d'applaudir l'Ébouillanté. Menu à 13 €. Bricks et grosses salades de 7 à 10 €. Gâteaux maison : 6 €. C'est bon et copieux. A l'étage, expos temporaires (dessins, photos, peintures) et concours de peinture ouvert à tous chaque année. Parking Hôtel-de-Ville ou Pont-Marie.

LES FOUS D'EN FACE

3 rue du Bourg-Tibourg (4e)
M° Hôtel-de-Ville
Tél. 01 48 87 03 75
Fax : 01 42 78 38 03
*Lundi-samedi : 11 h 30-15 h,
18 h 30-23 h 30*

Bonne chère, bons vins

Bonne table, bonne cave, bonne adresse, que ce soit sur la terrasse fleurie ou à la table d'hôte à la cave. Formule à 13,90 € ou menu à 17,75 €. Pot-au-feu : 15,50 €. Magret de canard au vinaigre de framboise : 15,50 €. Bonnes bouteilles à prix abordables. On peut réserver la cave le soir.

LE LOIR DANS LA THÉIÈRE

3 rue des Rosiers (4e)
M° Saint-Paul
Tél. 01 42 72 90 61
*Lundi-vendredi : 11 h 30-
19 h ; samedi-dimanche :
10 h-19 h*

Tartes sucrées et salées

Des tartes salées comme à la maison et des gâteaux itou, à grignoter dans une ambiance jeune et un décor carrément enfantin (ours en peluche, cheval à bascule). Tartes salées à 7,50 €, tartes sucrées à 5,80 €. Plat du jour : 12 €. Brunch de 14,50 à 20 €. Parking Pont-Marie.

LE MARCHÉ

2 place du Marché-Sainte-
Catherine (4e)
M° Saint-Paul
Tél. 01 42 77 34 88
www.pariszoom.fr
*Lundi-jeudi : 12 h-15 h ;
19 h-23 h : vendredi,
samedi, dimanche : 12 h-
23 h*

Aux herbes de Provence

Aux premiers rayons de soleil, déjeuner en terrasse devient un ravissement. Le lapin au thym est un délice, le coquelet au romarin est inventif et les fondants au chocolat ravissent les papilles. Menu à midi (plat du jour + entrée ou dessert) : 13,80 € (22 € le soir). A la carte : salade du jour à 7,50 €. Magret de canard au miel épicé : 14 €. Fromage blanc au miel : 5,80 €. Parking rue Saint-Antoine. **Kir breton (cassis + cidre) offert avec le guide ou la carte.**

LA PERLA

26 rue François-Miron (4e)
M° Hôtel-de-Ville
ou Saint-Paul
Tél. 01 42 77 59 40
www.cafepacifico-laperla.
com
Tous les jours : 12 h-2 h

Tex-mex branché squattant une vieille brasserie

Une clientèle jeune, un fond musical « caliente », une décoration mêlant harmonieusement vieux comptoir en bois et détails latinos, des plats traditionnels savoureux avec quelques échappées vers une cuisine plus moderne associant salé et sucré… voici les points forts de cette petite sœur du Pacifico. Burrito fajitas avec guacamole : 6,70 à 9,70 €. Quesadillas de poulet fumé aux poivrons rouges rôtis et coulis de framboises : 9,70 €. Grand choix de tequila et mescales (à partir de 7,20 €) et de bières mexicaines (5,50 €). Parking Hôtel-de-Ville.

LA TARTINE

24 rue de Rivoli (4e)
M° Saint-Paul-Le-Marais
Tél. 01 42 72 76 85

In vino veritas

Plus que les nourritures solides, ce sont les boissons que l'on vient apprécier ici : une cinquantaine d'AOC sont proposés à la dégustation. On les ac-

Tous les jours : 8 h-2 h du matin

compagnera de tartines (de 5 à 7 €), d'une assiette charcutière à 8 € ou de crottin de Sancerre à 6 €. Parking quai de l'Hôtel-de-Ville.

THE LIZARD LOUNGE
Franco-yankee

18 rue du Bourg-Tibourg (4ᵉ)
Mᵒ Saint-Paul ou Hôtel-de-Ville
Tél. 01 42 72 81 34
www.hip-bars.com
Tous les jours : 12 h-2 h du matin

Clientèle jeune, cosmopolite et branchée dans ce pub-restaurant américain où la nourriture yankee est arrosée de bons vins français. Happy hour de 20 à 22 h dans la cave. Chips et guacamole : 5 €. Chicken Tikka Sandwich : 7,50 €. Apple pie : 5,80 €. Brunch : de 9 à 14 €. Une pensée émue pour les célèbres Schalchli qui hantent toujours la rue du Bourg-Tibourg. Air conditionné. Parking Hôtel-de-Ville. **Une demi-pinte de bière offerte avec le guide ou la carte.**

5ᵉ ARRONDISSEMENT

ALEXANDRE
Fondues et pierrade

24 rue de la Parcheminerie (5ᵉ)
Mᵒ Saint-Michel ou Cluny-la-Sorbonne
Tél. 01 43 26 49 66
Tous les soirs : 18 h-23 h 30

Fondue bourguignonne, savoyarde et pierrade se partagent la vedette dans ce restaurant à la décoration baroque où se bouscule une clientèle à prédominance américaine. Agréable terrasse non polluée par les gaz d'échappement (zone piétonne). Formule (spécialité + salade et pommes de terre à volonté) : 15 €. Parking Saint-Michel ou Notre-Dame. **Un kir offert avec le guide ou la carte.**

AU VIEUX MOULIN
De la Sarthe ou du Tonkin

41 rue du Fer-à-Moulin (5ᵉ)
Mᵒ Gobelins
Tél. 01 45 35 61 09
Tous les jours (sauf dimanche midi) : 12 h-14 h, 19 h-23 h

Après une période de flottement, la maison a repris ses (bonnes) habitudes : une cuisine de la Sarthe (avec des échappées chinoises), entre tradition et créativité, dans un décor agréable, que vient (parfois) gâcher une certaine lenteur du service. Plat du jour : 7,50 €. **Punch ou kir vin blanc, olives ou café offert avec le guide ou la carte (ou digestif).**

CHIENG MAÏ
Somptueuses crevettes

12 rue Frédéric-Sauton (5ᵉ)
Mᵒ Maubert-Mutualité
Tél. 01 43 25 45 45
Tous les jours : 12 h-14 h 30, 19 h-23 h 20

Peut-être pas le moins cher, mais très certainement l'un des meilleurs thaïs de Paris : le sam sahay phat ped (10 €), à base de crevettes, de seiches et de moules, est une splendeur. La courtoisie et la patience du personnel font aisément oublier l'insignifiance du décor. A midi : menus à 11,30 et 14,50 €. Le soir : menus de 20 à 27 €. Compter 30 € pour un repas complet à la carte. Parking rue Lagrange.

COMPTOIR MÉDITERRANÉE
Falafels et hummous

42 rue du Cardinal-Lemoine (5ᵉ)
Mᵒ Cardinal-Lemoine
Tél. 01 43 25 29 08
Lundi-samedi : 11 h-22 h

Dans ce petit établissement aux allures de cantine, la cuisine libanaise est délicieuse. Sur place ou à emporter, des sandwiches (à partir de 3,40 €) ou des assiettes (à partir de 5,70 €) à composer soi-même en choisissant quatre des spécialités parmi lesquelles le caviar d'aubergine, le labné, la kefta, l'aubergine au poivron… La cuisine, l'accueil et le service sont irréprochables.

L'ENVOL

Québec-bar

30 rue Lacépède (5e)
M° Monge
Tél. 01 45 35 53 93
Tous les jours : 11 h-2 h du matin (pas de cuisine le dimanche et le lundi)

Du Québec, on connaissait surtout le pire (comment s'appelle cette chanteuse, déjà ?). Heureuse surprise, ce bar-resto unique à Paris nous fait découvrir sa cuisine et ses bières locales. Le patron est adorable mais susceptible : ne lui dites surtout pas qu'il est canadien, il pourrait se vexer. Menu à 19 € (caetons grillettes québécoises, tourtière avec fèves au lard, tarte au sucre). Bière du Québec : 7,50 €. Bière de Charlebois : 7,50 €. **Digestif (shooter maison) offert avec le guide ou la carte.**

LA FERME SAINTE-GENEVIÈVE

Les Antilles sur la montagne

40 rue de la Montagne-Sainte-Geneviève (5e)
M° Maubert-Mutualité
Tél. 01 43 29 70 59
Mardi-samedi : 18 h 30-23 h ; à midi sur réservation (du mercredi au dimanche)

Poutres et nappes à carreaux rouges : on se croirait dans une reconstitution hollywoodienne du « Vieux Paris ». Mais le décor est authentique. La cuisine aussi, où le confit de canard voisine avec les escargots… et le colombo de poulet antillais). Formule à 13 € (entrée ou dessert + plat) et menu à 17 €.

LA TRUFFIÈRE

Tralala pas ruineux

4 rue Blainville (5e)
M° Place-Monge
ou Cardinal-Lemoine
Tél. 01 46 33 29 82
Fax : 01 46 33 64 74
www.latruffiere.com
Mardi-dimanche : 12 h-14 h, 19 h-22 h 30 (fermé le dimanche en juillet-août)

Cave voûtée, nappe blanche tissée, chandelles, fleurs, service et cuisine grande maison : le décorum est parfait. On s'attend à des additions confortables. Oh ! surprise, un petit menu nous permet le même tralala à moindre frais. Merci, Christian Sainsard ! Menu (midi) : 16 € (du mardi au samedi). Formule (entrée ou dessert + plat) : 13 €. A la carte, c'est évidemment (beaucoup) plus cher : compter 60 €. Air conditionné. Parking place du Panthéon. **Café offert avec le guide ou la carte.**

6e ARRONDISSEMENT

L'ARBUCI

Travers de porc et when the Saints

25 rue de Buci (6e)
M° Mabillon et Odéon
Tél. 01 44 32 16 00
Fax : 01 44 32 16 09
www.arbuci.com
Tous les jours : 12 h-1 h du matin

Un emplacement « imprenable », un cadre agréable, d'excellentes huîtres, des travers de porc croustillants, de bonnes viandes rôties à la broche et un orchestre de jazz : l'Arbuci qui vient de s'offrir un coup de jouvence en salle a de solides arguments et draine donc une clientèle nombreuse. Formules déjeuner : de 13,40 à 17,20 €. Huîtres à volonté : 24,50 €. Formule huîtres + broche : 22,70 €. A la carte, compter 35 €. **Cocktail maison offert avec le guide ou la carte.**

BOUILLON RACINE

Art nouveau

3 rue Racine (6e)
M° Odéon
Tél. 01 44 32 15 60
www.bouillonracine.com

Un bouillon Art nouveau, classé « monument historique » qu'une nouvelle équipe a repris depuis peu. Direction salle du haut : miroirs biseautés, vitraux, faïences et boiseries travaillées en forme d'herbes,

Tous les jours : 12 h-23 h

de lys, de branches. Une cuisine française traditionnelle à la hauteur du décor. Menu midi : 19 €. Le soir : 28 €. **Apéritif offert avec le guide ou la carte.**

CHEZ LES FILLES
Brunch berbère

64 rue du Cherche-Midi
(6ᵉ)
Mᵒ Sèvres-Babylone
ou Saint-Placide
Tél. 01 45 48 61 54
*Lundi-samedi : 12 h-18 h ;
dimanche : 12 h 30-17 h 30*

Un salon de thé berbère dont le style s'inspire des « Carnets de voyage » de Delacroix au Maroc. Brunch oriental copieux tous les dimanches. Tajine du jour : 9 €. Salades de 8,40 à 9,90 €. Brunch (deux salades orientales salées + semoule sucrée à la cannelle + salade d'orange à la cannelle + crêpe marocaine au miel + thé à la menthe + verre de petit lait) : 14 €. Parking Bon Marché.

GUENMAÏ
Un pur macrobiotique

2 bis rue de l'Abbaye (6ᵉ)
Mᵒ Saint-Germain-des-Prés
Tél. 01 43 26 03 24
*Lundi-samedi : 11 h 45-
15 h 30 (9 h-20 h 30
pour l'épicerie)*

On goûte ici aux algues, au tofu, au seitan (spécialité de la maison) et au poisson cuisiné d'une façon raffinée. Très branché, cet élégant petit restaurant n'affiche pas de menu mais des assiettes assez copieuses à 10,50 €, comprenant légumes cuits, céréales, algues, crudités, légumineuses, seitan ou tofu (pâté de soja) qu'on arrosera d'un jus de fruit pressé (5 €). Petite terrasse au soleil en été. Accueil maternel. Parking Saint-Germain.

L'HEURE GOURMANDE
Tartes salées au calme

22 passage Dauphine (6ᵉ)
Mᵒ Odéon
Tél. 01 46 34 00 40
*Lundi-samedi : 12 h-19 h ;
dimanche : 13 h-19 h*

Le royaume des tartes salées, des pâtisseries et du chocolat à l'ancienne. Un restaurant salon de thé où l'on brunche et l'on grignote dans un passage calme. Agréable terrasse en été. Tarte salée + salade verte : 7,80 €. Tarte citron meringuée : 7 €. Addition moyenne : 16 €. Parking rue Mazarine.

LA LANGOUSTERIE
La cabane d'Hemingway

145 bd du Montparnasse
(6ᵉ)
Mᵒ Port-Royal ou Vavin
Tél. 01 43 26 63 39
*Tous les jours : 12 h-14 h,
19 h-23 h*

Un très bon plan dans le quartier Montparnasse pour ce restaurant de mer. Soupe de poisson onctueuse à 7,70 €, bouillabaisse goûteuse à 16,30 €, demi homard à 24 €. Menu imbattables à 14,80 € (entrée, poissons, dessert). Déco exotique très « Palm Beach » : plancher bleu azur, espadons et lampes de marins, fauteuils en rotin. Accueil stylé et ambiance douce comme les neiges du Kilimandjaro.

LE PARADIS DU FRUIT
Pour ses desserts et ses cocktails

29 quai des Grands-
Augustins (6ᵉ)
Mᵒ Saint-Michel
Tél. 01 43 54 51 42
Tous les jours : 12 h-1 h 30

Du bio pas très exaltant centré autour d'un plat à composer (à 12,50, 13,90 et 16,30 €). C'est avec les desserts (tous excellents) et les cocktails aux fruits (carrément divins) que l'on accède au paradis : il n'y a pas mieux dans tout Lutèce. Service souvent bousculé. Terrasse agréable en été. Parking boulevard Saint-Michel. Quinze autres adresses à Paris.

PIZZA MILANO
Pizza en Seine

2 place Saint-Michel (6ᵉ)
Mᵒ Saint-Michel

Le grand atout de cet endroit, ce sont ses vitres donnant sur la Seine. S'y ajoute la déco, style grand

Tél. 01 44 07 32 27
*Tous les jours : 11 h 30-24 h
(week-end jusqu'à 1 h)*

paquebot bleu. Les assiettes s'ornent de pizzas aux garnitures originales, honnêtes et copieuses de 7,60 à 12,50 €. Accueil sympathique.

LA RÔTISSERIE D'EN FACE

La formule Jacques Cagna

2 rue Christine (6ᵉ)
Mᵒ Odéon ou Saint-Michel
Tél. 01 43 26 40 98
Fax : 01 43 54 22 71
www.jacques-cagna.com
*Lundi-jeudi : 12 h-14 h 15,
19 h-22 h 45 ; vendredi :
12 h-14 h 15, 19 h-
23 h 15 ; samedi : 19 h-
23 h 15*

Le succès des annexes de Jacques Cagna ne se dément pas : la cuisine garde le rythme, le personnel aussi et les prix restent relativement sages. Menus midi à 16,60, 23 et 26 €, le soir menu-carte à 39 €. Et de succulentes tentations : escargots frais sauvage « Bourgogne », pastilla de pintade aux aubergines, poulet fermier rôti à la broche. Air conditionné. Parking rue Mazarine (service voiturier). **Un verre de Vouvray demi-sec Marc Bredif 1986 offert avec le guide ou la carte.**

AUTRES ADRESSES
- **La Rôtisserie Monsigny** • 1 rue Monsigny, 2ᵉ • Mᵒ Quatre-Septembre • Tél. 01 42 96 16 61
- 6 rue d'Armaillé, 17ᵉ • Mᵒ Argentine ou Charles-de-Gaulle-Étoile (sortie av. Carnot) • Tél. 01 42 27 19 20

LA TABLE D'ÉRICA

Vive le calou !

6 rue Mabillon (6ᵉ)
Mᵒ Mabillon
Tél. 01 43 54 87 61
*Tous les jours : 12 h 30-
14 h 30, 19 h-23 h (fermé
le dimanche et le lundi midi)*

Le calou créole – poulet boucanier aux épinards, crevettes, lardons et crabe – est le « must » de l'endroit. Il en vaut la peine, à 14 €. Érica qui connaît ses recettes sur le bout de ses jolis doigts vous proposera également sa salade créole Christophine à 7,50 € ou tout bonnement son menu à 23 € le soir et 10,50 € le midi. C'est bon doudou dis donc !

LA TOUR DE PIERRE

Bons plats, bons vins

53 rue Dauphine (6ᵉ)
Mᵒ Odéon
Tél. 01 43 26 08 93
www.tourdepierre.com
Lundi-samedi : 8 h-21 h

Les vins sont toujours aussi bien sélectionnés pour accompagner de solides plats de terroir : tourte du jour (4,90 €), assiettes de spécialités (14 €), assiettes régionales (13,50 €) et plat du jour à 10,30 €. Parking rue Mazarine. **Café offert avec le guide ou la carte.**

7ᵉ ARRONDISSEMENT

AU BABYLONE

Bistrot de quartier

13 rue de Babylone (7ᵉ)
Mᵒ Sèvres-Babylone
Tél. 01 45 48 72 13
Lundi-samedi : 12 h-15 h

La clientèle des ministères déguste, comme le menu peuple, une cuisine traditionnelle qui tient bien au ventre. Menu à 18,50 € (boisson comprise). Salades : 10 €. Plats : 11 à 12 €.

AU PIED DE FOUET

Ambiance bistrot

45 rue de Babylone (7ᵉ)
Mᵒ Saint-François-Xavier
Tél. 01 47 05 12 27
*Lundi-vendredi : 12 h-
14 h 30, 19 h-21 h 30 ;
samedi : 12 h-14 h*

Le bistrot de Paris tel qu'on l'imagine dans les films américains : nappes à carreaux, banquettes, zinc, et quelques tables à touche-touche. Pas de menu, mais de roboratifs plats de viande ou de poisson de 6,90 à 11 € (différents chaque jour). Pas de réservation, même s'il y a peu de places, le « turn over » est rapide. **Café offert avec le guide ou la carte.**

CAFFÉ TOSCANO
Saints Pères italiens

34 rue des Saints-Pères (7ᵉ)
Mº Saint-Germain-des-Prés
Tél. 01 42 84 28 95
Fax : 01 42 84 26 36
Tous les jours : 12 h-15h,
19 h 15-23 h

Carpaccio, pâtes et viandes constituent l'essentiel du menu de ce restaurant toscan. Pâtes et carpaccio : 11 €. Dessert : 7 €. La cuisine est bonne, le service un peu lent. Parking boulevard Saint-Germain. **Un limoncello (digestif) offert avec le guide ou la carte.**

COFFEE SAINT-GERMAIN
US food

5 rue Perronet (7ᵉ)
Mº Saint-Germain-des-Prés
Tél. 01 40 49 08 08
Lundi-vendredi : 12 h-16 h,
19 h-24 h ; samedi : 11 h-
24 h ; dimanche : 11 h-19 h

Tout est fait maison et rien n'est surgelé affirme le patron. On le croit. La cuisine américaine que l'on y goûte n'est pas des pires et le brunch du week-end vaut le déplacement (15 ou 19,90 €). Plat du jour à 10 €. Un petit flash sur les desserts (cheesecake et pancakes pour 6,90 €).

9ᵉ ARRONDISSEMENT

AU GÉNÉRAL LAFAYETTE
Bière ou vin ?

52 rue La Fayette (9ᵉ)
Mº Cadet ou Le Peletier
Tél. 01 47 70 59 08
Tous les jours : 10 h-3 h 30
(cuisine s'arrête à 2 h
le dimanche)

Les vins de propriétaire côtoient les bières par dizaines. Si l'on sait (bien) boire, on peut aussi manger (honnêtement) de petits plats simples mais roboratifs. Plat du jour de 13 à 14 € : tripes au cidre, bœuf gros sel... Vin au verre à partir de 3,70 €. Pression : 3,60 €. Terrasse.

L'AUBERGE DU CLOU
Saveurs du monde

30 av. Trudaine (9ᵉ)
Mº Pigalle ou Anvers
Tél. 01 48 78 22 48
Fax : 01 48 78 30 08
Mardi-dimanche : 12 h-
14 h, 19 h 30-23 h 30

Dans un quartier plutôt dévolu aux « moules-frites », des saveurs exotiques (Maroc, Espagne, Chili, Inde) viennent compléter des plats traditionnels français. Formule à 15 € le midi et menu à 18,05 € (le midi) et à 24 € tout à fait goûteux. Une adresse à cultiver. Parking Anvers.

LOS MEXICANOS
Fajitas y mariachis

10 rue Papillon (9ᵉ)
Mº Cadet
Tél. 01 42 47 05 21
www.los-mexicanos.com
Lundi-dimanche : 20 h-2 h

On y vient bien sûr, pour manger (mexicain, copieux et bon), mais aussi, le soir, pour danser et écouter des orchestres (mexicains le plus souvent, et parfois cubains ou brésiliens). Cours gratuit de samba le mercredi à partir de 21 h 30, et stages de salsa, de samba et de capSira de 2 heures (se renseigner). Bref, c'est sympa, décontracté, chaleureux et hautement recommandable. Formule (midi) : 9 € (plat et dessert). Menu « Coyote » : 16 €. Menus à 16 et 25 €, avec burritos, fajitas et tacos comme s'il en pleuvait. Réservation quasiment obligatoire après 21 h. **Apéritif offert avec le guide ou la carte.**

LA PAUSE TERROIR
Les plats du terroir

8 rue Godot-de-Mauroy (9ᵉ)
Mº Madeleine
Tél. 01 42 65 22 64
Fax : 01 47 42 65 87
Lundi-vendredi : 7 h 30-
18 h ; samedi : 9 h-17 h 45

Du boudin à toute heure, un steak frites au moindre petit creux : belle litanie de plats de bistro et des plats du jour variés de 10 à 12 €. Plus une sélection d'une cinquantaine de vins. Poissons farcis : 10 €. Air conditionné. Parking rue de Caumartin. **Un kir offert avec le guide ou la carte.**

LA TERRASSE FLO

64 bd Haussmann (9ᵉ)
Mᵒ Chaussée-d'Antin
Tél. 01 42 82 62 76
Lundi-samedi : 9 h 35-19 h ;
sauf jeudi : 9 h 30-22 h

Sur les toits du Printemps

Tout en haut du Printemps, une terrasse d'où l'on découvre tout à la fois les Invalides, la Concorde, un bout de l'Étoile et le Sacré Cœur. Mieux qu'une visite guidée. En tout cas, follement agréable aux beaux jours. La cuisine ? Ce n'est pas vraiment celle du café Flo ou de la brasserie Flo. On n'est pas venu ici pour ça, non ? Compter 12 à 12,50 € pour un plat et un dessert. Happy hour (restaurant) : de 11 h 15 à 12 h et le jeudi soir. Parking Printemps.

LE VIN VIGNON

20 rue Vignon (9ᵉ)
Mᵒ Madeleine
Tél. 01 40 06 02 64
Lundi : 12 h-14 h 30 ; mardi-
vendredi : 12 h-14 h 30,
19 h 30-22 h 30 ; samedi :
12 h-14 h 30

Fast-food de luxe

Représentant d'une catégorie pas très courue, le fast-food de luxe, le Vin Vignon propose des assiettes chaudes et des plats à base de pain Poilâne tout à fait appétissants, avec quelques escapades vers une cuisine plus consistante mais toujours rapide. Plats du jour de 12 à 14 €, que l'on accompagnera d'un vin sélectionné dans l'abondante cave où le Bordeaux prédomine mais où les autres vignobles ne sont pas oubliés. Le soir, carte plus étendue (compter 22 à 30 €). Parking Madeleine.

10ᵉ ARRONDISSEMENT

AU BÉRET BASQUE

4 bd de Denain (10ᵉ)
Mᵒ Gare-du-Nord
Tél. 01 48 78 33 51
Tous les jours : 6 h-2 h
du matin

Hendaye à la gare du Nord

Si l'on a un train à prendre gare du Nord, où l'environnement est particulièrement pauvre en bons restaurants, celui-ci calmera d'honnêtes faims sans attaquer l'estomac et le portefeuille. Salade bretonne à 7 €, spaghetti bolognaise à 7,70 €, manchons de canard à 10 € ou chipirorès à la bayonnaise à 13 €.

LA CARAVELLE

52 rue du Faubourg-
Poissonnière (10ᵉ)
Mᵒ Bonne-Nouvelle
Tél. 01 47 70 21 72
Tous les jours : 10 h-
14 h 30, 19 h-22 h

Italo-chinois-mauricien

Mariage original de saveurs. Samussa (quatre pièces) : 4,50 €. Nem (quatre pièces) : 4,50 €. Desserts bien français (tarte aux pommes : 3 € ; gâteau au chocolat avec crème anglaise : 4 €). Les pizzas et pâtes (que l'on peut emporter) valent respectivement 7 à 9 €. Venir tôt, l'endroit est toujours bondé et, le soir, il faut réserver.

POÊLE DEUX CAROTTES

177 quai de Valmy (10ᵉ)
Mᵒ Louis-Blanc
Tél. 01 46 07 69 40
Fax : 01 46 07 69 42
www.chez.com/poele2ca
rottes
Lundi-vendredi : 8 h-1 h ;
samedi : 18 h-2 h

Requin pas chagrin

Oubliez le laborieux calembour qui trône au-dessus de la devanture bigarrée et plongez-vous dans la cuisine plus raffinée qu'il n'y paraît : requin sauce au miel, ananas grillé et semoule, tartare de concombre au chèvre. 9,50 € le plat à midi, 8 € les salades. Le soir, tout à 10 et 11 € (il vaut mieux réserver). **Digestif, café ou cocktail maison offert avec le guide ou la carte.**

LE RÉVEIL DU Xᵉ

35 rue du Château-d'Eau
(10ᵉ)
Mᵒ Château-d'Eau

Bonne chère, bons vins

L'un des meilleurs bistrots à vins. Daniel Vidalenc met lui-même son Beaujolais en bouteille. Spécialement recommandés : Côte-de-Brouilly ou Chiroubles-

Tél. 01 42 41 77 59
*Lundi-vendredi : 7 h 30-
20 h 30 (sauf mardi jusqu'à
21 h 30) ; samedi : 10 h-
16 h 30*

Régnié qui accompagnent parfaitement le confit de canard (10 €), l'omelette aux cèpes (selon saison) ou les charcuteries. Plat du jour : de 9 à 13 €. Terrine maison : 4,15 €. Brouilly : 15,25 €. Parking faubourg Saint-Martin. **Apéritif bougnat ou café offert avec le guide ou la carte.**

LA VIGNE SAINT-LAURENT
De la vigne au vin

2 rue Saint-Laurent (10ᵉ)
Mᵒ Gare-de-l'Est
Tél. 01 42 05 98 20
*Lundi-vendredi : 12 h-
14 h 30, 19 h-22 h 30*

Du Lyonnais, de Savoie ou de Provence, les petits plats de terroir sont légers et d'autant plus appréciés qu'ils s'accompagnent de gouleyants vins de propriétaires servis au verre. Plats du jour de 9,50 à 12 € (lapin rôti à la tapenade, cailles confites à l'huile d'olive à la provençale...). Menu froid (assiette de deux charcuteries, deux fromages, salade verte et verre de Côteaux-du-Lyonnais) : 11,50 €. Parking gare de l'Est. **Un verre offert avec le guide ou la carte (aux lecteurs sympathiques, uniquement...).**

11ᵉ ARRONDISSEMENT

À LA FLANQUETTE
La cuisine de grand'mère

9 rue Auguste-Laurent (11ᵉ)
Mᵒ Voltaire
Tél. 01 43 79 16 66
Lundi-vendredi : 12 h-15 h

Tout le monde à la même enseigne : menu à 15 € avec fromage ET dessert et des plats tels que nous les mitonnaient nos grands-mères : bœuf bourguignon, osso buco, côte de veau. L'ambiance est à l'unisson : familiale. Et tout le monde est content.

ANTIQUI-THÉ
Emportez votre assiette

72 rue Amelot (11ᵉ)
Mᵒ Saint-Sébastien-Froissart
Tél. 01 49 29 95 75
*Lundi-vendredi : 10 h 30-
19 h 30. Ouvert le soir
sur réservation*

Jacques est en cuisine, madame en salle. Un restaurant magique, entre salon de thé et brocante de qualité où tout est à vendre... notamment l'incroyable collection de 33 tours qui bercent les repas. Une formule déjeuner à 13,50 €, un menu à 24 € servis dans des services de porcelaine ancienne dépareillés. En partant, vous pourrez aussi emporter votre assiette... à condition de l'acheter. Le patron cuistot brocanteur est également tapissier. Cabriolets Louis XV et Louis XVI : 200 €. Crapauds, bergères, Voltaire : 300 €. Parking Bastille.

LA BONNE FRANQUETTE
Couscous sourire

151 rue de la Roquette
(11ᵉ)
Mᵒ Voltaire ou Philippe-
Auguste ou Père-Lachaise
Tél. 01 43 48 85 88
*Lundi-samedi : 10 h-2 h
du matin*

La branchitude n'a pas encore pénétré jusqu'ici. Mais le décor a été amélioré et le couscous est toujours délectable. Servi (et resservi si nécessaire) avec le sourire, il ne vaut que de 8 à 12 €. Les desserts sont faits maison, le Boulaouane (10 €, mêmes prix pour tous les vins) cogne dur et la terrasse est très agréable l'été, voire même l'hiver puisqu'elle est chauffée. **Thé à la menthe offert avec le guide ou la carte.**

L'ESTAMINET
Cadre et cuisine rétro

116 rue Oberkampf (11ᵉ)
Mᵒ Parmentier
Tél. 01 43 57 34 29

Peuplé de jeunes familles branchées, l'Estaminet se la joue rétro : vieux carrelage, moleskine, miroirs à tain. L'accueil est adorable, l'assiette pantagruéli-

Tous les jours : 12 h-0 h 30

que et le verre de Chardonnay à 2 €. Excellente viande (escalope aveyronnaise : 13 €). La salade « Estaminet » (salade, tomates, Bleu, Cantal, chèvre chaud, pommes de terre sautées, lardons, gésier, œuf poché) est en soi un repas complet (11 €). A la carte, compter de 15 à 22 €. Air conditionné.

FOLIE'S CAFÉ
Paninis et foie gras maison

19 rue du Faubourg-Saint-Antoine (11ᵉ)
Mᵒ Bastille
Tél. 01 43 41 12 14
Tous les jours : 8 h-2 h

Pour les affamés pressés et qui ne veulent pas s'asseoir, l'établissement propose d'excellents paninis et sandwiches suédois accompagnés d'une salade (7 €). Ceux qui ont plus de temps peuvent profiter du menu à 22 € incluant une entrée, un plat et un dessert, ou opter pour de succulents tagines (13 €), le fois gras maison (10 €) ou les glaces (6,50 €) à la carte.

JACQUES MÉLAC
Le bougnat de Paris

42 rue Léon-Frot (11ᵉ)
Mᵒ Charonne
Tél. 01 43 70 59 27
Fax : 01 43 70 73 10
www.melac.fr
*Lundi-samedi : 9 h-16 h,
19 h-23 h*

La porte franchie, nous voici en Aveyron. De bonnes bouteilles sur des étagères de vieux bois, le patron à la moustache ironique, les clients aussi à l'aise qu'à la maison. L'été, on déguste la salade de lentilles vertes du Puy (6,90 €), l'assiette du bougnat (10,50 €) ou les œufs cocotte comme à Bozouls (5,80 €) sur l'étroite terrasse coiffée d'une treille. Recommandé au dessert : la flognarde aux poires (4,90 €). Parking rue de Chanzy.

MANDINGUE
L'Afrique à Paris

96 rue Jean-Pierre-Timbaud (11ᵉ)
Mᵒ Couronnes
Tél. 01 43 57 85 61
Tous les jours : 11 h 30-2 h

Même le cadre, si l'on en croit un vieux « toubab », est « tout-à-fait comme là-bas ». Clientèle noire d'habitués, c'est bon signe, mélangée aux jeunes blancs du quartier qui adorent. Cuisine sénégalaise et malienne à base de maffé (9 €), de grillades de poisson (11,45 €) et de l'incontournable tiebedjene, le traditionnel riz au poivron du Sénégal (11,45 €).

PAUSE CAFÉ BASTILLE
Tartines et tourtes

41 rue de Charonne (11ᵉ)
Mᵒ Ledru-Rollin
Tél. 01 48 06 80 33
*Lundi-samedi : 8 h-2 h ;
dimanche : 9 h-20 h*

Très fréquenté par les jeunes branchés travaillant dans les maisons de couture avoisinantes. Souvenirs de « Chacun cherche son chat » de Cédric Klapisch qui fut en partie tourné ici. Agréable terrasse au soleil et service souriant. Tourtes : 8 €. Salades : 8 et 10 €. Parking Ledru-Rollin.

TACO LOCO
Mex pas tex

116 rue Amelot (11ᵉ)
Mᵒ Filles-du-Calvaire
Tél. 01 43 57 90 24
*Mardi-samedi : 12 h-
15 h 15, 19 h-24 h ; lundi :
19 h-24 h*

Un vrai restaurant mexicain pas cher et sympa. Les crêpes de maïs sont fraîches et la cuisine ne se contente pas du sempiternel chili con carne. Jeunes branchés et désargentés ne pas s'abstenir. Poulet à l'orange : 6,90 €. Enchiladas vertes : 8,85 €. Guacamole : 4,60 €. Mixiote : 9 €.

LES UNS ET LES AUTRES, CHEZ DRISS
Dîners en musique

15 rue Chevreul (11ᵉ)
Mᵒ Nation

Les dîners de Driss n'engendrent pas la mélancolie : spectacles les mercredi, jeudi, vendredi et samedi.

Tél. 01 43 70 22 40
Lundi-mardi : 12 h-15 h ;
mercredi-samedi : 12 h-
15 h, 19 h-24 h

On mange à 20 h, le spectacle démarre à 22 h. La formule est à 14,50 €, le menu à 18,50 € et le patron fait la manche pour les artistes. A midi, généreux menu à 15,50 € (entrée, plat, dessert, un quart de vin de pays, café) ou plat du jour à 7,15 €. Carte de fidélité (pour onze plats du jour, le douzième est gratuit). **Remise de 10 % avec le guide ou la carte (à midi seulement).**

WOK RESTAURANT   *Asiatique, design, zen*

23-25 rue des Taillandiers
(11ᵉ)
Mº Bastille
Tél. 01 55 28 88 77
Tous les jours : 20 h-23 h

Vaste restaurant, clair, à la grande table communautaire en hêtre blond et acier, aux chaises quasi transparentes, à la belle vaisselle design. On vous apporte un bol de nouilles (aux œufs ou au riz) à demi rempli. A vous de le compléter en légumes, viandes ou poissons crus pris au buffet. Devant vos yeux, le cuisinier jette et cuit l'ensemble dans un wok, ajoutant épices et sauces de votre choix. Menu « passeport » (entrée ou dessert, wok complet, bol de riz) à 15,50 €. Nem sucré au chocolat à 5 €. A la carte, environ 20 €. Parking Ledru-Rollin. Menu « billet aller-retour » : 19 €. **Apéritif offert avec le guide ou la carte.**

12ᵉ ARRONDISSEMENT

L'ALCHIMISTE   *Alchimie réussie*

181 rue de Charenton
(12ᵉ)
Mº Montgallet
Tél. 01 43 47 10 38
Lundi-vendredi : 12 h-14 h,
19 h 30-21 h 30

Quelques spécialités bienvenues viennent égayer une carte traditionnelle. Dos de sandre aux épices, côte de veau aux cèpes, tournedos de bœuf aux moules. L'Alchimiste se la joue vieux bistrot et attrape dans ses filets une clientèle de quartier branchée qui s'en lèche les babines. Formule à 13 € (midi). Menu midi et soir : 28 €.

LE BARON BOUGE   *Le baron boit*

1 rue Théophile-Roussel
(12ᵉ)
Mº Ledru-Rollin
Tél. 01 43 43 14 32
Mardi-jeudi : 10 h-14 h,
17 h-22 h ; vendredi-
samedi : 10 h-22 h ;
dimanche : 10 h-15 h

Le Baron est un connaisseur. Au tonneau, à la bouteille ou au verre, il fait goûter à tous les crus (avec une préférence pour les vins du Languedoc-Roussillon : Saint-Chinian, Tautavel) que l'on peut acheter et emporter. Sur place, on les accompagnera d'une excellente assiette de charcuteries corses, ou de fromages (de 4,50 à 8,50 € et plus) et, l'hiver, d'une douzaine d'huîtres à déguster sur le tonneau. A 13 h 45 et 21 h 45, le Baron sonne la cloche, hallali des buveurs. Il remballe et ferme sa petite halte paradisiaque.

LA FERIA   *Assiettes andalouses*

25 rue Montgallet (12ᵉ)
Mº Montgallet
Tél. 01 43 41 15 72
Tous les jours : 12 h-15 h,
19 h 30-24 h

Atmosphère reconstituée des bars à tapas du vieux Saint-Sébastien. Sur les murs, au plafond, alternance de tableaux et affiches de corridas, guirlandes d'ail et jambons. Dans les assiettes, une formule (midi) à 10,50 €, style asperges mayo, calamars frits, échine de porc lentilles, fraises au sucre, riz au lait. Plat du jour : 8,50 €. Les informaticiens, qui viennent des boutiques peuplant la rue, apprécient.

A la carte, compter environ 22 €. Parking sous le magasin Surcouf (gratuit le soir). **Un verre de sangria offert avec le guide ou la carte.**

LOLO ET LES LAURÉATS

42 rue Montgallet
(angle 68 bis rue
de Reuilly) (12ᵉ)
Mᵒ Montgallet
Tél. 01 40 02 07 12
*Lundi-samedi : 7 h 30-
19 h 30*

Petits vins et place piétonne

Un vrai bistrot sur une petite place, des tables au soleil et au calme, des jolies filles affairées, des jeunes gens qui travaillent dans l'informatique : ici, c'est le Paris d'hier pour les clients de demain. Plat du jour : 9 à 11 €. Viandes grillées : 11 €. Salade géante : 8 et 9 €. Desserts maison : 4,50 à 5,50 €. Parking Saint-Éloi, rue de Reuilly. **Kir maison offert avec le guide ou la carte.**

13ᵉ ARRONDISSEMENT

IMPÉRIAL CHOISY

32 av. de Choisy (13ᵉ)
Mᵒ Porte-de-Choisy
Tél. 01 45 86 42 40
Tous les jours : 11 h-23 h

Viet Nâm impérial

En vitrine, des canards bien laqués. Dans la salle, un crabe en mue au sel et poivre (12,50 €). Pas de menu. Cependant le coût des mets est aussi modeste que l'assiette bien garnie : poulet aux noix de cajou (6,50 €), canard laqué (7 €), salade aux crevettes (6,10 €).

NIELI

17/19 rue Louise-Weiss
(13ᵉ)
Mᵒ Chevaleret
Tél. 01 45 86 45 33
*Lundi-samedi : 12 h-14 h 30,
19 h-23 h*

L'Italie en majesté

A la carte (assez chère), on préférera le menu à 15,50 € où le carpaccio le dispute aux gnocchis et à l'escalope milanaise, aussi savoureux que bien présentés (et les pâtes sont évidemment maison). Service aimable, confort certain et vins italiens de qualité. Parking BNF. **Apéritif offert avec le guide ou la carte.**

XINH XINH

6-8 rue des Wallons (13ᵉ)
Mᵒ Saint-Marcel
Tél. 01 47 07 26 20
*Mardi-samedi : 12 h-
14 h 30, 19 h-23 h ; lundi :
12 h-14 h 30*

Authentiquement vietnamien

Loin des gargotes qui touillent à la sauce occidentale la même tambouille sino-viet-thaï, voici une cuisine authentiquement vietnamienne, souvent savoureuse, toujours étonnante, qui réveillera les papilles les plus blasées. Dans un décor vert et jaune, on appréciera la délicatesse des Banh Xeo (crêpes croustillantes farcies de porc émincé et crevettes) et les menus (végétariens ou non) à 11,50 ou 19 €. Menu vapeur : 19 €. **Cocktail maison offert avec le guide ou la carte.**

14ᵉ ARRONDISSEMENT

CHEZ CHARLES-VICTOR

8 rue Brezin (14ᵉ)
Mᵒ Mouton-Duvernet
Tél. 01 40 44 55 51
*Lundi-vendredi : 12 h-
14 h 30, 19 h 30-22 h 30 ;
samedi : 19 h 30-22 h 30*

Sud-Ouest et Provence

La cuisine de marché lorgne du côté du Sud-Ouest et de la Provence : coppa maison, thon à la tapenade, canapés de grand'mère. C'est consistant et bon. Agréable terrasse (quatre tables) où l'on ne peut réserver et belle petite cave de vins de propriétaires, à la bouteille ou en pichet. Formule à 14,50 €, menu à 19,50 € à choisir sur le tableau-carte.

500 RESTAURANTS

CHEZ JULES
Les escargots de Jules

34 rue Gassendi (14ᵉ)
Mᵒ Denfert-Rochereau
Tél. 01 43 27 73 14
*Lundi-vendredi : 12 h-
14 h 30, 19 h 30-23 h ;
samedi : 19 h 30-0 h*

Rien que pour sa ratatouille d'escargots au Chablis (12,50 €), il faut aller rendre visite à Jules. Pour des agapes plus quotidiennes, on se contentera de la formule à 15,25 € (entrée ou dessert + plat) ou à 19,10 €. **Un verre de ratafia offert avec le guide ou la carte.**

LA CHOPE
Agréable brasserie

17 rue Daguerre (14ᵉ)
Mᵒ Denfert-Rochereau
Tél. 01 43 22 76 59
*Mardi-samedi : 7 h-24 h ;
dimanche-lundi : 8 h-19 h*

Une très agréable brasserie de quartier, animée, et dotée d'une belle terrasse sur la rue Daguerre chauffée en hiver. Solide nourriture de terroir. Plat du jour : 10,60 €. Salade aveyronnaise : 7,90 €. Confit de canard : 11,60 €. Côte de bœuf : 13,50 €. Service souriant. Parking rue Boulard. **Coupe de vin blanc pétillant offerte avec le guide ou la carte.**

DIETETIC SHOP
Végétarien et sans sel

11 rue Delambre (14ᵉ)
Mᵒ Montparnasse ou Vavin
Tél. 01 43 35 39 75
*Lundi-vendredi : 11 h-
22 h 30 ; samedi : 12 h-
15 h*

Douchka est toujours là aux fourneaux derrière le bar. On la voit créer ses douceurs végétariennes, ses assiettes céréales, légumes, crudités, féculents à 7,47 €, qu'on arrosera d'un jus de carottes tout frais (2,60 €). Sa terrine végétarienne (forte en champignons), sa tarte aux lentilles germées sont délicieuses (respectivement 5 et 4,60 €), ses deux œufs à la coque, pain, beurre (4,12 €) ont le goût de l'enfance. Quant à l'assiette de saumon bio (9,90 €) et le caviar aux algues marines (2,23 €) ils raviront les aquaphiles. Mini-terrasse au soleil. Parking boulevard du Montparnasse.

PICROCOLE
Rabelais à table

9 rue Vandamme (14ᵉ)
Mᵒ Gaîté
Tél. 01 43 21 57 58
*Lundi-vendredi : 12 h-15 h,
19 h-23 h 30*

Bar de paquebot 1930, banquettes moleskine : l'endroit a de quoi séduire une clientèle tendance où s'égarent parfois des comédiens et des journalistes qui auront sûrement remarqué la faute d'orthographe de l'enseigne (Picrochole ! merci Rabelais). Mais ne boudons pas notre plaisir gastronomique. Les ravioles sont fondants (8,50 €), l'andouillette s'orne d'une belle collection de AAAAA (14 €), la tarte au chocolat est délicieuse. Menus à 12, 15,50 et 19 €. **Et le café est offert avec le guide ou la carte. Et avec le sourire.**

LE PLOMB DU CANTAL
L'Auverge en majesté

3 rue de la Gaîté (14ᵉ)
Mᵒ Edgar-Quinet
Tél. 01 43 35 16 92
*Mardi-samedi : 12 h-15 h,
19 h-22 h 30*

Truffade, fritons, fromages auvergnats : elles sont toutes là, les spécialités de la région, servies en abondance, et de qualité. Le menu à 17 € calera toutes les faims. On ne réserve pas, il est donc conseillé d'arriver tôt si l'on veut être servi.

15ᵉ ARRONDISSEMENT

L'AGAPE
Mérite son nom

281 rue Lecourbe (15ᵉ)
Mᵒ Convention
ou Boucicaut

Du parmentier de canard aux lasagnes de crabe et langoustines, en passant par la côte de veau en osso buco, ce petit restaurant où officient frère en cuisine

Tél. 01 45 58 19 29
*Lundi-vendredi : 12 h-
13 h 30, 19 h 30-22 h ;
samedi : 19 h 30-22 h*

et sœur en salle mérite son nom. Formule à 18,30 €,
menu à 23,64 €. **Café offert avec le guide ou
la carte.**

LA BARAKA
Encore une boulette

35 rue Viala (15e)
M° Dupleix
Tél. 01 45 77 76 37
*Tous les jours (sauf dimanche
et samedi midi) : 12 h-15 h,
20 h-23 h*

Une sympathique adresse familiale qui ensoleille la
triste dalle Beaugrenelle. La Baraka nous propose
de déguster sur des plateaux en cuivre marocains
quelques classiques de cette belle cuisine : bricks,
tajines, couscous, salade d'orange, pâtisseries, thé
à la menthe. Notre préféré : le couscous aux boulettes de bœuf (8,50 €). La semoule est légère et
moelleuse, le bouillon goûteux et point trop gras. La
graine est mélangée comme nous l'aimons avec des
pois chiches et des raisins secs. Le restaurant est
petit. Il faut réserver !

BARIBAL
Cuisine de bistro

186 rue de Vaugirard (15e)
M° Volontaires ou Pasteur
Tél. 01 47 34 15 31
*7 jours sur 7 : 11 h 30-
0 h 30*

Au coude à coude, dans un chahut sympathique
(mais il faut aimer le bruit et la promiscuité), on
mange une bonne cuisine de bistro appliquée, voire
inventive (escalope de veau à la sauce roquefort,
pommes de terre sautées : 11,50 € ; saumon grillé
sauce citron : 11 €). A midi, un plat du jour à 9 €.
Une bonne adresse pour le quartier.

BLUE BUOÏ CAFÉ
Assiettes et cocktails

50 bd de Vaugirard (15e)
M° Montparnasse-
Bienvenüe
Tél. 01 43 20 79 90
Tous les jours : 7 h-1 h 30

Le Blue Buoï a de nombreux attraits : ses assiettes
gourmandes (11 €), son magret de canard aux poires fraîches pochées et baies roses (13 €) et ses
cocktails « americano-vietnamiens » : le kamikaze
(vodka, triple sec, jus de citron) ou le freeman (alcool
de riz, vodka, jus de fruit). Formule à 11 € à midi,
22 € le soir. A la carte, compter 20 €.

BOMBAY CAFÉ
Spécialités anglo-indiennes

19 av. Félix-Faure (15e)
M° Félix-Faure
Tél. 01 40 60 91 11
Fax : 01 44 84 04 30
*Lundi-dimanche : 11 h 30-
23 h 30*

Le Bombay Café perpétue l'atmosphère des clubs
anglais des Indes Britanniques ouverts à toute heure
du jour : breakfast anglais ou indien (8,99 €) ; Af-
ternoon high thea (subtil Nilgiri), ou Indian Bombay
Saphir. Et bien sûr, les spécialités : curry d'agneau
Bombay Café, Lamb pepper biriyani. Les tandooris
sont légers comme un air de jazz. Le copieux curry
du midi + salade est à 0,99 € (entre midi et midi
30). Compter 21 € à la carte. Dimanche, brunchs
et buffets anglo-indiens très complets, à 15,10 €.

AUTRE ADRESSE
■ 192 av. Jean-Jaurès, 19e • M° Porte-de-Pantin • Tél. 01 44 84 09 09 • Également quelques plats
français.

LE CAFÉ DU COMMERCE
Tradition brasserie

51 rue du Commerce (15e)
M° Émile-Zola ou La Motte-
Picquet-Grenelle
Tél. 01 45 75 03 27
Tous les jours : 12 h-0 h

Une cuisine dans la grande tradition brasserie. A
midi, formule « Bistrot » à 12 € (plat + dessert +
café). Menu « Gourmet » (le soir) : 23 €. Plats du
jour : 11 € (midi). A la carte, compter 25 €. Parking
rue du Théâtre.

LES DIX VINS   *Bistrot à vin*

57 rue Falguière (15ᵉ)
Mᵒ Pasteur
Tél. 01 43 20 91 77
*Mardi-samedi : 12 h 30-
14 h 30, 19 h 30-23 h 30*

Un petit bistrot à vins où les plats savent se marier avec les boissons : le choix est restreint, mais la chère est bonne, même si le service est parfois un peu long. Menu à 17 €.

EL BACHA   *Beyrouth sur table*

74 rue de la Croix-Nivert
(15ᵉ)
Mᵒ Cambronne
ou Commerce
Tél. 01 45 32 15 42
*Lundi-samedi : 11 h 30-15 h,
18 h-23 h*

Des mezzés (hommos, moutabal, moussaka) aux grillades (chawarma, kafta, chiche kebab) en passant par les falafels ou les kebbés, toutes les délices du Liban sont présentes (rappelons qu'il s'agit de l'une des plus savoureuses cuisines du Moyen-Orient). Notre préféré : le chiche taouk (brochettes de poulet marinées au citron) à 9 €. Cinq attrayantes assiettes à 9 € à midi (dont la végétarienne). Formule mezzé : 30 € (deux personnes). **Café offert avec le guide ou la carte.**

16ᵉ ARRONDISSEMENT

CAFÉ DU MUSÉE D'ART MODERNE   *Terrasse de rêve*

11 av. du Président-Wilson
(16ᵉ)
Mᵒ Iena
Tél. 01 53 67 40 47
Mardi-dimanche : 10 h-21 h

La cuisine, agréable et sans surprise a fait quelques progrès (club sandwich à 13,50 €, quiche à 9 €). Mais il y a surtout la terrasse, peut-être la plus belle de Paris, d'où l'on plonge sur la Seine et la tour Eiffel. 180 places qui font chaque midi, durant la belle saison, 180 heureux. Brunch samedi et dimanche (23 €). **Remise de 10 % avec le guide ou la carte.**

MUSÉE DU VIN   *Manger et boire rue des Eaux*

Rue des Eaux (16ᵉ)
Mᵒ Passy
Tél. 01 45 25 63 26
www.museeduvinparis.com
*Mardi-dimanche : 12 h-
15 h ; le soir, réceptions
privées ; fermé entre Noël
et le jour de l'an. Musée
du vin : 10 h-18 h du mardi
au dimanche*

Comme dans un rêve rabelaisien, on y absorbe bon vin et gai savoir : des dégustations œnologiques sont organisées pour parfaire la culture vineuse du public. Bel endroit pour organiser des conférences. Entrée musée + dégustation d'un verre : 6,50 €. Agréable restaurant (un plat : 15 €, deux plats : 22 €, trois plats : 28 €, quatre plats : 34 €). Parking 19 rue de Passy. **Remise de 5 % avec le guide ou la carte.**

LE PETIT RÉTRO   *Rétro moderne*

5 rue Mesnil (16ᵉ)
Mᵒ Victor-Hugo
Tél. 01 44 05 06 05
*Lundi-vendredi : 12 h-15 h,
19 h-23 h*

L'intérieur tient les promesses de l'enseigne. Faïences, plafond peint, cuivres laissent présager une cuisine de grand-mère. C'est presque le cas, même si la modernité a mis son grain de sel dans les assiettes : ravioles de saumon à la fondue de poireaux et à la crème de ciboulette et côte de bœuf cuite dans son jus, purée à l'huile d'olive. Le menu à 18 € flirte avec la catégorie supérieure, l'autre menu à 22 € y tombe carrément (menus le midi uniquement). Une deuxième salle doit être ouverte en septembre 2003.

ALHEN
Très bonne cuisine marocaine

42 rue des Dames (17ᵉ)
Mᵒ Rome
Tél. 01 43 87 91 79
ou 06 08 92 91 59
*Tous les jours sauf dimanche
et lundi midi : 12 h-15 h,
19 h-23 h*

Un restaurant marocain de bonne tenue, un patron avenant, une graine de couscous aérienne et des tagines raffinés. Une petite terrasse aux beaux jours. Tagines : 11 à 14 €. Couscous : 13 à 14 €. Formule midi à 11 € (entrée + plat). Menu à 20 € (entrée + plat + dessert). Menu enfant : 7 €. Une des bonnes adresses (méconnue celle-là) du quartier des Batignolles. **Remise de 10 % avec le guide ou la carte.**

AU BON COIN
C'est carré

50 rue Lemercier (17ᵉ)
Mᵒ La Fourche
Tél. 01 42 28 89 80
*Lundi-samedi : 12 h-14 h 30,
20 h-22 h 30*

Les gens du coin connaissent cette adresse du temps où elle était un bistroquet au charme provincial et rétro. Les repreneurs ont eu la délicatesse de ne pas casser cet esprit en y ajoutant le bénéfice d'une cuisine simple et excellente. On écrabouille des patates fraîches pour la purée. Le jus au milieu est délicieux. Les vins de terroirs sont judicieusement choisis. Les prix sont très accessibles : steak haché à cheval avec ses pommes sautées et sa salade verte ou lapin chasseur et sa purée maison (8,50 €). L'idée est de finir son repas au comptoir 100 % formica, par un café et des félicitations au patron.

LE BISTROT DES DAMES
Bienvenue aux branchés

18 rue des Dames (17ᵉ)
Mᵒ Place-de-Clichy
Tél. 01 45 22 13 42
www.eldorado.cityvox.com
*Tous les jours : 12 h-
14 h 30, 19 h-23 h 30 ;
bar jusqu'à 2 h du matin*

Dans un cadre sympathique, une cuisine correcte dans un des bars à la mode du quartier des Batignolles. Salades de 10,50 à 11,50 €. Plat du jour : 9,90 à 14,50 €. Desserts : 5 à 6 €. Quoi d'exceptionnel ici ? Une terrasse-jardin de rêve aux beaux jours. Et la carte devient alors plus méditerranéenne : antipasti, calamars grillés...

CAFÉ D'ANGEL
Bistro d'excellence

16 rue Brey (17ᵉ)
Mᵒ Ternes
Tél. 01 47 54 03 33
*Lundi-vendredi : 12 h-14 h,
19 h 30-22 h*

Dans un décor bistro (comptoir en bois, banquettes en skaï), une cuisine inventive dont le menu (midi) à 18,50 € donne une parfaite idée, même si celui à 21 € atteint les sommets. Le soir menu à 35 €. Le dos d'esturgeon mijoté au chou vert avec son jus de poule aux herbes est une petite merveille.

LE CHOCOLAT VIENNOIS
Gastronomie tyrolienne

118 rue des Dames (17ᵉ)
Mᵒ Villiers
Tél. 01 42 93 34 40
www.leviennois.com
Lundi-samedi : 12 h-23 h

Malgré les flonflons tyroliens, la cuisine autrichienne est plus légère qu'on ne le pense. Le tournedos de mignon de porc est en tout cas savoureux et le strudel tout à fait délectable. La maison fait également salon de thé et cave où l'on déguste les vins du cru. Menu à 16 € (midi), 24 € (soir). **Apéritif offert avec le guide ou la carte.**

LA FABRIQUE DE BOUCHONS
Poc !

17 rue Brochant (17ᵉ)
Mᵒ Brochant
Tél. 06 72 12 35 49

Un restaurant très tendance qui fleure pourtant bon la tradition. D'abord parce qu'il s'agit d'une authentique manufacture de bouchons fermée en 1981.

*Lundi-dimanche : 12 h 30-
15 h 30, 19 h 45-23 h
(fermé lundi midi
et dimanche soir)*

Ensuite parce que l'on y joue deux airs indémodables : cochonnaille et frometon. Arrosés de bons vins, cela coule de source. Le plus économique est de commander une « salade bouchon » (10,50 €) qui comprend de généreuses portions d'excellents mozarella et cantal, le tout garni d'avocat et de tomate à l'huile d'olive. Plat du jour (cassoulet ou confit de canard ou raclette de la Fabrique) : 16 €. Le pain exquis et le verre de vin de Cahors sont compris. Décor et ambiance sont aussi réussis. On peut d'ailleurs acheter son cendrier ou la table sur laquelle on mange car le restaurant est en même temps une brocante. Et tous les vendredis soir, quartet jazz (au même prix). Brunch le dimanche (18 €). **Remise de 5 % avec le guide ou la carte.**

LA GAZELLE   *Du côté de l'Afrique*

9 rue Rennequin (17ᵉ)
Mº Ternes
Tél. 01 42 67 64 18
*Lundi-vendredi : 12 h-
14 h 30, 19 h-22 h ;
samedi : 19 h-23 h*

De retour d'Afrique, Marie a eu envie de faire connaître à ses compatriotes les cuisines de Côte d'Ivoire et du Sénégal. Et elle y réussit fort bien. Menu (midi) : 14,48 €. Menu Massa : 24,39 €. A la carte, compter 35 €.

LA MAFFIOSA   *Une bonne pizzeria*

19 rue des Dames (17ᵉ)
Mº Place-de-Clichy
Tél. 01 55 30 01 83
*Lundi-samedi : 12 h-15 h,
18 h 30-23 h*

Personnel sympathique, grosses faims rassasiées, pâte à pizza de qualité, une adresse connue de tous les habitants des Batignolles qui ont le choix entre la salle et les pizzas à emporter. Désormais, tous les plats sont à emporter. Pizzas de 6,40 à 8,60 €. Pâtes : de 6,50 à 7,60 €. **Kir offert avec le guide ou la carte.**

AUTRE ADRESSE
■ 7 rue Cadet, 9ᵉ • Mº Cadet • Tél. 01 48 24 18 64

MÉNÉLIK   *Cuisine éthiopienne*

4 rue Sauffroy (17ᵉ)
Mº Brochant
Tél. 01 46 27 00 82
*Tous les jours : 12 h-
14 h 30, 19 h-23 h 30.
Fermé lundi midi*

Dessins, tentures et photos renvoient au pays de la reine de Saba. La cuisine est épicée mais l'accueil est doux. Attention, le plat traditionnel servi sur une galette (l'injéra), se mange avec les doigts (fourchette autorisée). Bon menu végétarien à 9,90 € (avec poisson, compter 14,95 €). Plat : 9,90 €. Dessert : 4,30 €. Vendredi et samedi à 23 h, cérémonie du café : il est grillé puis infusé. Ambiance chaleureuse. **Kir offert à midi, avec le guide ou la carte.**

18ᵉ ARRONDISSEMENT

AU BON COIN   *Vin sur vin*

49 rue des Cloys (18ᵉ)
Mº Jules-Joffrin
Tél. 01 46 06 91 36
*Lundi-jeudi : 7 h-22 h ;
vendredi-samedi : 7 h-20 h*

Une « cantoche » de quartier (qui fait également épicerie fine), sise depuis 1934 à l'angle des rues des Cloys et Montcalm. Le genre de coin où l'on tombe facilement nez à nez avec un pavé de Charolais-pommes sautées, pour rebondir sur une tarte aux pommes rhubarbe (mais ça change tous les jours en fonction du marché). Le midi : compter 13 € ; le soir : 23 €. Nous gardons aussi un assez bon souvenir d'une langue de bœuf à la sauce gribiche. L'intérêt majeur de cet humble resto réside toutefois dans sa carte des vins qui explore le vignoble français et nous réserve de bonnes surprises. A l'image de cet Estaing, un rouge d'Aveyron méconnu, ou ce gris de Touraine et cet Épineuil, ancienne appellation du Bourgogne, de M. Mathias. Trinquons donc !

AUX NÉGOCIANTS

27 rue Lambert (18ᵉ)
Mᵒ Château-Rouge
Tél. 01 46 06 15 11
Lundi-vendredi : 12 h-14 h 30, 19 h 30-22 h 30 ; nocturne mardi, mercredi, jeudi jusqu'à 22 h 30

Sur les traces d'Antoine Blondin

Dans la tournée d'Antoine Blondin, ce bistrot à vins avait une place de choix. Autant dire qu'on y sait boire. Et comme les boissons sont accompagnées d'agréables plats du terroir (pâté creusois : 11 € ; tripes maison : 11 € ; choux farcis : 12 €), on ne boudera pas son plaisir. Parking, garage Renault, rue Custine. **Verre de coteaux du Vendômois offert avec le guide ou la carte.**

LES COPAINS D'ABORD

62 rue Caulaincourt (18ᵉ)
Mᵒ Lamarck-Caulaincourt
Tél. 01 46 06 29 83
www.lescopainsdabord.fr
Lundi-vendredi : 12 h-14 h, 17 h-22 h (fermé le mercredi midi) ; samedi : 18 h-22 h

Fluctuat nec mergitur

Les mânes de Brassens rôdent en ces lieux, fortement ravivées, il est vrai, par les airs qu'égrène le vocaliste local en soirée. Le menu à 18 € est tout à fait correct, et quant à lui, très éloigné de la gastronomie sétoise chère à Jojo. Ambiance très agréable.

DAROU KHOUDOSS

3 rue Labat (18ᵉ)
Mᵒ Marcadet-Poissonniers
Tél. 01 42 23 44 63
Lundi-dimanche : 13 h-22 h

Un des meilleurs tieboudiènes de Paris

A deux pas du métro Marcadet, le restaurant d'Adji Badji propose une cuisine sénégalaise savoureuse et authentique. Le choix est limité et les repas composés d'un seul plat, proposé sur place comme à emporter au prix de 10 €. Mais quel plat ! On appréciera notamment le tieboudiène ou tieb dien, riz et poisson en wolof, qui est le plat national sénégalais. Il est ici copieux et préparé à la mode de Saint-Louis et dans les règles de l'art, avec yète, tiof farci, manioc (traduction sur place)… Attention, la maison ne sert aucune boisson alcoolisée.

ILLIOS

61 rue Ramey (18ᵉ)
Mᵒ Marcadet-Poissonniers ou Jules-Joffrin
Tél. 01 42 23 67 60
Fax : 01 53 28 24 33
Lundi-vendredi : 12 h-14 h 15, 19 h 45-22 h 15 ; samedi : 19 h 45-22 h 30 (fermé en août)

Cuisine du soleil à l'ombre de la butte

Il y a beaucoup de créativité et de personnalité dans la cuisine méditerranéenne de Yannis et Socrate. Sur cette table ensoleillée, on se réjouira notamment d'un agneau poêlé sur lit d'aubergines, d'une brandade de haddock à la tapenade et d'un croustillant de rougets aux pistous. L'accueil est charmant. Le menu à 14 € a malheureusement disparu en juillet 2003. Reste la formule à 21 € et le menu à 26 €, midi et soir.

LE MAQUIS

69 rue Caulaincourt (18ᵉ)
Mᵒ Lamarck-Caulaincourt
Tél. 01 42 59 76 07

Cuisine de marché

Une cuisine de marché qui peut être servie soit en terrasse, soit dans la salle que tapissent de charmantes photos d'antan. Brandade de morue et lapin aux

Mardi-samedi : 12 h-14 h, 19 h 45-22 h

pruneaux figurent souvent dans la formule (12 €) à midi et aux menus à 19 et 27 €. Une bonne adresse de quartier.

OLYMPIC CAFÉ
Perle de cultures

20 rue Léon (18ᵉ)
M° Château-Rouge
Tél. 01 42 52 29 93
www.rueleon.net
Lundi-mardi : 19 h-2 h ; mercredi-samedi : 12 h 30- 2 h

Ce lieu va bien au-delà du simple café. Il est le fruit de l'obstination d'un homme, Hervé Breuil, qui lutte contre la ghettoïsation du quartier de la Goutte d'Or. Après y avoir créé le théâtre du Lavoir Moderne Parisien (LMP), il a transformé l'Olympic, un de ces bons vieux bistrots, en café-musique. Quatre ans plus tard, l'Olympic est un espace incontournable de la scène parisienne. Des concerts de musique du monde entier font vibrer l'ancienne salle de bal du sous-sol. L'Olympic propose aussi des projections, des lectures, des rencontres... Le tout à petits prix (entre 5 et 8 €). Pour une bière ou un apéro, compter de 2 à 3 €, et 13 € pour manger à la carte.

O POR DO SOL
Mordu de morue

18 rue de la Fontaine-du-But (18ᵉ)
M° Lamarck-Caulaincourt
Tél. 01 42 23 90 26
Tous les jours (sauf mercredi et samedi midi) : 12 h-14 h, 19 h-22 h (fermé en août)

Pour les entichés du Portugal, les chantres du « vino verde », les chauds partisans du « bacalhau » (morue). C'est ici. Pas cher, un chef excellent, une patronne charmante... Deux formules à essayer pour déjeuner : plat + dessert (8 €) et entrée + plat + dessert (9,50 €). Vous goûterez à la morue « a braz » (émiettée mélangée avec patates, oignons, œuf battu). La tarte aux pommes maison est parfaite. D'autres plats alléchants à la carte : « bacalhau grelhado » (morue grillée : 13 €), cochon de lait grillé à la portugaise (le week-end : 14,50 €), « Cataplana » (porc mélangé avec des palourdes, 36 € pour deux). Une adresse dépaysante.

LE PETIT CABOULOT
A l'ancienne

6 place Jacques-Froment (18ᵉ)
M° Lamarck-Caulaincourt ou Guy-Môquet
Tél. 01 46 27 19 00
Lundi-samedi : 12 h-14 h, 20 h-23 h

Un resto qui se la joue bernard-l'ermite, comprenez qui habite les murs d'un vieux bistrot pour y servir une cuisine dans le vent à une clientèle gentiment branchée. La salle ne manque pas de charme. L'accumulation d'enseignes publicitaires émaillées plaît aux uns, déplaît aux autres. Le service est efficace, les propositions sont judicieuses : salade de pâtes et des ris d'agneau à l'estragon et asperges : 10 €. On y ajoutera un verre de vin du pays d'Ardèche (3 €) et un café (2 €). Une dizaine d'entrées à 6 € et une dizaine de plats à 13 €. Menu à 10 € (midi).

LE RELAIS GASCON
Salades gourmandes

6 rue des Abbesses (18ᵉ)
M° Abbesses
Tél. 01 42 58 58 22
Tous les jours : 12 h-15 h, 19 h-23 h

Comme l'indique l'enseigne, la cuisine lorgne vers le Sud-Ouest. Mais on peut se contenter de salades gourmandes accompagnées de pommes sautées (9 et 9,50 €). Le confit de canard est à 12 €. Et tout cela est fort bon, ma foi.

LE RESTAURANT
Insolite et bon

32 rue Véron (18ᵉ)
M° Abbesses

Derrière l'enseigne d'une simplicité biblique se cachent d'étonnants plats dont l'unique intitulé met

Tél. 01 42 23 06 22
*Lundi-dimanche : 12 h-15 h,
19 h 30-0 h*

déjà l'eau à la bouche : canette rôtie au miel, compote de figue et coriandre, lapereau rôti au genièvre, compote de chou vert fondant. Étonnant, donc, de trouver un menu à 15 € (midi) qui satisfasse déjà les papilles (plat + verre de vin + café). Menu soir : 19,80 €.

RESTAURANT FRANCO-AFRICAIN *Au village africain*

7 rue des Poissonniers (18ᵉ)
Mᵒ Château-Rouge
Tél. 01 42 51 24 94
*Mardi-dimanche : 12 h-
23 h 30*

Venez vous régaler de yassa ou de maffé (à 8 €), de tieboudiène (8,50 €) ou réveiller vos papilles aux saveurs de la cuisine sénégalaise de Nioumre, du nom du village dont sont originaires les propriétaires de ce restaurant situé en plein cœur du Little Senegal parisien, à deux pas du Sacré-Cœur. Vous ne le regretterez pas.

RESTAURANT POLONAIS MAZURKA *Et une vodka !*

3 rue André-del-Sarte (18ᵉ)
Mᵒ Barbès ou Anvers
Tél. 01 42 23 36 45
Fax : 01 42 62 32 95
*Lundi-dimanche
(sauf mercredi) : 19 h-
23 h 30*

Rien de tel pour réchauffer les soirées hivernales que les vodkas poivrées (excellentes), à déguster lentement avec les plats traditionnels (tarama, poissons de la Baltique ou raviolis à la polonaise). Le menu complet (sans vodka) est à 18 € ou 23 €. De quoi rassasier les gros appétits. Mention spéciale pour l'excellent café turc.

19ᵉ ARRONDISSEMENT

AY CARAMBA ! *Viva Mexico !*

59 rue Mouzaïa (19ᵉ)
Mᵒ Pré-Saint-Gervais
Tél. 01 42 41 23 80
*Tous les soirs : 19 h 30-
23 h 30 ; vendredi, samedi,
dimanche : 12 h-14 h 30*

C'est l'endroit parfait pour les longues soirées animées entre amis... Une grande salle agréable, où l'on peut entendre de la musique latino tous les soirs. Cuisine copieuse et goûteuse pour petit budget (compter autour de 14 € le plat, largement de quoi rassasier les plus gourmands). Ay Caramba ! saura répondre à toutes vos exigences, notamment grâce à un personnel accueillant.

L'HEURE BLEUE *Pour carnivores ou herbivores*

57 rue Arthur-Rozier (19ᵉ)
Mᵒ Botzaris ou Place-
des-Fêtes
Tél. 01 42 39 18 07
*Lundi-vendredi : 12 h-
14 h 30, 19 h 30-22 h 45*

Foie gras, onglet ou confit de canard pour les amateurs de viande. Les végétariens ne sont pas oubliés : ils ont droit aux tartes salées, ravioles ou feuilleté au fromage de brebis et aux épinards. Les enfants ont leur menu spécial à 8 €. Les adultes paieront plus cher : 20 à 25 € en moyenne. A moins qu'ils se rabattent sur l'appétissant menu à 10,80 € (midi seulement). **Apéritif maison offert avec le guide ou la carte.**

L'ORIENTAL *Beyrouth sur Seine*

58 rue de l'Ourcq (19ᵉ)
Mᵒ Crimée
Tél. 01 40 34 26 23
Fax : 01 40 34 26 23
*Lundi-samedi : 11 h 30-
14 h 30, 19 h-23 h
(il vaut mieux réserver)*

Une oasis libanaise dans le désert gastronomique de la rue de l'Ourcq. Mezzé, hommos, poulet mariné bons et copieux. Plat du jour entre 9 et 9,50 €. Mezzé : 14 €. Plats à emporter. Salle climatisée. Parking avenue de Flandre. **Café ou thé à la menthe offert avec le guide ou la carte.**

LE RENDEZ-VOUS DES QUAIS   *Ciné-dîner*

10-14 quai de la Seine
(19ᵉ)
Mᵒ Stalingrad
Tél. 01 40 37 02 81
Tous les jours : 12 h-0 h 30

Bourrée de cinéphiles tout juste sortis du cinéma jointif, la terrasse donne sur les eaux calmes du bassin de la Villette. Formule astucieuse mariant ciné et dîner (24,90 €). Formule correcte à 18 € suivant le plat du jour et le dessert du jour (boissons non comprises). Menu enfant : 8 €. Terrasse très agréable aux beaux jours (pas de réservation).

20ᵉ ARRONDISSEMENT

CHEZ LASSERON   *Régionaliste*

1 place Maurice-Chevalier
(20ᵉ)
Mᵒ Ménilmontant
Tél. 01 43 49 33 14
Lundi-samedi : 20 h-0 h

Le grand sourire débonnaire du patron flotte au-dessus d'une déco un peu déglinguée. Et tout de suite arrivent les agapes. Au menu à 20 € par exemple : œuf à l'estragon (cuit dans de la crème fraîche, relevé de poivre et d'estragon), confit de canard (croustillant dehors, moelleux dedans) servi avec des rondelles de pommes de terre sautées au persil et à l'ail, et compote de rhubarbe douce-acide à point accompagnée d'un pot de crème fraîche. La tarte Tatin n'est pas non plus à négliger. Seul représentant à Paris de jambon de Reims (6 €). A la carte, compter environ 25 €. Excellente cave. **Un coup à boire avec le guide ou la carte (à l'arrivée).**

LA MÈRE LACHAISE   *Voisine du Père*

78 bd de Ménilmontant
(20ᵉ)
Mᵒ Père-Lachaise
Tél. 01 47 97 61 60
*Tous les jours : 8 h-2 h
du matin*

Décor minimaliste : parois argent ou murs grattés et photos. Plats du jour à l'ardoise de 6,90 à 16,80 €. Ex : assiette de saumon mariné à la crème et ciboulette, pintade rôtie au jus épicé et frites, cassolettes. Spécialité des saladiers (fromager, campagnard, océanique à 8,60, 9,50, 10,50 €) bien garnis. Desserts traditionnels : tartes (5,60 €), fromage blanc au miel (4,50 € !). Verre de vin à partir de 2,20 €. Café à 1,70 €. Terrasse.

SPÉCIALITÉS ANTILLAISES   *C'est bon, doudou, dis donc*

14 et 16 bd de Belleville
(20ᵉ)
Mᵒ Ménilmontant
Tél. 01 43 58 31 30
Fax : 01 43 58 31 82
*Mardi-samedi : 10 h-19 h ;
dimanche : 9 h-12 h 15*

Il s'agit essentiellement d'un traiteur (boudin, acras, plats cuisinés) dont le restaurant, ouvert du mardi au samedi midi est une annexe où il faut réserver. Boudin : 7,60 € le kilo. Acras de morue : 24,09 € le kilo. **Remise de 10 % avec le guide ou la carte.**

LE TORREENSE   *Vive la morue*

92 rue de la Réunion (20ᵉ)
Mᵒ Alexandre-Dumas
Tél. 01 43 70 33 23
*Lundi-samedi : 12 h-14 h,
19 h 30-22 h*

Mais si, la morue portugaise peut être bonne ! Le Torreense en donne la preuve avec son bacalhau aux poivrons à 9,30 € ou sa morue abrase à 10,70 €. Simple, sans chichi, servi dans des assiettes en poterie traditionnelle : une bonne adresse de quartier. On évitera cependant le vin portugais, sans grand intérêt (c'est un euphémisme...).

➔ RESTAURANTS de 20 à 28 €

Les catégories de prix reposent sur des critères bien précis. Nous avons pris en compte le menu le moins cher comportant une entrée, un plat et un fromage ou un dessert, boisson non comprise. A défaut de menu, c'est le prix moyen à la carte qui intervient. Ainsi, pour un restaurant classé dans la catégorie de 20 à 28 €, est-on sûr de faire un repas complet à moins de 28 €. Dans ce même restaurant, il peut également y avoir d'autres menus à plus de 28 €. Et le prix moyen à la carte peut, lui aussi, être plus élevé.

1er   ARRONDISSEMENT

CHEZ CLOVIS

Les Halles à l'ancienne

33 rue Berger (1er)
M° Châtelet-Les Halles
Tél. 01 42 33 97 07
Fax : 01 42 33 97 07
*Lundi-samedi : 12 h-15 h,
19 h-23 h*

Une des très bonnes cuisines du quartier : joue de bœuf en cocotte (14,80 €) et andouillette du père Duval (15,50 €) méritent leur médaille en saucisson. L'été, de la terrasse fleurie, on a vue sur l'église Saint-Eustache et les jardins des Halles. Formule entrée ou dessert + plat : 19,80 € et menu complet à 26,50 €. Parking Forum-des-Halles-sud et nord.

LA CLOCHE DES HALLES

Bons vins, bonne chère

28 rue Coquillière (1er)
M° Les Halles
Tél. 01 42 36 93 89
*Lundi-vendredi : 8 h-22 h ;
samedi : 10 h-17 h*

Ici le tape-à-l'œil n'est pas de mise. On se bouscule néanmoins pour déguster les petits plats appétissants, accompagnés de plaisants vins de propriété mis en bouteille par le patron. L'assiette de jambon ou charcuterie avec un verre de vin : 9,30 €. Mais un repas complet flirte avec les 22 €. Parking Saint-Eustache.

COLETTE

A l'eau ?

213 rue Saint-Honoré (1er)
M° Tuileries
Tél. 01 55 35 33 90
Fax : 01 55 35 33 99
www.colette.fr
Lundi-samedi : 11 h-19 h

Cette cantine design où l'on vient prendre ses eaux (une centaine de variétés différentes) se révèle à l'usage un excellent restaurant, convivial et branché, où l'on grignote, en sous-sol, quelques plats choisis (ravioli à la ricotta et au basilic : 12 € ; blanc de poulet à l'italienne : 12,50 €). C'est bon, c'est beau, et en insistant, on peut même avoir accès à une carte d'excellents petits vins. Parking place du marché Saint-Honoré.

L'ENCLOS SAINT-HONORÉ

L'enclos de Ninette

396 rue Saint-Honoré (1er)
M° Concorde
Tél. 01 42 60 12 77
*Lundi-vendredi ; 12 h-15 h,
19 h-22 h ; samedi : 19 h-
22 h*

A chercher et à découvrir : il faut se faufiler par un escalier jusqu'au deuxième étage pour accéder à un ancien appartement joliment reconverti en restaurant. La chère y est succulente (magret de canard, civet de chevreuil en saison, profiteroles d'escargot) et le menu à midi à 26,80 € en témoigne. Autre menu à 40 €. Le soir, on mange à la carte. Piment supplémentaire : l'endroit aurait été jadis une maison close. Cherchez-en les traces... **Kir ou café offert avec le guide ou la carte.**

HOLLY SUSHI

Sushis à volonté

22 rue des Pyramides (1er)
M° Pyramides

Petit restaurant japonais à la décoration design qui vaut surtout pour sa formule à 23 € : une soupe miso

Tél. 01 40 15 04 04
*Tous les jours : 12 h-
14 h 30, 19 h-22 h 30*

+ sushis à volonté (très frais) + thé vert à discrétion. Terrasse chauffée en hiver. Réservation obligatoire : l'endroit attire les foules ! Livraison à domicile.

JUVÉNILES

Vins du monde

47 rue de Richelieu (1er)
M° Palais-Royal
Tél. 01 42 97 46 49
*Tous les jours (sauf
dimanche) : 12 h-23 h*

Ah, mes aïeux, quelle cave ! De grandes (et moins grandes) bouteilles françaises, mais aussi des escapades du côté de l'Espagne, de l'Italie, de l'Australie, de la Californie, du Portugal et de l'Uruguay. Et parce qu'on ne peut pas passer son temps qu'à boire, on commandera une fricassée de rognons à la coriandre (11 €) ou un contrefilet au gratin (15 €). Menu à midi à 17 € et le soir à 23 €. **Apéritif offert avec le guide ou la carte.**

LESCURE

Gastronomie de tradition

7 rue Mondovi (1er)
M° Concorde
Tél. 01 42 60 18 91
*Lundi-vendredi : 12 h-
14 h 15, 19 h-22 h 15*

La tradition Lescure survit à grand renfort de confit de canard, de cassoulet maison aux haricots tarbais, de boudin aux châtaignes et de fondant aux trois chocolats. Menu à 21 € vin compris. Plats du jour à 13 €. Gibier en saison et petite terrasse qui donne sur les Tuileries. Air conditionné. Parking Concorde.

2e ARRONDISSEMENT

LE DIABLE ROUGE

Glamour

11 rue Marie-Stuart (2e)
M° Étienne-Marcel
Tél. 01 42 21 08 72
Lundi-samedi : 18 h-2 h

Lumière tamisée, bougies et œuvres photographiques confèrent au lieu une ambiance glamour et intimiste. Au plaisir des yeux s'unit celui des papilles avec des plats inventifs (brochette de gambas au pastis, escalope de saumon caramélisée) allant de 11 à 18 €. Les cocktails (7,50 €) sont aussi agréablement surprenants, à l'image de la spécialité maison à base de rhum brun, citron et gingembre. **Avec le guide ou la carte : cocktail maison offert.**

3e ARRONDISSEMENT

LE TAXI JAUNE

La tradition rénovée

13 rue Chapon (3e)
M° Arts-et-Métiers
ou Rambuteau
Tél. 01 42 76 00 40
*Lundi-vendredi : 12 h-
14 h 30, 20 h-23 h*

Otis Lebert, ancien cuistot d'établissements cotés au Michelin, ou de Relais Châteaux, a repris, avec son complice Franck, ce taxi et a donné un vigoureux coup de volant. Ce n'est ni meilleur ni pire qu'avant, c'est différent : une cuisine traditionnelle avec une prédilection pour la région de Cahors (foie gras de canard, truffes). Menu midi : 11,89 €. Le soir : 25 €. Parking Beaubourg.

4e ARRONDISSEMENT

AU BOURGUIGNON DU MARAIS

En direct de Beaune

52 rue François-Miron (4e)
M° Saint-Paul
Tél. 01 48 87 15 40
Fax : 01 48 87 17 49

Ce bourguignon-là sait choisir ses vins. Et pour les accompagner, que l'on soit en cave ou en salle (toutes deux climatisées), il nous propose son andouillette Duval à l'aligoté à 14 €, ou encore son tartare

*Lundi-vendredi : 10 h-15 h,
19 h-23 h ; samedi :
10 h 30-14 h 30*

de thon au vinaigre doux à 14 €. C'est dire qu'on en sortira l'estomac satisfait et le portefeuille point trop allégé. Agréable terrasse. Vins de propriété de Bourgogne en vente sur place.

AU PIED DE CHAMEAU
Couscous folklo

20 rue Quincampoix (4ᵉ)
Mº Rambuteau
Tél. 01 42 78 35 00
*Tous les jours : 12 h-15 h,
19 h 30-2 h du matin*

Folklore garanti : la décoration est marocaine à souhait, la danseuse de ventre ondule comme il se doit et le serpent qui se love autour de son cou ajoute à la couleur locale. Le couscous (qu'il faut attendre un peu longtemps) est savoureux et vous en coûtera 18 €, les tajines de 17 à 25 €. Menu à 46 €.

CAFÉ BEAUBOURG
Élégant et branché

100 rue Saint-Martin (4ᵉ)
Mº Rambuteau
Tél. 01 48 87 63 96
Fax : 01 48 87 81 25
*Dimanche-mercredi : 8 h-1 h
du matin ; jeudi-samedi : 8 h-
2 h du matin*

L'élégant Café Beaubourg tout de beige, de noir et de bordeaux vêtu, accueille toujours la même clientèle « tendance » : artistes, intello-curieux ou étrangers de tout poil. Lait chaud à la vanille, chocolat chaud, jus de fruits : 4,70 €. Filet de bœuf : 19,50 €. Poulet fermier : 14,50 €. Brunch : 22 € (boisson chaude et fruit pressé renouvelés, toasts, beurre, confiture, brouillade d'œufs nature au bacon, fromage blanc, blinis). Parking Beaubourg.

L'EXCUSE
Gourmandises

14 rue Charles-V (4ᵉ)
Mº Sully-Morland
ou Saint-Paul
Tél. 01 42 77 98 97
*Mardi-samedi : 12 h-14 h,
19 h-23 h*

N'en cherchez aucune pour pousser la porte de ce restaurant : laissez-vous guider par votre gourmandise. Que vous choisissiez la formule express à 23,50 €, le déjeuner « affaires » à 28,50 € ou celui, carrément gastronomique, à 36,20 €, vous vous régalerez d'une daurade rôtie ou de selle d'agneau. A la carte, le carré d'agneau cuit au foin, gros oignon en tagine et crêpe parmentier (26 €) vaut le déplacement. Merci M. Cabado (c'est le cuistot) !

LES SEPT LÉZARDS
Lézards culinaires

10 rue des Rosiers (4ᵉ)
Mº Saint-Paul
Tél. 01 48 87 08 97
*Lundi-vendredi : 18 h-2 h ;
samedi-dimanche : 12 h-2 h*

Club de jazz au sous-sol, salon de thé (essayer le thé à la menthe) et restaurant au rez-de-chaussée. Cuisine variée, inventive et de bonne tenue. Entrées : de 7,50 à 9 €. Plats : de 10 à 13,50 €. Desserts maison : 6 €. Également les « pots-tartines » (qui remplacent les anciennes tapas) : pain grillé, confiture d'oignons...

5ᵉ ARRONDISSEMENT

LE BERTHOUD
Lustre retrouvé

1 rue Valette (5ᵉ)
Mº Maubert-Mutualité
Tél. 01 43 54 38 81
*Lundi-vendredi : 12 h-
14 h 30, 19 h-23 h ;
samedi : 19 h-23 h 30*

Il semble avoir retrouvé son lustre d'antan, avec un peu moins de componction et un peu plus d'inventivité. Le soir, au menu à 28 €, les ravioles et l'entrecôte se marient bien. Ou faites confiance aux « suggestions » du chef. Le midi, on mange à la carte (plat du jour à partir de 11,50 € : poisson, pot-au-feu). Beurre, glaces et sorbets sont faits maison.

PERRAUDIN
Cuisine traditionnelle

157 rue Saint-Jacques (5ᵉ)
RER B, Luxembourg
Tél. 01 46 33 15 75
*Lundi-vendredi : 12 h-
14 h 30, 19 h 30-22 h*

Complaisamment colportée par les habitués, la rumeur prétend que Bruno, le patron du « Tord-Boyaux » de Pierre Perret ait été l'ancien patron de Perraudin. Confirmée ou pas, tordons le cou à la rumeur : pas de tord-boyaux ici, mais d'honnêtes vins pour accompagner une excellente cuisine traditionnelle dont les prix n'ont pas plus bougé que le décor bougnat. Menus à 20 € (midi), 26 €. Bœuf bourguignon : 14 €. Plats du jour à 10,50 €. Parking Panthéon. **Un « communard » (kir au vin rouge) offert avec le guide ou la carte.**

LES QUATRE ET UNE SAVEURS
Mille pour cent bio

72 rue Cardinal-Lemoine
(5ᵉ)
Mᵒ Cardinal-Lemoine
Tél. 01 43 25 54 53
*Dimanche-jeudi : 12 h-
14 h 30, 19 h-22 h 30 ;
vendredi : 12 h-14 h 30 ;
samedi : 19 h-22 h 30*

Sucrée, salée, amer, piquant et doux sont les quatre et une saveurs qui régissent les plats de cette table macrobiotique (cuisine sans lait, sans œufs, sans fromages) au décor campagnard-raffiné. Très copieux menu à 25 € (entrée, plat, dessert). Plus modeste, l'assiette (13 €) se compose de céréales, crudités, tofu, seitan ou tempeh. Expositions permanentes peinture/photos. **Boisson chaude (café ou thé) offerte avec le guide ou la carte.**

SALON DE THÉ ET RESTAURANT DE LA MOSQUÉE DE PARIS
Lieu culte et lieu de culte

39 rue Geoffroy-Saint-
Hilaire (5ᵉ)
Mᵒ Censier-Daubenton
Tél. 01 43 31 38 20
*Tous les jours : 10 h-0 h
pour le salon de thé ; 12 h-
15 h, 19 h 30-22 h 30
pour le restaurant*

Ce restaurant, dont l'échoppe jouxte les murs de la mosquée de Paris, conjugue avec talent les délices de l'art culinaire nord-africain tout en respectant scrupuleusement l'architecte autochtone. Savourons donc les couscous (de 12 à 14,50 €) et les tajines (12 et 14,50 €). Y prendre le thé, à d'autres heures, est également un grand plaisir.

6ᵉ ARRONDISSEMENT

LE PETIT ZINC
Au cœur de Saint-Germain

11 rue Saint-Benoît (6ᵉ)
Mᵒ Saint-Germain-des-Prés
Tél. 01 42 86 61 00
www.petitzinc.com
Tous les jours jusqu'à minuit

Le cadre 1900, Art Nouveau, en faïences et boiseries réjouit l'œil. Le contenu des assiettes contente les papilles : épaule d'agneau, huîtres et fruits de mer de Bretagne, foie de veau meunière tranché épais sont d'une qualité constante. Dès les premiers rais de soleil, on se précipite sur la terrasse Art Déco. Formule (midi) à 23 € et menu à 28 €. A la carte, compter de 40 à 45 €. Parking Saint-Germain. **Cocktail de bienvenue offert avec le guide ou la carte.**

LE PROCOPE
Le plus ancien café du monde

13 rue de l'Ancienne-
Comédie (6ᵉ)
Mᵒ Odéon
Tél. 01 40 46 79 00

Pratiqué depuis toujours par le beau linge et les beaux esprits, le premier café littéraire du monde a trois siècles. Les ci-devant Voltaire, Balzac et Verlaine y ont refait le monde. De midi à 19 h 30, menu

Fax : 01 40 46 79 09
www.procope.com
*Tous les jours : 12 h-1 h
du matin*

Procope (entrée ou dessert + plat) : 18,50 €. Menu
« Privilège » : 30 €. Café à l'ancienne (pour deux
personnes) : 3,70 € par personne. Dessert : 8,50 €.
**Apéritif maison offert avec le guide ou la
carte.**

ZE KITCHEN GALERIE
Art et gastronomie

4 rue des Grands-Augustins
(6ᵉ)
Mᵒ Saint-Michel
Tél. 01 44 32 00 32
Fax : 01 44 32 00 33
*Lundi-vendredi : 12 h-15 h,
19 h-23 h*

Ce restaurant est d'abord un très joli lieu, clair, net,
dans lequel des œuvres d'artistes contemporains
vous accueillent. Le contenu de l'assiette est également dans le vent tout en demeurant assez simple et
d'excellente qualité. Retenons les poissons crus ou
marinés, comme ce thon à la coriandre et au citron
vert, les soupes, les pâtes, et les plats du jour souvent
à la « plancha ». Comptez entre 21 et 32 € pour les
formules déjeuners et jusqu'à 50 € à la carte que
William Ledeuil renouvelle chaque mois.

7ᵉ ARRONDISSEMENT

ALTITUDE 95
Déjeuner chez Madame Eiffel

1ᵉʳ étage de la tour Eiffel
Champ-de-Mars (7ᵉ)
Mᵒ Bir-Hakeim
Tél. 01 45 55 20 04
Fax : 01 47 05 94 40
*Tous les jours : 12 h-
14 h 15, 19 h-23 h 30*

S'inviter chez Gustave, le temps d'un déjeuner, à
95 mètres d'altitude, c'est un moment rare. On y
respire mieux. Et on y mange bien : tout le patrimoine culinaire de la France dans votre assiette.
Pour le décor, l'intérieur d'un dirigeable. Formules
à 19,50 et 26,70 € (midi). Menu à 50 € le soir et
le dimanche midi (boissons non comprises). Menu
enfant : 9,50 €.

LE CLUB DES POÈTES
Pour amateurs de rimes

30 rue de Bourgogne (7ᵉ)
Mᵒ Varenne
Tél. 01 47 05 06 03
Fax : 01 45 55 75 79
www.poesie.fr
*Lundi-samedi : spectacle
à 22 h. Restaurant : 12 h-
14 h 30, 19 h 30-21 h 45*

Le poète (Jean-Pierre Rosnay), sa muse épouse (Mar-
celle) et le fruit de leurs amours élégiaques (Blaise)
dirigent depuis 40 ans (pour les deux premiers) ce
club pas comme les autres. A 22 h, les fourchettes
et les couteaux se taisent, les lumières s'éteignent.
Les plus grandes voix de la poésie sont alors inter-
prétées par des comédiens s'accompagnant à la
guitare ou portant le poème à voix nue. Déjeuner :
12 à 15 € le menu. Dîner-spectacle : 20 € (sans la
boisson). Réduction pour les étudiants. Consomma-
tion-spectacle (sans dîner) : 10 €. **La revue « Vivre en poésie » ou un recueil sont offerts
avec le guide ou la carte.**

8ᵉ ARRONDISSEMENT

GRANTERROIRS
Une table à l'épicerie

30 rue de Miromesnil (8ᵉ)
Mᵒ Miromesnil
Tél. 01 47 42 18 18
Fax : 01 47 42 18 00
www.granterroirs.com
Lundi-vendredi : 9 h-20 h

Dans cette épicerie vouée, comme son nom l'indique, aux produits de terroir, on peut également déjeuner le midi autour de tables d'hôte, de salades
géantes, de plats du jour ou de tartines qui n'en
finissent plus. Formule à 28,50 €. **Remise de
10 % avec le guide ou la carte sur les achats
en épicerie (à partir de 65 €).**

LA MAISON DE L'AUBRAC

Pas folle, la vache !

37 rue Marbeuf (8ᵉ)
Mᵒ Franklin-D.-Roosevelt
Tél. 01 43 59 05 14
Fax : 01 42 89 66 09
www.maison-aubrac.fr
Tous les jours : 24 h sur 24

Foin de vache folle : la viande ici vient directement des hauts plateaux de l'Auvergne, dans des élevages sélectionnés. C'est dire, en outre, qu'elle est particulièrement goûteuse, qu'elle soit sous forme de rumsteack (16 €) ou de côte de bœuf pour deux (55 €). Côté spécialités, l'aligot, évidemment, ou encore la joue de bœuf aligot. Tout cela est fort bon et s'arrose de vins sélectionnés dans une cave très intéressante.

MEZZO DE BISTRO ROMAIN

Sur les champs...

73 av. des Champs-Élysées
(8ᵉ)
Mᵒ George-V
Tél. 01 43 59 67 83
*Tous les jours : 11 h 30-1 h
du matin*

La plus belle avenue du monde est aussi la plus pauvre en bons restaurants (coups de fusils exceptés). Raison de plus pour recommander, construit sur les ruines du défunt Bistro de la Gare, ce restaurant où rien ne laisse supposer la finesse des mets. Au menu à 25,90 €, carpaccio de bœuf ou de saumon, escalope de veau milanaise ou tajine d'agneau. C'est tout simplement délicieux. Exposition tournante d'art contemporain. Parking George-V. **Kir offert avec le guide ou la carte.**

9ᵉ ARRONDISSEMENT

LE 48 CONDORCET

Les bons petits plats

48 rue Condorcet (9ᵉ)
Mᵒ Anvers
Tél. 01 45 26 98 19
*Lundi-samedi : 19 h-2 h
du matin*

Plus d'imagination dans la cuisine (les bons petits plats de maman) que sur l'enseigne. Le décor vaut le coup d'œil (livres de sorcellerie en étage, jardin dans la cave), le contenu des assiettes aussi où les petits plats de maman sont à l'honneur. Menu à 23 €.

L'ALSACO

Winstub

10 rue Condorcet (9ᵉ)
Mᵒ Poissonnière
Tél. 01 42 85 12 05
*Lundi : 19 h 30-22 h 30 ;
mardi-vendredi : 12 h-
14 h 30, 19 h 30-22 h 30 ;
samedi : 19 h 30-23 h*

Le décor est aussi typique que la cuisine : choucroute de 9 à 19 €, bäckaofa à 15 €, tarte flambée (la vraie, pas celle des chaînes...) à 7,50 €. Menus à 19 et 30 € (vin compris). Belle carte de vins et d'alcools, alsaciens comme il se doit.

CHARLOT

Poissons, fruits de mer et bouillabaisse

12 place de Clichy (9ᵉ)
Mᵒ Place-de-Clichy
Tél. 01 53 20 48 00
www.lesfreresblanc.com
*Tous les jours : 12 h-15 h,
19 h-00 h (jeudi, vendredi,
samedi : ouvert jusqu'à
0 h 30)*

Dans un affriolant décor de miroirs, de céramiques, de cloisons en verre gravé et de fresques marines, des huîtres, des fruits de mer et l'inévitable bouillabaisse. Ça sent bon la Provence. Menu « Saveur de Provence » : entrée + plat + dessert + eau minérale + un verre de vin : 30 € ; même formule sans le dessert ou sans l'entrée : 25 €. A la carte, compter 65 €. Parking rue Forest (2 heures offertes). Service voiturier gratuit le soir.

LA CLAIRIÈRE

Gastronomie lyonnaise

43 rue Saint-Lazare (9ᵉ)
Mᵒ Trinité
Tél. 01 48 74 32 94

Tablier de sapeur, gras-double, tête de veau, blanquette, quenelles : toute la litanie des spécialités lyonnaises est au rendez-vous, accompagnée de lé-

*Lundi-vendredi : 7 h-19 h
(jeudi soir jusqu'à 22 h)*

gumes en provenance directe de petits producteurs du Val-d'Oise et du Val-de-Marne, et arrosée de vins de propriétaires. Plat : 14 €. A la carte, compter 25-30 €. **Apéritif ou café offert avec le guide ou la carte.**

LA TAVERNE
24 bd des Italiens (9ᵉ)
Mᵒ Opéra ou Richelieu-Drouot
Tél. 01 55 33 10 00
www.taverne.com
Tous les jours : 11 h 30-1 h

Choucroute et fruits de mer

La grande machine alsacienne (ex-Kronenbourg), débitrice de bière et de choucroute, a élargi son registre sans perdre de son efficacité et de son charme. Le décor en bois blanc est toujours là, ainsi que les fruits de mer, mais les viandes sont plus nombreuses et fort bonnes. Une bonne adresse d'après spectacle. Menu « Boulevard » à 25,20 € (entrée, plat, dessert). Menu « Petit Boulevard » à 22,10 € (entrée ou dessert + plat). A midi, formule plat + boisson + café : 17,50 €. A la carte, compter 35 €. Parking Opéra.

11ᵉ ARRONDISSEMENT

L'AIGUIÈRE
37 bis rue de Montreuil (11ᵉ)
Mᵒ Faidherbe-Chaligny
Tél. 01 43 72 42 32
www.hotel-restaurant-fr.com/l-aiguiere
Lundi-vendredi : 12 h-15 h, 19 h-23 h ; samedi : 19 h-23 h

Cuisine légère et inventive

Dans un ancien relais de poste très agréablement (et nouvellement) décoré, une cuisine légère dont le canard confit aux poivrons à l'andalouse est le fer de lance. Menu (vin compris) : 23 €. Menu « gustavier » : 29 €. Atelier de dégustation à thème sur les vins. **Cocktail de l'Aiguière offert avec le guide ou la carte.**

CHARDENOUX
1 rue Jules-Vallès (11ᵉ)
Mᵒ Charonne
Tél. 01 43 71 49 52
Tous les jours : 12 h-14 h 30, 19 h-22 h 30

Un monument historique

Bar en zinc, fresques au plafond, vitres gravées, moulures : ce bistro classé monument historique récemment rénové est un vrai bijou. La cuisine suit le mouvement : suprême de volaille : 14 €. Foie de veau : 21 €. Menu à 23 € (midi).

LA PLANCHA
34 rue Keller (11ᵉ)
Mᵒ Bastille
Tél. 01 48 05 20 30
Mardi-samedi : 18 h-2 h du matin

Tapas et chipirons

Nous sommes à Saint-Sébastien, dans le vieux quartier, la Calle Mayor, près de l'église Sainte-Marie. La bodéga La Plancha a ses murs recouverts de céramiques bleues. Nina de Los Peinos chante âprement tandis qu'on déguste au coude a coude les savoureux tapas (une assiette coûte environ 7 €) ou les moules, sardines (8 € cuites) puis la crème brûlée (6 €). Prix moyen d'un repas : 23 € (sans vin). Tout est bon. Tout est de là-bas. Le bonheur est de ce monde. Parking Ledru-Rollin.

LA TONTINE D'OR
27 rue Jean-Pierre-Timbaud (11ᵉ)
Mᵒ Oberkampf

Au Cameroun

Dans un décor nouveau, où l'Afrique est présente sans être écrasante, une délicieuse cuisine camerounaise servie avec beaucoup de gentillesse. Poulet

Tél. 01 43 38 01 45
ou 01 47 00 51 02
Fax : 01 46 52 38 63
www.cuistonet.fr/tontine.
htm
Lundi-samedi : 19 h-2 h

braisé + riz + aloko (bananes cuites) + sauces diverses : 15 €. Accras : 5,50 €. Poisson braisé : 22 €. **Cocktail maison ou dessert offert avec le guide ou la carte.**

12e ARRONDISSEMENT

CAPPADOCE
L'Anatolie à Paris

12 rue de Capri (12e)
M° Daumesnil
ou Michel-Bizot
Tél. 01 43 46 17 20
Fax : 01 44 75 59 81
Lundi-vendredi : 12 h-14 h 30, 19 h-23 h 30 ;
samedi : 19 h-23 h 30

Efficace ambassadeur de l'Anatolie (en Turquie, bien sûr…) à Paris, le Cappadoce propose à nos papilles consentantes toute la panoplie des spécialités locales, des mezzés (tarama, foie à l'albanaise) au feuilleté aux pistaches, en passant par l'agneau grillé au yaourt. Service efficace et souriant et additions raisonnables : les grosses faims bondiront sur la formule gastronomique (23 €), les sveltes (ou ceux qui souhaitent le devenir) se rabattront sur la « diététique » (16 €). **Digestif offert avec le guide ou la carte.**

L'ESCALE DE MARRAKECH
Couscous fantasia

49 bis av. du Général-Michel-Bizot (12e)
M° Michel-Bizot
Tél. 01 43 44 83 49
Tous les jours : 12 h-14 h 30, 19 h 30-23 h

Dans un impossible galop, les cavaliers de la fantasia courent sur la fresque qui orne les murs. La maison est chaleureuse, le couscous à l'identique (délicat couscous méchoui : 15 € ; excellent couscous poulet : 11,50 €). Les tajines (14 €) dégagent tous les parfums de l'Orient. Prix moyen à la carte : 22 €. **Thé à la menthe offert avec le guide ou la carte.**

LE JANISSAIRE
Aubergines d'Istanbul

22-24 allée Vivaldi (12e)
M° Montgallet
Tél. 01 43 40 37 37
Fax : 01 43 40 37 37
Lundi-vendredi : 12 h-14 h 30, 19 h-23 h 30 ;
samedi : 19 h-23 h 30

Le décor est agréable – tableaux et tapis –, les plats témoignent que la gastronomie a une traduction turque – mezze, böreks, aubergines confites, gigot farci au fromage épicé – et la carte des vins (turque, elle aussi) est intéressante. Pour couronner le tout, la terrasse est très agréable l'été. Menu à 23 €.

LA POTINIÈRE DU LAC
Au bois de Vincennes

4 place Édouard-Renard (12e)
M° Porte-Dorée
Tél. 01 43 43 39 98
Mardi-samedi : 12 h-14 h 30, 19 h 30-22 h ;
dimanche : 12 h-14 h 30

A la terrasse donnant sur les frondaisons du bois, on savourera poissons et fruits de mer qui constituent l'essentiel (et le meilleur) de la carte. Salade d'écrevisse sauce crustacé : 11 €. Bouillabaisse : 21,50 €. Raie aux câpres : 17 €. Menus à 18, 23 et 32 €. **Café offert avec le guide ou la carte. Et hop, un footing autour du lac pour digérer.**

13e ARRONDISSEMENT

CHEZ PAUL
Le terroir authentique

22 rue de la Butte-aux-Cailles (13e)
M° Corvisart ou Place-d'Italie

De la vraie cuisine de terroir (cochon de lait à la sauge, boudin noir, langue de bœuf, saucisse de Morteau, gras double), arrosée d'honnêtes vins de propriétaire et une grande et belle terrasse : la mai-

Tél. 01 45 89 22 11
*Tous les jours : 12 h-
14 h 30, 19 h-24 h*

son vaut une petite visite. Même si l'addition franchit allègrement le cap des 23 € et vogue plutôt aux alentours de 31 €. Parking rue Bobillot. **Apéritif maison offert avec le guide ou la carte.**

MER DE CHINE
La Chine profonde

159 rue du Château-
des-Rentiers (13ᵉ)
Mº Nationale
Tél. 01 45 84 22 49
*Mercredi-lundi : 12 h-14 h,
19 h-1 h*

Bondée de Chinois, cette Mer de Chine : il paraît que c'est bon signe. Alors, allons-y hardiment et osons ces délicatesses étrangères à nos palais blasés : le poulet Teochew, les langues de canard ou le crabe en mue à l'ail. Prix moyen : 30 €.

L'OLIVIER
En musique

18 rue des Wallons (13ᵉ)
Mº Saint-Marcel
Tél. 01 43 31 36 04
*Lundi-samedi : 12 h-14 h 30,
20 h-23 h*

Accueil souriant, cadre agréable, cuisine raffinée, service attentionné, que peut-on demander de plus ? Ah oui ! De la musique... Eh bien, en voici : dîner-concert (musique classique) du mercredi au samedi soir. Satisfaits ? Menus : 15 et 40 € (sans concert), 18, 26 et 40 € (avec concert). Parking gare d'Austerlitz. **Apéritif maison ou kir offert avec le guide ou la carte.**

14ᵉ ARRONDISSEMENT

LA BONNE TABLE
Comme son nom l'indique

42 rue Friant (14ᵉ)
Mº Porte-d'Orléans
Tél. 01 45 39 74 91
Fax : 01 45 43 66 92
*Lundi-vendredi : 12 h-14 h,
19 h 30-22 h 30 ; samedi :
19 h 30-22 h 30*

Que voilà une cuisine qui justifie bien l'enseigne du restaurant. Le chef, un ancien de chez Guy Savoy, s'y entend comme personne question poisson : son filet au beurre blanc est exquis, son filet d'omble chevalier aux épinards délicieux. Ses viandes (magret de canard, faux-filet, pintade), qu'on retrouve dans le menu à 23 €, ne leur cèdent en rien. Et comme la cordialité est de rigueur, on affichera un sourire ravi. Parking au 36 de la rue. **Kir offert avec le guide ou la carte.**

15ᵉ ARRONDISSEMENT

VILLA TOSCANE
Spécialités italiennes et toscanes

36-38 rue des Volontaires
(15ᵉ)
Mº Volontaires ou Pasteur
Tél. 01 43 06 82 92
*Tous les jours : 12 h 15-
14 h 15, 20 h-22 h 30
(fermé le dimanche)*

On pénètre ici l'intimité d'une villa toscane. Chandeliers, velours et tableaux rappellent le raffinement de la renaissance toscane. Puis viennent les splendeurs de la gastronomie dont les spécialités sont ici cuisinées dans le respect des traditions : le saltimbocca est présenté à l'ancienne et les raviolis aux artichauts et estragon « maison » sont excellents. La carte des vins est splendide, offrant le très recherché Brunello, le vin toscan par excellence, et les Rubizzo et Cer Gioveto. Menus à 24 et 27 €, plat seul à 16 €.

16ᵉ ARRONDISSEMENT

LE BEAUJOLAIS D'AUTEUIL
Une cuisine de bistrot généreuse

99 bd de Montmorency
(16ᵉ)
Mº Porte-d'Auteuil
Tél. 01 47 43 03 56

Hospitalières banquettes de velours, nappes à carreaux, lustres façon Guimard. Dans les assiettes : potage de légumes, œufs meurette (fameux), foie de veau poêlé au vinaigre de framboise, pièce de

Lundi-dimanche : 12 h-15 h, 19 h 30-23 h ; fermé en août

viande aux herbes (tendre à point), charlotte de fruits rouges au coulis de framboise. Portions gargantuesques, service attentionné et rapide. Menu très complet à 20,55 € avec entrée, plat, dessert, vin. A la carte : environ 28 €. Plats à 15 €. Terrasse. Air conditionné. **Apéritif maison offert avec le guide ou la carte.**

ITAL RESTAURANTE
Les vraies saveurs italiennes

30 av. de Versailles (16ᵉ)
Mᵒ Mirabeau
Tél. 01 45 24 34 98
Tous les jours : 12 h-15 h, 19 h 30-23 h

Chaque semaine est consacrée aux spécialités d'une des dix-neuf régions italiennes. Et pour se mettre en bouche, on déguste de l'huile d'olive de la région (rien à voir avec celle que vous achetez en supermarché). Des saveurs originales et parfois inoubliables, tel le carpaccio d'espadon au jus d'orange et citron frais (Sicile) ou l'osso-buco braisé au bouillon et aux oignons rouges, persil plat, safran et zeste de citron (Marches). Menus à 21 et 26 €. Brunch : 21 €. Menu copain-copine (deux entrées, un verre de vin et une demi-bouteille d'eau) : 19 €. On évitera de voler les bocaux de conserves italiennes rangés sur les étagères, pourtant bien tentants. Ou alors, on essaiera de ne pas se faire prendre. Service voiturier (5 €).

LE KIOSQUE
Les vraies saveurs du terroir

1 place de Mexico (16ᵉ)
Mᵒ Trocadéro
Tél. 01 47 27 96 98
Tous les jours : 12 h-15 h, 19 h 30-23 h

Chaque semaine, un journal régional patronne le menu : une formule épatante concoctée par un ancien journaliste qui fut l'une de nos belles plumes (versons un pleur), et qui permet de retrouver les vraies saveurs du terroir dans notre assiette, sans pour autant se ruiner : le déjeuner « copine » (deux entrées au choix + un verre de vin + une demi-bouteille d'eau) est à 23,50 €, à midi seulement, et les formules à 23,50 € (entrée + plat ou dessert) et 28,50 € (entrée + plat + dessert) à midi et le soir. Menu enfant (poulet frites + glace) à 12,50 €. Le dimanche, un carpaccio-brunch (tomate, bœuf, espadon, orange) à 25 €. Beaux petits vins et ambiance animée. Parking assuré par un voiturier.

NOURA
Traiteur et restaurant libanais

27 av. Marceau (16ᵉ)
Mᵒ Alma-Marceau
Tél. 01 47 23 02 20
Tous les jours : 8 h-24 h

L'un des meilleurs libanais de Paris et certainement le mieux situé, dans un quartier gastronomiquement ingrat. La terrasse est une splendeur et toutes les épices de l'Orient sont au rendez-vous. Plats (chawarma, taboulé, houmos, moutabal) : de 11,50 à 18 €. Évidemment, en été, le service piétine parfois un peu, mais l'arak nous rend patients. Service traiteur. **Un verre d'arak offert avec le guide ou la carte.**

AUTRES ADRESSES
■ 121 bd Montparnasse, 6ᵉ • Mᵒ Montparnasse-Bienvenüe ou Vavin • Tél. 01 43 20 19 19 • Un jardin intérieur de toute beauté.
■ 29 av. Marceau, 8ᵉ • Tél. 01 47 23 02 20 • Traiteur.
■ **Pavillon Noura** • 21 av. Marceau, 8ᵉ • Tél. 01 47 20 33 33 • Restaurant gastronomique, plus cher donc.

LE TOTEM

Totem et pas tabou

Palais de Chaillot (enceinte du Musée de l'Homme)
17 place du Trocadéro
(16ᵉ)
Mᵒ Trocadéro
Tél. 01 47 27 28 29
www.letotem.fr
Tous les jours : 12 h-14 h 30, 19 h 30-24 h

Sur les lieux veille un authentique Totem (une sculpture de loups et d'enfants enchevêtrés) qui semble observer le contenu des assiettes devenu varié et de meilleure qualité. Malgré la cherté des plats, la halte est recommandable à midi, avec vue sur la tour Eiffel. La terrasse ajoute au charme. Formule déjeuner : 21,50 € (sauf week-end et jours fériés). A la carte, compter 40 €. Carte des vins très marquée Beaujolais. Parking à côté de l'entrée. **Un apéritif maison offert avec le guide ou la carte.**

17ᵉ ARRONDISSEMENT

LE BISTROT D'À CÔTÉ

Une cuisine ensoleillée

10 rue Gustave-Flaubert
(17ᵉ)
Mᵒ Ternes
Tél. 01 42 67 05 81
Fax : 01 47 63 82 75
www.michelrostang.com
Tous les jours : 12 h 30-14 h 30, 19 h 30-23 h

Michel Rostang est un pourfendeur de la tradition farineuse. On peut donc hanter les « Bistrots d'à Côté » et savourer à la terrasse, en été, le pâté croûte de canard sauvage au foie gras (13 €), le pavé de biche marinée (23 €) ou la brochette de noix de Saint-Jacques d'Erquy à la citronnelle (25 €). Menu à l'ardoise en semaine : 28 €. Menu du week-end (découverte d'une région) : 30 €. Service voiturier.

AUTRES ADRESSES
- **Le Bistrot Côté Mer** • 16 bd Saint-Germain, 5ᵉ • Mᵒ Maubert-Mutualité • Tél. 01 43 54 59 10 • Poissons, crustacés, coquillages.
- 3 rue Balzac, 8ᵉ • Mᵒ George-V • Tél. 01 53 89 90 91 • Fax : 01 53 81 90 94
- 16 av. de Villiers, 17ᵉ • Mᵒ Villiers • Tél. 01 47 63 25 61
- **La Boutarde** • 4 rue Boutard • 92200 NEUILLY-SUR-SEINE • Mᵒ Pont-de-Neuilly • Tél. 01 47 45 34 55

CANARD

Au bon coin-coin

36 rue Bayen (17ᵉ)
Mᵒ Pereire ou Porte-Maillot
Tél. 01 42 67 60 95
Lundi-samedi : 12 h-14 h 30, 19 h 30-22 h 30

Parmentier de canard, confit de canard, magret de canard : on sait à quoi s'en tenir, question spécialités. Mais il n'y a pas que ça dans les menus à 21 et 24 € au déjeuner, ou 29 € le soir (vin compris) : cœur d'entrecôte et pavé de saumon y font bon ménage. **Café offert avec le guide ou la carte.**

INSTITUT VATEL

École hôtelière : 18 sur 20

107 rue Nollet (17ᵉ)
Mᵒ Brochant
Tél. 01 42 26 26 60
Lundi-vendredi : 12 h-13 h 15, 19 h-20 h 30

La salle est agréable, sans être au niveau du contenu des assiettes qui, lui, relève de l'exquis. Le service est à l'unisson, les élèves de cette école hôtelière sachant se faire oublier tout en servant avec ferveur. Au menu à 23 €, un saint-marcellin rôti sur canapé et marmelade de poire aux épices, un rouget braisé au pistou, sauce à la brousse et bohémienne provençale (ou un onglet sauce crémeuse au foie gras et gratin de pommes de terre au reblochon), un énorme plateau de fromages et douze desserts sur chariot. Une adresse parfaite pour aller fêter un anniversaire. Autres menus à 26 et 30 € certains soirs. **Kir offert avec le guide ou la carte.**

STERNE

Huîtres au soleil

36 rue La Condamine (17ᵉ)
M° La Fourche
Tél. 01 42 94 17 24
*Mardi-samedi : 10 h 30-
14 h, 18 h 30-22 h 30*

Excellents crustacés dans une très belle salle. Les viviers de ce grossiste restaurateur garantissent la fraîcheur et la qualité. A midi, aux beaux jours, un jardin pour déguster sous les tonnelles. Grosse activité de vente à emporter. Un plateau normand (neuf huîtres et des bulots) : 15 €. Plateau du pêcheur : 25 €. Une douzaine d'huîtres à emporter : 8 à 10 €.

LE STÜBLI

Du côté de Vienne

10-11 rue Poncelet (17ᵉ)
M° Ternes
Tél. 01 42 27 81 86
Fax : 01 42 67 61 69
www.stubli.com
Mardi-dimanche : 9 h-15 h

Pâtisserie et charcuterie allemande et autrichienne où l'on peut croquer également à midi quelques spécialités bien venues tel le fleischstrudel (bœuf haché, poitrine fumée, tomates, oignons) à 11,50 € ou le reibekuchen (galette de pommes de terre, œuf poché, jambon fumé) à 10,50 €. Et surtout, surtout l'incomparable Linzertorte à 4,30 €.

LA TÊTE DE GOINFRE

Cochonaille et cuisine familiale

18 rue Jacquemont (17ᵉ)
M° La Fourche
Tél. 01 42 28 89 80
*Tous les jours sauf dimanche
et jours fériés : 12 h-
14 h 30, 20 h-22 h 30*

Deux restaurants, deux adresses voisines, une seule carte. Tripes ou boudin noir (12 €), foie de veau poêlé (16 €), voici un bistrot à l'ancienne où la purée est maison et le cochon bien de chez nous. Planche de charcuterie : 9 €. Plats du jour garnis de 12 à 15 € (tête de veau, brandade de morue, gigot, etc.). Desserts autour de 6 €. Petite terrasse aux beaux jours.

AUTRE ADRESSE
■ **La Cave du Cochon** • 16 rue Jacquemont, 18ᵉ • Tél. 01 42 29 99 38

18ᵉ ARRONDISSEMENT

LE PERROQUET VERT

Côté Provence

7 rue Cavallotti (18ᵉ)
M° Place-de-Clichy
Tél. 01 45 22 49 16
Fax : 01 42 93 70 29
www.perroquetvert.com
*Mardi-vendredi : 12 h-
14 h 30, 19 h 30-22 h 30 ;
samedi et lundi : 19 h 30-
22 h 30*

Les colombages, la cheminée et le vieux bar ont vu passer Picasso, Montand et Gabin du temps qu'ils n'étaient pas illustres. Ils accueillent aujourd'hui une clientèle d'habitués et de touristes qui viennent déguster la pissaladière de sardines à la sariette et autres délices provençaux fort goûteuses. Menu à 28,50 €. Formule à 17 € (midi).

19ᵉ ARRONDISSEMENT

ÉCOLE SUPÉRIEURE
DES CHARCUTIERS-TRAITEURS

Clients bien « traités »

19 rue Goubet (19ᵉ)
M° Porte-de-Pantin
ou Ourcq
Tél. 01 42 39 19 64
(réservation)
Fax : 01 40 05 97 32
*Lundi-vendredi : 12 h-
14 h 30*

Les élèves traiteurs produisent une cuisine aux plats élaborés et goûteux. Les clients se lèchent les babines et desserrent leur ceinture, car le menu à 23 € comporte entrée, poisson ou viande, fromage, dessert, café et boisson. Pour 6,80 € de supplément, on pourra même y ajouter le foie gras. Autre formule (boisson non comprise) à 19 €. La maison accueille les groupes (jusqu'à quatre-vingts couverts). Parking La Villette. **Un kir offert avec le guide ou la carte.**

20ᵉ ARRONDISSEMENT

LE BISTROT DES CAPUCINS

27 av. Gambetta (20ᵉ)
M° Gambetta ou Père-
Lachaise
Tél. 01 46 36 74 75
www.le-bistrot-des-capucins.
com
*Mardi-samedi : 12 h 15-
13 h 45, 19 h 30-21 h 45*

Cuisine de marché

Ancien chef de cuisine chez Jacques Cagna au Grand Véfour et Morot-Goudry, Gérard Fouche a ouvert ce charmant bistrot où l'on se régale d'une excellente cuisine de marché. Pavé de morue fraîche, magret de canard aux haricots tarbais, faux-filet de l'Aubrac grillé : de 20 à 25 €. Intéressante carte des vins.

→ RESTAURANTS à plus de 28 €

Le jour où vous casserez votre tirelire ou que tante Marthe vous aura légué ses économies, vous pourrez peut-être faire un tour dans l'une des maisons ci-après, histoire d'habituer votre œil à des décors hollywoodiens et vos papilles à des saveurs inusitées. Ce n'est pas vraiment bon marché, mais le bonheur culinaire n'a pas de prix.

1ᵉʳ ARRONDISSEMENT

CARRÉ DES FEUILLANTS

14 rue de Castiglione (1ᵉʳ)
M° Tuileries
Tél. 01 42 86 82 82
Fax : 01 42 86 07 71
*Lundi-vendredi : 12 h-14 h,
19 h 30-22 h*

A l'ombre de David

Recueillez-vous : c'est ici que David a peint le Serment du jeu de Paumes. On peut diversement apprécier David, on ne peut pas rester insensible au pâté en croûte de venaison au foie gras, au filet de biche aux saveurs du nouveau-monde et au crumble poire, gingembre et romarin que l'on trouve au menu à 58 €. Quant au menu « Idées de la saison », il culmine à 138 €. Ce n'est pas donné, mais ça les vaut…

LE GRAND VEFOUR

17 rue de Beaujolais (1ᵉʳ)
M° Palais-Royal
Tél. 01 42 96 56 27
*Lundi-vendredi : 12 h-
15 h 30, 18 h 30-22 h 30
(fermé le vendredi soir)*

Dans les pas de Cocteau

Ses ravioles de foie gras, son pigeon Prince Ramier, son turbot quadrillé en ont fait une des meilleures tables de Paris. Cocteau le savait bien qui, sous ces prestigieux lambris, vint souvent y chercher l'inspiration. Si le cœur vous en dit, il vous en coûtera au minimum 75 €, prix du « petit menu » (entrée, plat, fromage, dessert). Mais n'espérez pas vous en tirer à moins de 230 € à la carte (vin compris).

7ᵉ ARRONDISSEMENT

TANTE MARGUERITE

5 rue de Bourgogne (7ᵉ)
M° Assemblée-Nationale
Tél. 01 45 51 79 42
*Lundi-vendredi : 12 h-
14 h 30, 19 h-22 h 30*

La patte de Loiseau

Bernard Loiseau a posé sa patte sur ce joli restaurant et y a insufflé une partie de son art pour l'exécution de plats de tradition où l'on retrouve évidemment ce petit quelque chose qui ravit les papilles. Le menu à midi est à 32 €. A la carte, compter 50 €.

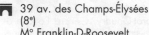

8ᵉ ARRONDISSEMENT

L'ALSACE
Choucroute et Riesling

🏠 39 av. des Champs-Élysées (8ᵉ)
Mᵒ Franklin-D-Roosevelt
Tél. 01 53 93 97 00
www.lesfreresblanc.com
ou www.restaurantalsace.com
Tous les jours 24 h/24

Si le décor n'a rien de spécifiquement alsacien, la choucroute (excellente) et le Riesling nous rappellent que Colmar n'est pas très loin. Menus à 24 € (midi) et 30 €. Compter 45 € à la carte. Air conditionné. Terrasse en été. Parking Pierre-Charron-Champs-Élysées. **Cocktail Alsace offert avec le guide ou la carte.**

L'APPART
Branché et savoureux

✗ 9 rue du Colisée (8ᵉ)
Mᵒ Franklin-D.-Roosevelt
Tél. 01 53 75 16 34
www.lesfreresblanc.com
Tous les jours : 12 h-15 h 30, 19 h-23 h 30

Salle restituant l'intérieur d'un appartement bourgeois, serveuses ravissantes, agréable cuisine de marché un peu mode (rouleaux d'aubergines confites au romarin, marbré de foie gras de canard aux épices, jus de raisin et pain grillé, pièce d'onglet de veau poêlée, sauce crémeuse à la graine de moutarde) : ce sont les ingrédients de base de ce restaurant branché qui ne déçoit pas. Formule déjeuner (plat + dessert ou entrée) à 20 € et menu à 30 € à midi et le soir. Le soir compter de 40 à 45 €. Parking du Colisée. **Un cocktail « Royal Appart » offert avec le guide ou la carte.**

TANTE LOUISE
Succulences

✗ 41 rue Boissy-d'Anglas (8ᵉ)
Mᵒ Madeleine
Tél. 01 42 65 06 85
Lundi-vendredi : 12 h-15 h, 19 h-23 h

Persillé de lapin, filets de sole « Tante Louise », rognon dans sa graisse : que de succulences dans les menus à 32 et 38,50 €. Belle cave de Bourgognes. Le décor est toujours aussi Art-Déco. Bon appétit.

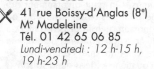

9ᵉ ARRONDISSEMENT

GRAND CAFÉ CAPUCINES
Après l'Opéra

🏠 4 bd des Capucines (9ᵉ)
Mᵒ Opéra
Tél. 01 43 12 19 00
Fax : 01 43 12 19 09
Tous les jours 24 h/24

Dans un décor « Art nouveau » réalisé par Jacques Garcia, les poissons et les fruits de mer se poussent du col. L'ambiance Belle Époque attire les touristes et le voisinage de l'opéra incite à des repas d'après spectacle. Menu Garnier : 29,30 €. A la carte, compter 48 €. Parking Chaussée-d'Antin.

12ᵉ ARRONDISSEMENT

LE TRAIN BLEU
Luxe et volupté

🏠 Gare de Lyon (12ᵉ)
Mᵒ Gare-de-Lyon
Tél. 01 43 43 09 06
Tous les jours : 12 h-23 h

Le contraste est saisissant entre l'agitation et le laisser-aller de la gare au rez-de-chaussée, et le raffinement du Train Bleu, au 1ᵉʳ, où tout n'est que calme et volupté. Dans ce décor chargé, mais somptueux, Colette vint jadis y prendre ses aises. Vous pourrez également prendre les vôtres en commandant le menu à 40 €. A la carte, compter plus de 50 €.

16e ARRONDISSEMENT

LA GRANDE CASCADE

Au bois

Allée de Longchamp (16e)
Mᵒ Porte-Dauphine
Tél. 01 45 27 33 51
*Tous les jours : 12 h-15 h,
19 h-22 h 30*

Ce n'est pas parce que le décor est idyllique, que la cuisine ne doit pas être à l'unisson. Les macaronis fourrés de céleri et truffes relèvent le défi, tout comme le caneton de Challans rôti aux épices. Évidemment le menu le moins coûteux est à 59 € et il faut bien compter 130 € à la carte.

17e ARRONDISSEMENT

LA TABLE DE LUCULLUS

Grand chef pour gens normaux

129 rue Legendre (17e)
Mᵒ La Fourche
Tél. 01 40 25 02 68
*Mardi-vendredi : 12 h 30-
14 h ; mardi-samedi :
19 h 30-23 h*

Cadre minimaliste, Madame à la caisse, Monsieur aux fourneaux et dans la salle. Vous n'êtes pas dans un routier, mais chez Nicolas Vagnon un jeune chef déjà célèbre, dont la formule pourrait se résumer ainsi : tout dans l'assiette, rien que dans l'assiette. Mais quelle assiette ! Une cuisine inventive et de haut niveau, à base de poissons sauvages, un accueil chaleureux. Pour 43 et 50 € par personne, vous toucherez (enfin !) au grand art. A midi, une formule à 25 € (entrée + plat + un verre de vin). Réservation indispensable le soir. Les fumeurs s'abstiendront le temps du repas, et ne le regretteront pas… Un des meilleurs rapports qualité/prix du moment.

RESTAURANTS **de banlieue**

78 YVELINES

CHEZ CLÉMENT

L'ancien Coq Hardi

15 bis quai Rennequin-
Sualem
78380 BOUGIVAL
15 km de la Porte Maillot
(N13)
Tél. 01 30 78 20 00
Fax : 01 30 78 20 09
www.chezclement.com
Tous les jours : 12 h-1 h

La maison est charmante, le jardin fleuri tout à fait agréable, le banc d'huîtres étonnant : c'est dans l'ancienne et fameuse auberge du Coq Hardi que s'est installé ce Clément. Dans ce superbe décor, la cuisine accorde toujours une large place aux produits de marché et les prix savent se tenir à leur place. Grande rôtisserie + neuf huîtres : 20,50 €. A la carte, compter 30 €. Parking sur place.

AUTRES ADRESSES

■ 98 av. Édouard-Vaillant • 92100 BOULOGNE • Mᵒ Marcel-Sembat • Tél. 01 41 22 90 00 • Fax : 01 41 22 90 09

■ 1 av. du Général-Eisenhower • 92140 PETIT-CLAMART • Tél. 01 46 01 59 00 • Fax : 01 46 01 59 09

92 HAUTS-DE-SEINE

PANCAKE SQUARE

Crêperie

27 rue des Bourguignons
92270 BOIS-COLOMBES
3 km de la Porte d'Asnières
Tél. 01 47 69 00 00
www.pancakesquare.com

Dans un cadre « maritime », une agréable crêperie, avec une terrasse de 20m² l'hiver et de 50 m² l'été sur une rue peu passante. Galette fromage : 4 € ; galette jambon-œuf : 4,50 € ; menu à 9 € (galette, crêpe, bolée de cidre) ; menu à 6,50 € pour les

Lundi : 12 h-14 h 30 ; mardi-samedi : 12 h-14 h 30, 19 h-23 h

enfants. Plat du jour indien (midi). Fondue savoyarde (soir et week-end) : 13 €. Parking facile dans la rue.

LA ROMANTICA

73 bd Jean-Jaurès
92110 CLICHY
M° Mairie-de-Clichy
Tél. 01 47 37 29 71
Lundi-vendredi : 12 h-15 h, 19 h-22 h 30 ; samedi : 19 h-22 h 30

La Surprise du chef

Une banlieue triste, une rue anonyme, une entrée d'une discrétion exemplaire. Il faut avoir envie de faire le voyage. Une fois le seuil passé, tout s'éclaire : la salle est très agréable, le service diligent et empressé et la chère bonne comme sait l'être la vraie cuisine italienne, avec un rien d'ostentation et de vraies saveurs qu'on ne retrouve guère dans les pizzerias-gargotes ordinaires. Les pâtes, en particulier, n'ont rien de commun avec celles que l'on mange habituellement. Formules à 35 et 49 € le midi, menu à 42 € le soir et menu « dégustation » à 61 €.

PASTA AMORE E FANTAZIA

80 av. Marceau
92400 COURBEVOIE
3 km de la Porte
de Champerret
Tél. 01 43 33 68 30
www.restaurantpasta
amore.com
Mardi-samedi : 12 h-15 h, 19 h-23 h ; lundi : 12 h-15 h

Simpatico !

Des parasols, des arbres en pots, du linge séchant aux fenêtres : nous sommes dans une cour intérieure à Naples. On attend la Lollo d'un moment à l'autre. Pour l'instant, l'assiette nous fait risette. Lasagnes aux aubergines : 12 €. Osso-buco à la moelle milanaise : 14 €. Thon à la sicilienne : 15 €. Menu expresso à 12,50 € (midi). Le vendredi et le samedi soir, on pousse la canzonetta (menu à 28 €). Réservation impérative. **C'est l'Italie comme on l'aime, d'autant que le limoncello est offert avec le guide ou la carte.**

MAISON TRÉVIER

18 av. de la République
92130 ISSY-
LES-MOULINEAUX
M° Mairie-d'Issy
Tél. 01 41 08 02 52

700 vins différents

Dans le fief de l'empereur Santini, ce bistro à vins fait figurer plus de 150 références à sa liste de vins. Et pour les accompagner, on choisira entre les trois plats du jour précédés de tapas. Formule à 20 € et menu à 25 €. Vins vendus au prix de cave et droit de bouchon de 10 €. – Lundi-vendredi : 12 h-15 h 30, 19 h 30-22 h (fermé le vendredi soir et le week-end).

LA PERLE DES ANTILLES

123 av. de Verdun
92130 ISSY-
LES-MOULINEAUX
M° Mairie-d'Issy
Tél. 01 46 45 78 36

Créole

La cuisine des îles (presque) comme si vous y étiez. Le colombo en tout cas est délicieux et les autres spécialités créoles tout aussi appétissantes. Menu à 12,20 €. – Mardi-dimanche : 12 h-15 h, 18 h-22 h 30.

LE VICTOR-HUGO

17 rue Victor-Hugo
92300 LEVALLOIS-PERRET
M° Anatole-France
Tél. 01 47 37 37 24
Lundi-vendredi : 6 h 30-20 h

Pour carnivores

Rumsteck, andouille, tartare, escalope, confit : toute la litanie propre à ravir les carnivores est égrenée dans ce petit restaurant où l'accueil est souriant. En outre, les salades y sont inventives et nourrissantes. Formule : 12 €. Plat du jour ou salade : de 8 à 10 €.

LA CATOUNIÈRE

4 rue des Poissonniers
92200 NEUILLY-SUR-SEINE
M° Pont-de-Neuilly
Tél. 01 47 47 14 33
*Lundi-vendredi : 12 h-14 h,
19 h-22 h ; samedi : 19 h-
22 h*

Pour sa tête de veau

Une jolie salle dans le style confortable et feutré où l'on vous sert avec le sourire les plats savoureux de l'une des deux formules (plat + entrée ou dessert avec vin et café à 27 €, menu complet à 31 €, apéritif, vin et café compris). La tête de veau en terrine sauce gribiche vaut le détour à elle seule, mais le confit de canard maison est tout à fait honorable. Une bonne adresse du Neuilly bourgeois.

LE FRUIT DÉFENDU

80 bd Belle-Rive
92500 RUEIL-MALMAISON
5 km de la Porte Maillot
Tél. 01 47 49 60 60
Fax : 01 47 49 18 00
www.lefruitdefendu.com
*Tous les jours : 12 h-
14 h 30, 19 h 30-23 h
(sauf dimanche soir et lundi
toute la journée)*

En regardant passer les péniches

Le petit salon et la terrasse-jardin donnent sur la Seine où, lentement, glissent les péniches. Le temps a presque suspendu son vol. Dans cet ailleurs, le menu-carte à 27 € passe sans anicroche : cuisine traditionnelle et de belle facture. **On reviendra, d'autant que l'apéritif est offert avec le guide ou la carte.**

LE JARDIN CLOS

17 rue Eugène-Labiche
92500 RUEIL-MALMAISON
5 km de la Porte Maillot
Tél. 01 47 08 03 11
*Mardi-samedi : 12 h-14 h,
19 h-22 h (fermé le mardi
soir)*

Jardin ou flambée

En revenant d'une visite au musée napoléonien où Joséphine passa les plus belles années de sa vie (celles d'après son divorce), on ira flâner et se restaurer dans ce havre bucolique (le jardin en été, la flambée dans l'âtre du pavillon meublé brocante en hiver) où la cuisine est aussi copieuse que traditionnelle. Une très belle cave de Bordeaux n'incite guère à la modération. Bref, une belle adresse lorsque l'on baguenaude le week-end en banlieue. Menus à 20 € (le midi), 35 € le menu des gourmands et 26 € le menu-carte. 10 % de remise sur l'addition totale le samedi midi. Parking devant le restaurant. **Kir offert avec le guide ou la carte.**

NUITS D'ATHÈNES

5/7 Grande-Rue
92310 SÈVRES
M° Pont-de-Sèvres
Tél. 01 46 23 89 84
*Lundi : 11 h 30-15 h ; mardi-
vendredi : 11 h 30-15 h,
19 h 30-22 h 30 ; samedi :
19 h 30-22 h 30*

Du côté du Parthénon

Comme son nom l'indique, fait dans la moussaka, le giros, le kebab, mais le fait bien. Les menus de 9,90 à 15 € en témoignent. Une belle salle au sous-sol au plafond voûté et aux peintures sur pierre. Anniversaires sur demande. Parking rue de la Cristallerie. S'est adjoint, depuis peu, un magasin traiteur. **Kir offert avec le guide ou la carte.**

L'EXPRESS

85 rue de Verdun
92150 SURESNES
4 km de la Porte de Passy
Tél. 01 45 06 14 33

Vive l'aligot !

Pas diététique pour un sou, le délicieux aligot est servi une fois par mois par Patrick de Mareuil (13 €). A défaut, on se rabattra sur une solide cuisine qui sent son Auvergne, où dominent tripoux (10 €), sau-

Lundi-jeudi : 12 h-15 h ;
vendredi : 12 h-15 h, 20 h-
23 h (deux fois par mois)

cisse de Cantal (10 €), choux farcis, jarrets lentilles et autres truffades. Compter 16 € à la carte, et préférer évidemment la tonnelle dans la cour en été. Parking à 150 m, rue du Ratrait. **Un verre de vin de Suresne offert avec le guide ou la carte.**

93 SEINE-SAINT-DENIS

LA MAMOUNIA
Marrakech-sur-Seine

25/27 av. Paul-Vaillant-
Couturier
93120 LA COURNEUVE
RER La Courneuve
Tél. 01 48 36 35 35
Lundi-vendredi : 12 h-15 h,
19 h-23 h

Rien à voir avec le prestigieux palace de Marrakech... si ce n'est que la cuisine est marocaine. Et excellente : tajines, couscous, pastilla, kemia, tout est de premier choix sans être « ruineux » : on s'en tire à partir de 12 €.

À LA FONTAINE
Additions modestes

7 rue Victor-Hugo
93100 MONTREUIL
M° Croix-de-Chavaux
Tél. 01 42 87 91 88
Lundi-vendredi : 8 h 30-
19 h 30 (ouvert le samedi
soir en été)

Pas de fontaine, mais une rue piétonne et une terrasse dans ce bar-restaurant aux poutres apparentes où l'on déjeune avec plaisir d'une cuisine sans complications dont les prix se montrent toujours et encore d'une exemplaire modestie : formule à 7,80 € (plat + entrée ou dessert) ou menu à 9,30 € (entrée, plat, dessert ou fromage ou café). **Café offert avec le guide ou la carte.**

AU DER DES DERS
Branché

80 rue François-Arago
93100 MONTREUIL
M° Robespierre
Tél. 01 48 51 70 87
Lundi-vendredi : 7 h-24 h ;
samedi : 9 h 30-18 h

Le fait d'être répertorié dans les guides branchés ne lui est pas (trop) monté à la tête. On peut encore y déjeuner tout à fait correctement (cuisine franco-maghrébine) pour 10 € d'une entrée, d'un plat et d'un dessert. Plat du jour à 8 €. Évidemment, on s'y bouscule un peu et il vaut mieux réserver.

EL TORO
Venga, hombre !

6 av. Pasteur
93100 MONTREUIL
M° Mairie-de-Montreuil
Tél. 01 42 87 01 73
Lundi-samedi : 12 h-14 h 30,
18 h 30-22 h 30

Cuisine œcuménique : l'Espagne et le Portugal font bon ménage dans les assiettes, mais l'enseigne reste résolument espagnole (matador à pied... et pas à cheval). Menu à 11,90 €. Paëlla (plantureuse) : 15 € (23 € avec homard). Zarzuela : 15,50 €. Morue grillée : 14 €. Le samedi soir, un guitariste vient rythmer les repas (repas à la carte).

RIOS DOS CAMAROS
L'Afrique à Montreuil

55 rue Marceau
93100 MONTREUIL
M° Robespierre
Tél. 01 42 87 34 84
www.riodos.com
Lundi-samedi : 12 h-14 h

Après un punch gingembre, nous voilà prêts à déguster le poulet fumé braisé (18,90 €) ou le mafé kandja, une création du chef (sauce d'arachide, crevettes, bœuf, morue). L'Afrique dans tous ses états à deux pas de la Nation : c'est épicé, c'est coloré et c'est très bon. Ticket moyen : 30 €.

AU ROYAL PANTIN
Au rendez-vous des copains

29 av. du Général-
de-Gaulle
93500 PANTIN

Voici le repaire de l'un des piliers de la réussite de Paris Pas Cher : Georges. Nous ne vous dirons pas qui est Georges... Inutile de connaître Georges, de

M° Porte-de-Pantin
Tél. 01 41 71 33 71
*Lundi-vendredi : 13 h-15 h,
19 h-22 h ; samedi : 13 h-
15 h*

toute façon, pour apprécier ce lieu typiquement pantinois et son menu à 8,50 € : buffet d'entrées + plat du jour (émincé de bœuf à la niçoise, côte de porc à la diable, etc.) + dessert. Une formule à 7,50 €. Le plat à 6,50 €. Le tout à déguster à la bonne franquette.

LE WAGON RESTAURANT

En voiture Simone...

35 rue Jean-Moulin
93200 SAINT-DENIS
M° Saint-Denis-Basilique
Tél. 01 48 23 23 41
Mardi-vendredi : 12 h-14 h

Heureusement, la chère y est meilleure que dans les wagons de dame SNCF. On aura le choix entre les entrées à 3,70 €, les plats à 6,60 € (magret de canard sauce brune, filet de sole à la vanille) et les desserts à 3 € pour goûter à une honnête cuisine de tradition avec parfois une pointe d'originalité. Formule à 9,50 €, menu à 12,50 €. **Apéritif ou café offert avec le guide ou la carte.**

94 VAL-DE-MARNE

CRÊPERIE SUCRÉE-SALÉE

Une bonne crêperie

52 av. Georges-
Clemenceau
94700 MAISONS-ALFORT
5 km de la Porte de Bercy
(A4)
Tél. 01 43 75 86 87
*Lundi-samedi : 12 h-14 h,
19 h-22 h*

C'est une crêperie comme toutes les crêperies, mais voilà les crêpes n'y sont pas toutes d'une consternante banalité. Les produits sont frais, les mélanges originaux, le choix est grand et l'accueil sympathique. Crêpes salées autour de 8 €. Crêpes sucrées à 6 €. Une poêlée régionale différente chaque semaine. **Kir breton offert avec le guide ou la carte.**

PIZZERIA RIO VERDE

Excellentissime pizza

33 av. Quihou
94160 SAINT-MANDÉ
M° Saint-Mandé-Tourelles
Tél. 01 41 93 05 05
*Mardi-vendredi : 12 h-14 h,
19 h 30-22 h 10 ; samedi :
19 h 30-22 h 30*

Luigi aime Milan, la Squadra Ferrari et les relations humaines. Bien sûr, on y refuse les cartes bleues, bien sûr le service n'a pas la rapidité de l'éclair, mais toutes ces réserves s'effacent lorsque apparaît sa majesté la pizza dont la sublime Bel Paese, notre préférée. C'est assurément la plus copieuse de Paris et de sa proche banlieue et peut-être aussi la meilleure. Pizza à 9 €. Menus à 10 et 15 €. Parking Saint-Mandé-Tourelles. **Café offert avec le guide ou la carte.**

LES ASSOCIÉS

Gastronomie à Saint-Maur

92 bd de Créteil
94100 SAINT-MAUR
10 km de la Porte de Bercy
(A4 + N4)
Tél. 01 48 83 11 75
*Lundi-samedi : 12 h-14 h 30,
19 h-23 h*

Dans un décor « ciné-bédé », Frédéric et Thierry (les associés) proposent une cuisine gaie, originale et savoureuse. Que l'on se contente des petits menus à 10,50 et à 13,50 €, ou de la formule à 20 et 30 € (apéritif et café compris) ou que l'on choisisse à la carte le foie gras maison (8,50 € avec un verre de moelleux), le filet de bœuf au foie gras (13,50 €) ou l'émincé de magret de canard au chèvre et miel d'acacia (12,50 €), on ne le regrettera pas. Une excellente adresse de banlieue. **Apéritif offert avec le guide ou la carte.**

Index des raisons sociales

A

@Aron, 373
A. Simon, 158
AACL, 308
Aapna Ronak, 532
Abaca, 449
Abaval, 449
Abbaye (L'), 545
ABC École de Coiffure, 44
Abdon, 461
Abeilles (Les), 145
Abracadabar, 200
Académie d'Arts Martiaux de la Montagne, 469
Académie des Loisirs du Bricolage, 220
Académie Du Bal Costumé, 294
Académie du Spectacle Equestre, 187
Académie Rive Droite, 44
ACC, 171
Accatone, 239
Accessnet, 373, 374
Accessoires à soie, 80
Accordeurs Artisans Aveugles (Les), 434
Accroc Cuir, 452
Acidnet, 374
ACSP, 478
Acte Un, 488
Action Christine Odéon, 240
Action Ecoles, 240
Actuel Bureautique, 373
ADA, 461
ADAC, 253
Adam's, 69
A-DEM, 453
Adom'Club, 463
Affaire de Marques, 393
Affaire des Moquettes (L'), 225
Afro-2000, 42
AFUB, 466
Agape (L'), 578
AG Bis, 101

Age Tendre et Tête de Bois, 280
AIDA FOSAD, 450
Aide aux Mères de Famille, 449
Aigle, 115
Aigre Doux, 522
Aiguière (L'), 593
Aire Azur Carrelage, 245
Air France, 380
Akteon Théâtre, 486
A la Croix de Lorraine (Demeco-Chenue), 459
A la Flanquette, 574
A la Fontaine, 604
Alain Choukroun, 339
Alain Dory, 448
Alain Lagache, 461
A la maison propre, 451
Alanon, 329
A la Recherche de Jane, 78
A la Recherche des Impressionnistes, 186
A la Ribambelle, 287
Al Aricha, 554
Alasinglinglin, 410
A la Ville, A la Montagne, 59
A la Ville de Rodez, 149
Albertson's, 79
Alcazar, 195
Alchimiste (L'), 576
Alcooliques Anonymes, 329
Alcôve & Agapes, 358
A l'Ecomusée, 187
Alexandre, 568
Alhen, 501
Alkaram, 531
Alliance Française, 278
Allo Matelas, 420
All Spot, 131
Aloca Lutherie, 433
Alpha Baby, 288
Alsace (L'), 600
Alsaco (L'), 592
Alternative (L'), 408
Altitude 95, 591
Amarys Hôtel Simart, 358

Amazone le Stock, 90
Amazonia, 235
America Center, 376
Amicale de Tuttifiesta (L'), 296
Amis de la Nature, 182
Ammoniaque, 85
Amphora, 160
AMTT, 167
AnaNock, 453
Anarkali Sarangui, 547
Anatole, 118
Andines, 238
André (Stocks), 60
An'ge, 131
Angelys, 88
ANIL, Agence Nationale d'Information sur le Logement, 327
Anim'art, 298
Années Troc (Les), 272
Anne Fontaine, 93
Annie Couture, 300
Anonyme de..., 101
Antenne des Mineurs du barreau de Paris, 326
Antheor, 158
Anthony's Studio, 472
Antilles Chez Toi, 298
Antiquaire du bâtiment (L'), 219
Antiqui-Thé, 574
Antoine Camus, 53
Antoine et Lili, 130
Apache, 282
A pied et à vélo avec les Amis de la Forêt, 184
APMER, Association Pour le Mieux Être des Retraités, 326
Apparemment Café (L'), 202
Appart (L'), 600
Approche, 423
Après-Midi (L'), 95
Aquarium de la Porte Dorée, 285
Aquarius, 542
Aquarius (L'), 553
Aquavision, 439

Arago Décors, 225
Arambar (L'), 197, 490
Aramis, 167
Aratto, 47
Arbre Bleu (L'), 278
Arbuci (L'), 569
Arcana, 374
Arc en Ciel Déco, 497
Arche de l'Espoir Armée du Salut (L'), 413
Arche (L'), 278
Archipel, 450
Arc International, 161
Ardeur, 450
Argenterie de Turenne, 158
Argenterie Service, 455
Aris Couture, 138
Arlequin Sommier, 296
Armée du Salut, 413
Armoire à Jouets (L'), 284
Armor Lux, 115
Arpèges, 434
Arphil Cadres, 207
Arsenal (Pavillon), 323
Ars Longa, 375
Arsouilles & Compagnie, 274
Art, Culture et Foi, 324
Art Déménagements, 459
Artirec, 222
Artirec Tissus, 496
Artisan du Liban (L'), 234
Artisan Rempailleur (L'), 454
Artisans du Monde, 234
Artistes (Aux), 554
Arts Décoratifs d'Anatolie, 220
Arts Ménagers Services (magasin et dépôt), 261
Art Up Déco, 208
Arzat, 452
ASC, 448
As du Fallafel (L'), 537
ASE Technologie, 448
Asia Gourmet, 531
Asie à Votre Table (L'), 298
Asie Délices, 532
Asie Exo, 148
Aspi Clinic, 452
Association des Ludothèques en Ile-de-France, 283
Association des Personnels Sportifs des

Administrations Parisiennes, 471
Association Familles de France, Fédération de Paris, 254
Associations de Spectateurs (Les), 488
Association Sportive de la Préfecture de Police, 470
Associés (Les), 605
Assuvitre, 218
Astrid Boutique, 98
ASTV, 341
Atchoum Animations et Spectacles, 287
Atelier 104, 227
Atelier 33, 89
Atelier Carlier, 207
Atelier de Coiffure Alain Pagès, 43
Atelier de Fumaison SAFA, 148
Atelier de Restauration de Céramiques, 453
Atelier des Compagnons, 449
Atelier du Chien de Faïence, 456
Atelier du Jardin des Tuileries (L'), 288
Atelier du Temps Passé, 453
Atelier Evelyne B, 254
Atelier international de maquillage, 314
Atelier Jacques Vidal, 208
Atelier Julien Créations, 47
Ateliers Beaux-Arts, 253
Ateliers de la Cour Roland, 220
Atelier Shahram, 454
Atelier Souchet, 456
Ateliers Tamalet, 50
Ateliers Vitréclair, 451
Athanor (L'), 550
Atila Cayir, 138
Atlanteam, 376
Atlantique Textiles, 120
Atrium Musical Magne, 316
Au Babylone, 571
Au Béret Basque, 573
Aubergeade (L'), 550
Auberge de Jarente (L'), 565

Auberge de Jeunesse Cité-des-Sciences, 363
Auberge de Jeunesse d'Artagnan, 363
Auberge de Jeunesse Jules-Ferry, 363
Auberge de Jeunesse Léo-Lagrange, 363
Auberge du Clou (L'), 572
Auberge Nicolas-Flamel, 564
Auberges de Jeunesse, 382
Auberges de Jeunesse (Ligue Française), 383
Aubergine (L'), 200
Au Bon Coin, 581, 582
Au Bourguignon du Marais, 588
Aubry-Cadoret, 157
Au Canard Laqué, 523
Auchan, 153
Au Clown de la République, 294
Au Clown de Montmartre, 293
Au Décor Laqué, 413
Au Der des Ders, 604
Audiger Talandier, 448
Audioson, 441
Audio Synthèse, 338
Au Duc de Montmorency, 541
Au Fil des Perles, 48
Au Général Lafayette, 572
Au Gré du Verre, 416
Au Jambon de Bayonne, 542
Au Levain du Marais, 142
Au Métro, 554
Au Musée du Cheval, 188
Au Nom de la Rose Diffusion, 302
Au Pain d'Antan, 150
Au Passé Retrouvé, 554
Au Père Tranquille, 192
Au Pied de Chameau, 589
Au Pied de Fouet, 571
Au Progrès, 215
Au P'tit Creux du Faubourg, 547
Au Rendez-vous des Camionneurs (Chez Claude et Monique), 553

Au Réparateur de Bicyclettes, 176
Au Royal Pantin, 604
Autoatnet, 167
Autocom Assistance, 168
Auto-Ecole Nationale Vingt, 170
Auto Moto Contact Location, 462
Autour d'Elles, 85
Au Trappiste, 538
Autre Boulange (L'), 149
Autre Rive (L'), 464
Au Vieux Campeur, 470
Au Vieux Moulin, 568
Aux Arcades du Lac, 100
Aux Artisans Compagnons Parisiens, 449
Aux Artistes, 554
Aux Ateliers Vitréclair, 451
Aux Délices du Liban, 543
Aux Forges de l'Est, 217, 465
Aux Garçons Martyrs, 72
Aux Iles des Princes, 556
Aux Mains de Bronze, 455
Aux Négociants, 583
Aux Produits du Sud-Ouest, 531
Aux Sacrés Coupons, 497
Avantages Canapés, 419
Avant-goût (L'), 551
Avant-Premières des Théâtres Privés, 488
AVC, 339
Avec, 382
Avenue des Bébés (L'), 275
A Votre Idée, 390
Axara, 130
Ay Caramba !, 585

B

Baan Thaï, 561
Babylon Café, 375
Babylone (Au), 571
Baby-Sitting Services, 387
Baby Troc, 274, 275
Bag à Folie, 82
Bagrenaude Café, 373
Balades en haut des arbres, 185
Baladobus (Le), 186
Balenzo, 77
Bali-Balo, 78

Balloons Shop, 287
Balzac, 241
Bambini Troc, 273
Bambin Troc, 273
Banana Café, 192
Banco'Direct, 465
Bangkok Thaïland, 551
Banque de France, 326
Baphomet et Nominoé, 295
Baracane (La), 565
Baraka (La), 579
Bar à soupes (Le), 528
Barbour, 105
Bar FBI (Le), 197
Bar Fleuri, 559
Bargue (Le), 554
Baribal, 579
Baron Bouge (Le), 576
Bar sans Nom (Le), 320
Barthelemy (Ets), 217
Bar Three, 525
Base de Créteil, 189
Base de Jablines-Annet, 189
Base de Saint-Quentin-en-Yvelines, 187
Base Nautique de la Villette, 473
Bastille Moquette, 225
Bastille (Théâtre), 486
Ba-Ta-Clan Café (Le), 197
Batkor, 217
Batobus, 181
Batofar (Le), 199
Baumann et Malgrange, 449
Bautex, 227
Béarn (Le), 561
Beaujolais d'Auteuil (Le), 595
Beaumarié, 219
Beauté'Epil, 30
Beauvallet-Naturana, 75
Beaux-Arts (Ateliers), 253
Bédisc Achat-Vente, 432
Bella Venezia, 539
Belle Hortense (La), 154
Belle Lurette, Trolls et Puces et Cie, 412
Béret Basque (Au), 573
Bergerie Nationale, 285
Bernard Collard, 455
Bernards Malakoff Moto, 174
Berthoud (Le), 589
Bexley, 57

BHA, Budget Hotels and Accomodations, 352
BHV, 218, 299
BHV (Bricolo Café), 318
BHV (Entrepôt), 266
Biblio-Ludothèque Paris Nature, 283
Bibliothèque Administrative, 254
Bibliothèque André-Malraux, 255
Bibliothèque de la Documentation Française, 255
Bibliothèque des Littératures Policières (BILIPO), 255
Bibliothèque du Cinéma, dans la Bibliothèque André-Malraux, 255
Bibliothèque Forney, 255
Bibliothèque Mazarine, 255
Bibliothèque-Médiathèque du Muséum d'Histoire Naturelle, 255
Bibliothèque Nationale de France, 255
Bibliothèque Publique d'Information du Centre Pompidou, 255
Bibliothèques de la Ville de Paris (Les), 254
Bibliothèque Trocadéro, Tourisme, 256
Bicycland, 177
Bidouille le Clown, 288
Bien-Etre Matériaux, 216
Bigal's, 114
Big and Nice, 121
Biggie Best, 494
Big Shop, 271
Bilatéral, 134
Bilboquet (Le), 203
BILIPO Littératures Policières (Bibliothèque des), 255
Bineau Boulik's, 499
Bineau Moket's, 499
Bineau Mural's, 499
BIOP, Bureau pour l'Information et l'Orientation Professionnelle, 327
Bistro d'Aujourd'hui, 533
Bistrot 30 (Le), 543
Bistrot aux Chiffons, 534
Bistrot Côté Mer (Le), 597

Bistrot d'à Côté (Le), 597
Bistrot d'André (Le), 555
Bistrot des Capucins (Le), 599
Bistrot des Dames (Le), 581
Bistrot Gourmand (Le), 541
Bistrot Internet, 374
Bistrot Le Paul Bert, 203
Blanc Marine, 86
Blancorama, 392
Blix Center, 178
Blue Buoï Café, 579
Blue Sound, 336
BOAD, 167
Boba, 233
Bobigny (Théâtre de), 488
Bodeguita del Medio (La), 192
Bodum (stock), 162
Body One, 73
Body Shop (The), 33
Boîte à Doudou (La), 280
Boîte à Joujoux (La), 280
Boîte à Rideaux, 497
Boîte aux Rythmes (La), 433
Bombardier (Le), 194
Bombay Café, 579
Bon Coin (Au), 581, 582
Bonheur des Dames (Le), 500
Bon Marché Rive Gauche (Le), 299
Bonne Franquette (La), 528, 574
Bonne Pâte (Une), 144
Bonne Table (La), 595
Bonsaï Rémy Samson, 303
Bouchara, 393
Bouchées Doubles (Les), 529
Boucheries Roger, 141
Bouchon des Archives (Le), 541
Bouillon Chartier, 527
Bouillon Racine, 569
Boulangerie Cafétéria Reglait, 523
Boulangerie (La), 560
Boulinier, 430
Bouquin Affamé (Le), 491
Bourgogne (Restaurant de), 528
Bourguignon du Marais (Au), 588

Bourse Déclics Jeunes de la Fondation de France, 386
Bourse de l'Aventure de la Mairie de Paris, 386
Bourse de la Vocation, 386
Bourse d'Objets de Collection, 404
Bourse ou la Vie (La), 539
Bourses de Voyages Zellidja, 386
Boutarde (La), 597
Boutic Ethic, 234
Boutique des Anges (La), 236
Boutique des Musées de France, 230
Boutique du Déménagement (La), 458
Boutique du Duvet (La), 391
Boutique Informatique (La), 367
Boutique Musée et Compagnie, 230
boutiques Mariages des Galeries Lafayette (Les), 299
Boutique Tibétaine (La), 237
Boutique Twinings, 144
Bouts de Tissus, 500
Box Import, 499
Boy'z Bazaar Stock, 119
Brady, 241
Brandt Appliances, 266
Bretagne, 240
Bretagne à Passy (La), 555
Brico-Dépôt, 218
Bricolo Café du BHV, 318
Brico Monge, 215
British Shoes, 60
British Shop, 161
Brocante, 416
Brochard Orfèvre, 161
Broudehoux Boisse, 389
Bruce Field, 123
Brûlerie Maubert « SNT », 143
Brûlerie San José, 149
BSC, 448
Budget Hotels and Accomodations (BHA), 352
Buffalo Bouffe, 537

Bulle, 126
Bureau des Voyages de la Jeunesse, 381
Burocase, 377
Bus Palladium (Le), 201

C

Cabriolet (Le), 415
Cacharel Stock, 107
Cadrex, 207
C&A, 271
Café Aussie, 194
Café Baltard (Le), 521
Café Beaubourg, 589
Café Bennett, 561
C@fé Cari Télémation, 373
Café Charbon (Le), 197
Café Coton Stock, 122
Café d'Angel, 581
Café d'Edgard, 490
Café des Petits Frères (Le), 533
Café du Commerce (Le), 579
Café du Musée d'Art Moderne, 580
Café Egyptien (Le), 194
Café le Mécano Bar, 197
Café Martini, 537
Café Orbital, 374
Cafés Estrella, 144
Cafés et Thés Verlet, 141
Cafétéria du Musée Rodin, 545
Café Universel (Le), 194
Café Very, 566
Caffé Toscano, 572
Calabrese (Luigi), 146
California Music, 433
Calouste Gulbenkian Portugal (Centre Culturel), 315
Cambray Frères, 159
Camillienne (La), 472
Cana (La Table de), 297
Canal Bio, 151
Canal Bio La Boucherie, 151
Canard, 597
Canard Laqué (Au), 523
Canauxrama, 182
Cannibale Café, 197
Cantine russe, Conservatoire Serge-Rachmaninov (La), 555
Capital Sport, 473

Cappadoce, 594
Caprices, 73
Caprices de Sophie (Les), 94
Caravansérail (Le), 529
Caravelle (La), 573
Carnac Pro Concept, 177
Carole Lion, 86
Caroll-Stock, 101
Caron Laveille, 271
Carré Blanc, 390
Carré des Feuillants, 599
Carrefour, 153
Carrefour Chrétien C3B, 254
Carrefour Echanges Rencontres Insertion Saint-Eustache (CERISE), 315
Carte Blanche, 295
Carven Stock, 121
Ça S'Discute, 336
Cash Express, 465
Casquerie (La), 172
Casse Center, 171
Castorama, 319
CAT Bastille, 529
Catherine, 29
Catherine Sertin, 30
Cat'Laine, 494
Catounière (La), 603
Cave à Fromages (La), 150
Caveau de la Huchette (Le), 203
Cave du Cochon (La), 598
Caves du Marais, 154
Caves Taillevent, 154, 299
CCA, 465
CD Choc, 429
Cécile Jeanne, 46
Célimage La Boutique, 210
Célimène Pompon, 500
Céline Dussaule, 303
Centrale d'Achat d'Optique Pierre Leman, 441
Centrale des Affaires, 261
Centrale des Vêtements de ski, 474
Central Train, 282
Centre Auto Leclerc, 171
Centre Chopin, 434
Centre Culturel Calouste

Gulbenkian, Portugal, 315
Centre Culturel Canadien, 315
Centre Culturel Espagnol, 315
Centre Culturel Suédois, 314
Centre Culturel Suisse, 314
Centre de Bilan de Santé de l'Enfant, 329
Centre de formation Camille Albane, 43
Centre de formation Jacques Dessange, 44
Centre de la Mer, 284
Centre de Langue et Culture Italienne, 256
Centre de Perfectionnement Franck Provost, 45
Centre des Monuments Nationaux, 182
Centre de Thérapie Familiale Monceau, 329
Centre de Traitement de la Ménopause et de l'Andropause, 437
Centre d'Examens de Santé, 330
Centre d'Hébergement Louis Lumière, 361
Centre d'Information et de dépistage, 328
Centre Equestre Poney Club Bayard UCPA, 481
Centre Hippique de la Courneuve UCPA, 481
Centre Hippique de Maisons-Laffitte UCPA, 481
Centre International de Danse Jazz, 471
Centre Leclerc, 153
Centre National de la Danse, 485
Centre Pompidou, 242, 324
Centre Régional d'Information et de Prévention du Sida, 330
Centre Régional du Luminaire, 212

Centres d'Animation, 253
Centres de Loisirs de la Ville de Paris, 290
Centres de Vaccination, 440
Centre Technique Audio, 339
Centre Technique Professionnel Revlon, 44
Centre Wallonie Bruxelles, 256
178 (Le), 532
Ceramis, 247
CGL, Confédération Générale du Logement, 466
Chai de Bercy, Maison du Jardinage, 308
Chaise Longue (La), 231
Chaisier (Le), 454
Challenge 75, 172
Chamaille, 275
Chamarré, 83
Championnet Sport, 473
Champo, 240
Chandelle Verte (La), 548
Chantelle stock, 74
Charbel (Chez), 556
Chardenoux, 593
Charles Le Golf, 123
Charlestown, 387
Charles-Victor (Chez), 577
Charlie 12, 369
Charlot, 592
Charme d'Orient, 35
Château d'Auvers-sur-Oise, 187
Château de Fontainebleau, 184, 325
Château et Musée des Antiquités Nationales de Saint-Germain-en-Laye, 325
Chaumière à Musique (Lu), 430
Chaumine Normande (La), 552
Chaussures « Direct » d'Usine, 63
Cheval Paradis, 481
Chez Charbel, 556
Chez Charles-Victor, 577
Chez Clément, 565, 601
Chez Clovis, 587
Chez Danie, 522

Chez Driss (Les Uns et les Autres), 575
Chez François, 555
Chez Germaine, 546
Chez Gladines, 552
Chez Jenny, 564
Chez Jules, 578
Chez Lasseron, 586
Chez Laurent, 539
Chez Léon et Francine, 522
Chez les Filles, 570
Chez Mademoiselle Jeanne, 547
Chez Marianne, 566
Chez Momo Le Renaissance, 529
Chez Nénesse, 564
Chez Nous, le Stado, 561
Chez Omar, 564
Chez Papa, 549
Chez Paul, 594
Chez Prune, 196
Chez Stella, 538
Chez Teuf, 556
Chez Valentin, 559
Chieng Maï, 568
Chinagora Hôtel, 362
Chinatown Belleville, 549
Chirurgien du Robinet (Le), 216
Chistera, 103
Chocolatier de Paris, 146
Chocolats Mussy, 142
Chocolat Viennois (Le), 581
Chope de Château-Rouge (La), 321
Chope de la Mairie (La), 558
Chope des Compagnons (La), 566
Chope (La), 578
Chouette & Co (La), 536
Christian Campet, 428
Christian Collin, 306
Christine Diegoni Galerie, 416
Christofle, 299
Cie Colons (La), 54
CIMO Expo SA, 174
Ciné Alternative, 241
Ciné-Club Junior, 290
Ciné-Goûter, 290
Cinéma des Cinéastes, 242
Cinémathèque Française, 242, 290

Cinoche, 240
5 Caumartin, 241
CIRA, Centre Interministériel de Renseignements Administratifs, 325
Cirque Photo Vidéo, 335
Ciseaux d'Argent (Les), 117
CISP Kellermann, 354
CISP Maurice Ravel, 353
Cité des Enfants (La), 289
Cité des Métiers, 327
Cité Internationale des Arts, 316
Cité Internationale (Théâtre de la), 487
CJD Poiret, 265
Claire's, 54
Clairière (La), 592
Clairoptic, 438
Claude Ferron, 42
Claude Genini, 449
Claude Zana, 84
Clavel (Optique), 437
Clayeux Stock, 136
Clean Discount, 464
Clé des Marques (La), 103
Clément (Chez), 565
Click Side, 373
Clinic Petit Electroménager, 456
CLLAJ de Paris, 383
Cloche des Halles (La), 587
Clown de Montmartre (Au), 293
Club Charly's, 121
Club Coiffure, 43
Club des Créateurs de Beauté (Le), 29
Club des Poètes (Le), 591
Club News, 428
Club Quartier Latin, 470
CNAM, 257
CNIDFF, Centre National d'Information et de Documentation des Femmes et des Familles, 326
Coat Concept, 96
Cobra, 337
Cocagne, 409
Cocktail Cocktail, 297
Cocktail Scandinave, 424
Cœur à l'Ouvrage (Le), 500

Coffee Saint-Germain, 572
Coiffure Jacques Delawarde, 43
Cok Ming, 536
Colette, 587
Collation, 525
Collège de France, 318
Collège International de Philosophie, 318
Colorissimo, 225, 226
Com'8, 129
Co Max, 86
Comédie Française, 484
Comédie Italienne, 486
Come On Eileen, 127
Comfort Inn Sacré-Cœur, 358
Comme des Femmes, 75
Comme Il Vous Plaira, 65, 133
Compagnie des Gemmes (La), 52
Compagnie des Quais (La), 235
Compas, 215
Comptoir 62 La Fayette, 54
Comptoir de Famille (Le), 160
Comptoir de la Lingerie, 73
Comptoir des Chemises et Accessoires, 121
Comptoir du Marais, 104
Comptoir du Motard (Le), 175
Comptoir du Saumon, 149
Comptoir Electricité Franco Belge, 215
Comptoir Méditerranée, 568
Comptoir Paris-Marrakech (Le), 561
Comptoirs de Makassar (Les), 422
Conceptua, 410
Concerts Lyriques de Paris (Les), 296
Concorde Atlantique (Le), 201
Connaissance de la France, 380
Connect Café, 373
Conseil Santé Beauté, 35
Conservatoire Gabriel Fauré, 316

Conservatoire National des Arts et Métiers, 257

Conservatoire National des Plantes Médicinales Aromatiques et Industrielles, 185

Conservatoire National Supérieur de Musique et de Danse de Paris, 317

Conservatoire Paul Dukas, 317

Conservatoire Serge-Rachmaninov (Cantine), 555

Conservatoire Supérieur de Paris, 316

Consultations Fiscales et Juridiques, 325

Coomtel, 375

Cooperativa Latte Cisternino, 145

Copains d'abord (Les), 583

Cop Copine, 129

Copie Conforme, 434

Copy House, 464

Copy Time, 463

Coq Héron (Le), 293

Corbeille (La), 404

Cordistes Savoyards (Les), 454

COREP, 464

Corine, 57

Corot, Daumier, Daubigny, 187

Cosi, 537

Costumes Mucha, 300

Côté Danse Stock Danse, 471

Cotonnier (Le), 393

Cotradécor, 449

Coude Fou (Le), 566

Couleurs d'Ailleurs, 78

Couleurs Daval, 221

Coup d'Main, 450

Coupe-Gorge, 542

Cours de Danse Jean-Marie Manque, 469

Cours Municipaux d'Adultes, 257

Coutellerie Chastel, 452

Création Saint-Augustin, 245

Création Saint-Mandé, 245

Création 25 A, 42

Créations Morgan, 300

Créations Tesoro, 53

Crédit Municipal de Paris, 47

Crêperie Belliloise, 524

Crêperie des Canettes (La), 525

Crêperie Sucrée-Salée, 605

Crêpe rit du Clown (La), 544

Crép'uscule, 534

Crimée Hôtel, 360

Cristal Miroirs, Placards et Miroirs, 405

Crocojazz, 429

Croix Rouge Ecoute, 329

CSAO, 212

CTA Centre Technique Audio, 339

C3B – Carrefour Chrétien, 254

Cueillette de Cergy, 152

Cueillette de Chanteloup en Brie, 152

Cueillette de Compans, 151

Cueillette de Gally Ferme de Vauluceau, 152

Cueillette de la Croix-Verte, 152

Cueillette de la Grange, 151

Cueillette de Servigny, 151

Cueillette de Torfou, 152

Cueillette de Viltain, 152

Cueillette du Plessis de Nesles, 152

Cuirs Delamare (Les), 80

Cuisinement Vôtre, 247

Culture, 435

Cumbia, 233

Cybcity, 374

Cyber@planète, 376

Cyberbase, 375

Cyber Beaubourg, 373

Cyber Business Center, 375

Cybercafé de Paris, 373

Cyber-Café Latino, 373

Cybercafé Naninet, 375

Cyber Cube, 375

Cyber Cube (Le), 374

Cyber Emploi, 322

Cyber Game La Tour, 375

Cyberg@me Pasteur, 375

Cyberia, 373

Cyberkawa, 374

Cybermétropole, 374

CyberNil.com, 374

Cyberpapy, 319

Cyber Picpus, 375

Cyberport, 373

Cyber Service Duriez, 374

Cyber Square, 373

Cyber T, 375

Cybertop, 376

Cyrillus Stock, 114, 135

D

D3 Motos, 175

Dae Sun, 267

Dafy Moto, 172

Daguerre Marée, 150

Daisy Meubles, 415

Dame Tartine, 566

Dancenter, 473

Dandyrama, 300

Daniel Barnola, 451

Dans la Foulée de Zidane, 188

Dans l'Intimité de Louis XIV, 187

Darjeeling, 71

Darou Khoudoss, 583

Darty Stock (Modèles d'exposition), 263

Daval (Couleurs), 221

Deal Hôtesses, 387

Débarras Gauthier (SOS), 457

Déchargeurs (Les), 484

Décoraline, 407

Décorasol, 225

Décor Laqué (Au), 413

Décors (Les), 552

Défilé de Marques, 92

Defives (Entrepôt), 267

De Gilles, 496

Degriff Blanc, 392

Degriff'Mac, 368

Degrif-Glics, 474

Dehillerin, 157

Dekko, 424

De l'Arbre à Soi, 455

Delarue Turcat, 450

Délice (Le), 531

Délices d'Orient (Les), 146

Délices du Liban (Aux), 543

Deli Kate, 522

De l'Office à la Table, 161
Delorme, 33
Del Papa, 546
Démarq Philips, 265
De Mayo, 49
DEM (Dégrif Electro Ménager), 267
Demeco-Chenue (A la Croix de Lorraine), 459
Déménagements Boussenot, 458
Déménagements H-Gauvin, 461
Déménagements Pissonnier, 460
Déménagements Vermorel, 459
Denfert, 241
Denfert (Photo Denfert), 339
Dénicheur (Le), 540
Dépollution Automobile Chelloise, 171
De pont en pont, 189
Dépôt-Vente Alésia, 414
Dépôt-Vente Charlotte Wayne, 420
Dépôt-Vente Cocagne, 409
Dépôt-Vente de Buci-Bourbon, 86
Dépôt-Vente de Paris (Le), 417
Dépôt-Vente de Passy (Le), 94
Dépôt-Vente du 17e, 110
Dépôt-Vente du Particulier, 410
Dépôt-Vente Flandre, 417
Der des Ders (Au), 604
De Sacrés Sauteurs, 186
Descartes (Jeux), 233
Descente de Rapides, 188
Des Filles à la Vanille, 125
Des Habits et Nous, 126
Des Pieds et des Mains, 231
Dessous d'Eve (Les), 73
Détache et Nettoie, 451
2 A5 Club, 104
Deux Oursons (Les), 69
Deux Tisserins (Les), 133
Diable Rouge (Le), 588
Dialogue, 95
Diesel, 128
Dietetic Shop, 578

Dif. Eco, 267
Diff'92, 267
Difop Optique, 438
Dilan (Le), 540
Dim, 76
Dina Brice, 56
Ding Fring, 112
Disc'Inter, 432
Disco Puces, 431
Discount Beauté, 35
Discount Marine, 474
Discount Moto Center, 175
Discount Photo Services, 340
Discovery, 337
Dis Moi Tout, 107
Disneyland Paris, 202
Disportex, 475
Dister, 56
Distribem, 74
Distrilux, 266
Divan du Monde (Le), 200
Divay, 147
Divorcé(e)s de France, 465
Dix Vins (Les), 580
DL Décoration, 456
DMS, 337
Dokhan's (Le), 199
Dom, 231
Domaine de Courson, 307
Domaine de Saint-Jean-de-Beauregard, 307
Domaines (Les), 409
Domaines Qui Montent (Les), 154
Domicile Connu, 213
Dorotennis Stock, 472
Dosrama, 410
Dot, 374
Do You Speak Martien ?, 237
Dreyfus Déballage du Marché Saint-Pierre, 497
Droguerie (La), 494
Drogues Alcool Tabac Info Service, 328
Drouot Montaigne, 425
Drouot Nord, 425
Drouot Véhicules, 168
DS Lingerie, 71
Duc de Kent, 121
Duc de Montmorency (Au), 541

Duc des Lombards (Le), 202
Du Côté de Chez Vous, 497
D'un Môme à l'Autre, 275
Du Pareil au Même, 136
Dupleix, 147
Dupuis Sièges, 455
Duquesne Service, 297
Dussel, 219
Dylon Colour Center, 214
Dynamic Sport, 171
Dynamit', 114

E

EARL Pépinières Bernard Saussey Producteur, 308
Easy Everything, 373
Ebauchoir (L'), 551
Ebony, 212
Ebouillanté (L'), 567
ECF, 170
Eclat de Verre (L'), 208
Ecole de Formation Onglerie, 36
Ecole du Breuil, 308
Ecole du Louvre, 257, 318
Ecole Française d'Orthopédie et de Masso-Kinésithérapie, 31
Ecole Françoise Morice, 32
Ecole Internationale d'Esthétique Régine-Ferrère, 32
Ecole Normale de Musique, 317
Ecole Privée Catherine Sertin, 30
Ecole Supérieure des Arts Appliqués Duperré, 253
Ecole Supérieure des Charcutiers-Traiteurs, 598
Ecoute Ce Disque, 429
Ecran, 242
Ecran des Enfants, 289
Ecru Stock, 92
Eden Hôtel, 361
Edgar Fab, 43
Effect Center, 433
Eglise Américaine, 316
Eglise de la Trinité, 316
Eglise des Billettes, 316

Eglise Réformée de France, 317
Eglise Saint-Merri, 316
Eglise Saint-Roch, 315
Eiffel, 97
El Bacha, 580
Eldorado Hôtel, 357
Electro-Choc Ménager, 266
Electro-Star, 262
Elite Auto, 168
El Toro, 604
Elyfleur, 305
Elysée-Montmartre (L'), 201
Elysées Lincoln, 241
Emilio Balaton, 58
Eminence, 123
Emmaüs, 106, 418
Empire de la Passion, 53
Empire des thés (L'), 149
Emploi Daubigny, 450
Enclos Saint-Honoré (L'), 587
Encrier (L'), 551
Energie, 125
Entraide Allemande, 278
Entrecôte de Paris (L'), 546
Entrecôte (L'), 538
Entrée des Fournisseurs, 495
Entrepôt d'Amours et Passions, 405
Entrepôt Defives, 267
Entrepôt de la Compagnie du Lit (L'), 419
Entrepôt du Jouet (L'), 281
Entrepôt Electroménager (L'), 266
Entre Potes (L'), 198
Entrepôt (L'), 203, 236
Entrepôt Luxe Direct, 104
Entrepot Régional de Literie, 418
Envie Paris-Saint-Denis, 266
Envol (L'), 569
Epée de Bois, 240
Epée de Cuir (L'), 452
EPI Luminaires, 211
EPPE, 451
Equip'Froid, 245
Eric et Lydie, 46
Ermitage Hôtel, 359
Escale de Marrakech (L'), 594
Escapade (L'), 556, 557

Escurial Panorama, 241
E-Soph, 369
Espace 16, 254
Espace Cashmere, 115
Espace Catherine Max, 94
Espace Eugène Perma, 44
Espace Juliet's, 411
Espace Loggia, 405
Espace Miroirs, 414
Espace Mode, 115
Espace Moins le Quart, 223
Espace NGR, 109
Espace Rambouillet, 286
Espace Saint-Michel, 240
Espace Service Multimédias, 338
Espace SJ, 114
Espace Vivendi, 374
Espérance (L'), 552
Estaminet (L'), 574
Estrada, 245
Esvaran, 534
Etablissements Delamare, 448
Etablissements Thiery, 225
Etam, 98
Etap Hôtel, 345
Etoile de La Fayette (L'), 55
Etoile de Montmartre (L'), 559
Etoile Verte (L'), 557
Ets Amelle Diffusions, 499
Ets Barthelemy, 217
Et Vous Stock, 103
Eurobsèques, 464
Euro-Center, 160
Eurodif, 393
Eurodif Lingerie, 72
Euromegatec, 369
Europe Carrelage, 248
Europe Vision, 439
Europ Photo, 335
Eurotra, 160
Eurydice, 296
Ève Cazes, 50
Eveil et jeux, 282
Excuse (L'), 589
Exerceo Location, 470
Exodisc, 431
Express (L'), 603
Extended, 429

F

Fabienne, 121
Fabio Lucci, 122

Fabio Salsa, 42
Fabri and C°, 87
Fabrique de Bouchons (La), 581
Falstaff (Le), 199
Familia Hôtel, 348
Famille et Cité, 450
Fédération Unie des Auberges de Jeunesse (FUAJ), 382
Feelgood, 90
Femme Ecarlate (La), 299
FEPEM, Fédération Régionale des Particuliers Employeurs, 465
Feria (La), 576
Ferme de Gally, 286
Ferme de Paris, 285
Ferme des Autruches (La), 285
Ferme des Gondoles (La), 286
Ferme du Hameau (La), 147
Ferme Opéra (La), 537
Ferme Pédagogique du Bel Air, 286
Ferme Pédagogique du Piqueur, 286
Ferme Sainte-Geneviève (La), 569
Feuillantine, 295
Fiacre (Le), 160
Fil 2000, 494
Fil des Perles (Au), 48
Filles à la Vanille (Des), 125
Finsbury, 63
Flam's, 521
Flann O'Brien, 202
Flèche d'Or (La), 201
Fleur de Peau, 300
Fleurothèque (La), 304
Fleurs d'Auteuil, 305
Florame, 31
Florent Joaillier, 52
Flor Rivoli, 315
Fly, 422
FMP Centre d'Acoustique, 437
FNAC, 299
FNAC Junior, 320
Foie Gras Luxe, 141
Folie's Café, 575
Fondation Claude-Pompidou, 277
Fondation d'Auteuil, 109

Fondation Mona Bismark Association Culturelle Américaine, 324
Fontaine (A la), 604
Footsie (Le), 192
Forfait Château de Rambouillet, 186
Forges de l'Est (Aux), 217
Formation Ivan Beauchemin, 45
Formes et Jeux Jacques Gauthier, 79
Formule 1, 345
Forum des Images, 243, 289
Forum du Bâtiment, 249
Fourneaux de Marthe et Matthieu (Les), 298
Fous d'en Face (Les), 567
Fox Computer, 369
Foyer de la Madeleine, 527
Foyer du Vietnam, 524
Fradett Déco Meubles, 424
Fragonard (Parfumerie), 31
Francecom, 264
France Espace Collectivités, 264
France Ménager, 261
France Ménager Showroom, 261
France Miniature, 186
France Pièces Automobiles, 170
François (Chez), 555
Françoise Capiaux, 226
Franscoop, 176
Frémeaux et Associés, 210
Frères Nordin (Les), 216
Fresque (La), 538
Friperie de Lulu R. (La), 129
Frog and Princess (The), 195
Frog and Rosbif (The), 193
Fromagerie des Moines, 147
Fromagerie Lepic, 150
Fromages Rouges, 554
Fruit Défendu (Le), 603
Fumoir (Le), 192
Funambule (Le), 490
Fun Drive, 170
Furla (stock), 80

G

Gabriel Fauré (Conservatoire), 316
Galerie Art 3 La Maison des Canapés, 408
Galerie Boullé (La), 233
Galerie Christine Diegoni, 416
Galerie Corot, 209
Galerie du Tapis (La), 221
Galerie Lorelei, 49
Galerie Saint-Pierre, 116
Galoche d'Aurillac (La), 537
Games in Blue, 232
Games Workshop, 320
Garage Jean Gitton, 168
Garçons Martyrs (Aux), 72
Garden Hôtel, 353
Garef Aérospatial, 383
Garef Océanographique, 383
Garotex, 221
Gaumont Ambassade, 241
Gaumont Aquaboulevard, 242
Gaumont Marignan, 241
Gaumont Parnasse, 241
Gavo, 223, 451
Gavroche (Le), 563
Gazelle (La), 582
GD Expansion, 84
Gelati d'Alberto, 143
Générale d'Optique (La), 440
Général Lafayette (Au), 572
Génération Micro, 368
Générique, 86
Geoffroy, 55
Georges, 79
Georges Méliès, 242
Gérard Pasquier, 98
Germaine (Chez), 546
Gerry, 112
Gex Sports-City Sport, 476
GF, 265
Gian Franco Ferré, 112
Gibus (Le), 198
Girard, 142
Giscom, 375
Gîtes de France, 290, 351
GK Louer, 462

Gladines (Chez), 552
Goethe Institut, 257
Golden Gate, 369
Golf de Chevry, 477
Golf de Guerville, 477
Golf de Marolles-en-Brie, 477
Golf de Montgriffon, 477
Golf de Saint-Aubin, 477
Golf de Saint-Ouen-l'Aumône, 477
Golf de Saint-Quentin, 477
Golf de Villennes, 477
Golf de Villeray, 477
Golf du Tremblay UCPA, 477
Golf en Stock, 477
Gondouin, 170
Good Deal, 110
Gourmet (Le), 547
Gourmet Parisien (Le), 149
Gracieuse Orient, 421
Graine d'Intérieur, 213, 406
Grand Action, 240
Grand Blanc (Le), 391
Grand Café Capucines, 600
Grande-Armée automobile, 462
Grande Bleue (La), 557
Grande Cascade (La), 601
Grande Galerie de l'Evolution, 285
Grande Récré (La), 282
Grandes Caves de Clichy (Les), 155
Grand Format (Le), 338
Grand Hôtel Lévêque, 350
Grand Pavois, 242
Grand Vefour (Le), 599
Granterroirs, 591
Graphigro, 209
Gré du Verre (Au), 416
Grenier Anglais (Le), 407
Grenier de Notre-Dame (Le), 543
Griffes de Mode, 105, 106
Griff Shoes, 63
Griff-Troc, 87
Grolle, 61
GrosBill Micro, 367

Groupement Excellence, 335
Groupe Régis, 44
GR Stock, 91
GR Stock Anonyme de..., 101
Gudule, 49
Guenmaï, 570
Guerrisol, 110
Guichet Montparnasse, 490
Guinguette Pirate (La), 201, 490
Gustavia, 544
Guy Degrenne Factory, 162
Guy Vigoureux, 456

H

Habilleur (L'), 104
Hache Calippe et Cie, 209
Hair Club, 44
Half and Half, 300
Halle aux Chaussures (La), 56
Halle aux Vêtements (La), 111
Hammam Club (Le), 196
Hammam de la Grande Mosquée de Paris, 31
Hand Made, 537
Harmonic Studio, 471
Harmony Pressing, 464
Harry's Bar, 193
Harry'Sol, 224
Haute Coiffure Daumesnil, 42
Haute Route (La), 469
Haute Vallée de Chevreuse (La), 186
Hawaii, 476
Henceford, 69
Henri Gruber, 67
Hergé, 226
Hermès, 306
Hervé Massard, 453
H et M, 103
Heure Bleue (L'), 585
Heure du Cadeau (L'), 55
Heure Gourmande (L'), 570
Heytens, 222
HF Plastiques, 460
HM France, 392
Hollington, 120
Holly Sushi, 587
Home Stock, 117

Homme Moderne (L'), 237
Homo Sapiens (L'), 563
Hortensia Louisor, 87
Hôtel Agora, 345
Hôtel Amarys Hôtel Simart, 358
Hôtel Amiral, 356
Hôtel Astrid Royal, 351
Hôtel Au Palais de Chaillot, 357
Hôtel Avenir Jonquière, 357
Hôtel Boileau, 357
Hôtel Bonne Nouvelle, 347
Hôtel Bonséjour, 359
Hôtel Centre d'Hébergement Louis Lumière, 361
Hôtel Chinagora, 362
Hôtel CISP Kellermann, 354
Hôtel CISP Maurice Ravel, 353
Hôtel Comfort Inn Sacré-Cœur, 358
Hôtel Crimée, 360
Hôtel de la Place des Vosges, 347
Hôtel de l'Avro, 356
Hôtel de Lille, 345
Hôtel de Nesle, 349
Hôtel de Nice, 347
Hôtel de Reims, 353
Hôtel de Roubaix, 347
Hôtel des Arts, 354
Hôtel des Bains, 355
Hôtel des Grandes Ecoles, 348
Hôtel de Suez, 348
Hôtel des Voyageurs, 355
Hôtel du Commerce, 348
Hôtel du Globe, 350
Hôtel du Parc Montsouris, 356
Hôtel Eden, 361
Hôtel Eldorado, 357
Hôtel Ermitage, 359
Hôtel Etap, 345
Hôtel Exelmans, 357
Hôtel Familia, 348
Hôtel Flor Rivoli, 345
Hôtel Formule 1, 345
Hôtel Garden, 353
Hôtel Henri-IV, 346
Hôtel Le Laumière, 360
Hôtel Le Lescot, 346
Hôtel Le Pavillon, 350

Hôtel Lévêque, 350
Hôtel Le Village Hostel, 360
Hôtel l'Oiseau Bleu, 361
Hôtel Londres Saint-Honoré, 346
Hôtel Lyon Bercy, 353
Hôtel Lyon Mulhouse, 353
Hôtel Maison des Cinq Silences, 362
Hôtel Maison des Clubs de l'Unesco, 355
Hôtel Marclau, 352
Hôtel Marignan, 349
Hôtel Minerve, 349
Hôtel Moderne du Temple, 352
Hôtel Modial Européen, 351
Hôtel Nadaud, 362
Hôtel Neptune, 354
Hôtel New Montmartre, 359
Hôtel Nouvel Hôtel, 354
Hôtel Pacific, 360
Hôtel Pasteur, 356
Hôtel Picpus (Lux), 353
Hôtel Pierre Nicole, 349
Hôtel Port-Royal, 349
Hôtel Prince Albert Wagram, 358
Hôtel Récamier, 350
Hôtel République, 352
Hôtel Résidence Aurmat, 362
Hôtel Résidence Les Gobelins, 355
Hôtel Rhin et Danube, 361
Hôtel Saint-Roch, 346
Hôtel Sélect Elysée, 351
Hôtel Sofia, 359
Hôtel Style, 360
Hôtel Tamaris, 362
Hôtel Tiquetonne, 347
Hôtel Utrillo, 359
Hôtel Verlaine, 354
Hôtel Vicq d'Azir, 352
Ilowga, 305
Huchette (La), 185
Hung Yen, 524

I

IBF, 235
Icare, 375
ICC, 172
IES, 167
Ikat, 232
Ikéa, 299, 423

Il Court le Furet, 65
Ile Saint-Louis Décoration, 495
Iles des Princes (Aux), 556
Illel, 335
Illios, 583
Il Pastaio, 145
Image et Graphique, 207
Images d'Ailleurs, 240
Imaginarium, 282
Imalayas, 527
Imex, 68
Impérial Choisy, 577
Imprévu (L'), 193
INALCO Institut National des Langues et Civilisations Orientales, 258
Indies (stock), 96
Indonésia, 545
Infibail, 367
Info-Emploi, 325
Infogame.net, 375
Institut Casanova, 30
Institut Catholique, 387
Institut du Monde Arabe, 323
Institut Finlandais, 256
Institut Hongrois, 256
Institut Le Val Mandé, 456
Institut National des Jeunes Aveugles, 316
Instituto Cervantes, Centre Culturel Espagnol, 315
Institut Supérieur d'Optique, 441
Institut Vatel, 597
Inter 7, 253
Inter Décor, 423
Intermarché, 153
International Pianos, 433
Internet Cybercafé Net, 374
Inter Praticiens, 440
Inter Service Parents, 326
Inventaire (L'), 423
IPC (Investigations Préventives et Cliniques), 330
Isambert, 439
Ital Délices, 150
Ital Restaurante, 596
ITG, 456
Izraël, 143

J

Jabi, 110
Jacadi, 136
Jacqueline, 43
Jacques Mélac, 575
Jacques Vidal (Atelier), 208
Jambon de Bayonne (Au), 542
Janissaire (Le), 594
Jardin Clos (Le), 603
Jardin de l'Inde (Le), 540
Jardin de l'Internet (Le), 374
Jardin des Enfants, aux Halles, 288
Jardin de Shah Jahan (Le), 532
Jardin des Marques, 108
Jardin des Papillons (Le), 285
Jardin d'Or, 536
Jardins de Rutel (Les), 151
Jardins d'Ombre et Lumière (Les), 308
Jazz Ensuite, 430
JCS, 68
Jean Devarenne, 108
Jean-Jacques, 293
Jean-Louis de Paris, 67
Jean-Marc Maniatis, 314
Jekel Paris, 69
Jenny (Chez), 564
Jenny Clenn, 82
Jennyfer, 129
Jerem, 123
Jeux Descartes, 233
JNK, 63
Johann, 118
Jolie Vie (La), 548
Jonas et Cie, 117
Jour de Fête Animation, 298
Jouy Moto, 175
Joy in Food, 557
JP Motos, 174
Judogi, 469
Juge (Optique), 437
Jules (Chez), 578
Jumbo Milord, 169
Jumbo Pneus, 169
Jumeaux et Plus, 272
Jungle Body, 72
Jussieu Classique, 430
Jussieu Jazz, 430
Jussieu Music Hip Hop, 430
Jussieu Music World, 430
Jussieu Musique, 429
Justice Plus, 466
Juvéniles, 588

J'y Troque, 83
Jyve Stock, 107

K

Kamala, 525
Kata, 65
Kazaki, 550
Kenzo, 96
Keria Luminaires, 211
Kevin Dorfer, 57
Kiara, 95
Kickers (stock), 66
Kid Services, 387
Kimonoya, 232
Kim San, 525
Kineton, 481
Kiosque de la Madeleine, 489
Kiosque de l'Assemblée (Le), 234
Kiosque (Le), 596
Kiosque Montparnasse, 489
Kiosque Paris Jeunes, 317
Kiotori, 545
Konversando, 258
Koo-A, 524
Kookaï Le Stock, 130
Kott Luminaires, 212
Kranji, 83
Kum Po, 528

L

La Bastille, 241
La Do Ré, 273
Lady Shoes, 62
Lafayette Gourmet, 155
Lamarthe (Stock), 81
Lamy Literie, 411
Langex, 272
Langousterie (La), 570
Lanssac Diffusion, 77
La Pagode, 240
Lapeyronie, 149
L'Archipel Paris Ciné, 241
L'Arlequin, 240
Latina, 239
Latina Café, 196
Latin Optique, 437
Laudi Cina, 117
Laurence Tavernier, 74
Laurent, 177
Laurent (Chez), 539
Laurent (Maroquinerie), 81
Lawrens et Cie, 406
Lazio Chaussures, 57

LCD International, 368
Lead Guitars, 433
Lèche Vin (Le), 198
Leclerc Vêtements, 113
Leçon de Musique (La), 258
Lee Electroménager, 263
Legrand, 154, 537
Legrand Tailleur, 138
Leicht, 245
Lejeune Beaux-Arts, 208
Léon et Francine (Chez), 522
Leroy-Merlin, 214
Lescot (Le), 202
Lescouezec (Ets), 246
Lescure, 588
Levain du Marais (Au), 142
Levi's, 114
Lexington, 122
Lez Arts, 210
Libellule Dorée (La), 284
Liberty Rock Studio, 434
Librairie Gourmande (La), 159
Librairie MR, 435
Librairie Musicale de Paris (La), 432
Librairie Puce, 432
Libria, 435
Light and Moon, 223
Ligue des Droits des Assurés, 466
Ligue Française pour les Auberges de Jeunesse, 383
Limonaire (Le), 490
Linea Quattro, 245
Linko, 374
Lionel Nath, 118
Lipaya, 549
Literie du Faubourg (La), 411
Little Italy, 540
Li Yuan, 530
Lizard Lounge (The), 568
LMCB, 387
Locomotive (La), 201
Lodico 95, 219
Loir Dans la Théière (Le), 567
Lollipops, 274
Lolo et les Lauréats, 577
Look, 87
Lordissimo, 118
Lord's Field, 60
Lorelei (Galerie), 49

Losco, 78
Los Mexicanos, 572
Louchébem (Le), 562
Lou-Eco, 462
Louis Féraud, 96
Louis Pion, 55
Louvre (Ecole), 257
LPB, 135
Lucernaire (Le), 485
Lucernaire Forum, 240
Ludothèque Caravansérail Développement, 283
Ludothèque C3B, 284
Ludothèque du Lorem, 283
Ludothèque Espace Torcy, 284
Ludothèque Ville de Paris ADAC, 283, 284
Luigi Calabrese, 146
Lulu Castagnette, 130
Luma, 54
Lunch Time Fax, 537
LUNGTA, 463
Lutino, 450
Luxembourg Micro, 374
Luxembourg Optique, 438
Lux Hôtel Picpus, 353
Lycée Technique d'Optométrie, 442
Lyon's Company, 404

M

Machin-Chouette, 274
Machu Picchu, 524
Mac Mahon, 242
Mac Mahon Photo Vidéo, 340
Madame Coupons, 497, 498
Madame Sans Gêne, 565
Madime, 51
Maeght-Perrono, 51
Maestro, 434
Maffiosa (La), 582
Magasin Domanial d'Aubervilliers, 409
Magazin Z, 137
Magenta Chaussures, 64
Magenta Music, 433
Magic Cinéma, 242
Magma, 338
Mahola, 387
Maille Street, 85
Mains de Bronze (Aux), 455
Maison Citerne (La), 282
Maison de Balzac, 324

Maison de la Culture du Japon à Paris, 257
Maison de la Literie, 407
Maison de l'Alliance (La), 54
Maison de la Médiation, 466
Maison de la Porcelaine, 160
Maison de l'Aubrac (La), 592
Maison de l'Enfance (La), 278
Maison de l'Orchidée (La), 302
Maison des Arts et de la Culture de Créteil, 488
Maison des Canapés, 408
Maison des Clubs de l'Unesco (La), 355
Maison du Convertible (La), 414
Maison du Cuir (La), 81
Maison du Geste et de l'Image (La), 288
Maison du Leica (La), 338
Maison du Petit Four (La), 294
Maison Monnier, 150
Maison Paris Nature du Parc Floral, 182
Maisons de l'Emploi (Les), 322
Maisons du Monde, 404
Maison Thaïe (La), 534
Maison Trévier, 602
Maison Verte (La), 278
Maïssa, 497
Majestic Bastille, 241
Majestic Passy, 242
Majolique, 389
Major Pigalle, 433
Make Up For Ever, 32
Maki, 33
Malle Poste (La), 419
Mullos Bertault, 77
Mamie, 88
Mamounia (La), 604
Mandapa, 486
Mandarina Duck Stock, 81
Mandarin (Le), 546
Mandingue, 575
Mangas, 122
Mango Outlet, 99
Maniatis, 314

Manufacture W (Stock Weston), 62
MAP, 170, 171
Maquis (Le), 583
Marcel Lecoufle Orchidées, 306
Marcel Motos Bastille, 173
Marché (Le), 567
Marché Barbès, 154
Marché Belleville, 153
Marché d'Aligre, 153, 425
Marché des Ternes, 154
Marché Monge, 153
Marché Saint-Charles, 154
Marché Saint-Pierre (Dreyfus), 497
Marclau Hôtel, 352
Marc Maset, 246
Marcouty Outillage, 216
Marelle (La), 85
Marianne (Chez), 566
Mariés d'Elodie (Les), 300
Marin, 210
Marionnaud, 29
Maroquinerie (La), 203
Maroquinerie Parisienne (La), 79
Maroquinerie Vaugirard, 82
Marques Avenue, 400
Marthan Lorand, 50
Masculin Direct, 119
Masque et la Plume (Le), 320
Massinet, 211
Master of Rock, 431
Matin Vert, 306
Matsusaka, 527
Matsusushi, 522
Maud Frizon Stock, 70
Mavrommatis, 143
Max Linder Panorama, 241
Mazeau, 219
Médiateur de la République, 326
Médiathèque de la Cité de la Musique, 256
Médiathèque de la Cité des Sciences et de l'Industrie, La Villette, 256
Médiathèque musicale de Paris, 254
Médicavision, 439

Mei Kwai Lou, 552
Meilleur des Mondes (Le), 375
Mélac (Jacques), 575
Melbury, 57
Méli-Mélo Brocante, 417
Méli-Mélo Décor, 390
Mélo d'Amélie, 484
Mélodies Graphiques, 232
Mémorial du Maréchal Leclerc-de-Hautecloque et de la Libération de Paris et Musée Jean Moulin, 324
Ménagerie du Jardin des Plantes, 285
Ménage Service, 450
Menasold, 267
Ménélik, 582
Mercerie Mariette, 500
Mercredis Découverte Lenôtre, 289
Mer de Chine, 595
Mer de Sable d'Ermenonville, 188
Mère de Famille (La), 149
Mère Lachaise (La), 586
Metal Pointu's, 48
Météor Courses, 458
Métro (Au), 554
Meubles et Boiseries, 416
Meubles Pascal, 409
Mexicanos (Los), 572
Mezzo de Bistro Romain, 592
Michel Bali (Retoucherie), 138
Michel Klein, 84
Mick's, 92
Micro Globe, 368
MIJE Fauconnier, 363
MIJE Fourcy, 363
MIJE Maubuisson, 363
Mildécor, 220
Mille et Une Nuits (Les), 297
Millenium Optic, 442
1000 et Une Piles, 376
Mille Pattes, 64
Mim, 127
Mimosa (Le), 540
Minerales do Brasil, 234
Minerve Hôtel, 349
Mi-Prix, 61
Miramar, 241
Mirène, 120
Miroiterie Maestrini, 217

Misentroc, 86
Mister Ice, 147
Mistigriff, 116
MK2 Bastille, 241
MK2 Beaubourg, 239
MK2 Beaugrenelle, 242
MK2 Bibliothèque, 241
MK2 Gambetta, 242
MK2 Hautefeuille, 240
MK2 Nation, 241
MK2 Odéon, 240
MK2 Quai-de-Seine, 242
MOB, Mouvement Ouverture et Bénévolat en Faveur des Aveugles, 327
Moda di Andrea, 58
Mode à Petit Prix (La), 63
Mod's Hair, 44
Modulo, 97
Mogador Santé, 33
Moï (Le), 541
Moloko (Le), 490
Mom, 272
Momo le Moins Cher, 112
Monceau Fleurs, 302
Monde pour Eux (Un), 65
Mondial Griffe, 107
Monic, 48
Mon Imper, 106
Monoprix, 138
Mon Rêve, 412
Monsieur Sans Gêne, 565
Monster Melodies, 428
Monte-Cristo (Le), 196
Montgolfière, 54
Montparnos, 241
Mont Saint-Michel, 549
Monuments Historiques, 182
Moquetterie (La), 223
Moquettes et Parquets de la Reine, 224
Mora, 452
Morgan, 131
Mosquée de Paris, 590
Moto Pasteur, 173
Motosport, 173
Moyen Format, 338
MRERS, Mouvement des Réseaux d'Echanges Réciproques de Savoirs, 321
Mule du Pape (La), 565
Mulin, 225
Muller, 339
Multicubes, 279

Muoy Ly, 533
Musée Bourdelle, 324
Musée Carnavalet, 323
Musée Cognacq-Jay, 323
Musée d'Art Moderne de
    la Ville de Paris, 324
Musée Delacroix, 325
Musée de la Curiosité et
    de la Magie, 289
Musée de la Vie
    Romantique, 323
Musée des Collections
    Historiques de la
    Préfecture de Police,
    323
Musée d'Orsay, 325
Musée du Bonsaï, 324
Musée du Louvre, 253,
    324
Musée du Moyen Âge et
    Thermes de Cluny, 325
Musée du Parfum, 324
Musée du vin, 580
Musée en Herbe, 287
Musée-Librairie du
    Compagnonnage, 323
Musée National de la
    Renaissance, 325
Musée Picasso, 325
Musée Rodin, 325
Musée Valentin Haüy,
    323
Musée Victor-Hugo, 323
Musikentrock, 433
Musique et Technique,
    335
Myrvin, 82

N

N. Villaret, 391
Nadaud Hôtel, 362
Naf Naf, 131
Nana Ronde, 89
Nat Auto-Ecole, 170
Nation Photo Vidéo, 340
Nature et Découvertes,
    230
Négociants (Aux), 583
Neptune, 421
Nesri Discount, 263
Net Magic, 375
Newage Century, 374
New Balal (Le), 548
New Time, 55
New Tone, 340
Next Stop, 126
Nezbullon, 559
Nice Fleurs, 303

Nicolas-Flamel (Auberge),
    564
Nieli, 577
Nike Factory Store, 475
Nikita, 73
Nils, 521
Nina Lingerie, 74
Nina Meert, 300
Nina Ricci, 97
Nip'Shop, 94
Noisy Motor Bike et
    Honda Motos, 175
Nom de la Rose Diffusion,
    302
Nominoé et le Baphomet
    (Le), 295
No Problemo, 559
Norbert Bottier, 61
Nord de Paris 93, 393
Nota Bene, 127
Noura, 596
Nouveautés Parisiennes,
    279
Nouveaux Robinson (Les),
    151
Nouveau YV NGHY, 146
Nouvel Hôtel, 354
Nova (Le), 558
Novemploi, 450
Novitas, 237
Nuits d'Athènes, 603
Numérique (Le), 338

O

Ober Stock Jeans, 108
Objectif Boétie, 336
Objectif Bois Home
    Trotter, 415
Objectif Crêpes, 546
Occaserie 16ᵉ (L'), 109
O'CD, 430
Océanic (L'), 141
Odéon Théâtre de
    l'Europe, 487
Odile Roger, 111
Office à la Table (De l'),
    161
Office National des
    Forêts, 177
Ogoura, 563
OH et BA, 74
Oïshi, 541
Okada, Lauranti, Nuffer,
    127
Oldies Guitares, 433
Olivier (L'), 595
Olympia, 75
Olympic Café, 584

Omar (Chez), 564
One Spot, 131
OPA (L'), 199
O Por Do Sol, 584
Options, 295
Optique Carrefour (L'),
    442
Optique Clavel, 437
Optique Juge, 437
Optique Sellier Fils, 440
Opus Jazz and Soul Club,
    196
Opus Latino, 201
Orange Café (L'), 541
Orbrille, 162
Orcanta Lingerie, 72
Orchidée Villa, 552
Oréal (L'), 45
Oriental (L'), 585
Orsel Garden, 498
Oscar Music, librairie
    musicale, 433
Osprey, 54
Ostelen, 375
Otessa ISS, 387
OTU Voyages, 380
Oudinot Services, 460
Outillage Marcouty, 216
Out Of The Time
    Communication, 375
Outre-Mer, 118
Oxbow, 131
Oya, 202
Ozanam Services, 450

P

Pacha Boutique, 67
Pachamanca, 522
Pacific Cuir, 81
Pacific Hôtel, 360
PA Design, 235
Page 35, 523
Palais de Shah Jahan (Le),
    531
Palais des Thés (Le), 142
Palais de Tokyo, 325
Palet La Fayette (Le), 539
Palet (Le), 539
Palette de Courbet, 556
Pallio Store, 62
Pancake Square, 601
Panthéon, 240
Papa (Chez), 549
Papagallo, 553
Papier +, 232
Papouille, 276
Paradis du Fruit (Le), 570
Parallèles, 428

Paramount Opéra, 241
Parapharmacie Fouhety, 31
Parc Astérix, 188
Parc d'Antony, 478
Parc de Bobigny, 479
Parc de Choisy-le-Roi, 479
Parc de la Courneuve, 479
Parc de la Villette, 321
Parc de Puteaux, 478
Parc du Tremblay, 479
Parc naturel régional du Gâtinais (Le), 185
Parfumerie Fragonard, 31
Pari Montagne, 469
Paris Ados Services, 330
Paris Côté Jardins, 183
Paris Info Mairie, 326
Paris Infos Mairie, 457
Paris Infos Service, 457
Paris Jazz Corner, 430
Paris-Jussieu Consoles, 280
Paris Notaires Info, 326
Paris Optical, 439
Paris République Auto-école, 170
Paris Scoot'Occase, 173
Paris Story, 182
Paris Tissus, 498
Passé Retrouvé (Au), 554
Passez Devant, 96
Pasta Amore e Fantazia, 602
Pasta Papa, 562
Patache (La), 203, 490
Patati Patata, 529
Pathé Wepler, 242
Patinoire Sonja-Henie, 480
Pâtisserie de l'Eglise, 148
Pâtisserie Viennoise, 526
Patrick Wosinski, 422
Patrifab, 455
Paul Beuscher, 432
Paul Dukas (Conservatoire), 317
Paule Vasseur Stock, 100
Pause Café Bastille, 575
Pause Terroir (La), 572
Pavillon de l'Arsenal, 323
Pavillon Niel (Le), 213
Pavillon Noura, 596
PC Welcome, 369
Peau d'Ane, 82
Peaux d'Ève, 68
Peindre en Famille, 186

Peintures de Paris, 225
Peintures PC, 224
Pépinière Patrick Nicolas, 308
Pépinières Emmanuel Croux, 307
Pépinières l'Orme-Montferrat, 307
Pep's, 456
Perdrix Rouge (La), 361
Père Tranquille (Au), 192
Perla (La), 567
Perle des Antilles (La), 602
Perraudin, 590
Perreault, 219
Perrette, 134
Perrono, 51
Perroquet Vert (Le), 598
Pétalissimo, 236
Pétillault, 494
Petit Bateau, 136
Petit Bergson (Le), 547
Petit Caboulot (Le), 584
Petite Crêperie (La), 530
Petite Porte (La), 528
Petit Gavroche (Le), 523
Petit-Jean, 169
Petit Journal Montparnasse (Le), 203
Petit Journal Saint-Michel (Le), 203
Petit Ney (Le), 535
Petit Opportun (Le), 202
Petit Palet (Le), 539
Petit Père, 150
Petit Picard (Le), 543
Petit Poucet, 284
Petit Poulbot (Le), 548
Petit Rétro (Le), 580
Petits Petons, 64
Petits Zoziaux (Les), 188
Petit Troquet (Le), 542
Petit Vatel (Le), 545
Petit Vendôme (Le), 564
Petit Villiers (Le), 558
Petit Zinc (Le), 590
Petit Zodiaque (Le), 435
Petizenfants, 135
Pétrin Médiéval (Le), 144
Phares (Les), 203
Philéas et Robinson, 413
Philippe Gainerie, 454
Philips Produits Démarqués, 341
Philotechnique, 253
Pho Bida Saïgon, 530
Phone House (The), 376

Photo Beaubourg, 336
Photo Ciné Arma, 335
Photo Club Entreprise, 341
Photo Denfert, 339
Photo Station, 341
Phu Ket, 529
Phu-Xuan, 32
Piano Center, 434
Pianoforte, 434
Pianos Balleron, 434
Picrocole, 578
Pièces Uniques, 254, 454
Pied de Chameau (Au), 589
Pied de Fouet (Au), 571
Pieds et des Mains (Des), 231
Pierina Marinelli, 128
Pierre Basset, Carrelages 2B, 246
Pierre Caron, 48
Pierre Huguet et Cie, 495
Pietrement Lambret, 142
Pigmacolor, 222
Pintel Jouets, 281
Pipos (Les), 194
Pique-Niques et Peinture, 185
Pizza Milano, 570
Pizza San Maikël, 550
Pizzeria Rio Verde, 605
Plancha (La), 593
Planet Cyber Café, 375
Planning Familial, 328
Plastiques, 495
Playmobil Fun Park, 321
Plein Sud Stock, 89
Plomb du Cantal (Le), 578
Plück, 84
Plus de Bruit !, 431
PMI- Maison de quartier, 320
Poêle Deux Carottes, 573
Point Soleil, 30
Point Vélos, 176
Point Virgule, 485
Poire en Deux (La), 113
Polidor, 545
Pompes Funèbres Bertrand, 464
Pooja, 549
Porcelaine Blanche (La), 159
Porcelanosa, 249
Port aux Cerises, 189
Port du Salut (Le), 543
Port-Royal Hôtel, 349

Potager des Princes (Le), 188
Potager du Roi, 152
Potinière du Lac (La), 594
Potiron, 157
Poublan, 211
Poudre d'Escampette (La), 64
Préfecture de Police, 326
Premiata Drogheria di Meglio, 533
Présence Rive Gauche, 340
Prestige de France, 224
Prestige Hommes, 119
Prêt à Marcher 20 €, 59
Preya Cycles, 176
Priceminister, 428
Primfleur, 305
Princesse (La), 528
Princesse Tam-Tam, 71
Printemps à Deux, 299
Printemps-Nation, 314
Prix DEFI Jeunes, 386
Procope (Le), 590
PRODIFEM, 265
Producteurs Bio-Bourgogne (Les), 151
Produits d'Antan, 216
Produits du Sud-Ouest (Aux), 531
Progrès (Au), 215
Promo Carreau, 246
Promod, 100
Promofix, 341
Protag, 464
Pti Mômes, 276
P'tit Creux du Faubourg (Au), 547
Pub Saint-Michel, 194
Puces de Montreuil (Les), 425
Puces de Saint-Ouen (Les), 425
Puces de Vanves (Les), 425
Pulp (Le), 193
PVC, 230
PWS, 104
Pylônes, 231

Q

Quai 34, 474
Quand les Belettes s'en Mêlent, 213
48 Condorcet (Le), 592
Quartier Latin, 240
14 Juillet (Le), 553

4 en 1, 171
Quatre et Une Saveurs (Les), 590
4U Computer, 369
91e Planète, 530
Que la Fête Commence, 287

R

Racine Odéon, 240
Racing Motorbike, 174
Radio France, 317
Radio Trocadéro, 335
Rag, 125
Rama, 90
RATP, 181
Real Mc Coy, 527
Rebuzzi, 540
Réciproque, 94
Reflet (Le), 195, 524
Reflet Médicis Logos, 240
Refuge (Le), 200
Regard du Cygne (Studio), 487
Régimeubles Espace Godard, 416
Régimeubles Paris-Est, 415
Regina, 62
Reglait (Boulangerie Cafétéria), 523
Règle d'Or (La), 209
Relais du Pneu, 169
Relais Gascon (Le), 584
Rempart (Union), 382
Renato, 559
Rendez-vous des Camionneurs (Au) (Chez Claude et Monique), 553
Rendez-vous des Quais (Le), 586
Réparateur de Byciclettes (Au), 176
République Hôtel, 352
Réservoir (Le), 190
Résidence Aurmat, 362
Résidence Les Gobelins, 355
Résidence Malesherbes Hôtel, 358
Résidence Pension Ladagnous, 350
Restaurant de Bourgogne, 528
Restaurant Franco-Africain, 585

Restaurant Indien Mahima, 526
Restaurant (Le), 584
Restaurant Polonais Concorde, 539
Restaurant Polonais Mazurka, 585
Restaurant Toupary, La Samaritaine, 562
Restomenu, 294
Retouche d'Avron, 138
Retouche Rapide 29, 138
Retoucherie de A à Z (La), 138
Retoucherie (La), 138
Retoucherie Michel Bali, 138
Retouches Pelleport, 138
Rêve Blanc, 390
Réveil du Xe (Le), 573
Rex Club (Le), 193
Rex et Grand Rex, 239
Richard Coiff'Hom, 42
Richelieu Drouot, 425
Rikiboum, 133
Rios dos Camaros, 604
Riverwoods, 113
Robe et le Palais (La), 562
Robert, 51
Rodier, 99, 116
Roger (Boucheries), 141
Roger Eder, 448
Roger Gerko, 67
Rois de la Nécropole (Les), 188
Roller Nomades, 480
Romantica (La), 602
Ronde des Petits et des Grands (La), 284
Rondissimo Parmentier, 89
Rose des Sables (La), 542
Rose de Tunis (La), 526
Rôtisserie d'en Face (La), 571
Rôtisserie Monsigny (La), 571
Roue Libre RATP, 176
Rouffignac, 459
Rougier & Plé, 258
Rouleau de Printemps, 536
Route de la Soie, 97, 214
Rouvray (Le), 500
Royal Palace, 242
Royal Pantin (Au), 604
Royal Shoes, 59
RS Location d'Outillage, 461

Rudy's, 63

S

Sabotine, 59
Sabraj, 524
Sacofra, 226
Sacrés Coupons (Aux), 497
Sacripant, 135
SAFA (Atelier de Fumaison), 148
Safraoui, 34
Sagar Matha, 532
Sagone Stock, 59
Saïgon Latin, 544
Saint-André-des-Arts, 240
Saint-Blaise (Le), 560
Saint-Cyrille, 530
Saint-Eustache (Eglise), 315
Saint-Germain-des-Prés, 240
Sainthimat, 218
Saint-Jean-Baptiste-de-Grenelle, 317
Saint Karl Groupe SKD, 45
Saint-Lambert, 242
Saint-Lazare-Pasquier, 241
Saint (Le), 195
Saint-Thomas-d'Aquin, 316
Saisons, 408
Salammbô, 544
Salgueiro et Anselmi, 264
Salle des Ventes Alésia, 414
Salle des Ventes du Boulevard Richard-Lenoir, 412
Salon de Thé et Restaurant de la Mosquée de Paris, 590
Salon Marocain, 421
Salons Etoile-Marceau, 295
Samaritaine, Espace Mariage, 299
Samaritaine (restaurant Toupary), 562
Samsonite (CNIE Store), 81
Samy Lingerie, 75
Sandwicherie Thien Heng, 531
Sanigalor, 248
Sarangui Anarkali, 547
Saree Palace, 88

Sasie Center, 174
Satellit'Café (Le), 201
Saulnier (Le), 562
Sauvel, 421
Sauvel Natal, 273
Saveurs d'Asie, 535
Saveurs de l'Asie (Les), 526
Saveurs d'Irlande et d'Ecosse, 144
Saveurs et Millésimes, 155
Scalp, 92
Scarlett, 55
Scherlé, 51
Scoot Center, 172
Score Games, 280
Scotland House of Cashmere, 105
Script Laser, 463
SEC, 558
Secours Catholique, 320
Secours Emploi, 450
Sel de Paris (Le), 465
Sélection Privée, 77
Self Color, 337
Sensas Grill, 535
Sephora, 314
Sept Lézards (Les), 589
Sept Parnassiens, 241
Serap, 262
Serap Stock, 263
Sernam, 460
Serre aux Papillons (La), 286
Serrurerie des Buttes-Chaumont, 449
Service Recherche et Développement Wella, 45
Serviconfor, 448
Servilux, 335
SETA, 80
Sevilla, 496
Sfriso-Homeco, 413
Shah Jahan, 532
Shangaï, 88
Shoes It, 60
Shop Photo Vidéo Canon, 340
Showroom 2001, 262
Show-Room Peggy Sage, 36
Showroom SCD, 106
Show sur Stock, 56
Shywawa, 195
Sidonis, 80
Silvera Bernard, 448

Simon (A.), 158
Simon et Fils, 377
Sindbad, 535
Sinequanone, 84
SIRVAM, 262
Site Bergère, 374
Si Tu Veux, 287
Sivelec, 247
Sizin, 550
SLDM, 420
Slow Club (Le), 201
Smart Stock, 91
Smoke (Le), 199
SNAEJ, 120
SNHAF, 247
SNT (Brûlerie Maubert), 143
SODEM, 263
Sodexor, 47
Sofratex, 391
Sogerisa, 149
Soirées Privilège, 489
Soleil-Sonne, 296
Somewhere, 109
Sommier Costumier, 294
Son et Image, 129
SOS Débarras Gauthier, 457
Sotemo, 498
Sotrapmeca Bonaldy, 219
Source du Confort (La), 263
Sources d'Europe, 327
Sous-Signé, 394
Spécialités Antillaises, 148, 586
Spirale, 463
Sport Nature, 478
Sports et Farniente à la Base de Buthiers, 185
Spotland, 131
Sputnik (Le), 375
SR Store, 108
Stanford, 123
Stanley Burtin, 120
Starter Plus, 488
Station Internet Paris-Montparnasse, 375
Station Internet Rive Gauche, 374
Stella (Chez), 538
Stencil Store (The), 221
Stéphane, 61
Stéphane Kélian (Solderie), 62
Sterne, 598
Stock 2, 106

Stock B, 119, 248
Stock Caroll, 101
Stock Chevignon, 108
Stock J, 132
Stock (Le), 130
Stock Sacs, 82
Stocks André, 60
Stock Sequoïa, 82
Stocks et Marques, 127
Stocks Lamarthe, 81
Stock Tara Jarmon, 99
Stores de Tournus, 227
Stores Eurodrap (Les), 227
Stübli (Le), 598
Studio 28, 242
Studio Bleu, 433
Studio Croix Nivert, 35
Studio des Islettes, 203
Studio des Ursulines, 240
Studio Galande, 240
Studio Harmonic, 471
Studio Le Regard du
   Cygne, 487
Studio Théâtre, 484
Style Hôtel, 360
Sud Express (stock), 91
Suite Sans Fin, 99
Suivez l'Audioguide, 184
Sunlab, 34
Sunset (Le), 202
Sunshine, 88
Sunside (Le), 202
Surcouf, 367
Sur les Toits du Château,
   186
Sur les Traces de Van
   Gogh, 187
Surplus APC, 105
Surplus Doursoux, 109
Surplus du Golf, 477
Surplus Yankee, 130
Sushi House, 526
Suzon, 405
Sym, 98
Sympa, 111, 112

T

Table de Cana (La), 297
Table de la Reine (La),
   163
Table de Lucullus (La),
   601
Table d'Erica (La), 571
Table du Marquis (La),
   551
Table Royale (La), 162
TAB Lingerie, 72
Taco Loco, 575

Takichi, 560
Tamalet (Ateliers), 50
Tambour (Le), 522
Tang Frères, 146
Tante Louise, 600
Tante Marguerite, 599
Tape à l'Œil, 134
Tapis Scheherazade, 224
Tartine (La), 567
Tashi Delek, 544
Tati, 111, 300, 336
Tati Optic, 441
Tati Or, 54
Ta Tong, 523
Taverne (La), 593
Taverne République (La),
   542
Taxi Jaune (Le), 588
Tchip Coiffure, 42
Tea & Tattered Pages,
   435
Team 5, 475
Technicosol Le Renouveau,
   223
Techniques et Décors, 221
Tecniconfort 92 Expert,
   265
Télé Pop Music, 335
Temps des Cerises (Le),
   543
Temps Passé (Atelier), 453
Terrasse Flo (La), 573
Terrasse (La), 489
Tête de Goinfre (La), 598
Tetr@net Saint-Michel,
   374
Teuf (Chez), 556
Texaffaires, 389
Théâtre Artistic Athévains,
   486
Théâtre Clavel, 491
Théâtre de Bobigny MC
   93, 488
Théâtre de Dix Heures,
   490
Théâtre de la Bastille, 486
Théâtre de la Cité
   Internationale, 487
Théâtre de la Huchette,
   485
Théâtre de la Mainate,
   490
Théâtre de l'Echangeur,
   487
Théâtre des Amandiers,
   487
Théâtre du Châtelet, 489

Théâtre du Tambour
   Royal, 490
Théâtre Mogador, 317
Théâtre Molière Maison
   de la Poésie, 484
Théâtre Trévise, 490
The Craft, 375
The Frog and Princess,
   195
The Frog and Rosbif, 193
The Frog at Bercy, 193
The Gourmet Shoppe,
   145
The Lizard Lounge, 568
The Phone House, 376
The Stencil Store, 221
Thierry 21, 58
Thoiry, 286
Thomson VP, 264
Tibétaine (La), 409
Tibétaine (La Boutique),
   237
Tible, Dumont et Fils, 218
Tien Hiang, 553
Tissus de la Reine, 224
Tissus du Sacré-Cœur,
   498
Tissus Sitbon (Les), 496
TLB, 218
TMS, 335
Tobo Novo, 236
Toiles de Mayenne, 495
Tommy Hilfiger, 113
Toner Services, 368
Tontine d'Or (La), 593
Top Time, 55
Torreense (Le), 586
Torrens, 459
Total Consortium Clayton,
   245
Totem, 382
Totem (Le), 597
Toto, 392, 498
Toulouse (Le), 527
Tou-Main, 52
Tour de Pierre (La), 571
Tout à Loisirs, 499
Toulan'Folie, 417, 418
Tout Compte Fait, 137
Tout Pour Devenir Grand,
   276
Toyota, 316
Toys « R » Us, 282
Train Bleu (Le), 600
Trait d'Union, 93
Traiteur Michaux, 148
Transparence Optique,
   439

Transport Economique, 458
Trappiste (Au), 538
Trattoria l'Oca Nera, 548
Trévier (Maison), 602
Tricomer, 115
Trinité (Eglise), 316
Troc 92, 420
Troc'Bébé, 275
Troc Chic et Chock, 90
Troc et Chic, 98
Troc Lutin, 273
Troc Mod, 91
Troc Montorgueil, 125
Trois Luxembourg, 240
Trois-Pièces-Cuisine, 200
Trolls et Puces et Cie, Belle Lurette, 412
Tropic Beaugrenelle, 555
Truffaut, 304
Truffaut Retouche, 138
Truffière (La), 569
Tumbleweed, 232
Turbigom, 214
Twinings (Boutique), 144

U

UCPA, 381
UCRIF Etapes Jeunes, 381
Ueno, 534
UFCS, 465
UGC Ciné Cité Bercy, 241
UGC Ciné Cité Les Halles, 239
UGC Convention, 242
UGC Danton, 240
UGC George-V, 241
UGC Gobelins, 241
UGC Maillot, 242
UGC Montparnasse, 240
UGC Odéon, 240
UGC Opéra, 241
UGC Orient Express, 239
UGC Rotonde, 240
Ugur, 535
Ultima Games, 281
Un Amour de Lingerie, 75
1-2-3 Stock, 101
Une Bonne Pâte, 144
Une et l'Autre (L'), 85
Une Fleur des Fleurs, 304
Une Journée au Cirque de Paris, 289
Unidal, 249
Union Rempart, 382

Union Sportive Métropolitaine des Transports (L'), 472
Unishop, 133
Université de Tous les Savoirs, 319
Université Permanente de Paris, 318
Un Monde pour Eux, 65
Uns et les Autres, Chez Driss (Les), 575
Utopia Café Concert, 203

V

Vacances Arc-en-Ciel, 290
Vac SARL Entrepôt, 248
Vaissellerie (La), 158
Valege, 71
Valentin (Chez), 559
Velan, 34
Veng Hour, 521
Ventil Stock, 100
Verein für Internationale Jugendarbeit, 278
Vermorel (Déménagements), 459
Véro-Dodat, 563
Verrerie des Halles, 158
Vertical Line, 480
Vertiges, 68
Via Appia, 114
Via Curti, 560
Victoire Suprême du Cœur (La), 563
Victor-Hugo (Le), 602
Victoria Lingerie, 74
Vidéo Flash, 335
Vieux Belleville (Le), 560
Vieux Campeur (Au), 470
Vieux Colombier, 485
Vieux Moulin (Au), 568
View and Fashion, 127
Vigne Saint-Laurent (La), 574
Viking Direct, 377
Village Hostel (Le), 360
Villaret, 391
Villa Tang, 525
Villa Toscane, 595
Villeroy et Boch, 163
Vilmorin, 302
Vincennes, 242
20 sur 20, 46
Vin Vignon (Le), 573
Vis à Vis, 376

Viseart, 34
Visite des Jardins de Paris, 181
Visualis Optique Jourdan, 438
Vitréclair, 451
Vitrissimo, 451
Voie Lactée (La), 537, 544
Volumes, 337
Voûtes de Paris (Les), 293
Voyage Café, 375
Voyages Wasteels, 381
VTT Center, 177

W

Wagon Restaurant (Le), 605
Wax (Le), 198
Web 46, 373
Webcenter, 375
Web Croissant, 373, 375
Weber, 215
Week-End Shop, 95
Weill (Stock Scalp), 92
Well, 75
Weston (stock Manufacture W), 62
West Side Cafe, 558
Why ?, 230
Wice, 258
Winy Wip, 373
Wok Restaurant, 576
Woodwind and Brasswind, 434

X

Xinh Xinh, 577
X Marchal Retouches, 138
XS Arena Paris, 373

Y

Yasube, 539
Yokorama, 526
Yves Dorcey, 117
Yves Rocher, 29

Z

Zadig et Voltaire, 125
Ze Kitchen Galerie, 591
Zely Multiservices, 463
Zetnet, 374
Zig et Puce, 281
Zoo de Vincennes, 285
Zowezo, 374

Que cherchez-vous ?

A

Abat-jour, 204
Accessoires de mode, 21, 77
Accessoires de moto, 165
Accessoires de salles de bains, 244
Accessoires et travaux photo, 333
Accordeurs de pianos, 426
Acoustique, 436
Administration, 310
Affiches, 204
Agences de voyages, 378, 501
Aide ménagère, 444
Aide psychologique, 328
Alarmes domestiques, 464
Alimentation, 139
Alliances, 15
Animations, spectacles, 268
Appareils photo, 447
Aquariums, 268
Argenterie, 156
Argenterie (réparation), 445, 451
Aromathérapie, 13, 35
Artisanat, cadeaux, 228
Artisanat (cours), 253
Artisans, réparations, 445, 451
Arts de la table, 156, 395, 396, 399
Arts martiaux, 467
Assurances, 164, 165
Auberges de jeunesse, 344
Aubades et sérénades à domicile, 291
Auto, 164, 167
Auto-écoles, 164
Auto-stop, 501

B

Baby sitting et garde d'enfants, 269, 312, 444
Bagages, 21, 77
Balades, 166, 179
Bandes dessinées, 426
Bars, 190
Bars à thèmes, 190
Bases de loisirs, 189
Bateau (magasins), 467
Batteries (électricité), 376
Beauté, 13, 29
Beauté (gratuit), 314
Beauté en grandes surfaces, 31
Beaux-arts (fournitures), 206
Bébé (puériculture), 271
Bibliothèques, médiathèques, 250, 254
Bibliothèques (meubles), 401
Bijoux, 15, 46, 228
Bio (aliments), 140
Bois, 204
Boîtes de nuit, 191
Bonsaïs, 301
Boucheries, 141
Boulangeries-patisseries, 139
Bourses de projet et de voyages, 378
Bricolage, 204
Brocante, 401
Bronzage, 13
Bureautique, 376
Bureaux (meubles), 376

C

Cachemires, 105
Cadeaux, 205, 228
Cadres, 207
Café, 139
Cafés-théâtre, 482
Camping, 342
Canapés, fauteuils, 401
Carrelages, 244
Carrés de soie, foulards, 21
Cartes de réduction, 378
Cartes postales, 204
Cassettes et CD, 426
Caviar, 148
Ceintures, 21
Centres culturels, 250, 256, 310, 314
Chambres d'hôte, 344
Change, 501
Chapeaux, 21, 77
Charcuteries, 139
Chauffage, 244
Chaussettes, 20, 397
Chaussures, 17, 56, 268, 396, 397, 398
Chaussures de sport, 467
Chaussures enfant, 64
Chemises homme, 22, 396
Chemisiers femme, 22
Cinéma, 179, 239, 250, 268, 310
Climatisation, 244
Coiffeurs, 13, 42, 310
Concerts, 191, 250, 310, 315, 482
Conférences, 250, 311
Cordonnerie, 17
Cosmétiques aux plantes, 13
Cotillons, 291
Couches, 269, 440
Couettes, couvertures, 389
Cours divers, 250, 251, 301, 311, 318
Coursiers, 447
Coutellerie, 445
Covoiturage, 501
Cravates, 21
Crêperies, 507, 510, 520
Cristal et verrerie, 156
Croisières, 501
Cueillette à la ferme, 151
Cuir (vêtements de), 19, 67, 395
Cuisines, 244
Culture, 250
Cyber-cafés, 365

D

Danse (spectacles), 482
Danse (vêtements), 467
Danse (pratique), 467
Débarras, 446
Décoration, 204, 228
Déguisements, 291
Déménagement, 457
Dépannage, 444
Dépannage divers, 444
Dépôts-vente bijoux, 15
Dépôts-vente vêtements, 23
Dépôts-vente meubles, 401
Design, 156, 228, 401
Dîner-spectacle, 508, 511, 515, 518, 520
Drogue (information, prévention), 328

E

Echange de savoir, 321, 465
Echanges d'appartements et de maisons, 501
Electricité, 204
Electroménager, 260, 396, 398
Emission de radio, 311
Emploi, stages et jobs, 311
Encadrements, 204
Enchères, 401
Enfants, 17, 133, 268, 311
Entretien (meubles), 204
Epicerie fine, 139
Epilation, 14
Equipement de jardin, 301
Equitation (magasins), 467
Equitation (pratique), 467
Expositions, 252, 301, 311

F

Faïence, 156
Fenêtres, 204
Fêtes, 291
Fleurs artificielles, 228
Fleurs, 301
Foie gras, 139
Fournitures de bureau, 366
Fourrures, 19

Fripes, 23
Fromages, 139
Fruits, 139, 151
Futons, 402

G

Gants, 21
Garde d'enfants et baby sitting, 269, 312, 444
Gibier, 140
Glaces (alimentation), 140
Golf, 467
Gratuit, 310
Graveurs-imprimeurs, 445
Guitares, 426
Gym, 467

H

Halogènes, 204
Hammams, 14
Handicapés (associations d'aide aux), 312
Hébergement, 378, 501
Hi-fi et home cinéma, 333
Hôtels, 342
Hôtels avec jardin, 343
Hôtels avec parking, 343
Hôtels pour la jeunesse, 344

I

Imperméables, 23
Informatique, 367
Instruments de musique, 426
Internet, 312, 322, 366, 370
Isolation, 204, 216

J

Jardineries, 301
Jardins (visite), 181
Jazz, 191
Jeans, 23
Jeunes, étudiants, 378
Jeux et jouets, 228, 279, 280, 281, 282
Jeux vidéo, consoles, 269, 320
Joailliers, 15
Jobs, emplois, stages, 378
Jogging (pratique), 467
Jouets, poupées, 269

K

Kilims, 204

L

Laines, fils, 492
Laque chinoise (meubles), 402
Librairies, 156
Linge de maison, 389, 396, 398, 399
Lingerie, 20, 71, 395, 396, 399
Listes de mariage, 291
Literie, 396, 402
Lithos, 204
Livres, 159, 427
Location d'appartements, 344
Location de vélos, 166
Location de vêtements, 291
Location de voitures, 461
Location de voitures de luxe, 291
Location de motos, 165
Location de salles, 291
Location d'outillage, 461
Locations diverses, 447, 461
Loger à la campagne, 344
Loger chez l'habitant, 344
Loisirs créatifs, 284
Loisirs enfants, 269, 284
Ludothèques, 289
Luminaires, 204, 211

M

Machines à coudre, 492
Magasins d'usines, 395
Maillots de bain, 20
Maquillage, 14
Marchés, 158
Mariage, 291
Massages, 14
Matériaux, 204
Matériel médical, 436
Matériel pour fêtes, 269, 291
Ménopause, andrologie, 436
Mercerie, 492
Métaux, 204
Métro, bus, 378
Meubles, 271, 396, 401
Meubles de jardin, 402
Micro-informatique, 366

Micro-informatique
   (dépannage), 366
Minéraux, 228
Miroirs, 217
Mobilier de bureau, 366
Mode, 12
Montres, 15, 55, 399
Moquettes, 204
Moto, 165, 171
Moulages, 228
Musées, 323
Musées gratuits, 312
Musique, 426

N

Nappage plastifié, 495
Natation (pratique), 467
Navette Orly-Roissy, 501
Nettoyage, 444

O

Objets décoratifs, 205,
   212, 228
Optique, 436
Orchidées, 301
Outillage, 205, 447
Ouvrages pour dames et
   cours, 492

P

Papeterie, 229
Papiers peints, 205
Parapharmacies, 14
Parfumeries, 14
Parquets, 205
Partitions, 427
Passementerie, 498
Patin à glace (pratique),
   468
Pédicurie, 14
Peintures, 205
Pépinières, 301
Perçage d'oreilles, 15
Perles, 15
Perte de chéquiers et de
   cartes, 312
Photo, 333
Photocopies, 447
Pianos, 427
Pieds sensibles, 17
Piles, batteries, 366
Pinceaux, 207
Placards et rangements,
   402
Planche à voile
   (magasins), 468

Planning Familial, 312
Plantes, 301
Plastiques (bricolage),
   205
Plastique (mercerie), 492
Pneus, 164
Poignées, boutons de
   porte, 215
Poissons, fruits de mer,
   140
Pompes funèbres, 447
Porcelaine, 156
Portes, 205
Pressings, 447
Produits horticoles, 301
Promenades, 312
Puces, 403
Puériculture, 269, 271
Pulls, 25
Pyjamas, 20
Produits d'entretien bio,
   140

Q

Quincaillerie, 205

R

Randonnées pédestres,
   179
Récupérateurs, 205
Rempailleurs, 445
Renseignements, 325
Réparation de poussettes,
   269
Réparations (cuir,
   parapluies,
   électroménager, hi-fi,
   poussettes, stylos, tapis,
   télévision), 445, 451
Réparations de bagages
   21
Réparations de montres,
   16
Reportage photo/vidéo,
   292
Restaurants à moins de
   9 €, 507, 521
Restaurants de 9 à 13 €,
   510, 538
Restaurants à plus de
   28 €, 519, 599
Restaurants de 13 à 20 €,
   513, 561
Restaurants de 20 à 28 €,
   517, 587
Restaurants de banlieue,
   520, 601

Restaurateurs de meubles
   ou d'objets d'art, 445
Retouches vêtements, 26,
   138
Revêtements naturels, 206
Revêtements sols et murs,
   220, 399
Rideaux, 206, 226, 492
Robes de mariée, 292
Robinetterie, 206
Rollers, 468
Roses, 301

S

Sacs, 21, 77, 395, 396,
   397, 398
Salles de bains, 244
Salles des ventes, 403
Santé (informations) 328
Santé (soins), 312, 436
Saumon, 140
Scooters, 165, 447
Sculptures, 206
Secrétariat, comptabilité,
   447
Sécurité, 447
Séjours culturels, 378
Séjours linguistiques, 379
Séjours sportifs, 379
Serrurerie, 206
Services à domicile, 444,
   448
Sida (dépistage), 313
Skate board (magasins),
   468
Ski (magasins), 468
Soins des mains, 14
Soins du corps, 14
Soins du visage, 14
Sorties, 379
Sous-vêtements homme,
   20
Soutien scolaire, 252,
   269, 313, 379
Spectacles pour enfants,
   482
Sports (activités), 313,
   330, 467
Sports (vêtements et
   matériel), 467
Sportswear, 17
Stages de bricolage, 206
Stocks de marques, 17,
   260, 395
Stores, 206, 226
Studios d'enregistrement,
   427
Surf (magasins), 468

Sur mesure (vêtements), 24

T

Tableaux, 206
Tableaux (fournitures), 206
Tapis, 206
Tapissiers, 445
Teintures, 206
Téléphonie, 376
Télévisions, 334
Tennis, 468
Théâtre, 313, 482
Théâtre (réductions), 482
Tissus (ameublement, confection) 492
Traiteurs, 292
Travaux divers, 444
Troc, 313, 447

V

Vacances (enfants), 270
Vaccination, 436
Vaisselle, 229
Véhicules utilitaires, 447
Vélo, 166, 176
Ventes privées (vêtements), 27
Vêtements branchés, 125, 395
Vêtements de cérémonie, 292
Vêtements de cuir, 67, 395
Vêtements de grossesse, 270
Vêtements de sport, 397, 398
Vêtements enfant, 133, 397, 399
Vêtements femme, 83, 395, 396, 397, 398, 399
Vêtements femme et homme, 103, 397, 398, 395, 399
Vêtements homme, 117, 396, 397, 398
Vêtements jeune, 129, 397, 398, 399
Vidéo, 334
Vins et champagnes, 292
Vinyles, 427
Visas, 501
Vitres, 206, 445
Voitures, 447
Voyages (agences), 378, 501
Voyance, 313

Z

Zoos, 270

Pour joindre Paris Pas Cher

**Paris Pas Cher
19 av. Georges-Brassens
94550 Chevilly-Larue**

**Téléphone (répondeur) et fax :
01 41 73 74 92**

Pour obtenir la carte
Paris Pas Cher 2004

Pour bénéficier des réductions et cadeaux de *Paris Pas Cher 2004* vous devrez présenter aux commerçants votre guide ou la <u>carte *Paris Pas Cher 2004*</u>. Cette carte, vous l'obtiendrez en nous communiquant vos nom et adresse ci-dessous et en remplissant le questionnaire de la page suivante (strictement confidentiel).

Et n'oubliez pas, en fin de questionnaire, communiquez-nous les adresses que vous jugez dignes de figurer dans notre prochaine édition. Si une adresse est retenue <u>et que vous êtes le premier à nous l'avoir communiquée avant le 1er février 2004</u>, vous recevrez gratuitement *Paris Pas Cher 2005*.

Nom : -

Prénom : -

Adresse : -

Code postal : - - - - - - - - - - - - - -   Ville : -

Merci de bien vouloir nous retourner le questionnaire
à l'adresse suivante :

Paris Pas Cher
19 av. Georges-Brassens
94550 CHEVILLY-LARUE

*Merci, si vous nous envoyez plusieurs pages,
de bien vouloir les agrafer (si possible).*

Vous habitez :

- ❏ à Paris
- ❏ en province
- ❏ en région parisienne
- ❏ à l'étranger

Votre âge : - - - - - - - - - - - - - - -

Êtes-vous :

- ❏ une femme
- ❏ un homme
- ❏ célibataire
- ❏ marié(e)

Combien d'enfant(s) avez-vous : -

Quelle est votre activité ?

- ❏ étudiant
- ❏ cadre, profession intermédiaire
- ❏ employé
- ❏ cadre supérieur, chef d'entreprise, profession libérale
- ❏ ouvrier
- ❏ retraité
- ❏ commerçant, artisan
- ❏ inactif
- ❏ autre (précisez) : -

A combien s'élèvent les revenus mensuels nets de votre foyer ?

- ❏ moins de 1 000 €
- ❏ de 3 000 à 5 000 €
- ❏ de 1 000 à 2 000 €
- ❏ de 5 000 à 7 000 €
- ❏ de 2 000 à 3 000 €
- ❏ plus de 7 000 €

Quelles rubriques souhaiteriez-vous voir créer ou développer ?

- -

- -

Combien de fois par an consultez-vous votre *Paris Pas Cher* ?

- -

Quels chapitres consultez-vous le plus souvent dans *Paris Pas Cher* ?

- -

- -

Parmi les établissements cités dans *Paris Pas Cher 2004*,

lesquels avez-vous particulièrement appréciés ?
Merci d'indiquer la page où ils sont cités.

Certains vous ont-ils déçu ? Lesquels et pourquoi ?

Connaissez-vous d'autres adresses que vous aimeriez voir figurer dans *Paris Pas Cher 2005* ?

Pour faciliter le traitement de vos réponses, merci d'indiquer à nouveau vos coordonnées au-dessus de chaque adresse citée.

Nom et prénom : --

Adresse : --

Code postal : ------------ Ville : ---------------------------

Établissement : ---

Tél. : --------------- Activité : ---------------------------

Adresse : --

Descriptif et raisons de votre choix : ---------------------------

----

Exemples de prix : ---------------------------------------

Connaissez-vous d'autres adresses que vous aimeriez voir figurer dans *Paris Pas Cher 2005* ?

Pour faciliter le traitement de vos réponses, merci d'indiquer à nouveau vos coordonnées au-dessus de chaque adresse citée.

Nom et prénom : --

Adresse : --

Code postal : ------------ Ville : ----------------------------

Établissement : --

Tél. : --------------- Activité : -------------------------------

Adresse : --

Descriptif et raisons de votre choix : -------------------------

----

Exemples de prix : ---

Connaissez-vous d'autres adresses que vous aimeriez voir figurer dans *Paris Pas Cher 2005* ?

Pour faciliter le traitement de vos réponses, merci d'indiquer à nouveau vos coordonnées au-dessus de chaque adresse citée.

Nom et prénom : ....

Adresse : ....

....

....

Code postal : .... Ville : ....

Établissement : ....

Tél. : .... Activité : ....

Adresse : ....

....

....

Descriptif et raisons de votre choix : ....

....

....

....

....

....

....

....

....

Exemples de prix : ....

....

....

....

....

....

....

Pour joindre Paris Pas Cher

Paris Pas Cher
19 av. Georges-Brassens
94550 Chevilly-Larue

Téléphone (répondeur) et fax :
01 41 73 74 92

COMPOSITION : I.G.S. CHARENTE-PHOTOGRAVURE
A L'ISLE-D'ESPAGNAC

Impression : Normandie Roto Impression s.a.s., à Lonrai
Dépôt légal : septembre 2003
N° d'impression : 03-1818

Imprimé en France